JACQUES MARTEL

LE GRAND DICTIONNAIRE DES MALAISES ET DES MALADIES

Deuxième édition 2007
revue et augmentée

ISBN: 978-2-923364-14-8

Éditeur:

Les Éditions ATMA internationales
9550, Alexandre-Blouin
Québec (Québec) Canada
G1G 2M6
Tél.: (418) 990-0808
Télécopieur: (418) 990-1115
Courriel: info@atma.ca
Site Web: www.atma.ca

Distributeur pour le Canada:

Messagerie ADP
2315, rue de la Province
Longueuil (Québec)
J4G 1G4
Tél.: (800) 771-3022
Télécopieur: (800) 603-0433
Courriel: adpcommercial@sogides.com
Site Web: www.messageries-adp.com

Publié en France avec:

Les Éditions Quintessence
rue Bastidonne
13678 AUBAGNE cedex
France
Tél.: +33 (0) 442 18 90 94
Télécopieur: +33 (0) 442 18 90 99
Courriel: info@editions-quintessence.com
Site Web: www.editions-quintessence.com

Conception de la couverture:

Pur Design Marketing
965, rue Newton, bureau 256
Québec (Québec)
G1P 4M4
Tél.:(418) 871-5883
Télécopieur: (418) 877-4830
Courriel: info@pur-design.com
Site web: www.pur-design.com

L'Éditeur bénéficie du soutien de la Société de développement des entreprises culturelles du Québec (SODEC) pour son programme d'édition.

Gouvernement du Québec - Programme de crédit d'impôt pour l'édition de livres - www.sodec.gouv.qc.ca.

Catalogage avant publication de Bibliothèque et Archives Canada

Martel, Jacques, 1950-

Le grand dictionnaire des malaises et des maladies

Nouv. éd., rev. et augm.

ISBN 978-2-923364-14-8

1. Médecine psychosomatique - Dictionnaires français.
2. Manifestations psychologiques des maladies - Dictionnaires français. I. Titre.

RC49.M37 2007 616.0803 C2006-942204-4

À tous les chercheurs de vérité

À mon père spirituel : Peddar Zask

REMERCIEMENTS

Je tiens à remercier d'une façon particulière Madame Lucie Bernier, pour son travail de collaboratrice durant toutes ces années de la production du livre. Son expérience de vie personnelle, de psychothérapeute, sa formation dans l'approche métaphysique des malaises et des maladies, son esprit de synthèse et son intuition ont permis de faire progresser les travaux de ce livre de façon significative.

lucie.bernier@atma.ca

Un merci spécial à M. Claude Sabbah qui, par ses recherches depuis plus de 40 ans, son expertise exceptionnelle, sa grande expérience et son enseignement de la biologie totale des êtres vivants sous forme d'histoire naturelle, m'ont permis d'aller encore plus loin dans les recherches et les constatations que j'avais faites à ce jour. Son esprit ouvert et son amour pour l'être humain sont pour moi un exemple à perpétuer, sachant que l'amour est le vrai guérisseur dans le travail que nous accomplissons pour résoudre les conflits ayant amené la maladie à se manifester.

www.biologie-totale.org

Je veux remercier aussi monsieur George Wright, psychothérapeute et ami personnel, pour son support constant et son encouragement face au travail que je trouvais parfois long et laborieux au cours des années de la production du livre.

www.groupe-ace.com
george@groupe-ace.com

Merci à Gérard Athias pour le travail effectué à établir une liste des mots associés aux conflits de même que d'avoir identifié les racines étymologiques de la désignation des maladies qui sont une source précieuse de renseignement qui amène parfois à rendre plus conscient le conflit à l'origine de la maladie et de nous avoir permis d'utiliser ces infos dans le présent dictionnaire.

www.athias.net

Je tiens aussi à remercier les personnes suivantes pour leur participation à la réalisation de ce livre :

Mme Nicole Gagné
Mme Ginette Plante
Mme Denise Quintal
M. Simon Alarie
M. Paul-Émile Drouin
Mme Denise Boucher
M. Pierre Couture
Mme Nicole Cloutier
M. Jean Dumas
Mme Ginette Caron
Mme Danielle East
Mme Louise Drouin
M. Laurent Chiasson
M. Bob Lenghan
Mme Fleurette Couture
Mme Catherine Guin

Mon père : Noé Martel

PRÉFACE

J'accepte ↓♥ ma guérison

Prendre conscience de qui je suis et de ce que je suis en train de devenir est toujours très excitant quand ce que je découvre par rapport à moi-même et face aux autres est beau et positif. Qu'en est-il lorsque les découvertes qui résultent d'un cheminement personnel, quel qu'il soit, m'amènent à voir des facettes cachées de ma personne et qu'elles impliquent que je devienne consciente des malaises et des maladies qui me sont arrivés ou qui auraient probablement pris place à l'intérieur de mon corps ?

Et bien, c'est ce qui s'est passé tout au long de ces deux dernières années lorsque j'ai réalisé que les maladies s'étaient subtilement installées à cause d'émotions mal gérées et, qu'en apprenant à réharmoniser ce tourbillon d'émotions de toutes sortes qui m'habitaient, je pouvais avoir le pouvoir de guérison sur n'importe quel malaise ou n'importe quelle maladie que j'avais laissée s'installer en roi et maître dans mon **Temple de Chair.**

Bien sûr, la responsabilité que j'ai acceptée ↓♥ de reprendre face à ma santé a été un long processus d'introspection et de remise en question de mes valeurs et surtout, m'a apporté **la certitude que j'ai le pouvoir de me guérir.**

Pour ce faire, j'ai eu le privilège, depuis 1988, de connaître et de côtoyer Jacques et de pouvoir acquérir des connaissances lors des multiples conférences et ateliers qu'il a donnés. Par sa facilité à rendre simple et accessible un sujet qui pour plusieurs peut sembler très complexe, par son amour inconditionnel et son désir d'aider les gens à atteindre un plus grand bien-être autant physique, émotionnel que spirituel, il a été et est toujours un pilier, un guide qui sait m'aider à faire fuir ma culpabilité et à la remplacer par une prise en charge de ma vie, afin que je me sente de plus en plus libre, bien dans ma peau, maître de ma vie. Jacques m'a aidée à accepter ↓♥ la maladie, quelle qu'elle soit, comme une expérience positive, car elle est pour moi une occasion de m'arrêter, de m'interroger sur ce qui se passe dans ma vie. Pour bien des gens comme moi, la maladie m'a donné l'occasion de demander de l'aide, chose que je veux bien souvent éviter. Je dois me souvenir que **tomber, c'est humain ; mais se relever, c'est divin** et que, pour amorcer un processus de guérison, il est essentiel de s'ouvrir aux autres, de s'ouvrir à soi-même et, en tout premier lieu, de s'ouvrir à l'**Amour**, car tout malaise ou toute maladie peut guérir si je suis prête à accepter ↓♥ de laisser tomber mes œillères et à jeter un regard nouveau et positif sur toute situation que je peux vivre, aussi difficile puisse-t-elle être, car je sais que, lorsque j'aurai compris dans mon cœur la venue de cette expérience dans ma vie, elle pourra continuer sa route et je recouvrerai une santé parfaite.

C'est ce que ce livre, que je considère comme un outil de transformation exceptionnel, se propose d'être. C'est une fenêtre ouverte sur ce monde encore très inconnu des émotions. Il est un instrument qui me donne la possibilité de m'ouvrir à la graine qui a permis que ce microbe, ce virus, cette tumeur ou toute autre affection physique germe dans mon corps et fasse irruption au grand jour. En me permettant de m'aimer et de m'accepter ↓♥ à travers toutes ces émotions mal ou non vécues, je ferai un pas vers plus d'harmonie, plus de paix, plus d'amour.

En apprenant à **déchiffrer** ce **nouveau dictionnaire des émotions,** je vais maintenant pouvoir investir sur mon **capital santé**, étant maintenant capable de prévenir et d'éviter bien des malaises qui me guettaient.

Au cours de ces dernières années où j'ai collaboré avec Jacques à la naissance de ce livre, j'ai été surprise de voir la somme de temps (des milliers d'heures) qu'il a fallu y investir, sans compter toute l'énergie et l'ouverture requises pour canaliser toutes ces informations qui étaient mal gérées et qui, bien souvent, touchaient soit une période de ma vie personnelle ou une situation vécue par une personne que je connaissais.

Nous avons tous été au moins une fois "malades" dans notre vie et le fait de "décortiquer" la cause d'un mal qui nous affecte ou affecte une personne proche nous amène à nous détacher (dans le sens de voir une maladie d'une façon positive et de nous défaire de l'emprise négative que nous lui laissons avoir sur nous) et à devenir un témoin et non plus une victime de tous ces maux.

C'est ce que je nous souhaite à tous, par l'entremise de cet outil. Que chacun d'entre nous devienne de plus en plus autonome, de plus en plus capable de reconnaître d'où proviennent les malaises et les maladies qui l'affectent ou pourraient l'affecter. Cette reconnaissance servira de prévention et apportera les changements nécessaires dans notre vie afin de regagner la santé. Il s'agit d'un complément extraordinaire qui s'ajoute à la multitude de techniques qui existent déjà, autant au niveau de la médecine traditionnelle que nouvelle, et qui s'avère essentiel non seulement pour une guérison au niveau physique, mais aussi au niveau du cœur (de l'amour), là ↓♥ où a lieu la vraie guérison...

À votre santé !

Lucie Bernier

Psychothérapeute,

Coordonnatrice des travaux

INTRODUCTION

La santé a toujours été pour moi un sujet préoccupant. En effet, dès mon jeune âge, j'ai commencé à éprouver des problèmes de santé sans connaître exactement la cause de ceux-ci. Ma mère a été confrontée à des situations difficiles qui, pendant de nombreuses années, ont demandé des soins comme des opérations, des traitements et qui ont occasionné des années d'hospitalisation.

En ce qui me concerne, comme on n'arrivait pas à trouver exactement ce que j'avais, c'est comme si un doute planait constamment : je croyais que ces maux pouvaient être psychologiques. Je me suis dit alors : soit que c'est "dans ma tête", soit qu'il y a une raison à ce qui se passe. J'ai décidé d'opter pour le deuxième choix et c'est alors que j'ai commencé à chercher ce qui m'amenait à vivre tous ces inconvénients.

En 1978, j'ai commencé à travailler dans le domaine de la santé, dans la supplémentation alimentaire. C'est alors que j'ai commencé à me rendre compte par moi-même, au cours des consultations individuelles que je faisais et par mon observation, qu'il pouvait exister un lien entre les émotions, les pensées et les maladies. J'avais commencé intuitivement à découvrir le lien qui existait entre certaines émotions et certaines maladies. C'est en 1988, alors que je me suis inscrit à des cours de croissance personnelle, que j'ai été mis en contact avec ce que l'on appelle aujourd'hui **l'approche métaphysique des malaises et des maladies.** Je nous revois, moi et d'autres, consultant la compilation des malaises et des maladies que Louise Hay avait faite dans son livre. Aussi, j'observais les gens qui commençaient leur investigation sur eux-mêmes ou sur les autres afin de vérifier le bien-fondé de ce qu'elle avançait, tout passionnés qu'ils étaient de découvrir des nouvelles avenues de recherche pour leur permettre de mieux comprendre ce qu'ils vivaient.

À partir de ce moment, mon intérêt pour cette approche n'a cessé d'augmenter, d'autant plus que je me réorientais dans le domaine plus spécifique de la croissance personnelle. Depuis ce jour, je n'ai cessé de vérifier, à travers mes consultations individuelles, les cours ou les ateliers que j'anime, la pertinence de ces données sur les malaises et les maladies. Aujourd'hui encore, je me vois, soit à l'épicerie ou lorsque je vais faire des photocopies, poser des questions à des personnes sur ce qu'elles vivent en rapport avec leurs malaises ou leurs maladies.

Je vois encore ces gens qui me regardent avec un air étonné et interrogateur, se demandant si je suis un voyant ou un extraterrestre pour savoir ainsi des choses sur leur vie personnelle sans qu'ils ne m'en aient parlé. En fait, la réponse est simple. Lorsqu'on sait décoder les malaises et les maladies et que l'on sait à quelles émotions ou à quelles pensées ils sont reliés, il est alors facile de dire à la personne ce qu'elle vit. Alors, je dis aux gens que c'est simplement la connaissance du fonctionnement de l'être humain et la connaissance des liens avec les pensées, les émotions et les maladies qui me permettent de donner cette information. Dans un sens, je leur explique que l'on pourrait entrer le plus de données possible dans un ordinateur et que quelqu'un pourrait donner les symptômes de son malaise ou de sa maladie, ou simplement de nommer celle-ci, et l'information pourrait sortir sur ce que la personne vit dans sa vie personnelle, qu'elle en soit consciente ou non. Alors, **ce n'est pas une question de voyance mais bien une question de connaissance.**

Aujourd'hui, avec l'expérience et les connaissances que j'ai, je puis affirmer qu'il est impossible qu'une personne souffre du diabète sans vivre de la tristesse profonde ou de la répugnance face à une situation qu'elle a vécue. Pour moi, il est impossible qu'une personne souffre de l'arthrite sans vivre de la critique envers elle-même ou quelqu'un d'autre ou envers des situations de sa vie. Pour moi, il est impossible qu'une personne vive des problèmes au foie sans vivre de la colère, de la frustration envers elle-même ou envers les autres, et ainsi de suite. On m'a parfois fait la réflexion suivante : *"Lorsque tu décodes les malaises et les maladies, " tu t'arranges " pour que cela fonctionne"*. On me dit alors que tout le monde vit de la colère, de la frustration, de la peine, du rejet, etc. À cela, je réponds que tout le monde ne réagit pas de la même façon. Prenons par exemple le fait que j'aie grandi dans une famille de douze enfants et dont le père était alcoolique et la mère, dépressive. Mes frères et mes sœurs auront eu les mêmes parents que moi, mais chaque enfant, y compris moi-même, sera ou non affecté et le sera d'une façon différente en raison de son interprétation du vécu avec ses parents.

Pourquoi ? Parce que nous sommes tous différents et que nous avons à faire des prises de conscience différentes dans notre cheminement personnel. Ainsi, le phénomène de rejet pourra déclencher une maladie chez l'un et pas chez l'autre. **Cela dépend de la façon dont je me suis senti affecté, consciemment ou inconsciemment.** Si mon stress psychologique est suffisamment grand, il sera transposé dans un stress biologique sous forme de maladie.

Lors d'un atelier que je donnais sur l'approche métaphysique des malaises et des maladies, à l'occasion d'un salon sur la santé naturelle et les thérapies alternatives, les malaises et les maladies dont on me faisait part ont été décodés assez rapidement et avec justesse, à mon grand plaisir. Quelque temps plus tard, une amie qui était dans l'assistance lors de cet atelier me dit : *"Jacques, tu devrais faire attention quand tu réponds aux gens et que tu donnes la réponse directement et rapidement. Les personnes qui étaient à mes côtés ont eu l'impression que l'atelier était arrangé pour que ça fonctionne."* Il n'en était rien, bien entendu. Ce qu'il faut comprendre ici, c'est que premièrement, la personne qui est concernée par le malaise ou par la maladie sait que ce qui est énoncé est vrai pour elle mais ce n'est peut-être pas aussi évident pour les autres qui ne sont pas touchés personnellement.

Deuxièmement, ce qui est nouveau et dévoilé à notre conscience peut nous sembler irréel. Nier cette réalité peut aussi être une façon de se protéger pour ne pas se sentir responsable de ce qui nous arrive.

Voici une anecdote illustrant ce constat. Le célèbre inventeur Thomas Edison rencontra les membres du Congrès américain pour leur présenter sa nouvelle invention, le phonographe, une machine parlante. Il est rapporté que lorsqu'il fit fonctionner son invention, certains membres du Congrès le traitèrent d'imposteur, disant qu'il devait y avoir une manigance quelconque puisque, pour eux, il était impossible que la voix humaine puisse sortir d'une boîte.

Les temps ont bien changé. C'est pourquoi il est important de rester ouvert aux nouvelles idées qui pourraient nous apporter des réponses innovatrices à bien des problèmes. Bien des personnes aux États-Unis et en Europe ont développé cette approche du lien qui existe entre les conflits des émotions et des pensées et la maladie, cela aide à faire connaître tout ce champ d'investigation non seulement au Québec (Canada) mais aussi ailleurs dans le monde.

Je dis souvent, au cours de mes conférences, que j'ai un mental qui est très fort mais que j'ai aussi une intuition très forte et que le plus grand défi de ma vie a été, et est encore aujourd'hui, de concilier les deux. Ma formation académique comme ingénieur électricien m'a amené à concrétiser l'aspect logique et rationnel des choses. La physique m'a enseigné qu'à une cause est lié un effet bien réel. C'est cette loi de cause à effet que, plus tard, j'ai pu appliquer au domaine des émotions et des pensées, quoiqu'il soit moins tangible que la physique elle-même. Mais est-ce bien vrai ? Même dans un domaine qui relève de la physique comme l'électricité, on travaille avec quelque chose que l'être humain n'a jamais vu : l'électricité. Car, en fait, on travaille avec les effets comme la lumière, la chaleur, l'induction électromagnétique, etc. De la même façon, les pensées et les émotions ne sont pas nécessairement physiques au sens propre du terme, mais peuvent avoir des répercussions physiques sous formes de malaises et de maladies. C'est pourquoi l'un des buts de ce livre est de démontrer qu'à quelque chose de non visible comme les pensées et les émotions, il y a une réaction qui, elle, est physique et mesurable, très souvent sous forme de malaises ou de maladies. Puis-je mesurer la colère ? Non, mais je peux prendre la mesure de ma fièvre lorsque j'en fais. Puis-je mesurer le fait que j'aie souvent l'impression d'avoir à me battre dans la vie pour obtenir ce que je veux ? Non, mais je peux mesurer le nombre de globules rouges sanguins qui ont diminué lorsque je fais de l'anémie. Puis-je mesurer le fait que la joie ne circule pas suffisamment dans ma vie ? Non, mais je peux mesurer mon taux de cholestérol sanguin trop élevé, et ainsi de suite. Alors, si je prends conscience des pensées et des émotions qui ont amené le malaise ou la maladie à prendre place, se peut-il qu'en changeant mes pensées ou mes émotions, je puisse ramener la santé ? J'ose affirmer que oui.

Cependant, cela peut être plus complexe ou plus profond que la partie où je peux en être conscient. C'est pourquoi je peux avoir besoin de faire appel à des personnes travaillant dans le domaine médical ou à d'autres personnes utilisant d'autres approches professionnelles pour m'aider à effectuer des changements dans ma vie. Si je dois me faire opérer et que je comprends ce qui m'a amené à vivre une telle situation, il est bien possible que je me remette beaucoup plus rapidement de mon opération qu'une autre personne qui n'a pas voulu savoir ce qui se passait dans sa vie ou qui l'ignorait tout simplement.

De plus, si je n'ai pas compris le message de ma maladie, l'opération ou le traitement semblera faire disparaître cette maladie, mais cette dernière pourra se répercuter sur un autre aspect de mon corps, sous une autre forme, plus tard.

Il est à espérer qu'il y aura de plus en plus d'entreprises qui deviendront conscientes du bien-fondé d'aider leurs employés dans leur cheminement personnel, au plan émotionnel. Cela permettra de diminuer davantage les accidents dans l'entreprise et le taux d'absentéisme, et augmentera l'efficacité individuelle. Si ma vie personnelle, familiale ou professionnelle fait que je ne suis pas bien avec moi-même, j'aurai plus de chance de "m'attirer", même inconsciemment, une maladie ou un accident pour pouvoir prendre congé ou pour que l'on s'occupe de moi.

C'est en 1990 que m'est venue l'idée de rédiger un dictionnaire traitant des causes métaphysiques des malaises et des maladies, et en 1991 que je me suis mis à la tâche. À ce moment, je ne me doutais pas de la somme de travail qui m'attendait. Heureusement, car si je l'avais su, je crois que je n'aurais jamais mis en branle ce projet. Mais je m'étais dit *"Une chose à la fois ! Je vais y arriver ; je vais travailler jusqu'à ce que je sois suffisamment satisfait des résultats pour publier cet ouvrage."*

Si je mentionne ceci, c'est aussi que cela demande beaucoup de travail, d'énergie et de volonté de faire des changements sur soi. Un auteur américain a écrit un jour : "***Seuls les courageux et les aventureux auront l'expérience personnelle de Dieu***." Ce que je comprends de ce passage, c'est que ma détermination à relever les défis et le courage d'expérimenter des avenues nouvelles pour moi me procureront un certain état de réalisation et de bien-être. Cet état de bien-être correspond à la santé physique, mentale et émotionnelle.

De 1978 à 1988, j'ai travaillé dans le domaine de la supplémentation alimentaire que l'on peut appeler **l'approche orthomoléculaire,** qui veut dire "fournir à l'organisme les nutriments nécessaires, comme les vitamines, les minéraux et autres nutriments, sous forme de nourriture ou de suppléments alimentaires, pour aider à rétablir ou à maintenir **une santé optimale"**. Je me basais alors sur les travaux de psychiatres et autres médecins, biochimistes et divers chercheurs canadiens et américains (surtout) qui, par leur expérimentation, ont démontré qu'en donnant les nutriments nécessaires, on pouvait en arriver à améliorer, voire guérir dans certains cas la santé physique, mentale et émotionnelle. En fait, il existe plusieurs approches afin d'obtenir **une santé optimale** qui toutes ont leur importance, chacune d'elles agissant d'une façon ou d'une autre sur tous les aspects de notre être. En 1996, j'ai vu un reportage[1] à la télévision sur un hôpital, le Columbia-Presbyterian Hospital dans la ville de New York, où il était question d'un patient, monsieur Joseph Randazzo, qui allait être opéré pour trois pontages coronariens. Ce patient a bénéficié de séances de visualisation, de traitements énergétiques, de réflexologie avant son opération. Pendant l'opération, il bénéficiait de traitements énergétiques. Après son opération, ce même patient a participé à nouveau à des séances de visualisation, a reçu des traitements énergétiques et de réflexologie pour lui permettre de récupérer plus rapidement. Ces interventions ont porté fruit car le patient a récupéré beaucoup plus rapidement après cette opération majeure que ne l'aurait fait un autre patient dans des conditions habituelles. Le médecin pratiquant, Mehmet Oz, mentionnait qu'il faisait une telle expérimentation sur 300 de ses patients pour analyser les résultats de l'ajout de ces thérapies alternatives au traitement médical conventionnel.

Ainsi, le présent livre se veut un complément à toute approche, qu'elle soit médicale ou en lien avec les médecines douces. Il traite donc à la fois de l'approche allopathique, plus médicale, et de l'approche holistique qui comprend davantage l'aspect physique, mental, émotionnel et

[1] Aussi rapporté dans la revue ***LIFE*** de septembre 1996 sous le thème général "The **HEALING** revolution".

spirituel de mon être. Je souhaite ardemment que tous les professionnels de la santé, à quelque niveau qu'ils soient, se servent de ce dictionnaire comme complément à leur pratique, **comme outil de travail et d'investigation**, pour aider leurs patients dans leur processus de guérison. Pour ma part, j'ai expérimenté les opérations, la médecine traditionnelle, les médicaments, l'acupuncture, les traitements énergétiques, la radiesthésie, la naturopathie, les massages, la thérapie par les couleurs, la diététique, la vitaminothérapie, les essences florales du Dr Bach, la chiropratique, l'orthothérapie, l'iridologie, la psychothérapie, le rebirth (respiration consciente), l'homéopathie, etc. Je sais que si une technique était valable pour tout le monde, ce serait la seule qui existerait. Mais ce n'est pas le cas, car l'être humain est l'animal sur cette planète ayant le plus de possibilités mais aussi la plus grande complexité.

C'est la raison pour laquelle je dois essayer de comprendre par moi-même ce que je vis en me faisant aider par d'autres, au besoin, dans le domaine respectif de leur compétence. Le même auteur que je mentionnais plus haut écrivait un jour : ***"ON DOIT APPRENDRE DE CEUX QUI SAVENT."*** C'est ainsi que je dois rechercher le meilleur de ce qui existe dans chacune des professions. Lorsque je me retrouve devant un médecin, je me dis qu'il en sait plus que moi sur la médecine et que je dois être attentif à ce qu'il me dit et à ce qu'il me propose, me laissant le libre choix de décider par la suite de mon orientation. De même, lorsque je me retrouve devant un acupuncteur, je suis attentif à ce qu'il me dit ou à ce qu'il me propose comme traitement parce qu'il connaît plus que moi le fonctionnement de l'équilibre énergétique de mon corps en fonction de mes méridiens. Il en va de même pour toutes les autres professions.

L'autre jour, une dame me disait qu'elle ne croyait pas à toutes ces histoires de pensées et d'émotions par rapport aux maladies. Je lui ai répondu que ce n'était pas nécessaire d'y croire. Après qu'on lui ait lu quelques textes qui se rapportaient à des malaises et à des maladies qu'elle avait déjà eus ou qu'elle avait encore, on a pu remarquer que son attitude avait changé et qu'elle était plus réceptive à cette approche. En fait, il y a une partie à l'intérieur de moi qui sait ce qui se passe et que ce qui est dit à mon sujet correspond à ce que je vis et que cela n'est pas dû au hasard. Il faut ici être prudent : je ne dois pas me sentir coupable de ce qui m'arrive et croire qu'on me dit que c'est ma faute si je suis malade.

Je suis responsable de ce qui m'arrive mais, dans la plupart des cas, ce n'est pas ma faute. **C'est la méconnaissance des lois qui régissent les pensées et les émotions sur le corps physique qui m'amène à vivre des situations de malaises ou de maladies. Je dois donc prendre conscience de mon cheminement personnel ou, au sens large du terme, de mon cheminement spirituel.** Là où j'ai découvert qu'il n'y avait pas ou peu d'amour, je dois redécouvrir que l'amour était présent quand même. Pas évident, me direz-vous ! Mais c'est comme ça. Si je me jette du haut d'un balcon et que je me casse une jambe, vais-je dire que Dieu m'a puni ? En fait, il existe une loi que l'on appelle la loi de la gravité qui tend à me ramener au sol. Cette loi n'est ni bonne, ni mauvaise, c'est la loi de la gravité. J'aurai beau argumenter et en vouloir à cette loi parce qu'à cause d'elle je me suis cassé une jambe ; <u>cela ne changera rien à la loi</u> car **LA LOI, C'EST LA LOI**. Ainsi, on explique toutes les maladies par un manque d'amour. On dit que l'**amour est le seul guérisseur**. Alors, si cela est vrai, ne suffirait-il pas simplement de donner de l'amour pour voir la guérison se manifester ?

Cela est vrai, dans certains cas. En fait, c'est comme si l'amour devait entrer par certaines portes pour que la guérison se fasse, par ces portes qui ont été fermées à l'amour lors de mes blessures antérieures. Voilà tout un champ de découverte et de prise de conscience !

Ce livre ne vise pas directement à apporter des solutions aux malaises et aux maladies mais bien plus à m'aider à prendre conscience que ce que j'éprouve comme malaise ou comme maladie provient de mes pensées et de mes émotions et, qu'à partir de cela, je peux prendre les moyens que je juge à propos pour apporter des changements dans ma vie.

Cependant, le seul fait de savoir d'où provient mon malaise ou ma maladie peut suffire à apporter des changements dans mon corps physique. Dans certains cas, le changement positif peut être de 50 % et pouvant même aller jusqu'à 100 %, soit la guérison complète.

Pour ma part, lorsque j'ai connu les cours de croissance personnelle en 1988 et que j'ai pu prendre conscience des changements qui se passaient en moi, j'ai eu le sentiment que je commençais à renaître et j'ai vu poindre à l'horizon l'espoir de jours meilleurs. J'avais enfin trouvé un moyen de faire des changements importants dans ma vie et d'en voir les résultats. Il me fallait agir car j'étais en réaction par rapport à l'autorité, je vivais énormément de rejet, d'abandon et d'incompréhension. **Je savais tout cela mais encore fallait-il que je trouve le moyen de changer, de guérir mes blessures intérieures.** C'est pourquoi je me suis engagé dans ce domaine d'activité qu'est la croissance personnelle. Mon travail me permettait de travailler sur moi-même tout en travaillant avec les autres à les aider à ouvrir leur conscience. **Je crois sincèrement que chacun d'entre nous peut se prendre en main de façon de plus en plus autonome et que chacun d'entre nous peut accéder à un degré de sagesse, d'amour et de liberté supérieur ! Nous le méritons tous.**

Ce dictionnaire se veut un outil d'ouverture de conscience et de recherche pour soi-même. Lorsqu'il m'arrive quelque chose par rapport à ma santé, je vais relire ce qui est écrit dans ce dictionnaire afin d'être encore plus conscient de ce qui se passe. En effet, l'être humain a facilement tendance à occulter, c'est-à-dire à faire disparaître de sa mémoire consciente ce qui le dérange. Ainsi, lorsque je lis le dictionnaire, je le fais avec les yeux de quelqu'un qui veut apprendre et être davantage conscient de ce qui lui arrive. Mon côté mental et intellectuel prend de l'information avec laquelle je vais avoir à travailler. **Car le seul vrai pouvoir que j'ai, c'est le pouvoir sur moi-même ; je suis créateur de ma vie. Plus j'en suis conscient, plus je peux faire les changements appropriés.**

Depuis un siècle, et plus particulièrement depuis les cinquante dernières années, nous avons fait un bond extraordinaire au point de vue technologique, ce qui a permis, dans bien des cas, d'améliorer nos conditions de vie. Malgré tout ce progrès, on ne se rend pas bien compte que la science n'a pas la réponse à tout et qu'il existe, sur cette planète, beaucoup d'hommes et de femmes qui souffrent de maladies. Que l'on vive dans des pays industrialisés ou en voie de développement, on doit prendre soin de soi et faire face aux questions suivantes : Qui suis-je ? Où vais-je ? Quel est mon but dans la vie ?

Il est important que je me serve de ce livre comme d'un outil de compréhension, d'investigation et de transformation.

S'il me vient des idées nouvelles en lisant les textes, je dois me sentir à l'aise de les compléter avec mes propres mots. **Cet outil doit devenir un instrument vivant auquel chacun d'entre nous peut apporter sa contribution.** C'est ainsi que certains passages du livre ont été rédigés à la demande de personnes qui savaient que je travaillais à cet ouvrage. Ainsi, lorsqu'on m'a demandé : "*Est-ce que tu as traité dans ton livre des allergies au beurre d'arachide ?*", la réponse a été : "*Non, mais je vais le faire.*" Il en a été de même pour plusieurs maladies qu'on m'a demandées d'inclure. C'est une des raisons pour lesquelles le livre est accessible sur Internet[2], non seulement pour la consultation, mais aussi pour y faire les mises à jour, y ajouter les commentaires des lecteurs, etc.

Ceci permet une diffusion à la grandeur de la planète.

Je vous dis donc "bonne lecture" !

Jacques Martel
Psychothérapeute

[2] Adresse Internet : www.atma.ca

GÉNÉRALITÉS

Ce livre constitue un document de recherche sur “l’aspect” métaphysique (pensées, sentiments, émotions) des malaises et des maladies. Des mises à jour sont à prévoir dans le futur et elles seront faites sur le réseau Internet[3]. Aussi l’auteur s’excuse à l’avance pour toute erreur qui aurait pu se glisser et invite le lecteur à lui faire part de telles erreurs directement sur le site Internet ou par écrit.

L’auteur de ce livre ne prétend pas donner de conseil médical directement ou indirectement. Il ne prétend pas non plus poser de diagnostic directement ou indirectement. Les idées contenues dans ce livre le sont à titre d’information, comme possibilités d’investigation d’un malaise ou d’une maladie afin d’aider la personne elle-même, le médecin traitant ou le thérapeute à mieux comprendre l’origine du malaise ou de la maladie.

Les affirmations contenues dans ce livre ne le sont qu’à titre d’information. L’auteur est conscient du fait que les malaises et les maladies traités dans ce livre sont abordés à partir d’une approche métaphysique du malaise ou de la maladie et que plusieurs autres aspects relatifs à la santé peuvent être en cause. L’auteur est conscient du fait que les maladies peuvent être beaucoup plus complexes que ce qui est expliqué.

L’approche simplifiée de certaines maladies comme le cancer, le diabète, etc., a pour but de permettre au lecteur d’ouvrir une porte à la recherche de la cause métaphysique du malaise ou de la maladie avec un professionnel de la santé.

L’idée de ce dictionnaire est d’abord de partir d’un point de vue simple du malaise ou de la maladie afin de rendre l’information la plus accessible possible à la compréhension d’un plus grand nombre de personnes. **Cette approche se veut complémentaire à toute approche allopathique[4] et holistique[5].**

Toute personne voulant apporter des changements à un traitement existant devrait en parler avec son médecin traitant ou son thérapeute professionnel. Les personnes vivant des situations de maladies telles que le diabète (insulino dépendant), les maladies cardiaques (nécessitant des comprimés journellement), etc., devront avoir un avis médical avant d’apporter des changements à leur médication, même si elles “croient” avoir trouvé la cause de leur maladie, et même si elles “croient” que tout est maintenant réglé et sous contrôle.

Cependant, la personne qui utilise ce livre pour son information le fait pour elle-même, et c’est son droit le plus strict. L’auteur et l’éditeur déclinent toute responsabilité pour les actes qui pourraient être posés à la suite de la lecture de ce livre et qui pourraient amener le lecteur à poser des

---

[3] **Adresse Internet :** www.atma.ca

[4] **Allopathique :** qui utilise un traitement médical dans le but de combattre la maladie. Ce terme sert habituellement à désigner la médecine conventionnelle.

[5] **Holistique :** qui tient compte de l’aspect global de la personne, c’est-à-dire l’aspect physique, mental et émotionnel et même parfois, l’aspect spirituel.

gestes ou à prendre des décisions pouvant aller à l'encontre de son bien-être.

Le masculin est employé dans le texte dans le but de simplifier et d'alléger l'écriture et, sauf dans les cas de certaines maladies propres aux hommes ou aux femmes, le texte, rédigé au masculin, s'adresse autant aux femmes qu'aux hommes.

Ma faculté mentale fonctionne parfois avec les homonymes, des mots qui ont le même son lorsqu'on les prononce comme, par exemple : les mots, les maux. Les exemples mentionnés dans ce livre font référence à l'expérience de l'auteur de son milieu québécois où la langue parlée est ce qu'on appelle le canadien français. D'autres références, suivantes d'autres milieux francophones, pourront être trouvées éventuellement et pourront être ajoutées. Il n'en tient qu'à vous, aussi, de trouver les associations de mots qui pourraient être faites et qui permettraient d'expliquer davantage les sentiments, les pensées ou les émotions qui pourraient être reliés à une maladie.

↓♥ : Ce symbole que l'on retrouve dans le texte représente l'énergie associée à l'image mentale ou associée à une émotion liée à une situation que je fais passer de ma tête vers mon cœur ! Il s'y produit alors soit une guérison dans l'amour, soit le renforcement d'une attitude positive.

La plupart des termes ou expressions qui suivent ont été expliqués en "bas de page" lorsqu'ils se présentaient pour la première fois. Cependant comme on ne lit habituellement pas un dictionnaire comme un roman, l'auteur a voulu reprendre les explications sur des termes ou expressions que l'on peut retrouver çà et là dans le texte pour clarifier le sens qu'il a voulu lui donner pour certains termes, entre autres, qui sont parfois utilisés dans le langage québécois et non pas nécessairement dans un langage de français international.

Dealer : provient du terme anglais "deal" qui veut dire une bonne affaire. Ici, cela signifie souvent relever un défi ou bien composer avec les événements ou les situations de la vie qui se présentent.

Être correct : expression voulant dire être en accord avec mes valeurs personnelles, qu'elles soient en harmonie ou non avec celles de la société, ou avec celles de la société dans laquelle je vis et auxquelles je m'identifie.

Groundé : vient du terme anglais "ground" signifiant la terre. Ici, cela se rapporte au fait de se sentir connecté à la terre ou au monde matériel.

Cela peut vouloir dire quelqu'un qui est "réaliste" en opposition à une autre personne que l'on pourrait dire qu'elle est dans les "nuages" au sens figuré.

Intégrer : fait référence au fait d'assimiler une situation ou une idée à l'intérieur de moi. Lorsque cela fait référence à une blessure émotionnelle et que je dis que j'ai intégré la situation, cela veut dire que j'ai complètement guéri la blessure intérieure qui était rattachée à cette situation et que j'ai fait la prise de conscience qui allait avec cette expérience.

Ma bulle : expression utilisée pour faire référence à l'espace qui m'entoure et qui m'appartient, mon espace vital au niveau énergétique.

Mon Moi supérieur : cela fait référence à la partie supérieure de moi-même qu'on appelle conscience, âme, etc.

Mon guide intérieur : comme pour l'explication du " moi supérieur ", cela fait référence à cette partie qui est à l'intérieur de moi et qui peut me guider, si cela fait partie de ma croyance.

Occultation : le fait d'effacer de ma mémoire consciente ou de ma sensibilité.

Pattern : provient du terme anglais "pattern" qui signifie ici *un schéma de pensée* qui fait se répéter des événements dans ma vie.

Psychique : qui se situe au niveau de mes pensées, au niveau mental.

Réincarnation : c'est un aspect qui est de plus en plus abordé dans les nouvelles approches thérapeutiques et c'est pourquoi l'auteur y fait référence à l'occasion. Cependant, l'auteur veut que le lecteur se sente tout à fait libre d'adhérer ou non à cette idée sachant que les mentions faites au sujet de la réincarnation le sont qu'à titre d'information seulement.

Yin et Yang : le Yin est le nom que l'on donne en médecine chinoise pour l'énergie de polarité négative, féminine ou intuitive ; le Yang est celui que l'on donne à l'énergie de polarité positive, masculine ou rationnelle. On rencontre ces termes, Yin et Yang, en acupuncture entre autres. Lorsque les termes Yin et Yang sont utilisées dans le texte, ils réfèrent à la polarité énergétique ou à l'aspect intuitif ou rationnel en nous plutôt qu'à l'acupuncture.

TECHNIQUE D'INTÉGRATION PAR PRONONCIATION MONOSYLLABIQUE RYTHMIQUE ET SÉQUENTIELLE ©

Je peux me servir des informations contenues dans le livre pour effectuer des changements au niveau de mes émotions. En procédant à l'exercice qui suit, je peux activer ma mémoire émotive et permettre que, de ma tête vers mon cœur ↓ une partie des émotions soit guérie dans l'amour.

Il s'agit que je prenne le texte d'un malaise ou d'une maladie et que je le lise syllabe par syllabe, en prenant au moins une seconde par syllabe. Par exemple, prenons la maladie suivante : l'arthrite. Le texte qui suit :

> **ARTHRITE** (en général)
>
> L'arthrite est définie comme étant l'inflammation d'une articulation. Elle peut affecter chacune des parties du système locomoteur humain : que ce soit les os, les ligaments, les tendons ou les muscles. Elle se caractérise par de l'inflammation, de la raideur musculaire et de la douleur qui **correspondent** sur le plan métaphysique à de la **fermeture**, de la **critique**, du **chagrin**, de la **tristesse** ou de la **colère**.

Devient :

> **AR-THRI-TE** (en-gé-né-ral)
>
> L'ar-thri-te-est-dé-fi-nie-com-me-é-tant-l'in-flam-ma-tion-d'u-ne-arti-cu-la-tion.-El-le-peut-af-fec-ter-cha-cu-ne-des-par-ties-du-sys-tème-lo-co-mo-teur-hu-main,-que-ce-soit-les-os,-les-li-ga-ments,-les-ten-dons-ou-les-mus-cles.El-le-se-ca-rac-té-ri-se-par-de-l'in-flamma-tion,-de-la-rai-deur-mus-cu-lai-re-et-de-la-dou-leur-qui-**cor-res-pon-dent**-sur-le-plan-mé-ta-phy-si-que-à-de-la--**fer-me-tu-re**,-de-la,-du-**cha-grin**,-de-la-**tris-tes-se**-ou-de-la-**co-lè-re**...

Et je continue la lecture avec le texte au complet que je lis dans le livre. **Il est très important d'aller très lentement** au plus une syllabe par seconde ou plus lentement encore. Il n'est pas important que je me demande si mon intellect comprend ou non les mots ou les phrases que je prononce. Il se peut qu'il y ait des émotions de peine ou de tristesse qui se manifeste pendant l'exercice ; il s'agit de mettre de l'amour dans la situation. Je peux prendre le texte d'une maladie que j'ai présentement ou d'une maladie que j'ai déjà eue ou d'une maladie que je pourrais avoir peur de contacter. Si je vis des émotions pendant l'exercice, je peux le reprendre plus tard dans la journée ou une autre journée, jusqu'à ce que je ne vive plus d'émotions et que je me sente à l'aise avec le texte.

Je peux faire cet exercice, si je le désire, après une méditation ou après l'écoute d'une musique de détente ou d'une détente dirigée.

Je peux faire l'exercice, aussi, en prenant le texte de la préface ou le texte d'introduction.

Les informations qui suivent visent à donner davantage d'explication sur l'utilisation de cette technique. D'abord précisons que pour moi le terme "intégration" réfère au fait de devenir conscient dans son être ; cela veut aussi dire, dans une certaine mesure "guérison" au sens que le malaise où la maladie ne sont qu'un message que le corps m'envoie pour me permettre de faire une prise de conscience sur ce que je vis présentement.

J'ai d'abord utilisé cette technique dans les ateliers "***Retrouver l'Enfant en Soi***" que je donne depuis mars 93. Elle est utilisée dans le cas où l'adulte écrit une lettre à son enfant intérieur et lorsque l'enfant intérieur répond à l'adulte.

Que se passe-t-il lors de l'application cette technique qui consiste à lire syllabe par syllabe le texte en prenant ou moins une seconde pour chaque syllabe. Ce qu'il faut comprendre d'abord c'est que plus vite je lis et plus ma lecture se situe au niveau de mon mental, dans ma tête. Plus je lis lentement, plus la lecture est en contact avec le centre d'énergie du cœur aussi appelé chakra du cœur. **Tous les malaises et les maladies sont des interprétations, conscientes ou inconscientes, que j'ai faites par rapport à une situation ou une personne lors d'un manque d'amour.** Alors c'est comme si ce message, ou même cette blessure pourrions-nous dire, a été enregistré au niveau de l'amour qui correspond pour l'être humain au centre d'énergie du cœur.

Mes blessures par rapport à un manque d'amour sont enregistrées dans mon cœur sous forme rejet, d'abandon, de colère, d'incompréhension, de tristesse, de déception etc. Pour pouvoir faire le changement de ce message enregistré à l'intérieur **de moi-même je dois activer l'information au point de départ**, c'est-à-dire, je dois être en contact avec le dossier qui fait que cette blessure a enregistré une information qui s'active lorsqu'une situation semblable se produit dans ma vie. C'est comme si la situation permettait d'activer l'émotion parce qu'elle est mise en résonance par l'événement qui se produit.

Ainsi lorsque j'active la situation dans mon cœur qui m'a causé de la peine, de la tristesse, de la colère, etc. J'ouvre ainsi le centre d'énergie du cœur à laisser l'énergie d'amour entrer pour apporter la guérison et par le fait même la prise de conscience qui l'accompagne ou vice-versa.

Afin que l'exercice de prononciation soit plus efficace je m'imagine que mes paroles sortent de moi au niveau du cœur comme si ma bouche se trouvait au niveau de mon cœur. Il s'ensuit que je puis ressentir au cœur de l'exercice soit des picotements dans différentes parties de mon corps, des courants de chaleurs qui peuvent se promener dans différentes parties de mon corps aussi, de la peine, de la tristesse ou toute autre sorte d'émotion qui peuvent monter. Il suffit de rester calme si des émotions fortes de peine ou de tristesse se manifestent car les choses sont habituellement sous contrôle et c'est comme si mon corps savait ce qu'il est capable de prendre.

Si pour une raison ou autre j'avais des craintes de vivre trop d'émotion, je peux faire l'exercice en ayant une personne qui peu me soutenir dans ce que je vis, une personne responsable ou un thérapeute.

COMMENT LES MALAISES ET LES MALADIES SONT-ILS CLASSES ?

De façon générale, ils sont inscrits dans l'index à la fin du livre, par ordre alphabétique du malaise ou de la maladie comme, par exemple :

ACIDOSE 33

Cette maladie est dans les "A".

Lorsqu'on retrouve la mention suivante :

ADDISON (maladie d'...) 34

On remplace les "**...**" par le titre qui précède la parenthèse, c'est-à-dire : maladie d'**ADDISON.**

Lorsque, après le nom de la maladie, on a la mention "voir" entre parenthèses ( ), comme dans l'exemple suivant :

EMBONPOINT

(voir : poids [excès de...])

Nous devons nous reporter à **POIDS** (excès de...) et retrouver dans les "P" le titre de cette maladie pour avoir l'information sur la maladie elle-même en rapport avec **EMBONPOINT**.

On peut aller chercher un complément d'information sur la maladie elle-même ou sur des aspects qui s'y rattachent en consultant d'autres maladies. Ainsi la mention **"voir aussi"** nous conduit à un complément d'information sur la maladie qui est présenté comme suit :

AGORAPHOBIE

(voir aussi : angoisse, mort, peur).

Si, par exemple, je me retrouve dans la partie **"voir aussi"** qui suit la maladie, indiquée ici avec la barre oblique/, comme l'exemple qui suit :

CHEVEUX — TEIGNE

(voir aussi : cheveux / calvitie / pelade / [perte de...])

Cela devra se lire : (voir aussi : cheveux — calvitie,
cheveux — pelade,
cheveux [perte de...])

Certaines maladies ont été regroupées afin qu'elles soient plus près de leurs compléments d'information. C'est ainsi que ce qui se rapporte directement au **SANG** a été regroupé en utilisant les renvois appropriés tels que :

ANÉMIE

(voir : sang — anémie)

DIABÈTE

(voir : sang — diabète)

HYPOGLYCÉMIE

(voir : sang — hypoglycémie)

LEUCÉMIE

(voir : sang — leucémie)

Ainsi, pour avoir le plus d'information possible sur l'**ANÉMIE,** je devrai lire les articles suivants :

SANG (en général)

SANG (maux de...)

SANG — ANÉMIE

Dans le cas où je me retrouverais dans une sous-section, par exemple si je veux de l'information sur l'**ANÉMIE,** je la retrouve sous **SANG — ANÉMIE**. Même si ce n'est pas inscrit dans **voir aussi,** cela suppose que je devrai lire la partie **SANG (en général)** et **SANG (maux de...)**.

De la même façon, lorsque je me retrouve dans une autre sous-section, comme pour **ECZÉMA** que je retrouve dans **PEAU — ECZÉMA**, je devrai lire aussi l'information sur **PEAU (en général)** et **PEAU (maux de...)**. Il en sera de même pour les autres sections lorsque les mentions **(en général)** et **(maux de...)** apparaîtront.

Parmi les malaises, maladies ou parties du corps, qui regroupent plusieurs malaises ou maladies, mentionnons :

ALLERGIES
ANUS
ARTHRITE
BOUCHE
BRONCHES
CANCER
CERVEAU
CHEVEUX
CŒUR
COLONNE VERTEBRALE
DENTS
DOIGTS
DOS
ESTOMAC
FOIE
GLANDES
GORGE
INTESTINS
JAMBES
MUSCLES
NEZ
ONGLES
OREILLES
OS
PEAU
PIEDS
POUMONS
REINS
RESPIRATION
SANG
SEINS
VAGIN
YEUX

DICTIONNAIRE DES MALAISES ET DES MALADIES DE A À Z

ABASIE

Bien que mes muscles et tout mon appareil locomoteur ne me causent pas de malaise, je ne peux que marcher partiellement ou en suis incapable. C'est mon système de commande situé au cervelet qui peut être affecté par une lésion, un trouble vasculaire ou une tumeur.

Cela provient parfois d'une grande peur en rapport avec mes pensées, qui a eu pour effet de **me figer sur place**. Cette peur ou culpabilité est liée au fait d'avancer dans la vie. Je me sens abattu. La vie « ici-bas » est un constant combat. J'ai l'impression de faire partie des défavorisés. Me sentant assis entre deux chaises, mettant en doute mes valeurs et fondements de ma vie, cela m'empêche d'aller de l'avant. J'ai beaucoup de difficulté à m'engager dans la vie.

J'accepte↓♥ de trouver la cause de cette insécurité ou de cette culpabilité et de développer plus de confiance en moi. Je peux commencer à me visualiser en train de marcher de plus en plus aisément, en même temps que j'amplifie mon sentiment de confiance en moi. Je prends aussi **conscience** que la vie m'apporte les outils nécessaires « à mon avancement ».

ABCÈS OU EMPYÈME

VOIR AUSSI : INFLAMMATION

Un **abcès** est un type caractérisé d'infection par la formation et l'accumulation de pus aux dépens des tissus normalement constitués. Il produit habituellement une saillie (une bosse) et je le retrouve seulement sur le tissu corporel ou sur un organe. L'**abcès** est relié au système lymphatique qui est en surcharge (rempli de toxines) et que l'organisme extériorise par de la rougeur, de la douleur, de la fièvre.

L'**abcès** indique que je manifeste une réponse à la **colère** ou à une blessure émotionnelle, à un sentiment d'**irritation**, de **confrontation**, d'**incapacité**, d'**échec**, de **vengeance** que je n'arrive pas à exprimer de façon concrète. (le pus étant relié aux fluides de mon corps et à mes émotions). J'ai vécu un affront qui est difficile à accepter↓♥. Je peux être « tombé de haut », ayant voulu accomplir trop à la fois : mon tempérament agressif me faisait avancer mais au fond de moi existait un doute, une incertitude souvent reliée à une expérience passée douloureuse et humiliante que je voudrais exorciser de ma vie mais qui est toujours présente. C'est souvent **un excès d'irritation ou de mécontentement que je n'arrive pas à exprimer par rapport à moi, à une personne ou une situation**. Des pensées malsaines, qui peuvent aller jusqu'à la vengeance et qui « fermentent » vont produire l'infection et le pus. Je peux me sentir souillé. Cette frustration retenue peut se présenter afin de faire **aboutir** une situation, c'est-à-dire **crever l'abcès**. Elle peut produire chez moi un bouleversement mental (comme un gonflement) entraînant le vide et l'épuisement. Ce type d'infection (**abcès**) est uniquement une manifestation (ou une création) du mental, de mes pensées. Je me demande s'il y a un secret que j'ai gardé pour moi ou des pensées négatives que je retiens tellement qu'elles sont concentrées en un point de mon corps et souvent teintées de culpabilité. Il est grand temps que je passe à autre chose, que je change d'attitude, si je veux améliorer mon sort... et mon corps, avant qu'une infection plus généralisée ne se manifeste. Je suis crispé, autant physiquement que mentalement, et j'ai à apprendre à mettre mon attention sur le positif dans ma vie et utiliser mon énergie créative afin d'extérioriser tout mon Univers intérieur. De plus, l'**abcès** correspond à un profond **chagrin**, voire du **désespoir intérieur** qui va engendrer un sentiment profond d'impuissance ou d'échec. Le vide et l'épuisement peuvent s'ensuivre. J'ai l'impression d'avoir tout perdu ou j'ai peur que cela arrive. Il apparaît à la **source** du chagrin, c'est-à-dire que l'émotion vécue est associée à la fonction et à la partie du corps où l'**abcès** se manifeste. Par exemple, s'il se situe sur ma **jambe**, il est relié aux résistances et aux conflits et m'indique que je dois orienter ma vie dans certaines directions. S'il se situe au niveau de mes **yeux**, il s'agit d'une difficulté à voir qui je suis, ce que je suis, où je vais et ce qui s'en vient pour moi. Au niveau de mes **pieds**, j'ai des difficultés, des interrogations ou des peurs reliés à l'avenir ou à sa conception. À mes **oreilles**, c'est quelque chose que j'entends. À mes **hanches**, j'ai de la difficulté à m'élancer dans la vie et ainsi de suite. Tout cela est relié à l'**habileté de me tenir debout**, à exprimer mon indépendance et ma liberté. J'accepte↓♥ au niveau du **cœur♥** de faire aboutir mes peurs, mes insécurités, mes craintes, et mon **abcès** aboutira, lui aussi. L'**abcès superficiel** qui est accessible à la vue ou au toucher correspond à une **rage** concernant des situations de ma vie qui peuvent être « facilement identifiables ». Il possède également une correspondance avec la partie du corps affectée telle que le cou, le dos, les doigts, etc. L'**abcès profond** peut se retrouver à l'intérieur de mon corps et correspond à une **déception** par rapport à des sentiments plus profonds de mon être. Selon sa position, un **abcès** peut avoir des conséquences graves. Par exemple, s'il est logé au niveau du cerveau, il est lié à mon individualité et à l'idée que je me fais de moi-même ; au niveau des poumons, lié à la vie ; des reins, lié aux peurs ; du foie, lié à la critique. Je peux trouver pourquoi cette **colère ponctuelle** arrive dans ma vie en allant voir la signification correspondante à la partie concernée. Je peux ainsi mettre plus d'**amour** et de compréhension par rapport à la situation qui m'a amené à vivre cette colère. L'**abcès en bouton de chemise** désigne un ou plusieurs **abcès superficiels** qui sont reliés à un autre **abcès** profond ou à des tissus plus profonds. Il est donc invisible à l'œil nu. Ainsi, mon corps me dit que ma **colère** affecte maintenant ma vie extérieure et intérieure. C'est comme si « cette **irritation** me transperçait le corps » et m'exprimait le besoin pressant de guérir ces blessures par l'**amour.** L'**abcès chaud** entraîne habituellement une réaction inflammatoire et peut se former rapidement. Le fait que l'**abcès** s'entoure fréquemment d'une membrane indique bien que cela provient d'une pensée non bénéfique qui provoque de la colère. L'**abcès froid** ne présente pas de réaction inflammatoire et sa progression est plutôt lente. Il peut être dû à des champignons ou au bacille de Koch[6]. Ce type d'**abcès** indique que ma colère se manifeste sous forme de **déception** ou de **résignation** face à une situation.

J'accepte↓♥ les nouvelles pensées d'**amour** et je reste ouvert au niveau du **cœur♥** à mon entourage, plutôt que de fixer mon attention sur mes anciennes blessures, sur mon passé ou sur certaines formes de vengeance. En prenant **conscience** de ce processus d'acceptation↓♥, l'**abcès** est alors sujet à disparaître pour toujours.

ABCÈS ANAL

VOIR : ANUS — ABCÈS ANAL

ABCÈS DU CERVEAU

VOIR : CERVEAU [ABCÈS DU...]

ABCÈS DU FOIE

VOIR : FOIE [ABCÈS DU...]

ABDOMEN

VOIR : VENTRE

ABLATION

VOIR : AMPUTATION

ACCIDENT

VOIR AUSSI : BRÛLURES, COUPURE

Un **accident,** tout comme une **blessure,** arrive lorsque mes émotions sont perturbées. Il est très souvent synonyme de **culpabilité** ou de **peur**. Il est relié à mes **culpabilités**, à ma manière de penser et à mon fonctionnement dans la société. Il dénote aussi une certaine **réaction envers l'autorité**, même à plusieurs aspects de la violence. Il peut arriver que j'aie de la difficulté à m'affirmer face à cette autorité, à parler de mes besoins, de mes points de vue, etc. **Je me « fais alors violence » à moi-même**. L'**accident** indique un besoin direct et immédiat de passer à l'action. Le besoin d'un changement de direction est tellement grand que la pensée utilise une situation extrême, voire dramatique pour me faire prendre **conscience** que je dois probablement changer la route que j'emprunte actuellement. C'est comme un moment de rupture dans un aspect de ma vie, un point de non-retour et pas nécessairement au niveau de mon couple. **C'est une forme d'autopunition consciente ou inconsciente**. La partie du corps **blessée** durant l'**accident** est habituellement déjà malade ou affaiblie, que ce soit par une maladie, un malaise, une coupure, une brûlure ou toute prédisposition aux

[6] **Koch** (Robert) : médecin allemand (Clausthal, Hanovre, 1843-Baden-Baden 1910). Il a identifié en 1882 le bacille (bactérie en forme de bâtonnet) de la tuberculose. Il dénombre les modes de transmission de cette maladie et invente une méthode de diagnostic. En 1905, il reçoit le prix Nobel de médecine pour l'ensemble de ses découvertes.

accidents. L'**accident** me permet d'observer cette faiblesse en la faisant remonter à la surface. L'**accident** est aussi mon incapacité à me voir et à m'accepter↓♥ tel que je suis. **Puisque je suis responsable à 100% de mes actes et de ma vie entière, je peux m'expliquer davantage pourquoi je me suis attiré telle forme d'accident**. Attiré, dites-vous ? Oui, car tout ceci vient de mes pensées les plus profondes, de mes *patterns* ou schémas de pensée d'enfance. Il est fort possible que je m'attire des punitions si, aujourd'hui, j'ai l'impression de faire quelque chose et de **ne pas être correct** et de me sentir vulnérable. Exactement comme dans mon enfance ; j'étais puni quand je **n'étais pas correct**. C'est enregistré dans mon mental et il est temps de changer mon attitude. Le côté « moral » de l'être humain l'amène à se punir s'il se sent coupable, d'où la douleur, les afflictions et les **accidents**. Il est essentiel de savoir que je peux me sentir coupable dans une situation quelconque **si et seulement si** je sais que je fais du mal à autrui. **Dans toutes les autres situations, je suis responsable mais non coupable**. Je dois me souvenir que je suis ma propre autorité (dans le sens d'individu). J'ai besoin de prendre ma place dans l'univers. Je dois cesser de me faire violence. Comme je l'ai écrit plus tôt, l'**accident** est rattaché à la **culpabilité** et celle-ci à la **peur** par rapport à une situation. La peur de ne pas être correct est souvent perçue sous l'aspect de la culpabilité plutôt que sous celui de la responsabilité. L'**accident** m'oblige souvent à cesser ou à ralentir mes activités. Une certaine période de questionnement s'ensuit. En restant ouvert et objectif par rapport à moi-même, je découvrirai rapidement la ou les raisons de cet **accident**. Ai-je perdu le contrôle d'une situation ? Est-il temps pour moi de changer d'orientation, de direction ? Ai-je de la difficulté à écouter mes signes intérieurs ou mon intuition, si bien que je m'attire un signe **radical** sur le plan physique ? J'ai tendance à être fataliste. Je m'en fais constamment et je vis plus au niveau des suppositions que des faits et de la réalité. Ai-je observé comment l'**accident** s'est produit ? Quel était mon état avant et après ? Il est très important de revoir les conditions entourant l'**accident** ; j'analyse les mots utilisés et je prends **conscience** qu'ils mettent en évidence ce que je vis au moment de l'**accident**. Si des **plaies** résultent de cet **accident** ou **blessure**, je vis de la colère et du ressentiment face à une situation qui me **déplaît** au plus au point. J'observe tous les signes et les symboles de cette situation (**accident**) et j'écoute ma voix intérieure pour trouver une solution qui m'évitera probablement d'aggraver tout ceci. La **prédisposition aux accidents** est un état qui survient durant une relation conflictuelle avec la réalité, l'incapacité d'être pleinement présent et conscient de l'univers tel qu'il se présente à moi. C'est comme si je voulais être ailleurs. Je suis déconnecté de ce qui arrive autour de moi, peut-être parce que je trouve ma réalité inacceptable ou difficile à vivre.

J'accepte↓♥ de voir que j'ai besoin d'être plus **branché** sur moi-même pour découvrir ma sécurité et ma confiance intérieures. J'arrête cette course effrénée et je prends le temps de regarder ma vie. Je me remets en question face à mes choix selon mes valeurs fondamentales. J'accepte↓♥ l'ouverture qui se crée afin de me sentir plus libre et heureux.

ACCIDENT VASCULAIRE CÉRÉBRAL – A.V.C.

VOIR : CERVEAU — ACCIDENT VASCULAIRE CÉRÉBRAL [A.V.C.]

ACCOUCHEMENT (en générale)

VOIR AUSSI : GROSSESSE/ [MAUX DE...] / [... PROLONGÉE], NAISSANCE [LA FAÇON DONT S'EST PASSÉE MA...]

L'**accouchement** est peut-être l'une des expériences de transition les plus traumatisantes qui soit pour l'enfant qui naît. C'est un phénomène naturel ; moi, en tant que femme, je délivre l'enfant que je porte. Les douleurs de l'**accouchement** peuvent être reliées à plusieurs peurs, surtout celles de souffrir et d'accoucher, à la douleur accumulée par rapport à mon **propre enfant intérieur**. Les malaises ou les souffrances peuvent aussi provenir du fait que l'enfant qui va naître me rappellera constamment la réalité et la responsabilité que je peux avoir par rapport à mon enfant intérieur. Je peux nourrir des inquiétudes face à **cette partie de moi composée de ma chair et mon sang** dont je prends la responsabilité. Dans cette situation, comme dans bien d'autres, l'**accouchement** amène plusieurs croyances plus ou moins fondées, par exemple celle qu'il faut souffrir pour accoucher (comme pour être belle !). Ce qui n'est pas nécessairement vrai, surtout sur les plans de **conscience** supérieurs. Les douleurs peuvent plutôt ramener en moi, surtout inconsciemment, **le souvenir douloureux d'être passé du monde de lumière à celui plus limitatif de la matière corporelle**. Des difficultés à l'**accouchement** surviennent souvent quand j'ai peur de mourir pendant le processus ou j'ai peur que ce soit le bébé qui meurt, consciemment ou non. Cela est particulièrement présent si j'ai déjà perdu un enfant ou que j'ai moi-même failli mourir. Lorsque je porte un enfant, j'ai un sentiment de plénitude : le bébé à venir comble mon vide intérieur. Je me sens tellement en fusion avec mon bébé que nous sommes comme les deux doigts de la main, inséparables. Au moment de l'**accouchement**, je dois à nouveau faire face à ce vide qui a été extérieurement rempli pendant un certain temps mais qui est toujours là intérieurement. Je peux donc vivre l'**accouchement** comme un déchirement, une perte, une séparation douloureuse. J'ai pu décider comment je vivais ma grossesse : ce que je mange, ce que je bois, l'exercice approprié, je continue à fumer ou j'arrête...J'avais un certain contrôle sur les conditions dans lesquelles je voulais que mon bébé passe les premiers 9 mois de sa vie, mais je n'ai maintenant plus de contrôle sur comment va se passer l'**accouchement**. Je me sens impuissante dans ce processus et une partie de moi peut résister à la venue au monde de ce bébé. Plusieurs autres questions peuvent aussi surgir : Qu'est-ce qui m'attend après la naissance de cet enfant ? Est-ce que je serai autant désirable pour mon conjoint ? Suis-je une bonne mère ? Mon enfant a-t-il tout ce dont il a besoin ? Se peut-il que je ne désire pas **accoucher** parce que je suis dans un état bienheureux, aimée et cajolée davantage par mon conjoint.

Quoi qu'il en soit, **accoucher** est une expérience formidable. Elle permet de montrer réellement mon habileté à faire face aux moments de transition et de changements futurs. J'accepte↓♥ de faire confiance, en sachant que j'ai toute la force et l'énergie nécessaires pour mettre mon enfant au monde et m'en occuper adéquatement. Je profite de cette occasion pour renaître à moi-même. J'accepte↓♥ aussi de m'occuper de mon enfant intérieur : en étant capable de me donner de l'**amour** qui remplira ce vide, je pourrai beaucoup plus être présente pour mon enfant.

ACCOUCHEMENT — AVORTEMENT, FAUSSE-COUCHE — ENFANT MORT-NÉ

L'**avortement**, ou **fausse-couche**, est un arrêt de la grossesse avant le 180e jour (6,5 mois environ) de gestation. En général, on parlera d'**avortement** dans le cas **d'interruption volontaire de la grossesse (I.V.G.)**. Lorsque l'**avortement** sera spontané, c'est-à-dire quand il s'agit de la perte non provoquée du fœtus, on parlera alors de **fausse-couche**. Lorsque la mort survient après 180 jours de gestation ou pendant le travail, on parle d'un **fœtus (enfant) mort-né**.

Lorsque je fais une **fausse-couche**, je me questionne à savoir qui désirait un enfant, moi ou mon conjoint ? Inconsciemment, j'ai peur que l'enfant à naître change ma vie de couple, mon travail, mes habitudes. Je crains de ne pas posséder les qualités nécessaires pour devenir une bonne mère et cela peut remonter à des moments vécus dans ma propre enfance. Est-ce que je vais ***échouer*** dans mon désir d'être une bonne mère ? Est-ce que je vis pleinement ma vie ? Ai-je un doute parce que ce n'est peut-être pas le bon moment pour avoir cet enfant ? Est-ce que je ne veux un enfant que pour combler mon vide intérieur ? Je vis tellement d'insécurité que j'ai l'impression de constamment « marcher sur des ***œufs*** ». Moi, en tant que mère, je peux vivre tellement dans une prison psychique qu'un enfant serait « trop » pour le moment. J'ai besoin de liberté. Je veux m'évader, tout expulser. Je me sens étouffée et il est peut-être mieux pour moi et l'enfant d'attendre et d'être plus forte et centrée sur moi avant de donner naissance à un enfant. Il se peut aussi que l'âme qui devait s'incarner ait changé d'idée ou que celle-ci n'avait besoin d'expérimenter que quelques mois la vie sur cette terre. La vie pouvait apparaître comme une prison pour lui aussi. Dans plusieurs situations, il y a **grossesse gémellaire** (plus d'un œuf) et le corps ne fait que rejeter un œuf ou fœtus. Le bébé qui survit sachant ce qui s'est passé pourra être éternellement à la recherche de l'autre, de l'**amour** avec un sentiment de culpabilité d'avoir survécu et pas l'autre…Je pourrai aussi m'empêcher d'avoir du plaisir, donc aussi des orgasmes car je suis dans un sens porteur de la mort. Dans le cas d'un **I.V.G.**, je peux être en réaction face aux hommes et vivre beaucoup d'agressivité. Il arrive fréquemment que je prenne du poids, celui-ci correspondant au poids de l'enfant qui aurait dû naître.

Quelle que soit la situation, j'accepte↓♥ de rester ouverte au niveau du **cœur♥** et de mettre les énergies en branle pour régler cette situation « immature » ; autrement, les grossesses futures risquent d'être complexes et incomplètes. **Amour,** responsabilité et respect mutuel des conjoints (s'il y a lieu) sont les sentiments essentiels qui doivent être manifestés si je veux que mon enfant arrive **à terme**. J'apprends à bien prendre soin de moi. Je m'engage à être heureuse et à m'aimer telle que je suis. Je recouvre ma liberté d'être qui je suis. En étant capable de prendre les responsabilités et les décisions qui me reviennent, je pourrai me faire le cadeau d'avoir un enfant et que d'avoir la force intérieure pour le guider dans la vie.

ACCOUCHEMENT PRÉMATURÉ

Un **accouchement prématuré** est celui qui a lieu entre la vingt-neuvième et la trente-huitième semaine de l'absence des règles.

Lorsque ceci arrive, il se peut que je ne me sente pas suffisamment **mûre** pour porter cet enfant à terme et que je souhaite, d'une manière non consciente, me débarrasser de lui avant qu'il soit à terme. Je peux vouloir « rejeter » inconsciemment cet enfant, comme moi-même je peux me sentir rejetée parfois. Je peux avoir gardé cette grossesse secrète, cachée d'une personne de peur de sa réaction. L'angoisse, même inconsciente, d'avoir à assumer une responsabilité à laquelle je ne suis pas prête, ou le fait que je ne me sente pas prête, peut me faire « désirer ardemment **accoucher** le plus tôt possible » afin de faire cesser cette angoisse de l'attente. De toute façon, que je veuille faire cesser cette angoisse ou que je renie cet enfant, cet état de **conscience** est généralement nié. Je m'imagine le scénario, moi, une femme qui renierait consciemment mon enfant ? C'est possible, mais cette situation se transforme la plupart du temps en rejet inconscient de cette merveilleuse expérience.

Quoi qu'il en soit, j'accepte↓♥ que tout est arrivé pour le mieux, pour moi et pour l'enfant à naître.

ACHILLE (tendon d'...)

VOIR : TENDON D'ACHILLE

ACIDITÉ GASTRIQUE

VOIR : ESTOMAC —BRÛLURES

ACIDOSE

VOIR AUSSI : GOUTTE, RHUMATISME

L'acide est souvent relié à ce qui ronge le métal et à ce qui est amer (aigreur psychique). Ainsi, l'**acidose** indique que j'ai **refusé d'assimiler** une situation qui s'accumule maintenant à un niveau inconscient, entraînant sur le plan corporel un grand taux d'acidité dans le sang ou dans le liquide dans lequel baignent les cellules. **Assimiler** signifie résoudre, traiter, régler tout problème, situation ou conflit qui me dérange, que je refuse, qui **empoisonne** mon existence ! Par exemple, je peux me demander quelle est la situation (souvent de nature émotionnelle) qui me ronge intérieurement et qui me rend **si amer face à la vie**. Il est possible que je vive actuellement une situation qui fait remonter en moi de l'insatisfaction concernant les rapports que j'avais avec **ma mère**. Je peux même vivre une insatisfaction semblable avec mes enfants, des amis ou des employés pour lesquels je me sens « **comme une mère** ». J'ai de la difficulté à m'arrêter ; je n'ose pas me reposer, prendre du temps pour moi. L'**acidose métabolique** qui a rapport à mon corps en général reflétera mon côté amer envers la vie en général. L'**acidose respiratoire ou acidose gazeuse** provient du fait que je n'élimine pas suffisamment le gaz carbonique lors de ma respiration. Ainsi, mon côté amer dans la vie a plutôt rapport à mes relations avec mon environnement et les gens qui m'entourent. **L'acidose** habituelle des diabétiques est **l'acidocétose**. Cependant, **l'acidose lactique** reste exceptionnelle. Toutes deux génèrent un coma et une déshydratation. Dans le cas de l'**acidose lactique**, on retrouve une quantité excessive d'acide lactique dans le sang. Puisque le sang transporte normalement la joie, il s'en trouve que mon côté amer dans la vie et tout ce qui s'y passe m'affecte grandement. C'est pourquoi je peux retrouver cet état si je suis diabétique (qui correspond à de la tristesse profonde), si je vis de l'insuffisance rénale (qui correspond à de grandes peurs face à la vie), si j'ai la leucémie, une forme de cancer du sang (qui correspond au fait que j'ai toujours l'impression d'avoir à me battre dans la vie). Dans le cas extrême, le **rhumatisme** est la conséquence directe et parfois inévitable d'un excès d'acidité qu'est l'**acidose**.

J'accepte↓♥ de voir et de traiter au niveau du **cœur♥** les situations de ma vie, même si elles m'irritent et m'agacent. En mettant l'attention sur un processus conscient d'ouverture et d'acceptation↓♥, je peux éviter de supporter physiquement cette maladie douloureuse (autant que son traitement !). Je résous les situations pour vivre davantage la joie, la libération et la paix intérieure.

ACNÉ

VOIR : PEAU — ACNÉ

ACOUPHÈNE

VOIR : OREILLES — ACOUPHÈNE

ACRODERMATITE

VOIR : PEAU — ACRODERMATITE

ACROKÉRATOSE

VOIR : PEAU — ACROKÉRATOSE

ACROMÉGALIE

VOIR : OS — ACROMÉGALIE

A.C.V.

VOIR : CERVEAU — ACCIDENT VASCULAIRE CÉRÉBRAL [A.V.C.]

ADDISON[7] (maladie d'...)

VOIR AUSSI : GLANDES SURRÉNALES

L'insuffisance de sécrétion de ***cortisol*** par les glandes surrénales génère la **maladie d'Addison**[8].

C'est une forme de déception par rapport à moi-même. C'est un état extrême de sous-alimentation émotionnelle et spirituelle. Avoir cette maladie peut signifier que j'ai vécu beaucoup de soumission dans mon

---

[7] **ADDISSON** (Thomas) : médecin anglais qui, en 1855, a décrit la maladie comme une insuffisance surrénalienne lente.

[8] **Glandes surrénales** : glandes endocrines situées au-dessus des reins en forme de pyramide et qui ont pour fonction, lorsque ma vie est en danger, de me permettre de développer une force surhumaine pour ma survie.

enfance face à l'un ou l'autre de mes parents. J'ai pu me sentir agressé psychiquement, vivre un traumatisme ou une irritation intense où je pouvais sentir ma vie en danger. J'ai l'impression qu'on « veut ma peau » et que je devrais me sauver à toute vitesse. Cet état m'a amené à vivre une grande insécurité face à l'avenir et à douter grandement de mes capacités. Cette maladie se distingue par une attitude extrêmement défaitiste, une absence de but ou d'intérêt pour moi-même ou pour ce qui m'entoure. J'ai dû abdiquer, « jeter la serviette » sans dire un mot et cela m'a brisé le **cœur♥**. Je peux compenser mes déceptions par une dépendance à une substance quelconque ou face à une personne. Je me considère comme une victime angoissée. J'ai l'impression que toute ma vie est faite de torture. Je vis beaucoup de colère contre moi-même. Je ne peux pas recevoir l'**amour** des autres. Je vis beaucoup d'anxiété et d'antipathie.

J'accepte↓♥ de prendre ma place, d'aller de l'avant et de manifester l'énergie à élaborer certains buts personnels sans attendre l'approbation et le consentement de mon entourage, peu importe l'importance de ma démarche (mon but). Je trouve une méthode qui m'aidera à me **connecter** davantage à mon moi intérieur qui possède des ressources illimitées et une estime de soi élevée. Je peux ainsi retrouver la maîtrise de ma vie.

ADÉNITE

VOIR AUSSI : GANGLION [... LYMPHATIQUE], INFLAMMATION

Lorsque j'ai une inflammation d'un ganglion du système lymphatique, c'est que je vis de l'insécurité reliée à de la peur sur le plan affectif. Je suis irrité dans une ou des relations et j'aurai du mal à extérioriser mes frustrations qui se changent souvent en colère. C'est comme si un bâton de dynamite était sur le point d'exploser ! La partie du corps qui est touchée me donne une indication de l'aspect de ma vie dont il s'agit.

J'accepte↓♥ de chercher à connaître la source de ma peine afin de m'aider à prendre **conscience** de la peur qui m'habite et de développer ma confiance pour dépasser cette émotion. J'ai à l'extérioriser afin de m'en libérer.

ADÉNOÏDES

VOIR : TUMEUR S, VÉGÉTATIONS ADÉNOÏDES

ADÉNOME

VOIR AUSSI : SEINS [MAUX AUX...], TUMEUR [S]

De façon générale, un **adénome** est une tumeur bénigne aux dépens d'une glande.

Comme toute tumeur, cela provient d'un choc émotionnel qui s'est densifié sur la partie du corps reliée à ce choc, que ce soit le pancréas, un sein, la prostate et même les glandes endocrines comme par exemple le foie ou un rein. Au lieu d'aller puiser à l'intérieur de moi, je vais baser ma vie sur les opinions, croyances ou les mots des autres. Je n'ai pas de vue d'ensemble et j'ai de la difficulté à prendre des décisions, c'est-à-dire dans quelle voie me diriger. Je fais du sur place. J'appréhende certains changements dans ma vie en intégrant certaines idées nouvelles et je ne sais trop comment les mettre en application. Il m'est difficile de dire NON à l'influence extérieure et d'aller chercher les vraies réponses à l'intérieur de moi.

J'accepte↓♥ les événements passés, afin de me permettre d'aller de l'avant, en toute confiance. Je laisse ma créativité se manifester. J'écoute en tout premier lieu ma voix intérieure qui sait ce qui est bon pour moi.

ADÉNOPATHIE

Voir aussi : GANGLION [... LYMPHATIQUE], INFECTIONS, INFLAMMATION, TUMEUR [S]

L'**adénopathie** se caractérise par une augmentation du volume des ganglions lymphatiques et peut provenir d'une inflammation, d'une tumeur ou d'une infection.

Puisque les ganglions du système lymphatique agissent comme des filtres du système lymphatique, cela signifie que je vis un stress ou un choc émotionnel relié à des peurs sur le plan affectif. Je me sens ainsi bloqué, pris sur ce plan-là. Si je vis un conflit, je garde tout à l'intérieur de moi. J'ai de la difficulté à voir ce qui est bon ou mauvais pour moi. La région affectée m'indique plus précisément l'aspect de ma vie qui est touché, que ce soit le thorax, l'abdomen, le cou, l'aisselle, l'aine.

J'accepte↓♥ de développer mon autonomie et ma confiance, afin de prendre ma vie en main !

ADHÉRENCE

Les **adhérences** sont caractérisées par une forme de soudure de deux organes du corps par un tissu conjonctif.

Si « j'adhère » d'une manière excessive, ou si « je reste accroché » à des idées négatives, malsaines ou inadéquates, à de la rancune, à de la **haine**, à de la colère vis-à-vis de quelqu'un, à de la **culpabilité**, à des rêves illusoires, à une vie trop centrée sur le milieu familial ou sur le foyer (par exemple, la mère couveuse), je risque de manifester des **adhérences** au niveau des viscères[9]. Certaines sont **pathologiques**, c'est-à-dire qu'elles surviennent à la suite d'une inflammation liée à de la **rage** ou à une tumeur quelconque qui provient d'émotions refoulées, d'une situation que j'ai de la difficulté à digérer. Je vis de la confusion face à une ou des situations. J'associe des émotions et/ou des idées qui n'ont aucun rapport entre elles. Je me sens perdu. Je suis comme un chien errant.

J'accepte↓♥ de laisser aller le passé, les vieilles idées et les pensées négatives qui freinent mon bonheur. Je redonne aux autres ce qui leur appartient, leurs responsabilités. Je vis dans le moment présent et je savoure chaque instant de ma vie.

AGITATION

VOIR AUSSI : HYPERACTIVITÉ

L'**agitation** est un état qui va m'atteindre si je suis une personne très nerveuse mais qui réussit quand même à canaliser ses énergies du mieux

[9] **Viscères** : terme général pour désigner chacun des organes contenus à l'intérieur du crâne, de la cage thoracique ou de l'abdomen.

qu'elle peut ! C'est proche d'un **état d'urgence**, une insécurité intérieure que je ne peux contrôler, un processus d'extériorisation des émotions, souvent un cri d'alarme pour montrer aux autres comment je me sens intérieurement : pris, méfiant, peureux dans certaines situations, entreprenant mais souvent maladroit et surtout très énervant pour les gens de mon entourage ! Si je suis très **agité** physiquement et intérieurement, je peux vivre une forme de déséquilibre car j'ai de la difficulté à rester « centré » (stable et ancré) sur moi-même : j'utilise donc cet état inconsciemment parce que j'ai besoin d'augmenter ma confiance en moi, de me prouver que je peux réussir, en attirant l'attention : « *Regardez-moi aller !* ».

J'accepte↓♥ de prendre **conscience** que plus je suis en mesure de comprendre pourquoi cette insécurité est en moi, plus je réussis à maîtriser l'agitation. Je reste calme, je communique verbalement mes sentiments et mes besoins et tout sera pour le mieux.

AGNOSIE

VOIR AUSSI : ALEXIE CONGÉNITALE

L'**agnosie** est un trouble de la reconnaissance des objets, inexplicable par un déficit sensoriel et traduisant (ou expliquant) un déficit intellectuel spécialisé. Il existe pour tous les organes des sens : cécité, surdité, verbal.

Si elle est **visuelle**, ce que je vois me rappelle certaines de mes blessures que je n'ai pu maîtriser lorsqu'elles se sont présentées : si je n'entre pas en contact avec mon environnement, j'évite de me reconnecter à mes propres blessures. Lorsqu'elle est **auditive**, elle est généralement accompagnée de troubles du langage : je me protège aussi des autres, m'empêchant de communiquer et de créer des liens profonds et durables pour éviter de souffrir si ce lien venait à se briser. L'**agnosie tactile** (toucher) m'empêche de rentrer en contact physique avec ce qui m'entoure. C'est un peu comme un enfant qui découvre ce qui est extérieur à lui : si je suis en insécurité, j'ai peur de ce que je vais y découvrir et je fais en sorte que mon corps ne soit pas capable de définir les objets. Elle me met en contact avec mon impossibilité de construire avec certains éléments de ma vie. L'**agnosie spatiale** est l'impossibilité de localiser un objet dans l'espace : elle est en lien avec la désorientation ou la perte de la mémoire des souvenirs car ils ont été trop douloureux pour moi, je n'ai donc plus de repères. Je reste ainsi loin de ma propre nature et je ne peux me situer dans une société puisque je me sens perdu.

J'accepte ↓♥ que toutes mes expériences passées fassent partie d'un processus d'apprentissage. J'accepte ↓♥ de reconnaître et de regarder quelles sont les leçons à apprendre. À partir d'aujourd'hui, je reste en contact avec la réalité et je réalise que c'est en guérissant mes blessures intérieures que je reprends contact avec l'ensemble de ce que je suis. Je peux par la suite être conscient de l'univers qui m'entoure et me sentir bien et libre.

AGORAPHOBIE

Voir aussi : ANGOISSE, MORT, PEUR

L'**agoraphobie** vient des mots grecs **AGORA** (qui signifie place publique) et **PHOBUS** (crainte). C'est la panique de la foule et celle aussi d'en avoir peur.

Elle est fortement reliée à une peur inconsciente de la mort. Si je suis atteint d'**agoraphobie**, je suis probablement une personne très sensible, réceptive à plusieurs niveaux (surtout psychique[10]) et possédant une imagination très fertile. Je suis très dépendant sur le plan affectif et je n'ai jamais vraiment coupé le (s) lien (s) maternel (s). J'ai de la difficulté à discerner mon vrai moi de ce que je crée sur le plan psychique, c'est-à-dire des formes-pensées, ce qui entretient mes angoisses. Je suis semblable à une **éponge :** j'absorbe les émotions d'autrui (surtout les peurs) sans discerner, filtrer ou protéger ce qui m'appartient du reste et j'amplifie autant mes peurs que celles des autres. J'ai donc tendance à me replier sur moi-même, à me sentir responsable de tout, à communiquer très peu sauf avec la personne en qui j'ai **énormément confiance**, avec qui je me sens en sécurité ; je m'isole donc par crainte de m'éloigner de cette forme de **sécurité**. Je suis comme un rat en cage et j'ai tendance même à m'accrocher à cette personne, me sentant fragile et ne sachant pas jusqu'où vont mes limites que je crée moi-même et qui briment ma liberté. J'ai de la difficulté à assumer mon rôle d'adulte. Je peux même penser être atteint de folie et je **dois cesser de croire cela le plus tôt possible**. Il m'est facile de tout « contrôler » à un endroit où je suis en totale sécurité. Cependant, dès que je quitte celui-ci, tout s'effondre ! J'ai peur du regard des autres sur moi, de leur jugement. J'angoisse pour tout, comme si mes peurs m'envahissaient au point où j'ai l'impression de perdre le contrôle ! Dès qu'une expérience me stimule trop fortement (naissance, accident, décès, catastrophe), je risque de m'enfoncer encore dans mes angoisses (les bruits, les gens, etc.), sans jamais trouver de situation durable, d'où l'amplification de l'**agoraphobie**. De plus, mon niveau de critique est élevé parce que je vis beaucoup d'insécurité, je fais peu confiance et je crois que les choses et les situations ne vont pas aussi bien que je le voudrais : donc, je critique. L'**agoraphobie** sous-tend parfois un conflit avec ma mère, que je vais constamment critiquer. Cette dernière peut s'être reposée beaucoup sur moi, vivant ainsi une forme de dépendance. La relation en devient basée sur les attentes au lieu de l'**amour**. Je peux avoir alors senti un grand vide et celui-ci se fait sentir maintenant que je suis devenu adulte. J'ai tellement eu l'impression d'avoir à fusionner avec ma mère (ou un autre adulte de référence qui souvent s'occupait de mon éducation) que j'ai de la difficulté à être entouré de personnes car j'ai peur inconsciemment d'avoir à fusionner avec celles-ci, ce qui est trop me demander.

J'accepte↓♥ de changer mon attitude dès maintenant. Je décide des directions à prendre en sachant que j'ai pleine liberté de mouvement et d'action. J'accepte↓♥ une à une mes peurs, telles qu'elles sont, car je sais qu'elles empoisonnent ma vie, mais elles peuvent aussi me faire avancer ! **J'apprends à m'aimer et à m'accepter↓♥**, à aimer mon côté maternel et protecteur (mère), à me construire un univers physique et intérieur plein de bonheur, sans critique ni dépendance. J'ai aussi avantage à m'exprimer

[10] **Psychique** : au niveau de mes pensées, au niveau mental.

dans ma communication verbale et ma créativité. Je dois dépasser la crainte de « perdre ma place » et être en harmonie avec moi ! Je reste responsable de mon bonheur, même si j'ai tendance à croire que je détermine à la fois le bonheur et le malheur d'autrui. J'accepte↓♥ de prendre des risques et d'aller au-devant de mes craintes qui freinent mon pouvoir créatif. Cela m'aidera à maîtriser davantage ma vie et mes pulsions intérieures. Une sexualité équilibrée et active aura l'avantage de me faire décrocher de cette fixation émotionnelle liée au plan mental.

AGRESSIVITÉ

Voir aussi : ANGOISSE, ANXIÉTÉ, NERFS [CRISE DE...], NERVOSITÉ, SANG — HYPOGLYCÉMIE

L'**agressivité** est une quantité d'énergie refoulée qui découle la plupart du temps d'une frustration vécue dans une expérience ou une situation.

C'est souvent inconscient et cette frustration peut empoisonner tellement ma vie et mon existence que je prends l'**agressivité** comme moyen d'expression (l'**agressivité** en est un), comme soupape à toute cette pression existant en moi. C'est un moyen de me défendre car je me sens attaqué, non respecté, abusé, tendu, incompris. Je veux que l'on me comprenne ! **L'agressivité** diminue mon niveau de vitalité. Il peut m'être difficile de rester ouvert et de laisser couler l'énergie. Il est évident qu'une personne en état d'**agressivité** se coupe temporairement et plus particulièrement de l'énergie spirituelle et de l'ouverture du **cœur♥**. C'est un état **inné**, **instantané** et irréfléchi de défense et de protection : je doute de ma valeur et j'ai même tendance à me dévaloriser silencieusement, me disant que je ne suis pas à la hauteur. Je me sens vulnérable, j'ai l'impression qu'un danger me guette. Mon impuissance m'amène à vouloir attaquer ceux que je considère comme meilleurs ou plus forts que moi. Je peux avoir l'impression qu'on m'empêche d'être moi-même mais en réalité, je me mets moi-même des barrières et des limitations. Si je suis agressif, j'ai souvent le **sentiment** d'être le plus fort car je décide d'attaquer le premier. Je me mets dans un état de domination-soumission et je suis **déchiré** face à moi-même. La personne face à moi agit comme un **miroir**. Je projette une partie de moi qu'il me reste à accepter↓♥ et cela **presse** mon **bouton** ![11] Conséquence ? L'excitation s'amplifie, la tension monte et c'est maintenant l'apparition de la contraction musculaire ! Je suis raide et tendu, sur mes gardes, prêt à bondir contre les attaques ! Je suis sur la défensive et je lutte contre mes angoisses. Que faire ?

J'accepte↓♥ de rester ouvert, travailler sur moi en **premier**, écouter mon intuition et ma voix intérieure qui me protègent et qui guident mes pas. J'exprime mes émotions, quelles qu'elles soient. J'accepte↓♥ que ma plus grande force réside dans le fait d'être moi-même et que le vrai pouvoir que je peux manifester se trouve dans le fait d'être vrai au lieu de vouloir donner une image de « dur à cuire ».

---

[11] **Presse mon bouton** : expression qui indique que l'on peut activer un élément déclencheur d'une réaction ou d'une émotion.

AGUEUSIE

VOIR : GOÛT [TROUBLES DU ...]

AIGREURS

VOIR : ESTOMAC — BRÛLURES D'ESTOMAC

AINE

VOIR AUSSI : GANGLIONS [... LYMPHATIQUES] , HERNIE

L'aine est la région unissant le ventre et la cuisse en formant un pli.

Lorsque cette région est atteinte, soit par un **abcès**, une **douleur** ou un **engorgement lymphatique**, il s'agit d'une coupure entre mes désirs (le plus souvent sexuels) et mes actions. Je me replie sur moi-même et je n'exprime pas mon insatisfaction. Me sentant dans une prison, j'en viens à ressentir de la ***haine***. Je vis plus dans ma tête que dans mes émotions et je me sens toujours pressé. Je résiste à mes besoins profonds de calme et de repos. Je refuse de laisser s'exprimer mes élans créatifs. Je brime ainsi ma liberté et ma dynamique en est affectée. Suis-je en accord avec ce que je ressens et ce que je fais ? Une **hernie** à ce niveau me montre que j'en ai assez de vivre pour les autres. Je m'accroche au passé même si la façon dont j'ai vécu jusqu'à maintenant ne me satisfait plus. Je me suis forcé à rester dans certaines situations (autant au niveau affectif qu'au travail) par peur d'exprimer ma créativité. Ma vie paraît calme et sous contrôle de l'extérieur, mais je me détruis en dedans. Un **gonflement des ganglions lymphatiques** à **l'aine** m'indique que je repousse ma vraie nature. Je me crée des obstacles qui deviendront « de bonnes raisons » pour ne pas accomplir mes vrais désirs et passions.

J'accepte↓♥ de m'ouvrir à mes émotions et de laisser couler l'énergie. C'est ainsi que je peux connaître la vraie liberté, en étant en contact avec tout ce qui m'habite et pouvant ainsi l'intégrer et le dépasser.

AIR (mal de l'...)

VOIR : MAL DE MER

AISSELLE

VOIR AUSSI : ODEUR CORPORELLE

L'aisselle est un espace creux situé sous l'épaule, entre la face latérale du thorax et la face interne du bras, contenant de nombreux vaisseaux et nerfs. **L'aisselle** permet une sudation, une transpiration.

Elle est en relation avec mes forces les plus vieilles et les plus profondes et exprime de quelle façon je rentre en contact avec celles-ci. Soit que je refuse mes émotions dites primitives (par exemple sexuelles), de base ou au contraire qu'elles prennent toute la place. J'ai de la difficulté à avancer car je mets de côté ce que me dit ma voix intérieure. Parce que mes parents veulent que je ***m'abrite*** sous leurs ailes, je me sens limité dans ma capacité à me différencier d'eux, à être « moi » ! Lorsque la **transpiration** est **abondante** au niveau des **aisselles**, je déborde dans mes émotions, je vis de la nervosité et de l'angoisse. Il y a une situation de ma vie que je ne peux sentir et que je garde secrète, « sous mon aile ». S'il y a **gonflement des ganglions à l'aisselle** (**adénopathie axillaire**), je cache au plus profond de mon être mes émotions et mes pulsions. Ne pouvant toujours les retenir, cela se traduit par des comportements compulsifs et des **ganglions** qui se gonflent. J'ai tellement peur d'assumer ma vraie personnalité que je préfère me conformer aux autres. Toutefois, je deviens dépendant d'eux et je suis coupé de ma nature profonde.

J'accepte↓♥ de « sortir de ma coquille » au lieu de rester caché. Je laisse aller, ce n'est plus bon pour moi. Je laisse s'exprimer mes forces intérieures naturelles me donnant ainsi toute l'assurance et le dynamisme dont j'ai besoin pour accomplir mes désirs profonds.

ALCOOLISME

VOIR AUSSI : ALLERGIES [EN GÉNÉRAL], CANCER DE LA LANGUE, CIGARETTE, DÉPENDANCE, DROGUE, SANG — HYPOGLYCÉMIE

L'abus (« a bu ») des boissons alcooliques cause un ensemble de troubles : physiquement, le corps change et se crispe, les capacités et le fonctionnement du cerveau diminuent, les systèmes nerveux et musculaires deviennent **tendus et sur tendus**. Semblable à toutes les autres formes de dépendance, l'**alcoolisme** se manifeste principalement au moment où j'ai besoin de **combler un vide affectif ou intérieur profond**, un aspect de moi-même qui « empoisonne » vraiment mon existence ! Je peux boire abusivement pour diverses raisons : **fuir ma réalité**, quelle que soit la situation (conflit ou autre) parce que cela ne me convient pas ; résister à mes peurs, à l'autorité (surtout paternelle) et aux gens que j'aime car j'ai justement peur de me dévoiler au grand jour, tel que je suis ; me donner le **courage** d'aller de l'avant, de parler, d'affronter les gens (remarquez que, si je suis un peu *feeling*[12], je suis souvent plus ouvert car je suis moins fixé sur mes inhibitions[13]...) ; me donner un sentiment de puissance et de force ; me donner du pouvoir dans une relation affective parce que mon état va sûrement déranger l'autre. Je ne vois plus les situations qui peuvent être dangereuses pour moi. Je vis de la solitude, de l'isolement, de la **culpabilité**, de l'**angoisse intérieure**, de l'**incompréhension** et une certaine **forme d'abandon** (familial ou autre) et j'ai le sentiment d'être une personne **inutile**, **sans valeur**, inapte, inférieure et incapable d'être et d'agir pour moi-même et pour les autres. Je me suis emprisonné dans des principes trop rigides. Puisque je crois que je ne mérite pas l'**amour** et le bonheur, je me retrouve dans un milieu froid où personne ne me comprend. Au lieu de bâtir des relations solides avec les gens, je le fais avec l'alcool qui devient « mon meilleur ami ». Je ne trouve pas ma place dans la société. Dans le passé, j'avais l'habitude de vivre intensément : je pouvais avoir **l'ivresse** de la vitesse, des hauteurs, de la nature, etc. et elle a disparu de ma vie. J'ai eu alors besoin « d'un p'tit remontant ». Souvent, je veux aussi fuir une situation conflictuelle ou qui me fait mal en « noyant ma peine » ou toute autre émotion avec laquelle j'ai de la difficulté à relever le défi. Je ne me sens pas supporté dans une situation et **l'alcool** devient mon support, ma « béquille ». L'**alcoolisme** peut être relié à une ou à

---

[12] **Feeling** : expression utilisée pour dire qu'une personne commence à être sous l'effet de l'alcool ou un peu ivre.

[13] **Inhibitions** : phénomène d'arrêt, de blocage d'un processus psychologique.

plusieurs situations qui me créent une tension. Lorsque je prends un verre d'alcool, cette tension diminue dans un premier temps et j'enregistre alors la relation qui semble être : tension→alcool→bien-être. Ce qui veut dire que lorsque je vis une tension, je prends un verre d'**alcool** et je me sens mieux. Par la suite, il se peut que je développe un **automatisme** et qu'à chaque fois que je vis une tension, l'information inscrite dans mon cerveau soit de prendre un verre d'alcool pour me sentir mieux. Une des sources de l'**alcoolisme** est la difficulté que j'ai connue, étant enfant, à transiger avec une famille où un de ces membres (et très souvent le père ou la mère) était **alcoolique :** il y a généralement plus de discorde, parfois de la violence physique et psychologique ou de l'abus de toutes sortes. Je peux même vouloir chercher à me dissocier de la famille dans laquelle je suis et qui ne me convient pas. Il y a alors baisse de mon sens moral : les spectacles de discorde fréquents provoquent chez moi une dévaluation des images parentales et la non-intégration des structures éthiques. J'aurais voulu réconcilier mes parents n'étant plus capable d'évoluer dans ce foyer détruit à mes yeux. Dans certaines familles aussi, l'accoutumance à l'alcool est favorisée par l'éducation, les adultes ayant amené l'enfant que j'étais à boire par jeu ou rendant l'absorption habituelle et régulière de boisson comme **normale**. Les troubles névrotiques et les altérations de la personnalité qui en découlent sont des facteurs puissants d'**alcoolisme** chez moi qui suis devenu adulte. Même des carences nutritionnelles peuvent conduire à la recherche d'une complémentarité alimentaire procurée par l'**alcool**. L'**alcoolisme** peut aussi induire des états hypoglycémiques, d'autant plus que les molécules d'**alcool** peuvent se transformer rapidement en sucre sanguin (temporairement). C'est ce qui explique que si je suis **alcoolique** mais que j'arrête de consommer, je peux me retrouver à boire une quantité impressionnante de café, source de stimulant par la **caféine**, et de sucre, de pâtisserie ou de dessert (source de sucre). Parfois, je vais aussi fumer considérablement puisque la cigarette m'apporte la source de stimulant (augmentation du rythme cardiaque) dont j'ai besoin pour me sentir en forme. Il est important pour moi de découvrir ce qui cause cette tristesse reliée à l'hypoglycémie dans ma vie, puisque je n'ai pas réglé la cause. Une autre cause de l'**alcoolisme** peut être les allergies. Ainsi, je peux être alcoolique seulement au cognac, au gin, au rye ou au scotch, etc. Il semble que seulement cette sorte de boisson en particulier peut me satisfaire. Il est alors probable que je suis allergique à l'un ou l'autre des ingrédients qui ont servi à fabriquer cette boisson particulière, que ce soit dans un cas le blé, l'orge, le seigle, etc. Je peux alors me demander à quoi ou à qui suis-je allergique. L'**alcoolisme** peut aussi provenir d'une personne ou d'une situation que je n'ai pas acceptée↓♥ lorsque j'étais jeune. Si j'ai été victime d'attouchements sexuels indésirables, ou dont je me sens coupable, venant d'une personne **alcoolique** lorsque j'étais jeune, il se peut qu'en pensant à cette situation, cela me porte à boire. Si je n'ai pas accepté↓♥ la colère de mon père alcoolique, il se peut très bien que, par un phénomène d'association, je fasse des colères **comme mon père** et que je devienne **alcoolique**. Ainsi, je peux boire pour oublier mes soucis, mon passé et l'avenir mais surtout **le présent**. Je fuis sans cesse et je me crée un univers illusoire et fantaisiste, une forme d'exaltation artificielle pour fuir le monde physique et ainsi dissocier une réalité souvent difficile d'un rêve continuellement insatisfait. Je ne vois pas le vrai sens de ma vie. En vivant selon les normes de mes parents ou de la société, je m'éloigne de moi-même. Je me sens différent, déphasé d'avec le reste du monde. À quoi servent les diplômes, les titres importants ? Je perçois le monde comme très matérialiste et je ne sais pas comment faire partie de ce monde. Je dois m'éloigner de ma créativité, de mon imagination et « faire comme les autres ». En faisant ainsi, j'ai l'impression de « perdre mon **âme** ». En buvant, je perds alors contact, pour un certain temps, avec mes sentiments de solitude, d'incompréhension, d'impuissance, de ne pas être comme les autres, de rejet de moi-même. Je peux abandonner mes responsabilités et j'en suis « délivré » pour un moment. Cette situation ne fait qu'empirer à mesure que je manifeste une dépendance à l'**alcool** (ou aux drogues) car je deviens de plus en plus insatisfait de mon existence. Je veux me séparer de la réalité en m'en allant dans un monde d'illusion mais, quand je « dégrise », la réalité m'apparaît encore plus difficile à vivre et alors survient la dépression. Je veux quitter la réalité pour vivre dans ma propre réalité. Je suis ***chancelant***, je n'ai pas toute ma **tête**, surtout lorsque je deviens dépendant, du même type de dépendance affective dont **j'aurais peut-être voulu avoir** et dont j'ai l'impression que **mon père ou ma mère** ne m'a jamais donné. Je veux tellement être aimé sans condition. Je peux vouloir fusionner avec ma mère qui me manque ou au contraire vouloir m'en débarrasser car je n'ai pas été capable de recevoir son amour et je lui résiste. Je prends **conscience** aussi que lorsque je bois, je peux exprimer des choses qui sont en temps normal impossibles à exprimer. L'**alcool** devient alors une façon de faire « parler mon inconscient ». J'exprime dans mes moments de crise ce que je ne peux pas dire ou faire en étant sobre.

J'accepte↓♥ à partir de maintenant de regarder ma vie en face, de cesser de me détruire et je me responsabilise.. Il est temps de mettre l'attention sur mes belles qualités physiques et spirituelles, même si le passé a été douloureux pour moi et que, d'une certaine façon, ma bouteille a souvent été mon **meilleur ami**. À partir de maintenant, j'accepte↓♥ de régler ma vie, de commencer à aimer mes qualités et ce que je suis. Je suis maintenant sur la voie de la réussite. Je serai à même de me respecter davantage et de trouver plus facilement la solution à mes problèmes (expériences) au lieu d'être dans un état temporaire ou presque permanent de fuite et de désespoir. J'accepte↓♥ ma différence et je l'assume pleinement. Je laisse s'exprimer mes qualités uniques, sachant que je n'ai plus à satisfaire les attentes de la société. En laissant grandir ma plénitude intérieure, en buvant l'**amour** et la douceur que les gens et l'univers veulent me donner, je n'aurai plus besoin de me « remplir » de façon exagérée avec de la boisson.

ALEXIE CONGÉNITALE (aveuglement des mots)

L'**alexie congénitale** est aussi appelée **aveuglement des mots** ou **cécité verbale**. C'est une incapacité pathologique[14] à lire. Soit que je puisse lire les lettres sans les mots, ou lire les mots sans lire les lettres ou que je ne lise pas tous les mots d'une phrase, ce qui m'empêche d'en comprendre le sens.

Si je suis affecté par cette maladie, je peux vivre une grande **préoccupation** ou une attention exagérée concernant les pensées que je véhicule. Plus je mets l'attention (de façon exagérée) sur des aspects de ma vie qui en ont peu besoin, plus je risque de souffrir en restant fermé à des

[14] **Pathologique** : une maladie, scientifiquement parlant.

pensées qui freinent mon évolution. Ce qui m'est inconnu m'amène à vivre une grande insécurité. J'ai ainsi beaucoup moins de pouvoir sur ma vie et je sens un grand vide.

J'accepte↓♥ d'avoir besoin de m'ouvrir intérieurement à mon intuition et à mon imagination, deux facultés merveilleuses que l'âme[15] que je suis possède pour s'exprimer. Si je veux régler cette maladie, je n'ai qu'à regarder ce en quoi ma vie est dérangée, ce que la maladie m'empêche ou m'évite de faire, de dire ou de voir. En ouvrant mon **cœur♥**, je règle cette situation d'une manière **consciente**. Il est plus facile pour moi en tant qu'enfant de manifester l'écoute intérieure, car je suis plus « branché » que les adultes, **je lis plus facilement les messages d'amour de mon cœur♥** ! Alors je m'ouvre à mon intuition et je manifeste davantage ma créativité.

ALLERGIES

VOIR AUSSI : ALCOOLISME, ASTHME

L'**allergie** est l'état d'un sujet qui, par contact antérieur avec un antigène approprié, a acquis la propriété de réagir lors d'une agression seconde par le même antigène d'une manière différente, souvent plus violente et incontrôlable. Une **allergie** est une réponse suractivée du système immunitaire à un antigène extérieur. La substance allergène n'entraîne pas de réaction chez la plupart des gens, mais est identifiée à moi comme dangereuse par le système immunitaire.

Cette réponse, résultant d'une cause intérieure, est souvent le moyen par lequel le corps m'indique que je vis un état d'agressivité et d'hostilité par rapport à une personne ou à une situation quelconque, en fonction de l'interprétation par le mental de ce que je vis de si spécial. Donc, **l'allergie** est une défense et un signe que mon Moi se protège. Ma grande sensibilité veut me donner un signal qu'il y a quelque chose ou quelqu'un d'hostile à mon égard, qu'il y a un danger. Je ne me sens plus en sécurité. Les **allergies** (incluant la fièvre des foins) sont semblables à l'asthme, mais la réaction se situe davantage au niveau des yeux, du nez et de la gorge, plutôt que dans les poumons et sur la poitrine. À quoi suis-je **allergique** ? Qu'est-ce qui m'excite autant ? Qu'est-ce qui cause réellement l'irritation et la forte réponse émotionnelle de mon corps (reniflement, écoulement des yeux, envie de pleurer) ? Ce sont toutes des réponses du **système émotionnel**, la libération d'émotions supprimées par une réaction de mon corps. Celui-ci réagit à quelque chose, une sorte de symbole mental, parce qu'il essaie de rejeter, d'occulter[16] ou d'ignorer ce qui le dérange. Je rejette donc une partie de moi qui m'agresse. C'est le moyen que j'utilise pour exprimer mes émotions, pour **faire sortir le méchant** ! Rien ne peut arrêter cette réaction de refus pour l'instant et cela n'est pas rationnel, parce que cela fait partie du domaine de l'instinct et de l'inconscient. C'est comme s'il y avait quelque chose qui n'a pas affaire là, un **ennemi** qui dérange mes barrières de protection. Cet ennemi prend ce **pouvoir**, mon pouvoir d'être et de faire, et cela m'impressionne. Je suis **impressionné** par le pouvoir des autres au détriment du mien. Je me sens menacé par une certaine peur inconsciente que je refuse de vivre. Les **allergies** tendent

---

[15] **L'âme** : l'étincelle divine que je suis, ma **conscience**.

[16] **Occulter** : effacer de ma mémoire consciente ou de ma sensibilité.

donc à indiquer un **profond niveau d'intolérance**, peut-être la peur d'avoir à participer pleinement à la vie, à me libérer de toutes béquilles émotives qui me supportent et qui me permettraient de vivre l'autosuffisance. Par mon **allergie**, je me **sépare** de mon entourage et je vis constamment en état d'alerte car je me dois de ne pas entrer en contact avec l'antigène, source de mes réactions allergènes. Je reste à l'écart et je communique peu. J'ai peut-être de la difficulté à discerner, à choisir, à prendre la place qui me revient. Je peux sentir le besoin de rallier les membres de ma famille par le contact, soit verbal et surtout, physique. La caractéristique propre à la personne **allergique** est souvent l'impression de ne pas être **assez correct** ! Je veux attirer et avoir l'attention, la sympathie et le support d'autrui. Est-ce que j'utilise l'**allergie** pour avoir de l'**amour** ? C'est possible. En tout cas, une chose est sûre : j'ai une **allergie** parce que je refuse une partie de moi-même et mon combat inconscient est grand. **C'est ma résistance, ma façon de dire non**. Le fait que je sois répugné par une partie de moi-même (souvent mes désirs sexuels que je renie), mes sens se révoltent car ils aspirent à jouir pleinement de la vie. Lorsque j'apprends à dire non à certaines situations, je m'ouvre à dire OUI à de nouvelles situations. J'ai le pouvoir de décider ce qui est convenable pour moi dans mon propre univers. Les individus peuvent être **allergiques** à toutes sortes de choses : aliments, objets, formes, odeurs. Tout ce qui, de près ou de loin, implique les cinq sens (particulièrement l'odorat qui est le sens le plus puissant du point de vue de la mémoire). Mon mental enregistre une foule d'impressions **bonnes ou mauvaises** pour moi. Il est fort possible que si je suis **allergique** à quelque chose, c'est que mon mental l'a associé à un certain souvenir **bon ou mauvais** et que mon instinct le refoule en ce moment. **L'allergie** fait référence au passé qui contrarie ou agace mon présent. Parfois, je ne veux plus me souvenir de certains événements avec ma mémoire ; mon corps se charge alors de me rappeler ce que je veux oublier. L'**allergie** apparaît souvent à la suite d'un événement où je me suis senti **séparé** d'une chose, d'un animal, d'une personne. Ce peut être par exemple un amour ***d'été*** qui se termine abruptement. Lorsque je revis une situation qui me rappelle cet événement triste et déchirant pour moi, j'aurai cette **allergie** car, quelque part, mon corps (mes sens) se souvient de tout et tout est enregistré dans mes cellules. Lorsqu'une personne que j'aime quitte son corps physique et que le deuil n'est pas fait, je peux devenir allergique à quelque chose qui me rappelle cette personne et donc, cette séparation définitive que je n'accepte↓♥ pas. Ma **peau** réagit alors à ce chagrin découlant de cette séparation. Si la situation vécue s'accompagne d'une grande angoisse, ce sont mes **sinus** qui seront touchés (**rhume des foins**, éternuements).Dans ce cas, une situation ne « sent pas bon » et j'essaie de l'éviter ou de me « tenir loin ». Si cela tourne en **sinusite**, j'ai l'impression que je ne peux pas me débarrasser ou sortir de cette situation, je suis pris. Si la peur prédomine, mon **allergie** s'exprimera plus par la **toux** (difficulté à respirer) et si c'est plutôt la séparation elle-même que j'ai vécue difficilement, les réactions allergènes se retrouveront plus du côté de la **peau** (eczéma, urticaire, dermite, etc.). L'**allergie à un aliment** (par exemple : le sucre et l'alcool chez l'alcoolique) est reliée à une expérience où, étant placé dans une situation où j'ai dû dire **non** à ce que j'aimais peut-être le plus, la frustration s'en suit et j'y deviens **allergique**. C'est souvent une peur du nouveau et de l'aventure, un manque de confiance face à la vie. Je me sens maintenant obligé de me priver de cette sorte de joie, de gaieté, en pensant que la vie est quelque chose d'ordinaire, sans défi. Qu'est-ce que je veux éviter d'affronter ? Qu'est-ce qui me fait tant réagir ? Qui m'effraie tant intérieurement ? Y a-t-il quelque chose dont je me méfie au point de l'éloigner de moi ? Sur quoi voudrais-je avoir le contrôle ou un certain pouvoir mais je sens qu'il m'échappe ? (un peu comme dans le cas de l'anorexie, je dois maintenant contrôler soigneusement ce que je mange. au risque d'en mourir, notamment dans les cas aigus **d'allergies alimentaires**). Il semble que, dans certains cas, mon mental fasse une association de certaines situations avec des substances par le biais des homonymes. Ainsi, si j'ai dû laisser mon travail (mon boulot) que j'aimais pour me consacrer à la vie religieuse, je suis devenu **allergique** au bouleau (l'arbre). Quelques années plus tard, ayant accepté↓♥ et intégré ce changement, l'**allergie** a disparu. Voici un autre exemple : un bébé nouveau-né est **allergique** aux pêches (le fruit). Pourquoi ? Parce que sa mère impatiente et sur le point d'accoucher, quelques mois auparavant, avait dit à son conjoint : « *Dépêche-toi, on va être en retard à l'hôpital !* » Ici, le mot « dépêche », est l'homonyme de « **des pêches** ». Ainsi, à la base de l'**allergie**, il y a toujours une émotion d'irritabilité ou de frustration associée à un produit ou à une situation pour me rappeler ce malaise à intégrer ou à conscientiser. **L'allergie** se manifeste lorsque le cadre de ma vie change, qu'il est remis en question. Mes repères changent, même s'il s'agit d'un événement heureux et bon pour moi. Un nouveau travail, un déménagement par exemple amène une certaine insécurité et peut m'amener à devoir me protéger. Ma confiance diminue, j'ai « le vertige ». Le fait que je ne reconnais pas ma valeur implique que je mets soit mon partenaire, mon enfant, mon meilleur ami, etc. sur un piédestal.. Inconsciemment, cela m'irrite et je peux devenir **allergique** face à cette personne.

En commençant à accepter↓♥ au niveau du **cœur♥** ma vie et mes peurs, le processus d'intégration s'enclenchera et les **allergies** qui compliquent mon existence retourneront dans l'univers. J'ai besoin de paix intérieure et surtout d'**amour**. Je reste ouvert et tout sera pour le mieux. J'accepte↓♥ de reconnaître ma valeur, d'aller au fond des choses. Je peux découvrir le bonheur à l'intérieur de moi. En acceptant↓♥ ma beauté et toutes mes qualités divines, je serai en harmonie avec les gens qui m'entourent et la frustration va disparaître.

ALLERGIE AUX ANTIBIOTIQUES

L'**antibiotique**[17] (anti = contre/bio = vie) est un corps (d'origine bactérienne ou autre) spécialisé dans la lutte contre les microbes.

Mais les microbes représentent eux aussi la vie. Il y a donc contradiction. Comme le rôle de l'antibiotique est de « tuer » une certaine forme de vie en moi, pourquoi donc serais-je **allergique aux antibiotiques** ? Probablement parce que je refuse certaines formes de vie, certaines situations **vivantes** de mon existence (expériences diverses et plus ou moins agréables).

[17] **Antibiotique** : c'est à Sir Alexander Flemming, ce médecin et bactériologiste britannique (Darve 1881 – Londres 1955) que l'on doit la découverte, en 1928, de la pénicilline qui ne pourra être extraite qu'en 1939 et essayée sur les humains en 1941, ce qui a ouvert l'ère des antibiotiques.

J'ai une prise de **conscience** à faire et c'est d'accepter↓♥ ces expériences car, même si elles peuvent être difficiles pour moi, j'ai une leçon à tirer de celles-ci. Je fais confiance à mon potentiel créatif.

ALLERGIE AUX ANIMAUX (en général)

Les **animaux** possèdent un instinct et une sexualité innés et chaque animal représente une facette de l'**amour**. Donc, une **allergie à un animal** (ou à son poil), en général, correspond à de la **résistance** par rapport à l'aspect instinctif ou sexuel que l'animal représente pour moi.

J'accepte↓♥ tous les aspects de la sexualité. J'accepte↓♥ aussi mes désirs, tant conscients qu'inconscients, car ils font partie intégrante de mon être.

ALLERGIE AUX CHATS

Le **chat** est un animal beaucoup plus sensible à ce qui est **invisible** que la majorité des personnes. Il incarne la sensualité et la douceur. Il se peut qu'une **allergie aux chats** soit davantage en rapport avec l'aspect de ma personnalité qui peut « sentir » des choses (côté ou aspect féminin), sans pour autant que j'aie des preuves concrètes de ceci. Je peux donc vivre de l'intolérance car je n'ai pas de preuve (sur le plan rationnel). Il est donc clair que le **chat** (ou la **chatte**) symbolise le **côté sexuel féminin**[18], et toutes les qualités féminines telles que douceur, charme et tendresse. Je vis une certaine dualité entre le besoin de recevoir par exemple de la douceur et ma peur face à celle-ci. Il y a une angoisse reliée à la sexualité qui peut provenir de la notion d'interdit, de culpabilité et même de mort. J'ai donc à accepter↓♥ ces aspects que je refuse probablement, soit de recevoir ou de manifester.

NOTE : *Cette **sensibilité féline** s'explique par le fait que la morphologie du chat possède un système nerveux situé surtout en périphérie du corps, contrairement à l'être humain dont le système nerveux est davantage à l'intérieur du corps. Cette morphologie particulière rend le chat plus **sensible** aux vibrations ou aux énergies particulières des personnes et des endroits ou, si l'on veut, de ce qu'une personne ou un endroit **dégage**.*

ALLERGIE AUX CHEVAUX

Le **cheval** est associé à l'**aspect instinctif de la sexualité**. Comme l'instinct est relié davantage au premier *chakra* (ou coccyx)[19], la peur peut se traduire par celle « d'avoir de bas instincts sexuels », et se manifeste par une **allergie** à cet animal fort et fougueux. Il se peut que je trouve que la sexualité n'est pas assez spirituelle pour moi-même, si je sens au fond de moi le désir de vivre ces expériences pour m'aider à amener davantage la spiritualité dans la matière.

J'accepte↓♥ de m'ouvrir à de nouvelles expériences qui vont m'aider à me connaître davantage et à m'épanouir.

---

[18] **Féminin** : Voir : FÉMININ (principe ...)

[19] **Premier chakra** : le premier chakra est l'un des sept principaux centres d'énergie dans le corps et il est situé au niveau du coccyx, à la base de la colonne vertébrale.

ALLERGIE AUX CHIENS

On dit que le **chien** est le *« meilleur ami de l'homme »* (de l'être humain), alors je peux me demander, lorsque je vis ce type d'**allergie**, quelle personne ou quelle situation par rapport à l'amitié fait monter de la colère en moi ? Si je suis **allergique aux chiens**, je peux même vivre de l'agressivité et même une certaine violence vis-à-vis de la sexualité que je relie à l'amitié. Il se peut que je vive un malaise, ne sachant pas très bien définir pour moi la place que prennent la sexualité, l'amitié et l'**amour.** Ce malaise fait monter de la colère en moi, qui se manifeste sous forme d'**allergie**.

J'accepte↓♥ de délimiter les paramètres de l'amitié, je la définis afin d'éclaircir certaines situations de ma vie qui se trouvent peut-être pour le moment dans une zone grise. Je me respecte dans mes besoins et dans mes choix.

ALLERGIE AUX ARACHIDES (beurre ou huile)

Lorsque je prends de l'**huile d'arachide** ou du **beurre d'arachide**, cela active en moi la mémoire d'un événement où étant jeune, j'en ai particulièrement « arraché » et face auquel maintenant je vis des regrets. J'ai alors pu avoir l'impression que l'on me faisait faire des travaux sans que je me sente suffisamment rémunéré (en argent, en affection, etc.). Je travaillais ou même aujourd'hui encore je peux travailler d'arrache-pied pour bien peu et je trouvais cette situation ***hideuse,*** répugnante. Cela me mettait intérieurement en colère de travailler « pour des *peanuts*[20] ». En essayant de trouver l'événement ou les situations où j'ai pu vivre un tel sentiment, je pourrai modifier ma mémoire émotive et régulariser la situation.

J'accepte↓♥ de prendre **conscience** de tous les aspects de ma vie où je me sens aidé et où la vie est pour moi relativement facile, et j'amplifie ce sentiment de bien-être pour m'aider à équilibrer les sentiments de difficulté que j'ai pu enregistrer dans mon enfance.

ALLERGIE — FIÈVRE DES FOINS (rhume)

Cette **allergie** est fondamentalement à la base d'une réaction au pollen, grain végétal formant l'**élément masculin** de la fleur.

Cet élément masculin véhicule le symbole de la reproduction et de la fertilisation. Cette **allergie** affecte habituellement les yeux, le nez et les sinus. L'**allergie** est à la base d'une **résistance** à une situation dans ma vie, d'un souvenir passé ou même, une facette de ma propre personnalité. Je n'aime pas que ma vie soit programmée à l'avance. Il est donc possible que **je résiste** souvent inconsciemment **à une forme de la sexualité ou à certains aspects de celle-ci**, surtout si ce que je sens par rapport à la sexualité ne « sent pas bon ». La peur de la reproduction peut être présente. Suis-je un(e) adulte qui voit le temps passer rapidement et qui a peur que son rêve d'avoir des enfants et de fonder une famille s'évanouisse à mesure que le temps passe ? Suis-je une adolescente qui se pose plein de questions par rapport au fait d'avoir des enfants ? Il peut s'agir aussi d'une

---

[20] **Peanuts** : au Québec, on utilise souvent le mot anglais *peanuts* pour **arachides**. « Travailler pour des peanuts » signifie : « Travailler pour presque rien ».

résistance et une non-acceptation↓♥ du temps qui passe et qui se remarque particulièrement à chaque nouvelle saison, moment où l'**allergie** réapparaît. Le **rhume des foins** peut être aussi relié au fait que j'ai été séparé d'une personne et que cela m'a grandement affecté. Une **allergie au pollen** me ramène à ma difficulté d'aller à la rencontre de la vie, d'aller à l'aventure. La nouveauté me fait peur et je suis anxieux face aux changements dans ma vie. Il est certain que je peux **m'attirer** une **allergie** pour plusieurs raisons mais une chose est sûre : j'étouffe ou je me sens étouffé par une situation. Je me révolte, quelque chose ne me convient pas du tout, mais je le fais quand même pour faire plaisir et j'étouffe. Je change d'idée sous l'influence de quelqu'un, je suis prêt à n'importe quoi, et j'étouffe. Je peux me sentir **étouffé** dans les choses à dire ou à faire, surtout que j'ai de la difficulté à prendre ma place et à dire non. J'ai tendance à vivre aussi beaucoup de culpabilité. Je me sens inférieur, craignant la réaction des autres. Je me rejette moi-même et je veux expulser ce qui me dérange. J'ai peur de me retrouver sur la ***paille***. Toutefois, je reste emprisonné dans de vieilles habitudes. Je suis rigide, tout comme le déroulement des saisons qui a toujours lieu dans la même séquence. Je manipule pour avoir ce que je veux... Vous voyez la programmation ? Elle peut être autant mentale (manière de pleurer) que « saisonnière », car la période estivale est idéale pour la manifestation de cette allergie, surtout si j'ai besoin d'une excuse pour en faire moins durant cette belle période de l'année ! Certaines personnes ont la **fièvre des foins** pendant des périodes allant jusqu'à sept ans ! Il est temps que je change cela immédiatement ou du moins que j'en prenne **conscience**. Je prends **conscience** que le **rhume des foins** peut devenir un moyen qui me permet d'éviter certaines situations, car je ne serais pas capable de toute façon de refuser de faire une tâche ou d'aller à un endroit en particulier. Donc, maintenant, j'ai une bonne raison ! Il peut aussi devenir un moyen de me sentir différent, d'avoir besoin d'attirer l'attention. De cette façon, les gens doivent au moins me remarquer pendant la saison des **allergies**. En prenant mon espace vital, ma « bulle » de **lumière**[21], je suis en mesure de m'ouvrir aux autres sous mon vrai jour, sans artifices. J'évite ainsi de vivre dans la fuite et les secrets. La première manifestation du **rhume des foins** peut avoir été inconsciemment reliée à un événement marquant et où j'ai probablement vécu de fortes émotions. Lorsque la même période de l'année revient, je me souviens ou, plutôt, mon corps se souvient et c'est le **rhume des foins** qui apparaît. Il est donc important que je prenne **conscience** de cet événement pour que je puisse briser le *pattern* de la maladie : je n'aurai plus besoin d'elle à l'avenir car j'ai fait la prise de **conscience** que je devais faire. Le **rhume des foins** n'était qu'un signe pour m'aider à arrêter et à trouver la cause profonde de mon malaise. Je vais me sentir plus libre, plus maître de ma vie.

J'accepte↓♥ ce qui est bon pour moi-même, même si cela implique une certaine forme de sexualité nouvelle et inconnue. Je sais que tout est possible, dans l'**amour** et l'harmonie. J'accepte↓♥ de sortir de l'isolement et d'aller vers les gens, n'ayant plus besoin de cette **allergie** pour attirer l'attention, car je sais que je suis différent et unique.

---

[21] **Ma « bulle » de lumière** : je peux m'imaginer et me visualiser dans une bulle de **lumière**, ce qui augmente ma protection face à mon environnement et me donne davantage confiance.

ALLERGIE AUX FRAISES

L'**allergie aux fraises** est associée à de la frustration qui met en contradiction le sentiment d'**amour** et de plaisir, ce dernier étant un besoin fondamental pour moi, aussi bien que la nourriture ou le sommeil. Cette **allergie** peut provenir d'un événement que j'ai vécu ou justement que je n'ai pas vécu par rapport à une personne ou à une situation. Un sentiment de haine et de frustration allié à de la culpabilité peut faire naître en moi cette **allergie**. Le plaisir fait tellement partie de ma vie, en tant qu'être humain, que les fortes crises d'**allergie aux fraises** peuvent provoquer une incapacité à respirer, pouvant amener la mort. Les poumons représentent la vie et je mets ainsi en évidence, par ma crise, un besoin fondamental dans ma vie qui n'a pas été comblé. Il est important que je prenne **conscience** de mes besoins fondamentaux en sachant que lorsque je prends de la nourriture, c'est de l'**amour** que j'ai pour moi ; lorsque je prends du sommeil, c'est de l'**amour** que j'ai pour moi ; lorsque j'ai du plaisir, c'est aussi de l'**amour** que j'ai pour moi. L'**allergie aux fraises** peut provenir aussi d'un sentiment que j'ai pu ressentir à l'endroit d'une personne ou qu'une personne a éprouvé à mon égard. Par exemple j'ai pu me dire : « *J'y aime pas la fraise, celui-là* », voulant signifier qu'il a un visage que je n'aime pas ou, comme on dit : « un visage qui ne me revient pas ». Ce peut être par rapport à un membre de ma famille et cela m'attriste de voir la discorde qui existe.

Je dois accepter↓♥ que chacun d'entre nous a son individualité, avec ses qualités et ses peurs, et qu'en chaque être, il y a cette étincelle qui brille.

ALLERGIE AU LAIT OU AUX PRODUITS LAITIERS

Le **lait** représente le **contact** avec la mère dès les premiers instants de mon arrivée en ce monde. C'est un aliment complet qui me permet d'avoir tous les nutriments dont j'ai besoin pour ma croissance dans les premières semaines de ma vie. Puisque, originellement, j'obtiens ce **lait** avec le **contact** avec ma mère, cette nourriture est en plus significative de **l'amour que je reçois de ma mère**. Alors, si dans mon entourage, il y a une personne que j'ai identifiée, soit ma mère ou une autre personne « qui joue le rôle de ma mère » et que je vis de la frustration par rapport à elle dans le rôle que je lui ai prêté, cela peut expliquer pourquoi je fais une **allergie au lait**. Je vis de la frustration par rapport à la forme d'attention et même de critique que cette personne me porte, ce qui rend désagréable le « contact » que je peux avoir avec elle. Je peux aussi me retrouver dans une situation où je me sens pris, dépendant, à la merci « de l'autre »... C'est comme si ma vie dépend de sa décision de me nourrir ou non et cela est très frustrant et angoissant. Ou est-ce moi qui m'accroche trop ? Si cette **allergie** se développe à la naissance, je dois vérifier quelles sont les peurs ou les frustrations que pouvait vivre ma mère lorsqu'elle me portait, faisant miennes ses peurs ou ses frustrations qui m'ont amené à vivre cette **allergie**. Cette attention que l'on me porte pourrait me faire dire : « Pour qui elle se prend ? Se prend-elle pour ma mère ? »

Il est important pour moi d'accepter↓♥ de mettre de l'**amour** dans la situation et d'harmoniser mes sentiments par rapport à ce lien privilégié et fondamental pour la survie de l'espèce et qui est enregistré en moi, celui du lien d'une mère et de son enfant.

ALLERGIE AUX PIQÛRES DE GUÊPES OU D'ABEILLES

J'ai certainement l'impression d'être constamment **harcelé** ou **critiqué** par mon entourage immédiat. Ainsi, cela agit sur moi comme si « on me piquait » constamment. Lorsque je me fais réellement piquer physiquement, cela fait se déclencher la haine que j'ai accumulée en moi dans toutes ces situations où je me sentais attaqué. J'ai tendance à me recroqueviller sur moi-même, pensant ainsi éviter les attaques. J'en viens à me sentir inférieur. Le « poison » contenu dans le dard de « l'agresseur » me rappelle combien je peux m'empoisonner la vie moi-même, à force de vivre selon les attentes de la société, de ma famille, de mon conjoint. J'aspire à devenir « la reine des abeilles » mais, au contraire, je vis ma vie comme une simple « abeille laborieuse » qui ressemble à toutes les autres. Je vis en victime. Je suis méfiant et j'aime la fatalité.

J'accepte↓♥ de commencer à regarder le beau côté des choses. En acceptant↓♥ de ne plus être victime, les insectes vont aller chercher d'autres victimes ! J'apprends à prendre la place qui me revient et j'examine les moyens à prendre pour que la critique diminue dans mon entourage et que je puisse me détacher davantage de ce que les autres peuvent penser de moi. Je me regarde avec les yeux du **cœur♥** et j'accepte↓♥ ma vraie valeur !

ALLERGIE AUX PLUMES

Suis-je devenu **allergique** à une situation ou à une personne qui me donne l'impression d'être **cloué au sol** et de ne pouvoir **m'envoler** pour me sentir plus libre et heureux ? Il est alors très probable que je vis de la colère reliée au fait que j'éprouve intérieurement le sentiment de me **sentir pris** entre une situation quelconque et la **liberté que je recherche** pour être plus heureux. Je peux m'être retrouvé dans une situation où j'y ai « perdu des **plumes** » ou je me « suis fait plumer » [22] et cela m'irrite au plus haut point.

J'accepte↓♥ que l'univers s'occupe de moi et me donne tout ce dont j'ai besoin pour être heureux.

ALLERGIE AUX POISSONS OU AUX FRUITS DE MER

Je connais l'expression « être **poisson** » qui veut dire que je suis une personne qui « se fait avoir » facilement. Ainsi, mon **allergie** traduit bien mon sentiment de **frustration** face à une ou à plusieurs situations où **je me suis trouvé naïf**.

J'accepte↓♥ de prendre ma place et prendre **conscience** que la vie est une suite d'expériences pour apprendre. Plus j'augmenterai ma confiance en moi et mon sens des responsabilités, plus ce sentiment s'estompera et fera disparaître cette **allergie**.

[22] **Se faire plumer :** se faire dépouiller, voler.

ALLERGIE AU POLLEN

VOIR : ALLERGIE — FIÈVRE DES FOINS

ALLERGIE À LA POUSSIÈRE

Comme la **poussière** est reliée à la **saleté** et à l'**impureté**, si je suis **allergique à la poussière**, je vis de l'insécurité face à des aspects de ma vie que je peux croire être « sales et impurs » et il est fort probable que cette peur se manifeste dans ma sexualité. Si je suis **allergique à la poussière**, il se peut que j'aie grandement à m'occuper de ma propre estime. Aussi, l'expression utilisée dans la religion : « *Tu es poussière et tu retourneras poussière* » traduit bien le sentiment d'inutilité que je peux vivre ou sentir dans certaines situations. L'expression « *Tout s'envole en poussière* » permet aussi de traduire le sentiment d'inutilité qui peut m'habiter face à ce que j'ai entrepris ou à ce que j'entreprends, que ce soit sur le plan psychologique, affectif (émotionnel) ou matériel. J'ai tendance à tout faire pour qu'on m'aime et m'accepte↓♥ car j'ai l'impression que je ne suis pas assez bien. Cette autocritique peut amener les gens à s'éloigner de moi. Même si je n'ai pas de symptôme physique lié à une **allergie à la poussière**, il se peut que je sois une personne « maniaque de la propreté ». Ici, je veux dire de façon excessive. Je peux alors regarder quelle partie de moi peut trouver ma sexualité sale ou me demander si j'ai peur que ce soit sale.

J'apprends à me valoriser et à valoriser tout ce que je fais. J'apprends à accepter↓♥ chaque aspect et partie de mon corps. Je le vois comme un tout. En prenant le temps d'aller voir au fond de moi mes émotions cachées, je me connais davantage et je vais ainsi aller chercher une force extraordinaire qui va me permettre de vivre ma vie dans la joie et la créativité.

ALLERGIE AU SOLEIL

Le **soleil** est la représentation du principe actif et de l'énergie Yang. Il est par conséquent, le symbole du Père.

Lorsque je suis **allergique au soleil**, le contact que j'ai avec mon père (autant physique que symbolique) est source de souffrance ou de malaise. La relation peut avoir été douloureuse, brûlante, étouffante, et parfois, elle a cessé brusquement. Ce contact peut avoir été rompu, altéré ou est devenu trop envahissant. Dans tous les cas, il y a eu conflit, désaccord ou déception de quelqu'un ou de quelque chose dont j'ai dû me séparer et qui a causé une réaction douloureuse que je n'ai su maîtriser et dont je porte encore les séquelles à l'âge adulte. Y a-t-il aussi un refus d'accepter↓♥ mon propre Père intérieur ?

J'accepte↓♥ de voir ce qui me dérange et de me laisser toucher en toute confiance, par la chaleur du soleil (et de mon papa !). Je me libère des émotions qui étaient enfouies au plus profond de mon **cœur♥**. Le soleil est source de la **lumière**, de la chaleur et de la vie. Je choisis de contacter mon Soleil intérieur et je fais la paix avec le passé afin de me responsabiliser, de me sentir libre, et de rayonner pour avancer vers ma propre destinée.

ALOPÉCIE

VOIR : CHEVEUX — CALVITIE

ALZHEIMER[23] (maladie d'...)

VOIR AUSSI : AMNÉSIE, SÉNILITÉ

Cette maladie amène une dégénérescence des cellules du cerveau qui se traduit par une perte progressive des facultés intellectuelles conduisant à un état démentiel (la folie).

Cette maladie des temps modernes, caractérisée principalement par le désir inconscient de terminer sa vie, d'en finir une fois pour toutes, de quitter ce monde ou de **fuir ma réalité**, est due à l'incapacité chronique d'accepter↓♥ de faire face ou de relever le défi avec cette même réalité, avec les situations de la vie car j'ai peur et j'ai mal. Je me rends ainsi insensible à mon entourage et à mes émotions intérieures. « Je m'engourdis », « je m'étourdis » et la vie me semble ainsi plus facile et la mort plus acceptable↓♥. J'ai peur ou l'impression de ne plus être aimé, qu'on m'oublie. Ma réaction est alors de m'oublier moi-même, d'oublier qui je suis. J'ai tellement souffert que je ne veux plus rien sentir. Je n'ai pas l'impression qu'on m'a reconnu dans la vie (souvent face à la mère) alors je ne reconnais plus les autres aujourd'hui. L'**Alzheimer** génère une démence associant la dégradation de ma mémoire, la confusion mentale et l'incapacité à m'exprimer clairement, la violence, certaines formes d'**inconscience** de l'environnement, même un comportement d'innocence se rapprochant de celui de l'enfant. **Le désespoir, l'irritabilité, le mal de vivre** m'amènent à me replier sur moi-même et à vivre « dans ma bulle ». Je me laisse « mourir à petit feu ». Je me **sépare** tranquillement du reste du monde. Cette maladie m'indique que j'ai le mal de vivre, que je fuis une situation qui me fait peur, m'irrite ou me blesse car je me sens délaissé. C'est la fuite du monde adulte par la perte de la mémoire récente et retour à l'ancienne mémoire. C'est une situation grave à première vue que je peux rester inconscient longtemps. On me voit comme une personne « normale » et équilibrée mais on constate que je me replie sur moi-même par désespoir, colère ou frustration, ce qui me rend insensible au monde qui m'entoure. Je refuse de sentir ce qui se passe autour de moi et en moi ; je préfère me laisser aller. Je peux avoir beaucoup de difficulté à laisser aller mes vieilles idées tellement il y en a dans ma mémoire ! Et comme mon attention est beaucoup plus centrée sur le passé que sur **l'instant présent**, la mémoire à court terme devient complètement déficiente et **s'atrophie**, n'apportant rien de nouveau ni de créatif. Conséquence : la mémoire s'**use** de vieilles choses au lieu de générer des idées neuves et fraîches. Cette maladie atteint généralement des personnes plus âgées : spécialement si j'ai atteint l'âge de la retraite : je passe d'une condition où je suis productif, où j'ai du pouvoir et des responsabilités à une vie où je me sens inutile, impuissant et dépendant, émotionnellement, physiquement et financièrement. J'aimerais tellement remonter les aiguilles du temps ! « Quand j'étais enfant, je n'avais pas peur de mourir, du futur, de mes responsabilités... que j'étais bien !». Du point de vue médical, les facteurs émotionnels et mentaux ainsi que leurs correspondances corporelles

[23] **ALZHEIMER** (Alois) : neuropathologiste allemand qui décrivit en 1906 des altérations du cerveau sur une personne atteinte de démence (folie).

(liquides, sang, tissus et os) sont impliqués dans la manifestation de cette maladie. Lorsque le sang est supprimé de certaines régions du cerveau, une sorte de traumatisme mental en résulte. Ce sont des réactions très violentes au niveau cérébral. C'est une sorte de retrait du flot sanguin cérébral de ces régions. Il peut y avoir une peur extrême de toutes les facettes de la vieillesse ou de l'aube de la mort, ce qui entraîne un retour inconscient vers un comportement d'enfant et l'occultation[24] du présent, du passé et de l'avenir pour les ignorer. Mon corps, attaqué par la dégénérescence des cellules du cerveau, me prépare inconsciemment à cette période où je devrai « partir[25] ». Cela se traduit par un comportement enfantin où je me permets de vivre et de « réaliser » tous mes fantasmes et toutes mes fantaisies. L'**amour** et le soutien sont nécessaires dans une telle expérience.

J'accepte↓♥ de vivre le moment présent et de laisser aller le passé en commençant à m'occuper de moi !

AMÉNORRHÉE (absence des règles)

VOIR : MENSTRUATIONS — AMÉNORRHÉE

AMNÉSIE

VOIR AUSSI : MÉMOIRE [... DÉFAILLANTE]

L'**amnésie** est la perte de ma mémoire, partielle ou totale, autant des informations déjà acquises dans le passé que celles présentes. L'**amnésie** est comparable à la maladie d'Alzheimer sous plusieurs aspects. La personne **amnésique** souffre terriblement du moment présent dans sa vie actuelle.

Mon **désir de fuir** et de « partir » est tellement grand (peu importe la situation vécue) que je me replie sur moi par **douleur**, **colère**, **incapacité** ou **désespoir** et je m'enferme en devenant insensible à presque tout. En devenant **amnésique**, je ne suis plus responsable de moi-même car je me sépare de mon conscient. Je me remets donc entre les mains des autres. J'ai l'impression qu'ainsi, on ne pourra pas me juger et me condamner. Je m'évade, je m'engourdis ou je me rends insensible à une personne ou à une situation. Je refuse de vivre les situations et les expériences de tous les jours, peu importe leur intensité. La douleur intérieure est proportionnelle à la gravité de l'**amnésie**, qu'elle soit partielle (occultation[26] mentale partielle d'images très douloureuses de l'enfance) ou totale (tentative inconsciente d'avoir une nouvelle vie et un nouveau désir de vivre car je ne peux plus vivre avec cette première vie !). La honte et la culpabilité peuvent se manifester, quelle que soit la raison. Je tente d'ignorer plusieurs choses, dont ma famille et plusieurs situations difficiles. Je suis plus ou moins séparé de la réalité présente. L'**amnésie** se manifeste au moment où j'ai l'impression que j'en porte trop lourd sur mes épaules, que je suis surchargé dans les tâches à accomplir, qu'il y a un très grand danger. Je ne sais plus où me diriger et j'ai l'impression que je risque « d'éclater » à tout moment. Il est fréquent de vivre une « **amnésie partielle** » face à une situation

---

[24] **Occultation** : le fait d'effacer de sa mémoire consciente ou de sa sensibilité.
[25] **Partir** : employé ici de préférence au terme « mourir ».
[26] **Occultation** : le fait d'effacer quelque chose de sa mémoire consciente ou de sa sensibilité.

difficile et que je préfère oublier pour ne pas avoir à rentrer en contact avec des émotions douloureuses comme par exemple la séparation d'un être proche. Le processus d'acceptation↓♥ et d'intégration est très important car le phénomène d'**occultation** de certaines expériences par le mental peut me jouer des tours dans des expériences futures. Il est possible que je vive certaines d'entre elles sans savoir ni comprendre pourquoi elles m'arrivent !

J'accepte↓♥ la prise de **conscience** quotidienne par rapport à qui je suis et à ce qu'il me reste à régler dans ma vie pour reprendre contact avec mon vrai **moi supérieur**.

AMPHÉTAMINE (consommation d'...)

VOIR : DROGUE

AMPOULES

VOIR : PEAU — AMPOULES

AMPUTATION

VOIR AUSSI : AUTOMUTILATION

L'**amputation** est une opération qui consiste dans l'ablation d'un membre, d'un segment de membre ou d'une partie saillante (langue, sein, verge).

L'**amputation** totale ou partielle d'un membre, qu'elle soit pratiquée pour des raisons accidentelles ou médicales (gangrène, tumeur), est très souvent reliée à une **grande culpabilité** face à un aspect de ma vie. Je veux que cette situation disparaisse de ma vie, je veux m'en « couper pour de bon ». Au lieu que ce soit cette dernière qui disparaisse, ce sera la partie du corps qui la manifeste qui sera coupée. Tout cela se passe de façon inconsciente. Si on **ampute** mon pied gauche, c'est comme si ma peur ou ma culpabilité est telle que je préfère « mourir » à la direction à prendre ou à celle que j'ai prise dans ma vie affective ; la jambe droite concerne ma peur ou ma culpabilité devant mes responsabilités, etc. Si je n'ai pas accepté↓♥ cette **amputation**, une douleur émotionnelle y est rattachée (**douleur du membre fantôme**). Ce membre étant devenu comme un fantôme, je me demande quelle est la peur qui m'empêche de prendre contact avec la réalité. Bien avant l'**amputation**, je vivais un sentiment d'impuissance, de dépendance. Je pouvais même me sentir infirme dans un aspect de mon physique, de ma vie ou dans mes relations interpersonnelles. Cette infirmité psychologique et émotive s'est transposée dans mon corps physique. Si je vis une **amputation**, il est important de me rappeler que mon corps, énergétiquement, n'est pas amputé, afin de rester ouvert à l'aspect métaphysique que représente la partie amputée. Ainsi, si j'ai eu la jambe droite **amputée**, je peux mettre l'**amour**, la compréhension et l'intégration pour la prise de **conscience** que j'ai à faire pour aller plus rapidement de l'avant dans mes responsabilités **comme si j'avais toujours ma jambe**.

J'accepte↓♥ de faire disparaître toute culpabilité, en sachant que je fais toujours pour le mieux. Je me réconcilie avec moi-même et j'apprends à apprécier ce que je suis. Quelle que soit la condition, je choisis d'avancer à mon rythme et j'apprécie ce qu'il y a de beau et de bon dans la vie.

AMYGDALES — AMYGDALITE

VOIR AUSSI : GORGE, INFECTION

Les **amygdales**, qui signifient « ***amandes*** », font partie du système lymphatique et donc du système immunitaire et sont définies comme des filtres qui contrôlent tout ce qui circule au niveau de la gorge (qui correspond à la créativité, à la communication).

Elles ne gardent que ce qui est bon pour moi et rejette ce qui est nocif. Lorsqu'elles sont enflammées, j'ai de la **difficulté à avaler** et je risque d'étouffer. Je refoule ainsi mes émotions et « j'étouffe » ma créativité. Il y a une situation qui m'étouffe à travers laquelle je refoule mes sentiments de **colère** et de **frustration**. Une **amygdalite** (**ite = colère**) se manifeste généralement lorsque ma réalité que j'avale amène une **intense irritation** au point où mes filtres (**les amygdales**) ne peuvent tout prendre et deviennent rouges de colère par rapport à ce qui arrive, à la révolte intérieure que je vis. Ce peut être la peur de ne pas pouvoir atteindre un but visé ou de ne pas être capable de réaliser quelque chose d'important pour moi, faute de temps ou d'opportunité. Cela m'amène à m'accrocher exagérément à quelqu'un. J'ai l'impression que je suis sur le point d'obtenir quelque chose qui m'est cher (un travail, un conjoint, une auto, etc.) mais je crains qu'elle m'échappe et que je doive m'en passer, ou que je ne puisse en jouir qu'en partie ou pas pleinement, ce que je trouve « dur à avaler ». Un conflit intérieur très intense est « étouffé » et non exprimé. C'est un blocage, la fermeture de cette voie de communication. Je me sens impuissant, coincé, prisonnier. Je voudrais crier à plein ***gosier***[27] ! Ai-je l'impression qu'il y a une situation que « j'avale de travers » ? Je vis de la rébellion face à une personne proche de moi (famille, école, travail) voire de la révolte. Ce peut être au niveau de l'amitié où j'ai l'impression que je ne peux pas vraiment compter sur mes amis. Si je suis un **enfant**, j'ai souvent des **amygdalites** car je ne suis pas encore suffisamment conscient de ce qui arrive ou je n'ai pas le contrôle des événements. Je vis de la **frustration** liée à ce que je dois « avaler » dans la vie. Je vis beaucoup de vulnérabilité et je me demande comment je peux me protéger de tout ce qui m'assaille. Je me sens attaqué et je veux me défendre mais j'ai de la difficulté à m'exprimer. Comment puis-je faire face à tout ce qui s'offre à moi et faire des choix qui sont en harmonie avec qui je suis ? Si je suis un **enfant**, j'ai beaucoup moins d'expérience et de ressources que les adultes donc je suis plus sujet à expérimenter des **amygdalites**. J'ai l'impression que mes parents ne s'occupent pas assez de moi, que je ne profite pas de leur présence. Puisque les **amygdales** représentent le fait d'exprimer, d'extérioriser mon essence profonde, quel que soit mon âge, mes **amygdales** réagissent à mes doutes, mon désespoir, surtout quand je me fie plus aux autres qu'à moi-même pour accomplir, créer des choses. Je peux vouloir désespérément réunir le couple que forment mes parents. Un rêve d'enfant semble devenir de plus en plus inaccessible.

J'accepte↓♥ les choses telles qu'elles sont autour de moi, je prends le temps d'analyser les situations qui dérangent ma vie avec calme et sérénité. Il est possible et facile d'enseigner cette attitude aux enfants qui sont prêts à cela. Notons que l'**ablation des amygdales** signifie l'acceptation↓♥ d'avaler la réalité sans qu'elle soit filtrée ou censurée

---

[27] **Gosier** : gorge

(protégée) au préalable. C'est une absence de protection. Je dois traiter cette situation d'une façon différente qui serait plus harmonieuse pour moi. Je dois apprendre à me découvrir, à être moi-même et à avoir pleinement confiance en moi.

AMYOTROPHIE

VOIR : ATROPHIE

ANDROPAUSE

VOIR AUSSI : PROSTATE/ [EN GÉNÉRAL] / [MAUX DE...]

L'**andropause**, propre à l'homme, correspond à la ménopause chez la femme, même si cela ne correspond pas à un changement hormonal équivalent.

Toutes les insécurités reliées à la vieillesse, aux capacités sexuelles, aux sentiments d'inutilité et de faiblesse se manifestent intérieurement et physiquement par des malaises aux organes génitaux (surtout la prostate) et à un ou plusieurs aspects du concept masculin. Je suis rendu à une étape de ma vie où je peux me reposer, faire une pause et changer mes priorités.

En tant qu'homme, au lieu de me rejeter, j'accepte↓♥ de prendre ma place dans l'univers en harmonie avec chaque aspect de ma personne, le côté féminin autant que le côté masculin. J'ai le droit de prendre plus de temps pour moi ; je n'en serai que plus efficace lorsque je suis actif ou au travail.

ANÉMIE

VOIR : SANG — ANÉMIE

ANÉVRISME (artériel)

VOIR AUSSI : SANG — HÉMORRAGIE

Un **anévrisme** (ou **anévrysme**) est une atteinte de la paroi artérielle responsable d'une dilatation et qui crée un risque d'hémorragie par rupture des vaisseaux.

Il survient lorsque je vis un conflit avec ma famille ou les personnes que je considère comme ma famille. On veut m'obliger à faire quelque chose mais je m'y oppose de toutes mes forces et j'ai à prouver mon point de vue ce qui met beaucoup de ***pression*** sur mes épaules. Je suis sur les nerfs, je risque de « perdre » quelque chose qui est hors de mon contrôle. J'ai peur d'être abandonné et je bloque les circuits car je me sens impuissant. Je trouve ma vie difficile et je vois tout ce qui m'arrive de façon négative et pessimiste. Je perds mes énergies que je dilapide à tout vent. J'essaie de garder à tout prix une situation qui va plus ou moins bien et qui risque de se rompre à tout moment : soit un emploi, soit une relation affective ou autre. Mes vaisseaux se contractent parce que je ne tiens pas compte de mon rythme biologique et je me mets une sorte de pression qui risque d'éclater. Je refuse d'avancer joyeusement, et de laisser circuler la vie. **L'anévrisme de la tête** (crâne) met en **lumière** comment mes idées sont parfois différentes et que je dois me battre pour les défendre car il y a une grande incompréhension autour de moi. Je peux aussi vivre cette incompréhension suite à une rupture que j'ai vécu (soit que je suis parti soit que quelqu'un d'autre est parti) et qui m'a grandement affecté. **L'anévrisme de l'aorte** me montre la pression qu'on exerce sur moi, surtout par une personne en autorité, afin de laisser aller quelque chose qui selon moi m'appartient. **L'anévrisme** me montre combien je peux être fermé devant les nouvelles idées ou solutions qui s'offrent à moi.

J'accepte↓♥ de me donner de l'**amour.** Je cesse de lutter inutilement lorsque vient le temps de laisser aller ce qui se rattache au passé. J'accepte↓♥ de lâcher prise afin de m'en libérer. J'apprends à laisser circuler le mouvement de la vie, je retrouve ainsi ma joie de vivre et j'apprends à vivre le moment présent.

ANGINE (en général)

VOIR AUSSI : GORGE [MAUX DE...]

L'**angine** est caractérisée par un resserrement au niveau de la gorge, dû à une inflammation aiguë du pharynx.

Il y a quelque chose qui ne « passe pas », une émotion bloquée qui m'empêche de dire à mon entourage mes véritables besoins. J'ai le sentiment qu'en serrant la gorge (*chakra* ou centre d'énergie de la créativité et de **l'expression**), je ne peux exprimer ce que je vis et ce que je ressens face aux autres et je continue à mettre inutilement l'attention sur cette croyance. Je dois trouver ce qui m'a amené à penser à cela. Je peux habituellement trouver une réponse dans les dernières **48 heures** précédant le malaise. Serait-ce une légère irritation (conduit enflammé) ou une petite frustration **que je n'avale pas** et qui subsistera jusqu'à ce que je change mon attitude et mes pensées ? « Pas question d'avaler cette histoire » même si cela « me met le feu à la gorge ». Ce peuvent aussi être des pensées noires et négatives par rapport à quelqu'un ou à une situation. Y a-t-il quelque chose que je veuille absolument « attraper » ; comme, par exemple, un nouvel emploi, un résultat scolaire exceptionnel qui m'éviterait une situation où j'aurais à me justifier, à m'expliquer, à rendre des comptes ou qui m'empêcherait de sentir la mort qui rôde autour de moi ? Mes émotions non exprimées sont en ébullition. Et quand je me permets de finalement dire les choses, je peux encore me sentir inconfortable ou coupable. Je ne me donne pas la permission de demander de l'aide aux autres.

Peu importe la raison de ce malaise, j'accepte↓♥ qu'il est temps de rester ouvert et de rouvrir ce canal même **si ma vive sensibilité a été blessée**. Mes besoins fondamentaux doivent être satisfaits et j'y ai droit comme tout le monde. Je reste ouvert à mes besoins et centré sur mon être intérieur si je veux éviter ce genre d'**angine** au niveau de la gorge. J'accepte↓♥ de demander pour ainsi ouvrir mon **cœur♥** à recevoir les cadeaux de la vie.

ANGINE DE POITRINE OU ANGOR

Voir aussi : CŒUR↓♥ / [EN GÉNÉRAL] / INFARCTUS [DU MYOCARDE]

Angine vient d'un mot latin qui est le verbe ANGO qui signifie **serrer**, étouffer, donnant **ANGOR** qui signifie oppression puis angoisse. C'est une douleur très vive associée à la région principale du **cœur♥** (centre énergétique de l'amour). Ce manque temporaire d'oxygène au niveau des muscles du **cœur♥** apporte toutes les conséquences que je connais : insuffisance du débit sanguin dans cette région, intervention chirurgicale, pontage, etc.

Le **cœur♥** représente souvent le moteur ou **l'engin** de mon système. **L'angor** est l'angoisse du **cœur♥**. Lorsque je donne trop d'**amour** avec une attitude d'attachement, il se peut que le **cœur♥** se fatigue de toutes ces préoccupations et qu'il n'éprouve plus suffisamment de joie[28] dans ces situations (d'où le débit sanguin diminué). Si je suis en situation d'**angine**, il est possible que je prenne la vie et les choses que je fais et que j'aime **beaucoup trop à cœur♥**. Mes inquiétudes autant que mes joies sont amplifiées exagérément : je m'irrite et je me blesse facilement, je vis de l'insatisfaction, de la tristesse ou de l'irritation par rapport à une situation qui, somme toute, **n'est pas si grave que cela**. J'ai l'impression d'être ***bafoué***. C'est comme si dans mon **cœur♥**, c'était la **guerre**... Quelle est la personne que je veux « serrer » tout contre moi en permanence et que je peux refuser de laisser aller si le moment en est venu ? Mon attention est constamment sur cette chose ou personne. Je veux que « nous soyons unis à jamais » mais cela n'est peut-être pas possible. Au lieu de me détacher et de couler avec le courant de la vie, je veux contrôler, je veux tout garder. Cela est lourd à porter et amène une incertitude quant à la direction à prendre. Le sentiment de perte, de vide quand je laisse aller peut faire peur et cela est très douloureux si je garde tout pour moi, que je cache mes émotions à l'intérieur de moi. Il se peut que je reçoive un premier signal d'alarme de mon corps à la suite de ces états d'être : spasmes ou douleur perçant le **cœur♥**. Ce dernier lance un S.O.S. afin que je prenne **conscience** des sentiments qui m'habitent et du fait que je suis en quelque sorte en train de me détruire par mes pensées disharmonieuses, mettant en péril mon harmonie intérieure, et me donnant « mauvaise **conscience** ». De grandes joies peuvent aussi amener des crises d'**angine** car, à ce moment, le centre d'énergie de **l'amour** (le **cœur♥**) s'ouvre davantage et peut activer la mémoire de grandes peines qui sont présentes et ainsi provoquer une crise d'**angine**. Je fais peut-être beaucoup par obligation et non avec joie et plaisir. Ainsi, la joie arrête de circuler. C'est comme si je mettais l'attention sur les autres (leur bonheur et leurs malaises) plutôt que sur mon bien-être à moi en premier. Mon ego est tellement présent et **actif** qu'il est séparé de la totalité de l'être, ce qui entraîne un **blocage sur le plan émotionnel**. C'est une augmentation inconsciente de l'estime de soi en plaçant presque exclusivement l'attention sur autrui. C'est le principe judéo-chrétien du don par le sacrifice : **Donner aux autres ! Je deviens vulnérable et la peur de m'ouvrir à ceux que j'aime se manifeste**. « Plus rien ne m'atteint, mais les douleurs commencent ! » Spasmes, points au **cœur♥**, extrémités froides (mains et pieds). Mon corps m'avertit sérieusement que quelque chose cloche (cet avertissement est généralement plus reconnaissable sur le plan métaphysique psychique que physique). Je peux vouloir inconsciemment quitter la « vie terrestre » parce que j'ai l'impression d'être étouffé par les soucis et que je ne sais pas comment m'en sortir, mais le temps n'est pas nécessairement venu ! Je me sens écrasé, opprimé et je n'ai plus le goût de faire des efforts. Qu'est-ce que je crains, au fond ? Il est intéressant de prendre **conscience** que puisque l'**angine** se manifeste par une restriction des vaisseaux sanguins, je dois me demander si je restreins ou limite

---

[28] **Joie** : puisque le sang est relié à la joie, une diminution du débit sanguin exprime justement cette diminution de la joie reliée à l'**amour.**

l'**amour** que les autres me donnent ? Est-ce qu'il est facile pour moi d'accepter↓♥ l'aide que l'on m'offre ? Et- ce que je ***mérite*** tout ce qu'on m'offre ? Ou ai-je tendance à vouloir contrôler ce qu'on me donne, ne sachant pas comment je réagirais à une « surdose » d'**amour** et d'affection ? Je vais avoir tendance à jouer « à la patate chaude » (le **cœur♥** étant communément appelé la « patate » au Québec) car je redonne tout de suite ce que j'ai reçu, ne sachant pas accepter dans mon **cœur♥** les cadeaux reçus. Je peux avoir l'impression qu'on me demande beaucoup trop et qu'il faudrait que je règle les difficultés de tous et chacun. Cela m'amène à avoir une attitude de ***mépris***. Cependant, toutes ces situations peuvent provenir de mon attitude face à moi-même : je peux être une personne de type compétitive qui centre toute mon énergie sur moi, qui m'en demande énormément et qui met de côté toutes mes difficultés affectives. Mon **cœur♥** souffre alors de ne pas parler de mes émotions. Je prends **conscience** que la vie est un échange continuel. Je donne autant que je reçois, comme la contraction et la dilatation des vaisseaux sanguins, sinon je vis un déséquilibre et mon attention doit revenir à cet équilibre nécessaire à une vie saine. C'est un processus fondamental dans l'existence humaine car je suis un être divin qui doit s'exprimer dans cet équilibre.

Ma prise de **conscience** est celle-ci : J'accepte↓♥ de cesser de prendre la vie au sérieux et je reste ouvert ! C'est facile car je n'ai pas envie de mourir mais j'ai **envie de vivre**, de m'ouvrir à l'**amour** et de cesser toute lutte de pouvoir. Je mets mon attention sur les beaux côtés de la vie. J'apprends à m'aimer tel que je suis : mon énergie vitale pourra ainsi reprendre vie. Ce sont les premiers pas vers un rétablissement sérieux de cette maladie. J'exprime ce que je vis et j'apprends à m'accepter↓♥ tel que je suis. Je prends soin de moi car mon bonheur ne peut dépendre que de moi. Je passe de la honte et de la ***haine*** à l'**amour**. Un dernier point à signaler : surveiller toutes les expressions reliées au **cœur♥** : « un **cœur♥** de pierre, un **cœur♥** dur, il n'a pas de **cœur♥**, c'est un sans **cœur♥** » etc. Chaque expression est l'indication qu'il se passe quelque chose qui mérite mon attention...

ANGIOME (en général)

VOIR AUSSI : PEAU — ANGIOME PLAN, SANG — CIRCULATION SANGUINE, SYSTÈME LYMPHATIQUE

Un **angiome** n'est pas une tumeur, mais est une malformation touchant le système vasculaire (vaisseaux lymphatiques et sanguins).

Considérant que les vaisseaux sont des conduits destinés à transporter le sang et la lymphe dans l'organisme, j'ai l'impression que ma vie ne va pas dans le sens que j'aimerais. Je ne sais trop quelle direction prendre, je me sens égaré, j'ai la sensation d'avoir perdu le contrôle. L'insécurité me gagne et me fait imaginer le pire, j'ignore qui je suis et j'éparpille mes énergies. J'ai peur d'entrer en contact avec mes émotions, ce qui bloque la circulation d'énergie. J'accepte↓♥ de laisser le mouvement de la vie circuler en moi.

J'accepte↓♥ d'accueillir et de faire la paix avec toutes ces émotions longtemps rejetées. J'apprends à laisser circuler le mouvement de la vie et de le respecter comme je choisis de me respecter. J'accepte↓♥ totalement ce que je suis, choisissant consciemment de vivre le bonheur au quotidien et sachant que je suis protégé. Je me réalise dans ce que j'ai de plus beau à travers mon véhicule de **lumière** et d'**amour.**

ANGIOME PLAN

VOIR : PEAU — TACHES DE VIN

ANGOISSE

VOIR AUSSI : ANXIÉTÉ, CLAUSTROPHOBIE

L'**angoisse** est caractérisée par un état de désarroi psychique où j'ai le sentiment d'être **limité** et **restreint dans mon espace** et surtout **étouffé** dans mes désirs. Je sens mon espace limité par des frontières qui, en réalité, **n'existent pas**.

« Je suis pris » ou « je me sens pris au piège ». Je ne peux pas exprimer ma colère. Je suis d'accord avec le fait que les gens envahissent mon espace psychique et ceci se manifeste chez moi par une sorte de resserrement intérieur. Je laisse donc de côté mes besoins personnels pour plaire en premier aux autres, pour attirer l'**amour** dont j'ai besoin (même s'il y a d'autres façons de faire). Je vis une profonde insatisfaction. Le **resserrement** m'amène généralement à amplifier mes émotions et mon émotivité générale au détriment d'un équilibre adéquat. Puisque je vis dans le brouillard, la confiance en moi sera ébranlée, le désespoir et même le goût de ne plus lutter vont prendre place. Je sens un danger imminent mais que je ne peux pas identifier. J'ai peur de l'avenir et des efforts à faire pour atteindre mes buts. Je suis face à un choix qui me semble impossible à faire. L'insécurité que je vis est reliée au fait qu'au lieu de croire en mon pouvoir personnel, je le place dans un être extérieur à moi, que je considère plus élevé, plus réalisé que moi. Je veux qu'il me protège, comme si j'étais trop faible pour prendre soin de moi-même. Je cherche un sens à ma vie. Je me sens à la merci d'un danger de mort car je cherche à l'extérieur de moi quelqu'un ou quelque chose sur lequel m'appuyer. Je suis plein de tristesse et je me sens pris, ligoté, ***comprimé***, enchaîné même. Je n'ai plus confiance en mes capacités. Quelle peut être la situation où je me suis senti resserré étant jeune si bien que je reproduis encore fidèlement ce *pattern*[29] aujourd'hui ? (à noter qu'**angoisse** et claustrophobie sont synonymes par le mot **resserrement**.) C'est naturel pour mon corps de combler mes besoins **psychiques** fondamentaux : le besoin d'air pour vivre et respirer, l'espace entre moi et les autres personnes, la liberté de décider et de discerner ce qui est bon pour moi. Si, à partir de maintenant, je réponds à mes attentes face à la vie **en premier**, il y a de fortes chances pour que je laisse celles des autres à leur place : comme cela, je suis plus certain d'être en accord avec eux ! Et sans violer leur espace[30], parce que je dois me souvenir que si je me sens étouffé, c'est parce que j'étouffe consciemment ou non les gens autour de moi. L'**angoisse** apparaît aussi comme une attente inquiète et oppressante, appréhension de « quelque chose » qui pourrait advenir, dans une tension diffuse effrayante et souvent sans nom. Elle peut être liée à une menace concrète **angoissante** (telle que mort, catastrophe personnelle, sanction). Il s'agit davantage d'une peur souvent liée à rien d'immédiatement perceptible ou exprimable. C'est pourquoi les sources profondes de l'**angoisse** sont à retrouver souvent chez l'enfant que j'ai été et sont souvent reliées à la peur de l'abandon, de perdre l'**amour** d'un être

[29] **Pattern** : schéma de pensée qui fait se répéter des événements dans ma vie.

[30] **Espace** : signifie ici laisser aux autres la liberté de pensée ou d'action et les respecter.

cher et à la souffrance. Quand je me retrouve dans une situation semblable, l'**angoisse** refait surface. Chaque fois qu'une de ces peurs ressurgit ou qu'une situation, soit imaginaire soit réaliste, est vécue, cela est perçu par mon inconscient comme un signal d'alarme : où un danger est présent, l'**angoisse** réapparaît encore plus fort. Lorsque je suis enfant, l'**angoisse** se manifeste souvent par la peur de l'obscurité et une tendance à vivre une vie solitaire.

À partir de maintenant, j'accepte↓♥ d'user de discernement, de manifester courage et confiance dans la vie pour me respecter et laisser aller les autres sans regret dans leur espace. Je bannis de ma vie tout remords. Je vais ainsi voir « plus clair » et avancer dans la vie avec beaucoup plus de lucidité. Je me donne le droit d'avoir la maîtrise de ma vie, de mes choix. Je me fais confiance et je sais que la vie me donne tout ce dont j'ai besoin. Dans la mesure où je m'attends au mieux et que j'accepte↓♥ que je le mérite.

ANGOR

VOIR : ANGINE DE POITRINE

ANITES

VOIR : ANUS — DOULEURS ANALES

ANKYLOSE (état d'...)

VOIR AUSSI : ARTICULATIONS [EN GÉNÉRAL], PARALYSIE [EN GÉNÉRAL]

État d'engourdissement caractérisé par la disparition généralement **temporaire** des mouvements d'une ou de plusieurs de mes articulations.

L'**ankylose** est partielle, mais peut être totale si je décide de devenir complètement inactif ; c'est le premier pas vers une incapacité motrice, une certaine paralysie de mes pensées. Je dois prendre **conscience** de la responsabilité à prendre si je décide de rester là, à ne rien faire, à ne pas vouloir sentir ni bouger. Qu'est-ce que je crains ? Est-ce l'inconnu, ce qui m'attend, quelque chose de nouveau pour moi qui me dérange ? Est-ce quelque chose que je n'ai pas du tout envie de faire ? En qui ou en quoi je n'ose faire confiance ? Je peux aller voir la partie du corps impliquée afin de me donner des informations additionnelles sur la source de mon **ankylose**. Par exemple, si c'est dans le bras, suis-je dans un état où je refuse les nouvelles expériences de vie ? Ai-je le sentiment d'être mutilé ? Ai-je le goût de tuer quelqu'un ? S'il s'agit d'une épaule, est-ce que je trouve la vie lourde ; qu'une personne ou qu'une situation est « tout un fardeau » ? Est-ce que la solitude ou la nécessité de faire face à l'inconnu congestionne mes pensées ? S'il s'agit d'un pied, quelle est la direction que je ne veux pas prendre et face à laquelle je « m'engourdis » ? Si c'est mon corps en entier, je m'engourdis face à quelque chose ou à quelqu'un : il s'agit d'une forme de fuite. Je suis conscient que **j'accumule** de l'énergie dans cette partie du corps et qu'inconsciemment, **j'angoisse**. Je veux rester sur mes positions et il est difficile de me faire changer d'opinion. J'accepte↓♥ qu'il est temps pour moi d'aller de l'avant ! À partir de maintenant, je suis conscient de mes fautes (ou plutôt de mes responsabilités) et de mes expériences de vie et je les reconnais.

Je dépose les armes, et j'accepte↓♥ de reprendre le mouvement laissé temporairement et je mobilise de nouveau mes pensées en restant ouvert. Je manifeste un esprit davantage créateur.

ANNULAIRE

VOIR : DOIGT — ANNULAIRE

ANOREXIE MENTALE

VOIR AUSSI : APPÉTIT [PERTE D'...], BOULIMIE, POIDS [EXCÈS DE...]

L'anorexie qui est un refus plus ou moins systématique de m'alimenter à cause de mon rejet de ma propre image corporelle se nomme **anorexie mentale** (dans le langage populaire, seul le terme « **anorexie** » est utilisé).

L'**anorexie** est caractérisée par un **rejet** complet de la vie. C'est le dégoût total pour tout ce qui est vivant en moi et qui peut entrer dans mon corps **laid** pour l'alimenter. Ce sentiment peut même se transformer en haine. Il existe plusieurs symboles de vie : l'eau, la nourriture, l'aspect maternel (mère), l'**amour**, le côté féminin. C'est le désir ardent et inconscient d'échapper à la vie, de se détester et de **se rejeter** car je vis la peur extrême de m'ouvrir à la merveilleuse vie autour de moi. Je vis du **découragement** à un point tel que je me demande ce qui pourrait m'aider. J'ai le désir inconscient de « disparaître » pour déranger le moins possible mon entourage. Je me rejette donc en permanence. Cela peut aller jusqu'à une haine de moi-même qui m'amène à me punir et à m'autodétruire. Je vis dans la honte et je voudrais tellement que l'on m'aime sans condition, tel que je suis et non pas pour ce que je peux accomplir Je nie mes propres besoins et je voudrais passer inaperçu. Cela m'amène à vivre dans le secret et le mensonge. En me « faisant la vie dure », j'ai l'impression de me racheter. C'est encore plus facile si c'est le traitement que j'ai reçu étant jeune. : un passé de domination, de punition et de reproches à mon égard m'amène à me comporter de la même façon face à moi-même. L'**anorexie** et l'obésité viennent d'un sentiment profond inassouvi d'**amour** et d'affection, même si les deux maladies prennent physiquement des chemins complètement divergents. Plusieurs troubles de l'alimentation reposent sur la **relation mère-enfant** dans laquelle il existe ou il a existé un conflit. Moi comme enfant, je veux fuir loin de ma mère qui est souvent anxieuse et qui voulait à tout prix nourrir ses enfants. Je vis une dualité entre mon attachement à ma famille et mon désir de me réaliser, ce qui m'oblige à m'en séparer. En plus, il s'agit très souvent d'une **contrariété quant à mon territoire** que j'ai l'impression de ne pas avoir, de perdre ou qu'on ne respecte pas. Ce territoire peut être constitué autant de mes possessions physiques (vêtements, jouets, auto, maison, etc.) que de mes possessions non physiques (mes droits, mes acquis, mes besoins, etc.) ou des personnes qui m'entourent (mon père, ma mère, mes amis, mon mari, etc.). Je vis une contrariété qui est récente par rapport à quelqu'un ou à quelque chose **que je ne peux pas éviter** et que je ne digère pas. Je peux me demander si j'ai l'impression que quelqu'un essaie de me tuer. Ayant cette crainte, je cesse de manger et veux inconsciemment provoquer cette mort. J'ai l'impression que ma survie dépend de ma capacité à me couper des autres. En étant aussi mince que possible, on ne me verra plus, je vais disparaître, me cacher pour être en sécurité. Je peux tout simplement rejeter l'image maternelle de ma mère, surtout si celle-ci a un surplus de poids. Je veux éviter **à tout prix** que mon corps se développe et que je me mette à lui ressembler de plus en plus : je veux ainsi tuer ma propre image ! Bien que l'**anorexie** se retrouve le plus souvent à l'adolescence, celle-ci existe aussi **chez le bébé et chez le jeune enfant**. Si je me mets à la place du bébé, je me rends compte que le refus de manger peut découler d'un contact troublé entre ma mère et moi : ce peut être la privation du sein maternel et de la chaude ambiance physique qui devraient accompagner la tétée, la façon artificielle de nourrir, dosée et trop rigide dans son application, la sur ou la sous-alimentation imposée par respect pour une courbe de poids idéal avec mépris de certains rythmes alimentaires individuels changeants. Je peux réagir à cela par un refus progressif de me nourrir, des vomissements, la perte de poids, des troubles du sommeil, des caprices alimentaires, etc. Ma mère est aussi remplie de remords qui sont porteurs dans une certaine mesure de la mort. Il est important que moi, comme mère, je respecte les goûts, les rythmes propres à l'enfant et que je cesse de vouloir être la mère parfaite et surprotectrice. Si je suis un enfant un peu plus vieux et que je manifeste l'**anorexie**, elle est habituellement plus atténuée et se caractérise par un « petit appétit », étant un petit mangeur qui déteste la corvée des repas, ayant des caprices alimentaires avec refus obstiné de certains aliments, achevant rarement ma portion, vomissant fréquemment et mastiquant sans fin la même bouchée. À cet âge, la table et ses impératifs sociaux jouent un rôle important, car les repas sont une réunion familiale sous l'autorité parentale où des réactions ou des conflits peuvent survenir. L'**anorexie** est fondamentalement mon besoin de combler un vide intérieur de **nourriture affective**. **J'ai besoin de l'amour et de l'acceptation↓♥ inconditionnelle de ma mère intérieure**. L'**anorexie**, contrairement à l'obésité, est la tentative de faire mourir de faim mon vide intérieur pour le rendre tellement petit qu'il disparaîtra et qu'il ne demandera plus rien du tout. C'est l'une des raisons pour lesquelles je continue à me voir gros (fixation mentale sur la grosseur) même si je suis mince et svelte. Autrement dit, je continue à voir mes besoins affectifs et émotionnels très grands et je me sens dépassé par eux. Il existe à l'intérieur de moi une lutte de pouvoir, entre la vie et la mort. L'attention des autres m'est nécessaire pour me sentir en vie, alors j'adopte des comportements, des attitudes de victime où je m'oblige à changer mon apparence physique. Je veux que les autres me « remplissent », comblent mes besoins. Cependant, comme je ne me donne pas moi-même cet amour dont j'ai tant besoin, que je refuse mes émotions, ma sensibilité, mon côté enfant, les autres sont aussi durs envers moi. L'**anorexie** peut également se rapporter à un sentiment d'être grondé par la vie et par **ma mère**, symbole maternel qui me pousse quand même vers le désir d'indépendance et d'individualité. C'est la raison pourquoi je rejette la nourriture **en même temps que ma mère**, parce que j'ai toujours eu l'impression de sentir uniquement son puissant contrôle maternel dans ma jeunesse. Je vis donc le sentiment d'être hors de mon propre contrôle par rapport aux événements et je tente d'une manière exagérée de reprendre ce contrôle. Je peux aussi avoir vécu ce manque de contrôle dans une certaine situation ou face à quelqu'un et j'ai l'impression que la seule chose sur laquelle je peux avoir un contrôle parfait et qui va me donner un parfait état de bien-être (en apparence…) c'est la nourriture que je choisis ou refuse de donner à mon corps. « Je n'aime pas la manière qu'a ma mère de m'aimer et je la déteste pour cela. » « Je veux rester une jeune fille ou un jeune garçon car je veux me rapprocher le plus possible d'une forme de "pureté" physique et intérieure. » (C'est durant la puberté que se manifeste généralement l'**anorexie**.) C'est une recherche absolue de jeunesse. Le fait de devenir très maigre m'amène généralement à ne plus ressentir de plaisirs. Je me coupe ainsi de toutes sensations physiques reliées à la sensualité ou à la sexualité. C'est comme si je meurs, je veux me tuer. En tant que jeune fille ou jeune garçon, je refuse les stades sexuels reliés à mon âge, ne pouvant pas contrôler ceux-ci, si bien que toute tentative d'intimité sexuelle, de découverte et d'abandon vers un éventuel partenaire (absence de maturité) sont quasi inutiles. Si je vis tout cela d'une manière profonde, c'est fréquemment relié à un profond traumatisme sexuel passé, à un abus ou à une insécurité affective. Je peux même me sentir agressé par les changements qui s'opèrent dans mon corps physique. Cette expérience a amené le désespoir à prendre place dans mon corps physique et « j'ai fermé la porte » à mes désirs physiques, spirituels et émotionnels.

Accepter↓♥ graduellement ma féminité ou mon côté intuitif et émotif chez le garçon est essentiellement la première chose à faire pour régler mon état **anorexique**. J'utilise la manière que je veux, mais je dois le faire ! J'accepte↓♥ une certaine intimité sexuelle, féminine et même maternelle (car j'ai à apprendre à aimer ma mère !). J'apprends à aimer mon corps et à aimer les autres ! J'y vais lentement, car c'est une situation délicate où je dois m'ouvrir à l'**amour** et à la beauté de l'univers. Je demande de l'aide, si nécessaire. Et surtout, je reste ouvert à ce que la vie me réserve ! Acceptation↓♥ et amour inconditionnel seront grandement appréciés. Je fais des activités (sportives ou autres), si possible. Voici une parenthèse intéressante. En tant que personne **anorexique**, je peux avoir l'impression de me retrouver intérieurement comme prise dans des « anneaux » (anneau-rexique), comme si j'étais à l'intérieur de plusieurs « houla-houp » qui m'isolent du reste du monde tout en intensifiant mon sentiment de limitation face à la vie. Je reste ouvert à tout autre signe de ce genre. Je me visualise en train de me libérer de ces anneaux en leur disant « *MERCI* » pour la prise de **conscience** qu'ils m'ont aidé à faire tout en sachant que maintenant, ils ne sont plus nécessaires. Je visualise aussi cette image : à chaque inspiration, plus de **lumière** entre en moi afin de remplir mon sentiment de vide intérieur. Je choisis la vie, en ignorant ce que les autres peuvent penser de moi. Je me donne l'**amour**, la douceur dont j'ai besoin au lieu de l'attendre des autres : de là la vraie satisfaction et la joie intérieure !

ANTHRAX

VOIR : PEAU — ANTHRAX

ANURIE

VOIR : REINS — ANURIE

ANUS

L'**anus** est l'orifice du rectum, l'endroit par où je laisse aller ce dont je n'ai plus besoin.

C'est à cet endroit où je résous mes conflits, mes ressentiments intérieurs. Les problèmes ici sont reliés au fait de « retenir et de laisser aller » ; c'est pourquoi si je suis un enfant et que je constipe ou que je salis ma couche, c'est souvent pour me venger de parents que je considère comme autoritaires, manipulateurs ou abusifs. J'ai vraiment l'impression que quelqu'un m'emmerde ! C'est l'endroit de décharge des principales toxines du corps humain. C'est une partie cachée de mon corps qui correspond habituellement à ma partie inconsciente et qui camoufle parfois des sentiments très durs de violence, de colère, d'amertume. Ce peut être le cas si j'ai vécu une situation où je me suis senti sexuellement abusé, notamment s'il y a eu une pénétration forcée. J'ai du me mettre à nu, que ce soit au sens propre (se dévêtir) ou figuré (avoir à divulguer un secret, exprimer mes vraies émotions, ce qui implique un certain risque). Il y a quelque chose qui m'indigne et que je veux à tout prix expulser de moi, ne pouvant pas digérer ce qui s'est passé. Le pardon me semble impossible à faire et une alliance qui peut être autre que mon ***mariage*** est à jamais détruite. Je me retrouve avec un conflit d'identité qui me brûle. L'**anus** se situe au niveau du bassin, proche du coccyx et du premier *chakra* ou centre d'énergie, le siège entre le soi et l'univers qui m'entoure. Il est relié à la base énergétique du corps. Certaines peurs intérieures, le stress et les émotions s'évacuent par cet orifice. Je peux vérifier les situations suivantes : « Qu'est-ce que je tente d'ignorer au point de le retenir ? Jusqu'où puis-je me laisser aller ? Suis-je capable de relaxer et de laisser la vie me guider ? Suis-je prêt à vivre de nouvelles sensations face à la vie ? » À quoi ou à qui est-ce que je me ferme ? Je peux avoir tendance à retenir des émotions négatives au point de m'emprisonner moi-même, Je peux m'accrocher à quelque chose ou à quelqu'un, ce qui m'amène beaucoup de douleur intérieure. Je vis de la ***complaisance*** quand je voudrais plutôt me faire plaisir à moi. Les difficultés au niveau de **l'anus** sont souvent en relation avec mon rapport faussé face à l'argent.

J'accepte↓♥ de me faire confiance, tout en laissant aller ce dont je n'ai plus besoin et en le remplaçant par de nouvelles idées, des attitudes positives et de nouveaux projets !

ANUS — ABCÈS ANAL

VOIR AUSSI : ABCÈS [EN GÉNÉRAL]

L'**abcès** est un amas de pus, de **frustrations** et d'**irritabilité** liées à une **situation que je ne veux pas lâcher ou laisser aller** (**anus**). Souvent, même si je me retiens, cela m'échappe malgré moi.

Cet **abcès** sortira ou se manifestera de toute façon. Il est possible que je sois en colère contre moi-même car je ne veux pas « évacuer », céder devant certaines fixations mentales qui nuisent à ma vie présente. Je peux même être rempli de vengeance par rapport à une situation passée ou à quelqu'un à qui je refuse de pardonner. Je me suis senti abaissé, ridiculisé, anéanti même. Dans mon quotidien, je manifeste ce manque de lâcher-prise par le fait qu'il y a des objets dont je ne veux pas me défaire et qui pourtant ne sont pas d'une grande valeur ou utilité.

Ce malaise me dit que je dois accepter↓♥ de faire confiance à la vie et à ce qu'il y a de beau autour de moi. Je me fie à quelqu'un ou à quelque chose et, surtout, je pardonne aux gens qui m'entourent. Je m'abandonne et je fais confiance à la vie.

ANUS — DÉMANGEAISON ANALE

VOIR AUSSI : PEAU — DÉMANGEAISONS

Les **démangeaisons** sont reliées à des remords et à de la culpabilité par rapport à mon passé récent. Quelque chose m'irrite ou me chatouille et je me sens coupable dans ce que j'ai à retenir ou à laisser aller. Je porte un masque, je cache ma vraie identité. Mes regrets et ma colère peuvent résulter de relations sexuelles insatisfaisantes, vides d'**amour**. Je me questionne face à certains événements du passé que je veux évacuer de toutes mes forces.

C'est dans mon intérêt d'accepter↓♥ d'écouter mon corps et d'atteindre la satisfaction en tout car la culpabilité ne fait que freiner mon évolution, sans véritables bénéfices.

ANUS — DOULEURS ANALES

VOIR AUSSI : DOULEUR

Les **douleurs anales** appelées **anites** sont reliées à la **culpabilité**. Je me fais mal car je ne me crois pas assez efficace pour réaliser mes désirs. C'est une forme d'autopunition, une irritation, l'envie de me condamner d'une manière qui manifeste une blessure intérieure, ma sensibilité déchirée à la suite d'un événement passé que je n'ai pas encore accepté↓♥. Il peut s'agir d'une culpabilité vécue face à ma sexualité (la mienne ou celle des autres). Je vis une détresse profonde qui peut amener la perte sanguine et même, dans certains cas, l'hémorragie. Je m'inflige une autopunition depuis très longtemps et je me replie sur moi-même.

Je peux accepter↓♥ de devenir plus responsable de mes désirs, arrêter de me dévaloriser dans ce que je suis et cesser de m'empêcher de vivre et de me punir inutilement. Je pourrais cesser d'être incommodé en ayant le « derrière en feu », et repartir à neuf en acceptant↓♥ davantage mes expériences passées, présentes et à venir et ainsi foncer davantage dans la vie. J'arrête de me détruire et j'accepte↓♥ de voir toute la beauté que je manifeste. Je vis pour moi au lieu de toujours agir selon les désirs et attentes des autres.

ANUS — FISSURES ANALES

Les **fissures anales** sont de légères fentes entraînant le saignement au niveau de l'**anus**, ce qui signifie une certaine **perte de joie** de vivre reliée à une situation que je dois changer.

Si je vis de la tristesse qui peut me « **fendre le cul** », je vérifie ce qui entraîne cette tristesse et j'accepte↓♥ les changements dans ma vie. Je peux me sentir faible et je veux me protéger du monde extérieur. Ma vulnérabilité m'amène à stagner, à me confiner dans des positions bien établies. Je préfère rester dans certaines situations désagréables au lieu de prendre le risque d'avancer vers l'inconnu. Je me sens déchiré dans une situation : dois-je retenir ou laisser aller ? Je m'accroche à ce que j'ai acquis. Je veux m'autosuffire, ne pas avoir besoin de l'aide des autres.

J'accepte↓♥ de dire maintenant « ça suffit ! » aux personnes qui m'en demandent trop. **Je cesse d'attendre après les autres pour changer**. J'élimine ma frustration, ma colère face à une personne ou à un événement « qui me fend le derrière » ou face auquel je peux me sentir

« assis entre deux chaises ». Je reprends la place qui m'était destinée. Je m'affirme dans mes besoins et j'arrête de vouloir plaire aux autres.

ANUS — FISTULES ANALES

VOIR AUSSI : FISTULES

Une **fistule anale** trouve son origine dans une situation que je vis et où j'expérimente de la **colère** par rapport à ce que je veux retenir et que je n'arrive pas à garder en moi. C'est comme si je voulais garder de vieux déchets du passé (vieilles formes-pensées, émotions, désirs) mais je n'y arrive pas. Je peux même entretenir des sentiments de vengeance par rapport à quelqu'un ou à quelque chose. Je retiens ainsi des émotions du passé qui sont teintées de rancune. La manifestation est la **fistule**, sorte de canal communiquant anormalement entre un viscère et la peau. Je n'arrive pas à me décider entre le physique et le spirituel, entre les désirs et le détachement (au sens large). J'ai l'impression de ne pas bouger. Je m'enferme dans mon monde, dans mes pensées noires, me sentant incapable de communiquer ce que je ressens. Je peux vivre une situation où je ne me sens pas tout à fait ***marié*** ou tout à fait divorcé et cette situation me déchire. J'aurais besoin de ***consulter*** quelqu'un mais je préfère ruminer dans mon coin. J'ai l'impression de ***rafistoler*** cette relation mais tout n'est pas complètement réglé. Dois-je couper cet ***anneau*** qui me lie à l'autre ? J'ai l'impression que certaines choses me filent entre les doigts.

Je reste ouvert au niveau du **cœur♥** et j'accepte↓♥ avec volonté de vider complètement ces « poubelles » d'idées noires, malsaines et vengeresses **ici et maintenant**. J'apprends à communiquer librement ce que je vis sur le moment et ma vie devient alors beaucoup plus joyeuse et équilibrée.

ANXIÉTÉ

VOIR AUSSI : ANGOISSE, NERFS [CRISE DE ...], NERVOSITÉ, SANG — HYPOGLYCÉMIE]

L'**anxiété** est une certaine **peur de l'inconnu** qui peut se rapprocher de l'état d'angoisse. Elle se manifeste par certains symptômes : maux de tête, chaleurs, crampes, palpitations nerveuses, grandes transpirations, tensions, augmentation du débit de la voix, sanglots et même insomnies.

Si je suis **anxieux**, je peux vivre le « frisson de l'angoisse » : ce frissonnement vient du froid et me rappelle que j'ai peur. C'est une maladie qui me sert la gorge, qui me fait perdre la maîtrise de moi-même et le contrôle des événements de ma vie, m'empêchant d'user de **bon sens** et de discernement. Je peux aussi ressentir soit un déséquilibre, soit une déconnexion entre le monde physique sur lequel je peux avoir un certain contrôle et mes perceptions par rapport au monde immatériel pour lesquelles je n'ai pas toujours d'explications ou de compréhension rationnelle. Je n'ai plus le contrôle : le « ciel peut me tomber sur la tête » à tout moment ! J'ai constamment un sentiment de danger imminent, mais qui est indéfini. Je peux être **anxieux** dans n'importe quelle situation : **JE DEVIENS CE SUR QUOI JE PORTE MON ATTENTION**. Si mon attention est constamment centrée sur la peur de ceci ou de cela, il est certain que je vivrai de l'**anxiété** qui peut être reliée de près ou de loin à ce qui se rapproche de la peur de la **mort** ou à ce qui pourrait me la rappeler. La mort, les choses que j'ignore ou que je ne vois pas, mais qui peuvent exister, font monter en moi cette peur. Je ne fais pas confiance à la vie.

Alors, même si je crains l'inconnu et que je **nie inconsciemment la vie et son processus**, j'accepte↓♥ de placer maintenant mon attention sur ceci : j'ai confiance et je suis persuadé que ce qui m'arrive est le mieux pour moi, à l'instant présent et dans l'avenir. Les symptômes disparaîtront, ainsi que la peur de mourir.

APATHIE

VOIR AUSSI : SANG — ANÉMIE/HYPOGLYCÉMIE/MONONUCLÉOSE

L'**apathie** est une forme d'insensibilité ou de nonchalance. J'abandonne face à la vie, je deviens indifférent et je n'ai aucune motivation pour changer quoi que ce soit.

Je vis dans un ***marasme*** constant, je n'ai aucun intérêt pour la vie. L'**apathie** peut survenir à la suite d'événements qui remettent en question ma raison d'être en ce monde. Je me révolte face à autant d'injustice. Je veux prendre mes distances afin d'éviter de souffrir encore. Je vis dans l'angoisse « que ça pourrait encore arriver ». Je peux vouloir **partir** d'une situation en la fuyant par manque de motivation ou de joie ou par peur d'être déçu. Je résiste et je refuse de voir et de sentir ce qui se passe à l'intérieur de moi et autour de moi, ce qui me conduit à un certain taux d'insensibilité afin de me protéger. L'**apathie** peut aussi être reliée à la honte profonde et à la culpabilité. Je tente ainsi de devenir insensible à mon être intérieur. Je suis comme un robot, ne trouvant pas de sens à ma vie. Je vis selon les normes des autres. De cette façon, je peux rester déconnecté de mon moi profond.

J'accepte↓♥ de m'ouvrir à la vie et à de nouvelles expériences agréables que je maintiens afin de trouver un nouveau but à ma vie. J'y mets l'attitude voulue. Je laisse mon **cœur♥** me guider en toute spontanéité. C'est ainsi que je redécouvre un goût pour la vie, en laissant tous mes sens jouir de chaque moment.

APHASIE

VOIR AUSSI : ALEXIE CONGÉNITALE, PAROLES

L'**aphasie** est un trouble de l'expression et/ou de la compréhension du langage oral ou écrit (**alexie**), dû à une lésion cérébrale localisée. D'une façon plus générale, l'**aphasie** est la perte de la mémoire des signes habituels avec lesquels l'homme échange ses idées avec ses semblables. Les centres du langage sont situés dans l'hémisphère gauche du cerveau ou côté rationnel qui est spécialisé dans les fonctions de lire, parler, compter, analyser, réfléchir, établir des relations. Il correspond à mon côté Yang (émetteur, action).

Je m'interroge sur ma façon de transmettre mes messages. Est-ce que mon inconscient a peur de ne pas être compris ? Est-ce que je doute de moi dans ma capacité d'expression ? Je suis angoissé à l'idée de m'exprimer, je n'ose pas de peur de « créer des vagues » autour de moi. Je reste ainsi à un niveau superficiel : je ne peux pas aller en profondeur donc cela m'évite de découvrir des choses qui me déplairaient. Je me sens dans une prison et en même temps, cela me libère d'avoir à tout expliquer, à tout justifier. Je crains d'être jugé par mes semblables et la méfiance m'amène à vouloir tout contrôler.

J'accepte↓♥ les événements de ma vie au niveau de mon **cœur♥**, sans avoir à tout rationaliser. Je prends le temps de choisir consciemment les bons mots pour exprimer ce qui doit être dit, en délogeant mes peurs, mes doutes et mes insécurités. J'ose être moi-même, j'exprime mes peines et mes déceptions, sachant que c'est le moyen le plus efficace de me libérer de mes secrets et de ma souffrance ; je retrouve ainsi la paix intérieure et le désir d'explorer l'univers duquel je m'étais dissocié.

APHONIE OU EXTINCTION DE VOIX

La voix est l'expression de soi, la créativité. Une trop grande émotion (détresse, inquiétude) peut m'amener à ne plus savoir quoi dire ou quelle direction prendre ni comment interpréter cette direction par rapport à l'émotion vécue. Il se peut que cette forte émotion ait été vécue sur le plan sexuel et se répercute plus directement sur la gorge ou sur les cordes vocales car, d'une certaine façon, mon deuxième centre d'énergie (sexuel) est relié plus directement à la gorge, mon cinquième centre d'énergie. De toute façon, ma sensibilité (hyperémotivité) en a pris un coup et je n'arrive plus à dire quoi que ce soit ! J'en ai le souffle coupé ! Si je disperse trop mes énergies, notamment à la suite d'un choc émotionnel, un « vide » intérieur va se créer en raison de mon désarroi intérieur et les sons vont être « aspirés » par ce vide. C'est comme si je ravalais mes mots au fond de ma gorge. C'est donc important pour moi de reprendre contact avec le ***souffle de ma communication intérieure***. Il est même possible que cette expérience me protège parce que je suis dans un état où je ne dois plus parler, où je ne peux plus dire de secrets. Est-ce que j'utilise d'une manière saine ma voix et mes cordes vocales ? Dois-je rester silencieux pendant un certain temps ? On dit parfois : la parole est d'argent et le silence est d'or... Ou est-ce quelqu'un qui m'a réduit au silence de force ? Je peux, d'une façon générale, me sentir impuissant à m'exprimer car j'ai l'impression que je ne vaux « pas grand-chose ». J'ai l'impression qu'il vaut mieux se taire que de « dire des bêtises ». Je voudrais tellement qu'on écoute ce que j'ai à dire, qu'on me reconnaisse pour qui je suis, qu'on me respecte. Parfois, je me sens tellement spécial mais cela est de courte durée et le doute s'installe, ma culpabilité réapparaît et je me recroqueville sur moi-même. Au lieu de vivre pour moi-même, je vis en fonction des autres et comme je ne sais pas toujours quoi dire pour recevoir l'approbation des autres, je préfère me taire : soit que je décide de ne plus parler, soit que mes **cordes vocales** décident elles-mêmes de ne plus émettre de sons.

J'accepte↓♥ d'exprimer mes émotions, ma créativité et mes idées de la façon où je me sens le mieux, dans le respect de mes capacités.

APHTE

VOIR : BOUCHE — APHTE

APNÉE DU SOMMEIL

VOIR : RESPIRATION [MAUX DE...]

APOPLEXIE

VOIR : CERVEAU — APOPLEXIE

APPENDICITE

VOIR AUSSI : ANNEXE III, PÉRITOINE —PÉRITONITE

L'**appendicite** est définie comme l'inflammation de **l'appendice du caecum** (du latin « Aveugle ») situé à la base du gros intestin.

Cette maladie provient d'une **colère reliée à une tension ou à une situation aiguë** que je n'arrive pas à régler, qui me fait « bouillir » intérieurement et dont je m'indigne. Il s'agit le plus souvent d'une situation sur le plan affectif qui vient déséquilibrer ma sensibilité et mes émotions. Ma peur peut avoir suscité cet événement car j'entretenais des pensées noires et je me faisais du souci, ce qui l'a fait se manifester. Je sens une lutte intérieure entre la vie et la mort. Je vis une profonde angoisse et je fais face à un choix que j'ai de la difficulté à faire à cause des responsabilités qui vont en découler. Je préfère fuir dans mon travail ou dans les choses à faire. Je me sens comme dans un « cul-de-sac » (c'est la forme de l'**appendice**), parce que j'ai le sentiment d'être opprimé, ce qui déclenche en moi **peur**, **insécurité**, **lassitude**, **abandon**. Le plus souvent, cette contrariété est en rapport avec un ou des membres de la famille ou en lien avec les principes et les idées rattachés à la famille. Ce peut être une situation qui a rapport à l'argent, et particulièrement à l'argent de poche. Je devais peut-être ***empocher*** un montant d'argent que j'ai perdu à la dernière minute. Ce peut être aussi quelque chose ou quelqu'un que je voudrais voir « s'ajouter » ou « s'incorporer » à ma vie mais une circonstance l'en empêche. Par exemple, je veux peut-être que mon conjoint vienne vivre chez moi mais il ou elle ne veut pas ou je n'ai pas suffisamment de place pour l'héberger etc. Il y a une « obstruction » au courant de vie et je refoule une multitude d'émotions. Je suis en train de franchir une nouvelle étape, un tournant dans ma vie et j'ai peur des changements que cela amènera puisque je vis une ***dépendance*** face à certaines personnes. Cela peut même aller jusqu'à la peur de vivre. Je n'arrive plus à filtrer efficacement les nouvelles réalités pour m'en protéger. Je ne vois pas d'autre issue à ma vie. J'ai l'impression que je ne peux pas me débarrasser, me vider de quelque chose. Je stocke jusqu'à ce que mon **appendice** n'en puisse plus. J'ai besoin de parler de ce que je vis, j'ai besoin de « vider mon sac » car j'ai de la difficulté à digérer ce qui se passe, je trouve cela très désappointant. Je me sens dans une impasse et je trouve une situation très « moche » et difficile à digérer. J'ai peur de la vie et je retiens ma spontanéité. J'ai l'impression qu'à tout moment, on peut m'agresser, me « vider les poches », autant au niveau matériel qu'à celui de l'**amour**. Je peux difficilement éliminer les aspects négatifs de ma vie. Les symptômes habituels sont la chaleur, la rougeur, reliée à l'inflammation, et la douleur, reliées à la tension. J'éprouve une très **vive souffrance** lorsque l'**appendicite** se transforme en **péritonite** (éclatement de l'**appendice**).

J'accepte↓♥ de m'arrêter, de prendre du recul et de vivre en fonction de mes besoins au lieu des attentes des autres. Je laisse la vie prendre son cours et j'accepte↓♥ les situations de mon existence comme ce qu'il y a de mieux pour moi. Je reste ouvert au niveau du **cœur♥** et je laisse tomber mes protections (barrières) doucement et harmonieusement. Je prends le temps de me détendre et je goûte pleinement la vie.

APPÉTIT (excès d'...)

VOIR AUSSI : BOULIMIE, SANG — HYPOGLYCÉMIE

La nourriture représente la vie et est également reliée au **plaisir**, à une certaine **joie de vivre**. La nourriture comble donc mon (mes) besoin(s) physique(s) et émotionnel(s) et un excès peut vouloir dire que je veux compenser pour avoir plus de vie en moi, ayant besoin **de combler un vide intérieur**. C'est une insatisfaction intérieure profonde face à l'**amour** et une **faim d'amour** (comme la « soif d'**amour** »), un besoin de diminuer une tension ou simplement de m'occuper pour ne pas avoir besoin de réfléchir à mon sujet. Je juge sévèrement mes propres émotions. J'évite de regarder à l'intérieur de moi et je trouve dans la nourriture ce sentiment de liberté et de satisfaction à combler tous mes désirs, quelle que soit la quantité absorbée. C'est peut-être le cas lorsque je suis en état d'hypoglycémie qui est relié à un manque de joie dans ma vie, ou à un désir excessif pour le sucré (relié à l'amour) qui montre un besoin évident de tendresse et d'affection. Chez les enfants, il est facile de reconnaître leurs besoins affectifs carencés :[31] ils manifestent aisément le goût pour tout ce qui est sucré. Que je sois un adulte ou un enfant, c'est toujours mon **cœur♥** d'enfant qui est blessé et je dois donner davantage d'**amour** à mes enfants ou en recevoir pour combler mes besoins.

J'accepte↓♥ de prendre **conscience** que le fait de manger est directement relié au fait de se récompenser ou se consoler. Maintenant, je reste ouvert à cette belle énergie d'**amour** pour trouver un équilibre, une véritable communication, une reconnaissance du moi, un échange entre ce que je suis et ce dont j'ai besoin. L'appétit s'équilibre du même coup lorsque je suis mieux comblé émotionnellement.

APPÉTIT (perte d'...)

VOIR AUSSI : ANOREXIE

Comme la nourriture est reliée à la vie, une **perte d'appétit** peut être attribuée à de la **culpabilité** (je ne mérite pas de vivre, j'ai peur, je me protège) ou à une perte de joie, de motivation face à une personne ou à une situation. Elle survient souvent à la suite du départ d'un être cher (décès, rupture, déménagement, etc.). Je me sens perdu. La blessure étant très grande, je la garde vivante en m'autodétruisant. Je peux aussi mettre trop d'attention sur une situation particulière de ma vie et j'en oublie de manger. Je refuse d'aller de l'avant, d'avoir des impressions nouvelles et des expériences excitantes qui me rendent encore plus joyeux. Mes émotions « me coupent **l'appétit** ». Je repousse ainsi mes désirs, mes aspirations, mes passions, ma curiosité, mes goûts. Souvent, mon **appétit sexuel** est aussi en « perte de vitesse ». Je refuse d'absorber, de digérer, de **manger le nouveau** qui se présente à moi dans la vie parce que cela ne me convient pas. Je crois que les autres m'écrasent ou qu'ils m'empêchent de vivre. C'est plutôt moi qui préfère me fondre dans la masse ou me faire absorber (souvent par mon partenaire ou l'un de mes parents). On me

[31] **Carencés** : en manque.

« mange la laine sur le dos[32] ». Je me punis ou me sacrifie, ne croyant mériter mieux et voulant être approuvé par les autres.

J'accepte↓♥ de rester ouvert au niveau du **cœur♥** à l'aventure et à la vie ; j'augmente ma propre estime de moi et je peux accepter↓♥ les « nouvelles impressions » (nouveaux goûts) et faire un pas de plus. L'équilibre de l'appétit reviendra. ***Comme « l'appétit vient en mangeant », la VIE vient avec la VIE !*** J'accepte↓♥ de prendre ma place et de reconnaître cette passion et ces désirs qui ne demandent qu'à s'extérioriser, notamment à travers ma créativité.

APPRÉHENSION

L'**appréhension** est reliée à un **doute**, à une crainte par rapport à une situation ou à une personne face à laquelle je sens du « danger ». Intérieurement, je vis de l'incompréhension par rapport à ce qui m'arrive. Mon mental commence à affabuler sur toutes sortes d'idées et je risque d'être décentré.

Je place mon attention sur mon être intérieur à partir de maintenant et j'accepte↓♥ au niveau du **cœur♥** les expériences de la vie, tout en me protégeant.

ARTÈRES

VOIR : SANG — ARTÈRES

ARTÉRIOSCLÉROSE OU ATHÉROSCLÉROSE

VOIR AUSSI : SANG/ARTÈRES/CIRCULATION SANGUINE

L'artériosclérose, aussi appelée **athérosclérose**, est une maladie dégénérative qui provient de la formation de dépôts lipidiques (sortes de gras lié au cholestérol) sur les parois des artères cérébrales, coronariennes, rénales ou des membres inférieurs. L'**artériosclérose** est aussi une maladie dégénérative qui provient de la destruction des fibres musculaires et élastiques qui la forment. L'une ou l'autre des maladies se manifeste par un durcissement des artères et des artérioles, impliquant surtout un épuisement et une perte d'élasticité au niveau de la paroi de celles-ci, une capacité plus faible de dilatation et de circulation du sang, une augmentation des dépôts graisseux, donc moins d'**amour** exprimé au niveau du **cœur♥.**

Cet état progressif se manifeste si je suis **endurci**, si je suis ou si je deviens **inflexible** ou **tendu** en ce qui a trait à la communication et à mes pensées. C'est la manifestation d'une **résistance très forte** et d'une **étroitesse d'esprit** physique et intérieure. L'expression et la réception d'**amour** et de joie deviennent limitées et restreintes. Il y a donc un déséquilibre face au fait de donner et partager avec les autres et le fait de recevoir. J'ai des idées fixes et impitoyables, je suis souvent intransigeant, rigide, et sans compassion ; j'ai aussi tendance à ne voir que le côté sombre ou négatif de la vie. Je peux refouler inconsciemment mes émotions et dire non à l'**amour** car je crains de m'exprimer. Peut-être que je vis trop en fonction des principes et de la morale que l'on m'a transmis étant plus jeune

[32] **Se faire manger la laine sur le dos** : se laisser exploiter sans réagir

au lieu de vivre selon mes valeurs à moi. Je reste emprisonné dans ce carcan car je me sens en sécurité. Toutefois, je stagne au lieu d'évoluer et de grandir. Puisque ma vision des choses est limitée et même diminuée par mes peurs, il en est de même de mes **artères**. Je suis tout simplement sclérosé[33], cristallisé comme mes **artères**. Je me sens confiné chez moi. Au lieu de me référer à mon intuition pour savoir ce qui est bon pour moi, je me fis à des repères extérieurs. Peut-être ai-je l'impression de m'être trompé et que je me suis jugé sévèrement. Où et quand ai-je déjà vécu une expérience traumatisante qui me fait même détester une partie de moi au point de la renier et où me suis-je senti rejeté ? Cette maladie est donc probablement reliée à une blessure amoureuse ou à la non-reconnaissance de cet amour dans ma vie. À quoi bon voir ce qui est excellent pour moi ? Pourquoi exprimer mes sentiments ? Pourquoi m'impliquer ou m'engager dans une relation si je risque d'être blessé ? Mon corps m'indique qu'il y a un changement à faire par rapport à mon comportement face à la vie. Je prends **conscience** que ce qui s'accumule dans mes **artères,** ce sont la culpabilité, l'amertume, la honte, les regrets que je vis chaque jour.

En acceptant↓♥ d'avoir une attitude plus ouverte, tolérante et douce par rapport à moi-même et aux expériences que je vis, tout le processus d'union avec le moi intérieur et l'univers se manifeste davantage. Je fais montre de joie, de sérénité et de flexibilité envers ceux et celles qui m'entourent et je m'abandonne à la véritable expression de l'**amour.** Les gens de mon entourage sentiront ce changement. J'accepte↓♥ de recevoir de l'aide. J'ai aussi à développer plus de créativité (artère = art-terre) sur le plan physique et avec la matière. La vie prend soin de moi. Je m'exprime librement afin d'éviter d'autre accumulation dans mes **artères** et je repousse mes limites afin de m'engager pleinement dans mes relations interpersonnelles.

ARTHRITE (en général)

VOIR AUSSI : ARTICULATIONS [EN GÉNÉRAL], INFLAMMATION

L'**arthrite** est définie comme l'inflammation d'une articulation. Elle peut affecter chacune des parties du système locomoteur humain. Sa forme la plus extensive est la **polyarthrite rhumatoïde** dénommée actuellement **polyarthrite chronique évolutive.**

Elle se caractérise par de l'inflammation, de la raideur musculaire et de la douleur qui **correspond**, au plan métaphysique, à de la **fermeture**, de la **critique**, du **chagrin**, de la **tristesse** ou de la **colère**. Symboliquement parlant, la grâce et la liberté de mouvement sont les principales qualités liées à l'articulation. Quand celle-ci devient inflexible ou qu'elle se durcit, l'**arthrite** est associée à une certaine forme de **rigidité** de mes pensées (des pensées cristallisées), de mes attitudes ou de mes comportements, si bien que toutes les émotions profondes que je devrais exprimer normalement le sont par la manifestation physique de cette maladie. Ainsi, l'**arthrite** survient si je suis trop **inflexible**, **trop exigeant**, **têtu**, **intolérant**, **très moraliste**, **critiqueur**, **restreint ou trop orgueilleux** par rapport à moi-même, aux autres ou aux situations de mon existence. Un sentiment d'impuissance accompagne habituellement la souffrance qui me freine. Je me sens restreint par le système dans lequel je

[33] **Sclérosé** : figé, qui n'évolue pas.

vis et je critique l'autorité qui enfreint ma liberté. La vie est un éternel combat, une lutte de chaque instant. Je vis le sentiment particulier d'être **mal aimé**, de ne pas être aimé et apprécié **à ma juste valeur**, ce qui amène chez moi beaucoup de **déception** et d'**amertume** face à la vie et de la mauvaise humeur. Je manifeste alors un esprit exagérément rationnel. Je critique souvent sur tout ou rien parce que j'ai peur de la vie et que j'éprouve souvent une forme d'**insécurité chronique**. Je me sens **exploité** ; je fais des actions et pose des gestes, plus pour faire plaisir aux autres que par volonté réelle et intérêt, si bien que je dis « oui » par devoir alors qu'en vérité, c'est non. Je me dis victime mais cela me convient car je peux ainsi attirer l'attention. Je me sens impuissant et je rends les autres responsables de mon « calvaire[34] ». Je peux en vouloir au monde entier spécialement ceux que j'aime, mais c'est plutôt à moi-même que j'en veux. J'ai peur de la douceur, la tendresse, l'**amour** qui m'habitent. J'ai peut-être vécu un traumatisme d'enfance et je refoule maintenant mes émotions, sans admettre ce qui s'est passé (occultation) car « j'ai beaucoup souffert dans une telle expérience et je me permets (inconsciemment) de blâmer et de me plaindre pour que les autres puissent comprendre jusqu'à quel point j'ai eu mal ». Cette manifestation se rapporte au complexe du **sacrifice de soi**. L'**arthrite** peut provenir aussi de la façon dont je me traite ou je **traite** les autres par rapport à la critique. L'**arthrite** occasionne aussi une sorte d'action **rétrograde** ; j'ai l'impression d'être ramené vers l'arrière sur le plan énergétique, comme si on m'indiquait de faire autre chose d'autre dans une direction différente, plutôt que d'aller vers l'avant. Puisque ma peur, ma faible estime de moi et ma rigidité font en sorte que de profondes émotions se créent par rapport au pourquoi, au comment ou à la direction de mes mouvements dans la vie, je peux avoir le sentiment d'être contraint, restreint, immobilisé ou renfermé. J'éprouverai alors une difficulté à fléchir (mon attitude), à être mentalement flexible ou capable d'abdiquer. L'**articulation arthritique** m'indique ce que je vis et me donne plus d'informations. Au niveau des **mains** (doigts), la question est : « Est-ce que je fais vraiment ce que je désire et ce que je veux faire ? Est-ce que j'ai une bonne « prise de main » sur mes propres affaires ? Y a-t-il des gens à qui je n'ai plus le goût de « donner la main » ? Je me sens coupable, percevant ma vie comme un échec parce que j'ai l'impression de ne pas pouvoir la maîtriser. Ma liberté et ma spontanéité à « manier » ce qui se passe dans mon univers sont limitées par ma rigidité et ma dureté. Je m'obstine à ce que les choses se passent d'une certaine façon et je **refuse** l'aide des autres. Je me retrouve dans une structure rigide à l'extrême car j'ai peur de l'inconnu. Aux **coudes :** « Est-ce que je suis inflexible aux changements de directions à prendre dans ma vie ? Est-ce que je permets aux autres d'être libres et d'exprimer leur plein potentiel » ? Aux **genoux** : « Devant qui ou quoi ai-je l'impression de devoir me mettre à genoux et devant qui ou quoi je ne veux pas plier » ? Aux **hanches**, je suis en colère car les autres ne voient pas mes besoins. Je voudrais qu'ils répondent à mes attentes sans avoir à les demander. Le bassin servant dans mes mouvements, lorsqu'il y a une frustration ou un sentiment d'impuissance, je n'ose plus bouger, je me coupe de la circulation de la vie.

À partir de maintenant, j'accepte↓♥ de vérifier mes véritables intentions par rapport à l'**amour**. Je dois changer ma façon de penser et adopter une nouvelle attitude face aux situations de ma vie. En restant ouvert à l'**amour**

---

[34] **Calvaire** : épreuve longue et douloureuse.

qui est omniprésent (partout) et en l'exprimant de façon plus honnête, libre et spontanée, mon **cœur♥** sera rayonnant et je respecterai les autres autant que moi-même. Amitié, compréhension et pardon sont maintenant disponibles pour moi. J'accepte↓♥ que la seule personne sur laquelle j'ai un pouvoir, c'est moi-même. Je me vois créateur de ma vie. Les autres ne sont qu'un reflet de la façon dont je me traite. En prenant bien soin de moi, les autres en feront autant.

ARTHRITE — ARTHROSE

VOIR AUSSI : ARTICULATIONS, OS

L'**arthrose** est une atteinte non inflammatoire et dégénérative des cartilages avec réaction osseuse secondaire. Elle est localisée ou habituellement généralisée à l'ensemble du corps. Cependant, ce sont davantage les articulations soumises à d'importantes contraintes mécaniques qui sont concernées, telles celles de la colonne vertébrale (vertèbres cervicales [du cou], des vertèbres lombaires [bas du dos]), des hanches, de la main, des genoux, des chevilles. La douleur qu'elle occasionne est d'origine « mécanique » et non inflammatoire et apparaît habituellement après un effort soutenu et disparaît au repos (cette maladie porte aussi le nom de **rhumatisme d'usure**).

Lorsque je souffre d'**arthrose**, c'est comme si j'amplifiais davantage mes attitudes, mes « patterns[35] » et mes pensées rigides. Cette maladie est reliée à un **durcissement mental**, à une absence de « chaleur » dans mes pensées (le froid et l'humidité accélèrent l'apparition de l'**arthrose**), souvent par rapport à l'autorité. Je vis facilement de l'injustice et ***j'accuse*** les autres pour tout et pour rien. Mes raideurs m'empêchent de plier, d'abdiquer, tout comme dans ma vie où je n'ai plus le goût de plier devant les autres. C'est la motivation exagérée à accomplir une action sans chercher le repos ou l'équilibre (je me rends jusqu'au bout de mes limites sans m'arrêter à savoir si je m'en demande trop), une **impression de subir** une personne ou une situation maintenant devenue intolérable, ou une forte réaction refoulée par rapport à une forme quelconque d'**autorité**. Je me sens ***enchaîné***, j'ai l'impression d'être soumis à des ***travaux forcés***, d'être obligé de faire certaines choses dont j'ai honte car je « vaux plus que cela ». Je suis très perfectionniste et je me critique sans cesse. Je suis amer face aux autres qui, je le pense, ne m'aiment pas. Je veux laisser tomber les armes, démissionner car je n'en peux plus. Ma peine est immense car je m'accroche à un événement ou une personne de mon passé. J'ai de la difficulté à voir la réalité en face et je fuis mes émotions profondes. Je m'oublie et je me coupe du plaisir car je me convaincs que je dois m'occuper des autres avant moi. Je suis très intransigeant et rigide envers moi-même. J'ai de la difficulté à accepter↓♥ les changements et les nouvelles opportunités qui s'offrent à moi et qui peuvent venir remettre en question mes vieilles croyances. Mon entêtement permanent provoque une tension constante.

Mon corps me parle et j'ai présentement intérêt à l'écouter ! Je peux intégrer cette maladie en commençant à accepter↓♥ **consciemment** que je vis de la colère et que mes pensées sont rigides. L'énergie qui s'écoule à travers moi est fluide, harmonieuse, en **mouvement**. En restant ouvert au

---

[35] **Patterns** : schémas, structures.

niveau du **cœur♥** à cette énergie et en reconnaissant que j'ai quelque chose à changer, je peux renverser le processus et améliorer ma santé ! Je deviens plus flexible et j'accepte↓♥ les autres tels qu'ils sont, sans vouloir les changer. La flexibilité au niveau de mon corps physique réapparaîtra alors. Je décide dès maintenant que j'ai droit au bonheur. Je prends soin de moi et les autres en profitent. Je vis pleinement le « ici et maintenant » et je m'attends à ce qu'il y a de mieux pour moi.

ARTHRITE DES DOIGTS

VOIR : DOIGTS — ARTHRITIQUES

ARTHRITE GOUTTEUSE

VOIR : GOUTTE

ARTHRITE — POLYARTHRITE RHUMATOÏDE

La **polyarthrite rhumatoïde** ou **chronique évolutive** est une inflammation portant simultanément sur plusieurs articulations. Le système immunitaire est si malade qu'il commence à s'autodétruire, s'attaquant au tissu conjonctif des articulations (collagène), si bien que le risque d'une infirmité généralisée avec de la douleur et du gonflement articulaire est possible.

C'est carrément une attaque de mon propre moi, tellement les fortes émotions de **rancune** et de **douleur n'arrivent pas à s'exprimer**. La **polyarthrite rhumatoïde** est reliée à un **profond mépris de soi**, à une **haine** ou à une **rage refoulée depuis longtemps**, à une **critique de soi** si intense que cela affecte l'énergie la plus fondamentale de mon existence. J'ai vécu des expériences où je me suis senti très **honteux** ou **coupable**. C'est la manifestation d'une **critique** beaucoup plus importante **face à l'autorité** ou à tout ce qui représente l'autorité pour moi : individu, gouvernement, etc. **Je refuse de me plier à cette autorité**, peu importe les conséquences ! J'ai pris en « ***grippe*** » tous les gens qui me dérangent ou qui m'ont fait du mal. Ma mobilité devient limitée et je n'arrive pas à m'exprimer librement (dans le cas notamment de certaines directions à prendre) car mes articulations sont trop douloureuses. Mon corps devient rigide, comme mes attitudes. Je n'arrive pas à exprimer mes fortes émotions et j'ai l'impression d'être constamment opprimé et soumis. J'adopte alors des comportements d'effacement, d'auto sacrifice, et je rumine mes émotions. Je sers de « bouc émissaire » en me sacrifiant à une cause quelconque. J'ai l'impression qu'on est « toujours sur mon dos ». Cette maladie peut m'indiquer une difficulté à accomplir des gestes que j'étais capable d'exécuter autrefois avec beaucoup de dextérité. Maintenant, j'ai l'impression d'être plus maladroit ou gauche. Je me dévalorise donc par rapport à cette activité où j'excellais et j'ai l'impression de perdre de la dextérité, de la force ou de la précision. Cette maladie se retrouve par exemple chez la couturière qui, après quelques années, a l'impression d'être plus lente, moins habile. Les sportifs sont souvent atteints de **polyarthrite**, à cause principalement du sentiment de dévalorisation qu'ils peuvent vivre parce qu'ils ne sont pas à 100 % de leurs capacités, ou que leurs performances ont diminué. Ces symptômes mettent en évidence comment je peux me surdiscipliner car je suis extrêmement exigeant envers moi-même. Je ne me laisse pas de place à l'erreur. Je refuse les douceurs de la vie. Ma rigidité, ma frustration et ma colère intérieure me font serrer les poings. Elles sont très souvent canalisées par le biais du sport pratiqué. Une fois que je suis moins actif ou que je laisse cette carrière sportive, les mêmes frustrations doivent se manifester autrement, et pourra apparaître à ce moment la **polyarthrite rhumatoïde**. Celle-ci peut se produire aussi si je suis compulsif, très **obstiné**, moralisateur ou je vis un malaise face au pouvoir. Ce dernier se manifeste par ma tendance à vouloir tout diriger mais je ne m'en rends pas compte. J'ai tendance à me sacrifier pour les autres, ce qui résulte souvent d'une agression refoulée ; mais jusqu'à quel point j'agis avec **amour**, en me respectant ? La rigidité tant physique qu'intérieure s'aggrave à cause de cette obstination profonde à ne pas vouloir changer et de cette culpabilité qui me ronge au plus profond de moi.

J'apprends à m'accepter↓♥ avec mes forces et mes faiblesses. Même si j'ai l'impression d'être moins bon ou moins efficace, je regarde toute l'expérience que j'ai acquise au fil des années. Je reconnais qu'elle est un atout précieux qui fait de moi une personne exceptionnelle. L'ouverture au niveau du **cœur♥** est essentielle si je veux libérer toutes les émotions qui empoisonnent mon existence. À partir de maintenant, je reprends mon plein pouvoir sur ma vie, en commençant par m'aimer et par m'accepter↓♥ tel que je suis. Je prends la place qui me revient ! J'accepte↓♥ d'adopter de nouvelles façons d'être. Je réévalue mes priorités dans la vie et je me fixe de nouveaux objectifs qui sont plus réalistes et en harmonie avec ce que j'aime et me procurent du plaisir et de la joie de vivre.

ARTHRITE RHUMATISMALE

VOIR : ARTHRITE — POLYARTHRITE RHUMATOÏDE

ARTHROSE

VOIR : ARTHRITE — ARTHROSE

ARTICULATIONS (en général)

VOIR AUSSI : ARTHRITE — ARTHROSE

Une **articulation** est une partie du corps où se réunissent deux ou plusieurs os permettant un mouvement adapté[36] à l'anatomie du corps humain (synonyme : joint, jonction, jointure).

L'**articulation** représente la **facilité**, la **mobilité**, l'**adaptabilité** et la **flexibilité**, donnant au mouvement grâce et fluidité. Toutes ces qualités simples sont possibles avec une **articulation** en parfait état. Cependant, elle a aussi ses limites. Comme l'os représente la forme d'énergie la plus « dense », la plus fondamentale de mon existence, les problèmes **articulaires** sont impliqués dans toutes les composantes physiologiques du corps humain (tissu, sang, etc.). Ainsi, un **trouble articulaire** indique une **résistance**, une ***retenue***, une certaine raideur dans mes pensées, dans mes actions ou dans l'expression de mes émotions souvent refoulées. Une

[36] Les os du crâne reliés entre eux sont généralement considérés comme des articulations immobiles.

inflammation survient si j'ai peur d'aller de l'avant : je deviens incapable de bouger, j'ai de la difficulté à changer de direction, je joue le jeu d'être détaché émotionnellement, je n'agis pas avec spontanéité, j'hésite ou je refuse de m'abandonner à la vie et de faire confiance. D'où une colère qui résulte souvent du fait que j'ai refusé de communiquer mes frustrations et mes déceptions. Lorsque je bouge avec douleur ou difficulté, mon corps exprime que je ne veux pas comprendre (ou accepter↓♥ de comprendre) quelque chose qui me limite dans l'expression du Soi. Je me sens pris, ***verrouillé*** dans un aspect de ma vie. J'ai de la difficulté à être articulé, à voir clair dans mes pensées et à pouvoir les exprimer. Je me sens comme un « p'tit cul[37] » avec bien peu de possibilités. Des **douleurs articulaires** (**arthralgie**) montrent que les émotions et les chocs ont été supportés longtemps et ils deviennent insupportables parce qu'il y en a trop. Ces **douleurs** indiquent un repli sur soi, un manque de flexibilité (envers soi ou envers les autres) ou un manque d'adaptation. Une **raideur dans les articulations** me dit comment je peux également « être raide » (rigide) dans ma façon de penser, intolérant et que j'aurais avantage à déposer mes œillères afin de voir la vie d'une façon plus positive. Je peux vivre trop en fonction des structures et de l'autorité extérieure au lieu d'écouter ma voix intérieure qui devrait être l'autorité suprême. J'ai l'impression de porter l'univers tout entier sur mes épaules. Si mes **articulations craquent**, je m'en veux d'avoir fait ou dit certaines choses quand pourtant, aucune autre personne ne m'a fait des reproches. Si mon corps en vient à une **dégénérescence d'une articulation**, je me retire dans ma tête, mon rationnel, me coupant ainsi totalement de cette existence que je refuse. Par rapport à ma rigidité à comprendre, en regardant la partie du corps affectée, je peux activer le processus qui consiste **à accepter↓♥ que j'ai quelque chose à comprendre**. Par exemple, les **poignets**, les **coudes**, les **épaules** ou les **mains** douloureuses indiquent que je dois cesser une action ou un travail quelconque. Je veux me replier sur moi-même (**coudes**) car je suis fatigué ou las de faire ce que je fais ou d'être ce que je suis ; je ne veux plus en être responsable (**épaules**). Les **hanches**, les **genoux** et les **pieds** (membres inférieurs) indiquent que je ne désire plus poursuivre la vie avec les difficultés qu'elle comporte. Je dois me rappeler que l'attention sur un seul et même endroit (c.-à-d. fixer inconsciemment l'énergie ou l'émotion sur une seule **articulation**) peut faire cristalliser cette énergie et immobiliser l'**articulation**. Dans ce cas-ci, le processus d'acceptation↓♥ au niveau du **cœur♥** est essentiel pour intégrer la prise de **conscience** par rapport à cette maladie et ainsi s'en libérer. Une **jointure** est un endroit où deux os se rencontrent. Un malaise ou une maladie concernant celle-ci dénote une inflexibilité par rapport à moi-même ou envers une personne ou une situation. Je peux trouver face à quel aspect de ma vie j'ai avantage à être plus flexible en regardant quelle partie de mon corps est affectée. Est-ce que ce sont les **jointures** de mes **doigts**, de mes **poignets**, de mes **chevilles**, etc. ? Les émotions et les chocs accumulés deviennent tout à coup insupportables et indiquent un repli sur soi. Les pensées douloureuses et obsessionnelles se fixent et se cristallisent en un point précis dans mon corps.

En acceptant↓♥ de m'écouter, je peux retrouver ainsi mon vrai pouvoir et reconnaître tout le bon qui existe en moi. Je peux avancer, évoluer, faire

[37] **Un p'tit cul** : comme un moins que rien.

les changements qui s'imposent dans ma vie d'une manière fluide harmonieuse.

ARTICULATIONS — ENTORSE

Les **entorses** sont dues à une lésion des ligaments d'une de mes articulations.

Les **articulations** représentent la **flexibilité** et ma capacité à me plier aux différentes situations de ma vie. Le **poignet** et la **cheville** sont l'expression de l'énergie, juste avant qu'elle ne se manifeste dans le physique. L'**entorse** me signale que j'applique les freins et que je ne veux pas faire ce qui m'est demandé. Je **résiste** ou je vis de l'**insécurité** face à la direction que je prends (**cheville**) ou dans ce que je fais (**poignet**) présentement ou ce que je pourrais faire dans une nouvelle situation. Je suis prêt à tout pour ne pas céder mais quand la pression est trop forte, ce sont mes **ligaments** qui prennent le coup et peuvent aller jusqu'à se déchirer. Je vis de la culpabilité et je veux me punir parce que je résiste. Je vis une tension mentale qui ne peut plus être tolérée. J'ai le goût de démissionner. Selon mon taux de résistance, d'entêtement, de colère, de culpabilité ou de tension mentale, j'aurai une **entorse bénigne** aussi appelée **foulure**, où les ligaments sont simplement distendus, ou une **entorse grave**, où les ligaments sont **rompus ou arrachés**. Dans ces derniers cas, je vis une rupture, une déchirure avec une personne ou une situation. On veut « m'arracher » quelque chose que je refuse de laisser aller. Je prends **conscience** de ce que je faisais et ressentais au moment où c'est arrivé. Je peux me demander : Suis-je sur le point de faire quelque chose auquel il serait préférable de renoncer ? Est-ce que la façon dont je traite une situation me cause une tension ou une angoisse réelle ? Est-ce que je siège sur une base instable et dérangeante mentalement ? Est-ce que je refuse d'avouer mes torts face à une personne ou situation ? Est-ce que je m'appuie sur de bons fondements ou sur mes peurs ? Est-ce que j'ai fait une **entorse** à la justice ? Est-ce qu'il y a eu **entorse** face à mon intégrité ?

J'accepte↓♥ de prendre le temps de me réorienter ou d'apporter les changements nécessaires pour que je puisse être bien dans ma peau et aller de l'avant librement. J'accepte↓♥ la présence de cette **entorse** pour m'amener à faire des changements. Si l'acceptation↓♥ est faite, la guérison va être rapide et complète. Mais si, parce que maintenant je ne peux pas ou peu marcher, je me dévalorise et je me sens inutile et « bon à rien », la guérison sera beaucoup plus longue. C'est pourquoi j'ai avantage à voir cette situation (l'**entorse** et ce qu'elle implique) d'une façon positive et constructive.

ARTICULATIONS TEMPORO-MANDIBULAIRE

VOIR : BOUCHE [MALAISE DE...], MÂCHOIRES [MAUX DE......]

ARYTHMIE CARDIAQUE

VOIR : CŒUR♥ — ARYTHMIE CARDIAQUE

ASPHYXIE

VOIR : RESPIRATION — ASPHYXIE

ASTHÉNIE NERVEUSE

VOIR AUSSI : BURNOUT

L'**asthénie nerveuse** est semblable au « burnout », qui est une forme d'épuisement énergétique et nerveux. Cependant, elle est différente de la fatigue, qui est un phénomène naturel, puisqu'elle ne provient pas du travail ou d'un effort et qu'elle ne disparaît pas nécessairement avec le repos.

Je me sens au bout du rouleau et mon énergie "vitale" en est affectée. C'est un **mal de l'âme** intériorisé sur une longue période de ma vie. La manifestation s'installe à différents niveaux (physique et intérieur), plusieurs états ou sentiments fondamentaux refont surface : peur, tristesse profonde, émotivité amplifiée, remords d'expériences passées et même amertume. Je refuse la vie que je mène. Je vis du découragement et je n'ai nullement le goût de commencer quoi que ce soit. Même si l'**asthénie**, qu'elle soit somatique, psychique ou réactionnelle, peut découler de plusieurs causes, je vérifie ce qui m'amène à manifester cet état.

J'accepte↓♥ de pouvoir changer cela à la condition de trouver la cause profonde qui m'a amené à « perdre » toute ma belle détermination d'être et de faire et à avoir une attitude passive et de fuite devant l'effort.

ASTHME (appelé aussi « cri silencieux »)

VOIR AUSSI : ALLERGIES, POUMONS [MAUX AUX...], RESPIRATION [MAUX DE...]

L'**asthme** est une affection respiratoire caractérisée par la difficulté à respirer, pouvant même aller jusqu'à la suffocation. Lors d'une crise d'**asthme,** la réaction du système immunitaire face aux substances causant des allergies (allergènes) est tellement forte qu'elle peut entraîner un blocage de la respiration corporelle, des sifflements respiratoires et parfois même la mort. J'ai besoin de prendre la vie en moi (inspiration) et je n'arrive pas à donner (expiration) au point où je commence à paniquer (j'**inspire** facilement, mais j'**expire** avec difficulté), si bien que la **respiration**, c'est-à-dire mon habileté à respirer, devient insuffisante et très limitée car je libère un minimum d'air.

Je vis une immense angoisse, ayant peur de mes propres forces et voulant fuir à toutes jambes. Je me cache derrière un titre, un diplôme, une organisation, une structure pour être en sécurité. Ainsi, je me sens étouffé par le pouvoir que je donne aux autres mais c'est encore mieux que de devenir autonome et de prendre mes responsabilités. Cette situation, je peux la vivre comme **enfant** ou **adulte**. Si je suis **bébé** et que je suis **asthmatique**, je vis une angoisse qui ressemble à celle de mes parents et qui est ***épouvantable***. Nous vibrons au même diapason et je me demande si j'ai le force de vivre. Je voudrais qu'on me sauve, qu'on me libère de ce danger qui me guette. Je vis de l'impuissance et je vis en fonction des autres. Est-ce que je m'accroche à certaines personnes ou à certaines choses que je refuse de laisser aller ? Est-ce que je m'étouffe avec de la rage ou de l'agressivité que je refuse de voir au point où cela me « prend à la gorge » ? Est-ce que j'ai peur de manquer de quelque chose, surtout d'**amour** ? Ainsi, l'**asthme** est fondamentalement relié à l'action d'« étouffer ». **Je me sens pris à la gorge, *emmuré*** ; je **suffoque**, j'**étouffe** par rapport à un être aimé ou à une situation. Je refuse ce qui se passe dans ma vie et je désire toujours quelque chose d'autre. Avec cette attitude, je me coupe de tout sentiment de liberté. Je crois devoir vivre dans l'obligation des choses au lieu du libre choix. Je fais constamment face à une personne d'autorité qui m'empêche de m'exprimer et me « coupe le sifflet ». Je ne sens plus que j'ai la liberté de parler et d'occuper mon espace. Je peux même vivre dans un climat de **dispute** qui m'amène à la confrontation, à l'affrontement, qui empoisonne ma vie et qui représente une menace pour moi. J'ai tellement peur que j'en ai le **souffle coupé**. J'ai l'impression que toute ma vie est en pleine ***effervescence***. Je voudrais tellement me retrouver comme par magie dans le ventre de ma maman où je serais en sécurité... Cependant, cet **amour,** surtout de mes parents, peut être étouffant : je peux avoir l'impression d'avoir une mère trop couveuse et de laquelle j'ai peur ou un père trop autoritaire et peut-être aussi trop maternel. J'ai l'impression parfois que pour rester en vie, il ne faut absolument pas que je montre que je suis en vie, il faut disparaître. Je voudrais donc prendre ce qui me revient mais en même temps, c'est dangereux. J'utilise l'**asthme** pour attirer l'**amour**, l'attention ou une forme de **dépendance affective**. L'asthme étant semblable à l'asphyxie et à l'allergie, je peux avoir le sentiment d'être limité et de me **laisser envahir par les autres dans mon espace vital**, d'être facilement impressionné par le pouvoir des autres au détriment du mien, de vouloir faire plaisir, d'accomplir des actions qui ne me conviennent pas, allant même jusqu'à étouffer pour signifier une révolte intérieure reliée à une situation. C'est un excellent moyen de me sentir fort, d'obtenir tout ce que je veux en manipulant autrui... Comme personne, si je ne veux pas voir mes limitations, la confiance en moi sera remplacée subitement par de l'inquiétude et de l'angoisse. Je ne saurai pas comment « dealer » avec mes émotions et je sentirai une grande solitude. Je croule sous le poids des responsabilités et je dois les assumer sans l'aide de personne. Il est intéressant de mentionner que des études scientifiques ont démontré que les crises d'**asthme** chez les enfants se produisent en très grande majorité au mois de septembre. C'est tout à fait normal car moi, comme enfant, je viens de passer tous les mois d'été à jouer à l'extérieur de la maison, profitant du grand air, avec les amis de mon choix. Lorsque je retourne à l'école, tout est ordonné, minuté. Je peux me sentir étouffé par tout cet encadrement et les obligations de faire (les devoirs par exemple) ou les choses que je ne peux plus faire (comme me coucher plus tard le soir). J'aurai à apprendre à bien connaître mes forces et mes faiblesses afin d'être en harmonie avec la vie et de me permettre d'apprécier celle-ci. Les autres feront tout pour me sauver ! J'ai l'image d'une personne faible qui exige beaucoup d'**amour** sans être prête au don d'**Amour**, comme un enfant qui crie pour ses besoins sans avoir la maturité de partager et de s'ouvrir suffisamment au don divin. La vie est un **échange mutuel, équilibré et constant entre donner et recevoir**. Tout cela est évidemment relié à une **peur du passé**, à une sorte d'**amour** étouffant que j'ai interprété comme tel (généralement maternel), à une tristesse de la prime enfance refoulée. C'est aussi une peur remontant à ma première respiration, lors de ma naissance, où je me suis senti étouffé ou apeuré par **ma mère** (inconsciemment) ou par une situation semblable. Ainsi, la respiration symbolise l'indépendance de vie, l'individualité, la capacité de respirer soi-même. Je n'arrive pas à manifester un sentiment d'indépendance, à vivre ma propre vie, je me sens rejeté par l'arrivée de quelqu'un d'autre, j'éprouve des difficultés à me prendre en main et à décrocher de mes attaches parentales (une dépendance répressive, surtout face à la mère ou à la conjointe). **Je ne conçois pas de**

me séparer de cette merveilleuse image (ma mère) douce et rassurante, de me marier ou de voir mes parents divorcer sans que je sois en réaction !Lorsque je manifeste une **crise d'asthme**, je veux crier mon désespoir, ma peine, mon incompréhension. Si je suis en contact avec une personne, une situation ou une pensée que je ne peux absolument pas tolérer (« j'en suis totalement allergique !», et face à laquelle je me sens incapable de m'affirmer, la **crise d'asthme** apparaît.. Je suis dans une colère « bleue », je suis fou de rage et la crise d'**asthme** s'ensuit.

J'accepte↓♥ d'exprimer ce qui m'étouffe et à occuper mon espace. Je vérifie si le malaise revient périodiquement et je change ma programmation mentale. Je prends maintenant ma vie en main, je donne généreusement et tranquillement **sans forcer**. Je reconnais humblement ce que je suis capable de réaliser même si cela semble peu et, surtout, j'accepte↓♥ de m'ouvrir au niveau du **cœur♥** et de travailler avec le processus d'intégration qui correspond à ce dont j'ai vraiment besoin. Tout s'arrangera pour le mieux, je serai satisfait, comblé d'**amour**, de tendresse et doté d'une respiration normale et équilibrée. J'apprends à m'aimer et à aimer la vie. J'apprends aussi à me faire confiance totalement. À chaque inspiration, je me sens davantage soutenu et sécurisé par la vie et à chaque expiration, j'apprends à laisser aller le contrôle, à lâcher prise et laisser couler dans le courant de la vie. Je prends ainsi de plus en plus d'***expansion*** et je reprends toute la place qui m'appartient. J'apprends à m'aimer dans mon unité.

ASTHME DU BÉBÉ

L'**asthme du bébé** est encore plus prononcé que l'**asthme commun**. Le nourrisson a tellement peur de la vie et de vivre qu'il manifeste déjà à ce stade le refus d'être ici. Il est bon que je lui parle en pensée ou en parole avec un **cœur♥** ouvert pour lui dire combien il est aimé, apprécié, et que je veille à lui procurer ce dont il a besoin.

ASTIGMATISME

VOIR : YEUX — ASTIGMATISME

ATAXIE[38] DE FRIEDREICH

L'**ataxie de Friedreich**[39] est une maladie du système nerveux caractérisée par des dégénérescences touchant la moelle épinière et le cervelet[40].

Elle a généralement pour origine un schème de pensée chez moi, en tant que mère. Ce schème est si puissant que le fœtus que j'ai engendré (l'enfant en gestation) le capte et répond à celui-ci sans condition (comme l'**amour** d'une mère pour son enfant). Je m'attends tellement à avoir un enfant qui répondra à mon ou à mes rêves qu'il finira par sentir une totale impuissance

---

[38] **Ataxie** : incoordination des mouvements.

[39] **Friedreich** (Nikolaus) (1838-1927) : neurologue allemand qui a décrit pour la première fois cette maladie en 1881. Il s'intéressa principalement aux ataxies de forme héréditaire.

[40] **Cervelet** : est situé à la base du crâne; il est responsable de la coordination des muscles nécessaires à l'équilibre et au mouvement.

à me combler. Étant cet enfant, j'ai peur de ne pas pouvoir accomplir toutes les ***tâches*** que ma mère me demande et de ne pas être à la hauteur de ce pourquoi je me suis programmé. J'ai peur de ne pas avoir le **véhicule physique** (A- « taxi » -e) approprié au bon moment. Je sens que ma liberté est déjà atteinte, restreinte. Il se manifeste alors un blocage en ce qui a trait à mon développement. Je veux m'isoler du reste du monde. En tant que mère, je vis dans un royaume imaginaire où il faut garder un certain statut social et je n'aime pas qu'on vienne déranger l'apparent calme qui y règne. Cependant, quel que soit l'âge de l'enfant, je me dois de lui expliquer que j'ai peut-être des idéaux pour lui, mais que c'est parce que je l'aime et que je veux ce qu'il y a de mieux pour lui.

Quelles que soient les forces ou les difficultés de mon enfant, je l'aime tel qu'il est et il n'a pas à devenir un « superman ». J'accepte↓♥ de revoir mes priorités dans la vie, ce qui compte vraiment pour moi. Si l'enfant est au stade de gestation, je peux lui parler intérieurement parce que, même à cet âge, il comprend tout ce que je lui dis. S'il est un peu plus âgé, je prends le temps de lui parler : il sentira alors tout l'**amour** que j'ai pour lui et le processus de guérison pourra alors s'enclencher. Rien ne vaut l'**amour** et le pardon pour rétablir l'harmonie entre deux êtres.

ATHÉROSCLÉROSE

VOIR : ARTÉRIOSCLÉROSE

ATROPHIE

VOIR AUSSI : MUSCLES —MYOPATHIE

L'**atrophie** est la diminution de volume et de poids d'un organe, d'un membre ou d'un tissu.

Elle me montre qu'il y a nombre de choses que je me retiens de faire, d'exprimer et de manifester et que je n'ose accomplir. Il y a une sensation de perte ou de diminution quelque part dans une des sphères de ma vie qui me rend vulnérable. Je perds ainsi ma raison de vivre et je me laisse dépérir. Puisqu'il en est ainsi au niveau émotif, mon corps en fait autant. Pourquoi garder quelque chose dont je n'ai plus besoin ou que je n'utilise plus ? Je sacrifie mes rêves au détriment des autres. Je peux me culpabiliser de ne pas avoir bien accompli certaines tâches, et les membres avec lesquels je les ai accomplis pourront être atteints. Il m'arrive aussi de me punir moi-même parce que je n'ai pas atteint mes buts qui sont souvent hors de portée ou irréalistes. Il est important d'aller voir quelle partie du corps est atteinte ; ce qui va me donner davantage d'informations. Prenons par exemple, l'**atrophie musculaire** (**amyotrophie**) : je deviens passif, n'osant plus bouger car les gestes que je fais sont « toujours » jugés mauvais ou passent inaperçus.

J'accepte↓♥ de m'être caché derrière cette attitude défaitiste mais maintenant, il n'en tient qu'à moi de me relever et d'aller de l'avant. Je cesse de me diminuer, je reconnais mes forces et je les mets à profit. Je repousse toute critique et je me concentre sur mes qualités et sur ce que j'ai à faire, sachant que je suis constamment guidé. À partir d'aujourd'hui, je relève mes manches, je sais que je peux m'en sortir, quelle que soit la situation. J'ai la capacité et le courage d'y faire face en toute confiance et avec détermination. Je m'engage à respecter l'âme que je suis et j'accepte↓♥ de devenir créateur de ma vie.

ATTAQUE CARDIAQUE

VOIR : CŒUR♥ — INFARCTUS [... DU MYOCARDE]

AUDITION (maux d'...)

VOIR : OREILLES — SURDITÉ

AURICULAIRE

VOIR : DOIGTS — AURICULAIRE

AUTISME

L'**autisme** est le refus ultime de faire face à la réalité physique du monde extérieur, ce qui amène une forme de repli sur mon monde intérieur où règnent l'imaginaire et les fantasmes.

Je fuis une situation ou mon entourage parce que j'ai trop mal, ou parce que je vois ma sensibilité bafouée. Ma peine, ma tristesse, ma ran**cœur♥**, mes peurs ou mon désespoir sont tellement grands que je me « coupe » du physique tout en continuant à avoir ce même corps physique. Je me réfugie dans un mutisme qui représente pour moi ma seule façon de m'en sortir car le monde extérieur m'apparaît comme hostile et menaçant. Je peux vouloir éliminer une ou des personnes de ma vie et dans ce dessein, je les ignore, je fais comme s'ils n'existaient pas. Le fait que moi, en tant que personne **autistique**, je me sois « renfermé » volontairement dans ma « bulle » hermétique implique que je reçoive des milliers d'informations par jour qui sont « emmagasinées » et « stockées » dans mon monde intérieur au lieu d'échanger celles-ci avec d'autres personnes. Je me retrouve dans un trou noir, une route qui me paraît sans issue. J'ai l'impression que les standards que je dois atteindre sont tellement élevés qu'il est plus facile de me retrancher dans un mutisme plutôt que d'avoir à me dépasser constamment et d'avoir à « rendre des comptes » aux autres (parents, professeurs, autorité, patron, etc.). Je me dois d'être « hyper » performant quand je parle. Cela m'amène à aller vérifier des dizaines de fois avant de prononcer une parole car si je me trompe, cela serait catastrophique... Je m'oblige donc à me taire et garder les informations à l'intérieur de moi si ce que je dis n'est pas parfait. C'est comme si ma parole est piégée en moi car je voudrais dire les choses mais la pression que j'ai est tellement grande que je préfère garder le silence. Dès ma venue en ce monde, je me sentais exclu, différent, marginal. Ma peur qu'on me blesse ou que je ne sois pas à la hauteur des attentes des autres m'amènent à me replier sur moi-même. Mon impuissance à accomplir mes rêves et mes ambitions me pousse à vivre dans un monde où personne n'a accès. Je me bâtis une forteresse autour de moi. Je suis en quelque sorte en exil. Cet isolement que je vis met en évidence ce besoin de perfection envers moi-même et me rappelle d'autant plus que je suis qu'un « moins que rien » : je suis un échec total car je n'ose même pas essayer. Il arrive très souvent que je sois un enfant hypersensible et que même dans le ventre de ma mère, je pouvais déjà sentir toutes les angoisses et incertitudes de mes parents. Ils pouvaient voir le monde dans lequel j'allais vivre comme hostile. J'ai décidé de vivre dans ma tête parce que les autres sont dangereux pour moi. Mes états intérieurs présents étaient sûrement semblables à ceux de mes parents (comme c'est toujours le cas puisque nous sommes en résonance). Il est important que les parents conscientisent leur état intérieur qui ressemble au mien (leur impossibilité de communiquer dans certains domaines de leurs vies) afin que tous et chacun sortent de sa prison psychologique. Mon entourage doit être capable de communiquer à partir de l'intérieur (ou du monde intérieur) avec moi pour m'amener à me connecter de nouveau ou davantage au monde physique. Ainsi, en me projetant dans mon monde intérieur, on est plus à même de prendre contact avec moi et de mieux reconnaître mes besoins et mes peurs pour que je puisse ensuite manifester la confiance et l'ouverture nécessaires pour reprendre contact avec le monde physique.

J'accepte↓♥ de me bâtir une sécurité intérieure, une confiance en moi, afin de pouvoir reprendre contact avec le monde qui m'entoure. Même s'il peut y avoir un certain risque, je décide de faire le pas, d'aller vers les autres. La vie est faite de défis. Je regarde tous les rêves, tous les projets qu'il m'est possible de réaliser en acceptant de renaître à moi-même et à la vie. Je sais que j'aurai toujours le support nécessaire et l'aide dont j'ai besoin. J'arrête de me critiquer. Je sais que je suis différent, unique, que j'ai des talents précieux et que j'ai toute la liberté nécessaire pour les cultiver, à mon rythme, en toute sécurité.

AUTOLYSE

VOIR : SUICIDE

AUTOMUTILATION

VOIR AUSSI : AMPUTATION

L'**automutilation** est un comportement qui m'amène à m'infliger des blessures ou des lésions. Il se peut que cette attitude puisse provenir d'un état mental déjà perturbé comme chez les psychotiques, les schizophrènes, les enfants déficients.

Cependant, cela peut provenir du fait que je vive une grande culpabilité dans ma vie qui peut être associée à une grande irritabilité retournée contre moi, puisque je ne me sens pas digne d'être ce que je suis. La haine et la colère que j'ai envers moi-même, le fait de vouloir me punir et de devoir souffrir sont mis en évidence dans mes actes d'**automutilation**. Au lieu de m'exprimer avec des mots, **l'automutilation** devient un outil d'expression de mes frustrations. Je peux aussi me servir de ces blessures que je m'inflige pour m'attirer de l'attention, que j'identifie à de l'**amour**. C'est comme si je voulais manifester physiquement ma souffrance intérieure pour pouvoir m'en libérer et mettre à jour mon besoin d'être aimé. Il se peut que même très jeune, j'ai pris le rôle de victime qui mérite de souffrir. Donc, la vie m'amènera des personnes et des situations qui me feront sentir de cette façon. Il est certain que, dans de telles situations, j'ai besoin d'aide extérieure.

J'accepte↓♥ de demander de l'aide intérieure et je regarde dans mon entourage qui pourrait m'aider directement ou indirectement à retrouver l'estime de moi, la joie de vivre que j'ai le droit, moi aussi, de goûter. J'accepte↓♥ de sortir de mon mutisme et d'exprimer ma douleur et mes souffrances afin de m'en libérer.

AUTORITARISME

La personne qui manifeste de l'**autoritarisme** est fortement en réaction, consciemment ou non, par rapport à l'autorité, quelle qu'en soit la forme.

Je crois fermement que c'est là le seul moyen de me faire comprendre et de faire saisir aux autres le « comment ça marche » : *« C'est comme cela que ça fonctionne dans cet univers ! »* Malheureusement (surtout pour les gens utilisant ce pouvoir sur une masse d'individus), je manifeste un caractère égocentrique à outrance. La colère se retrouve en toile de fond, surtout quand je sens une résistance face à ce que je demande. Je fais aussi la « sourde oreille » à ce que l'on peut me dire. Comme personne **autoritaire**, je pourrai aussi **grincer des dents** ou avoir des **problèmes de genoux**. *« Il n'est pas question que je plie devant qui que ce soit ! »* Rien ne m'arrête, ni situation ni circonstance sauf peut-être **celles qui atteignent directement et profondément mon cœur♥** blessé. Le besoin d'**amour** est grand chez moi comme individu et il n'y a que l'ouverture du **cœur♥** pour permettre à la **lumière** d'éclairer ma triste vie. Le pire supplice que je peux subir comme personne **autoritaire** est de me mettre à genoux devant plus grand que moi ; c'est habituellement à ce niveau que se manifestent les malaises d'ordre physique. Si le **cœur♥** ne s'ouvre pas, la vie s'en chargera.

J'accepte↓♥ que mon besoin d'**amour** soit grand. Plus j'en serai conscient, plus je serai à même de rechercher les moyens de combler cet amour et de guérir mon **cœur♥** blessé.

AVALER DE TRAVERS

VOIR : ŒSOPHAGE

AVANT-BRAS

VOIR : BRAS [MALAISES AUX...]

A.V.C.

VOIR : CERVEAU — ACCIDENT VASCULAIRE CÉRÉBRAL [A.V.C.]

AVEUGLE

VOIR : YEUX — AVEUGLE

AVOIR DES VERS

VOIR : INTESTINS — CÔLON/TAENIA

AVORTEMENT

VOIR : ACCOUCHEMENT — AVORTEMENT

BACTÉRIE MANGEUSE DE CHAIR (infection à…)

La **fasciite nécrosante** est communément appelée l'**infection à bactérie mangeuse de chair**. Cette infection s'infiltre dans les différentes couches de tissus qui recouvrent les muscles (le fascia). Elle détruit les tissus et peut causer la mort entre 12 et 24 heures. Elle se reconnaît entre autres par une forte fièvre et une enflure rouge et douloureuse qui peut commencer à l'emplacement d'une lésion mineure (comme une coupure).

Je souhaite changer quelque chose d'important dans ma vie mais je sens que ma forteresse est attaquée de toute part. Je me retrouve dans une situation de conflit intérieur, de dualité, où je ne peux plus reculer ou changer de direction comme je le veux. Aurai-je toute la protection et le soutien nécessaires à la réalisation de mon désir ? Ce sont mes convictions profondes qui sont bafouées. De l'extérieur, on dit que j'ai « une main de fer ». Est-ce que je suis fidèle à mes idées, ou suis-je entêté, même si j'en viens à m'autodétruire ? Je tolère difficilement les contradictions. Mes attitudes négatives sont en train de me « brûler en dedans ». Je sens tellement de limitations, de barrières qu'on érige pour m'arrêter dans une de mes démarches que cela me met hors de moi, j'en suis horripilé, exaspéré, j'en ai la « chair de poule ». Je peux avoir peur d'une séparation, soit dans ma vie personnelle soit à mon travail. De mon point de vue, cela aurait des conséquences dramatiques sur mon futur ou sur ma réputation.

J'accepte↓♥ d'être plus flexible dans ma façon d'aborder les événements et la vie en général. Je cesse de vouloir tout contrôler, développe la tempérance et je me détache de l'opinion des autres à mon sujet. En voyant toujours le beau côté des choses, je garde mon **cœur♥** ouvert et l'**amour** peut circuler librement en moi et autour de moi. J'apprends à remercier la Source pour tout ce que je reçois, je clarifie mes objectifs et je regarde la situation avec courage en acceptant de lâcher-prise. J'accepte↓♥ de recevoir de l'aide des autres et je comprends que lorsque je laisse circuler l'énergie, je retrouve la force d'atteindre mes objectifs avec paix et sérénité.

BÂILLEMENT

Le **bâillement** est un « réflexe d'imitation naturelle » plus ou moins accepté↓♥ en société et en raison de ses conventions (je dis naturelle, car à ce jour, il n'y a pas de traitement médical pour soigner celle-ci). Je dis d'**imitation** parce qu'elle se manifeste impulsivement et inconsciemment chez une personne qui en voit une autre faire cette action.

C'est le signe d'aller au lit ou de me reposer quand je suis fatigué, épuisé et que j'ai besoin de refaire mes forces. C'est aussi un signe d'insatisfaction alimentaire car il m'arrive de **bâiller** si je n'ai pas suffisamment mangé ou encore si ma digestion est trop lente. Qu'est-ce qui m'ennuie et que je ne digère pas dans ma vie ? Je m'ennuie au point où je l'exprime d'une manière inconsciente, que je sois seul à regarder la télévision ou en compagnie d'une personne qui ne me convient pas ! « Je veux qu'on me laisse tranquille ! ». Tout comme le lion qui rugit, je montre mon insatisfaction. Je veux repousser l'ennemi, je veux me défendre. Qu'on ne s'approche pas trop de moi !

Bâiller fait partie de la vie et je l'accepte↓♥ avec amour et ouverture. Il est important de laisser aller cette expression corporelle contestée par les principes d'éducation d'autrefois ! Je laisse aller mes résistances et je laisse les autres s'approcher de moi et s'occuper de moi aussi.

BALLONNEMENTS

VOIR AUSSI : ESTOMAC / [EN GÉNÉRAL] / [MAUX D'...], GAZ

Les **ballonnements** sont dus à un gonflement d'air ou d'eau au niveau de l'estomac et du ventre.

Ils sont reliés à une frustration affective, au **sentiment** d'être insatisfait sur le plan affectif. Je dis **sentiment** car c'est une création de mon mental, l'impression cérébrale que mon estomac en veut toujours plus, que je veux encore plus d'attention et d'affection. Je me sens obligé de faire énormément de choses très vite. Je n'arrive pas à voir vraiment ce que la vie me donne de si bien. Je vérifie sincèrement à quel point je suis vraiment comblé affectivement. C'est toujours une question de perception intérieure. Cette sensation d'être ***gonflé*** donne l'impression que je suis enceinte. Ai-je un désir conscient ou non d'avoir un enfant ?

J'accepte↓♥ d'être conscient que la vie me donne exactement ce dont j'ai besoin dans le moment présent. Au lieu d'être muet comme une ***tombe*** et de craindre le futur, j'ose exprimer mes besoins. J'accepte↓♥ d'« être » une personne souriante, de vivre et de voir les beaux côtés de la vie, et de rester ouvert.

BAS DU DOS

VOIR : DOS — BAS DU DOS

BASEDOW (maladie de ...)

VOIR : GLANDE THYROÏDE — MALADIE DE BASEDOW

BASSE PRESSION

VOIR : TENSION ARTÉRIELLE — HYPOTENSION [TROP BASSE]

BASSIN

VOIR AUSSI : HANCHES [MAUX DE...], PELVIS

Le **bassin** est la partie osseuse qui réunit et qui sépare en même temps la partie inférieure de la partie supérieure du squelette humain. C'est **l'origine** de **tous les mouvements** de déplacement, de locomotion et d'action du corps.

Il correspond au fait de me sentir en sécurité dans le fait de **m'élancer dans la vie**. Le **bassin** représente le **pouvoir** sous toutes ses formes. C'est le récipient qui accueille les énergies du pouvoir qui entretiennent l'ego. Une difficulté à ce niveau me montre que je peux avoir peur d'avancer dans la vie. Je peux trop m'accrocher au passé. Puisque c'est à ce niveau qu'un enfant est porté pendant la grossesse, il est possible que mon malaise au **bassin** soit relié à un aspect de ma propre gestation où j'ai vécu des frustrations face à mes parents, plus particulièrement ma mère. Je peux avoir pris sur moi beaucoup de responsabilités et je recrée cet état dans ma vie présente en voulant être la « mère de tout le monde ». Un malaise au **bassin** peut être relié aussi au fait que quelles qu'en soient les raisons, je ne peux pas accueillir une personne. Ce peut être un nouveau-né mais ce peut être aussi quelqu'un que je voudrais héberger chez moi mais cela est impossible. Il y a donc un danger qui guette ma sécurité familiale et mon sentiment d'indépendance. Le **bassin** est associé au centre d'énergie sexuelle et au plaisir sous toutes les formes. Je me coupe des sensations agréables de la vie lorsque j'ai l'impression de ne pas les mériter. Je peux aussi m'être senti trahi ou penser qu'on m'a fait un coup bas : je serai alors sur la défensive. Si j'ai un **bassin large** ou très large (avec de grosses fesses), je crois inconsciemment que la vie ou les situations de ma vie **limitent** mon pouvoir. Je cherche donc à le reprendre. Je cherche à compenser physiquement en bloquant d'une manière involontaire toutes les énergies à cet endroit (peur, insécurité, colère, impuissance). Il pourra s'ensuivre un malaise ou un conflit en ce qui a trait à ma sexualité. Il est important que les énergies circulent plus harmonieusement dans mon corps et que je croie sincèrement avoir fait ce qu'il fallait.

Même si je veux prendre du pouvoir, je peux prendre **conscience** et accepter↓♥ avec le **cœur♥** qu'il **n'y a pas de pouvoir** à prendre sauf celui du plan mental. Si je veux libérer toutes ces énergies et retrouver un meilleur équilibre énergétique, je commence à m'aimer tel que je suis, à manifester de la joie, de la confiance et de la foi dans tout ce que je fais. Je vide ce récipient de pouvoir et je laisse circuler la vie. D'autre part, si j'éprouve quelques difficultés au niveau de mon **bassin**, il est possible que je déprécie l'importance de mes besoins fondamentaux comme le logement, la nourriture, la sexualité. J'ai à reconsidérer l'importance que je dois attribuer aux différents aspects de ma vie pour qu'elle repose sur des bases solides et saines.

BÉBÉ BLEU

VOIR : ENFANT BLEU

BEC DE LIÈVRE

VOIR : FENTE PALATINE

BÉGAIEMENT

VOIR AUSSI : BOUCHE, GORGE [EN GÉNÉRAL]

Le **bégaiement** est la manifestation d'un trouble d'élocution, une difficulté partielle ou grave à parler, à dire et à m'exprimer clairement (cela va de quelques mots par accident à un trouble régulier). Il est relié à la gorge, au centre de la communication et de l'expression de soi.

Il se peut que mon **bégaiement** provienne d'un blocage affectif ou sexuel découlant de mon enfance. Cela ne veut pas nécessairement dire que j'ai vécu des attouchements, mais j'ai pu enregistrer une peur, consciemment ou non, par rapport à ma sexualité en relation avec une personne ou un événement. C'est une forme d'**insécurité profonde** venant de l'enfance qui est reliée à la peur d'un parent (la mère ou le père), habituellement la personne qui représente l'autorité et qui se manifeste en la présence d'autrui. C'est une sorte de **refoulement**, une incapacité à maîtriser adéquatement mes pensées et mes émotions intenses et la tentative échouée de contrôler l'expression de mon langage qui n'est plus spontané (ce type de désordre peut arriver tôt dans l'enfance lorsque l'enfant a été ridiculisé dans son droit de pleurer : *« Ne pleure pas ! »).*Ce peut être aussi un traumatisme vécu quand on m'a inhibé ou empêché de faire certaines actions. Je transforme alors cette émotion en **bégaiement**. J'hésite, je n'arrive pas à dire clairement ce que je ressens, je refoule et déforme mes paroles par peur du rejet ou par anxiété. *Si je dis clairement ce que je vis, mes parents vont-ils l'accepter ? Suis-je assez correct pour eux ? Est-ce que je réponds à leurs attentes ? Me permettent-ils d'être ce que je suis ? Mes paroles dépassent-elles mes pensées ?* Il y a de fortes chances qu'un ou que mes deux parents soient très autoritaires et dominateurs et qu'on ne me permette pas de « mener le ***bal*** ». Je me sens jugé, contrôlé, critiqué et même ridiculisé suffisamment pour que je finisse par croire que mes paroles ne valent rien. Comme enfant, on peut aussi m'avoir soit empêché de m'exprimer soit forcé à parler quand je n'en avais pas le goût. Ai-je peur de trahir quelqu'un en révélant un secret ? Qu'elle est la chose à ne pas dire ? Et si j'ose dire, comment cela va-t-il m'être préjudiciable ? Si je me suis retrouvé dans une situation où j'avais très peur et que je n'ai pas pu crier, le stress vécu s'est cristallisé dans ma bouche et mes mots sont « gelés » et ne peuvent plus s'extérioriser normalement. Si j'ai grandi dans un environnement où la loi du silence est d'or, (non-dits et secrets), cela pèse lourd et je dois toujours prendre un certain temps avant de parler afin de m'assurer que je « n'enfreins pas la loi ». Je manifeste alors toutes sortes de désordres de comportement, allant de la timidité au repli sur moi. J'ai l'impression de vivre dans une prison où il est difficile de respirer. Je cherche mon pouvoir que je ne vois en ce moment que chez les autres. Le monde extérieur est hostile donc comment puis-je y prendre ma place en m'exprimant librement ? Je peux avoir vécu beaucoup de confusion face à la langue ou au langage à utiliser lorsque j'étais tout jeune. Par exemple, s'il y avait plus d'une langue parlée à la maison et qu'il y avait une certaine compétition pour savoir laquelle devrait prédominer, j'aurai développé une insécurité face aux mots à utiliser et cette hésitation se manifestera par le plus grand laps de temps que je laisse entre chaque mot. Je peux trouver très difficile d'exprimer mes sentiments ou mes besoins. J'ai l'impression de « mendier » l'attention ou l'approbation des autres.

Le premier pas est d'accepter↓♥ de m'ouvrir au niveau du **cœur♥** à mes **pensées**, à mes **paroles**, à mes **actions** et surtout à mes **émotions** et mes **désirs**. Il est important que je prenne le temps et que je respecte la « vitesse d'être » qui est la mienne. Je me respecte tel que je suis, sans jugement ni critique. J'accepte↓♥ d'exprimer mes idées, mes joies, mes peines et mes peurs. Je suis de plus en plus dans l'action et l'affirmation de moi et de mes désirs. Je peux alors commencer à me faire confiance, à ressentir mes émotions, mes sentiments et à m'ouvrir aux gens que j'aime. Ainsi, je retrouve un calme intérieur qui me permet de m'exprimer avec beaucoup plus d'assurance. J'éviterai ainsi les bafouillages, la bousculade des mots à cause d'un esprit trop actif, ou la retenue de certains mots dont je crains la répercussion. Je reprends contact avec ma vraie nature et je laisse circuler l'**amour** en moi. La paix intérieure s'installe et mon acceptation↓♥ de tout mon être amène conséquemment les autres à aussi m'accepter↓♥ tel que je suis.

BESOINS (en général)

VOIR : DÉPENDANCE

BILIAIRES (calculs...)

VOIR : CALCULS BILIAIRES

BLESSURE

VOIR : ACCIDENT, COUPURE

BLEUS

VOIR : PEAU — BLEUS

BOITER

VOIR : CLAUDICATION

BOSSE (en général)

VOIR AUSSI : KYSTE

Une **bosse**, aussi appelée **grosseur**, est une altération tissulaire qui est palpable sur une partie du corps ou dans un organe.

Elle est comme une explosion du corps qui crie en moi, qui a besoin de s'extérioriser. Tel un œuf prêt à éclore, je ne peux plus repousser ce qui a besoin de s'exprimer, de se clarifier, de se dire. Ai-je l'impression que je me « laisse rentrer dedans » ? Que j'en fais beaucoup trop (dans le sens de « ***bosser*** ») pour peu de résultats ? Est-ce que je vis une situation conflictuelle avec mon patron (***boss***) ? Je vis une dualité entre ce qui existe et ce que j'exprime : tout ce que je retiens peut exploser sous forme de bosse. Cela peut donner lieu à des confrontations avec mon entourage. Je m'interroge sur une situation où je n'ai pu exprimer mes besoins et que j'ai peut-être amplifié à force de vouloir tout garder profondément.

J'accepte↓♥ d'exprimer librement mes idées, mes émotions. Je peux aussi écrire ce que j'ai besoin de clarifier dans mon for intérieur ce qui se passe en moi, avant de le partager avec les autres. Cet exercice permet de laisser aller le trop-plein, de revenir au niveau du **cœur♥** et de retrouver la paix. Je retrouve ainsi le calme intérieur et l'harmonie avec ce que je suis, comme avec mon entourage. Je peux maintenant exprimer clairement ma pensée en toute confiance et dans l'**amour** inconditionnel.

BOSSE DE BISON

VOIR : CUSHING [SYNDROME DE…]

BOSSU

VOIR : ÉPAULES VOÛTÉES

BOUCHE (en général)

VOIR AUSSI : GENCIVES

La **bouche** représente l'ouverture à la vie et permet de prendre contact avec la mère en tétant le sein. C'est un organe sensoriel sensible et sélectif. C'est la porte d'entrée de la nourriture, de l'air et de l'eau. C'est grâce à elle si je peux parler (lèvres, langue, cordes vocales), communiquer et faire sortir mes émotions et mes pensées. C'est une sorte de pont entre mon être intérieur et l'univers autour de moi (la réalité).Elle symbolise mon intimité, mon espace vital. La **bouche** est la manifestation de ma personnalité, de mes appétits, de mes désirs, de mes attentes, de mes traits de caractère, du plaisir de la vie. Elle permet de m'ouvrir à tout ce qui est **nouveau** : sensations, idées et impressions. Ainsi, elle est une voie (« voix ») à double sens et les difficultés que je vis ont fondamentalement un double aspect, intérieur et extérieur. Il est intéressant de noter que ma **façon de mastiquer** les aliments reflétera ma façon d'être et de me comporter. Si je « gobe » les aliments sans les mâcher, je suis plutôt impulsif et les détails sont peu importants pour moi. Au contraire, si je mastique sans fin, je suis perfectionniste, en m'attardant trop aux petits détails. Je pourrai ainsi avoir l'impression d'avoir le contrôle sur les situations de ma vie. Je ne goûte ainsi plus la vie : je la décortique en mille morceaux, ressassant le passé constamment. Si je prends de très grosses bouchées, je prends les « bouchées doubles » et je me mets beaucoup de responsabilités sur les épaules. J'aurai souvent plusieurs projets de l'avant en même temps. L'absorption de très petites bouchées indique une retenue de peur de foncer ou d'accomplir de nouvelles tâches que je juge très difficiles pour moi.

J'accepte↓♥ de manger lentement en goûtant les aliments afin que je puisse davantage goûter la vie et ses bonheurs.

BOUCHE (malaise de…)

VOIR AUSSI : CANCER DE LA BOUCHE, CHANCRE [EN GÉNÉRAL], HERPÈS […BUCCAL], MUGUET

La **bouche** est la porte de l'appareil digestif et des voies respiratoires où j'accepte↓♥ de prendre tout ce qui est nécessaire à mon existence physique (eau, nourriture, air), émotionnelle et sensorielle (excitations, désirs, goûts, appétits, besoins, etc.). Ainsi, les **malaises à la bouche** sont l'indication que je fais preuve d'une certaine étroitesse d'esprit, que j'ai des idées et des opinions rigides et que j'éprouve de la difficulté à prendre et à **avaler** ce qui est **nouveau** (pensées, idées, sentiments, émotions). Il y a une situation que je ne peux pas « gober » : ce sont souvent des paroles entendues qui m'ont dérangé ou blessé, ou des paroles que j'aurais aimé entendre et qui n'ont pas été dites.

L'inégalité et la dysharmonie qui existent dans la relation de mes parents me troublent. Je veux donc répliquer ou répondre et je ne le fais pas parce que je me sens inconfortable dans la situation, ou que l'occasion ne se présente tout simplement pas. Je reste donc « pris » avec ce que j'ai à dire. Les gestes ou paroles des autres qui me blessent et face auxquels j'aurais voulu avoir des explications qui ne sont jamais venues peuvent provoquer des malaises à ma **bouche**. Il y a confrontation entre moi (ce que je dis) et mon entourage (comment les autres le reçoivent). Est-ce que j'ose dire les choses telles que je les vis au risque de perdre l'**amour** des autres, ou suis-je capable de me respecter dans ce que je suis et oser le montrer au reste du monde ? Je peux me sentir incompris car je ne sais pas comment ***communiquer***. Mon corps m'envoie le message que je manifeste peut-être des idées malsaines par l'intermédiaire de ma **bouche**, que j'ai à changer d'attitude par rapport à moi-même et aux autres. L'exemple type est le **chancre ou ulcère buccal** (herpès) qui se manifeste habituellement à la suite d'un stress ou d'un traumatisme pendant ou après une période nerveuse intense ou une maladie. Il me montre de quelle manière triste et irritable je prends la réalité quotidienne. Je vis une irritation, soit face à ce que l'on m'a fait ou dit, soit face à ce que j'ai moi-même dû dire. Quelqu'un ou quelque chose m'a laissé un arrière-goût dans la **bouche** qui m'affecte encore. Je suis ***ébahi*** et je ne sais trop comment réagir. Il est possible **que je me sente coincé** : que je me sente **pris** dans la situation (**bouché**), que je rumine une situation désagréable depuis longtemps ou que j'aie vraiment besoin de recouvrer ma complète liberté en disant ce que j'ai à dire, même si cela risque de me déplaire. Car pour le moment, je me sens envahi de toute part. Je peux aussi « avoir faim » d'**amour,** d'affection, de connaissance, de spiritualité, de liberté, etc.

Si j'ai l'impression que ce dont j'ai besoin n'est pas accessible ou irréaliste, ma **bouche** affamée réagira à la sensation de manque que je ressens. S'il y a **gerçure aux coins de ma bouche**, je vis un combat intérieur : être protégé et sécurisé par les autres ou prendre ma place et à avoir à écouter ma propre autorité, ma voix intérieure ? Je peux me sentir frustré, tendu, agressif car je n'ose pas affirmer mes désaccords. Si j'ai la **bouche sèche**, j'ai tendance à être angoissé et je préfère fuir la réalité. Je peux vivre séparé de mon corps et de mes émotions. En ayant la **bouche sèche**, j'évite ainsi d'avaler des choses qui me déplaisent. Beaucoup de choses dans ma vie me dégoûtent et je suis coupé du plaisir. La **bouche pâteuse** est un signe que le quotidien étouffe ma joie de vivre et mon goût de réaliser de nouveaux projets. Une **affection à l'articulation temporo-mandibulaire** (qui craque par exemple) met en **lumière** ma peur de contredire les autres, particulièrement les personnes en autorité. J'évite toute confrontation et je préfère refouler mes pleurs. Si je **me ronge l'intérieur de la joue**, je cherche à me débarrasser de quelque chose dont j'ai honte.

J'accepte↓♥ qu'au lieu de vivre dans la ***stupeur*** ou la peur qu'on me fasse du mal, je fais confiance dans n'importe quelle situation à ma force intérieure et à ma capacité de trouver des solutions dans n'importe quelle situation. À partir de maintenant, je prends ma place en restant ouvert et flexible à ce qui débute pour moi, à ce qui est **nouveau**, pourvu que ce soit en harmonie. Je croque ***goulûment*** dans la vie. J'accepte ma tendresse, ma douceur et je m'exprime en toute confiance.

BOUCHE — APTHE

L'**apthe** est une lésion superficielle sur la muqueuse buccale caractérisée par une petite protubérance blanche, souvent entourée d'une lisière rouge qui peut aussi siéger sur les muqueuses génitales. Elle est associée à une fièvre qui ne sort pas.

Elle apparaît parce que je réagis facilement (sensibilité) à mon entourage, aux « vibrations », à l'ambiance d'une situation. Je **souffre silencieusement la bouche fermée**. Elle est aussi le signe que j'**ai des difficultés à prendre racine** et que je n'arrive pas à m'exprimer, à dire ce que je pense ou même à réagir, car je ne crois pas avoir le pouvoir de le faire. Je ne me sens pas **apte** à accomplir de grandes choses. Mon insécurité m'amène à être « muette » face à ce que je vis, sachant que de dire les choses peut amener des changements majeurs dans ma vie ou peut se retourner contre moi. J'ai quelque chose dans la bouche qui me brûle mais je dois le garder, sans possibilité de pouvoir le rejeter. Je peux avoir senti une vilenie et je n'ai pas pu répondre. C'est comme si je n'avais pas le choix de le digérer ! Ce peut avoir été vécu à travers ma sexualité. Je peux, étant jeune, m'être retrouvé dans une situation où je me suis senti mal à l'aise par rapport à une situation dont j'ai eu connaissance et où j'ai été incapable de réagir ou de m'affirmer. Si je revis une situation semblable aujourd'hui me rappelant, même inconsciemment, cette expérience, des **aphtes** apparaîtront. Mes paroles sont vaines et incomplètes parce que je suis trop nerveux. Je reste muet, sans même penser à me révolter ! Et pourtant, « je n'en peux plus », je suis « à bout ». Ma sensibilité est très grande et je porte des masques, je joue la comédie de peur de rentrer en contact avec mes émotions profondes. Je suis anxieux et tout m'irrite. Je peux me culpabiliser, ce qui m'amène une basse estime de moi. Je voudrais tellement accomplir des choses mais je résiste tellement ! Je prends **conscience** que je refuse habituellement toute idée nouvelle, même si elles pouvaient amener des changements positifs dans ma vie. Si je vis une injustice, du dégoût ou une insatisfaction cachée (dans la bouche), si j'ai envie de me « vider le **cœur♥** », je peux le faire en restant ouvert et en harmonie avec moi-même. Je dois cependant choisir mes mots : je risque de dire des paroles méchantes, fausses et qui visent à détruire. J'ai la responsabilité de m'exprimer sans violence, autrement cela peut se retourner contre moi. Cependant, comme ces protubérances blanches sont très douloureuses, dès que j'ouvre la bouche pour m'exprimer, je les sens et ça me fait mal.

Si je veux éviter de les voir revenir d'une façon plus grave, j'accepte↓♥ de m'exprimer ouvertement et calmement dès maintenant. Je remplace la culpabilité par la confiance en mes capacités d'adaptation, en ma compréhension, en mon intuition que j'écoute de plus en plus. J'apprivoise ainsi mes émotions et la façon de les exprimer qui me convient.

BOUCHE — HALEINE (mauvaise...) OU HALITOSE

VOIR AUSSI : GENCIVE — GINGIVITE, GORGE [MAUX DE...], NEZ [MAUX AU...]

La **mauvaise haleine**, aussi appelée **halitose,** est la conséquence directe de ma difficulté à traiter intérieurement et extérieurement les situations que je vis. Cette difficulté peut provenir du fait que je reste sur mes positions par rapport à certaines idées que je n'exprime pas et qui pourrissent sur place. La difficulté peut provenir aussi du fait que je n'arrive pas à prendre le dessus en période de grand changement dans ma vie et que les idées anciennes stagnent trop longtemps par rapport à la rapidité du changement que je vis. Je vérifie jusqu'à quel point je peux « prendre » les situations de ma vie. Est-ce que j'ai l'impression d'avoir à agir contre mes convictions ? Il est important que je communique avec les personnes concernées afin de leur faire part de mes émotions et de mes pensées afin de me « débarrasser » de ma **mauvaise haleine**. Cette dernière est souvent reliée à des pensées de médisance, de dégoût, de haine, de vengeance que j'ai contre moi-même, une autre personne ou la vie elle-même et dont j'ai honte. Je **résiste** très fortement et le poison que je produis s'extériorise par une senteur nauséabonde qui persiste jusqu'à ce que je laisse aller mes émotions négatives et mon goût de vengeance. L'air que j'inspire et qui nourrit mes cellules est chargé de toutes mes pensées, tant positives que négatives. Par quelles pensées qui grugent mon intérieur mon **haleine** est-elle infectée ? Souvent, ces pensées peuvent être inconscientes. Quelque chose est en train de pourrir, soit à l'intérieur de moi soit face à une situation qui implique une autre personne. Lorsqu'une personne vit cette situation constamment, il serait bon de le lui dire afin qu'elle en prenne **conscience**, et qu'elle remédie à ce problème qui peut persister déjà depuis un bon moment. Le sachant, elle aura l'occasion d'expérimenter le pardon. Soit le pardon envers elle-même pour avoir entretenu des pensées malsaines, soit celui envers une autre personne pour lui en avoir tant voulu.

Il est bon de me souvenir que lorsque l'**amour** et l'honnêteté seront des ingrédients de base de mes pensées, mon **haleine** redeviendra fraîche. J'accepte↓♥ de me libérer des pensées malsaines du passé. Maintenant, je respire la fraîcheur de mes nouvelles pensées positives d'**amour**, envers moi-même et envers les autres.

BOUCHE — MUGUET

VOIR : MUGUET

BOUCHE — PALAIS

Le **palais** est le plafond osseux de la cavité buccale. Il participe à la phonation et à la déglutition.

Celui-ci sera affecté si je croyais avoir reçu ou acquis quelque chose (par exemple un nouvel emploi) de façon certaine mais qu'on me le soutire par la suite et que j'ai de la difficulté à avaler cette situation. Je vivrai donc une grande frustration et déception car je pensais que cette chose m'appartenait déjà mais on me l'a soutirée. Je pouvais avoir l'impression d'avoir ma place au sein d'une famille ou organisation mais quelqu'un d'autre me l'a prise et je ne l'ai plus. C'est comme si mon **palais** n'était pas assez grand pour que je puisse garder ce que j'avais attrapé, conquis. Je n'ai pas accès à ce qui me plaît (chose ou personne...). J'ai l'impression qu'on me punit suite à une mauvaise action de ma part. Je vis une grande injustice. Une situation m'affecte car je suis en conflit avec les lois, l'autorité.

Je dois accepter↓♥ de me demander pourquoi cette situation s'est produite. Est-ce que j'avais trop d'attentes ? Est-ce que je dois faire des efforts pour regagner ce que je croyais avoir perdu ou peut-être en est-il mieux ainsi ? Voilà les questions que je peux me poser afin que l'harmonie revienne et que mon **palais** guérisse.

BOUCHE SÈCHE

VOIR : BOUCHE [MALAISE DE...]

BOUFFÉES DE CHALEUR

VOIR : MÉNOPAUSE

BOUILLAUD (maladie de...)

VOIR : RHUMATISME

BOULIMIE

VOIR AUSSI : ANOREXIE, APPÉTIT [EXCÈS D'...], POIDS [EXCÈS DE...]

La **boulimie** est une maladie compulsive, un besoin incontrôlable d'absorber de la nourriture en grande quantité, un déséquilibre nerveux car je suis en **réaction totale** face à la vie.

La **boulimie** présente les mêmes causes intérieures que l'obésité et l'anorexie. Je mange avec excès pour me satisfaire complètement ou pour retrouver une forme d'**amour** et d'affection (la nourriture symbolise la vie, l'**amour** et les émotions). J'essaie de combler émotionnellement un profond vide intérieur en moi, une haine de moi si grande (dégoût, mépris) que je veux remplir ce vide à tout prix, préférant me laisser dominer par la nourriture (la vie) plutôt que de m'ouvrir à la vie. Je renie une partie de moi-même, une situation, et je vis du chagrin ou de la colère car je me sens isolé, séparé ou rejeté. Je rejette mon corps totalement ; je refuse de vivre sur cette terre. Je ne veux plus vivre toutes ces frustrations et ces angoisses. J'ai peur de perdre ce que j'ai et je ressens de l'insécurité parce que je suis peut-être différent des autres. Je ne me sens plus capable de « mordre dans la vie ». Je n'ai pas tout ce que je veux ou je **ne maîtrise pas suffisamment** mes désirs et mes émotions. Je recherche constamment le besoin criant de me sentir plus fort que la nourriture, que mes sentiments et mes émotions. Je préfère donc me faire vomir plutôt qu'être en santé, car je me méprise profondément. Je vis un tiraillement intérieur insoutenable. Je voudrais que les gens s'approchent de moi et me laissent m'imprégner de leurs émotions et des miennes, mais en même temps j'en suis tellement dérangé que je veux les rejeter tout de suite pour ne pas être touché dans mon intimité et garder le contrôle sur mes émotions. Le regard que l'on a sur moi, qui vient soit de moi-même soit des autres, occasionne un conflit par rapport à ma propre identité et l'image que je projette et qui souvent me dégoûte. Je me dis que je ne suis rien et que je me confonds dans la masse, je suis submergé ce qui m'arrange parfois. Cependant, je voudrais aussi avoir ma place, « faire le poids », être différent ! Je vis généralement une profonde dépression, un désespoir, une angoisse que je cherche à apaiser, une frustration pour laquelle je cherche à compenser, j'ai une image de moi que je veux revaloriser : je voudrais tellement que celle-ci soit parfaite ! La **boulimie** est très reliée à la mère (source de vie), au côté maternel et à la création. Suis-je en réaction par rapport à ma mère ? Est-ce que j'ai le sentiment d'avoir été contrôlé et brimé étant jeune, si bien qu'en mangeant ainsi, je veux fuir ma mère, la neutraliser (au sens métaphysique) ou quitter cette planète ? Ai-je de la joie à me comporter de cette façon ? Se peut-il que j'aie vécu l'étape de sevrage quand j'étais bébé comme un **abandon** ? Comme si on « m'arrachait » à ma mère ? Si c'est le cas, j'ai l'impression que je vais « mourir de faim », d'où le besoin de manger de grandes quantités de nourriture pour combler le vide et pour faire diminuer mon stress. Je me sens perdu, à la merci des prédateurs.

Comme **personne boulimique**, je dois rester ouvert à l'**amour.** La nécessité d'accepter↓♥ que j'ai quelque chose à comprendre de cet état dépressif me conduit à **l'amour** et j'apprends à m'aimer et à m'accepter↓♥ davantage en tant que canal pour l'énergie divine. Je suis sur terre pour accomplir une mission pour moi, avec ma mère et avec les gens que j'aime. Pourquoi ne pas apprécier la beauté de l'univers ? J'accepte↓♥ mon corps tel qu'il est, l'ego et ses limites, la nourriture comme don de vie. J'accepte↓♥ **l'amour** pour moi-même et pour les autres et je découvre les joies d'être en ce monde. C'est tout.

BOURDONNEMENT D'OREILLES

VOIR : OREILLES — BOURDONNEMENT D'OREILLES

BOURSES

VOIR : TESTICULES

BOURSOUFLURE

VOIR : ŒDÈME

BOUTONS (sur tout le corps)

VOIR : PEAU — BOUTONS

BOUTONS DE FIÈVRE

VOIR : FIÈVRE [BOUTONS DE...], HERPÈS [EN GÉNÉRAL]...

BRADYCARDIE

VOIR : CŒUR♥ — ARYTHMIE CARDIAQUE

BRAS (en général)

Le **bras** est la partie du membre supérieur comprise entre l'épaule et le coude et est constitué par **l'humérus**.

Les **bras** représentent ma facilité à embrasser la vie, à donner et recevoir, ma **capacité à accueillir les nouvelles expériences de vie** et à agir. Je les utilise pour toucher et pour serrer, pour exprimer ma créativité, mon potentiel d'action et mon **amour.** Je peux entrer en contact avec les gens, m'approcher d'eux et les accueillir dans mon univers. Je leur montre aussi que je les aime avec joie et harmonie. À cause d'eux, je passe à l'action, je fais mon travail ou je m'acquitte de mes obligations. Mes **bras** communiquent et expriment donc mes attitudes et mes sentiments intérieurs. Les **bras** sont très proches du **cœur♥** et ils sont reliés à celui-ci. Ainsi, les gens sentent que l'**amour** et l'énergie émanent de mon **cœur♥** lorsque je suis ouvert. Chaque main renferme un centre d'énergie, situé dans la paume, qui représente un des 21 centres d'énergie mineurs (ou chakras). Les deux centres d'énergie des mains sont reliés directement au **cœur♥**. Ainsi, mes **bras** permettent une extension de mon **cœur♥** et d'aller porter de l'**amour** physiquement et énergétiquement. Les **bras** me permettent de me défendre et de me protéger contre les attaques extérieures. C'est pourquoi, si je croise les **bras** instinctivement, je me protège, je me ferme à certaines émotions qui ne me conviennent pas.

En ouvrant mon **cœur♥** et mes bras, j'accepte↓♥ une ouverture à la vie et je suis en mesure de donner et de recevoir positivement.

BRAS (malaises aux...)

Les **malaises aux bras** sont reliés à la difficulté à agir et à manifester l'**amour** dans ce que je fais, dans mon travail ou dans mes actions de tous les jours. C'est un blocage d'énergie, une **retenue** m'empêchant de faire quelque chose pour moi-même ou pour autrui. Un **malaise** peut provenir d'une situation que je vis et qui réveille une souffrance reliée aux interdits ou au fait d'avoir été jugé dans le passé, principalement par mes parents. Je peux vouloir emprisonner quelqu'un ou quelque chose avec mes **bras,** ou le « serrer de toutes mes forces » afin d'avoir un certain contrôle. Au contraire, j'ai peut-être dû laisser aller des personnes que j'aime et je ne peux plus les rassembler ou les protéger maintenant (tout comme l'oiseau qui protège ses petits sous ses ailes). Je peux vivre un conflit face à une personne que je considère comme « mon **bras droit** ». Je vis une situation où j'ai reçu une « gifle en pleine figure ». Je peux alors sentir de la **rigidité musculaire**, de la **douleur** ou de la chaleur (**inflammation**). Mes **bras** deviennent moins mobiles et plus tendus, mes articulations (épaules, coudes), plus douloureuses. Je sais que le rôle de mes **bras** est leur capacité à prendre les nouvelles situations et les nouvelles expériences de ma vie. Je suis peut-être en réaction vis-à-vis d'une nouvelle situation ; je ne trouve plus mon travail motivant ; je suis découragé, frustré ou irrité parce que je ne parviens pas à m'exprimer convenablement, ou parce que j'ai de la difficulté à réaliser un projet.. Une situation que je qualifie « d'échec » pourra s'extérioriser par une **douleur** ou une **fracture** aux **bras**. J'ai le goût de « baisser les **bras** » vu mon impuissance. Ce sont généralement les **os de mes bras** qui seront affectés lorsque je ne suis plus capable de faire aussi bien qu'auparavant une activité professionnelle ou sportive dans laquelle j'excellais. Je n'arrive pas à prendre les gens que j'aime dans mes **bras** ; je refuse de reconnaître que j'en ai plus qu'assez d'une situation qui est néfaste pour moi (**en avoir plein les bras**). « Ça **bras**se dans ma vie »[41] ! J'ai à « **casser la routine** » et si je refuse de voir ce que j'ai à changer dans ma vie, je pourrai devoir aller jusqu'à me **fracturer** ou me **casser le bras** pour comprendre. En général, avoir **mal aux bras** signifie que j'en prends trop. C'est peut-être aussi quelque chose que je ne **prends** pas ou que je refuse de prendre. Je peux même aller jusqu'à repousser une

[41] Je me sens bousculé par certains événements de ma vie.

personne ou une situation dérangeante, soit physiquement soit émotionnellement. Je crée ainsi un espace qui m'aidera à me sentir plus en sécurité et sous contrôle. Je n'ai peut-être plus envie de communiquer avec les autres au niveau du **cœur♥**, je doute de toutes mes capacités à réaliser quelque chose. Aller de l'avant dans la vie me semble difficile. Donc, au lieu de tendre les **bras** comme le fait un bébé pour montrer son besoin d'être caressé, touché, en relation avec les gens qu'il aime, notamment sa mère et son père, je rejette l'univers qui m'entoure. Je me ferme en croisant les **bras** pour mieux me protéger. Je vis une dualité entre accepter↓♥ qu'on vienne vers moi ou refuser qu'on m'approche : je veux donc ainsi repousser. Il peut s'agir de quelqu'un que je peux percevoir comme négatif ne correspondant pas à moi, à mes valeurs ; il peut aussi s'agir de quelque chose de positif (comme l'abondance) que je refuse car j'ai l'impression de ne pas le mériter. Les **douleurs** sont donc une manière inconsciente de montrer que je souffre. J'ai peut-être à « lâcher prise » à « laisser aller », une situation ou une personne que je veux « retenir » à tout prix. Une difficulté avec l'autorité peut se manifester dans le **bras droit**, tandis que ce sera mon **bras gauche** qui sera affecté si je vis un conflit à exprimer mon amour et ma gentillesse. Les hommes ont une tendance naturelle à vouloir surdévelopper les muscles de leurs bras qui sont un symbole de force et de puissance, ce qui dénote leur difficulté et leur résistance à exprimer l'énergie du **cœur♥** et le côté douceur. Au contraire, des **bras** plus minces et faibles m'indiquent une timidité dans l'expression de mes émotions et une résistance à laisser couler l'énergie. Je me retiens de plonger dans la vie et d'en profiter au maximum. Mes **bras** correspondent plus à mon expression intérieure. Mes **avant-bras**, eux, sont reliés à l'expression extérieure, le « faire ». C'est le début de la réalisation d'un désir. « Je retrousse mes manches » et je passe à l'action ! La douceur présente sur le côté interne de mes **avant-bras**, manifeste ma sensibilité et je peux avoir des hésitations avant d'exprimer physiquement des choses dans l'Univers ou de choisir la façon dont je vais réaliser mes projets. J'ai peut-être à changer mes habitudes ou ma façon de faire et cela m'est tellement difficile, en raison de ma rigidité, que mes **avant-bras** vont aussi se raidir. Est-ce que je m'implique, est-ce que je mets en avant des choses dans ma vie ? Dans quelle mesure est-ce que je m'ouvre à moi-même et aux autres ? Ai-je l'impression que j'ai de la difficulté parfois à « enlacer » ou « embrasser » certaines situations ou personnes qui m'entourent ? Jusqu'à quel point ai-je peur de me rapprocher des gens ? Une situation me dérange tellement que je suis sur le poing d'exploser ! Si je me retiens de m'affirmer de peur de conséquences, je risque de me **fracturer l'avant-bras**. Le **gras du bras** est situé en vis-à-vis de la région du **cœur♥**. Lorsqu'il est en excès, il y a un débordement du **cœur♥** qui est gardé secret en soi, une peur à exprimer son **amour.** Lorsqu'il est décharné et maigre, suis-je capable d'accepter↓♥ l'**amour** venant des autres ou ai-je tendance à m'isoler ?. Dans les deux cas il y a quelque chose à réviser dans ma façon de donner ou de recevoir de l'**amour**. Est-ce que je retiens trop pour que rien ni personne ne m'échappe ? J'en fais plus qu'il est nécessaire pour me faire aimer. Est-ce que je veux trop protéger les autres ou est-ce que je me sens moi-même en danger ? Une **irritation cutanée** au niveau du **bras** est reliée à une frustration ou à une irritation dans ce que je fais ou ne fais pas, dans la manière de m'exprimer et dans ce qui peut m'arriver à la suite de l'intervention des autres. Quant au **bras contusionné**, il m'indique combien je me traite durement ou que j'ai l'impression que les gens me traitent durement et sont sans pitié.

J'accepte↓♥ de manifester plus d'**amour** dans ce que je fais, m'investir, m'ouvrir avec confiance aux autres, serrer dans mes **bras** avec amour et affection les gens que j'aime (l'image du père qui serre son fils en témoignage d'amour). Je me rappelle que l'action de serrer quelqu'un est souvent thérapeutique. J'estime mes belles qualités de communication, de tendresse et d'ouverture. Je place mon attention sur les activités intéressantes. Je m'habitue à voir les bons côtés de toute situation. Je le fais en réalisant que c'est merveilleux, que je suis mieux que je ne le pensais. Je me change les idées car j'en ai besoin. Je « retrousse les manches » et je vais de l'avant, laissant aller ce qui n'est plus bénéfique pour moi et laissant venir à moi tout ce qu'il y a de plus beau. J'accepte↓♥ la vie « à **bras** ouverts » !

BRIGHT[42] (mal de...)

VOIR AUSSI : REINS [PROBLÈMES RÉNAUX]

Le mal de **Bright** est appelé aussi **néphrite chronique**. C'est une inflammation grave des reins, accompagnée d'œdème[43] (gonflement) et d'une insuffisance à éliminer les urines. Habituellement, les reins dégénèrent ou meurent assez rapidement. C'est plus profond que les maladies de rein en général (sclérose).

Je souffre, et je vis une **frustration** ou une **déception** si intense par rapport à une situation où j'ai un sentiment de perte, que j'en arrive à considérer ma vie ou ma propre personne **comme un échec total** (les reins sont le siège de la peur). J'ai peur de ne pas être assez correct, assez bien, assez **bright** (intelligent).

J'accepte↓♥ d'être unique et d'avoir toujours fait de mon mieux. Je prends davantage **conscience** qu'une ouverture du **cœur♥** est nécessaire si je veux manifester un changement d'attitude pour guérir cet état.

BRONCHES (en général)

VOIR AUSSI : POUMONS

Les **bronches** sont les conduits par lesquels l'air entre dans mes poumons.

Ils représentent la vie. Un malaise ou une douleur au niveau de mes **bronches** signifie habituellement que j'ai le mal de vivre, que j'ai moins d'intérêt et de joie dans ma vie. Les **bronches** représentent mon espace vital, mes délimitations, le territoire plus particulièrement lié à mon couple, ma famille et mon milieu de travail. Si j'ai l'impression que je vais perdre mon territoire ou quelqu'un qui s'y rattache, mon insécurité va déclencher un malaise aux **bronches**. La peur peut se manifester quand il y a des ***altercations*** ou des disputes qui sont annonciatrices de conflits. Il y a un danger imminent. Voulant me montrer fort, je subis certains événements

[42] **Bright (Richard)** (1789-1858) : médecin anglais qui fut le premier à étudier la néphrite chronique ou insuffisance rénale.

[43] **Œdème** : rétention anormalement élevée dans les tissus de l'organisme. C'est aussi appelé communément « faire de la rétention d'eau ».

sans **broncher**. Je peux avoir l'impression que je manque d'air, que je vais ***m'asphyxier***, me perdre moi-même. J'ai l'impression que les ***autres*** m'étouffent. J'ai tendance à les ***jalouser***. Je me soucie de ce que les autres pensent de moi ; je ne supporte pas les « ***qu'en-dira-t-on*** » car j'ai peur qu'on rie de moi et qu'on me ***calomnie***. Je ne suis plus ***enjoué***. Tout comme le gorille, je voudrais pouvoir gonfler ma poitrine et taper sur mon thorax pour impressionner les autres et faire fuir la menace. Souvent, c'est mon couple qui est en danger. Chez l'homme, l'aspect du travail est souvent en cause comme par exemple la peur d'être licencié ; pour la femme, c'est plutôt la famille qui est impliquée, comme un enfant qui est malade.

J'accepte↓♥ de faire confiance ; je sais que, si j'ai bien délimité mon territoire et que je le fais respecter autant que je fais respecter mes droits, personne ne pourra m'« envahir » car l'espace de chacun sera bien délimité et chacun pourra vivre dans le respect et l'harmonie. Je vérifie quelle personne ou quelle situation est associée à cette douleur et ce que je dois faire pour changer cela. J'ai avantage à créer des situations qui sont propices au rire et à la détente.

BRONCHE — BRONCHITE

VOIR AUSSI : POUMONS [MAUX AUX...]

La **bronchite** (ite = colère) se caractérise par l'inflammation de la muqueuse des **bronches**, conduits menant l'air de la trachée jusqu'aux poumons.

C'est une maladie essentiellement reliée à la respiration et à l'action de prendre la vie et l'air avec désir et goût (inspiration) pour ensuite les rejeter temporairement avec détachement (expiration). L'inflammation signifie que je vis de la **colère**, une **frustration** ou de la **rage** par rapport à des émotions refoulées, des paroles que j'ai besoin d'exprimer et de laisser sortir, une situation étouffante où je me sens brimé, un conflit empreint d'agressivité et de critique (bouleversements dans le milieu familial, disputes, etc.).Il s'agit souvent de l'ambiance familiale qui est chargée de tension, de silences, de mensonges. Ma liberté est brimée. Je manque de temps pour moi. Je ne peux plus « souffler », respirer. Je ne fais plus confiance aux autres. Je veux être près des gens que j'aime mais en même temps j'étouffe, ce qui m'amène à vivre un grand déchirement intérieur. Si cette situation conflictuelle implique des disputes et des affrontements très intenses, je pourrai même développer un **cancer des bronches** qui est la forme habituelle du « **cancer des poumons** ». Il existe un trouble intérieur, une perturbation qui m'empêche de manifester mon être véritable, de faire respecter convenablement mes droits. Je tente de communiquer avec mes proches mais je n'arrive pas à une certaine paix intérieure. C'est comme si la vie m'amenait à vivre exclusivement coupé d'une personne, et il s'agit souvent de ma mère. La situation familiale est trop difficile. Je ressens alors un certain découragement face à la vie et je cesse de lutter pour continuer mon chemin. J'ai peu de joie de vivre et j'ai une profonde lassitude et insatisfaction intérieure. Je veux être indépendant mais je vis une grande insécurité . Quelles sont mes propres limites ? Ma situation est insoutenable : mon sentiment d'impuissance, ma douleur intérieure m'amènent à résister à mes pulsions du **cœur♥**. La **toux** indique que je veux me libérer en rejetant quelque chose ou quelqu'un qui me dérange et me met en colère. Si je suis un **enfant**, je peux vivre de l'insécurité ou de l'angoisse face à ce qui se passe dans la famille. Je peux ressentir vivement le chagrin de mes parents, la colère réprimée et j'ai l'impression que je dois subir tout cela, étant trop jeune pour me différencier, me détacher de ce qui se passe. Je me sens sous l'emprise de mes parents, vivant dans une prison émotionnelle.

Si je ne désire pas une **bronchite chronique**, je dois changer ma façon de voir la vie, **mon attitude**. Je suis né dans une famille où chacun des membres vit des expériences semblables aux miennes. Mes parents, mes frères et mes sœurs apprennent comme ils le peuvent eux aussi. J'accepte↓♥ donc de commencer à voir la joie et l'**amour** en moi et en chaque expérience de ma vie. J'accepte↓♥ que mon bonheur personnel soit ma responsabilité et je cesse de croire que les autres me rendront heureux. Prendre mes décisions et respirer par mes propres moyens, c'est le premier pas vers mon indépendance !

BRONCHE — BRONCHITE AIGUË

VOIR : RESPIRATION — TRACHÉITE

BRONCHOPNEUMONIE

VOIR AUSSI : POUMONS [MAUX AUX...]

La **bronchopneumonie** est une inflammation respiratoire atteignant les bronchioles et les alvéoles pulmonaires.

C'est directement relié à la vie, au fait que je me sens diminué et limité par la vie elle-même. Je la sens injuste envers moi et cela m'irrite. J'ai l'impression de ne pas respirer pleinement, et j'ai sans doute accumulé de la tristesse, ce qui m'a amené à être en colère contre la vie. Je suis irrité par une situation que je vis et où je refuse d'assumer mes responsabilités. C'est une infection **plus grave** que la simple bronchite ou la **pneumonie** parce que **la douleur intérieure est plus profonde**.

J'accepte↓♥ de respirer la vie d'une nouvelle manière et avec une approche différente, pleine d'**amour** et de joie.

BRÛLEMENTS D'ESTOMAC

VOIR : ESTOMAC — BRÛLURES D'ESTOMAC

BRÛLURES

VOIR AUSSI : ACCIDENT, PEAU [EN GÉNÉRAL]

La **brûlure**, par différentes sources physiques (chaleur, froid, etc.), provoque une lésion de la peau.

La peau est la limite entre l'intérieur et l'extérieur, la frontière entre mon univers intérieur et le monde autour de moi. Il y a quelque chose qui me **brûle** à l'intérieur : une profonde douleur, des émotions profondes, lugubres et violentes, refoulées (colère, chagrin, désespoir) si bien que je retourne tout ceci contre moi sous forme de **culpabilité** et d'**autopunition** (**brûlure**). Une **brûlure** peut impliquer plusieurs niveaux du corps (la chair, le tissu mou, les liquides du corps, parfois les os). Une **brûlure** « émotive » ou « mentale » se manifeste physiquement d'une manière très forte et agressive. Je vérifie la partie du corps brûlée. Pour les **mains**, c'est probablement parce que je me sens très coupable d'accomplir quelque chose relié à **une situation dans le présent** et que je persiste à m'entêter face à quelqu'un ou une situation. Pour les **pieds**, ils concernent l'avenir et la direction prochaine de mes actions. Il se peut que je vive une peur de connaître une nouvelle personne ou une nouvelle situation parce que je **brûle** de la connaître. Je crains peut-être que mes projets s'envolent en fumée. Je peux avoir aussi un **désir brûlant** de me retrouver avec une personne que j'aime. Je peux « **jouer avec le feu** » dans une situation précise de ma vie et j'ai besoin d'être plus vigilant dans les choses à dire et à faire. Je peux aussi vérifier le type de **brûlure** : les liquides (eau bouillante, gaz) peuvent être reliés à une **réaction émotionnelle violente** alors qu'une **brûlure** avec une substance plus solide (braise, métaux, etc.) implique davantage une **brûlure** (combustion) sur les plans **mental ou spirituel**. Des **brûlures légères** me rappellent d'aller plus lentement et de mettre mon attention sur le moment présent au lieu d'éparpiller mes énergies et de mettre mon attention sur plusieurs choses à la fois. Une **brûlure plus importante** manifeste des émotions plus violentes et destructrices. Je me sens « brûlé » par quelqu'un ou une situation, soit présente soit passée qui est cristallisée à l'intérieur de moi. Je regarde quelles sont les émotions que je vis qui me « brûlent » de l'intérieur. Je me sens pris, comme si ma liberté était brimée. J'accuse les autres mais c'est moi qui ai besoin de me responsabiliser et de me respecter afin d'amener les autres à me respecter aussi. Il existe différents types de **brûlures** que l'on classe en fonction de leur profondeur. Ainsi, tout ce qui a été dit plus haut est valable pour ce qui suit avec plus ou moins d'intensité, selon la « profondeur » de la brûlure. Ainsi, les brûlures au **premier degré** qui touchent la partie superficielle de la peau, comme un coup de soleil, peuvent impliquer de la contrariété dans des situations de ma vie. Celles au **deuxième degré** ont trait davantage à de la peine par rapport à un ou des aspects de ma vie que je juge importants. Les **brûlures** au **troisième degré**, qui affectent la peau dans toute sa profondeur, peuvent attaquer un muscle, un tendon ou un organe. Ces **brûlures** correspondent à une colère et une agressivité intenses qui percent mes protections naturelles tant physiques que psychiques. On ne peut revenir physiquement en arrière sur les cas de **brûlures** graves. Cependant, toutes les qualités divines (**amour,** tendresse, respect, etc.) peuvent se manifester pour me permettre d'intégrer l'expérience d'une **brûlure** importante.

Au lieu de voir seulement les difficultés et les problèmes de ma vie, j'accepte↓♥ de voir maintenant l'**amour** dans chaque situation de ma vie. L'**amour** est partout et je reste ouvert pour tirer les leçons des expériences que je vis. C'est le processus normal d'intégration au niveau du **cœur♥**. Je peux donc guérir autant mes blessures intérieures qu'extérieures.

BRÛLURES D'ESTOMAC

VOIR : ESTOMAC — BRÛLURES D'ESTOMAC

BRUXISME

VOIR : DENTS [GRINCEMENT DE…]

BUCCAL (herpès...)

VOIR : HERPÈS [...BUCCAL]

BUERGER (maladie de[44]...)

VOIR AUSSI : BRAS, CIGARETTE, ENGOURDISSEMENT, INFLAMMATION, JAMBES, SANG — CIRCULATION SANGUINE

La **maladie de Buerger** ou **thromboangéite oblitérante** est une maladie qui implique une obstruction plus ou moins marquée de la circulation dans les bras et les jambes, causée par une inflammation des parois des vaisseaux sanguins. Elle intéresse surtout les artères mais aussi les veines. Elle évolue vers des lésions cutanées et des amputations par thrombose. Elle est très rare, grave et peut être mortelle et ce, en quelques mois. Cette maladie concerne principalement les sujets originaires d'Europe centrale (dite génétique) et les fumeurs. Ce sont souvent les agents irritants dans le sang provenant de la cigarette qui sont la cause de cette inflammation.

Mon corps m'indique, par mes engourdissements aux bras et aux jambes, que je cherche à me rendre insensible aux situations de la vie, ce qui est relié aux bras, et à ce qui s'en vient pour moi dans l'avenir, ce qui est relié aux jambes. Je veux protéger l'un de mes parents, souvent ma mère, de souffrir suite à certains comportements ou paroles de son conjoint.

J'accepte↓♥ de prendre en considération le message que mon corps me donne et d'accepter↓♥ « de voir plus clair » dans ma vie. En cessant de fumer, je ne m'en porterai que mieux.

BURNETT (syndrome de...)

VOIR : BUVEURS DE LAIT [SYNDROME DE...]

BURNOUT OU ÉPUISEMENT

VOIR AUSSI : ASTHÉNIE NERVEUSE, DÉPRESSION

Le **burnout** se manifeste généralement après l'abandon d'une lutte où j'aurais voulu exprimer un certain idéal mais sans succès. Le temps et les énergies consacrés à vouloir réaliser cet idéal sont tellement importants que je « brûle la chandelle par les deux bouts ». Je m'épuise et me rends malade. C'est un **vide intérieur profond** parce que je refuse une situation dans laquelle je veux voir un changement vrai, concret et durable, que ce soit au travail, dans ma famille soit dans mon couple. Je suis très perfectionniste et dévoué, je veux atteindre mon idéal. C'est peut-être aussi une partie de moi que je n'accepte↓♥ pas. J'ai le sentiment de me battre contre l'humanité entière car il me semble qu'elle fonctionne en désaccord avec mes attentes et mes convictions profondes. C'est comme si je voyais un mensonge, une insouciance ou un laisser-aller collectif qui est en désaccord et affecte ma vérité profonde. « Pourquoi continuer ? J'abandonne, c'en est trop pour moi !» Les **burnouts** sont très fréquents chez les enseignants et les infirmiers, en réaction respective face à leur

---

[44] **Maladie de Buerger** : aussi appelée maladie de Léo Buerger.

système de travail. Un sentiment d'impuissance face à un idéal irréalisable est très présent. C'est une forme de compulsion car je veux **à tout prix** changer le système avec des approches plus adaptées aux temps modernes. En même temps, je peux avoir de la difficulté à m'adapter aux nouvelles technologies que je perçois comme agressives. Si j'ai l'impression de vouloir sauver le monde, je dois vérifier mon attitude dès maintenant. Le **burnout** est aussi une maladie de **fuite**. Je peux me demander : « Qu'est-ce que je cherche à fuir en travaillant avec excès ? Est-ce que j'ai peur de me retrouver face à moi-même ? Est-ce que j'ai besoin d'une raison pour ne plus être avec un conjoint qui m'est insupportable ? Qu'est-ce que j'essaie de prouver en même temps que je fuis la peur de l'échec » ? Mon grand besoin d'être reconnu et ma peur de la critique me poussent à travailler de plus en plus jusqu'au jour où je n'en peux plus. Les symptômes du **burnout** sont assez clairs : fatigue mentale et physique, énergie vitale à la baisse, pensées incohérentes ! **L'épuisement** survient, et après, le calme et le repos se manifestent pour que je puisse recharger énergétiquement.

J'accepte↓♥ de ne pas avoir à plaire à tout le monde ! C'est un rêve et la vraie réalité, c'est de savoir que j'accomplis de mon mieux ce que j'ai à faire en donnant 100 % de moi-même, et je retrouve la sérénité, la paix intérieure et le vrai amour dans l'action.

BURSITE OU ÉPANCHEMENT DE SYNOVIE

VOIR AUSSI : ARTHRITE, BRAS [MALAISES AUX...], COUDES, ÉPAULES, INFLAMMATION, GENOUX MAUX DE..., TENDON D'ACHILLE

La **bursite** (aussi appelée **hygroma**) est l'inflammation ou le gonflement de la bourse au niveau de l'articulation de l'épaule, du coude, de la rotule ou des tendons d'Achille (près du pied). Cette bourse qui ressemble à un petit sac contient un liquide réduisant la friction au niveau des articulations. La bourse procure donc un mouvement fluide, aisé et gracieux.

La **bursite** est souvent reliée à ce que je vis par rapport à mon travail. Elle indique une **frustration** ou une **irritation intense**, de la **colère retenue** par rapport à une situation ou à quelqu'un que j'ai vraiment envie de « frapper » dans le cas où les bras sont concernés (épaule ou coude), ou de donner « un coup de pied » dans le cas où les jambes sont concernées (rotule ou tendon d'Achille), tellement je suis enragé ! Mes pensées sont **rigides** et quelque chose ne me convient absolument pas ! J'en ai assez et, au lieu d'exprimer ce que je vis, je retiens mes émotions. Il est possible de trouver la cause du désir de frapper en regardant ce que je peux faire et ne pas faire avec ce bras douloureux. Si j'ai mal au côté gauche, c'est relié au plan affectif. Au côté droit, ce sont les responsabilités et le « rationnel » (par exemple : le travail). J'ai de la douleur même si je me retiens de frapper quelqu'un. Je dois trouver une façon plus adéquate d'exprimer ce que je ressens. Je peux regarder aussi ma vie et me demander si celle-ci a encore un sens ; est-ce qu'il y a encore des choses à faire qui m'excitent ou est-ce que plutôt je m'ennuie profondément ? Je vis de l'irritation. Je peux même avoir l'impression qu'on profite de moi. Ai-je le droit d'être heureux ? J'attends beaucoup des autres mais je dois mettre moi-même des choses en avant afin de m'attirer ce que je veux dans ma vie.

Au lieu de m'appuyer sur les autres, j'accepte↓♥ de me prendre en main sinon, je vais rester dans cet état d'inertie. Je trouve la cause de ma douleur, je reste ouvert et je change d'attitude en acceptant↓♥ davantage mes sentiments et mes émotions. Je pourrai les transformer en amour et en harmonie à mon avantage et pour le bien-être d'autrui. Mon corps ne fait que me dire d'adopter une attitude plus positive afin de m'adapter aux nouvelles situations qui se présentent à moi.

BUVEURS DE LAIT (syndrome des...)

VOIR AUSSI : ACIDOSE, APATHIE

Le **syndrome des buveurs de lait** ou **de Burnett**[45] provoque une insuffisance rénale par apport excessif de lait, de calcium ou d'alcalins. Il est longtemps réversible si j'arrête cette consommation démesurée.

Je cherche à combler un vide intérieur provenant de l'**amour** maternel dont je ne me suis pas senti comblé. L'état de fatigue et d'apathie me rappelle jusqu'à quel point ce besoin était important pour moi. Cela ne veut pas dire que j'ai eu une mère qui ne m'aimait pas, mais que moi, j'avais peut-être un plus grand besoin. Réagissant à ce manque, je peux avoir une attitude de domination face à ma mère ou aux femmes en général. Il se peut aussi que ce que je trouve amer dans ma vie, je cherche à le combler par ce qui me rappelle le plus la douceur dans ma vie comme dans mon enfance, et qui me rappelle l'**amour** de ma mère.

J'accepte↓♥ dès maintenant de prendre soin de moi-même, comme une mère le ferait. J'accepte↓♥ les douceurs de la vie en sachant que je suis une personne exceptionnelle qui mérite ce qu'il y a de mieux.

---

[45] **Burnett** (Sir Frank MacFarlane) (1899—1985) : professeur émérite australien, immunologue et virologiste, il a reçu le Prix Nobel en 1960 (physiologie ou médecine) pour « la découverte de la tolérance immunologique acquise ».

CÆCUM

VOIR : APPENDICITE

CAILLOT

VOIR : SANG/COAGULÉ/THROMBOSE

CALCANÉUM

VOIR : TALON

CALCULS (en général)

VOIR AUSSI : CALCULS/BILIAIRES/RÉNAUX

Le **calcul** est une concrétion pierreuse qui se forme par précipitation de certains composants (calcium, cholestérol) de la bile ou de l'urine.

Le **calcul** est l'accumulation (ou si on veut « l'addition ») d'idées fausses, de durcissement dans sa position, de repli ou de frustration, de conceptions erronées de la réalité, ce qui peut être illustré par l'expression « Faire une erreur de **calcul** ». Ce peuvent être aussi des émotions et des sentiments refoulés ; une concentration de pensées telle une masse d'énergie qui se solidifie et se cristallise au point de former des pierres très dures dans l'organe où la cause de la maladie se manifeste. Me sentant inférieur aux autres, je cultive des chagrins et je me sens amer face à la vie. Mon entêtement me fait m'éloigner de mes vrais besoins. J'ai l'impression qu'on ***empiète*** sur moi, sur mon « territoire ».

J'accepte↓♥ de faire confiance à la vie et savoir que je peux « compter » sur mon pouvoir divin qui me permettra de voir les événements avec une plus grande ouverture d'esprit et en toute sécurité.

CALCULS BILIAIRES OU LITHIASE BILIAIRE

VOIR AUSSI : FOIE [MAUX DE...], RATE

Le **calcul biliaire** est généralement un ou des dépôts de cholestérol ou de calcaire. Dans le langage populaire, on dit parfois « avoir des **pierres au foie** ». Il vient de la bile. Ce liquide sécrété par le foie sert à la digestion des aliments. La bile est stockée dans la vésicule biliaire et le **calcul** formé se retrouve dans cette même vésicule (un seul gros ou plusieurs petits).

La bile est amère, visqueuse et manifeste l'**amertume** intérieure, la peine, l'agressivité, l'insensibilité, le ressentiment, la frustration ou le mécontentement que j'ai et que je sens envers moi-même ou envers une ou plusieurs personnes. Les **calculs** représentent une douleur plus profonde que les simples symptômes au niveau de la rate, du foie ou de la vésicule biliaire. C'est de l'énergie cristallisée, des sentiments et des **pensées très dures et remplies de colère**, d'**amertume**, d'**envie** et même de **jalousie** solidifiées sous forme de cailloux, et qui ont été entretenues et accumulées au fil des années. Ce peuvent être aussi un talent, une force que je n'ai jamais voulu utiliser parce que je ne me sentais pas assez bon, vulnérable ou inférieur. J'accumule mes forces intérieures au lieu de les utiliser. J'ai de la rage, mais elle est tournée contre moi car je sais tout au fond de moi mes capacités. J'ai décidé un jour de me cacher pour me protéger du monde extérieur. Je fuis leur jugement. Les **calculs** peuvent être « cachés » depuis longtemps, mais une émotion soudaine et violente peut les faire surgir « consciemment » avec des douleurs intenses. Souvent, je suis décidé à aller de l'avant, à foncer, à ouvrir des portes mais **quelque chose m'arrête**, me limite ou m'étouffe, et mes actions sont souvent exécutées par peur. Je deviens alors frustré de la vie, je manifeste des attitudes « amères » et irritantes vis-à-vis des gens, je n'arrive pas à me décider car je manque de courage et mes forces intérieures sont mal canalisées. Je n'ai pas la maîtrise de moi-même. C'est la raison pour laquelle j'ai des **calculs biliaires**. Qu'est-ce qui influence ma vie ? Suis-je trop orgueilleux ? Qu'elles sont les dettes du passé (autant pécuniaires qu'émotionnelles ou spirituelles) qui me restent à payer mais que j'ai oublié ou que je voulais volontairement omettre de rembourser ?

Même si les **calculs** sont l'expression d'une **vie endurcie**, je dois accepter↓♥ de me libérer du passé et avoir une attitude et des **pensées plus douces**, une ouverture différente à la vie en laissant aller le passé, les sentiments lointains et les vieilles émotions amères, me permettant ainsi de manifester l'**amour** véritable. Je me donne le droit de combler mes propres besoins, même si cela implique d'avoir à dire non aux autres. Le processus d'acceptation↓♥ au niveau du **cœur♥** m'aidera à voir plus clair dans ma vie et à mieux découvrir le chemin qui améliorera ma situation. Je laisse s'exprimer tous mes talents dans la douceur et ainsi je peux m'épanouir pleinement.

CALCULS RÉNAUX OU LITHIASE URINAIRE

VOIR AUSSI : REINS

Les **calculs rénaux**, aussi appelés **pierres au rein**, sont reliés au rein, siège de la peur. C'est la formation de pierres ou cristaux venant de quantités abondantes de **sel,** de calcium, d'oxalates et **d'acide urique**.

L'acide urique représente de vieilles émotions à évacuer. Le **calcul** peut se former dans les différentes parties du système urinaire. C'est une masse d'énergie solidifiée créée à partir des pensées, des peurs, des émotions et des sentiments agressifs éprouvés envers quelqu'un ou une situation. Le rein étant un filtre d'émotions des déchets du corps, l'abondance des sels d'acide urique indique la grande quantité de sentiments agressifs solidifiés car ils ont été longtemps retenus. « Je vis des frustrations et des sentiments agressifs dans mes relations depuis si longtemps que mon attention est uniquement fixée là-dessus». Ma vie affective est un échec et je me dis que le bonheur n'est que pour les autres. Une personne équilibrée a les « les reins solides », mais différents traits de caractère peuvent causer les **calculs :** je suis très autoritaire, souvent à l'extrême, **dur envers moi-**

même et les autres, je décide et je fais mes choix en « réaction », je reste sérieusement accroché au passé, je manque de volonté et de confiance. Je suis drastique dans mes opinions et mes choix. Les **calculs rénaux** impliquent souvent un tiraillement intérieur entre ma volonté et mes décisions qui amènent un excès d'autoritarisme : me sachant faible et ayant peur, je « mobilise » toutes les forces disponibles en un même endroit pour accomplir certaines tâches, et lorsque la période de stress est passée, cette concentration durcit pour former les **calculs**. J'ai réprimé toute ma spontanéité qui s'est durcie pour vivre en fonction des autres. Tout est **calculé**, planifié d'avance pour éviter les surprises et me donner un sentiment de contrôle sur ma vie. Il y a donc un « moi » qui a une de mes personnalités qui vit en société et il y a l'autre « moi » qui vit caché dans une garde-robe et qui est constitué de toutes ces émotions que je réprime. Mes énergies créatives s'accumulent et mon agressivité aussi. Tous les non-dits qui demandent à sortir, s'exprimer et qui sont retenus se transforment en **calculs rénaux**. J'ai l'impression qu'on me surveille et que je dois être sur mes gardes à tout moment. J'ai tendance à vivre dans l'isolement, me sentant incapable de communiquer ou coupable. Je m'interdis de faire beaucoup de choses. Je laisse les autres m'envahir ou envahir ma vie et je ne peux pas délimiter ce qui m'appartient.

J'accepte↓♥ de retrouver une certaine paix intérieure si je veux arrêter d'avoir des **calculs.** Je devrais moins m'attarder à certaines situations conflictuelles et à certains problèmes car, en continuant ainsi, je m'empêche d'aller de l'avant. Je dois les régler définitivement et voir le futur avec calme et souplesse. C'est une question de **conscience** et d'attitude. Je vis de façon spontanée, comme un enfant, et ma vie est remplie de bonheur et de surprises.

CALLOSITÉS

VOIR : PEAU — CALLOSITÉS, PIEDS— DURILLONS ET CORS

CALVITIE

VOIR : CHEVEUX — CALVITIE

CANAL CARPIEN (syndrome du...)

VOIR : CRAMPE DE L'ÉCRIVAIN

CANCER (EN GÉNÉRAL)

VOIR AUSSI : TUMEUR [S]

Le **cancer** (aussi appelé **tumeur maligne**) est l'une des principales maladies du 20e siècle. Des cellules anormales **cancéreuses** se développent et le système immunitaire qui ne reconnaît plus les cellules saines de celles qui sont malsaines, ne réagit pas à la présence des cellules malsaines et elles prolifèrent donc rapidement dans le corps.

Les êtres humains ont souvent des cellules précancéreuses dans l'organisme, mais le système immunitaire, c'est-à-dire le système de défense naturelle de notre corps, les prend en charge avant qu'elles ne deviennent cancéreuses. C'est parce que ces cellules anormales se développent de façon incontrôlée[46] et incessante qu'elles peuvent nuire au fonctionnement d'un organe ou d'un tissu, pouvant ainsi affecter des parties vitales de l'organisme. Lorsque ces cellules envahissent diverses parties du corps, on parle de **cancer généralisé**[47]. Le **cancer** est lié principalement à des **émotions refoulées**, du **ressentiment profond** et parfois de longue date, par rapport à quelque chose ou une situation qui me perturbe encore aujourd'hui et face à laquelle je **n'ai jamais osé exprimer mes sentiments profonds**. Ils sont souvent en relation avec un ou des aspects de ma vie de couple. Même si le **cancer** peut se déclarer rapidement à la suite d'un divorce difficile, d'une perte d'emploi, de la perte d'un être cher, etc., il est habituellement le **résultat** de plusieurs années de **conflit intérieur**, de **culpabilité**, de **blessures**, de **chagrin inconsolable**, de **rancunes**, de **haine**, de **confusion** et de **tension** qui me rongent. Je vis du **désespoir**, du **rejet de moi** ; je me sens un peu cancre[48]. Je rumine sans cesse le même sentiment d'échec. Ce qui se passe à l'extérieur de moi n'est que le reflet de ce qui se passe à l'intérieur, l'être humain étant représenté par la cellule, et le milieu de vie ou la société par les tissus. Dans la plupart des cas, si je suis atteint de **cancer**, je suis une personne aimante, dévouée, pleine d'attention et de bonté pour mon entourage, extrêmement sensible, semant amour et bonheur autour de moi. Pendant tout ce temps, mes émotions personnelles sont refoulées au plus profond de moi. Je me conforte et me leurre en trouvant satisfaction à l'extérieur plutôt qu'à l'intérieur de moi-même puisque j'ai une très **faible estime de moi**. Alors que je m'occupe de tout le monde, **je mets de côté mes besoins personnels**. Je me sens impuissant à changer ma vie. Cette impuissance vient du fait que j'ai l'impression que je n'ai pas de pouvoir sur ma vie. Je remets ce dernier à une autorité plus grande que moi et qui m'est extérieure. Je ne suis pas en contact avec mon corps et mes émotions. Je suis perdu car je ne me définis qu'à travers les autres. Je n'ai aucune identité. Je suis étranger à moi-même. Je laisse ma place aux autres ; je laisse donc aller mes cellules saines qui représentent mon identité et elles sont remplacées par des cellules étrangères qui n'ont pas leur place à l'intérieur de mon corps. Mais comme le bien-être de tous ceux qui m'entourent prime sur le mien, je décide que je ne vaux rien et que je peux laisser les autres m'envahir. J'hésite à prendre ma vie en mains, m'y pensant incapable. Puisque la vie ne semble plus rien m'apporter, je capitule et manque d'envie de vivre. À quoi bon lutter ? Si je vis beaucoup d'**émotions fortes**, de **haine**, de **culpabilité**, de **rejet**, je vais être en très forte réaction, tout comme la cellule : mes cellules saines se retournent contre moi et mes cellules malsaines prennent le dessus ; je vais même me

---

[46] Selon les travaux du docteur **Ryke Geerd Hamer**, le **cancer** est le développement de **cellules spécialisées et organisées** provenant d'un programme spécial émis par le cerveau en réponse à un surstress psychologique.

[47] **Cancer généralisé** : dans le cas de cancer généralisé, il est souvent question de métastases, c'est-à-dire de cellules cancéreuses qui proviendraient d'autres cellules cancéreuses ailleurs dans le corps et qui auraient été transportées par le sang ou la lymphe. Il existe peu d'évidence sur cette hypothèse des cellules cancéreuses se transportant d'un endroit à l'autre. Il pourrait s'agir plutôt du fait que le premier cancer qui provenait d'un conflit ait amené à se manifester et à mettre en évidence un autre conflit qui lui provoque un autre cancer et ainsi de suite. Un grand stress peut alimenter les autres stress et ainsi, manifester d'autres cancers.

[48] **Cancre**: miséreux, avec une faible estime de moi

sentir responsable des problèmes et des souffrances des autres et je voudrai m'**autodétruire**. Les **cellules cancéreuses** vivent dans l'isolement, tout comme moi qui, face à une situation que j'ai de la difficulté à accepter↓♥, vais me replier sur moi-même : j'en parlerai peu, je refoule mes émotions qui m'empoisonnent. « J'en veux à la vie », « elle est trop injuste ». Je joue à la « Victime » de la Vie et je deviens bientôt « Victime » du **cancer**. C'est habituellement la « haine » envers quelqu'un ou une situation qui va me « gruger l'intérieur » et qui va amener les cellules à s'autodétruire. Cette haine est profondément enfouie à l'intérieur de mon être et je n'ai pas souvent **conscience** qu'elle existe. Elle est enfouie derrière mon masque de « bonne personne ». Mon corps se désagrège lentement car mon **âme** se désagrège aussi : j'ai besoin de combler mes désirs non satisfaits au lieu de ne faire plaisir qu'aux autres. Je dois m'offrir des joies, des « petites douceurs ». J'ai accumulé ressentiment, conflits intérieurs, culpabilité, l'autorejet par rapport à moi-même parce que j'ai toujours agi en fonction des autres et non pas <u>en fonction de ce que je veux</u>. La patience exemplaire et présente chez moi s'accompagne très souvent d'une faible estime de soi. J'évite de me donner de l'**amour** et de l'appréciation car je crois que je ne le mérite pas. Ma volonté de vivre devient presque nulle. Je me sens inutile. « À quoi bon vivre ? » C'est ma façon d'en finir avec la vie. Je m'autodétruis et c'est là un **suicide déguisé**. J'ai l'impression d'avoir « raté » ma vie et je vois cette dernière comme un échec. La mort peut me sembler, même inconsciemment, plus belle que la vie que je mène. J'ai besoin de redéfinir qui je suis réellement au lieu de vouloir m'identifier à l'image qu'on veut que je projette. J'ai besoin de faire tomber mes masques. Cela peut être angoissant pour un moment mais cela est essentiel afin de reprendre la maîtrise de ma vie. Je vais découvrir que j'ai tout le courage et toute la force nécessaires pour accomplir tous mes rêves. La partie du corps atteinte m'éclaire quant à la nature de mon (mes) problème(s) : cela m'indique quels schèmes mentaux ou quelles attitudes je dois adopter afin d'amener la maladie à disparaître. Je dois **reprendre contact avec mon « moi » intérieur et m'accepter↓♥ tel que je suis** avec mes qualités, mes défauts, mes forces et mes faiblesses. J'accepte↓♥ de laisser tomber de vieilles attitudes et habitudes morales. L'**acceptation↓♥** de la maladie est essentielle pour que je puisse ensuite « lutter ». Si je refuse d'accepter↓♥ la maladie, comment puis-je la guérir ?

J'accepte↓♥ de reprendre contact avec cette partie de moi dont je m'étais coupé afin de reprendre contact aussi avec la vie. **J'ouvre mon cœur♥ et je prends conscience** de tout ce que la vie peut m'apporter et à quel point j'en fais partie. Même si le **cancer** semble a priori avoir le rôle du méchant, de l'adversaire, je me rends compte qu'il est un catalyseur afin que j'apporte des changements importants dans ma vie. Le fait de recevoir un traitement en guérison naturelle, en massage ou toute autre technique avec laquelle je me sens à l'aise, aura pour effet une harmonisation qui me permettra d'ouvrir ma **conscience** à toutes les merveilles de la vie et à la beauté qui m'entourent et qui renforcera ainsi mon système immunitaire. J'accepte↓♥ d'apprivoiser les différentes émotions qui m'habitent. Je reprends la maîtrise de ma vie. Il n'y a que moi qui sais ce qui est bon pour moi ! Il n'y a que moi qui peux décider de guérir… J'accepte↓♥ de pouvoir guérir car j'ai beaucoup de choses à accomplir, beaucoup de rêves à réaliser. J'accepte↓♥ de vivre dans le moment présent, en acceptant tout mon passé comme une période d'apprentissage afin de me découvrir, de savoir qui je suis vraiment. En laissant couler la vie en moi, mes cellules seront bien nourries et remplaceront celles dont je n'ai plus besoin.

CANCER DE LA BOUCHE

Le **cancer de la bouche** peut se situer au niveau du plancher de la bouche, des lèvres, de la langue, des gencives ou du palais.

Comme la peau est la ligne de démarcation entre l'extérieur et mon intérieur, la bouche, elle, est la porte d'entrée, le vestibule entre ce qui entre (air, nourriture, liquide) et ce qui en sort (air, paroles véhiculant les émotions). Il se peut que je sois une personne de qui on dit « qu'il mange son prochain ». Je peux entretenir des sentiments de destruction envers moi-même ou une ou plusieurs personnes, ce qui me fait dire « lui, je le mangerais ! » voulant signifier que je lui veux du tort ou sa mort dans un certain sens. Mon immense vide intérieur augmente ma difficulté à être moi, un être autonome qui savoure la vie. Je me sens loin des gens, d'une façon physique ou émotive. Je ne supporte plus la froideur de mon existence.

J'accepte↓♥ d'avoir un grand besoin de laisser entrer en moi des sentiments d'**amour,** et d'en exprimer envers les gens qui m'entourent et moi-même, en me disant des mots d'**amour.** J'accepte↓♥ les plaisirs de la vie.

CANCER DES BRONCHES

VOIR : BRONCHES — BRONCHITE

CANCER DU CÔLON

VOIR AUSSI : INTESTIN [MAUX AUX...]/ CONSTIPATION

Le **côlon** est une partie du gros intestin où je digère les aliments. Il élimine ce qui a été jugé inutile ou sale par mon corps.

Il me permet de laisser derrière moi ce qui n'est plus bénéfique, de tourner la page. Mes peurs, notamment face au matériel ou à l'argent, vont l'affecter. C'est l'un des types de **cancer** les plus fréquents en Amérique du Nord à cause de la consommation excessive de viande, de grains raffinés, de sucre dit-on. Ces aliments sont difficiles à digérer et à assimiler. Cependant, il existe aussi d'autres raisons : la recherche continuelle de satisfactions, de plaisirs et de désirs matériels, additionnée aux différents états physiques, émotionnels et mentaux que je peux vivre chaque jour (atteinte de l'excellence, anxiété, angoisse, etc.) est les principales causes d'un désordre alimentaire ou digestif. J'ai peu de joie intérieure, je suis plus ou moins satisfait de ma vie telle qu'elle est. Je me sens souillé sur un aspect de moi-même. Je mange et je refoule mes émotions : c'est plus facile et mes besoins sont comblés beaucoup plus rapidement. Une séparation ou un divorce peuvent favoriser le développement de ce **cancer** puisqu'ils peuvent engendrer un grand choc émotif où je ne digère pas la situation. Je choisis une forme de récompense qui m'est accessible très aisément. Je recherche une certaine satisfaction que je me plais à retrouver dans la nourriture grasse et lourde. Le **cancer du côlon** peut découler de causes semblables à celles de la **constipation** mais avec un facteur émotionnel plus important et profond : il s'agit probablement d'un besoin de "lâcher-prise ". Je dois me demander quelle est la situation que je n'ai pas encore digérée ou que je ne veux pas admettre et qui m'amène à vivre du ressentiment. De ce fait, c'est comme si je ne voulais pas l'assimiler à ma réalité. J'en suis extrêmement contrarié. Je perçois cette situation comme une vacherie, une action dégoûtante, ***abominable***. Je ne peux tourner la page. C'est comme si j'y étais « collé. » D'une façon générale, lorsque le **côlon ascendant** est affecté, la situation implique mes parents ou supérieurs. Le **côlon transverse** implique mes collatéraux : sœurs, frères ou cousins. Au travail, il s'agit de mes collègues qui ont le même niveau de responsabilités. Le **côlon descendant** se rapporte à mes enfants ou au travail, mes subalternes. Dans le cas de la **constipation**, ce sont les énergies ou émotions plus en surface qui sont en cause alors que dans le cas du **cancer du côlon**, ce sont les énergies et les émotions situées plus en profondeur qui sont en cause. C'est pourquoi mes intestins peuvent fonctionner normalement ou régulièrement et je peux quand même développer un **cancer du côlon**. Mes intestins font donc ce qu'ils peuvent pour me garder en bonne santé et je me dois de les respecter en préservant leur bon état le plus longtemps possible.

J'accepte↓♥ de **m'ouvrir davantage** aux joies de la vie et j'**exprime** les émotions qui font partie de ma vie ! Je commence à **pratiquer** différentes formes de **relaxation physique et intérieure** qui m'aideront à prendre le temps de vivre une existence plus équilibrée.

CANCER DE L'ESTOMAC

VOIR AUSSI : ESTOMAC [MAUX D'...]

Si j'ai le **cancer de l'estomac**, je dois prendre **conscience** du « morceau » ou de la situation que je ne suis pas capable de digérer. Cette situation « qui ne passe pas », je la vis d'une façon très intense et très forte. « *C'est abominable ce que l'on m'a fait, ce que j'ai dû subir. En plus, je n'ai rien vu venir !* « Je suis tout à fait estomaqué ! » Cela peut exprimer ce que je vis. J'en suis venu à vouloir abandonner, le fardeau étant devenu trop lourd. J'ai tendance à blâmer les autres, les culpabilisant de leur ingérence dans ma vie. Puisque je donne tout ce pouvoir aux autres, je me sens impuissant à créer ma propre vie. J'ai abandonné mes rêves et mes ambitions même si au fond de moi, je voudrais montrer aux autres de quoi je suis capable. La frustration m'envahit, l'angoisse me gruge mais par-dessus tout, c'est la peine et la tristesse qui sont si intenses que je ne trouve plus de raison d'être…

J'accepte↓♥ de prendre **conscience** du pourquoi de cette situation et quelle leçon j'ai à en tirer afin « de faire passer la tempête » et que le **cancer** se résorbe. Je ne peux qu'être gagnant si je laisse aller ma colère et ma rancune et que je les remplace par l'acceptation↓♥ et le pardon.

CANCER DU FOIE

VOIR : FOIE [MAUX DE...]

CANCER DES GANGLIONS (du système lymphatique)

VOIR AUSSI : ADÉNITE, ADÉNOPATHIE, GANGLION [... LYMPHATIQUE]

Le système lymphatique se retrouve dans mon corps en parallèle à mon système sanguin. Il transporte un liquide blanchâtre et opaque comme le lait dilué appelé la lymphe. Parce que la lymphe contient des protéines et des lymphocytes (globules blancs), elle joue un rôle important dans le processus d'immunité et de défense de l'organisme.

Le système lymphatique est relié plus directement à mes émotions, à mon côté affectif. Les **ganglions** servent à filtrer la lymphe de ses impuretés, un peu comme les reins, le foie, la rate pour le système sanguin. Alors, un **cancer des ganglions** m'indique de grandes peurs, de la culpabilité et du désespoir par rapport à mes émotions sur les plans amoureux et sexuel. Même si je vis présentement une vie amoureuse harmonieuse, il se peut que de profondes déceptions refassent surface sous cette forme de **cancer**. Je me cherche un endroit où je peux m'***abriter*** *en toute sécurité*. Je crois que la seule façon d'y arriver est de me retrouver dans un groupe, même au détriment de mon couple.

Je dois accepter↓♥ que tout peut prendre sa place à l'intérieur de moi en laissant circuler la vie, comme l'eau de la rivière, dans l'harmonie et dans l'**amour,** en travaillant sur mon enfant intérieur blessé. Je retrouve ce sentiment de sécurité à l'intérieur de moi. Je sais que je suis protégé en tout temps et que je n'ai qu'à me laisser guider par le courant de la vie.

CANCER DE LA GORGE

VOIR : GORGE — PHARYNX

CANCER DU GRAIN DE BEAUTÉ

VOIR : PEAU — MÉLANOME MALIN

CANCER DE L'INTESTIN (en général)

VOIR AUSSI : CANCER DU CÔLON, INTESTINS [MAUX AUX...] / COLON/GRÊLE

Ce **cancer** se retrouve habituellement au niveau de la partie de l'intestin appelée colon. Lorsque je développe cette maladie, je dois me poser la question : qu'est-ce que je ne suis pas capable de digérer et qui passe « de travers » ? Cela peut être une parole qui m'a été dite et que je trouve méchante ou peut être aussi une action que je trouve injuste et non acceptable. Le morceau est tellement gros à avaler que je ne sais pas si je vais réussir à le digérer. Je peux aussi vivre une très grande peur en me demandant si je vais toujours avoir assez de « nourriture dans le frigo ». J'ai peur de mourir de faim par manque de vivres. Je vis de profondes angoisses car je me sens impuissant dans certaines situations. Je me cramponne à certaines personnes, idées, émotions par peur de l'inconnu mais je voudrais tellement m'en débarrasser !

Quelle que soit la situation, j'accepte↓♥ de développer une attitude plus positive, en sachant que la vie veut ce qu'il y a de mieux pour moi et que j'accepte↓♥ de vivre dans l'abondance. J'apprends aussi à pardonner aux personnes qui peuvent m'avoir dit ou fait quelque chose que j'ai de la difficulté à digérer. Je prends le temps d'exprimer à cette personne comment je me sens pour ramener l'harmonie dans cette situation. J'élimine la rancune de ma vie et la remplace par la compréhension et l'ouverture d'esprit.

CANCER DE L'INTESTIN GRÊLE

VOIR : INTESTIN GRÊLE [MAUX À L'...]

CANCER DE LA LANGUE

VOIR AUSSI : ALCOOLISME, CIGARETTE

Même s'il est admis que le **cancer de la langue** peut être favorisé par le tabagisme ou l'alcoolisme, **il provient d'un profond sentiment de désespoir signifiant que je n'ai plus le goût de vivre**. De plus, ce mal de vivre, il se peut que je ne l'exprime pas et que je refoule ainsi ces émotions à l'intérieur de moi. L'alcoolisme et le tabagisme ne sont que les amplificateurs des sentiments que je vis ; par l'alcoolisme, je fuis mes émotions, par le tabagisme, je fais un écran à ces émotions que je ne veux pas voir. Puisque c'est avec la **langue** que je vais chercher la nourriture afin de pouvoir la mâcher avec mes dents, si j'ai un **cancer de la langue**, je dois me demander si, au sens figuré, j'ai l'impression de ne pas être capable d'**attraper le « morceau de nourriture »**. Je vois ce que je veux attraper comme vital pour moi. Cela peut être un travail, de la nourriture, une nouvelle relation, etc. La situation que je vis me rend fou ! J'ai l'impression que je vais exploser ! J'ai tellement d'émotions emprisonnées à l'intérieur de moi... J'ai besoin d'aller chercher à l'extérieur de moi un semblant de force quand celle-ci se trouve tout simplement à l'intérieur de moi. Je me contrôle parfaitement car je vis une grande insécurité. J'ai tellement de ran**cœur♥**, souvent envers moi-même parce que je me suis « fermé la trappe[49] » trop souvent. Si le **cancer** se situe **sur le bord de la langue**, là où elle vient en contact avec les dents, il se peut que je veuille « réduire en morceaux » quelque chose ou quelqu'un que je ne peux pas « avaler ».

J'accepte↓♥ de reprendre le goût de vivre, d'augmenter mon estime de soi et j'apprends à exprimer mes émotions. Je découvrirai ainsi tout ce que la vie a de beau à m'offrir. Je passe à l'action et je vais chercher ce dont j'ai besoin car je le mérite ! J'accepte↓♥ que je peux vivre de l'impuissance car je n'ai pas le contrôle sur les autres mais seulement sur moi-même. Lorsque j'accepte↓♥ cela, il est facile de reprendre contact avec ma force intérieure et c'est à ce moment que je peux créer ma vie comme je l'entends !

CANCER DU LARYNX

VOIR AUSSI : CIGARETTE, GORGE [MAUX DE...]

Le cancer du larynx est aussi appelé le cancer des fumeurs.

Lorsqu'une tumeur maligne s'installe sur les parois du **larynx**, cela signifie que j'éprouve un grand besoin d'exprimer ma peine intérieure. J'aurais besoin de hurler au monde entier le drame intérieur que je vis mais j'ai peur d'exprimer mon désarroi. Y a-t-il une personne ou une situation qui m'empêche de m'exprimer, qui me met les ***freins*** ? Peut-être que je me dis : *Je fais aussi bien de me la fermer, car cela ne donnerait rien que je parle !* Cela m'amène à me fermer au niveau émotif ; je n'en peux plus ! J'ai l'impression qu'on me tombe dessus et je voudrais me mettre en colère mais je n'ose pas. Je ne me sens pas respecté pour ce que je suis. J'ai

---

[49] **Se fermer la trappe** : expression québécoise qui veut dire garder le silence.

peur de mes émotions les plus profondes. J'évite donc de me regarder en pleine face. Je joue à la victime, laissant les autres contrôler mon monde, mon espace vital. Je veux tellement que ma vie soit une chasse gardée ! J'ai de la facilité à laisser mon autorité personnelle aux mains d'une autre personne ou d'un organisme extérieur à moi. La révolte et la fureur font partie de mon pain quotidien.

J'accepte↓♥ de prendre ma place et exprimer ce qui est pour moi la vérité. Cela m'aidera à comprendre davantage la place que j'occupe dans mon environnement et dans l'Univers.

CANCER DE LA MÂCHOIRE

VOIR : MÂCHOIRE [MAUX DE...]

CANCER DE L'ŒSOPHAGE

VOIR : ŒSOPHAGE [L'...]

CANCER DES OS

VOIR : OS [CANCER DES...]

CANCER DES OVAIRES

VOIR : OVAIRES [MAUX AUX...]

CANCER DU PANCRÉAS

VOIR : PANCRÉAS [MAUX DE...]

CANCER DE LA PEAU

VOIR : PEAU — MÉLANOME MALIN

CANCER DU PHARYNX

VOIR : GORGE — PHARYNX

CANCER DE LA POITRINE

VOIR : CANCER DU SEIN

CANCER DES POUMONS

VOIR AUSSI : BRONCHE — BRONCHITE, CIGARETTE, POUMONS [MAUX AUX...]

Comme les **poumons** sont reliés directement à ma capacité de vivre (inspiration-expiration), le **cancer des poumons** m'indique ma **peur de mourir**. En effet, il y a une situation dans ma vie qui me ronge par en dedans et me donne l'impression que j'étouffe et que je meurs. Le **poumon** est l'organe qui est relié à la tristesse et lorsque la peine n'est pas extériorisée, c'est le **poumon** qui absorbe celle-ci. C'est peut-être à la suite d'une séparation ou d'un divorce, de la mort d'un être cher, de la perte d'un emploi qui est très important pour moi. Il y a une notion d'échec très marquée. En fait, toute situation qui pour moi représente, consciemment ou inconsciemment, ma raison de vivre. Lorsque ma raison de vivre disparaît ou que j'ai peur qu'elle disparaisse, cela met en évidence que l'autre possibilité qui se présente à moi est d'une certaine façon, la mort. Je me sens ***condamné*** à vivre une situation pour le reste de ma vie. Je suis souvent drastique dans mes jugements. Tous est noir ou blanc, rien entre les deux. J'ai cependant peur d'extérioriser mes pensées, mes opinions. Je crois à la notion de mal, autant dans ma sexualité que dans les autres aspects de ma vie. Je vis une grande impuissance. Les autres jugent ma façon de vivre et je leur en veux. Ma vie n'a plus de sens et je suis déçu par les autres qui ne comblent pas mes attentes. Je me soucie constamment d'un proche : j'ai tellement investi dans cette relation, autant émotionnellement que matériellement et voilà que je risque de tout perdre. À quoi bon vivre si tous ces efforts ont été vains et que j'en suis rendu là ? Alors, qu'en est-il de la relation que l'on fait entre les fumeurs et le **cancer des poumons** ? Je peux me demander si c'est la fumée de cigarette qui m'amène le **cancer des poumons** ou si c'est la peur de mourir qui m'amène à fumer des cigarettes et, conséquemment, me fait développer le **cancer des poumons**. Lorsque je fume, je mets un voile sur des émotions qui me dérangent et qui m'empêchent de vivre. Ne solutionnant pas le conflit, celui-ci peut grandir en moi au point de me faire développer un **cancer des poumons**.

Alors, j'ai à accepter↓♥ la vie et à penser qu'à chaque inspiration et expiration, c'est la vie qui circule en moi par l'air que je respire. Je décide de prendre ma place, de me donner de l'espace et je choisis ce que je veux vivre par delà mes peurs et que la vie mérite d'être vécue, que je mérite de vivre. J'accepte↓♥ qu'il n'y pas de mal sur la terre, que des expériences. Je vis et je laisse vivre avec le regard d'un enfant. Je mords dans la vie à pleines dents !

CANCER DE LA PROSTATE

VOIR : PROSTATE [MAUX DE...]

CANCER DU RECTUM

VOIR : INTESTINS — RECTUM

CANCER DU SANG

VOIR : SANG — LEUCÉMIE

CANCER DU SEIN

VOIR AUSSI : SEINS [MAUX AUX...]

Les **seins** représentent la féminité et la maternité. Cette sorte de **cancer** indique généralement certaines attitudes et pensées profondément enracinées depuis la tendre enfance. Depuis les années 60, à certains endroits dans le monde, la femme s'affirme davantage, prend sa place dans la société et veut aller de l'avant. Je peux donc avoir de la difficulté à exprimer mes vrais sentiments, à trouver un équilibre entre mon rôle de mère et de femme accomplie. Ces conflits intérieurs profonds me tourmentent en tant que femme qui cherche le juste équilibre. On a découvert que ce type de **cancer** vient généralement d'un **fort sentiment de culpabilité intérieure** envers soi ou envers un ou plusieurs de ses enfants : « *Pourquoi est-il au monde ? Qu'ai-je fait pour l'avoir ? Suis-je une assez bonne* **mère** *ou* **femme** *pour m'en occuper ?* » Toutes ces questions augmentent mon niveau de culpabilité, m'amenant à me rejeter moi-même et augmentant ma peur que les autres me rejettent. Je dois me rappeler que « l'**amour** pour mon enfant est toujours présent mais que mes pensées sont très puissantes et que je dois être vigilante ». Si je me juge trop sévèrement, toute ma colère et mon rejet seront amplifiés et mes émotions seront « évacuées » au niveau de mes **seins**, qui deviennent le symbole de mon « échec ».Un **cancer du sein** veut donc m'aider à prendre **conscience** que je vis une situation conflictuelle, celle-ci pouvant être autant face à moi-même que face à quelqu'un d'autre et étant reliée à un élément faisant partie de mon espace vital, de mon « petit ***nid*** ». Il s'agira bien souvent de mes enfants, mes « oisillons », ou de quelqu'un que je considère comme tel (par exemple ma mère malade que je sens démunie, comme « un petit enfant »). Je veux à tout prix tout donner à mon enfant et je veux aussi qu'il prenne tout ce que je lui donne. Sinon, c'est le doute et la culpabilité qui prennent le contrôle... Je peux avoir peur que mon « ***nid*** » (foyer) se désagrège. Je peux aussi avoir une grande peur ou un grand stress par rapport à la survie d'un ou de mes enfants. J'ai peur que s'il m'arrivait quelque chose, leur père ne soit pas capable d'en prendre soin, de les nourrir affectivement. Dans un sens plus large, le « nid » peut englober mon conjoint, mon foyer, mes frères et sœurs, particulièrement s'ils vivent sous le même toit. C'est donc face à la famille, ce qui historiquement pourrait être appelé **le clan**, que j'ai l'impression ou que j'ai peur qu'il y ait démantèlement, éclatement. Il y a une peur, une pensée qui me revient constamment en tête et qui est ***inconcevable,*** celle de voir arriver par exemple une trahison de mon conjoint. Je voudrais pouvoir m'occuper, « nourrir » tout le monde mais cela est impossible et me déchire. Les hommes autant que les femmes peuvent développer cette sorte de **cancer**, qui est souvent le conflit intérieur masculin à accepter↓♥ sa propre nature féminine divine. Il arrive que certains hommes manifestent leur côté féminin et maternel presque autant que les femmes. En tant qu'homme, je ne serai jamais une femme mais, énergétiquement, je peux être autant et même plus féminin que celle-ci. C'est pourquoi le **cancer du sein**, chez moi qui suis un homme, est associé à l'estime de moi et à ma capacité d'exprimer naturellement mon côté féminin inné. Il peut être relié au fait même d'être un homme et au désir inconscient d'être une femme. C'est un aspect que je devrai équilibrer dans ma vie. Le côté gauche est du domaine affectif et le droit, du rationnel. Le **cancer au sein gauche** désigne donc toutes les difficultés affectives et les émotions refoulées chez moi en tant que femme (se rapporte plus à ma famille immédiate) et j'ai avantage à accepter↓♥ la **femme** et la **mère** en moi, et les sentiments intérieurs que je vis par rapport à chacun de ces deux rôles. Au **sein droit**, le **cancer** indique la femme **responsable** et ce que l'on attend de moi (ce que je m'attends à faire avec cette femme « extérieure »). La notion de famille ici peut inclure tout groupement, association que je considère comme ma famille. À noter que cela aussi s'applique aux hommes, bien que le **cancer du sein** chez les hommes soit plus rare. Pour moi, en tant que femme dans l'univers physique, le volume et la forme de mes **seins** peuvent avoir une certaine importance selon les circonstances. On remarque que si mon côté masculin est dominant (Yang)[50], je peux avoir des **seins** plus petits ou je peux les considérer souvent comme inutiles ou sans valeur. Le corps parle et mes **seins** aussi ; c'est à moi de décider de l'importance accordée à ce symbole féminin et sexuel.

La recherche d'un équilibre est importante et le corps s'ajustera énergétiquement en fonction des décisions prises par la femme (ou l'homme) dans l'avenir. Tout est dans l'attitude, l'**amour** et l'acceptation↓♥ de soi. Je prends **conscience** que je m'oublie et que je ne vis que pour les autres. Je suis né biologiquement mais pas encore émotionnellement. Mes émotions sont refoulées et je peux éviter d'être en contact avec celles-ci en m'occupant exagérément des autres. Je me donne bonne **conscience**. Au fond, je sais que je suis impuissante à vivre pour et par moi-même. Je m'accroche, je me cramponne à quelqu'un. Je remplis mon vide avec les émotions des autres au lieu des miennes. J'accepte↓♥ que la guérison se trouve dans ce changement de mon attitude face à moi-même et à l'avenir. Au lieu de me détruire avec mes pensées négatives, je me reconnecte avec mon univers intérieur. J'accueille mes émotions, même celles qui sont reliées à des événements difficiles de mon passé. Je prends du recul et je me demande comment j'aurais pu, dans toutes ces situations, me respecter plus et me donner davantage d'**amour.** Le chagrin s'envole car j'accepte↓♥ de voir les leçons que la vie veut m'enseigner. J'exprime tout ce que j'ai toujours voulu cacher. C'est en me respectant et en ayant foi en mon potentiel que je peux créer la vie que je veux et recouvrer une santé parfaite.

CANCER DES TESTICULES

VOIR AUSSI : OVAIRES [MAUX AUX...]

C'est dans les **testicules** que se fait la production des spermatozoïdes essentiels à la reproduction.

Si je développe un **cancer des testicules**, je dois vérifier si je vis un sentiment intense dû à la perte d'un ***enfant***, ou quelque chose dans ma vie qui m'était aussi important ou précieux qu'un enfant. Je peux avoir vécu le décès d'un de mes ***enfants***, que ce soit par maladie, dans un accident ou à la suite d'un avortement. Ce peut être aussi, par exemple, un de mes ***enfants*** qui est parti « en claquant la porte » et que je n'ai jamais revu. Puisqu'il est sorti de ma vie brusquement, je peux vivre cette situation comme la **perte** d'un être cher, comme s'il était décédé. Un autre exemple peut être aussi vécu par moi, homme d'affaires qui, à cause de mauvais placements financiers, ai perdu l'entreprise « que j'avais mise au monde » et que je considérais comme « mon bébé ».

Quelle que soit la situation concernée, je me suis sûrement senti coupable de certaines actions que j'ai posées ou que « j'aurais dû poser », « de paroles que je n'aurais pas dû dire », etc. J'ai l'impression que j'ai échoué à un test, ou mal réalisé un projet. Je regarde comment cela peut affecter ma perception de ma sexualité et de ma virilité de façon négative. Quelle que soit la situation vécue, j'accepte↓♥ de prendre

[50] **Yang** : c'est le nom que l'on donne en médecine chinoise à l'énergie rationnelle ou masculine. L'énergie affective ou féminine est appelée **Yin**.

conscience des sentiments qui m'habitent ; je les accepte↓♥ pour m'aider à guérir mes blessures, réapprendre à rire et regarder maintenant vers l'avant au lieu de ressasser le passé.

CANCER DE L'UTÉRUS (col et corps)

VOIR AUSSI : UTÉRUS

L'utérus représente la féminité, la matrice originelle et le **foyer maternel**, particulièrement le **corps de l'utérus**. Moi comme femme, je refoule probablement certaines émotions concernant mon **foyer**, ma **famille**. Je peux me sentir coupable, rancunière ou haineuse mais je n'en parle pas. Le foyer représente souvent un idéal à atteindre, que ce soit en rapport avec mon couple ou ma famille. Je me questionne, pas autant face à ma relation de couple, mais face à mon foyer et à ma non capacité d'avoir un enfant. Je vis un grand chagrin et ma joie de vivre est atteinte. Ce type de **cancer** est profondément lié aux principes du foyer nourricier, à mes attitudes et mes comportements par rapport à celui-ci.. Je peux vivre de grandes peurs, de l'insécurité, de la ***colère*** ou de la culpabilité à l'idée que ce foyer ne se formera pas comme je le voudrais, ou bien qu'il risque de se dissoudre, ce qui représenterait pour moi un échec. S'ensuivra une dévalorisation par rapport à qui je suis et ce que je suis capable de réaliser : je pense que je ne suis rien ! Ai-je peur de revivre dans mon foyer le jugement d'un échec que j'ai pu avoir dans le foyer où j'ai grandi ? Le cancer du **corps de l'utérus** atteint souvent les femmes plus âgées, en période de ménopause. Le **cancer du col de l'utérus**, lui, atteint habituellement les jeunes femmes. C'est le **col de l'utérus** qui se trouve en contact avec le sexe de l'homme lors des relations sexuelles. Est-ce que je vis une dépendance face à mon conjoint qui est malsaine ? Ai-je l'impression qu'il me détruit ou me tue par certains de ses comportements ou attitudes ? J'ai tendance à ***subir*** les événements, ayant l'impression que je n'ai aucun pouvoir ou contrôle. Il est possible aussi que je vive une situation face à ma sexualité où je vois cette dernière comme répugnante et que je me sente obligée d'accomplir mon devoir conjugal. J'ai l'impression d'avoir à ***m'exhiber***. Mes frustrations sexuelles sont grandes, me sentant abandonnée ou séparée de mon conjoint, même si de l'extérieur, rien ne paraît. Je trouve difficile et même parfois douloureux de m'ouvrir à mon partenaire car il y a quelque chose « qui accroche » dans ma vision d'avoir un enfant avec lui. Je peux me sentir ***dépourvue*** devant la vie. Ce sentiment se retrouve souvent si j'ai vécu une situation d'abus sexuel. La peur et le rejet de mes vrais besoins, ***envies*** et fantasmes peuvent m'amener aussi à me couper d'une partie de moi-même dont j'ai honte. Je dois ***refouler*** mes émotions. Je vis une dualité face à la notion ***d'abstinence*** ; la pratiquer ou non et pour quelles raisons : voilà la question ! Je voudrais être ***désirable*** mais en même temps, je crains les conséquences. Je voudrais me mettre un ***foulard*** sur le visage pour me cacher à moi-même et aux autres.

J'accepte↓♥ de regarder d'un nouvel œil ce foyer qui est le mien ainsi que ma relation de couple. J'ai à harmoniser la façon dont je me perçois face à mon rôle en tant que mère et femme et ce, à tous les niveaux.

CANDIDA

VOIR AUSSI : INFECTIONS, MUGUET

Il y a plusieurs sortes de **candida**. La forme la plus fréquente chez l'être humain est le **candida albicans**. Même s'il peut se retrouver chez l'homme ou la femme, c'est souvent chez la femme que l'on en entend le plus parler. **Candida** est un mot latin qui signifie **blanche**. C'est une infection vaginale provenant de la prolifération de champignons sous forme de levure. Elle ressemble à de la levure blanche et croûteuse qui se manifeste à la suite d'un désordre de la flore vaginale. Les bactéries du vagin contrôlent normalement le **candida** mais cette fois-ci, la situation change.

Cette infection est naturellement reliée à mon **engagement** face à moi-même ou à mon partenaire par rapport à ma sexualité, à des situations, expressions et émotions non exprimées à la suite de certains conflits personnels antérieurs. Je remets en cause mon activité sexuelle et ma sexualité, mon ouverture à partager avec mon partenaire des aspects plus intimes de moi-même. L'infection risque de se produire dans la mesure où, par exemple, j'ai un nouveau partenaire et ma relation est très intime avec lui. Il y a des chances que je m'ouvre davantage à l'**amour**, au partage et au don. C'est nouveau pour moi et j'ai besoin d'un peu de temps pour traiter cette récente situation, même si le **candida** se manifeste. Le **candida** peut également découler du sentiment d'avoir été **abaissé** ou d'être ou de **se sentir sexuellement abusé** par quelqu'un. C'est une forme de **protection physique et sexuelle** car l'**irritation** m'empêche de faire l'**amour**. Qu'est-ce qui m'irrite tant ? Je vérifie quel est l'aspect intérieur de ma sexualité qui est dérangé et je trouve la véritable cause de l'irritation physique et intérieure. D'où vient ma frustration ? Est-ce que j'ai l'impression que je laisse les autres décider de ma vie ? Est-ce que je prends le risque de m'ouvrir aux autres, spécialement au sexe opposé, ou je reste enfermé dans ma coquille ? Pourquoi est-ce que je me sens mis de côté, que je me sacrifie et que je ne prends pas ma place ? Je crains de perdre ma naïveté, mon innocence, mon côté pur.

J'accepte↓♥ de prendre ma place dans la vie en me respectant. Je dois devenir le **candidat** qui remportera la victoire et qui prendra la première place. Je prends le temps de voir et d'évaluer ce qui se passe et j'accepte↓♥ l'**amour**, l'ouverture et la patience intérieures autant que ceux de mon partenaire.

CANDIDOSE

VOIR : CANDIDA, MUGUET, VAGINITE

CARDIAQUE (crise...)

VOIR : CŒUR♥ — INFARCTUS [... DU MYOCARDE]

CARIE DENTAIRE

VOIR : DENTS — CARIE DENTAIRE

CAROTIDE

VOIR : SANG — ARTÈRES

CATARACTE

VOIR : YEUX — CATARACTE

CÉCITÉ

VOIR : YEUX [MAUX D'...]

CELLULITE

La **cellulite** est caractérisée parfois par l'inflammation du tissu cellulaire sous-cutané. La **cellulite** est habituellement de nature féminine (quoique possible chez les hommes) et se manifeste par la rétention d'eau et une augmentation de la distribution irrégulière des toxines et des graisses aux fesses, aux jambes, à l'abdomen, à la nuque, au dos, etc.

La **cellulite** est reliée à des anxiétés, à des aspects de moi-même que je retiens, des émotions refoulées, des **regrets** et des **ressentiments** que je garde. C'est relié à l'engagement par rapport à moi-même ou à quelqu'un d'autre. **Je crains de m'engager pleinement** avec la personne que j'aime et je refuse d'aller de l'avant. Cette peur peut avoir sa source dans un événement où j'ai vécu de l'**abandon**. Je refuse de voir une partie de ma jeunesse, car souvent, j'ai été blessé et marqué par certaines expériences **traumatisantes** qui m'agressent encore aujourd'hui et qui freinent ma créativité et mon **cœur♥** d'enfant. La **cellulite** se retrouve beaucoup plus chez les femmes que chez les hommes car moi, en tant que femme, je commence très jeune à m'en faire avec mon **apparence**, avec ma **silhouette** que je veux parfaite selon les normes de la société. Je me sens comme une « orange pressée ». Je me trouve laide, inférieure et j'ai tendance à développer des relations de dépendances avec les autres. L'aspect esthétique est excessivement important. Je retiens mon côté créatif donc je m'intoxique moi-même en emprisonnant toute cette énergie qui veut s'exprimer, que ce soit par l'art, la communication ou la sexualité. La **culotte de cheval** me montre comment je me sens obligé de veiller constamment sur mes enfants pour qu'ils aient ce qu'il y a de mieux (ou ce qui représente mes enfants). Elle indique combien je veux protéger mon pouvoir en tant que femme (féminité) et combien j'ai peur d'être abandonnée. La **cellulite** me montre comment je vis ma vie de façon passive. Je me laisse faire par les autres au lieu d'être proactive et affirmative dans mes choix et mes actions. Mon insécurité est grande, ayant peur de perdre mon « havre de paix ».

J'accepte↓♥ d'identifier les sentiments qui m'empêchent d'aller de l'avant et de les intégrer doucement au quotidien. Je reconnais ma vraie valeur, je laisse se manifester ma créativité. Se faisant, je permets à l'énergie de circuler dans mon corps.

CÉPHALÉE

VOIR : TÊTE [MAUX DE...]

CERNÉS (yeux...)

VOIR : YEUX — CERNÉS

CERVEAU (en général)

C'est la centrale énergétique, l'unité centrale du traitement de toutes les informations de la merveilleuse machine humaine : il compte à lui seul 30 milliards de neurones ayant chacun un pouvoir particulier.

C'est le centre de commandes, faisant référence à mon autonomie et mon contrôle sur ma vie. Le **cerveau** est relié au septième chakra (chakra de la couronne) ou centre d'énergie et à la glande pinéale aussi appelée épiphyse du **cerveau**. Il possède deux hémisphères distincts. **L'hémisphère droit**, le Yin[51] des Chinois, représente le côté féminin (introverti), la créativité, la globalité des situations (vue d'ensemble des choses), l'intuition, les perceptions et l'art ; c'est l'hémisphère **récepteur**. Il gère les expériences, le « pourquoi » des choses, les sensations et le ressenti, mes perceptions du monde intérieur. Il est alimenté de faits vécus. Il est orienté vers le savoir-être. **L'hémisphère gauche**, le Yang, est celui qui **donne**, qui « domine », qui est extraverti, agressif, rationnel, logique et qui analyse tout. l est relié à la perception du monde extérieur, les concepts, les mots et nombres, le raisonnement. l gère le « comment », élabore des plans détaillés. Il est alimenté par les connaissances acquises. Il est orienté par le temps, les faits et le savoir-faire. Chaque hémisphère contrôle la moitié opposée du corps (l'hémisphère droit contrôle le côté gauche, et vice versa). Le croisement des fibres nerveuses vers le côté opposé se fait au niveau du bulbe rachidien (en haut du cou) et descend le long de la moelle épinière. C'est pourquoi, les gens qui font un accident cérébro-vasculaire du côté gauche du cerveau auront souvent une paralysie du côté droit (voir A.V.C.). Un point de croisement se fait également au niveau des nerfs optiques des yeux, siège du chakra ou centre d'énergie du troisième œil situé à la racine du nez entre les sourcils. Un cheminement équilibré doit respecter le fonctionnement global des deux hémisphères.

Le **cerveau** est l'organe représentant le siège des pensées, la connaissance, mon MOI SUPÉRIEUR, le centre de l'univers, l'identification à toute forme de divinité. Socrate ne disait-il pas : "*Connais-toi toi-même et tu connaîtras l'Univers et les Dieux*".

CERVEAU (maux au...)

Les problèmes de mon **cerveau** m'indiquent que j'ai tendance à vouloir **comprendre** avec ma tête et mon côté rationnel (hémisphère gauche) toutes les situations que je vis. Je mets de côté mes émotions (hémisphère droit) avec lesquelles j'ai peur d'entrer en contact, essayant de me convaincre qu'elles ne servent à rien ou qu'elles peuvent être plus nuisibles

---

[51] **YIN** : c'est le nom que l'on donne en médecine chinoise à l'énergie affective ou féminine. L'énergie rationnelle ou masculine est appelée **YANG**.

qu'utiles. J'ai acquis une grande rigidité quant à ma façon de penser et je veux absolument avoir raison ! Il y a des informations ou des éléments nouveaux qui se présentent à moi mais que je ne veux pas prendre en considération. Je me sens ***maladroit*** et je peux vivre beaucoup de ***confusion***. Il est donc difficile pour moi de changer d'opinion et d'admettre que je peux m'être trompé. Une **embolie cérébrale** me montre que je me sens pris dans une situation que je rumine et que je veux fuir à tout prix, même si cela implique de quitter ce monde.

J'accepte↓♥ de mettre de côté mon côté trop « adulte », sérieux et rationnel et de retrouver mon côté » enfant » qui aime rire, avoir du plaisir et qui rayonne par sa naïveté et son désir d'apprendre.

CERVEAU (abcès du...)

Lorsque l'**abcès** atteint mon **cerveau,** c'est parce qu'il provient d'une infection de mes sinus ou de mon oreille moyenne ou de toute autre partie du corps.

Cela indique ma colère face à la prise en charge de ma vie et la peur que j'ai de perdre le contrôle de mon autonomie. J'ai de la difficulté à bien analyser tous les éléments de ma vie car tout change très vite et je m'enflamme très rapidement.

J'accepte↓♥ de faire confiance dans le pouvoir divin qui m'habite et qui me guide vers des solutions qui m'aident à découvrir mon plein potentiel.

CERVEAU (tumeur au...)

La **tumeur** est une prolifération excessive de cellules anormales au **cerveau**.

La **tumeur** est reliée à des **émotions refoulées**, des **remords profonds**, des **souffrances du passé** que je retourne contre moi. La **tumeur primitive**[52] qui se développe à partir des cellules du **cerveau** signifie que ma centrale du traitement des informations enregistre encore certaines idées, croyances ou schèmes mentaux **qui n'ont plus leur raison d'être** ! La **tumeur** résulte d'un choc émotionnel et violent relié à une situation ou une personne que j'ai **beaucoup aimée** ou à quelque chose qui m'a fait beaucoup souffrir ou face auxquelles j'entretiens encore aujourd'hui de la haine, de la rancune, des peurs, de la colère et des frustrations. Ce peut être face à mon père qui me dévalorisait. Je devais sans cesse me surpasser, trouver des solutions et ma tête « surchauffait ». Si ma **tumeur** se situe sur la partie supérieure du **cerveau**, au milieu ou à l'hypophyse, c'est souvent que j'ai vécu un choc émotionnel ou que j'ai une grande peur par rapport à ma spiritualité, mon intuition, etc. Je suis très **entêté** et je refuse de changer ma façon de voir la vie et de traiter la réalité présente. C'est un conflit mental profond d'être ici en ce moment, d'accepter↓♥ ma vie et tout ce qui l'accompagne. Je suis **rigide** et **figé** dans mes pensées, je suis confus intérieurement et j'ai de la difficulté à faire le point. Je plane, je suis absent et je vis souvent dans la négation. Je pense que mes capacités intellectuelles sont insuffisantes pour trouver une solution à une situation précise : je dois me dépasser à tout prix ! Je véhicule une énergie mentale qui ne

[52] Voir la note de bas de page au sujet du **cancer généralisé** dans la section **CANCER (en général)**.

correspond plus à mes besoins les plus profonds et qui est l'opposé de mes désirs divins. Mon corps réagit fortement, et surgit alors une production hors contrôle de certaines cellules du **cerveau**. C'est un état critique et dangereux, et je dois changer mon attitude fermée en une ouverture du **cœur♥** si je veux arrêter cette **tumeur**.

Je dois prendre **conscience** que j'ai un changement radical à faire dans ma vie et que c'est le moment idéal pour le faire. Je dois me détacher du passé et de tout le négatif qui y est rattaché, et ne mettre mon attention que sur le positif et ce que je veux vraiment faire de ma vie. À partir de maintenant, j'accepte↓♥ de voir la vie d'une manière plus ouverte et flexible. Elle est en constante transformation et évolue toujours vers le mieux. C'est ma confiance personnelle qui me permettra d'atteindre ce but. J'accepte↓♥ d'écouter davantage ma voix intérieure, d'être plus spontané et je laisse aller le contrôle de mon mental.

CERVEAU — ACCIDENT VASCULAIRE CÉRÉBRAL (A.V.C.)

VOIR AUSSI : INFARCTUS [EN GÉNÉRAL], SANG/[EN GÉNÉRAL] /ARTÈRES/CIRCULATION SANGUINE, TENSION ARTÉRIELLE — HYPERTENSION

Ce type d'accident est relié à la circulation sanguine et aux vaisseaux sanguins. Il est le fait d'une hémorragie ou d'une occlusion par un caillot, que celui-ci soit d'origine artérielle ou vienne du **cœur♥**.

Il peut se manifester dans plusieurs situations qui sont toutes reliées à l'**amour.** Ce genre d'**accident** est une réaction très forte, un **non catégorique** à un équilibre, etc. m'indiquant sous quel aspect cette peur se manifeste dans ma vie. Je peux avoir l'impression de perdre les moyens de diriger ma vie. Dans le cas des **accidents cérébro-vasculaires hémorragiques**, c'est une artère qui éclate, ce qui produit un épanchement de sang sur une partie du **cerveau**. Il se peut que je vive une tension tellement grande dans mon milieu familial ou de travail que la tension accumulée se libère par cet éclatement de ma joie de vivre (le sang) qui symbolise toute la peine que je vis dans cette situation.

Selon que l'**accident** se produit dans la partie du **cerveau** droit (côté intuitif) ou du côté gauche (côté rationnel), j'accepte↓♥ d'identifier davantage le message que mon corps me donne, de refaire la paix avec moi-même et de me rétablir plus rapidement. Je visualise mon **cerveau** baignant dans un liquide fait de **lumière** blanche et dorée pour permettre à toutes mes cellules nerveuses de se régénérer ou de répartir le travail d'une nouvelle façon, afin que je puisse retrouver la santé plus rapidement.

CERVEAU — APOPLEXIE

VOIR AUSSI : CERVEAU — ACCIDENT VASCULAIRE CÉRÉBRAL A.V.C. / SYNCOPE, SANG — HÉMORRAGIE

L'apoplexie (ou **attaque cérébrale**) est un terme populaire et fait référence à **l'hémorragie parenchymateuse**. **L'apoplexie** est la suspension brusque et plus ou moins complète de toutes les fonctions du **cerveau**, caractérisée par la perte subite de connaissance et de la mobilité volontaire, avec persistance de la circulation et de la respiration. Elle résulte très souvent d'une hémorragie cérébrale.

La crise d'**apoplexie** est la manifestation du besoin extrême de **résister à la vie** et aux **changements**, du **rejet** et de la **négation** de plusieurs aspects de ma vie et de mon être. Je vis une grande indécision, j'hésite à apporter des changements dans ma vie. Le véhicule de ma joie de vivre, le sang, n'arrive plus à irriguer convenablement une partie du **cerveau**. Cette partie arrête de fonctionner et la paralysie s'ensuit. Lors d'une **crise d'apoplexie**, je suis incapable d'exprimer par la parole ou un geste ce qui me rend furieux. Je suis inquiet et confus. Je prends **conscience** que j'ai tendance à vouloir tout régler et contrôler pour les autres. Je fais de l'ingérence dans la vie des autres. Je dépasse mes limites en voulant trop en faire. En étant ainsi, je mets toute mon attention sur les autres mais je m'oublie moi-même. Je me fuis moi-même. C'est pourquoi je refuse que les autres s'ingèrent dans ma vie personnelle (comme je le fais avec les autres...). Une **crise d'apoplexie** survient souvent lorsque je suis plus âgé ; elle manifeste ma peur de vieillir, mon insécurité face au support que j'obtiendrai de ma famille, autant au niveau émotif que financier. Si je résiste à la vie, je suis d'accord pour abandonner et rester fermé. Je préfère mourir : c'est plus facile et la destruction est mon seul salut. C'est la défaite ! Cette paralysie m'empêche d'exprimer pleinement mon énergie vitale et mon potentiel créatif. Mes activités sont maintenant limitées.

Si je veux retrouver la joie qui alimente ma vie, j'accepte↓♥ de m'ouvrir à l'intuition et à l'**amour** et exprimer davantage ce que je ressens. Je commence surtout à faire de plus en plus confiance à la vie. Je mets mon attention sur mes propres valeurs et mes propres qualités. Je laisse grandir cette Vie en moi. En propageant la paix, l'**amour** et le bien-être, j'aide les autres à se sentir mieux dans la liberté et le respect de chacun.

CERVEAU (commotion) OU COMMOTION CÉRÉBRALE

La **commotion cérébrale** est l'ébranlement de l'ensemble du **cerveau** lors d'un traumatisme du crâne, aboutissant à un coma provisoire.

La **commotion** est une forme de fuite, un moyen brusque et direct de m'arrêter et d'observer franchement ce qui se passe dans ma vie. La **commotion cérébrale** vient me faire réaliser qu'inconsciemment, je m'accroche tellement à mes vieilles idées ou attitudes qu'elles se heurtent aux nouvelles qui veulent prendre place. Je peux m'accrocher aussi à quelqu'un ou quelque chose : je remets aux autres la responsabilité de ma vie. Je me définis face aux autres au lieu d'être moi-même. Je me sens en sécurité si je me sens près de quelqu'un mais cet attachement vient à m'étouffer car au fond de moi, je veux vivre ma vie et non celle que les autres veulent que je vive. Je peux fuir mes émotions dans l'alcool, la drogue, le jeu, mais, tôt ou tard je devrai faire face à la réalité. Il y a un cahot dans ma vie, je me sens ébranlé par une personne ou ses propos. Il y a une lutte « à n'en plus finir » qui m'affecte au plus haut point. Je suis amené indirectement à m'arrêter, à faire un examen de ma vie et voir dans quelles directions je veux maintenant me diriger. Je reviens à mes priorités. Aussi, j'ai peut-être la tête « trop pleine d'idées », je m'éparpille trop, j'ai besoin de revenir sur terre. Il y a bousculade et le choc s'ensuit. La **commotion** survient à la suite d'une blessure à la tête ou d'un accident qui « choque » la tête, le **cerveau** et le mental. Mon corps est temporairement

« parti » et inconscient. Où suis-je rendu dans ma vie ? Quelle direction vais-je prendre ? Est-ce que mon mental va dans toutes les directions en même temps, sans orientation réelle ?

J'accepte↓♥ de revenir sur la terre, dans la réalité, pour régler « dans le réel » et d'une façon plus adéquate les situations que je vis actuellement. Il est possible d'éviter la **commotion** en acceptant↓♥ de rester très ouvert à ce qui se passe dans ma vie.

CERVEAU — (congestion au...)

VOIR : CONGESTION

CERVEAU — CREUTZFELD-JAKOB[53] (maladie de…) ou Vache folle (maladie de la…)

La **maladie de Creutzfeld-Jakob** est une affection cérébrale très sévère, mortelle en quelques mois, touchant des personnes de la cinquantaine et plus, et responsable d'un tableau de démence avec atteinte neurologique majeure. C'est une maladie rare de l'humain, transmissible : on parle d'encéphalopatie spongiforme humaine. Il s'agit d'une démence ou atteinte des fonctions "intellectuelles" ou fonctions cognitives (de connaissance) de la personne. Elle est très semblable à l'infection par prions (particules infectieuses) transmise par l'ingestion de viande de vaches malades appelée communément la **maladie de la vache folle**.

Cette maladie se manifeste quand je m'interroge sur ma vie : je ne sais plus où « donner de la tête ». Je vis ma vie à la surface, comme un automate ou un animal. J'aime quand tout est réglé, qu'il n'y a pas de surprise. J'évite la souffrance et la douleur sous toutes ses formes. Je préfère garder une distance face aux gens et face à mes propres émotions. Ainsi, je mets de côté mes capacités et tout mon potentiel créatif. Je fuis une réalité dérangeante pour moi. Une indifférence face à la vie en général s'est installée au cours des années. Suis-je encore bien avec ce mode de fonctionnement ? Est-ce que la vie cherche à me donner plus mais j'ai fermé les portes ne pensant ne pas mériter plus ? L'absence et la superficialité dans lesquelles je vis rendent ma vie inconfortable. Je me cache derrière un titre, un bureau, un livre, un sport que je pratique de façon démesurée, etc. Je n'hésite pas à utiliser une certaine cruauté pour aller chercher ce que je veux. Je suis un peu « ***cannibale*** » et je suis indifférent au mal que je peux faire face à certaines personnes. Je refuse de m'engager totalement dans la vie. Ayant peur d'être blessé, j'évite les contacts humains. Il y a absence de communication avec mes propres émotions et les personnes qui m'entourent. Je préfère « sommeiller » dans ma vie, et mon **cerveau** en fait de même.

Au lieu de me rejeter moi-même et du reste du monde, j'accepte↓♥ d'entrer en contact, en communication avec l'univers qui m'entoure. J'accepte↓♥ de laisser s'épanouir tous mes sens afin de vivre le plus d'expériences possible. Quelles que soient les émotions qui vont surgir, je suis constamment protégé. Je laisse la joie de vivre s'installer dans toutes les cellules de mon corps et spécialement celles de mon **cerveau**. Je mets

[53] **Creutzfeld-Jakob :** il s'agit du nom des médecins allemands, Creutzfeld et Jakob, qui ont décrit pour la première fois la maladie en 1920.

mes mécanismes de fuite de côté et j'embrasse la vie et toutes les expériences qu'elle veut m'offrir. En accueillant tout mon potentiel, je découvre ma vraie valeur et je peux ainsi accomplir des choses avec joie et motivation et aller vers la réalisation de soi.

CERVEAU — ENCÉPHALITE

L'encéphale comprend le **cerveau**, le cervelet et le tronc cérébral. **L'encéphale** est la partie supérieure de mon système nerveux qui contrôle tout mon organisme.

L'encéphale représente donc mon individualité à son plus haut niveau. Même si en général la tête représente aussi mon individualité, **l'encéphale** représente mon individualité intérieure. Lorsqu'il y a affection inflammatoire au niveau de **l'encéphale**, celle-ci est appelée **encéphalite** (l'épidémie de grippe espagnole dans les années 1916-1920 est légendaire). Cela correspond à de la colère par rapport à qui je suis. Je dis non à la vie pour les changements qu'elle me présente. Je crains de perdre mon individualité, mes acquis dans ce que je suis. J'ai peur de perdre le contrôle de moi-même et de ce qui m'arrive ou de ce qui peut m'arriver. Je me sens limité dans l'expression de moi-même. Je me sens incapable quand je ne peux pas analyser ma vie et que tout est flou.

J'accepte↓♥ de m'ouvrir à de nouvelles facettes de moi-même, à faire confiance à la vie. Je remplace la rigidité par la flexibilité, l'encadrement strict de certaines parties de moi-même par de l'ouverture afin de découvrir de nouvelles facettes de moi-même. Je me donne l'**amour** et la compréhension dont j'ai besoin, et je laisse la paix intérieure s'installer en moi

CERVEAU — ÉPILEPSIE

L'**épilepsie** est causée par une mauvaise communication et en tout cas par une hyperexcitabilité entre les cellules du **cerveau**. L'influx nerveux accumulé qui en résulte crée une surcharge et la formation d'ondes de choc qui attaquent les autres parties de mon **cerveau**. Les crises d'**épilepsie** peuvent être de différentes intensités.

Ainsi, je peux faire partie des personnes qui sont simplement » dans la lune » pendant quelques instants, avec une perte de **conscience** de quelques secondes : cela est appelé le « **petit mal** ». Cela indique que je veux fuir une situation, trouvant mes responsabilités trop grandes. Cela me faire vivre beaucoup d'anxiété et d'impatience. Mon **cerveau** surchauffe car je mets trop mon attention sur mon côté rationnel au lieu de vivre d'une façon plus spontanée. Je suis coupé de mes émotions et je ne sais qu'en faire. Une **crise d'épilepsie** met en **lumière** une grande violence retournée face à soi-même et me montre comment j'ai tendance à me punir puisque je me juge sévèrement. Je peux faire partie de ceux qui perdent **conscience** complètement et subissent des convulsions assez fortes pendant cinq à dix minutes, ce qui est communément appelé le « **grand mal** ». Pour vivre une telle situation, c'est sûrement parce que je crois que la vie ne m'apporte que rejet, violence, colère et désespoir. J'ai l'impression de toujours avoir à combattre. Je me sens persécuté. Je me sens coupable de l'agressivité qui monte en moi et je la refoule. Je réprime d'ailleurs tous les sentiments qui veulent s'exprimer. Mon incertitude m'amène à avoir des idées plein la tête mais elles sont toutes un peu embrouillées. Cela amène une grande instabilité dans ma vie. J'ai l'impression de vivre dans une prison, ayant l'impression d'avoir eu à me soumettre à mon entourage, ma liberté étant ainsi brimée. Je me sens sous ***l'emprise*** de quelqu'un ou de quelque chose de plus grand que moi. Je dois me battre contre un ennemi que je ne connais parfois même pas ! Je résiste tellement que mon corps doit, à un certain moment, libérer cette surcharge d'émotions et de frustration. Je vis une intense angoisse qui m'amène à perdre le contrôle de mes commandes. Je crains de perdre quelqu'un ou quelque chose qui « m'appartient » et d'en être séparé. Un vent de panique souffle dans ma vie car j'ai l'impression de ne plus avoir le contrôle de ma vie. Je me protège en perdant **conscience**. Puisque mes relations avec les autres et la société sont très difficiles, je veux m'en couper complètement de façon temporaire pour me permettre « de reprendre mon souffle ». Cela met en évidence la profonde dualité que je vis et l'impression d'être pris au piège. J'aime me punir et me traiter durement. Au lieu d'écouter mon intuition et de vivre le moment présent, je vis dans ma tête et je donne priorité à mes pensées et les choses que je m'oblige à faire. Mes « circuits nerveux » surchauffent. Je veux tellement contrôler mon entourage que mon corps devient « hors de contrôle » pour justement me faire prendre **conscience** que la seule maîtrise que je peux avoir est sur moi-même. J'en ai assez, cela me demande beaucoup trop d'effort. Je rejette cette vie qui s'acharne à me faire souffrir. Je veux devenir insensible en me repliant sur moi-même. C'est souvent le désespoir ou la colère qui m'y incitent. En même temps, je vais me sentir persécuté par la vie, laissant celle-ci véhiculer une certaine violence envers moi. Le rejet de soi est extrême et il en résulte un conflit d'individualité. Lors de la crise d'**épilepsie**, mon corps se raidit pour protester contre ces blessures et les convulsions déferlent, telles de très fortes vagues qui me permettent de laisser sortir ma colère, mon amertume et mon agressivité longtemps réprimées. Je n'ai d'autre choix que de me laisser aller aux sentiments intenses qui m'habitent. Je fuis dans l'inconscient ces situations qui me font tant souffrir, parce que j'ai peur, que je suis dérangé ou que je souffre. Le mental n'a, à ce moment, aucun contrôle. J'ai l'impression de me battre contre un fantôme. Pendant une crise, j'observe les mouvements effectués et ils expriment ce que je n'ai pas pu ou voulu manifester auparavant, avec des mots ou des gestes. C'est comme une libération. L'**épilepsie** avertit ainsi mon entourage de mon grand besoin d'**amour** et d'attention. La cause profonde de l'**épilepsie** remonte souvent au début de l'enfance et peut même remonter au temps de la grossesse : comme enfant, je me suis hautement culpabilisé ; cela me suit tout au long de ma vie et je vois celle-ci comme un combat de tous les jours. Il peut aussi s'agir d'un abus, sexuel ou autre, ou perçu comme tel, ou d'un rejet antérieur ou vécu dans la tendre enfance comme une **séparation**. Le fait de se sentir séparé de quelqu'un implique une perte de contact sur le plan physique avec celui-ci. Il peut s'agir de ma relation avec mon père avec qui j'aurais tant voulu être proche et faire des choses. Ou ce peuvent être mes propres enfants dont je n'ai pas autant de nouvelles que je le voudrais ou avec qui j'ai perdu contact. La **crise d'épilepsie** peut donc devenir une manière d'obtenir ou de gagner davantage d'attention aussi bien que de renforcer mon sentiment de supériorité. Comme l'**épilepsie** indique une surcharge du **circuit nerveux**, cela démontre que ce avec quoi je dois traiter dans ma vie de tous les jours prend trop de place ; il se produit une situation où je dois choisir. Ce sentiment d'être surchargé peut être le résultat d'événements que j'amplifie (j'exagère) dans mon esprit (mental). Cette exagération peut conduire à l'arrogance en m'amenant à penser que j'en sais plus que quiconque. Il peut aussi exister une tendance à une trop grande abstraction ou encore, une trop grande adhésion aux royaumes psychiques. J'évite ainsi de traiter avec la réalité objective. L'**épilepsie** peut aussi être la conséquence d'une peur bleue que j'ai (par rapport à la mort, la maladie, peur de perdre quelqu'un, etc.). Une coloration de motricité, comme pour m'empêcher d'avancer, s'ajoute à ma peur (par exemple : si je dois me rendre à des funérailles (mort) et que je ne veux pas y aller). Je suis dans l'impossibilité de faire quelque chose tout de suite !

Je prends **conscience** de ce qui se passe en moi et j'accepte↓♥ de ne plus concentrer mes efforts sur le négatif seulement et de voir à quel point l'univers m'apporte aussi amour et beauté. Mon corps me dit par ces **crises d'épilepsie** de me réveiller, de cesser de vivre dans ma prison de pensées. **J'accepte↓♥** de lâcher prise et de vivre ma vie pleinement et d'une façon plus spontanée. Je laisse le contrôle aux autres. Je me libère de toutes ces émotions que je désire partager avec les autres, sachant que c'est la seule façon de sortir de cette prison que j'avais érigée. Je trouverai ainsi ma vérité et la place qui me revient.

CERVEAU — ÉQUILIBRE (perte d'...) OU ÉTOURDISSEMENTS

Sur le plan physique, l'**équilibre** est maintenu par la répartition de mon poids sur mon corps, ce qui me permet de me mouvoir sans pencher d'un côté ou de l'autre. Le contrôle de l'équilibre se fait au niveau de l'oreille interne, dans le labyrinthe. Les commandes du mouvement, quant à elles, viennent de mon **cerveau** : soit de mon système visuel, de mon système proprioceptif[54], soit de mon système vestibulaire dans mon oreille interne et surtout du **cervelet** qui en fait l'intégration.

Lorsque mon **cerveau** se sent **bousculé** et **dépassé** par les situations ou les événements, il est tiraillé dans toutes les directions en même temps et **perd son équilibre**. Mes idées sont éparpillées et je ne peux pas réfléchir clairement. La **perte d'équilibre** ou l'**étourdissement** sont associés parfois à l'**hypoglycémie**[55] : je manque de douceur dans ma vie. Cette fuite peut être reliée à une situation ou à un individu dont j'ai l'impression que l'évolution est trop rapide pour moi. Ces vertiges se produisent quand ma réalité devient accablante, car j'ai entretenu de fausses idées qui ont fait surface en conséquence de mes attentes qui n'ont pas été nécessairement satisfaites. Je perds alors mon sentiment d'équilibre et d'harmonie. Mon discernement est affecté et j'ai l'impression que ma vie est « sens dessus dessous » .Bien que l'**étourdissement** puisse provenir de différentes causes d'ordre physique comme l'**hypoglycémie** (manque de sucre dans le sang), l'**hypotension** (basse pression sanguine), un **ralentissement cardiaque**, un problème au niveau de l'oreille ou d'un déficit au niveau de l'énergie du rein, ce malaise est relié à la **fuite**. En effet, lorsque je me sens tiraillé,

---

[54] **Système proprioceptif :** fait de récepteurs microscopiques sensitifs me renseignant sur mes articulations, du tonus musculaire et de la position de mes articulations.
[55] **Hypoglycémie** : manque de sucre (glucose) dans le sang.
(voir : SANG — HYPOGLYCÉMIE)

consciemment ou non, je cherche à » m'étourdir » pour oublier ce que je vis. Mes énergies sont disséminées, éparpillées et cela me donne l'impression de ne plus avoir de pouvoir sur ma vie. Je veux faire un grand détour mais je sais qu'au bout du chemin, j'aurai à faire face à ce qui me fait peur. Une **labyrinthite** m'indique que je me perds dans des détails, des tâches ou activités qui sont secondaires pour le moment. Je ne vois plus clair dans ma vie, je me sens dans un labyrinthe. Une partie de moi résiste aux changements qui s'en viennent. Je me suis engagé dans une entreprise et je ne peux plus arrêter ou tout au moins, ralentir. Je n'ai plus la maîtrise de la situation et cela crée de l'angoisse. L'incertitude me paralyse. Le doute m'amène à m'accrocher à des personnes ou des choses. Je refoule mes émotions et cela m'amène à vivre de façon superficielle.

J'accepte↓♥ de prendre **conscience** que je vais dans trop de directions à la fois et je m'accorde le temps nécessaire pour reprendre mon **équilibre**. J'écoute également les messages que mon corps m'envoie et j'accepte↓♥ de me donner du temps et des douceurs. Je prends le temps de savourer tout ce qui est beau et bon dans ma vie. J'identifie clairement mes priorités et j'affirme mes choix avec conviction. Je continue à avancer, sachant que je suis Maître de ma vie. Je n'ai plus à attendre l'approbation des autres, spécialement celle de mes parents. J'accepte↓♥ d'être différent et que de mériter d'être heureux. J'ouvre mon **cœur♥ pour** accueillir l'**amour** et la joie dans ma vie.

CERVEAU — ÉTAT VÉGÉTATIF CHRONIQUE

VOIR AUSSI : CHRONIQUE [MALADIE...]

Lorsque je suis dans cet état, je n'ai pas d'activité consciente décelable. Je vis dans un état communément appelé « **végétatif** ». Mon **cerveau** est affecté à la suite d'un arrêt circulatoire prolongé ou à cause d'un traumatisme crânien.

Comme mon **cerveau** correspond à mon individualisme, je vis de grandes peurs ou de la culpabilité, jusqu'à vouloir inconsciemment fuir la vie. Je me sens incapable de mettre des projets à terme, d'accomplir de grandes réalisations. Voyant mon pouvoir limité, j'en viens à vouloir « me déconnecter » de ce monde que je trouve injuste.

J'accepte↓♥ qu'en étant dans cet état, le fait que je sois encore en vie permette à mes proches d'apprivoiser graduellement mon départ de ce monde et de m'exprimer leur amour tandis que moi, je peux commencer à me préparer dans le calme à quitter ce monde pour des réalités et des plans de **conscience** supérieurs.

CERVEAU — HÉMIPLÉGIE

VOIR AUSSI : CERVEAU/[ABCÈS DU ...] ACCIDENT VASCULAIRE CÉRÉBRAL [A.V.C.]

L'**hémiplégie** est une paralysie d'une moitié du corps (gauche ou droite) causée par une lésion du **cerveau**. Elle peut survenir après un grand choc, tant physique qu'émotionnel, comme par exemple le décès d'un être cher (« ma douce moitié »), ce qui amènera souvent un état très profond de désespoir et une sensibilité grandement affectée.

J'ai l'impression qu'on m'a ***fusillé***. Une explosion de rage peut aussi en être la cause. Par exemple, je peux avoir été élevé par deux ***mères*** et cela ne me convenait pas du tout. Mon corps me dit qu'une partie de moi ne peut plus agir, qu'il n'a plus la force. Est-ce un sentiment d'impuissance face à une situation contrariante ? Je me sens déchiré en deux, on veut m'arracher quelque chose ou quelqu'un qui m'est cher. J'ai constamment besoin d'aide car je ne peux pas assumer les obligations de la vie au quotidien. Je fais les choses à moitié, et cela me dérange. Je peux aussi vivre ma vie à moitié. Le côté qui est affecté m'indique si c'est davantage mon côté affectif (côté gauche) ou mon côté rationnel (côté droit) qui est en cause.

J'accepte↓♥ de me donner du temps pour guérir mes blessures, sachant que toute expérience, aussi difficile soit-elle, m'amène à devenir une personne plus consciente et plus forte.

CERVEAU — HUNTINGTON (maladie de…) OU (Chorée de…)

VOIR AUSSI : CERVEAU — TICS

La **maladie de Huntington**[56] ou **chorée de Huntington** ou **héréditaire** est une maladie rare et dite héréditaire, touchant le système nerveux et la contraction des muscles. Elle se manifeste habituellement entre 35 et 50 ans, amenant des mouvements saccadés et une détérioration intellectuelle évolutive. Cette maladie provoque certains troubles mentaux, impulsivité, agressivité ou dépression.

Je vis dans un désert émotionnel, me sentant complètement coupé des autres, spécialement de mon/ma partenaire. Je vis un immense vide. Je suis hanté par mes désirs que je pense irréalisables. Je suis à la recherche de mon identité. Je vais « à la chasse » aux relations, surtout si je vis seul. Mais ces dernières sont superficielles, à la surface. Les autres me semblent inaccessibles. Puisqu'ils ne comblent pas mes désirs, je deviens frustré, rancunier. Je vais à gauche et à droite, me jetant sur tout ce qui passe, pensant avoir à chaque fois trouvé ce qui va me rendre heureux. Mais je ne vais que d'une déception à une autre.

J'accepte↓♥ ici et maintenant de me prendre en main. J'apprends à me connaître, à reconnaître les émotions qui m'habitent et le pouvoir que j'ai à changer ma vie. Au lieu d'attendre après les autres, je mets des choses en avant afin de réaliser mes objectifs. Au lieu de vouloir m'appuyer sur les autres, je me connecte à mon pouvoir intérieur. Je vais à mon propre rythme. Je suis à l'écoute de mes sens et je prends le temps de savourer chaque instant de ma vie, même dans les plus petites choses. Cela me permettra de me reconnecter davantage à la vie terrestre et me procurera un plus grand équilibre.

CERVEAU — HYDROCÉPHALIE

L'**hydrocéphalie** est un excès de liquide céphalorachidien dans les cavités du cerveau.

---

[56] **Huntington** (George) (1851-1916) : médecin américain établi à New-York. Il pratique à Long Island et décrit en 1872 les formes chroniques familiales de la chorée. La chorée hérédofamiliale porte son nom.

Je m'interroge constamment sur la place que j'occupe ici sur terre. Je me sens abandonné et il m'arrive même de ne pas me sentir sur la bonne planète. Je porte en moi une tristesse profonde puisque j'ai l'impression que je n'aurais pas dû venir au monde. Il m'est difficile de faire face à la réalité. Il m'arrive parfois de penser que je voudrais retourner là-haut car je ne me sens pas en harmonie avec mon milieu. Mes émotions non canalisées continuent à se congestionner et sont « à la veille de déborder ».

J'accepte↓♥ de laisser circuler mes pensées et mes émotions, me permettant ainsi de prendre contact davantage avec mon corps et l'univers qui m'entoure. Je suis sûr d'avoir un rôle à jouer ici et j'accepte↓♥ de le découvrir et de l'assumer. Je vis ainsi dans la joie du moment présent !

CERVEAU — MÉNINGITE

VOIR AUSSI : INFLAMMATION, SYSTÈME IMMUNITAIRE, TÊTE

La **méningite** est une infection du liquide céphalorachidien résultant de l'inflammation de la membrane recouvrant le **cerveau** et la moelle épinière. Elle indique une faiblesse du système immunitaire et une incapacité à s'autoprotéger.

La **méningite** me signale une faiblesse et une incapacité à lutter contre des pressions extérieures très fortes, surtout sur le plan intellectuel. C'est souvent parce que j'ai de la difficulté à me protéger. Étant hypersensible, je vis tout plus intensément et je suis affecté plus profondément, même par des choses qui semblent banales pour d'autres. J'ai tellement de pensées qui se bousculent qu'elles « compressent » mon **cerveau**. Je me « creuse constamment les **méninges** ». Cela s'ajoute à tous mes sentiments d'agressivité, de frustration que je suis incapable de verbaliser. On ***m'agace*** mais je ne sais pas comment me ***défendre***. Une partie de moi est inexistante, presque morte car je la renie ou je me la cache à moi-même et aux autres : c'est tout mon côté créatif, extravagant, sensible. Je préfère me fondre dans la masse, passer inaperçu. Je me sens en prison mais, en même temps, je préfère cela plutôt que regarder mon visage dans le miroir et y découvrir qui je suis vraiment. Au lieu d'aller voir dans mon **cœur♥** ce qui se passe, je préfère rester dans ma tête. C'est une façon de me protéger. Je suis hypersensible et j'ai tendance à tout prendre sur mes épaules et à vouloir régler les problèmes de la planète entière ! J'ai peur de « perdre la tête », de me « faire couper la tête », que ma « tête va sauter », comme par exemple quand je pense que je vais perdre mon emploi. Étant enfant, je peux avoir été très enveloppé, couvé par ma ***mère*** et maintenant, je dois me ***défendre*** moi-même. Je peux aussi ressentir que l'**amour** est nié dans la maison où je vis, ou que quelque chose ou quelqu'un dans celle-ci « me tombe royalement sur les nerfs ». Cette maladie me donne comme message de me préserver des coups venant de l'extérieur et de ne pas me sentir coupable des agissements des autres, tout en me responsabilisant moi-même. Autrement, c'est la **révolte** qui gronde, je suis contrarié et la frayeur s'empare de moi. Comme le **cerveau** régit le corps entier, la **méningite** implique une profonde faiblesse intérieure qui m'attaque au plus profond de mon être.

Comme la **méningite** met en péril la centrale de commande de mon corps, le **cerveau**, je dois impérativement accepter↓♥ de prendre la décision de vivre et de me prendre en mains, de garder la « tête haute » et de faire jaillir en moi cette force intérieure qui me permettra de continuer une vie enrichissante et remplie d'expériences merveilleuses. J'apprends à faire confiance et j'accepte↓♥ d'aller voir dans mon **cœur♥** les trésors qui s'y trouvent. Je regarde aussi toutes les émotions que j'ai si longtemps retenues et j'accepte↓♥ de les laisser aller. Je découvre les talents qui m'habitent. En me reconnectant avec mon côté créatif et artistique, je permets à mon **cerveau** de « souffler un peu ». Il a ainsi l'occasion de se reposer et mon niveau de stress et ma pression intérieure vont par conséquent diminuer. J'apprends à « être », en toute simplicité. Je redeviens ainsi maître de ma vie.

CERVEAU — PARALYSIE CÉRÉBRALE

La **paralysie cérébrale** survient souvent dès la naissance et se manifeste par une anomalie au niveau du **cerveau**. Le tissu cérébral est paralysé partiellement ou en entier, selon la nature du traumatisme.

Je me demande souvent pourquoi, comme enfant, dès la naissance, je souffre déjà de cette **paralysie**. Je peux supposer une trame karmique antérieure[57], un pattern ou une expérience « avant la naissance » si violente, un traumatisme mental si intense qu'il entraîne une fermeture complète, un arrêt de tout mouvement vers l'avant, empêchant la progression. Je suis en quelque sorte prisonnier de mon passé, d'une structure qui me limite au lieu de me faire grandir et évoluer. Je peux me sentir paralysé, forcé de suivre un chemin qui ne me plaît pas. Ce peuvent être les attentes de mes parents face à moi, celles de la société ou même celles de ma généalogie, ma famille qui espèrent en quelque sorte réparer les erreurs du passé. Comme si je pouvais « sauver la face », « redorer le blason » de la famille. Puis-je vraiment accomplir ce mandat ?... La **paralysie cérébrale** est un état encore dit irréversible (je dis « encore » car on ne peut prédire la médecine du futur) et je ne peux être libéré de ceci malgré l'**amour** inconditionnel et l'attention des gens autour de moi. Quand la guérison se manifeste, elle est davantage sur le plan spirituel.

CERVEAU — PARKINSON[58] (maladie de...)

VOIR AUSSI : NERFS, TREMBLEMENTS

La maladie de **Parkinson** est la détérioration des centres nerveux du **cerveau**, particulièrement dans les régions contrôlant les mouvements. Des tremblements apparaissent et affectent habituellement les mains et la tête.

Lorsque je tremble et que je ***trépide***, c'est parce que je ressens ou vois un danger qui me guette ou guette quelqu'un que j'aime ; que ce soient la crainte de perdre le contrôle (que je perds de plus en plus !), l'insécurité ou l'impuissance d'aller de l'avant dans la vie. Je me sens aussi impuissant ou incapable d'être le meilleur. Je trouve que ma vie est très ***chaotique*** et j'ai besoin de plus de stabilité mais je semble avoir de la difficulté à atteindre cet état. Je ***hoche*** la tête en signe de désespoir. J'ai peur du futur, de ne plus vivre donc à quoi bon terminer les choses ? Je peux aussi avoir vécu un

---

[57] « **Une trame karmique antérieure** » : pour ceux qui croient à la réincarnation, cela veut dire que cela peut provenir d'une cause reliée à une vie antérieure.

[58] **PARKINSON** (James) : ce médecin anglais (1755-1824) décrivit la maladie de la *paralysie tremblante* qui porte aujourd'hui son nom.

traumatisme, un abus ou des difficultés qui ont laissé des traces, et face auxquels je vis les sentiments suivants : peine, frustration, culpabilité, rage, dépression qui m'amènent à l'épuisement, au découragement, et que je veux fuir au lieu d'y faire face et de les régler. Je peux m'être senti limité par mon milieu éducatif trop sévère et où la performance était de première importance. J'étais probablement un enfant très ***agité***. Lorsque je suis en parfaite santé et que je tremble, il arrive souvent que ce soit parce que je suis nerveux et que j'ai peur d'accomplir une tâche à cause de mon manque de confiance en moi. Je ***crains*** toujours le pire. Ces mêmes tremblements peuvent venir à se manifester d'une façon plus fréquente et automatique, et ils seront diagnostiqués plus tard comme étant la **maladie de Parkinson**. Donc, si j'en suis atteint, il est fort probable que j'ai vécu beaucoup de situations où on m'imposait une certaine façon de faire les choses qui m'amenait à vivre de la nervosité intérieure. On ***m'empêchait*** d'être moi-même. Ce pouvait être aussi une situation ou je devais retenir mon geste. Lorsque « j'en ai plein les nerfs », que je veux que la douleur ***cesse***, mon corps survolté n'en peut plus et la surcharge entraîne des réactions permanentes de celui-ci[59]. C'est comme si la haine que j'ai accumulée faisait bouger tout mon corps. Le geste qu'on m'a interdit veut se manifester, comme pour montrer que je suis en vie. J'ai l'impression d'être dans une voiture qui est stationnée et qui ne peut avancer. Je dois faire du « sur-place » et cela m'irrite au plus haut point. Je m'autodétruis lentement, produisant la détérioration de la fonction nerveuse actuelle. Une impuissance au niveau de la motricité de mes **membres supérieurs** (particulièrement mes bras et mes mains) a sa source très souvent dans une situation que je vis où je voulais repousser une personne, une chose ou un événement ou, au contraire, que je voulais ***saisir*** et retenir et je me suis senti incapable (soit physiquement soit moralement) de le faire. Cela peut avoir entraîner des conséquences graves, pouvant aller jusqu'à la mort. Cela arrive quand mon/ma conjointe est sur le point de quitter son corps physique et que je veux le/la retenir de toutes mes forces. Ayant eu l'impression que j'avais failli à la tâche, c'est comme si mon corps avait enregistré un stress et qu'ayant besoin de se libérer, il commençait à bouger. sans « ma permission ». Si ce sont les **membres inférieurs** qui sont touchés (mes jambes et mes pieds), c'est avec ceux-ci que j'aurais voulu soit repousser soit ramener à moi la personne, chose ou événement concerné. J'ai le goût de fuir cette situation dans laquelle je me sens dépassé et que je perçois comme étant sans issue. J'ai tendance à vouloir tout contrôler et la maladie me rappelle que je ne peux pas avoir le contrôle sur les autres. Je n'ai même plus le contrôle sur mes propres membres ! Je veux désespérément contrôler les autres mais je prends **conscience** que je ne peux avoir la maîtrise que sur moi-même.

J'accepte↓♥ de me reprendre en main et d'apprendre à contrôler MA vie et non pas celle des autres, en faisant confiance en la Vie, et de me dire que je mérite de vivre. Je me laisse guider par l'**amour**. Il est beaucoup plus facile de laisser les autres libres. Au lieu de vouloir prouver quoi que ce soit aux autres, j'accepte↓♥ de montrer à tout le reste du monde mon univers intérieur avec toutes les émotions qui y ont tété accumulées pendant ces nombreuses années. Je suis moi-même, avec mon **cœur♥** d'enfant et je vis maintenant ma vie d'une façon spontanée.

---

[59] Il est intéressant de noter que cette maladie atteint en majorité les hommes qui sont, par nature plus YANG, donc dans l'action, ce qui implique forcément le mouvement.

CERVEAU — SYNCOPE

Une **syncope** se diagnostique par la perte de **conscience** complète, réversible, mais brève. La perte de **conscience** provient d'un manque d'oxygénation du **cerveau**. Elle peut être la conséquence d'un arrêt cardiaque mais pas nécessairement. Cela peut provenir d'une forme d'asphyxie, ou être lié à des vaisseaux sanguins qui se dilatent brutalement à la suite d'un choc émotionnel, laissant peu de sang au **cerveau**, donc peu d'oxygène.

C'est l'esprit qui quitte mon corps pour un court instant. C'est comme si je choisissais de me replier sur moi-même et de me couper du monde physique ; je suis en révolte, ne sachant plus comment faire face à une certaine situation. J'ai perdu espoir d'être libéré de celle-ci. Je veux me retirer de la vie car c'est trop pour moi ce qui se passe. Au lieu de suivre ce que me dicte ma voix intérieure, je préfère suivre ce que les autres attendent de moi. La **syncope** est un signe que je dois me « réveiller » et faire vraiment ce qui m'apporte du plaisir. Cet état ne peut être comparé à celui d'un yogi[60] puisque ce dernier est en pleine maîtrise d'une discipline visant à libérer son esprit de toutes contraintes du corps dans l'harmonisation du mouvement, du rythme et du souffle.

J'accepte↓♥ de prendre **conscience** de ce qui m'a amené à fuir ainsi mon corps physique, quelle est l'angoisse, le sentiment de panique intérieure qui ont produit une telle situation. Je sais qu'en toutes circonstances, je suis guidé et protégé et j'accepte↓♥ de rester pleinement conscient de la vie qui est en moi. Je reprends ainsi ma place dans cet univers et je peux ainsi respirer à pleins poumons !

CERVEAU — SYNDROME D'ADAMS-STOKES

VOIR AUSSI : CERVEAU —ÉPILEPSIE/SYNCOPE, VERTIGE

Le **syndrome d'Adams-Stokes** est un accident neurologique qui est dû à une brusque diminution de l'irrigation cérébrale.

Puisque les battements du **cœur♥** diminuent, je dois me demander de quelle situation je veux me soustraire car je ne sais comment la gérer. Mes peines sont grandes, profondes et je m'accroche à certains souvenirs douloureux. Il m'est difficile de vivre des moments de joie car il y a un deuil non terminé (d'ordre affectif ou professionnel). J'emmagasine facilement l'amertume, je suis entêté, je ne veux pas lâcher prise. Je repousse le délai qui me permettrait de passer à autre chose mais j'ai peur de l'inconnu.

Je cesse de rationaliser cette peine et j'accepte↓♥ de faire mon deuil de la situation. J'accepte↓♥ de laisser aller tout ce sur quoi je n'ai aucun contrôle et qui est néfaste pour moi. Je mets mon attention sur les bonnes choses de la vie. J'ouvre mon esprit à accepter↓♥ que le passé est derrière moi, et je choisis d'aller de l'avant, sachant voir les leçons à tirer de mes expériences passées. Je fais ainsi la paix avec l'histoire de ma vie. Je laisse circuler la vie en moi et en chacun de mes neurones. Je consens à rester réceptif à vivre de nouvelles expériences qui me permettront d'expérimenter

[60] **Yogi** : se dit d'une personne qui a atteint un certain stade dans son évolution spirituelle. Par la pratique de la méditation, elle peut quitter son corps consciemment pour une durée variable. Certaines personnes peuvent même ralentir ou pratiquement arrêter les battements de leur **cœur♥** pour le faire repartir ensuite.

dans le partage, la joie, le bonheur ainsi que de donner et de recevoir l'**amour.**

CERVEAU — TICS

Les **tics**, définis comme étant l'exécution soudaine de mouvements répétitifs et involontaires, démontrent un dérèglement de la tension nerveuse et un déséquilibre au niveau du **cerveau**.

Si j'ai un ou des **tics**, il y a de fortes chances que je sois un être très émotif, que je refoule beaucoup d'agressivité et qu'étant jeune, j'aie perçu l'éducation reçue comme rigide et perfectionniste. De cette façon, j'extériorise mon inquiétude et l'amertume que je ressens au fond de moi. Je peux vivre une situation où je me sens dans une ***impasse, acculé*** au pied du mur. Je manque de temps, un danger me guette. Quelque chose est sur le point d'exploser (peut-être mes propres émotions !), un secret de famille veut se faire jour. Si je suis un garçon, il se peut que j'aie été affecté par des actions que quelqu'un qui représentait l'autorité pour moi a pu me demander de faire. Cela expliquerait pourquoi il y a près de 4 fois plus de garçons que de filles qui ont des **tics**. C'est que les filles, en général, sont plus réceptrices par rapport à l'autorité et donc, moins affectées, toujours en général, par cet aspect. Je peux m'être senti contrarié par rapport à certains mouvements qu'on m'a empêché de faire étant plus jeune (comme par exemple si on m'interdisait de bouger à l'église) et que maintenant mon corps bouge, bien malgré moi, comme par réaction et rébellion face à ce qu'on m'a déjà interdit de faire. Je peux même avoir eu l'impression de « perdre la face » devant quelqu'un, ce qui entraîne des **tics** particulièrement au niveau de la **figure**. Ma face veut repousser le danger, l'agresseur. J'ai été irrité, énervé ou même ***agacé*** et maintenant, ce sont mes propres **tics** qui m'agacent. J'ai des **tics de la mâchoire** lorsque dans mon enfance, on m'a souvent dit de « me la fermer ». La rage accumulée et non exprimée ressort : par le **tic**, c'est comme si je parlais dans le silence. Des **clignements des yeux** inhabituels peuvent me rappeler un expérience où on me « faisait de l'œil » ou dire que je recherche sans succès l'attention et le regard de l'autre .

J'accepte↓♥ de prendre **conscience** de cet état, de nettoyer les blocages du passé et d'exprimer clairement mes besoins.

CHAGRIN

VOIR AUSSI : MÉLANCOLIE

Le **chagrin** est relié à une forme d'anxiété, une inquiétude ou une tristesse qui se manifestent par des pleurs, des sons de douleurs, de la solitude, des grincements de dents.

Mon **cœur♥** est blessé et malade à la suite d'une expérience passée regrettable et douloureuse. Mon **chagrin** peut être long ou ne durer qu'un instant. Je cherche la cause véritable souvent profonde ou inconsciente. Après des années, plusieurs blessures d'enfance peuvent ressurgir ainsi que certaines prises de **conscience**.

J'accepte↓♥ de rester ouvert à ce que je vis et d'identifier rapidement la véritable source de mon **chagrin** pour pouvoir le changer. J'accepte↓♥ ma prise de **conscience** et je l'intègre. De cette façon, je retrouve ma joie de vivre et j'en ressors « grandi ».

CHALAZION

VOIR AUSSI : PAUPIÈRES

C'est une petite tumeur inflammatoire (nodule rouge, souple) située habituellement sur le bord intérieur de la paupière.

Comme la tumeur est généralement reliée au choc émotionnel, elle se produit lorsque je vis une émotion intense par rapport à ce que je vois, à ce que j'ai vu ou ce que je ne peux plus voir et que je trouve cela moche. Beaucoup de choses me sont imposées, je dois évoluer, à l'intérieur de règles et de contraintes rigides et je n'en peux plus. Je suis frustré et je vis beaucoup de colère. Je peux vérifier quelle paupière ou quel œil est affecté : l'œil gauche est du domaine affectif alors que l'œil droit représente le rationnel et les responsabilités.

J'accepte↓♥ de rester ouvert à ce que je vois et je suis davantage centré sur moi-même.

CHALEURS (avoir des...)

VOIR : MÉNOPAUSE

CHALEUR (coup de...)

VOIR AUSSI : FIÈVRE

Les **coups de chaleur** peuvent survenir à la suite d'une exposition prolongée au soleil, que ce soit à la plage ou lors d'autres sports extérieurs, à la suite d'un chauffage intensif l'hiver ou lorsque je me trouve dans une pièce très petite et mal aérée. Je peux ainsi me retrouver avec une faiblesse musculaire générale, la peau brûlante et sèche, le visage grisâtre et les yeux cernés.

Sur le plan métaphysique, la chaleur peut être associée soit à l'**amour** lorsqu'il s'agit de guérison parce qu'il y a plus d'énergie en circulation, soit à de la colère lorsqu'il s'agit de fièvre ou de brûlure. Ici, le **coup de chaleur** représente de la culpabilité face à l'**amour** reliée à un sentiment de manque d'estime de soi. J'ai besoin d'aimer et d'être aimé et je n'arrive pas à trouver la façon de le faire, à combler ce vide intérieur qui est en moi et à neutraliser cette insatisfaction. Je me sens coupé de l'affection qui est disponible mais qui ne ce rend pas jusqu'à moi. Ce peuvent être mes parents qui vivent près de moi mais qui ne me donnent pas de marque d'affection. Je peux compenser par exemple par une exposition prolongée au soleil qui m'apporte un certain réconfort temporaire. Mon corps tout entier m'indique le besoin urgent de combler cet **amour.**

J'accepte↓♥ de voir comment je peux augmenter cette estime de soi ou comment intégrer une situation qui m'a affecté dans l'enfance et qui remonte maintenant à la surface. J'aime la vie et la vie me le rend bien.

CHAMPIGNONS

VOIR : PIEDS — MYCOSE

CHAMPIGNONS MAGIQUES (consommation de...)

VOIR : DROGUE

CHANCRE (en général)

VOIR AUSSI : ULCÈRE [EN GÉNÉRAL]

Le **chancre** se retrouve à un endroit isolé de la peau ou des muqueuses sous forme d'ulcère. C'est le signe d'une maladie contagieuse à ses débuts, et qui est souvent d'origine vénérienne.

Je vis de la colère qui a trait à mes rapports sexuels. L'endroit où le **chancre** apparaît m'indique plus précisément ce que je vis dans cette situation. Ainsi, le **chancre** peut se retrouver sur les parties génitales, sur l'anus, sur le visage, sur les muqueuses de la bouche. Lorsqu'un **chancre** sous forme d'ulcère contenant du pus se retrouve **dans la bouche**, c'est que je m'empêche de dire certaines choses. Je suis mécontent, je désapprouve certaines situations dans ma vie et je n'ose pas en parler. Je retiens certaines paroles, et donc elles **fermentent** et produisent du pus. Je rejette et condamne une situation ou un individu. Je rends les autres responsables de mon malheur. J'ai le goût de leur cracher au visage.

J'accepte↓♥ de parler et de m'exprimer **même si** je suis en désaccord avec la vie et les autres. Je dois le faire si je veux rester ouvert à l'énergie active de la parole et de l'expression de soi. Je m'accepte↓♥ dans ma sexualité et je me donne le droit de découvrir l'**amour** qui m'aidera à m'épanouir.

CHANCRE — ULCÈRE BUCCAL (herpès)

VOIR : BOUCHE [MALAISE DE...]

CHARCOT (maladie de...) OU SCLÉROSE LATÉRALE AMYOTROPHIQUE

La **maladie de Charcot**, ou **sclérose latérale amyotrophique**, est une maladie dégénérative du système nerveux qui affecte en majorité les hommes.

Je me diminue constamment et j'en viens à croire que je ne peux rien accomplir dans la vie, que je ne pourrai jamais avoir d'avancement dans mon travail. Je stagne dans de vieilles douleurs que je conserve précieusement, que j'alimente et que j'entretiens au fil des ans. Je me fais violence intérieurement, tout m'inquiète, m'insécurise, me rends hypertendu et nerveux. Je n'ai confiance en personne et surtout pas en moi. Je pense que je suis surveillé, ***poursuivi*** même et qu'on veut me prendre en ***filature***. Je m'emprisonne avec mes attitudes négatives à mon égard, je suis inflexible.

J'accepte↓♥ de demander de l'aide, de faire confiance à un thérapeute qui pourra m'aider à alléger ce **chariot** de souffrances que je porte. J'accepte↓♥ de pouvoir créer ma vie de façon positive. Je reconnais que je suis un être unique et que j'ai tout le potentiel nécessaire pour atteindre les buts que je me fixe. En reconstruisant une image positive de moi-même, mon corps va faire de même.

CHAT DANS LA GORGE

VOIR : GORGE — CHAT DANS LA GORGE

CHEVEUX (en général)

Protégeant la partie cutanée de la tête, les **cheveux** symbolisent la force, la vitalité, la liberté, la beauté et la puissance (pensons à Samson dans la Bible). **Chez la femme**, ils représentent le pouvoir d'attraction, la séduction et **chez l'homme**, la virilité. Ils sont reliés directement à la dignité de l'être, à l'essence du pouvoir, à mon image de moi. Ils me mettent en contact avec l'énergie spirituelle, cosmique et supra cosmique. Ils représentent aussi ma relation au père ou son équivalent. Mes **cheveux** poussent près du septième chakra ou centre d'énergie, le chakra couronne. On les appelle « antennes » parce qu'ils relient le physique au spirituel. L'enracinement des **cheveux** (et des poils en général) symbolise dans le physique l'enracinement du monde spirituel dans le monde physique. En décrivant l'état de mes **cheveux**, je décris la relation que mon côté spirituel entretient avec mon côté rationnel, physique. Dans une certaine mesure, mes **cheveux** symbolisent la force féminine, ma créativité, mon intuition. Ceux-ci étant en constante croissance, ils me rappellent comment moi aussi, en tant qu'être humain, j'ai à me responsabiliser face à ma croissance personnelle ou au fait que j'ai le pouvoir de changer de vieilles façons de penser, mes vieux schémas qui me freinent dans mon évolution. Puisque les **cheveux** font référence à l'intuition et sont le symbole de la féminité, il est intéressant de noter que les hommes qui se font pousser les **cheveux** sont souvent des artistes dans l'âme, ou ce peuvent être aussi le plus souvent des jeunes hommes qui sont en réaction avec l'autorité qui existe dans la société et qui veulent reprendre leur propre pouvoir qui se trouve à l'intérieur d'eux, celui-ci ayant son siège dans leur **cœur♥** et sa voix intérieure. L'état des **cheveux** est aussi la représentation de la puissance sexuelle, génitale et reproductive. Les **cheveux** sont associés aux glandes surrénales (énergie de peur ou de confiance) qui sont reliées au bagage ancestral (2e chakra). Plusieurs mythes existent au sujet des **cheveux** (les blondes, les brunes, les chauves...). Il est important de savoir que mes **cheveux** sont l'image du pouvoir que j'ai pour diriger ma propre vie. Qu'est-ce que je veux vraiment dans la vie ? Est-ce que j'ai l'impression que les autres dirigent ma vie ? La force et le courage de prendre les rênes de ma vie augmenteront mon sentiment de liberté et la vigueur de mes **cheveux**. Les **cheveux** reflètent la joie de vivre d'une personne et leur propreté indique l'intérêt qu'ils ont à prendre soin d'eux, à être ici.

J'observe les différents états de mes **cheveux** qui correspondent à certains états intérieurs (**cheveux** fendillés, ternes, minces ou cassants, épais, etc.). J'accepte↓♥ de rester ouvert à ce merveilleux pouvoir du ciel que sont mes **cheveux** !

CHEVEUX (maladie des...)

Plusieurs causes peuvent amener l'apparition de **maladies des cheveux :** un grand choc émotionnel (comme une frayeur), une réaction excessive d'impuissance face à une situation, un conflit latent ou plusieurs sentiments refoulés tels que le désespoir, les inquiétudes, l'ennui. La nervosité s'installe, l'instabilité émotionnelle grandit, les forces et les ressources intérieures s'épuisent. Je vis un désordre intérieur. Cette insécurité peut provenir de ma peur de la mort ou du fait que rien n'est permanent, que tout peut changer soudainement et sans avertissement. Le doute s'est installé face à la spiritualité et je me pose beaucoup de questions. Je recherche Dieu ou sa manifestation dans ma vie et j'ai besoin que « Cela » me touche au plus profond de mon être mais en même temps, j'en suis effrayé car je me sens vulnérable. Je me ferme aux énergies vitales et mes **cheveux** changent d'apparence. Ils tombent, deviennent gras ou secs, blanchissent (**cheveux** blancs), ils perdent leur éclat. Les **pellicules** apparaissent, résultat d'un conflit intérieur par rapport à moi et à mon rôle social. J'ai l'impression que je n'arrive pas à rayonner, à faire ma marque dans le monde (sentiment présent dans la plupart des maladies qui touchent à mes **cheveux**). Je voudrais aller plus haut, être le « chef » mais je ne réussis pas. Je me sens séparé du monde et je ne comprends pas pourquoi je suis dans l'ignorance, les autres n'étant pas capables de me donner des raisons ou des arguments suite à leurs actions ou paroles. Mon niveau de stress est élevé en permanence et je m'épuise facilement. J'aspire à l'autonomie, à la reconnaissance des autres, à une communication vraie et claire. La **folliculite** (inflammation des follicules) m'indique que je ne me sens pas protégé. Je suis comme un porc-épic, me sentant « piqué à vif »[61]. Des **cheveux cassants** indiquent que je me sens divisé entre reprendre « les rênes » de ma vie ou laisser ce pouvoir à quelqu'un d'autre car cela m'arrange d'une certaine façon. Est-ce que j'écoute mon intuition ou mon rationnel ? Je me sens impuissant et je résiste au changement. Je peux vivre une situation où j'ai le **cœur♥** fendu, divisé et je dois faire la paix avec cette situation. J'ai besoin d'oxygène ! C'est la première chose à faire pour ramener force et vitalité aux **cheveux.**

J'accepte↓♥ d'avoir besoin de changer mes pensées et mon attitude face aux situations de la vie. J'accepte↓♥ de rester ouvert et j'observe ce qui se passe en ce moment, surtout la façon dont je m'y prends pour affronter les différentes situations de ma vie et je cesse de m'**arracher les cheveux** ! J'accepte↓♥ de jouir de la vie et je suis plus tolérant envers moi-même.

CHEVEUX — CALVITIE

La **calvitie** est la perte partielle ou totale de **cheveux**. Bien qu'elle soit plus associée aux hommes, de plus en plus de femmes sont atteintes de **calvitie**.

Les **cheveux** sont le miroir d'une certaine force intérieure et de mes racines. Je pense à Samson (dans les écritures de l'Ancien Testament) qui perdait sa force les **cheveux** coupés... Les **cheveux** représentent le lien entre le physique et le spirituel, ce qui me relie au cosmos et à l'énergie

[61] **Piqué à vif** : être atteint ou touché au point le plus sensible.

spirituelle. On les compare souvent à une forme d'antenne avec l'au-delà. Il est dit que l'hérédité est le facteur principal de la **calvitie**, plus fréquente chez le sexe masculin. Cependant, parmi les différents types de **calvitie**, on retrouve le type **chauve barbu**, lequel est associé à l'individu qui utilise plus ses facultés intellectuelles que ses facultés émotionnelles. La **perte de cheveux** (aussi appelée **alopécie**) signifie que je me suis éloigné du divin en moi. Je suis une personne axée sur le plan matériel plutôt que spirituel. Il se peut que j'aie beaucoup d'intuition mais je préfère m'en tenir davantage à des aspects plus matériels, plus rationnels. Souvent, si je perds mes **cheveux**, je vis une ou plusieurs situations où **la tension est si grande** que je m'en « arrache les **cheveux** ». Plusieurs expériences stressantes ou même traumatisantes peuvent accélérer le processus de la **calvitie**. Un accouchement qui est source de peur ou d'inquiétude, un choc émotionnel grave, une séparation, beaucoup de tension au travail ou au foyer, le goût de se surpasser sur le plan matériel ou une dévalorisation au plan intellectuel. Lorsque je vis une foule d'inquiétudes et de grandes peurs, je perds le contact avec mon pouvoir intérieur divin. Puisque je **perds** mes **cheveux**, qu'est-ce que j'ai eu l'impression de **perdre** dans ma vie ou qu'est-ce que j'ai **peur de perdre** dans le futur (ce peut être quelque chose ou quelqu'un) ? Je peux me révolter : je veux me libérer de cette pression qui m'étouffe. Je veux être moi et cesser de vivre en fonction des obligations extérieures. En perdant mes **cheveux**, je me délivre de ce qui m'emprisonne. J'ai probablement reçu peu de douceur, notamment de mon père et j'ai tendance à me révolter face à l'autorité. Je suis plutôt matérialiste et la spiritualité fait très peu partie de ma vie. J'essaie le plus possible de tout contrôler car j'ai peur de m'ouvrir et de perdre le contrôle. Je m'emprisonne dans des structures rigides, des obligations qui n'ont pas leur raison d'être. Je suis éparpillé, mes pensées sont enchevêtrées, embrouillées. Je suis tellement exaspéré face à une situation de ma vie que je « m'en arrache les cheveux de sur la tête » . Je vis un déchirement intérieur comme un ***calvaire***. Je ne veux pas manquer à mes enfants et par le fait même, perdre leur **amour**. J'ai tendance à me dévaloriser au niveau intellectuel et je vis de l'injustice. Si j'avais de la facilité ou un certain don pour une activité dans laquelle j'excellais et que ma « performance » se mette à changer et à décliner, mes **cheveux** vont tomber aussi. Je refuse le fonctionnement de base de la vie, prétextant que je peux faire mieux qu'elle. Toute crainte intérieure entraîne l'incapacité d'agir, le désespoir et des tensions qui me prennent au dépourvu. C'est une illusion de croire faire mieux que la vie elle-même. Je n'ai pas à me battre contre la vie car elle est **toujours avec moi** pour m'appuyer et elle m'aidera si je l'écoute et si je reste ouvert.

Pour arrêter le processus de perte de **cheveux** et leurs permettre de repousser, j'accepte↓♥ de faire les changements appropriés dans ma vie qui vont me libérer de cette charge additionnelle que j'ai accepté↓♥ de prendre et dont je n'ai plus besoin. J'accepte↓♥ de faire confiance à la vie avec l'attitude que tout sera pour le mieux. Au lieu d'aller chercher mon pouvoir à l'extérieur de moi (symbolisé par mes **cheveux**), j'accepte↓♥ d'aller au fond de moi-même et d'aller y puiser toute la force et le courage qui s'y trouvent afin d'aller de l'avant et de passer à une nouvelle étape dans ma vie. J'apprends à intégrer les lois dans ma vie d'une façon harmonieuse sachant qu'elles existent pour mon bien, autant personnel que collectif. J'accepte↓♥ de demander en toute quiétude et la vie me donnera ce que je mérite. C'est le début ; je dois faire confiance à la vie et à mon être intérieur et voir les solutions partout car elles existent ! Le monde est là pour m'aider. Qu'ai-je besoin d'autre ?

Cheveux gris

Les **cheveux gris** symbolisent la sagesse. Cependant, l'apparition soudaine de **cheveux gris** est reliée au stress, à une situation où j'ai vécu un choc émotionnel intense. Lorsque cela arrive dans la vingtaine, cela représente de grandes inquiétudes (tension ou stress), conscientes ou inconscientes par rapport au fait de se laisser guider spirituellement. Est-ce que je crois avoir besoin de vivre sous pression et que les pressions dans ma vie sont nécessaires pour mon « bien » ? Il est possible que ce soit un pattern relié à la performance dans cette vie-ci. Habituellement, les **cheveux gris** apparaissent avec l'âge et cela signifie une baisse de vigueur et de force vitale. Ils apparaissent au moment où il est important pour moi de prendre **conscience** comment je peux vivre pour les autres et non pas pour moi-même. Je suis pressé par la société, la famille, les amis, les obligations reliées à mon travail. Je vis au rythme des autres au lieu de vivre au rythme de mes besoins personnels. À quand remonte la dernière fois où j'ai ri aux éclats ? Puisque les cheveux représentent mon pouvoir, je dois me demander à qui je suis en train de le laisser aller car sinon, mes **cheveux** garderaient leur couleur naturelle.

Je révise mes attitudes générales et j'accepte↓♥ que la vie continue telle qu'elle est, ni plus ni moins et je me libère du fardeau d'être compétitif. Je découvre les trésors enfouis à l'intérieur de moi. J'accepte↓♥ que ces **cheveux gris** soient le signe annonciateur d'une renaissance à mon vrai moi, à une nouvelle vie remplie de joie. Je prends une nouvelle direction. Je prends soin de moi. J'accepte↓♥ toutes les émotions qui m'habitent et qui font de moi un être exceptionnel. Je cesse d'être esclave du temps et des obligations. Je peux être dérangé par la nouvelle image que je projette mais il est temps pour moi de vivre au niveau du « être » au lieu du « paraître » .

Cheveux — Pelade

La **pelade** est une maladie de la peau caractérisée par la **perte de cheveux** en plaques arrondies.

Cela peut provenir d'un choc émotionnel, de la colère, d'une perte d'estime de soi qui entraîne de la honte et d'une renonciation à ma partie spirituelle ou à ce qui me connecte à mes valeurs les plus élevées. J'ai l'impression parfois d'être une ***ordure***, que mon degré d'intelligence est bas à comparer aux autres et que cela me cause des difficultés dans mes relations. J'ai été ***horripilé*** par quelque chose ou quelqu'un. C'est comme si mon intégrité avait été atteinte, si j'avais perdu ma protection. Je peux avoir vécu une séparation, souvent avec ma mère et je me fais maintenant beaucoup de soucis. J'ai tendance à être « fin comme un renard » [62]pour me sortir de situations embarrassantes mais j'évite ainsi de prendre certaines de mes responsabilités. J'ai souvent l'impression d'avoir à « plaider ma cause »[63] pour que les autres m'écoutent et me croient. Mon insécurité

[62] **Fin comme un renard** : personne fine et rusée, subtile.

[63] **Plaider ma cause** : avoir à me défendre, à donner des arguments.

m'amène à vivre une peur profonde qui se manifeste à répétition. Le fait de perdre mes **cheveux** peut me renvoyer l'image de mon père qui lui a perdu les siens. Si celui-ci est décédé ou très âgé, c'est un rappel constant que je devrai m'en séparer, si ce n'est déjà fait. Quand je regarde dans le miroir, c'est comme si je voyais mon père et cela me dérange. Peut-être voudrais-je même nier le lien qui nous unit.

J'accepte↓♥ de faire la paix avec moi-même et d'envisager les solutions qui me permettront de mieux vivre en harmonie avec mes buts les plus élevés.

CHEVEUX (perte de...)

VOIR : CHEVEUX — CALVITIE

CHEVEUX — TEIGNE

VOIR AUSSI : CHEVEUX [PERTE DE...]/CALVITIE/PELADE

Les **teignes** sont des champignons parasites et contagieux qui affectent la surface de ma peau, mes poils, mon cuir chevelu et mes ongles.

Je me laisse atteindre, » attaquer », « détruire », déranger par les autres, parce que j'ai peu confiance en moi et je suis vulnérable. Je me sens laid, sale, éteint. Je peux avoir l'impression que je perds le contrôle de certaines situations. Ainsi, mon chapeau de chef (mes **cheveux**) en sera affecté. Je peux me sentir très dérangé par les propos des autres et être affecté par l'idée qu'ils ont que « si le chapeau te fait, mets-le donc » ! Je laisse les autres décider pour moi. On m'a séparé de ma famille ou de quelqu'un que j'affectionnais particulièrement et je trouve cette situation moche.

J'accepte↓♥ de prendre ma place, de me faire confiance. Moi seul ai du pouvoir sur ma vie.

CHEVILLES

VOIR AUSSI : ARTICULATIONS

La **cheville** est une partie du corps très flexible et mobile. Elle sert à soutenir le corps et, par sa position physique, elle subit de grandes pressions.

C'est une sorte de pont, de lien entre moi et la terre. C'est grâce à elle que je suis « groundé »[64] au sol, que l'énergie spirituelle voyage du haut vers le bas et vice versa, si je suis en contact avec la terre mère. C'est également l'endroit où j'exprime ma capacité d'avancer, de me lever et de rester debout, stable et ancré. La **cheville** exécute les changements de direction et par conséquent, elle représente mes décisions et mes engagements qui se prennent en tenant compte de mes croyances et de mes valeurs. Mes **chevilles** me montrent comment je suis capable de m'appuyer sur moi-même, mes ressources intérieures ou au contraire, si j'ai tendance à m'appuyer ou même m'accrocher aux autres. Toute **blessure** ou **douleur** aux **chevilles** est reliée à ma capacité de demeurer flexible, tout en

[64] **Groundé** : anglicisme signifiant se sentir connecté à la terre ou au monde matériel.

changeant de direction. Je ne sais pas « sur quel pied danser[65] » ! Dois-je rester ou partir ? Je suis déstabilisé, ayant l'impression que « je n'arrive pas à la **cheville[66]** » de certaines personnes que j'admire, comme par exemple mes parents. J'ai de la difficulté à me détacher d'eux, particulièrement ma mère. Si j'ai peur de ce qui s'en vient, si je suis inflexible face à une décision à prendre, si je vais trop vite sans réfléchir, si j'ai peur de mes responsabilités présentes ou futures, si j'ai l'impression d'être instable, je risque de freiner l'énergie dans mes **chevilles**. Je peux me sentir coupable de prendre une certaine direction ou me sentir obligé. Comme la chenille, j'ai peur de sortir de mon cocon. Selon l'intensité du blocage d'énergie et de ma fermeture au courant de vie, il peut en résulter une **foulure**, une **entorse** ou une **fracture**. Je ne peux pas me tenir debout sans mes **chevilles**. J'ai peut-être à « m'appuyer » sur de nouvelles façons de voir les choses, de nouveaux « critères » qui sont plus ouverts et flexibles. Elles prennent soin de moi et de mon être intérieur, elles me supportent dans la vie. Si une **cheville** cède ou se brise, je n'ai plus de base solide, j'ai besoin de changer de direction, je vis un conflit mental. Ma **cheville** ne peut plus me supporter et c'est le corps entier qui cède physiquement. Dans un certain sens, ma vie s'effondre aussi, mais c'est plus l'image qu'il y a quelque chose qui ne va pas qu'un effondrement réel de la personne. Au sujet de l'**entorse**, la **cheville** tordue, c'est l'énergie qui se « tord » dans la **cheville** et ma structure de support est déformée. Il n'y a plus rien de clair et défini. La pression est trop forte et je ne sais plus « à quel saint me vouer[67] ». Je suis restreint dans mes déplacements soit que quelqu'un m'en empêche, ne me donne pas la permission, soit toute autre impossibilité. J'ai tendance à me fier au jugement des autres plutôt que le mien. Je manque de fermeté. J'ai besoin de me solidifier, de vraiment m'impliquer physiquement et émotionnellement dans mes relations avec les autres. Quand je suis confronté à quelque chose de très profond, un changement **obligatoire** pour mon mieux-être, c'est la **cassure ou la fracture** qui se manifeste. Je pense que les autres m'empêchent d'avancer mais c'est moi qui ai vraiment à changer de direction. C'est mon honneur, ma sécurité, mon but et ma direction dans la vie qui sont concernés. Toute affection à la **cheville** sera habituellement accompagnée d'**enflure** qui manifeste le trop-plein d'émotions qui me fait stagner au lieu d'avancer avec confiance et détermination. **L'œdème** m'indique que le fait de me faire du souci et de toujours ressasser les mêmes idées négatives m'amène à rester sur place. Si j'ai les **chevilles faibles** et qui se blessent facilement, je dois me demander : « ai-je une faible capacité à me supporter moi-même et ai-je toujours besoin que quelqu'un ou une institution me prenne en charge ? » Je « refoule » tellement mes émotions que je risque de me « **fouler** » une **cheville**. Peu importe le malaise, la période d'immobilité qui suit permet à mon corps et à mon être intérieur d'intégrer adéquatement l'aspect de ma vie à changer et permet aussi à la merveilleuse transformation qui s'en vient pour moi de prendre place !

---

[65] **Je ne sais pas sur quel pied danser** : je ne sais pas à quoi m'en tenir en rapport à une personne ou situation.

[66] **Je n'arrive pas à la cheville** : je ne me sens pas à la hauteur de la personne ou de la situation, je ne me sens pas assez bien pour celle-ci.

[67] **Je ne sais pas à quel saint me vouer** : je ne sais plus en qui mettre ma confiance ou dans quelle direction aller.

Je prends **conscience** de la situation ou la relation dans laquelle je me sens ***enchaîné***. Je dois aussi m'interroger à savoir : puisque ce malaise à la **cheville** m'empêche d'accomplir certaines tâches ou un travail, quel avantage puis-je donc retirer de cette immobilité ? J'accepte↓♥ la vie et tout ce qu'elle dispose sur ma route. Cela m'aidera à embrasser la vie du bon côté ! Je suis la route qui me convient le mieux.

CHLAMYDIA (infection à ...)

VOIR : VÉNÉRIENNES [MALADIES...]

CHOLÉRA

VOIR : INTESTINS — DIARRHÉE

CHOLESTÉROL

VOIR : SANG — CHOLESTÉROL

CHRONIQUE (maladie...)

Le mot **chronique** vient de « chronos » qui veut dire « temps ». La **maladie chronique** peut prendre des mois ou des années à s'installer. Pour une maladie, le terme **chronique** suggère quelque chose de permanent, d'irréversible et qu'on ne peut à la limite que corriger.

Je développe une **maladie chronique** lorsque je refuse d'évoluer par crainte de ce que l'avenir me réserve. Quelle que soit la **maladie chronique** que je me suis attirée, je peux me demander ce que j'avais l'impression de ne pouvoir changer. Sur quel aspect de ma vie ai-je l'impression de me dire : « De toute façon, on ne peut rien y faire, ou on ne peut rien y changer » ? Je suis comme un bâton de dynamite qui est sur le point d'exploser ; je me retiens tellement j'ai besoin de trouver une solution de rechange. Quels « cadeaux » cette **maladie** m'apporte-t-elle sous forme d'attention de la part de mon entourage, de la confirmation de ma résignation à changer mon point de vue sur la vie, etc. ? La solution facile pour moi est sans doute de ne rien faire parce qu'il semble qu'il n'y ait rien d'autre à faire que de baisser les bras.

Le défi que j'ai à relever est d'accepter↓♥ de me prendre en main, d'ouvrir ma **conscience** à l'idée que tout est possible. Je peux me documenter sur des résultats obtenus par des personnes qui avaient des **maladies chroniques** et se sont guéries. Quelles approches ont-elles utilisées ? Parfois, lorsque les moyens conventionnels n'ont pas donné de résultats, je peux examiner des thérapies alternatives, énergétiques ou autres, **avec discernement**, pour savoir laquelle pourrait m'aider. En partant avec l'idée que tout est possible, je serai plus à même de trouver des solutions qui, si elles ne me guérissent pas complètement de ma maladie, m'aideront à améliorer ma santé physique, mentale et émotionnelle.

CHUTE DE PRESSION

VOIR : TENSION ARTÉRIELLE — HYPOTENSION [TROP BASSE]

CICATRICE

VOIR PEAU — CICATRICE

CIGARETTE

VOIR AUSSI : BUERGER [MALADIE DE...], CANCER DE LA LANGUE, DÉPENDANCE, POUMONS

La **cigarette** est reliée aux poumons, symbole de vie, de liberté et d'autonomie, de communication entre moi et l'univers. Elle est considérée comme une forme de protection, un « voile » qui me permet de cacher certaines angoisses profondes. Je crois me protéger par cet écran de fumée qui m'enveloppe et qui m'empêche de voir la vérité. Inconsciemment, la **cigarette** comble aussi des besoins inassouvis de l'enfance : premières tétées, chaleur, **amour,** affection de la mère. J'allume une **cigarette** sans y penser, c'est une habitude, un geste machinal, une manie devenue tellement importante pour moi. J'ai besoin d'équilibrer en plus ou en moins ma nervosité, mon excitabilité nerveuse. Je vis trop dans ma tête et la **cigarette** devient une échappatoire, une façon superficielle de relâcher mon stress. J'ai de la difficulté à prendre du temps pour moi et souvent le seul moment où je m'arrête est lorsque je fume une « **ci-g-arette** » (**cigarette= si j'arrête**)... Je veux retrouver « l'apaisement de ma mère », la sécurité de celle-ci. Il arrive souvent que j'ai très peu connu ce sentiment de sécurité étant enfant. Je me suis senti seul, loin de tous, angoissé. Ma mère peut ne pas s'être occupée de moi, je peux avoir l'impression qu'elle m'a éloigné de mon père. Ayant grandi trop vite, je ne sais trop que faire de toutes mes émotions et je n'ose expérimenter la jouissance corporelle. La **cigarette** devient alors « une vraie jouissance » en elle-même. Elle devient ma joie de vivre puisque cette dernière est inexistante dans ma vie. Il arrive que cette joie ait été présente seulement quand ma mère était près de moi étant très jeune et que, maintenant qu'elle n'est plus aussi présente, j'ai l'impression de n'avoir plus rien et je suis en état de manque. Les relations avec les autres me font peur. Si je fume, **c'est parce que je fuis** une situation trop désagréable, ma famille, ma vie. Cette fumée rend encore plus nébuleuses mes décisions. Elle manifeste un refus de l'autre et me permet de garder mes distances, surtout avec les gens qui ne fument pas et qui sont donc plus près de leur sensibilité. La fumée de cigarette devient mon compagnon qui me fait me sentir moins seul. La **cigarette** augmente le rythme cardiaque et agit à titre de stimulant. Quelles sont les décisions que je n'arrive pas à prendre et qui me rendent la vie fade ? J'accepte↓♥ d'identifier mes vrais besoins.

Je prends **conscience** que je peux vivre dans l'illusion que la **cigarette** me protège du monde extérieur : parfois, elle devient une « opportunité » d'ouvrir une conversation avec un étranger (« tu as une **cigarette**, tu as du feu ? ») ou elle me donne quelque chose à faire quand je suis dérangé par une conversation (« je vais aller fumer dehors »). Elle comble le vide ou les pauses pendant une conversation. La **cigarette** devient partie intégrante de mes relations avec les gens. Elle me sert dans les moments inconfortables. Quand vient le temps d'arrêter de fumer, je dois repenser toute ma façon d'interagir avec les gens.

J'accepte↓♥ de communiquer davantage et d'une manière plus aisée. Si je veux arrêter de fumer, il serait bon que je trouve la cause émotionnelle à laquelle cette habitude est reliée, ce qui facilitera grandement l'arrêt. Je verrai alors plus clairement ce que je veux vraiment dans la vie et mes besoins seront comblés en harmonie avec mon être véritable. Les limitations disparaissent et je me sens libre d'évoluer à mon propre rythme. Je savoure chaque moment et je me sens en sécurité car je sais que je mérite d'être aimé.

CINÉPATHIE

VOIR : MAL DES TRANSPORTS

CINÉTOSE

VOIR : MAL DES TRANSPORTS

CIRCULATION SANGUINE

VOIR : SANG — CIRCULATION SANGUINE

CIRRHOSE (...du foie)

VOIR : FOIE — CIRRHOSE [... DU FOIE]

CLAUDICATION (marche irrégulière)

VOIR AUSSI : SYSTÈME LOCOMOTEUR

La **claudication** est caractérisée par une irrégularité de la marche. La cause peut être musculaire, neurologique, liée à la paralysie ou à la raideur d'un pied, d'un genou ou d'une hanche.

Il est certain que dans ma vie, tout ne « marche » pas comme je le voudrais, notamment ma sexualité. Quelque chose « ***cloche*** ». Je suis « dans l'eau chaude[68] » face à une certaine situation où je me dois de poser un geste ou prendre une décision. Je veux aller de l'avant mais des peurs m'empêchent d'avancer de façon harmonieuse. Si je **marche les pieds en dedans**, je m'en vais vers une direction mais je n'en ai pas envie.

J'accepte↓♥ d'identifier mes peurs et je peux ainsi remettre plus d'harmonie dans ma vie, ce qui m'aidera à retrouver plus de régularité dans ma marche.

CLAUSTROPHOBIE

VOIR AUSSI : ANGOISSE

Claustrophobie vient du mot latin CLAUSTRA qui veut dire fermeture et verrou. En découle claustralis-claustrale qui signifie « qui ferme ». C'est donc la peur irrationnelle d'être étouffé ou pris dans une situation ou un

[68] **Je suis dans l'eau chaude** : je suis dans le pétrin, dans une situation difficile.

endroit clos (ascenseur, avion, grotte et tunnel) où je n'ai « aucun contrôle » sur ce qui se passe. Pour cette raison, je souffre de **claustrophobie**, l'angoisse de vivre dans des endroits « fermés », seul ou avec d'autres personnes.

Cela peut provenir du moment de ma naissance, lorsque je devais passer par le « tunnel » du col utérin. J'ai pu capter la peur de ma mère à ce moment-là. La peur peut également provenir du moment où je me trouvais dans cet endroit clos et sécuritaire qu'était l'utérus de ma mère et que les contractions m'ont forcé à quitter, ce qui a fait naître en moi une grande peur de l'inconnu, de ce qui peut se passer. Ainsi, de me retrouver dans un endroit clos peut me rappeler cette grande peur que j'ai enregistrée en moi. J'ai l'impression d'être **prisonnier** et **enfermé** dans une situation où je suis entièrement impuissant. Que dois-je faire ? Je vérifie d'abord si cette peur ne viendrait pas d'une pensée quelconque, d'une fixation mentale dont l'origine remonte aux premières périodes de ma vie. La plupart du temps, cette phobie provient d'une « crainte sexuelle » qui se serait produite durant l'enfance. Cela ne veut pas nécessairement dire que des attouchements ou des abus sexuels ont eu lieu dans l'enfance mais plutôt que la crainte a été enregistrée dans la mémoire émotionnelle et que je me suis senti pris ou que j'ai eu peur de me sentir pris dans cette situation à caractère sexuel. Aujourd'hui, je retiens constamment mes pulsions sexuelles, ce qui nourrit ma culpabilité.

J'accepte↓♥ de passer à l'action et de me libérer de celle-ci par le moyen qui me conviendra le mieux. Souvent, une psychothérapie pourra être adéquate pour nettoyer afin de changer la mémoire émotionnelle et m'amener à vivre avec plus de liberté intérieure. Je peux aussi me demander : lorsque je me sens pris, que j'étouffe, ce peut-il que je réprime mes émotions et que je me sente prisonnier de celles-ci ? Ai-je besoin d'exprimer ma créativité mais je m'en empêche ? J'ai besoin de respirer, d'espace mais est-ce que je me permets d'exister, de m'affirmer, de prendre la place qui me revient ? Si je réussis à respecter mes besoins, si je prends la place qui me revient dans les respects de soi et des autres, je n'aurai plus besoin de fuir et je vais me sentir bien où que je sois. J'accepte↓♥ de reprendre la place que j'ai laissé aller. J'affirme qui je suis. Je reprends mon espace vital. Je m'accueille dans toutes les émotions que je vis, sans jugement. J'exprime mon côté créatif : cela me permet de vivre au niveau de mon **cœur♥** et d'être vraiment en contact avec mon essence divine.

CLAVICULE (douleur à la..., fracture de la...)

VOIR AUSSI : ÉPAULES, OS — FRACTURE

La **clavicule** est un os long en forme de « **S** » allongé que je retrouve entre l'épaule et le sternum, en haut de la cage thoracique.

Comme la **clavicule** est reliée directement à l'épaule, une douleur à la **clavicule** signifie ma colère en regard des responsabilités que l'on me donne et face auxquelles je peux vivre un sentiment de soumission et d'obligation. Je peux essayer parfois d'exprimer de bonnes idées mais je ne peux les matérialiser. Le plus souvent, une **fracture à la clavicule** arrive à la suite d'une chute sur l'épaule et indique que je vis une forte pression face à mes responsabilités. L'émotion engendrée peut m'amener à penser que je vais « casser » sous le poids de mes responsabilités et cela me révolte. J'ai le goût de prendre la clé des champs[69]. Je ne peux ni parler ni agir. Je me sens soumis face à des décisions qui m'ont été imposées. Je remets en question la figure d'autorité. Je suis dans une impasse, acculé au pied du mur. La vie ne coule pas en moi : j'y résiste ou la rejette !

J'accepte↓♥ de regarder les situations avec objectivité et je commence à comprendre que la vie ne peut me donner plus de responsabilités que je ne peux en prendre. Je fais confiance et je m'efforce de trouver des solutions ou un autre point de vue qui m'aidera à mieux prendre la vie.

CLOQUE

VOIR : PEAU — AMPOULES

CLOUS

VOIR : PEAU — FURONCLES

COAGULATION DÉFICIENTE

VOIR : SANG COAGULÉ

COCAÏNE (consommation de...)

VOIR : DROGUE

COCCYX

VOIR : DOS [MAUX DE...] — BAS DU DOS

CŒUR♥ (en général)

VOIR AUSSI : SANG

Le **cœur♥** est relié au quatrième chakra ou centre d'énergie : ce chakra est YIN-YANG, autant masculin que féminin, autant mental qu'émotionnel. Il symbolise la maison et représente l'**amour** (mes émotions, ma capacité d'aimer), la joie, la vitalité et la sécurité. D'une façon symbolique, le **côté droit** du **cœur♥** représente le père et le **côté gauche**, la mère. L'énergie du **cœur♥** irradie dans tout le corps, surtout entre le cou et le plexus solaire. Le **cœur♥** est une sorte de pompe énergétique qui fait circuler la vie (le sang) à travers le corps tout entier. Cette circulation sanguine distribue l'énergie vitale nécessaire au bonheur, à l'équilibre, à la joie de vivre et à la paix intérieure. Il est donc essentiel que je manifeste l'**amour** en dirigeant l'énergie du **cœur♥** vers les plus belles énergies spirituelles disponibles. Si je vis une situation où j'ai l'impression qu'on m'a « arraché le **cœur♥** », que mon être tout entier est impliqué, que je ne suis pas assez nourri par l'**amour** des autres, que je prends la vie trop au sérieux, mon **cœur♥** va réagir. Une affection au **cœur♥** me ramène à un aspect de l'**amour** fondamental qui vient du fait que soit je ne m'aime pas assez, soit je ne reçois pas cet amour des autres, de la vie ou de Dieu. Cela m'amène à me demander si je vis de la culpabilité qui me fait ne pas me

[69] **Prendre la clé des champs** : m'enfuir.

sentir à la hauteur et digne d'être aimé...Plus je mets l'attention sur l'**amour**, la compassion et le pardon, plus mon **cœur♥** travaillera dans la joie, la paix et l'allégresse. Mon **cœur♥** sera affectivement stable et à l'abri de toutes les déceptions. Un **cœur♥** au rythme doux et harmonieux indique une personne calme intérieurement. Mon rythme cardiaque varie lorsque je suis déséquilibré, perturbé en amour ou sensible à mes émotions.

J'accepte↓♥ de m'ouvrir à l'**amour**, je remets tout blâme au soin de l'univers, je cesse de me critiquer au point de me rendre malade et surtout j'accepte↓♥ de me pardonner. C'est en me pardonnant que je peux accepter↓♥ davantage l'**amour** des autres.

CŒUR♥ (mal au...)

VOIR : NAUSÉES

CŒUR♥ — ANGINE DE POITRINE OU ANGOR

VOIR : ANGINE DE POITRINE

CŒUR♥ — ARYTHMIE CARDIAQUE

L'arythmie cardiaque est un trouble du rythme cardiaque.

Le **cœur♥** représente l'**amour** et des **problèmes de palpitations** sont pour moi comme un signal d'alarme, un appel au secours en ce qui a trait à l'**amour.** Une peur profonde de perdre ou de ne pas avoir l'**amour** dont j'ai tant besoin fait en sorte que mes **problèmes de palpitations** sont comme un cri au secours par rapport à l'**amour.** Mon **cœur♥** bat aussi vite que je vis ma vie. J'ai l'impression de ne pas avoir le contrôle, je ne me sens pas en sécurité. J'ai besoin de retrouver plus de calme dans ma vie. Je cherche dans toutes les directions mais je ne trouve pas de réponses à mes questions. Mon **cœur♥** bat pour plusieurs choses différentes à la fois : ce peuvent être des personnes (en amour) mais aussi des choses que j'aime faire avec passion (travail, hobbys) et j'ai l'impression d'avoir à faire des choix. Je sais que je dois laisser aller quelqu'un ou quelque chose mais c'est très difficile. Je m'en sens incapable, ma dépendance étant très grande. Je vis la dualité : moi ou les autres : qui mets-je en priorité ? De qui dois-je m'occuper en premier ? Les choix sont difficiles à faire. Je me sens divisé et ce, peut-être face au sens de la vie elle-même. Je peux ***m'amouracher*** des gens car j'ai tant besoin d'être aimé ! Comme mon **cœur♥**, je suis instable dans ma vie par rapport à mes réactions émotives. Il y a des choses qu'on me demande de faire et que je fais **à contrecœur♥**. Au lieu de vivre à mon propre rythme, je suis celui effréné de la société. Une **anomalie de mon pouls**[70] me montre comment « entre les deux, mon **cœur♥** balance », combien il m'est difficile de prendre une décision avec toutes ses implications. Dans le cas où les ventricules du **cœur♥** se contractent de façon anarchique et inefficace, il s'agit alors de **fibrillation ventriculaire**. Cet état peut provenir d'une atteinte du muscle cardiaque, d'une électrocution, d'un moment de panique dans le cas du fœtus (à la naissance). Si cet état n'est pas réglé dans les minutes qui suivent, c'est la

---

[70] Le pouls moyen normal varie de 50 à 80 pulsations à la minute.

mort subite. Cela dénote une décision importante que j'ai à prendre dans ma vie par rapport à l'**amour,** et qui est vitale. Je me sens impuissant. Je commence par me donner tout l'**amour** dont j'ai besoin afin de remplacer mes inquiétudes par plus de sécurité intérieure et je fais confiance à la vie. **La fibrillation auriculaire** me montre qu'il n'est pas légitime pour moi d'aimer qui je veux, de la façon que je veux. Je sens des contraintes reliées au fait de démontrer mon amour pour les gens. La **tachycardie** se caractérise par la contraction rythmique rapide du **cœur♥**. Ses battements s'accélèrent à plus de 90 pulsations par minute et cet état est souvent dû à des efforts ou à des émotions fortes. Une situation angoissante, un effort physique ou mental et la peur provoquent un déséquilibre affectant momentanément mon **cœur♥** qui me lance un S.O.S. Les **tachycardies** sont perçues de façon pénible en cas d'angoisse, l'adrénaline induisant alors des battements très forts ou lorsqu'un rythme anormal apparaît. J'ai cru toujours devoir faire plus et plus vite pour être aimé ou même pour avoir le droit de vivre. Je peux aussi avoir l'impression d'avoir à reprendre le temps perdu dans une certaine situation. La **bradycardie** quant à elle est un ralentissement des battements cardiaques. Elle est d'abord favorisée par la pratique de sports d'endurance ; de façon anormale, le **cœur♥** peut se ralentir brusquement et provoquer un malaise, ce qui justifiera parfois l'implantation d'un pacemaker. L'accumulation de peines profondes, particulièrement face à mon père, pourra m'amener ce malaise, comme si mon **cœur♥** n'en pouvait plus de souffrir et décidait d'arrêter de battre. Je me mets en retrait pour me protéger car je n'ai plus le goût de me battre. Je préfère savourer chaque instant de bonheur et d'**amour** car il me semble qu'ils sont rares. **L'extrasystole** (contraction prématurée) me montre combien je suis en manque d'**amour** de mes parents, particulièrement de mon père. L'**amour** se présente à moi de façon interrompue, souvent à la suite de séparations et de retrouvailles fréquentes qui me déchirent le **cœur♥**. Dans l'une ou l'autre de ces situations, je prends **conscience** que l'**amour** est en jeu. Je respire calmement et profondément, je suis à l'écoute de mon **cœur♥**.

Je laisse aller tout ce qui n'est plus bon pour moi. Je choisis le chemin que je veux suivre avec détermination. J'accepte↓♥ que l'harmonie revienne dans ma vie, autant au niveau affectif que social.

CŒUR♥ — INFARCTUS (... du myocarde)

VOIR AUSSI : INFARCTUS [EN GÉNÉRAL]

Lorsque j'entends parler de quelqu'un qui a eu un **infarctus**, dans le langage populaire, cela signifie habituellement que la personne a eu un **infarctus du myocarde**. C'est aussi appelé « **crise cardiaque** » ou « **attaque cardiaque** ». L'organe le plus fréquemment touché par un **infarctus** est le **cœur♥**, le centre de l'**amour** à l'intérieur de moi, le noyau de mes émotions.

L'attaque cardiaque est pour le corps une façon désespérée de me montrer que je vais trop loin, que je mets beaucoup trop d'attention sur des détails qui ne sont pas importants. Je « chéris » et protège mon statut social, au lieu de revenir à l'essentiel de ma vie qui est la joie de vivre du **cœur♥** en famille, d'exprimer l'**amour,** de s'aimer soi-même, de savourer chaque moment avec intensité. C'est comme si je commettais une infraction au code du « bien-être et de l'**amour** de soi ». J'ai très peur de ne pas réussir. Je tiens tellement à tout ce qui fait partie de mon « territoire » (ma femme, mon travail, mes amis, ma maison mon ***fief*** etc.), que si j'ai l'impression ***d'avoir*** perdu ou que je suis sur le point de perdre quelque chose ou quelqu'un à l'intérieur de mon territoire, je peux résister à ce qui arrive et je ferai une **crise cardiaque**. Je sens que je suis sur le point de devoir ***abdiquer, démissionner***. Je risque de voir tout basculer dans ma vie. Je voudrais « de tout mon **cœur♥** » rester le chef, le maître à bord. Je ne veux pas ***démissionner***, renoncer aussi facilement. Je regarde tout ce que j'ai pu ***acquérir*** au fil des années et je regarde si maintenant j'ai l'impression qu'on m'a ***dépossédé*** ou qu'on va le faire. Ce peuvent être des objets, des personnes, ma fierté, mes capacités physiques, intellectuelles ou affectives. Mon niveau de ***convoitise, d'envie*** est démesuré. Je peux même avoir l'impression qu'on veut ***m'exproprier*** car je ne suis plus le bienvenu. Est-ce qu'on m'empêche de diriger à ma façon ? Les **attaques cardiaques** sont aussi reliées à mes propres sentiments et à ce que je vis par rapport à ceux-ci. Jusqu'où suis-je capable de sentir l'**amour** et de l'exprimer aux autres ? Jusqu'à quel point suis-je capable de m'aimer et de m'accepter↓♥ tel que je suis ? Est-ce que je m'oblige à être « quelqu'un d'autre » et à en faire trop pour prouver aux autres ce que je suis et ce que je vaux ? Le fait que je me mésestime au plus haut point m'empêche de laisser qui que ce soit entrer dans mon univers et dans mon **cœur♥**. Parce que j'ai l'impression d'être faible, je donne une image dure aux autres. J'ai un océan d'émotions pris en dedans et si j'accepte↓♥ d'y plonger, j'ai l'impression que je vais me noyer tant j'ai accumulé depuis si longtemps ! C'est pourquoi ***l'engagement*** devient pour moi quelque chose de difficile à vivre. C'est ma colère, ma frustration, mon agressivité, ma ***haine*** qui, trop longtemps refoulées, n'en peuvent plus et qui explosent. La découverte des aspects les plus importants et significatifs de la vie ne se réduit pas à la quantité d'argent gagné ou au succès que j'ai. Autant le **cœur♥** peut être associé à la compassion et à l'**amour**, autant il peut être associé à son opposé qui est l'hostilité, la haine et le rejet. **L'attaque cardiaque** survient souvent dans une période de ma vie où, soit que la compétition est trop forte, soit que je vis une pression financière, combinée à la désaffection grandissante de la famille et des proches aimés. La vie devient un ***combat***. Je vis des ***affrontements*** qui m'amènent un niveau de stress élevé. C'est tout ou rien et ma vie perd son sens si j'ai un échec. Je m'étourdis dans mille et un projets afin de ne pas être en contact avec mon intérieur et les personnes qui m'entourent. Je me sens ***bafoué***. C'est la séparation entre mes sentiments, mon implication, mes relations et l'Univers ainsi que ses rythmes naturels qui atrophient mon **cœur♥**. Je n'ai plus de plaisir ou le « **cœur♥** à l'ouvrage ». Au lieu d'écouter mon corps et mon **cœur♥**, je me restreins au maximum. Tout est programmé, tout est compartimenté. Je pense rejeter les autres mais dans le fonds, je me rejette moi-même. Je me retrouve seul, sans **amour.** Je ne crois pas avoir le droit de m'arrêter : je ne peux vivre que dans le travail... Je pense qu'on me ***méprise*** mais c'est plutôt moi qui me ***méprise***. Je veux « m'arranger tout seul » ! J'ai parfois le goût de ***déguerpir***, tout laisser derrière moi car cela en fait trop. Je n'ai plus la ***fibre*** du combattant. Plus je me distance des autres, plus je me rapproche d'une certaine façon vers ma mort affective. J'ai l'impression de tomber en ***ruines***. Je crois devoir me battre. J'ai à repousser les limites que je me suis imposées et qui m'empêchent maintenant d'accéder à un nouveau niveau d'**amour** et d'acceptation↓♥. Si je me réfugie dans mon côté rationnel et que j'emprisonne mon corps pour l'empêcher de ressentir les différentes émotions de mon quotidien, il se durcit et j'anéantis les chances de pouvoir comprendre et de pardonner, autant à moi qu'aux autres, afin de pouvoir guérir mes blessures intérieures.

J'accepte↓♥ d'aller avec le courant et de prendre le temps d'accepter↓♥ tout ce que la vie a à me donner et à m'apprendre, afin de retrouver la paix intérieure et de ressentir dans tout mon corps la tendresse, la douceur et l'**amour** qui m'habitent et qui ne demandent qu'à nourrir mon **cœur♥** et à le garder en santé. Il s'agit d'une occasion rêvée pour refaire mes priorités, de voir ce qui est réellement important. J'accepte↓♥ qu'il y ait des facettes de ma personnalité que je refusais de voir et je sais que j'ai toute la force nécessaire pour me regarder dans le miroir et m'accepter↓♥ tel que je suis. J'accueille mes émotions pour enfin reprendre contact avec mon côté affectif qui me permet d'expérimenter la vie au maximum. J'accepte↓♥ de ***mériter*** d'être aimé et qu'on me donne de l'aide.

CŒUR♥ — MYOCARDITE

La **myocardite** est une inflammation du muscle cardiaque (myocarde). Elle est une des causes de mort subite chez les jeunes personnes lors d'un effort violent. Chez l'adulte, elle se traduit par une défaillance cardiaque aiguë (et souvent mortelle).

Je ne me sens pas « en plein pouvoir de mes moyens ». J'ai peur que « mon **cœur♥** flanche » ou que je « n'aie pas le **cœur♥** assez solide » ; ceci au sens propre mais aussi figuré. J'ai un mental très fort et je ne sais pas comment gérer mes émotions. Je me sens en dualité, entre deux situations, entre le **cœur♥** et la tête. Ma faiblesse émotive se transpose dans mon travail, je n'ai plus le « **cœur♥** à l'ouvrage » et il m'est de plus en plus difficile d'accomplir les tâches demandées. Mon estime de moi est affectée et je me demande comment je peux me sortir de ce pétrin…Je me sens dans une prison et si je ne vois aucune solution, je peux, inconsciemment m'attirer une **myocardite** qui va mettre ma vie en danger.

J'accepte↓♥ de m'arrêter et de contacter les émotions qui ne demandent qu'à être exprimées. Je fais la paix avec les situations non réglées du passé et je vis le moment présent. Je suis au sommet de ma forme lorsque mon côté rationnel et émotif sont en équilibre et que chacun a la place qui lui revient. Je retrouve l'**amour** en moi et par le fait même, ma stabilité : c'est ce qu'on appelle l'intelligence du **cœur♥**.

CŒUR♥ — PÉRICARDITE

La **péricardite** est une inflammation, souvent infectieuse (virale) du **péricarde**, membrane enveloppant le **cœur♥**.

Puisqu'elle sert à protéger le **cœur♥**, il y aura **péricardite** si je sens que mon **cœur♥** va être attaqué, autant au sens propre que figuré. J'ai peur pour mon **cœur♥** et celui de quelqu'un d'autre. La mauvaise nouvelle d'un problème au **cœur♥** d'une personne que j'aime me renvoie automatiquement à ma propre peur que moi aussi il m'arrive quelque chose. Est-ce que j'ai l'impression que l'intégrité de ce qui constitue mon territoire est en danger ? Ai-je l'impression d'être « **brûlé à vif** » ? Est-ce que je me sens constamment insatisfait face à moi-même et face à la vie ?

Est-ce que je vis une situation où je me sens ***déchiré*** ? Est-ce que je vis de la colère face à mon père qui reste loin, à l'écart de moi, de ma vie ?

Au lieu de manifester de la colère, j'accepte↓♥ de rester calme, j'apprends à apaiser mes angoisses et je demande à être protégé en tout temps, sachant que tout ce qui arrive est pour le mieux.

CŒUR♥ — PROBLÈMES CARDIAQUES

Parce que le **cœur♥** symbolise l'**amour,** la paix et la joie de vivre, les **problèmes cardiaques** proviennent souvent d'un manque d'**amour,** de tristesse, d'émotions enfouies qui refont surface même après plusieurs années. Tous les amours secrets, impossibles, l'**amour** familial bafoué par des conflits vont « attaquer » mon **cœur♥**. Mon **cœur♥** est endurci par mes blessures antérieures. Je crois sincèrement que la vie est difficile, stressante et qu'elle est un combat de tous les instants. Je me sens souvent en position de survie, dans un état où je pense que seul mon effort rapportera quelques dividendes. Je dois m'ajuster au rythme des autres et cela crée un stress immense. Je suis inquiet, surexcité, angoissé, j'ai de la difficulté à mettre mes limites ou je suis trop fragile pour garder mon équilibre émotionnel. J'étouffe inconsciemment mon enfant intérieur et l'empêche d'exprimer toute cette merveilleuse joie de vivre. Une **douleur cardiaque** me montre que je m'accroche et dépend de quelqu'un ou quelque chose ; mon insécurité m'amène à vivre une grande tension intérieure. Le **cœur♥** est associé à la glande du thymus ; cette dernière qui est responsable de la production des cellules T du système immunitaire s'affaiblit et résiste de moins en moins aux invasions si je vis beaucoup de colère, de haine, de frustration ou de rejet de moi-même. Une **insuffisance cardiaque** me montre combien je peux me juger incompétent et je vois certaines situations de ma vie comme un échec. Au lieu de suivre les élans de mon **cœur♥**, je préfère écouter les autres, ce qui me freine dans mon évolution. Le **cœur♥** a besoin d'**amour** et de paix. La vie est faite pour être prise avec l'attitude d'un enfant : ouverture, joie, curiosité et enthousiasme. Même si j'ai des besoins affectifs à combler, j'essaie de rester dans un équilibre harmonieux, avec une ouverture du **cœur♥** suffisante pour apprécier chaque geste de mon existence. Si je dois être « **opéré à cœur♥ ouvert** », est-ce que j'ai toujours parlé « à **cœur♥** ouvert » de mes difficultés et de mes peines aux gens concernés ?

J'accepte↓♥ de m'aimer davantage, de rester ouvert à l'**amour** pour moi et les autres. Je m'amuse, je me détends, je prends le temps d'être. J'arrête de me « prendre au sérieux ». Je me sens libre d'aimer sans obligation, sachant que je suis heureux quand même. Il existe plusieurs expressions pour décrire le **cœur♥** et ses différents états : être « *sans* **cœur♥** », « *avoir du* **cœur♥** », « *écouter son* **cœur♥** ». Si quelqu'un me fait une remarque comme « *tu n'as pas de* **cœur♥** », je vérifie ce message que la vie m'envoie. C'est peut-être le signe que j'aurais avantage à changer quelque chose. Est-ce que je vis un déséquilibre ? Ai-je des palpitations ? Suis-je perturbé sur le plan émotionnel ? Qu'importe la réponse, je n'attends pas d'être malade pour comprendre et accepter↓♥ les changements dans ma vie. Je reste éveillé, j'ouvre mon **cœur♥** à tout ce qui est bénéfique pour moi. Je suis à l'écoute de mon **cœur♥** ...

CŒUR♥ — TACHYCARDIE

VOIR : CŒUR♥ — ARYTHMIE CARDIAQUE

CŒUR♥ — THROMBOSE CORONARIENNE

Une **thrombose coronarienne** est la formation d'un caillot dans une artère coronaire (au niveau du **cœur♥**). Ce blocage de la circulation du sang provoque la constitution d'un infarctus du myocarde dès la 15e minute d'obstruction dans la quasi totalité des cas.

Ce caillot affecte l'organe principal qui représente l'**amour**, soit le **cœur♥**. Je me dois de vérifier ce qui dans ma vie m'empêche d'aimer librement. Cela peut être une colère, un ressentiment violent que j'ai pu avoir face à quelqu'un que j'aime. En quoi est-ce que je me sens attaqué dans mon amour-propre ? Ai-je eu une nouvelle qui semblait me déposséder de ma raison de vivre, de ce qui me permettait de manifester mon amour ? J'ai tendance à m'isoler. Je ne me sens pas à la hauteur dans ce qui se présente à moi. Je n'ose pas mettre des choses en avant de peur de « tomber de haut ».

J'accepte↓♥ de faire la paix avec moi-même et avec les autres. Pour régler cette situation, je prends **conscience** des forces d'**amour** qui m'habitent, je m'abandonne et je découvre que l'Univers m'apporte le soutien dont j'ai besoin.

COLÈRE

VOIR AUSSI : ANNEXE III, DOULEUR, FOIE, INFECTIONS

La **colère** est l'exaltation de l'état affectif et un mode d'extériorisation brutale de celui-ci, se traduisant par une excitation tant physique que verbale, progressivement croissante, allant jusqu'aux cris, bris d'objets, agressivité, tremblements, etc.

La **colère** est un cri d'alarme spontané, la manifestation d'une **révolte intérieure**, un violent mécontentement accompagné d'agressivité. Avant deux ans, c'est un simple moyen de réagir ou d'extérioriser un malaise intérieur (froid, faim, etc.), mais par la suite, c'est plus un moyen d'opposition et de réaction aux interdictions, pouvant devenir un moyen de chantage affectif et de domination. Ces émotions qui m'envahissent se manifestent généralement au niveau de mon foie, par l'apparition de toxines qui peuvent engendrer une **crise de foie**. Mes pensées s'affolent, se bousculent, s'amplifient jusqu'à ce que **je ne voie plus clair**. Ma pression monte et je deviens **rouge de colère**. Qu'est-ce qui me dérange à ce point et qui me fait exploser ? Je vis de grandes frustrations et je ne suis pas capable d'affirmer qui je suis. Je me sens envahi par quelqu'un ou quelque chose et je veux les chasser, les expulser et j'utilise la **colère** comme moyen d'expression. J'ai de la difficulté à faire de l'introspection et à admettre que j'ai des choses à changer. Je veux rester sur mes positions. Si je suis en **colère**, c'est important de chercher la raison qui provoque cet état. Je peux vivre un sentiment de faiblesse, d'injustice, de frustration, d'incompréhension, d'impuissance, etc., qui peut être exagéré ou grossi par ma grande émotivité et mon impulsivité. Lorsque je l'identifie, je réalise que le conflit se répète inconsciemment et qu'il peut même provenir de situations que je n'ai pas réglées depuis l'enfance, et alors, l'intégration sera plus rapide.

J'accepte↓♥ de m'ouvrir à l'**amour** que je peux manifester ici et maintenant. Je reste attentif et **vigilant** à tous les signaux indiquant une colère éventuelle et je ne m'emporte pas inutilement.

COLIQUE

VOIR : INTESTINS — COLIQUES

COLIQUE NÉPHRÉTIQUE

La **colique néphrétique** est une douleur violente de la région lombaire irradiant vers la vessie et la cuisse due à une obstruction de l'uretère. Généralement, elle est due à la migration d'un calcul ou d'un corps étranger du rein vers la vessie, à travers les uretères.

Elle se manifeste souvent lorsque je vis une situation où j'ai été terrassé par ce que j'ai vu, ce que j'ai appris, ce que j'ai entendu, etc. Cette situation ***m'ébranle*** tellement qu'elle entraîne toutes mes valeurs à ***s'écrouler*** subitement. Il y a quelque chose qui coince et qui me fait mal. Je remets tout en question, et il arrive très souvent que mon conjoint soit en cause. Est-ce que je suis satisfait de ma vie de couple ? Je sens que je perds mon espace vital ou encore, je me sens trompé, trahi. On ***empiète*** sur moi et ma bonté et cela m'irrite au plus haut point. Je suis déconcerté et troublé. Je prends le temps d'observer ce qui coince dans ma relation de couple ou dans mes relations affectives. Quelle est la principale irritation que je vis et que je ne peux plus tolérer ? Sur quoi me suis-je illusionné ?

J'accepte↓♥ d'avoir un regard objectif sur ma vie. Je redéfinis mes valeurs et priorités et j'ose les affirmer. Je prends ainsi la place qui me revient afin que je me permette d'occuper la place qui me revient, la première !

COLITE (mucosité du côlon)

VOIR : INTESTINS — COLITE

COLITE HÉMORRAGIQUE

VOIR : INTESTINS — COLITE

CÔLON (cancer du...)

VOIR : CANCER DU CÔLON

COLONNE VERTÉBRALE (en général)

VOIR AUSSI : DOS

Selon le classement que l'on fait en Occident, on compte **33 vertèbres** en commençant par le haut, soit :

7 cervicales[71], plutôt minces,

---

[71]**Cervicale** : vient du latin *cervis,icis* qui veut dire « nuque ».

12 dorsales[72], plutôt épaisses,
5 lombaires[73],
5 sacrées[74], soudées et formant un triangle vers le bas,
4 coccygiennes, soudées et atrophiées.

La colonne vertébrale, tel le pilier d'une construction, représente l'appui, la protection et la résistance. Donc, la colonne vertébrale me *soutient* et me protège dans toutes les situations de ma vie. Elle est mon pilier physique et intérieur. Sans elle, je m'effondre. La colonne vertébrale symbolise aussi mon énergie la plus fondamentale et la plus spirituelle. Elle représente ma flexibilité et ma résistance face aux différents événements de ma vie. Elle me donne la liberté de pouvoir bouger, me tourner d'une façon souple dans les directions désirées. Les déviations de la colonne vertébrale (scoliose, lordose, etc.) sont reliées à la partie profonde de tout mon système énergétique. Lors d'un blocage, des douleurs physiques apparaissent. Des sentiments d'impuissance, un fardeau trop lourd à porter, un besoin affectif ou émotionnel insatisfait, etc., font que je me sens attaqué dans ma solidité et dans ma résistance. Je prends des coups par derrière. J'ai l'impression que c'est moi le pilier au sein de ma famille, de mon travail et par rapport à toute situation ou organisation dans laquelle je suis impliqué. Qu'adviendrait-il aux autres si je n'étais pas là ? Est-ce que tout s'effondrerait ? La colonne vertébrale est reliée à tous les différents aspects de mon être par le squelette, à travers le système nerveux central et par la distribution sanguine centrale. Chaque pensée, sentiment, situation, réponse et impression est imprimé dans la colonne vertébrale aussi bien que dans les parties pertinentes impliquées du corps concernées. Je regarde la région affectée et j'identifie la cause du blocage.

Peu importe la raison, j'accepte↓♥ de rester ouvert à la cause et l'intégration est plus harmonieuse. Je rebâtis la nouvelle personne que je veux être.

COLONNE VERTÉBRALE (DÉVIATION DE LA...) (EN GÉNÉRAL)

Une **déviation de la colonne vertébrale** symbolise principalement une résistance à vivre pleinement ma vie. J'ai l'impression que, étant enfant, j'ai manqué de support parental, de structure fondamentale. J'ai été ébranlé dans mes convictions profondes. Une fois adulte, la façon dont je me tiens dans la vie, ma difficulté à laisser la vie me soutenir et à laisser aller les vieilles idées se manifestent par une **déviation de la colonne vertébrale** qui se courbe vers le côté, vers l'avant ou vers l'arrière...

J'accepte↓♥ de me prendre en main et de me « tenir droit » face à la vie, avec confiance et détermination.

---

[72]**Dorsale** :vient du latin *dorsum* qui veut dire « dos ».

[73]**Lombaire** :vient du latin *lumbus* qui veut dire « rein ».

[74]**Sacré :** ce mot fait référence à ce qui est inviolable ou à ce qui nous impose un grand respect. Dans ce cas-ci, il s'agirait de l'endroit d'où partirait l'énergie de la Kundalini, cette énergie spirituelle qui part du bas de la colonne vertébrale et monte jusqu'au sommet de la tête, pour mener à l'illumination.

COLONNE VERTÉBRALE (DÉVIATION DE LA...) : BOSSU

VOIR : ÉPAULES VOÛTÉES

COLONNE VERTÉBRALE (DÉVIATION DE LA ...) — CYPHOSE

La **cyphose** est une **déviation de la colonne vertébrale** anormalement convexe en arrière, habituellement au niveau des omoplates. Outre une mauvaise posture, **la cyphose des enfants et des adolescents** est souvent due à une maladie de croissance appelée **maladie de Scheuermann**.

Si j'en suis atteint, je remarque que mon corps se replie comme si je revenais à la position du fœtus. De qui ou de quoi est-ce que je veux me protéger ? Est-ce que je veux me rapprocher de ma mère parce qu'elle ne me comprend pas ou parce qu'elle me renie comme enfant ? Je me sens tout petit, pas à la hauteur de la famille ou de la tâche que je voudrais accomplir. Je veux tout garder pour moi par peur du manque. Je courbe l'échine car je suis timide et par non-reconnaissance de ce que je suis ou encore, je suis constamment sur mes gardes, me sentant inférieur, incapable de prendre ma place et de vivre dans la joie.

J'accepte↓♥ de me sentir en sécurité même en présence d'autres personnes : je suis capable de prendre ma place, définir mes limites, de relever les défis que la vie me propose. Je « garde le dos droit » et je me reconnais comme être unique et divin. J'apprends ainsi à m'aimer davantage et je sais être fier de mes réalisations. J'apprends à remercier cette partie divine présente au plus profond de mon **cœur♥** pour ce courage qui est en moi puisque je sais que je possède toutes les réponses lorsque je reste branché à l'âme que je suis.

COLONNE VERTÉBRALE (DÉVIATION DE LA...) : LORDOSE

La **lordose** est une courbure physiologique de la **colonne vertébrale** se creusant vers l'avant.

J'ai de la difficulté à me tenir debout parce que j'ai **honte de ce que je suis, je ne m'aime pas**. Je vis souvent de la soumission face à mon père ou à ce qui représente l'autorité pour moi, car je me sous-estime face à lui, je me sens inférieur à lui, je ne « suis pas digne d'être son enfant ». Je me sens écrasé par les autres, j'ai très peu confiance en moi et je suis incapable d'exprimer mes idées et mes opinions. Je veux être libre. Je courbe le dos bien malgré moi, ayant l'impression d'être mou et incapable de mettre des choses en avant. Les choses ne vont pas assez vite et les résultats tardent à venir. J'ai donc tendance à me dévaloriser. Je me sens divisé entre être proactif en me faisant confiance ou n'écouter que ce que les autres ont à dire. Je me sécurise en m'accrochant à mes vieilles idées. Je n'ose ainsi pas changer l'ordre des choses établi pour ne pas déranger. Je bouillonne intérieurement et cette colère me ronge. Je refuse l'aide des autres ; j'ai ainsi plus de difficulté à atteindre mes objectifs et j'ai tendance à vivre plus d'échecs.

Je dois **apprendre à m'aimer**. J'accepte↓♥ de **prendre ma place** car chacun a un rôle à jouer dans l'univers. J'apprends à **exprimer mes idées et mes opinions librement** et je me sens mieux avec moi-même. Chaque chose arrive au bon moment. J'ose me tenir debout, je me fais confiance. Je me sens en sécurité car ma voix intérieure me dit quoi faire pour mon plus grand bien.

COLONNE VERTÉBRALE (DÉVIATION DE LA...) : SCOLIOSE

La **scoliose** est une déviation latérale de la **colonne vertébrale**.

Lorsque j'en suis atteint, j'ai l'impression de porter sur mes épaules un très lourd fardeau. Comme cela dépasse tout espoir d'accomplissement, je vis de l'impuissance et du désespoir. Mes responsabilités me font peur, je suis indécis dans mon orientation. L'énergie se bloque et la **scoliose** en est la manifestation physique. Cela se présente souvent à l'adolescence : comme je suis à la recherche d'une identité, trop vieux pour être un enfant et trop jeune pour être un adulte, la vie et les responsabilités semblent énormes. Je refuse ce corps, cette vie, je refuse de grandir... J'aurai tendance à me comparer à mes frères et sœurs (surtout si c'est un jumeau/jumelle), mes cousins et cousines. Puisque j'ai souvent l'impression qu'ils sont meilleurs que moi, je me dévaloriserai et cela s'exprimera par une **scoliose**. Je me compare négativement face aux autres et cette attitude me hante constamment. J'ai peur d'être jugé. Je me sens constamment poussé. J'ai l'impression que je dois être le pilier de la famille, lui faire honneur, être sa fierté. Cependant, c'est beaucoup demander à ma **colonne** qui représente symboliquement le mât d'un navire. Je me penche vers la gauche ou la droite afin de me comparer à tout ce qui est à côté de moi. Je peux m'éloigner des autres pour me protéger, pour éviter les coups. Au fond de moi cependant, j'ai besoin de me rapprocher des autres mais je n'ose pas faire les premiers pas. Je peux me sentir perdu car j'ai besoin de points de référence, de repères afin de me définir comme individu. Ceux-ci sont habituellement personnifiés par mon père et ma mère ou par les gens les plus influents que je côtoie (comme par exemple un professeur ou une gardienne). Si ces références ne me conviennent pas ou si je suis déçu par celles-ci, ma **colonne vertébrale** (qui ne se sent pas **soutenue**) va s'arquer. Je ne peux pas m'appuyer sur moi-même, me sentant trop fragile. Ma colonne s'effondre comme mon monde intérieur. Je vis en fonction des autres. Je préfère ***m'effacer***, faire de l'évitement au lieu de prendre le risque de m'affirmer. La **scoliose** est reliée à un **désir de fuir** une situation ou quelqu'un. Je vérifie ce qui se passe dans ma vie et qui m'empêche de me sentir bien.

J'accepte↓♥ de vivre au présent, c'est-à-dire un jour à la fois. Je prends **conscience** d'être à l'école de la vie et de vivre en harmonie avec ce qui m'entoure. Je retrouve la joie et, chaque jour, je réalise que j'ai la force et la capacité de relever le défi ! Je deviens partie intégrante de ma propre vie. Je vis pour moi. Je cesse de me comparer aux autres car nous sommes tous différents et uniques.

COLONNE VERTÉBRALE — DISQUE DÉPLACÉ

VOIR : HERNIE DISCALE

COL UTÉRIN (cancer du...)

VOIR : CANCER DE L'UTÉRUS [COL ET CORPS]

COMA

VOIR AUSSI : ACCIDENT, CERVEAU — SYNCOPE, ÉVANOUISSEMENT

Le **coma** peut survenir à la suite d'un **accident** et consiste en une altération partielle ou totale de l'état de **conscience**.

Il arrive très souvent que, juste avant de me retrouver dans le **coma,** j'aie vu la mort arriver sur moi, comme si « ma dernière heure était venue ». Au lieu d'être conscient à 100 % de ce moment, le **coma** survient juste avant. La « **conscience** » se débranche. Souvent, lorsque je me réveille à la suite d'un **coma**, ma mémoire a effacé les moments de traumatismes intenses qui ont été vécus. C'est comme si l'on m'a mis en sécurité car j'étais en danger. Ce qui produit un accident est une culpabilité reliée à la fuite face à une personne ou une situation. Si j'ai de la difficulté à relever le défi avec cette culpabilité, je me réfugie dans un **coma**. Je peux me sentir tout à fait impuissant à résoudre une situation car je suis trop éparpillé, ce qui me rend ***furieux***. J'ai de grands changements à apporter dans ma vie mais je m'en sens incapable. Maintenant, je peux me reposer dans ma caverne où personne ne peut venir me déranger et me dire quoi faire. J'ai retrouvé un certain sentiment de liberté où je n'ai pas de compte à rendre, pour l'instant... Le **coma** vient du grec *« kôma »* qui signifie *« sommeil profond »* . Cet état est relié au désir intense de **fuir** une personne ou une situation. J'ai tellement **mal** intérieurement que je me replie sur moi car je vis beaucoup de désespoir, de solitude ou de frustration. Je veux me rendre insensible aux difficultés de la vie. Je me protège par ce sommeil profond. Il me rend insensible à ce qui se passe autour de moi. Je préfère vivre cet état d'in**conscience** totale, jusqu'à ce que ma vie puisse être plus agréable. J'ai une décision à prendre : vivre ou partir. C'est la même décision à prendre dans le cas d'un **coma diabétique** qui est causé par un excès de glucose (sucre sanguin) dans le sang et plus particulièrement au cerveau. Ma tristesse est tellement grande que j'ai envie de fuir ce monde dans lequel je vis. Ma ***fureur*** est tout aussi grande. Même si le **coma** peut durer de longues périodes (semaines et années), il est très important pour mes proches de me témoigner de l'**amour**, de l'affection et de me dire que la décision de partir ou de rester m'appartient. Les proches doivent vivre le détachement nécessaire pour éviter de « retenir » contre son gré la personne dans le **coma**. Lorsque je suis dans le **coma**, mon cerveau peut être actif au point que je peux entendre les gens qui parlent ou ressentir leur présence et les impressions qu'ils dégagent même si moi, présentement, je ne peux pas bouger ou m'exprimer. Il arrive que la peur de la mort me retienne ici dans l'in**conscience**. Il faut donc me rassurer et me dire que je peux partir en toute sécurité si je le désire. Si je peux voir les énergies d'une personne dans le **coma**, je peux remarquer qu'il y a une coupure importante des liens énergétiques, selon la profondeur du **coma**. Il serait donc approprié de faire des traitements énergétiques pour régulariser la situation afin de revenir ICI ET MAINTENANT.

Il est important de me rassurer et de me dire que j'aurai toute l'aide dont j'ai besoin et j'accepte↓♥ d'avoir toutes les capacités et les qualités nécessaires pour mener à bien tous mes projets. Je sais que les changements nécessaires dans ma vie se passeront en douceur et pour le bien de toutes les personnes qui m'entourent, moi inclus !

COMÉDONS

VOIR : PEAU — POINTS NOIRS

COMMOTION (... de la rétine)

VOIR : YEUX — COMMOTION DE LA RÉTINE

COMMOTION CÉRÉBRALE

VOIR : CERVEAU [COMMOTION]

COMPULSION NERVEUSE

La **compulsion** est un trouble du comportement caractérisé par une envie irrésistible d'accomplir certains actes auxquels le sujet ne peut résister sans angoisse. Cette compulsion peut se retrouver dans la sexualité, la nourriture, la boisson, les achats, l'excès de propreté, etc.

La **compulsion nerveuse** se rapporte à un aspect de ma personnalité que je juge négatif, qui me déplaît au point que je refuse de le voir. Je le refoule au plus profond de moi. Tant et aussi longtemps que je refuse de le voir et de l'accepter↓♥, la vie m'amène à vivre de plus en plus de situations où j'ai à faire face à cet aspect de ma personnalité.

Lorsque je vis de la **compulsion nerveuse**, je regarde ce qui m'a dérangé, j'accepte↓♥ de lui faire face au lieu de **fuir**. **J'accepte↓♥ d'être un humain** avec des forces, des faiblesses, des qualités et des défauts. Je prends **conscience** que je suis **mon plus sévère juge**, je me pardonne et **j'apprends à m'aimer**. Le fait de m'accepter↓♥ tel que je suis me permettra de m'épanouir harmonieusement et je n'aurai plus à me défouler par la **compulsion**.

CONDUITS LACRYMAUX

VOIR : PLEURER

CONGÉNITAL

VOIR : INFIRMITÉS CONGÉNITALES, MALADIES HÉRÉDITAIRES

CONGESTION (... au cerveau / ... au foie /... au nez / ... aux poumons)

VOIR AUSSI : CERVEAU— ACCIDENT VASCULAIRE CÉRÉBRAL A.V.C.

La **congestion** est le système de défense du corps mis en place pour répondre à des attaques répétées contre une certaine partie de mon corps. Différentes parties peuvent être **congestionnées**.

Au foie : elle représente la critique refoulée, l'irritation intérieure que j'accumule car je n'arrive pas à l'exprimer verbalement. Je peux vivre du mécontentement, de l'amertume ou de la déception. **Au nez (sinus)** : quelle est la situation ou la personne que je ne peux pas sentir et qui me mettent en colère ? **Aux poumons** (**pneumopathie**) : je me sens étouffé par mes relations familiales, que ce soient mes parents, ma conjointe ou mon conjoint, mes enfants, etc. Mes échanges familiaux sont-ils aussi harmonieux que je le souhaite ? Est-ce que je me fais trop de souci ? **Au cerveau (A.V.C.)[75] :** je me sens dépassé, je ne sais plus comment réagir face à certaines personnes ou situations. Mon cerveau ne fonctionne plus avec autant de clarté et de rapidité qu'avant. Il est conseillé de se tenir loin de la boisson ou des drogues. Peu importe l'endroit du corps atteint, il en résulte de la frustration, de l'irritation et de la rage face aux autres et à moi-même. Je suis dans une situation de perpétuelle tension. Mes émotions sont **congestionnées**. J'ai peur de moi-même car j'ai l'impression qu'il y a quelque chose de mauvais à l'intérieur de moi. J'évite donc d'être impulsif et de vivre ma vie spontanément. Pourtant, j'ai avantage à laisser aller ma créativité car ce sont mes pulsions naturelles qui cherchent à se libérer. J'ai tendance à mettre beaucoup d'attention sur ma vie spirituelle et peu sur mes besoins physiques. J'ai besoin de repos, de vacances mais je ne me le permets pas. Je prends le temps de vérifier ce qui me dérange actuellement dans ma vie et j'en assume la responsabilité.

J'accepte↓♥ de prendre la place qui me revient, **ma place**. Je réalise l'importance d'**exprimer ce que je ressens** et je le fais sans attaquer les autres. Puisque j'exprime mes sentiments, je n'accumule ni frustration, ni haine. Lorsque je suis ouvert et réceptif, les autres le sont. Je me sens à nouveau en harmonie avec moi-même et avec ceux qui m'entourent. J'acquiers ainsi un nouvel équilibre, autant dans ma vie spirituelle que physique.

CONJONCTIVITE

VOIR : YEUX — CONJONCTIVITE

CONSTIPATION

VOIR : INTESTINS — CONSTIPATION

CONTUSIONS

VOIR : PEAU — BLEUS

COQUELUCHE

VOIR : MALADIES DE L'ENFANCE

CORDES VOCALES

VOIR : GORGE — LARYNGITE, CANCER DU LARYNX, VOIX — ENROUEMENT

[75] **A.V.C.** : accident vasculaire cérébral.

CORONAIRE

VOIR : CŒUR♥ — THROMBOSE CORONARIENNE

CORPS (en général)

VOIR : ANNEXE I

CORS AUX PIEDS

VOIR : PIEDS — DURILLONS ET CORS

CORYZA

VOIR : RHUME [DE CERVEAU…]

CÔTÉ DROIT

VOIR : MASCULIN [PRINCIPE…]

CÔTÉ GAUCHE

VOIR : FÉMININ [PRINCIPE…]

CÔTES

Les **côtes** font partie de la cage thoracique. Elles protègent le **cœur♥** et les poumons (organes vitaux) contre les dommages, les blessures extérieures et les agressions.

Une **côte** brisée ou fêlée indique donc que ma protection est diminuée et que je suis vulnérable aux pressions extérieures face à l'**amour,** à mon autonomie et à mon besoin d'espace. J'ai dépassé mes limites ou je me suis laissé « engloutir » par les autres. Je me sens coincé entre moi-même (mes **côtés** spirituel et émotionnel) et le monde physique dans lequel je vis. Je me sens fragile et ouvert à toutes formes d'attaques. Je peux avoir l'impression que je n'ai pas le contrôle sur ma vie, que je suis sans ressources et exposé au danger. Les **contusions** se font dans les moments de grande fatigue et de faiblesse, surtout lorsque l'on se sent blessé par la vie : c'est une trace physique d'une meurtrissure intérieure. Je veux crier ma douleur et mon chagrin…Souvent, si je me **casse** ou **fêle** une **côte**, je vis une situation particulière face à un membre de ma famille. Il s'agit souvent d'une situation où je me compare à quelqu'un d'autre : je ne me sens pas à la hauteur, « **côte** à **côte** ». Je me sous-estime moi-même ou j'ai l'impression que se sont les autres qui me diminuent. « Est-ce que l'on m'aime et m'estime vraiment ? » J'aurai une indication de la personne concernée selon l'emplacement de la **côte** touchée. Si ce sont les **côtes basses** (inférieures), il y a probablement un conflit avec un enfant ou un petit enfant (les descendants). Une **côte moyenne** (latérale) représente plutôt une situation conflictuelle face à un frère ou une sœur ou un(e) cousin(e) (collatéraux) et les **côtes hautes** (supérieures) représentent un parent ou un grand parent (les ascendants). Si la **côte** touchée se retrouve devant le corps (**partie antérieure**) ou le sternum est atteint, il y a quelque chose de mon futur qui me crée une grande tension ou une inquiétude comme par exemples les actions à poser ou les embûches que l'autorité pourrait mettre face à la réalisation de certains de mes projets. Si elle se situe sur les flancs ou la **partie centrale**, la situation se vit dans le moment, dans le présent. Si c'est la **partie arrière** ou postérieure, il y a des sentiments de mon passé qui m'affectent encore grandement. J'identifie la ou les situations qui me créent tant de pression. Je me demande quelle est la personne ou situation qui a exercé une pression telle sur ma ou mes **côtes** qu'elles se sont **cassées** ou **fêlées** car cela en était trop. Je devais prendre une distance, me détacher de cette source de pression car je n'en pouvais plus. Je dois me demander si ce sont les autres ou moi-même qui m'imposent celle-ci... Je cherche ma place dans la société et je vis une dualité entre l'image que je dois donner et ce que je suis vraiment. Est-ce que je reste dans le superficiel ou je décide de vivre selon mes valeurs profondes ? Est-ce que je cherche à toujours avoir « une bonne **cote** » auprès des autres ? Je doute de moi et j'ai tendance à me révolter. Je suis plutôt rigide au lieu d'écouter ma voix intérieure et de vivre d'une façon spontanée.

J'accepte↓♥ de regarder l'événement avec simplicité, d'exprimer franchement ce que je ressens tout en étant à l'écoute des autres. Je sais maintenant que la communication est un outil me permettant de me respecter tout en respectant les autres. Je cesse de me comparer aux autres et j'accepte↓♥ d'être moi-même. Je suis la seule personne qui peut avoir du pouvoir sur moi !

COU (en général)

Le **cou** est la partie du corps qui supporte la tête. Ce lien entre le corps et l'esprit est aussi le pont qui permet à la vie de se manifester, il est l'expression vivante, celui qui autorise le mouvement le plus fondamental. Il représente la **flexibilité**, la **souplesse** et la **direction anticipée**. Il est multidirectionnel et il élargit ma vision extérieure de l'univers. Je peux tout voir autour de moi et, grâce à la flexibilité de mon **cou,** je peux regarder une situation sous tous les angles (devant, derrière...). Mon point de vue devient plus objectif. Un **cou** en bonne santé me permet de prendre de meilleures décisions. Tout ce qui donne la vie traverse le **cou** : l'air, l'eau, les aliments, les circulations sanguine et nerveuse. Il unit la tête et le corps et permet la libre expression de soi, la parole vivante (voix) et l'**amour.** Le **cou** sépare donc l'abstrait du concret, le matériel du spirituel. Il est important de garder mon **cou** en santé car il me permet de voir ce qui m'entoure avec un esprit ouvert, en laissant de côté toute forme d'entêtement et d'étroitesse d'esprit (**cou** raide). Autrement, si je m'oblige à ne regarder que dans une direction, que je veux « ***tenir le cou*** », que je m'obstine et que je veuille garder à tout prix ma vision des choses, mon **cou** va réagir et je ne me rendrai peut-être pas à bon ***port***. Le fait de tenir tête à quelqu'un, de ***braver*** mon entourage met une pression inutile sur mon **cou**. Je n'ai pas à « parer aux ***coups* »** dans des situations où je ne suis pas impliqué. Je prends **conscience** que j'ai tendance à tenir tête aux autres. Puisque la gorge se situe au niveau du **cou**, si j'ai de la difficulté à avaler mes émotions, si je les « ravale », ceci peut créer une tension au niveau de mon **cou** où se trouve le centre d'énergie de la communication. Le **cou** correspondant à la conception, il représente aussi mon sentiment d'appartenance, mon droit d'être sur cette terre, me donnant ainsi un sentiment de sécurité et de plénitude.

COU — TORTICOLIS

VOIR AUSSI : COLONNE VERTÉBRALE — HAUT DU DOS, NUQUE [... RAIDE]

Quand j'ai un **torticolis**, il y a contraction des muscles du **cou** qui cause une douleur plus ou moins prononcée et qui limite les mouvements de rotation de mon **cou**.

Le **torticolis** démontre, entre autres, que je vis de l'insécurité. **J'ai des résistances à voir tous les côtés des situations que je vis**. Mes muscles du **cou** se contractent, mon **cou** se raidit et je n'arrive plus à tourner la tête. Mon inflexibilité m'empêche d'apprécier l'aide que l'on souhaite m'apporter et qui aiderait à faire évoluer les choses qui me semblent difficiles. Je préfère garder la tête droite et associer mon mal à un « **coup** de froid ». J'ai intérêt à prendre **conscience** que cette froideur a plutôt touché mon **cœur♥**, provoquant ainsi un blocage d'énergie. Je peux aussi chercher à **fuir** une situation inconfortable qui me demande de m'affirmer et de prendre position. Je peux aussi me sentir impuissant à m'en accommoder ou vivre avec. Je veux aller de l'avant mais je veux aussi reculer car je vois un obstacle en avant de moi qui me fait peur. Je vis ainsi une grande contrariété intérieure. Je m'appuie plus sur les autres que sur moi-même, ce qui m'amène à avoir une attitude rigide et entêtée. Il est aussi important que je m'arrête pour constater dans quelle direction je refuse de regarder ou quelle est la chose que je m'entête ou m'obstine à voir, dire ou faire, et qui fait « bien mon affaire ». Est-ce que je me détourne de mes buts et de mes valeurs personnelles ? J'ai peur de voir la vérité en face, de prendre mes responsabilités. Je me retrouve dans une situation où j'ai un choix à faire mais il me semble impossible. La torture morale qui y est rattachée est indéfinissable. Est-ce qu'il se pourrait qu'il y ait une personne, une chose ou une situation que je voudrais et que je ne voudrais pas regarder en même temps à cause de ma timidité, de ma honte ou de mon sens moral qui est très fort ? Si la raideur empêche ma tête de tourner de **gauche à droite**, je peux me questionner pour savoir à qui ou à quoi je refuse de dire non. Si au contraire j'ai de la **difficulté à dire oui** avec ma tête, c'est peut-être que je rejette d'emblée de nouvelles idées.

Mon corps me dit d'accepter↓♥ de voir et d'apprécier l'instant présent et de reconnaître toutes les nouvelles choses qui font partie de ma vie. J'accepte↓♥ de m'ouvrir à une nouvelle façon de voir les choses ou à de nouvelles idées ; ma vie s'améliore et mon **torticolis** disparaît.

COUDES (en général)

VOIR AUSSI : ARTICULATIONS

Les **coudes** représentent la liberté de mouvement, la flexibilité, la facilité à changer de direction dans les nouvelles situations ou les expériences de vie. Ils réfèrent à l'ambition, la possession, le travail et à la paresse. C'est l'articulation souple et flexible du bras qui permet la créativité et l'expression gracieuse de mes gestes quotidiens, qui permet le transfert d'un désir à la réalisation de celui-ci. Les coudes permettent d'accueillir les nouvelles idées, d'aller puiser à l'intérieur de moi afin de prendre les directions qui sont le plus appropriées pour moi. Si mes **coudes** sont forts et flexibles, je pourrai accomplir de grandes tâches. Une **douleur** ou de la **rigidité** au **coude** signifie un manque de flexibilité, la peur de me sentir « pris » ou coincé dans une situation déplaisante. Les **coudes** étant reliés à l'action, je peux être rigide et juger les gens qui ont une façon de faire différente de la mienne et qui peuvent remettre en question mes propres habitudes. J'ai besoin d'être ordonné et lorsque ma routine est affectée, « décousue »[76], mes **coudes** vont réagir. Je peux avoir peur d'être incompétent dans un domaine qui me tient à **cœur♥** et par conséquence, de ne pas pouvoir supporter ma famille. Je résiste à une nouvelle direction à prendre en bloquant inconsciemment l'énergie du **cœur♥** qui se rend jusqu'à cette articulation. Je me sens obligé de faire des choses contre mon gré, de « jouer des **coudes** ». Je me replie sur moi-même car je me méfie du monde qui m'entoure. Je reste sur mes positions au lieu de m'ouvrir à de nouvelles idées. Je m'accroche à ce que j'ai parce que j'ai peur de la nouveauté et de l'inconnu. Même si j'ai parfois peur de me laisser aller, je me sens « poussé du **coude** » par une autre personne, je dois « serrer les **coudes** » pour me protéger. Deux **coudes** en santé permettent de bien serrer quelqu'un dans ses bras.

J'accepte↓♥ de mettre plus d'énergie à faire tout ce que je veux et j'ose exprimer davantage mes émotions. Je trouve alors facile d'accepter↓♥ la vie et ses nombreux changements. Je m'abandonne plus facilement et elle prend soin de moi comme je le mérite. Je reste ouvert à l'**amour**, ce qui m'aide à vivre plus facilement les expériences quotidiennes sans agressivité, avec souplesse et ouverture d'esprit. J'accepte↓♥ d'aller puiser à l'intérieur de moi afin d'y trouver toutes les réponses à mes questions et j'accepte↓♥ les nouvelles directions de ma vie comme des défis à relever, sachant que les cadeaux sont aussi grands que les efforts fournis.

COUDES — ÉPICONDYLITE

Plus connue sous le nom de ***tennis-elbow*** en médecine sportive, l'**épicondylite** est une inflammation au niveau de l'articulation du **coude**.

Mes **coudes** me donnent la flexibilité nécessaire dans les changements de direction. Dans le cas d'une inflammation, je dois prendre **conscience** du pourquoi ou de ce à quoi j'oppose tant de résistance. Il se peut que je développe de la frustration à la suite d'événements répétitifs qui se présentent dans ma vie et j'ai l'impression que je dois constamment **amortir les *coups***. Je peux avoir l'impression que je mets plus d'efforts que les autres pour accomplir certaines tâches ou atteindre certains résultats et que je ne reçois pas le crédit qui m'est dû. Je suis très impulsif dans mes actions. J'ai tendance à oublier les leçons apprises dans le passé donc je tends à refaire les mêmes erreurs. **L'épicondylite** peut être une indication qu'il y a quelque chose que je n'arrive pas à réaliser ou qu'on m'oblige à faire et je n'en ai pas le goût. Je vis beaucoup de colère face à une situation et j'aurais le goût de donner un coup de poing à quelqu'un mais je me retiens.

J'accepte↓♥ de laisser aller mes vieilles idées et mes vieux patterns pour prendre la meilleure direction pour mon évolution. J'accepte↓♥ aussi de laisser circuler l'**amour** dans les événements qui se présentent à moi.

COUP DE CHALEUR

VOIR : CHALEUR [COUP DE...], INSOLATION

[76] **Décousu** : ce dit de ce qui est incohérent, sans suite.

COUP DE FROID

VOIR : FROID [COUP DE...]

COUP DE SOLEIL

VOIR : INSOLATION

COUPEROSE

VOIR : PEAU —ACNÉ ROSACÉE

COUPURE

VOIR AUSSI : ACCIDENT

La **coupure** indique un désordre émotionnel, une profonde douleur mentale qui se manifeste dans le physique et qui peut cacher une grande culpabilité. Elle me fait prendre **conscience** d'une plaie intérieure et de ce que je peux vouloir inconsciemment m'autodétruire. C'est un avertissement, un signe que je dois réévaluer la direction dans laquelle je vais. Je veux aller trop vite et faire trop rapidement. C'est le signe d'un conflit intérieur profond. Je pousse mes limites un peu trop loin ! Je regarde l'endroit où je me coupe et l'activité que je faisais à ce moment, ça me permet d'identifier l'aspect à intégrer. Par exemple, une **coupure** aux mains indique peut-être que je me sens coupable d'exprimer ma créativité dans les situations quotidiennes, ou que je suis irrité parce que je fais une chose que je n'aime pas ; je me dépêche et je deviens **coupable**. Au moment de la **coupure**, il y a souvent une émotion que je n'arrive pas à maîtriser. Est-ce que j'ai l'impression que je suis sans défense et que quelqu'un veut profiter de moi ou me blesser ? La profondeur et la gravité de la **coupure** m'indiquent le pourquoi de cette affliction : de **petites coupures** manifestent une culpabilité légère qui a souvent trait aux détails du quotidien face auxquels je mets trop d'attention, ou au contraire je me laisse un peu aller et mon insouciance me fait omettre des détails qui sont importants. Une **coupure plus profonde** et large me montre que cette culpabilité est beaucoup plus importante : je me sens « **coupé** » de mon essence profonde ou du reste du monde, divisé face à une décision à prendre, déchiré face à une personne ou une situation. Je me sens alors vulnérable, incapable d'agir. Mon niveau de stress et d'anxiété est élevé car j'ai l'impression que je dois constamment être sur mes gardes. Je peux avoir l'impression d'être emprisonné dans l'image que je veux donner, dans les idéaux qui m'ont été imposés, soit par moi soit la société. Je sens ma liberté brimée et j'ai le goût de me révolter. Je me sens « **coupé** » de mon vrai moi, de mon potentiel illimité.

J'accepte↓♥ ce que j'ai à comprendre, j'assume mes choix et je fais les changements qui s'imposent. Je prends le temps de m'arrêter et d'évaluer ma vie, mes objectifs. J'ai le pouvoir de réaliser tous mes rêves : je n'ai qu'à accepter↓♥ ma vraie nature, mes forces intérieures et tout devient possible. Je reprends contact avec moi-même et avec les gens qui m'aident dans mon cheminement.

COURBATURE

La **courbature** est une sensation d'endolorissement, de fatigue des muscles après un effort inhabituel ou à la phase initiale de certaines infections virales (grippe, hépatite, etc.). La **courbature** se manifeste par un blocage d'énergie au niveau des muscles.

Elle est reliée à la douleur ressentie lorsqu'un besoin (affectif ou émotionnel) n'a pas été satisfait. Alors que l'énergie emmagasinée dans mes muscles s'exprime généralement par un mouvement ou un geste, je bloque inconsciemment cette énergie au niveau du muscle. Je suis donc en réaction intérieure (douleur mentale) et je l'exprime physiquement par ces **courbatures**. Je me sens abattu, opprimé face à une personne ou une situation. La **courbature** se situe à différents niveaux et les **douleurs osseuses** indiquent une douleur intérieure très profonde. J'en suis affecté jusqu'au fond de mon être, de mon espace.

J'accepte↓♥ de changer mon comportement, de bouger dans la bonne direction sans être en réaction. J'accepte↓♥ d'être ce que je suis, de vivre l'instant présent, sachant que la vie comble intérieurement mes besoins les plus fondamentaux.

CRACHER DU SANG

VOIR : SANG [MAUX DE...]

CRAMPES

Une **crampe** est la contraction involontaire, douloureuse et passagère d'un muscle ou d'un groupe musculaire.

Les **crampes** indiquent une grande tension, une crispation intérieure parfois excessive. Je retiens l'énergie divine et l'empêche de circuler en moi car je suis coincé, limité. Je m'obstine à m'accrocher à une peur, une blessure intérieure ou à un stress qui ne sont plus bénéfiques pour moi. Certains de mes patterns mentaux ont besoin d'être intégrés davantage. Actuellement, je vis beaucoup de **pression** et de **tension** qui peuvent être accompagnées d'un sentiment d'impuissance face à quelque chose ou à une situation. Je me demande bien quoi faire et quelle est la meilleure solution pour moi. Puisque j'ai peur, je me **cramponne**, je m'accroche à des idées fixes. Je vis une certaine soumission, devant « ramper » devant certaines personnes pour éviter leur foudre. J'appréhende la vie au point où je bloque radicalement (« verrouille ») l'énergie à un endroit précis. Je voudrais me réfugier chez moi. Mon anxiété m'amène à vouloir éviter ou fuir une situation. Si cette anxiété est vécue pendant le jour à la maison, je pourrai me retrouver avec des **crampes la nuit** qui me réveillent et qui me rappellent que je devrais fuir. Selon l'endroit de la **crampe**, j'ai un indice de ce que je dois changer : une **crampe au pied**, la direction que je prends ; une **crampe à la jambe**, ma façon d'avancer dans la vie ; une **crampe à la main**, mes actions et mes entreprises.

Je suis conscient des douleurs intérieures qui m'accablent et je réalise que je peux changer ceci. J'accepte↓♥ de lâcher prise et de rester ouvert à l'énergie divine. Je prends le temps de m'arrêter et de réfléchir. Cet instant d'arrêt me permet de repartir plus lentement et d'une manière différente, d'être mieux dans ma peau.

CRAMPES ABDOMINALES

VOIR AUSSI : VENTRE

L'abdomen est relié au chakra de l'intuition et de la créativité. Ainsi, la **crampe abdominale** indique la peur de suivre mon intuition, mon refus de me laisser aller pleinement à ma créativité, en bloquant l'énergie divine à cet endroit, c'est-à-dire près ou plus bas que le nombril. Ainsi, j'arrête tout processus me permettant de voir ce qui peut m'aider à avancer normalement. J'ai peur de découvrir l'avenir sans cesse profitable pour moi. Je veux tout contrôler car j'ai peur d'expérimenter de nouvelles choses. Je m'attends au pire, à ce qu'il m'arrive des choses abominables.

J'accepte↓♥ de m'ouvrir et de faire confiance à la vie. De cette façon, je peux me laisser guider davantage par mon intuition et je peux utiliser ma créativité pour aller dans la direction qui me convient, en harmonie avec ce que je suis.

CRAMPE DE L'ÉCRIVAIN

VOIR AUSSI : DOIGTS [EN GÉNÉRAL], MAINS [EN GÉNÉRAL], POIGNET

C'est la sensation d'avoir des engourdissements ou des fourmillements dans les doigts, causée par la compression du nerf médian dans le canal carpien, situé dans la zone antérieure du poignet.

Je suis habité par une grande **tension intérieure** et lorsque j'écris, j'y mets énormément d'effort. Qui est-ce que je veux **impressionner** ? Qui est-ce que je veux convaincre ? Moi ou les autres ? Je suis **prétentieux** et mes idées de grandeur font de moi une personne **trop ambitieuse**. Il est possible que je porte un masque, cachant ainsi ma personnalité réelle, ce qui me protège contre le jugement des gens. Cela résulte du fait que j'ai peu confiance en moi et que je me crois incapable d'accomplir de grandes choses. Je m'interroge face au mariage et comment je me positionne face à celui-ci. Le doute que j'entretiens face à ma capacité d'exprimer ma créativité m'amène à abdiquer, abandonner mes objectifs. Je ne ferai « qu'essayer » mais une partie de moi a déjà « jeté la serviette [77] ». Comme la douleur peut se manifester davantage la nuit ou le matin au réveil, alors que je suis encore connecté aux mondes intérieurs, cette douleur me rappelle les ajustements que je dois faire à l'intérieur de moi pour être plus flexible.

À partir de maintenant, je fais les choses naturellement, en prenant le temps d'être vraiment moi-même. Je n'ai rien à prouver à personne. J'accepte↓♥ de m'aimer tel que je suis, sans artifices et en demeurant totalement libre dans mes attitudes. C'est le premier pas vers une grande réalisation, la Réalisation de soi.

CRAMPES MUSCULAIRES (en général)

La **crampe** d'origine **musculaire** indique que je **retiens** quelque chose que je ne veux pas laisser aller. C'est une grande **tension intérieure** qui s'exprime par un blocage d'énergie au niveau **musculaire**. Le muscle, lui, représente l'énergie, la vie et la force. Ainsi, je « bloque » la vie en ne

[77] **Jeter la serviette** : abandonner, abdiquer.

laissant pas aller ces vieilles pensées qui changent et qui se transforment dans le corps en évolution. J'ai encore de vieux principes préconçus et je les véhicule dans mes actions de tous les jours. Je suis « sous tension », me posant mille et une questions. Mon attention se retrouve sur certains soucis qui prennent tellement de mon énergie que j'en viens à être déconnecté de mon corps physique. Il est important de vérifier quelle partie du corps est affectée par les **crampes**.

J'accepte↓♥ dès maintenant de me laisser aller au niveau du **cœur♥**, de m'ouvrir davantage aux nouvelles possibilités susceptibles de me faire avancer. Je ne peux changer le passé mais je peux changer mon interprétation des événements. Je suis de plus en plus conscient des beautés présentes. La méditation et une technique de rééquilibre énergétique aident à laisser aller ces tensions superflues et à harmoniser davantage mes corps énergétiques.

CRÂNE

VOIR : CERVEAU — COMMOTION CÉRÉBRALE, OS — FRACTURE [OSSEUSE…]

CREVASSE

VOIR : PEAU — GERÇURES

CRISE CARDIAQUE

VOIR : CŒUR♥ — INFARCTUS [… DU MYOCARDE]

CRISE DE FOIE

VOIR : INDIGESTION

CROHN (maladie de…)

VOIR : INTESTINS — CROHN [MALADIE DE…]

CROUP

VOIR : GORGE — LARYNGITE

CROÛTE DE LAIT

VOIR : PEAU — ECZÉMA

CUIR CHEVELU

VOIR : CHEVEUX — TEIGNE, PEAU — DÉMANGEAISONS, PELLICULES

CUISSES (en général)

VOIR AUSSI : JAMBES/[EN GÉNÉRAL]/[MAUX AUX …]

La **cuisse** contient le groupement de muscles qui représente le mouvement et la force d'aller de l'avant. Des **cuisses** fortes et puissantes indiquent une personne bien enracinée au sol, ayant de grandes réserves énergétiques utilisables pour son autorité et son **évolution spirituelle**. Ces « réservoirs » naturels indiquent aussi l'état d'esprit. Ainsi, en restant inactif trop longtemps, je risque d'accumuler des réserves inutiles. Soit je peux vouloir faire quelque chose mais je ne le peux pas, soit on veut me forcer à faire des choses qui ne me conviennent pas. J'ai peur de prendre ma place, je trouve **injuste** plusieurs situations de jeunesse vécues principalement face à mes parents, que je n'ai pas acceptées↓♥ et face auxquelles je vis beaucoup de **ressentiment**. Je peux avoir été obligé de me séparer d'une personne qui m'était chère. **Manquer** de quelque chose peut être effrayant pour moi ! Donc, je fais des « réserves ». Je continue à véhiculer dans mes **cuisses** ces pensées **inconscientes** et à transporter tout ce matériel excédentaire. J'ai souvent l'impression « qu'il est trop tard » pour dire ou faire des choses. « Je suis cuit ! » : on a découvert un secret ou une information que je voulais garder pour moi. Je vis de la colère, du **ressentiment** et de la frustration parce que j'ai l'impression de travailler sans grand succès. En ayant de grosses **cuisses** bien « dodues » (et très serrées entre les jambes), je bloque inconsciemment l'énergie à cet endroit et ma sexualité risque de changer car l'énergie reste « stagnante » au niveau du bassin. Je peux avoir l'impression qu'on peut moins m'atteindre ainsi et que je peux cacher mes émotions les plus profondes en dessous de cette graisse ou de ces muscles. Il peut y avoir un barrage de résistances mentales qui m'empêche de m'exprimer pleinement ou de trouver ma direction. Il est temps de me libérer et de laisser passer cette énergie d'**amour** qui ne demande qu'à s'exprimer.

J'accepte↓♥ de laisser couler cette énergie vers le bas, vers mes **cuisses** et mes jambes qui en ont besoin davantage, ce qui m'aide à m'enraciner à la terre, à être plus « groundé » et ainsi, m'amène un plus grand équilibre entre mes côtés spirituel et physique. Ceci m'aide à faire partir la déprime que je vis. Mon corps s'équilibre et je me débarrasse de la rancune accumulée dans ma jeunesse. Même si, parfois, j'ai l'impression d'être fermé, je regarde mes biens matériels et je les accepte↓♥ pour ce qu'ils sont dans ce monde, c'est-à-dire des serviteurs de l'univers.

CUISSES (MAUX DE...)

VOIR : JAMBES — PARTIE SUPÉRIEURE

CULOTTE DE CHEVAL

VOIR : CELLULITE

CULPABILITÉ

VOIR : ACCIDENT

CUSHING[78] (syndrome de...)

VOIR AUSSI : GLANDES SURRÉNALES

Conséquence d'une surproduction d'une hormone (corticoïde) des glandes surrénales, les principaux symptômes du **syndrome de Cushing** sont l'obésité localisée à la face, au cou et au tronc (bosse de bison), de l'hypertension artérielle, des vergetures, une pilosité excessive, de l'atrophie musculaire avec asthénie (faiblesse) etc.

Il existe alors un désordre mental et physique, un déséquilibre qui amène le sentiment d'**être envahi** par les autres, du fait que j'ai perdu graduellement tout contact avec mon propre pouvoir. Un sentiment d'impuissance est vécu, me « noyant » dans un surplus d'idées qui m'envahit. Je suis perdu, ne sachant quelle direction prendre. Ainsi, par réaction, je tends à vouloir écraser consciemment ou non les gens autour de moi. Lorsque ces glandes fonctionnent de façon anormale, je vois apparaître une série de symptômes connus sous l'appellation de **syndrome de Cushing**. Je me rends compte que certaines parties du corps se transforment : le visage, le cou, le tronc et je constate aussi que les membres inférieurs maigrissent. Je vis un déséquilibre physique et mental. Mon impuissance m'amène à ne plus avoir **conscience** du pouvoir qui m'habite. C'est comme si on pouvait « me rentrer dedans à n'importe quel moment ». Je suis en état de survie et je porte un passé qui est très lourd.

Il est important pour moi que je reprenne davantage contact avec la réalité en posant des gestes qui m'aideront. J'utilise ce pouvoir pour améliorer ma qualité de vie. J'apprends à me faire confiance, j'accepte↓♥ de prendre ma place et de vivre en fonction de ce que je ressens et de ce que je suis.

CUTICULES

VOIR : DOIGTS — CUTICULES

CYPHOSE

VOIR : COLONNE VERTÉBRALE [DÉVIATION DE LA...], DOS [MAUX DE...]

CYSTITE

VOIR : VESSIE — CYSTITE

[78] **Cushing** (Harvey William) : neurochirurgien américain qui, en 1832, a décrit certains troubles liés aux glandes surrénales.

CYSTOCÈLE

VOIR : PROLAPSUS

DALTONIEN

VOIR : YEUX — DALTONISME [NON-PERCEPTION DES COULEURS]

DÉCALCIFICATION

VOIR AUSSI : OS — OSTÉOPOROSE

La **décalcification** est une diminution importante de la teneur en calcium d'un tissu, d'un organe ou d'un organisme, le plus souvent, déminéralisation du squelette.

Je me sens fragile, j'ai l'impression qu'un mauvais sort s'acharne sur moi. Je me sens tabassé, grugé dans mon intimité, brisé intérieurement par certaines situations ou personnes. J'en viens à me déprécier, à me diminuer, ayant l'impression de perdre mon pouvoir petit à petit. Je deviens dépendant des autres, ne sachant quelle direction prendre. J'ai l'impression de manquer quelque chose, de manquer « le bateau », de perdre quelque part. L'os étant la structure du corps, je dois réviser la composition de ma vie dans son ensemble, mon mode de fonctionnement, mes réactions face aux diverses situations que je vis présentement.

J'accepte ↓♥ de me faire confiance, de reconnaître mes qualités et ma force intérieure. Je choisis de vivre selon mes valeurs profondes. J'apprends à prendre ma place et je reprends la maîtrise de ma vie, sachant que personne ne peut m'atteindre. Je suis constamment protégé et guidé.

DÉCHAUSSEMENT DES DENTS

VOIR : DENTS [MAUX DE...]

DÉMANGEAISONS

VOIR : PEAU — DÉMANGEAISONS

DÉMANGEAISONS À L'ANUS

VOIR : ANUS — DÉMANGEAISON ANALE

DÉMANGEAISONS VAGINALES

VOIR AUSSI : VAGIN [EN GÉNÉRAL]

Les **démangeaisons vaginales** sont reliées à la sexualité et au principe féminin. Si cela me démange, c'est qu'en ce qui a trait à mes relations sexuelles, quelque chose me contrarie, mon partenaire m'impatiente. Comme je le ferais dans le cas de **démangeaisons** ordinaires, je me demande ce qui m'irrite, me dérange et m'agace.

Lorsque les **démangeaisons** apparaissent, j'accepte↓♥ de trouver la cause et j'apprends à communiquer, à dialoguer à **cœur♥** ouvert afin d'exprimer ce que je ressens.

DÉMENCE

VOIR : ALZEIMER MALADIE D'..., SÉNILITÉ

DÉMINÉRALISATION GÉNÉRALE

VOIR AUSSI : OS — DÉCALCIFICATION

On utilise ce terme pour désigner la perte, par le squelette, des éléments minéraux dont le corps a besoin, comme le phosphore, le calcium, le sodium, le fer, la silice, le magnésium, etc. Une **déminéralisation** peut amener de l'anémie. Elle se manifeste par de la fatigue, une carence au niveau des os, manque de sommeil. Des taches blanches sur les ongles sont un signe de déminéralisation.

Mon corps manque de vitalité et d'entrain. Je « perds » des minéraux et je manque de tonus. Ai-je tendance à penser que la vie m'échappe ou que je rate quelque chose ? Suis-je en train de m'ancrer dans de vieux schèmes jusqu'au point de m'y enliser ? Mon négativisme et mon esprit défaitiste et de victime créent une « fuite de mes énergies ».

J'accepte↓♥ de faire confiance à mon guide intérieur et j'apprends à me restructurer. Je prends les décisions nécessaires pour faire les changements qui s'imposent afin de réorganiser certains aspects devenus nocifs pour moi et de goûter le « sel de la vie ». J'accepte↓♥ de ne mettre mon attention que sur les aspects positifs de ma vie.

DENTS (en général)

Les **dents** symbolisent les **décisions**, la solide porte d'entrée qui me permet de mordre à « pleines **dents** » dans la vie ! Réalités intérieure et extérieure passent par mes **dents** qui sont l'un des moyens pour m'exprimer entièrement dans cet univers. La **dent** est un des organes annexes très durs qui représente l'énergie fondamentale de mon être, mon intégrité. La capacité intérieure d'accueillir les nouvelles idées, l'**amour** et la nourriture intérieures, ainsi que mon équilibre et ma stabilité se manifestent par des **dents** saines et dures.

Les **dents** sont, en partie, le miroir de l'être. Lorsque la nourriture passe à travers ma bouche, cette dernière transmet aussi des sentiments qui peuvent affecter mes **dents** à plus ou moins long terme. La **dent** est toujours atteinte en premier (même si c'est par exemple une carie non apparente) et l'organe mou du corps qui y est relié par la suite. Ainsi, des **dents altérées** (par exemple : cariées) indiquent une faible **affirmation de soi**, une réalité inacceptable pour moi et la **peur de prendre ma place** dans l'univers avec les responsabilités que cela implique. Ma difficulté à acquérir mon autonomie et mon indépendance, à ***accéder*** à ce que je désire se traduira par des malaises avec mes **dents.** Même si j'ai de la difficulté à prendre certaines décisions bénéfiques pour moi, je dois rester ouvert aux moyens disponibles me permettant de dépasser les situations les plus délicates. Pour bien des animaux, les **dents** représentent le moyen le plus efficace de se protéger et de se défendre en cas d'attaque extérieure. Si je me sens en danger et que je ne sais trop comment réagir, mes **dents**, elles, réagiront.

Les **dents** représentent aussi ma volonté à aller de l'avant, à bien faire les choses, ma capacité à donner vie à mes pensées et à mes émotions. Un conflit profond, de la culpabilité reliée à une situation émotionnelle véhiculée en paroles, ou tout autre dérangement intérieur peuvent se manifester par une réaction aux **dents** et même aux **gencives**. Le malaise au niveau de la **dent** ou des **gencives** apparaît lorsque je décide que le conflit ne sera pas résolu et que consciemment ou non, je décide que « le temps va arranger les choses ». Je veux « limiter les dégâts » et ce seront mes **dents** qui vont se gâter. Les situations non résolues, les émotions non gérées « pourrissent » mes **dents**. Je peux donc « serrer les **dents** » pour me défendre d'une agression extérieure dans une situation qui me fait fortement réagir. Je ferme la porte, en résistant à ce qui veut entrer en moi ou, au contraire, à ce qui a besoin de sortir de moi. Les **incisives** (les **dents** d'en avant) se rapportent au fait d'avoir à « trancher » face à un choix, c'est-à-dire oui ou non, faire ou ne pas faire telle action, etc.

Les **canines** sont davantage liées au fait de pouvoir exercer une certaine autorité sur les décisions que j'ai à prendre. Un peu comme des crocs, elles symbolisent ma capacité ou mon obligation à me protéger moi-même. Elles peuvent être affectées lorsque je me sens « déchiré » face à une décision à prendre. Je travaille avec acharnement et j'ai l'impression de ne pas pouvoir atteindre mes buts. Les **prémolaires** m'indiquent mon degré d'accord par rapport à mes décisions. Quant aux **molaires**, elles représentent mon degré de contentement face aux décisions qui ont été prises ou qu'il me reste à prendre. Ce sera l'**émail de la dent** qui sera atteint lorsque j'ai l'impression que je n'ai pas le droit de « mordre » dans une situation à cause de la morale ou de l'éducation reçue (je suis trop bien élevé pour faire une chose pareille...). Je peux aussi avoir l'impression de me faire « user » par mes proches car je n'ai aucune barrière pour me défendre. La **dentine** sera affectée lorsque je pense ne pas pouvoir être capable de « mordre » dans une situation, doutant de moi-même, de mes capacités. Ma réalité, mon quotidien me pèsent lourd et je veux les fuir.

J'accepte↓♥ de rester ouvert à l'**amour**, sans avoir peur de perdre la gratitude des autres. Lorsque j'ai les **dents** saines, je me permets davantage de sourire et j'ouvre ainsi une communication non verbale aux autres. Je m'aime tel que je suis, avec toutes mes qualités. Je dois prendre soin de mes **dents**, elles « habillent » ma personnalité. Elles me permettent une communication claire et précise, étant capable d'exprimer avec les mots justes ma pensée et mes émotions. Les d**ents** n'ont pas de masque ! Je reste moi-même, sans me juger et en demeurant ouvert aux critiques extérieures. Je transforme mes pensées en amour véritable et mes **dents** restent en santé

DENTS (MAUX DE...)

Les **problèmes dentaires** sont reliés aux **décisions**, particulièrement lorsque j'ai **mal aux dents**. Je **reporte la prise de décisions** parce que les conséquences de ces choix m'effraient, m'insécurisent. C'est associé à la responsabilité personnelle, à ma capacité de prendre des décisions, sans avoir peur de ce qui va arriver plus tard[79]. Cette indécision peut venir du fait que je n'ai pas une vue d'ensemble d'une situation et qu'ainsi, je ne peux pas tirer des conclusions appropriées. Mes **dents avancent** d'une façon excessive vers l'avant quand je suis trop pressé dans mes décisions, quand je voudrais que tout aille plus vite. Je fais constamment des compromis pour que les autres m'aiment. Si mes **dents** sont orientées **vers l'arrière**, j'ai plutôt tendance à mettre les freins, à me replier sur moi-même. Si j'ai une **rage de dents**, il se peut fort bien que la **rage** se soit emparée de moi parce que je m'en veux de ne pas pouvoir communiquer ce que je veux. J'ai le goût de « montrer les **dents** », de ***maugréer*** pour prendre ma place et montrer que j'existe, montrer ma puissance. Je veux qu'on m'écoute, qu'on me respecte. Au contraire, je me « ferme la gueule ». **Dans la racine**, elle me montre la rage que j'ai face à une situation où il y a un membre de la famille que j'ai peur de perdre.

La **douleur** réapparaît habituellement dans des situations « douloureuses » où je dois me détacher face à une situation ou une personne. Si je n'ai pas réglé complètement une situation, la douleur peut rester même après l'extraction d'une **dent**. La **douleur** me montre que la colère que j'ai est inutile et que je dois cesser de me mettre de la pression face à l'aspect que représente la **dent** douloureuse. Je prends **conscience** qu'en communiquant mes besoins et mes désirs, les **rages de dents** n'auront plus raison d'être. Lorsque je suis un enfant et que **mes dents percent avec difficulté**, je me sens perdu, ne sachant sur qui ou quoi m'appuyer. Je vis de l'angoisse et de l'incertitude. Si au contraire je n'ai **aucune sensibilité**, c'est ma façon de fuir des situations désagréables, de faire la sourde oreille aux messages que mon corps m'envoie.

Lorsqu'il s'agit de **tartre sur les dents**, c'est une forme d'**agression intérieure**, une réaction qui n'a pas été réglée et qui refait surface. Cela peut m'amener à durcir mes positions face aux décisions que j'ai à prendre ou que j'ai prises. Je vis pour les autres au lieu de vivre selon mes propres aspirations et ma volonté personnelle. Le **tartre** devient une armure pour mes **dents** pour me protéger des attaques extérieures. Lorsque je me **casse une dent**, je vis une confrontation face à quelqu'un ou quelque chose de plus grand et plus puissant que moi et je peux m'entêter à continuer de me battre pour mes idées ou ce en quoi je crois. Je suis rigide, allant toujours au-delà de mes capacités.

Si les **dents de lait persistent**, je m'accroche à certains comportements enfantins car j'ai peur de grandir. Si je **perds mes dents** d'une façon prématurée, j'ai l'impression que ce sont les autres qui prennent les décisions à ma place. Je ne peux pas « mordre dans la vie ». Si j'en suis rendu à **perdre mes dents**, comme par exemple lorsque j'avance en âge, c'est comme si ma vie ne m'appartenait plus puisque que ce sont les autres qui prennent les décisions à ma place. Je ne peux plus « montrer les dents », je renonce bien malgré moi à ma créativité, ma jeunesse. Si certaines de mes **dents ne se sont pas développées**, il m'est difficile

---

[79] C'est pourquoi tant de personnes ont peur d'aller chez le dentiste. Souvent, je blâme ma peur des seringues et des piqûres pour justifier de ne pas aller chez le dentiste. Mais, inconsciemment, je sais que le fait de travailler sur mes dents m'amène à toucher à des émotions désagréables ou que je veux fuir. Il est fréquent de se sentir plus émotif et fébrile chez le dentiste.

d'être en vie : je ne vois pas comment je peux devenir indépendant, surtout de ma mère et pouvoir m'exprimer librement sans avoir peur des conséquences. Le **déchaussement des dents**, lui, est relié à la peur d'être découvert dans un secret qui n'a pas été dit. Cela me ronge au fil des ans. Aussi, je me perds et je n'ai aucune limite parce que je veux, comme un caméléon, trop m'ajuster aux autres pour qu'ils m'aiment et m'acceptent↓♥. Il serait temps que je délimite mon espace vital et que je me libère de ce secret qui me ronge pour faire circuler l'énergie et mordre dans la vie.

J'accepte↓♥ de trouver un moyen de structurer davantage ma pensée et mes idées ; ainsi, il me sera plus facile de prendre de judicieuses initiatives liées à ce que je vis actuellement et de changer mes comportements. J'accepte↓♥ d'être conscient de ce qui se passe dans ma vie, de comprendre l'essence de la détermination qui gère mon univers. Je vérifie le côté affecté par les **problèmes dentaires** et j'apporte la solution qui convient. S'il est en haut, je pense à l'intuition et à l'instinct tandis qu'en bas, c'est davantage une décision du domaine rationnel et logique, quelque chose de voulu physiquement.

DENT (abcès de la racine de la...)

Puisque cet **abcès** se retrouve dans les tissus qui enveloppent la racine dentaire, cela démontre ma colère face à une décision à prendre. Comme l'infection est située dans la cavité centrale de la **dent**, cela indique la contrariété que je vis par rapport à une décision qui me ronge par en dedans (de-**dent**). C'est comme un petit volcan qui fait éruption et qui laisse jaillir des émotions négatives longtemps réprimées. Je peux vivre une douleur intérieure intense face à la nourriture affective dont j'ai besoin et que j'ai l'impression de manquer. S'il y a une **coupure affective**, notamment avec ma mère ou avec mes enfants, et que j'emmagasine peine, désappointement, tout en me sentant coupable de ce qui se passe, l'**abcès** va apparaître. Mes racines profondes sont remises en question.

J'accepte↓♥ de prendre cette décision avec le plus d'**amour** et d'harmonie possibles en tenant compte des valeurs les plus élevées qui gouvernent ma vie, dans le respect de moi-même et des autres.

DENTS (carie dentaire)

La **carie dentaire** est la manifestation d'une **douleur intérieure** extrême.

Elle manifeste à l'extérieur ce qui se passe dans les profondeurs de ma personne. **Quelque chose me ronge** jusqu'au plus profond de mon être. Je n'arrive pas à exprimer ce mal qui me ronge et l'inflammation fait son apparition. La **dent** commence à ramollir et c'est souvent douloureux, en raison de la sensibilité nerveuse présente au niveau de la **dent**. Lorsque la tension émotionnelle est devenue trop intense, elle se transforme au niveau physique par une **carie sur la dent** qui correspond exactement à ce que je vis[80]. Puisque chaque **dent** représente un aspect particulier de ma personnalité et de ma vie, la **carie** me montre que je refuse ou rejette cet aspect particulier, que je m'autodétruis. Si je **plombe** cette **dent**, les

[80] Voir l'explication pour chaque **dent** sous : **DENT** (symbolisme de la...).

émotions qui y sont rattachées seront emprisonnées, jusqu'à ce que j'en devienne conscient. La structure de la **dent** est la plus rigide du corps humain. La **carie dentaire** concerne l'aspect « mental ». Est-ce de la **haine,** des remords ou de la **rancune** vis-à-vis de quelqu'un, particulièrement face à l'autorité ? Il se peut que « je montre les **dents** » quand je me sens attaqué. Quelle est la véritable cause de ma douleur ? La raison première augmentera mes chances de renverser ce processus de destruction. Je peux m'en vouloir de me taire et ainsi de me faire du mal à moi-même. Je peux aussi avoir vécu une situation où j'avais le goût de « mordre » quelqu'un en situation d'autodéfense et que je ne l'ai pas fait car « un enfant bien éduqué ne fait pas ce genre de choses ». J'avais souvent des **caries** étant enfant, car j'ai une « **dent** » contre une personne[81]. J'ai reçu peu de nourriture affective (marques d'affection, tendresse, douceurs, etc.). On a rit de moi et j'ai été profondément blessé, jusqu'au fond de mes **dents** ! Il se peut aussi que je vive un conflit familial où j'assume difficilement ce que je reçois de mon entourage, et que je doive filtrer ce conflit avec mes **dents** par le processus de mastication. Car mes **dents** me permettent de filtrer et de discriminer ce qui entre à l'intérieur de mon corps et, par le fait même, dans mon Univers en général. Plus nombreuses sont mes **caries**, plus je me coupe de moi-même et me rapproche inconsciemment de la mort. Car chaque **carie** manifeste une partie vitale de moi qui est morte ou est en train de mourir car un conflit que je vis reste sans solution. La douleur s'exprimera entre autres par une **carie** et peut engendrer aussi d'autres maux physiques qui sont en relation.

J'accepte↓♥ de cesser de chercher la cause physique (alimentation, sucre, etc.). Je laisse plutôt évoluer mes pensées et je change ma manière de voir les situations de ma vie. Je peux me demander : quelle est la « nourriture » émotive et rationnelle (mes pensées) qui n'est plus bénéfique pour moi et que j'aurais avantage à remplacer par une « nourriture » plus saine et équilibrée ? Je prends la vie avec « un grain de sel » et je permettrai ainsi à mes » **dents de sagesse** » de se développer et de se fortifier. Ce sera beaucoup plus profitable pour moi !

DENTS — DENTIERS OU FAUSSES DENTS

Le **dentier** me donne l'illusion d'une forte vitalité. En effet, semblable aux vraies **dents**, il donne l'impression d'être vrai, d'être sincère comme de vraies **dents** ! Rien n'est plus faux ! Puisque je veux une réponse claire, je vais au fond des choses. Suis-je capable de vivre mes expériences avec courage et sincérité, comme avec mes vraies **dents** ? Suis-je déterminé à être ce que je suis vraiment, à m'affirmer, à être entier, à « croquer » dans la vie ? Si le **dentier me blesse** (par exemple suite à un soi-disant mauvais ajustement), je suis encore blessé, même inconsciemment, par un parent accaparent, exigeant ou qui « empoisonne » ma vie (en haut, le père, mon côté rationnel, Yang et en bas, la mère, mon côté affectif, intuitif, Yin). Cela m'empêche de devenir davantage autonome.

Je cesse de vivre en fonction des autres. J'accepte↓♥ d'être moi-même et, en m'affirmant, je trouve la satisfaction et le bonheur.

---

[81] **J'ai une dent contre une personne** : j'en veux ou j'ai de la haine envers une personne pour quelque chose.

DENTS (grincement de...) — BRUXISME

VOIR AUSSI : AUTORITARISME, MÂCHOIRES [MAUX DE...]

Les **dents** représentent les décisions et une certaine forme d'agressivité. Le **grincement de dents**, aussi appelé **bruxisme**, est donc une **colère inconsciente** qui remonte à la surface, une **rage refoulée** qui s'exprime souvent la nuit.

Je suis très nerveux intérieurement, je me retiens de dire ou de faire certaines choses. Comme je n'arrive pas à prendre des décisions claires et précises, le **grincement de dents** est **l'expression physique de ma tristesse et de mon agressivité réprimée** face à une situation qui m'est insupportable. Comme une porte mal graissée, le **grincement de dents** met en **lumière** ma peur à m'ouvrir pour prendre des décisions et le bruit exprime une forme de gémissement intérieur, me sentant sous l'emprise d'un ***maléfice, envoûté***.

Je parle dans le silence afin de libérer ce que je n'ai pu exprimer par mes paroles pendant le jour, tous les non-dits, tout ce que j'ai enfoui en dedans. Les enfants sont très souvent affectés de **bruxisme :** c'est en bas âge que j'apprends les jeux de pouvoir et les différentes relations d'autorité qui existent. Si j'ai peur de dire mes opinions, me sentant « trop petit » face à mes parents, ma gardienne ou mes instituteurs, je **grincerai des dents**.

Quel que soit mon âge, le **bruxisme** manifeste ma très grande tension intérieure. Je vis une très grande dualité entre ma tête et mon **cœur♥**, ma raison et ma passion, le résultat étant de la passivité.

J'accepte↓♥ de prendre **conscience** de cet état sans le refouler et de l'exprimer comme je le vis présentement. J'accepte↓♥ ma sensibilité et les émotions qui font surface et je réalise que mes incertitudes m'amènent à vivre beaucoup plus de tension intérieure que le fait de prendre les initiatives qui s'imposent. Lorsque je prends une décision, je me libère et je me sens plus épanoui.

DENT DE SAGESSE INCLUSE

VOIR AUSSI : DENTS —SYMBOLISME DES...

La sagesse est une grande qualité. J'ai le bonheur de la manifester dans cette vie-ci. Elle me permet de m'ouvrir à l'univers et me procure des **bases solides** dans tout ce que j'entreprends.

Les **dents de sagesse** symbolisent cette autonomie que j'acquiers avec les années. Ainsi, une **dent de sagesse** qui refuse de sortir, de « prendre sa place », signifie que sur le plan mental, je refuse encore de prendre tout l'espace qui me revient et de me faire confiance. Je garde en dedans ce qui me déplaît chez moi pour ainsi plaire aux autres.

J'accepte↓♥ de consciemment prendre la place qui me revient pour développer toutes les qualités divines essentielles à mon évolution. Je peux créer ainsi des bases plus solides à ma vie. J'accepte↓♥ de laisser la nature suivre son cours et d'ouvrir ma **conscience** pour grandir et voir les changements en moi ! Ils me rapporteront !

DENT (symbolisme des...)

N.B. Je fais toujours face à la personne. Donc :

Je vois à ma gauche les **maxillaires supérieur** (**dents 11 à 18**) et **inférieur** (**dents 41 à 48**) **droits** de la personne qui correspondent au cerveau gauche (côté rationnel, concret, matériel, analyse).

Je vois à ma droite les **maxillaires supérieur** (**dents 21 à 28**) et **inférieur** (**dents 31 à 38**) **gauches** de la personne qui correspondent au cerveau droit (affection, intuition, désir, sensibilité).

Puisque les **dents** sont vivantes et qu'elles ont un processus d'évolution qui s'échelonne sur plusieurs années, il est intéressant de noter que chacune d'entre elles est reliée à un sentiment ou émotion qui, mal géré, entraîne une faiblesse à cette **dent** en particulier.

S'il y a **perte de dents du côté supérieur droit** (**dents 11 à 18**), j'ai de la difficulté à trouver ma place. Le **côté supérieur gauche** (**dents 21 à 28**) m'indique que j'ai de la difficulté à réaliser mon désir d'être. Le **côté inférieur droit** (**dents 41 à 48**) fait référence à ma difficulté à construire ma vie concrètement. Le **côté inférieur gauche** (**dents 31 à 38**) m'indique que je ne reçois pas la reconnaissance affective dont j'ai besoin de ma famille.

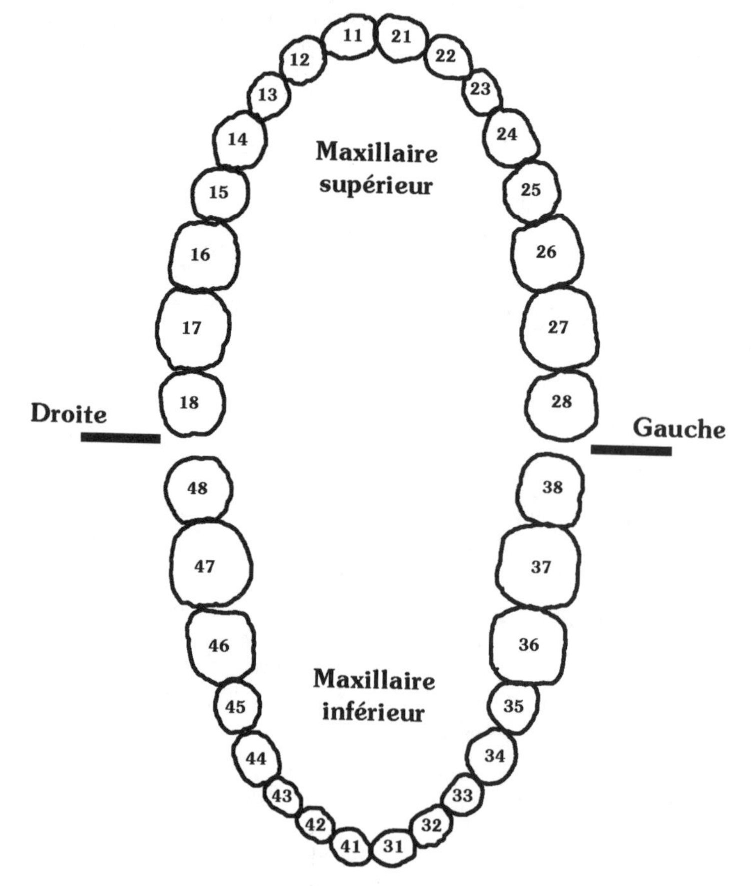

L'**incisive centrale supérieure droite** (**# 11**) correspond au père, à la partie masculine chez l'humain, l'autorité, Dieu. L'**incisive centrale supérieure gauche** (**# 21**) correspond à la mère, à la partie féminine chez l'humain. Si un espace se retrouve entre ces 2 dents, mes polarités féminine et masculine sont dissociées. Si je suis une femme, je remets constamment en question ma relation avec mon conjoint. Si je suis un homme, je vis une dualité face à la femme : je suis attiré mais en même temps écoeuré♥ par elle. Un **espace entre ces deux dents** dénote ma difficulté à former un couple, autant à l'extérieur qu'à l'intérieur de moi. Si une de ces dents chevauche l'autre, la dent qui est par dessus représente le parent que je perçois comme étant le dominant et celle qui est plus à l'intérieur comme étant le parent que je perçois comme dominé ou effacé.

Les **incisives centrales inférieures** (**# 31 et #41**) font référence à la place qu'occupent concrètement, c'est-à-dire dans la vie quotidienne, la mère ou celle qui la représente (**#31**) et le père (**#41**) ou celui qui le représente.

Juste à côté se trouvent les **incisives latérales** (**# 12, 22, 32, 42**). Elles sont en relation directe avec les incisives centrales. Si j'ai de la difficulté avec un de mes 2 parents ou ce qu'ils représentent, les incisives latérales changeront de position, ma dynamique ou mes réactions face au principe masculin et féminin étant remises en cause. Ces dents seront devant ou chevaucheront les incisives centrales si je veux être plus fort que mes parents, devant eux, indépendants, non soumis à l'autorité. Je veux dominer mes parents ou ceux-ci s'éclipsent d'eux-mêmes. Plus elles sont vers l'avant, plus j'ai voulu me distancer de mes parents tôt. Cette situation existe face à ma mère si l'incisive latérale gauche (**#22**) chevauche la **#21** et ce sera face au père si c'est l'incisive **latérale droite** (**#12**) qui chevauche la **# 11**. Si les **incisives latérales** se retrouvent **en arrière** des **incisives centrales**, j'adopte alors une attitude de soumission face à un ou aux deux parents ou je me sens surprotégé

Les **canines** (**# 13, 23, 33, 43**) apparaissent au moment de la puberté (vers 13-14 ans), quand l'énergie sexuelle se développe. Elles correspondent aux grandes transformations que je vis intérieurement. Des difficultés face à mon corps, ma sexualité naissante, à ma capacité à faire des choix affecteront mes canines. La **canine supérieure droite** (**#13**) est reliée à un changement qui se voit ou se manifeste à l'extérieur, aux projets et à la vision du futur, aux devoirs et obligations qui peuvent m'amener à ne pas m'exprimer. La **canine supérieure gauche** (**#23**) elle est reliée aux changements intérieurs et à la soumission. Si par exemple, j'ai de la difficulté avec l'apparition de mes menstruations, il a y des chances que la **#23** sera affectée. La **canine inférieure gauche** (**#33**) étant en face de la **#23**, elle correspond aux changements intérieurs qui se concrétisent à l'extérieur, dans ma famille. Si je dois tout vivre en silence, la **#23** sera affectée. J'ai tendance à vivre en esclave et me sentir obligé de servir les autres. La **canine inférieure droite** (**#43**) représente ma détermination et la croissance de mon corps. Si par exemple j'ai arrêté de grandir trop tôt, cela se voit dans la **#43**.

Les **premières prémolaires** (**#14, 24, 34, 44**) représentent qui je suis, ce que je veux. Si ces dents sont extraites, moi comme enfant, je me sentirai obligé de faire partie de la masse au lieu d'être un individu distinct. C'est comme si la collectivité est plus importante que l'individu. Je me soumets à une autorité autre que la mienne. La **prémolaire**

supérieure droite (**#14**) montre de quelle façon je m'exprime dans la société, avec mes qualités et ma richesse intérieures. Si j'ai du mal à exprimer mes désirs et à prendre ma place, cette dent est déplacée. La **première prémolaire supérieure gauche** (**#24**) est reliée à toute ma sensibilité, mon côté affectif intérieur. Mes désirs mal vécus et mes rêves d'enfant non réalisés par rapport à ces éléments amèneront des difficultés avec la **#24**. La **première prémolaire inférieure gauche** (**#34**) m'indique de quelle façon j'exprime ma volonté concrètement dans ma vie de tous les jours, particulièrement au niveau affectif (et surtout face à l'**amour** maternel) tandis que celle de droite (**#44**) est reliée à l'amitié et la façon dont je mets à terme mes projets. Si je suis contrarié d'une façon marquée face un projet qui me tient à **cœur♥**, la **#44** sera atteinte.

Les **deuxièmes prémolaires** (**#15, 25, 35, 45**) sont reliées aux désirs que je veux réaliser et aux trahisons (père, mère, dans le couple, en amitié). C'est toute ma créativité qui est en cause. Si je ne peux pas l'exprimer, ces dernières seront affectées. La **deuxième prémolaire droite** (**#15**) fait référence à ce que je veux développer à l'extérieur. Le fait de ne pas pouvoir avoir d'enfants, quelle qu'en soit la raison, est un exemple de quelque chose que je voudrais créer mais qui ne s'est pas réalisé. La **deuxième prémolaire gauche** (**#25**) renferme mes habiletés particulières que je manifeste ou non, qui je suis vraiment. Elle renferme toutes mes possibilités passées et présentes. La **deuxième prémolaire inférieure gauche** (**#35**) est reliée à ma relation avec ma mère dans le concret et comment je suis affecté par ses énergies, comment je me sens libre ou étouffé par celle-ci. Plus je me sens pris, étouffé par ma mère, plus cette dent penche vers l'intérieur. La **deuxième prémolaire inférieure droite** (**#45**) fait référence au travail et à la trahison impliquant un(e) ami. Une difficulté à organiser des projets concrètement pourra affecter cette dent aussi.

Les **premières molaires** (**#16, 26, 36, 46**) apparaissent à l'âge de 6 ou 7 ans et elles montrent de quelle façon je prends ma place ou non et mon besoin d'être reconnu par les autres. La **première molaire supérieure droite** (**#16**) se rapporte spécifiquement à la place que je désire prendre dans la société, extérieurement tandis que la **première molaire gauche** (**#26**) est reliée à la place que je désire prendre et qui me permet d'extérioriser mon côté sensible et émotif. La **première molaire inférieure gauche** (**#36**) exprime si je suis bien reconnu au niveau affectif ou non, spécialement de mes parents. Je peux avoir l'impression de ne pas exister ou de ne pas être aimé comme je le voudrais et la **#36** réagit. La **première molaire inférieure droite** (**#46**) se rapporte au travail d'une façon très concrète. La difficulté à concrétiser un projet ou mettre sur pied une entreprise agira sur la **#46**. Elle est reliée à la notion de désir, de mort et de renaissance. Si j'ai failli mourir étant très jeune ou si la mort a été présente d'une façon intense, que la personne soit décédée ou non, la **#46** sera affectée.

Les **deuxièmes molaires** (**#17, 27, 37, 47**) apparaissent vers l'âge de 12 ans. Elles font référence à mes interactions avec les autres et comment je suis perçu. La **deuxième molaire supérieure droite** (**#17**) se rapporte à la vie de tous les jours et au travail. Si mes rapports avec les autres sont dysharmonieux, la **#17** réagira. La **deuxième molaire supérieure gauche** (**#27**) montre mes rapports intérieurs avec les autres mais au niveau de mes émotions. Des attentes qui ne seront pas rencontrées face aux attitudes des autres envers moi vont affecter la **# 27**. La **deuxième molaire inférieure gauche** (**#37**) réagira à son tour si, en plus d'une déception face à une attitude précise, la personne fait un acte dans le physique qui va amplifier cette déception. La **deuxième molaire inférieure droite** (**#47**) se rapporte à mes rapports en eux-mêmes. Les situations de conflits intenses où des paroles ou des gestes ont été posés rendront la **# 47** plus vulnérable.

Les **dents de sagesse** (**#18, 28, 38, 48**) apparaissent vers l'âge de 21 ans, âge où j'intègre mon côté spirituel. Elles représentent le monde dans lequel j'évolue mais aussi le monde spirituel, ma mission, ma valeur personnelle et la relation d'aide. Ce dernier est accessible par la voie mystique, c'est-à-dire plus orientée vers la religion et ses mystères ou par la connaissance ésotérique. Je choisis la voie de la connaissance plus que le mystique si mes dents de sagesse sont absentes. Si j'ai des **dents de sagesse que sur le maxillaire supérieur**, j'ai de la difficulté à intégrer dans mon quotidien ma connaissance des plans supérieurs, invisibles. Quand elles ne sont **que sur le maxillaire inférieur**, je mets beaucoup d'énergie dans mes actions au quotidien pour réintégrer le monde physique. La **dent de sagesse supérieure droite** (**#18**) fait référence à la force que j'ai à développer pour m'incarner, m'intégrer dans le monde à tous les niveaux. La **dent de sagesse supérieure gauche** (**#28**) correspond à ma peur de ne pas m'intégrer dans le monde. Ma faible estime de moi est porteuse d'une peur d'être rejeté. La **dent de sagesse inférieure droite** (**#38**) fait référence à ma capacité à extérioriser mes points de vue et mes émotions au monde qui m'entoure et la **dent de sagesse inférieure gauche** (**#48**) est influencée par ma capacité à m'intégrer dans le monde physique, à être bien ancré.

DÉPENDANCE

VOIR AUSSI : ALCOOLISME, CIGARETTE, DROGUE

Une **dépendance** est reliée à un profond **vide intérieur**, à une tentative extérieure de vouloir combler principalement un manque d'**amour** de soi ou un manque affectif rattaché à l'un de mes parents. Par la **dépendance** (alcool, drogue, nourriture, cigarette, sport, sexe, travail), je veux combler ce vide, ce désespoir et cette tristesse. Ma vie est dénuée de sens, elle ne satisfait pas mes désirs les plus profonds. Je vis de la révolte face au monde extérieur et j'ai de la difficulté à préserver mon ego. Je n'arrive pas à m'aimer tel que je suis et cette incapacité temporaire se manifeste par de la colère et de la ran**cœur♥** face à l'univers. Je vis dans une prison psychologique où je me sens esclave d'une substance ou d'un comportement. La **dépendance** est donc une sorte de **substitut** qui m'aide à vivre temporairement dans un monde sans problème. Alors que l'alcool m'amène une certaine extase et de l'engourdissement par rapport à ce que je vis, les drogues « non prescrites » (cocaïne, haschich, héroïne, L.S.D., PCP, marijuana, etc.) me dirigent vers de nouvelles sensations avec le désir d'atteindre des sommets inconnus de **conscience**. J'ai l'impression de me sentir en sécurité et dans un monde plaisant mais je me retrouve tôt ou tard confronté à mes insécurités et mes peurs. La **cigarette** permet « d'embrumer » mes émotions qui deviennent enrobées dans toute cette fumée. La **nourriture**, elle, sert à combler un manque de tendresse et d'**amour.** La **dépendance au sucre** notamment est un signe que je vis un vide au niveau de la chaleur humaine, de la douceur et que je rejette mes désirs. Toute **dépendance** entraîne donc des réactions du corps humain plus ou moins connues. Ces formes d'abus sont fondamentalement négatives et divers types de peurs incontrôlées (névroses) peuvent surgir si la **dépendance** est forte (par exemple : drogues). Enfin, une **dépendance** peut se manifester à travers une certaine tendance (par exemple : sexuelle) qui est difficilement maîtrisable. Le premier pas important à faire est de prendre **conscience** de ma situation. Cela demande beaucoup d'**amour** et de courage pour affronter et pour briser cet esclavage qui dérange ma vie. J'identifie le manque que je vis dans ma vie. C'est celui-ci que je cherche à fuir en me « perdant » dans quelque chose d'autre (drogue par exemple) ou quelqu'un. Mon désir de vivre est grand mais j'ai l'impression de ne pas y réussir. Je me sens comme un « perdant ». Je n'ai pas la place qui me revient dans ma propre vie et dans la société. Je base mon niveau de bonheur selon la réussite des autres. Cette **dépendance** m'amène à vivre d'échec en échec et cela me confirme dans mon sentiment d'incapacité. Je dois mettre de côté la partie de moi qui se sent coupable et honteuse de cette **dépendance**. Me juger, me flageller en sachant que je devrais changer de comportement ne va que faire grandir la colère qui m'habite et la difficulté de m'en libérer. J'ai peur d'échouer, j'ai peur de mon passé.

J'accepte↓♥ d'être ouvert à l'inconnu, à la voie qui me mènera vers mes objectifs de Réalisation de soi. L'**amour** inconditionnel est le début de ma guérison. Je demande aux autres, je cherche, je vérifie, je fais les premiers pas. J'apprivoise les émotions qui m'habitent car elles font partie de ma vraie personnalité. Je recherche quelle méthode de guérison naturelle peut m'aider à me centrer, à m'harmoniser et à augmenter mes forces intérieures afin de me permettre d'intégrer avec amour les différents manques vécus durant ma jeunesse. J'apprivoise mes responsabilités graduellement et je reprends contact avec l'être divin que je suis. Je peux ainsi sortir de ma **dépendance** et devenir indépendant et autonome parce que je mérite d'être aimé et que j'accepte↓♥ pleinement ma valeur et mes qualités qui font de moi un être exceptionnel.

DÉPIGMENTATION

VOIR : PEAU —LEUCODERMIE

DÉPÔTS DE CALCIUM

Le **calcium** est un minéral correspondant à l'énergie la plus « rigide » du corps humain, c'est-à-dire l'os.

Le **calcium** est donc relié à mon énergie mentale, à la structure mentale de mon être. Le **dépôt** se forme lorsque l'énergie se fixe et se « cristallise » (semblable aux pierres du foie) à un endroit donné apportant douleur et inflammation. Pourquoi en est-il ainsi ? Parce que les **dépôts de calcium** proviennent généralement des pensées immuables, du **manque de souplesse par rapport à l'autorité** que je refuse d'accepter↓♥. Je considère que de me plier à cette exigence supplémentaire dans ma vie m'empêche d'être totalement libre. Une façon de changer ces **dépôts de calcium** en amour est de pratiquer l'ouverture d'esprit et de mettre l'accent sur la communication, de bouger, de faire du sport.

J'accepte↓♥ qu'en étant ouvert aux autres, je subis moins l'autorité et que je vis beaucoup plus un partage. Ainsi, je demeure autonome, libre et j'acquiers la sagesse !

DÉPRESSION

VOIR AUSSI : NEURASTHÉNIE

La dépression nerveuse, couramment appelée **dépression,** est un état pathologique marqué par une **profonde tristesse,** avec douleur morale, une perte de l'estime de soi, un ralentissement psychomoteur.

La **dépression** se traduit par de la **dévalorisation** et de la **culpabilité** qui me rongent de l'intérieur. Il faut que ces deux éléments soient présents pour qu'il y ait **dépression**. Aussitôt que j'en règle une, que ce soit la dévalorisation ou la culpabilité, je sors de la **dépression**. Si je suis **dépressif**, je me sens misérable, moins que rien. Je peux même me sentir coupable de ce que je suis. Je vis dans le passé constamment et j'ai de la difficulté à en sortir. Le présent n'existe pas et le futur me fait peur. Il m'est impossible de vivre le « ici et maintenant ». Je préfère vivre constamment dans le passé, toujours regarder en arrière. ***L'actualité*** me laisse indifférent. J'ai ***envie*** de ne rien faire. Pour éviter d'être frustré, surtout au niveau sexuel, je me coupe de tous mes désirs. Je n'ai pas le goût de me prendre en main. Il est important d'effectuer un changement maintenant dans ma façon de voir les choses parce que ce n'est plus comme avant. La **dépression** est souvent une étape décisive dans ma vie (par exemple : l'adolescence) parce qu'elle m'oblige à me remettre en question[82]. Je veux avoir une vie différente à tout prix. Je suis bouleversé entre mes idéaux (mes rêves) et le réel (ce qui se passe), entre ce que je suis et ce que je veux être. C'est un déséquilibre intérieur (peut-être chimique ou hormonal) et mon individualité est méconnaissable. Je me sens limité dans mon espace et je perds doucement le goût de vivre, l'essence de mon existence. Je me sens inutile, misérable, ***fainéant***, un fardeau pour les autres. J'ai tendance à me résigner facilement et j'ai le goût d'abdiquer, de ***démissionner***, d'abandonner. Je me mets beaucoup de pression afin de contenir mes émotions et les enfouir tout au fond de moi. Quand cette pression devient trop grande, la **dépression** s'installe : on est ainsi obligé de m'enlever certaines responsabilités. Cette pression peut aussi venir soit de mes parents, mon(a) conjoint(e), mon patron, soit tout simplement de la société. L'obligation de réussir, d'avoir une bonne réputation, de donner l'image d'avoir réussi son mariage et sa vie familiale, tout cela contribue à augmenter mon stress, à m'en demander de plus en plus, à me mettre la barre beaucoup trop haute et dès qu'un événement survient qui fait « sauter le bouchon [83] », c'est la **dépression**. Je me sens coincé, impuissant et inférieur. En d'autres termes, la **dépression** a sa source dans une situation que je vis face à mon territoire, c'est-à-dire ce qui appartient à mon espace vital, que ce soient des personnes (<u>mes</u> parents, <u>mes</u> enfants, <u>mes</u> amis,

---

[82] Il est à noter que les enfants peuvent aussi souffrir de dépression. Elle est plus difficile à identifier ou les parents n'y portent pas attention mais c'est commun Si je suis un enfant qui me culpabilise facilement, qui pense que je suis la cause des problèmes de ma famille ou de la relation de couple de mes parents, la dépression me guette...

[83] **Faire sauter le bouchon** : expression québécoise qui signifie que c'en est trop, « c'est la goutte d'eau qui a fait déborder le vase ».

etc.), des animaux (mon chien, mes poissons, etc.), ou des choses (mon travail, ma maison, mes meubles, etc.). Le conflit que je vis peut être lié à un élément de mon territoire que j'ai peur de **perdre**, à une **dispute** qui a lieu sur mon territoire et qui me dérange (par exemple : les disputes ***classiques*** entre frères et sœurs) ou quelque chose que j'ai déjà perdu et face auquel je me reproche certaines paroles ou actes. Voici des expressions qui montrent comment je peux me sentir : *« Tu m'étouffes ! » ; « Tu me pompes l'air !! » ; « Fais de l'air ! »* Parfois aussi, j'éprouve de la difficulté à délimiter ou à marquer mon espace, mon territoire. Qu'est-ce qui m'appartient en exclusivité et qu'est-ce qui appartient aux autres ? Je suis en permanence insatisfait d'une situation qui implique souvent un membre de ma famille. Les **personnes dépressives** sont souvent très perméables à leur entourage. Je ressens tout ce qui se passe autour de moi et cela décuple ma sensibilité, d'où un sentiment de limitation et l'impression d'être envahi par mon entourage. Au lieu d'avoir un certain détachement, je vis tout « de très près », ce qui prend beaucoup de mon énergie inutilement. Même si je me battais, je sais que je perdrais. J'ai donc tendance à ne pas terminer ce que j'ai commencé. Je trouve cela très ***accablant*** de voir que je présume que tout ce que je fais n'est pas assez bien. Je peux même avoir tendance à l'autodestruction. Je suis ***nostalgique***, je deviens recroquevillé sur moi-même, ***docile*** comme un chien pour ne pas déranger. J'ai l'impression de ***subir*** et de mourir. Le rire ne fait plus partie de ma vie. J'ai laissé les autres m'envahir. Je peux aussi avoir « besoin d'attention » pour m'aider à me valoriser, la **dépression** devient à ce moment un moyen inconscient pour » manipuler » mon entourage. Je peux dépenser beaucoup d'énergie sur un projet ou quelque chose qui me tient à **cœur♥** mais ce n'est peut-être pas la meilleure chose pour moi. La vie va donc s'occuper de faire arriver autre chose, qui est même peut-être mieux pour moi mais je suis tellement focalisé sur « la » chose que je désire que je ne verrai pas tout le bien qui m'arrive. Je dois m'habituer à avoir une vue d'ensemble des événements et voir comment cela peut être mieux que ce que je désirais. La **dépression postnatale**, elle, survient quelques semaines après l'accouchement, voire même quelques mois. Je me sens découragé, j'ai peur de ne pas y arriver et je ne sais comment m'en sortir. Le bébé a peut-être comblé un vide temporairement. Je suis maintenant face à moi-même, à cette solitude et ce vide qui m'habitent. Ne croyant pas en mes possibilités et mes forces, je ne vois pas « comment je vais y arriver ». Tout cela peut être amplifié par mes propres souvenirs de mon enfance ou de ma naissance qui ont été douloureux. Peu importe la raison de la **dépression**, je vérifie dès maintenant la ou les causes sous-jacentes à mon état **dépressif.** Ai-je vécu de la pression étant jeune ? Quels sont les événements marquants vécus dans mon enfance qui font paraître ma vie si insignifiante ? Quel est ce drame de ma vie qui me ronge encore de l'intérieur ? Est-ce la perte d'un être aimé, ma raison de vivre ou la direction de ma vie que je n'arrive plus à voir ? Fuir la réalité et mes responsabilités ne sert à rien (par exemple : suicide) même si cela semble être le chemin le plus facile. Il est important de constater les responsabilités de ma vie car il me faudra plus que des antidépresseurs pour faire disparaître la **dépression** : je dois aller à la source, guérir le ***mal*** de l'âme.

Quant à la **déprime**, elle est un trouble dépressif, un état passager : période d'abattement, de dégoût, de lassitude, d'accablement, de découragement. Cette **déprime** est habituellement de courte durée (une journée à quelques jours). La **déprime** est aussi appelée **dépression**

saisonnière ou **déprime hivernale**. Elle désigne un état dépressif survenant en automne et en hiver. À ce moment, la luminosité diminue due à des journées plus courtes. J'ai un besoin démesuré de manger et de dormir, en plus d'avoir les symptômes d'une **dépression**. L'obscurité qui se fait plus présente me rappelle les côtés sombres de ma personnalité ainsi que les situations s conflictuelles face auxquelles « je ne vois pas la **lumière** au bout du tunnel », où les solutions me semblent inexistantes. Je regarde tout ce qui m'arrive de façon négative. Je me sens victime et impuissant. Je me replie sur moi-même et je cesse toute communication, même avec moi-même, afin d'éviter toute remise en question et responsabilisation.

J'accepte↓♥ de prendre du recul face à ma vie. Je regarde de façon détachée ce qui m'arrive et j'accepte↓♥ de voir quelles sont les leçons que j'ai à apprendre. Je mets mon attention sur mes priorités et je me rends compte que la vie me donne beaucoup de cadeaux. Je prends le temps de me donner du bon temps, de me reposer, de me ressaisir, afin de retrouver mes énergies et mes idées. Je reprends ainsi la maîtrise de ma vie et j'ai l'énergie nécessaire pour mettre à terme tous mes projets. J'accepte↓♥ d'être unique. J'ai tout ce qu'il faut pour changer ma destinée et je peux choisir consciemment de laisser se transformer la chenille en papillon. J'ai le choix de « lâcher » ou de « lutter ». Je cesse de résister et de vouloir que les choses se passent à ma façon. Je me discipline, commençant ***une chose à la fois***, et en prenant soin de la terminer. En me responsabilisant, j'acquiers plus de liberté et mes efforts sont récompensés. Je recommence à faire des projets, à rêver, à créer ma vie comme je le veux, dans le ***respect*** de qui je suis ! Je n'ai plus besoin de l'approbation des autres. Je les laisse vivre et je me donne le droit et l'espace nécessaire pour m'épanouir. Je laisse aller les fardeaux que je traîne que pour me donner bonne **conscience**. Je suis moi, tout simplement : en cessant de me mettre de la pression inutilement, la **dépression** disparaîtra.

DÉPRIME

VOIR : DÉPRESSION

DERMATITE

VOIR : PEAU — DERMATITE

DERMITE SÉBORRHÉIQUE

VOIR : PEAU — ECZÉMA

DÉSHYDRATATION DU CORPS

La **déshydratation** cellulaire est un déficit d'eau et de sodium. Elle est souvent associée à une déminéralisation.

Il y a une perte quelque part, une sécheresse. Comment en suis-je arrivé à manquer d'eau et de sel dans mon corps ? L'eau nettoie, purifie, fait circuler : sans eau, je meurs. Quelle partie de moi a envie de mourir, quelles sont les émotions dont je veux me débarrasser ? Quelle est l'obsession qui me prend toutes mes énergies ? Je prends mes distances face à ma créativité et mon potentiel intérieur. Je ne vois plus d'issue et c'est comme si je me retirais de la vie car la douleur est trop intense. Je me laisse vider de mes énergies, « m'assécher » par les autres car je mets trop mon attention sur eux.

J'accepte↓♥ de m'aimer davantage, de nourrir mes cellules par une nourriture saine et de l'eau. Je laisse vivre et s'exprimer toutes mes émotions par le biais de ma créativité. Je prends soin de moi car personne ne peut le faire à ma place.

DÉSIR (absence de…)

VOIR : SEXUELLES [FRUSTRATIONS…]

DIABÈTE

VOIR : SANG — DIABÈTE

DIAPHRAGME

Le **diaphragme** est la grande paroi musculaire qui sépare la partie supérieure (poumons et **cœur♥**) de la partie inférieure (foie, estomac, intestins, etc.) de mon être. Elle représente la respiration, la **capacité de m'abandonner** complètement en respirant profondément.

Lorsque le **diaphragme** est comprimé, j'ai la sensation de me refermer sur moi-même. J'ai besoin d'être « relax » pour pouvoir bien respirer la vie. Le **diaphragme** est efficace lorsque je m'abandonne à la vie et non pas si je veux tout diriger, contrôler. Si certaines tensions apparaissent, c'est parce que je **retiens**, je **refoule** ou je **bloque** des énergies libératrices qui sont bénéfiques pour moi. Je peux vivre certaines situations qui m'empêchent d'exprimer librement mes sentiments et mes pensées les plus profonds. Peut-être que mon mode de vie m'empêche d'être réellement ce que je suis, ce qui m'amène à respirer d'une manière superficielle et limitée. Je me sens coincé, enfermé. Une partie, un fragment de ma personnalité est gardé « sous verrou ». Le **diaphragme** est relié à la période des premiers mouvements du fœtus, où je découvre que quelque chose d'autre existe à part moi. Donc, devenu adulte, cette région se bloque quand les échanges entre mon monde intérieur et mon monde extérieur sont conflictuels, par exemple si je fais beaucoup de choses qui sont vides et superficielles, sans profondeur.

J'accepte↓♥ que la vie m'apporte beaucoup de bien. À partir de maintenant, je n'ai pas à me retenir inutilement, je fais confiance, je me donne l'espace dont j'ai besoin et je peux me laisser aller davantage à la vie. Le **diaphragme** est un muscle d'une grande importance qui, lorsque je respire pleinement, me permet d'entrer en contact avec mon moi intérieur et de rejoindre l'énergie de l'univers. Dès à présent, je vois ma vie d'une manière toute différente. J'exprime librement, ici et maintenant, mes pensées, mes sentiments, mes émotions profondes. Ma vie est pleine de ***frénésie*** et d'excitation !

DIARRHÉE

VOIR : INTESTINS — DIARRHÉE]

DIGESTION (maux de...)

VOIR : INDIGESTION

DIPHTÉRIE

VOIR AUSSI : GORGE, LARYNX

La **diphtérie** est une maladie infectieuse donnant d'abord une angine à fausses membranes, puis éventuellement des lésions dues à sa toxine au niveau de l'appareil nerveux (paralysies), des reins ou du **cœur♥**. La **diphtérie** se caractérise par la formation de membranes au larynx et au pharynx (gorge), provoquant de l'enflure. J'ai de la difficulté à avaler.

Puisque la gorge me permet de parler, de communiquer et d'échanger, cela m'indique que je me **retiens** lors d'échanges avec les autres. Je n'arrive pas à exprimer ce que je ressens, je **ravale** mes émotions et mes besoins. Je crains de me noyer dans ces émotions retenues. Je m'étouffe avec tout ce que je n'exprime pas. Je me sens ridicule de vivre autant d'angoisse. J'ai ou j'ai eu peur de n'être point capable de crier « à l'aide » si je suis en danger et je peux voir cette peur dans mes rêves. J'ai **peur du rejet** et je **présume** de la réaction des autres. Je suis dur avec moi-même car je m'attends à recevoir la même chose des autres. Je laisse les autres contrôler ma vie dans le silence et l'impuissance. J'ai de la difficulté à accepter↓♥ mon corps. Je fuis qui je suis et j'ai peur de mourir. Cependant, je dois prendre **conscience** que je suis déjà mort dans plusieurs facettes de ma vie car je ne laisse pas le flot naturel de la vie couler en moi et s'exprimer à travers moi.

J'accepte↓♥ qu'il soit essentiel que je fasse connaître mes besoins et mes sentiments plutôt que de les étouffer. Je dois changer. J'ai à m'accepter↓♥ tel que je suis et apprendre à m'aimer. Chanter est un excellent moyen de faire travailler ma **gorge** et de célébrer la vie. Si je m'aime et si je me respecte, les autres m'aimeront et me respecteront en retour.

DISCARTHROSE

VOIR : DISQUE INTERVERTÉBRAL

DISLOCATION

VOIR : OS — DISLOCATION

DISQUE DÉPLACÉ

VOIR : HERNIE DISCALE

DISQUE INTERVERTÉBRAL

VOIR AUSSI : DOS [MAUX DE...] / BAS DU DOS LOMBAGO, HERNIE DISCALE

Un **disque intervertébral** est du cartilage élastique qui réunit les vertèbres et qui joue un rôle d'amortisseur. À la suite d'un traumatisme, le déplacement de la saillie du disque intervertébral provoque une vive douleur à l'endroit de l'expulsion. Généralement, elle provoque la compression des racines du sciatique et une névralgie tenace de ce nerf.

Je vis une situation qui me déstabilise, qui me « jette à terre ». Je me sens pris entre deux, ayant à jouer le rôle de médiateur, de « tampon ». Je dois amortir les coups et cela m'en fait beaucoup à supporter. Surtout qu'au travail, il se peut que je ne me sente pas compétent pour accomplir les tâches qu'on me demande. Le fait de me critiquer et d'être aussi sévère envers moi-même peut entraîner une **dégénérescence des disques** (**discarthrose**). Je suis coincé comme mes disques mais je ne fais rien pour changer la situation. S'il y a inflammation (**discite**), je réagis en excès face à une situation, comme un feu qui explose, telle une bombe qui détone, lorsque je suis contrarié. Je suis direct, parfois cinglant dans mes remarques ou critiques, ce qui fait transparaître la colère que je vis.

J'accepte↓♥ d'être responsable de moi-même et de mes réactions. Je me remets en question, j'apprends à amortir mes réactions face à la vie, aux autres, aux situations, en admettant mes torts. Je règle mes différends avec moi-même et je prends la place qui me revient, tout en respectant l'opinion des autres. Je reconnais ainsi ma valeur et je suis plus objectif quant à l'aide que j'ai à apporter aux autres.

DIVERTICULITE

VOIR : INTESTINS — DIVERTICULITE

DOIGTS (en général)

Les **doigts** sont le prolongement de mes mains et l'outil servant à la manifestation de mes actions dans ma vie de tous les jours. Ils représentent l'action dans le **moment présent**, les **détails du quotidien,** la dextérité et la connaissance. Par le toucher, je peux aimer, caresser, gronder, construire et créer. Mes **doigts** sont la manifestation concrète de mes pensées, de mes sentiments. Une blessure au **doigt** m'indique que j'essaie peut-être d'en faire trop, que je m'accroche à des détails, que je vais trop loin ou trop vite. Je porte mon attention sur trop de choses en même temps et mes énergies sont dispersées. Je suis impatient ou dérangé face à certains gestes ou mouvements que je **dois (doigt)** exécuter. Mon sens du devoir est mis à rude épreuve. Je me préoccupe trop des choses à faire. J'oublie comment chaque petit détail de ma vie, chaque moment est précieux. Ma culpabilité m'amène à avoir peur de me faire « taper sur les **doigts** » ou à me « mordre les **doigts** [84] » d'avoir dit quelque chose. Je suis impatient face à certains petits détails ce qui met en **lumière** mon côté perfectionniste. Peu importe la nature de la **blessure** (coupure, écorchure, verrue, etc.), je m'en fais avec mes actions présentes. Habituellement, le niveau de la blessure et le genre de tissu impliqué (la peau ou les os) sont importants. Par exemple, une coupure jusqu'à l'os indique une blessure plus profonde qu'une simple éraflure. Je vérifie le(s) **doigt**(s) impliqué(s) et la réponse à mes questions sera plus claire. Si je **m'écrase un doigt**, je dois me demander dans quel aspect de ma vie ou par qui est-ce que je me sens écrasé ? Je vis de l'insécurité car j'ai peur de perdre ce que j'ai. Si j'ai un ou des **doigts crochus**, il est très important de porter attention sur la façon dont les **doigts** s'arquent et les directions que ceux-ci veulent nous dire de prendre. Si les **doigts** s'entremêlent, est-ce que je me sens mêlé dans toutes

[84] **Se mordre les doigts** : regretter

les activités que j'ai à faire ou dans tous ces petits détails de tous les jours ? S'ils sont très espacés les uns des autres, y a-t-il une dysharmonie ou un conflit qui fait que j'ai de la difficulté à bien marier ma vie affective, mon travail, ma vie familiale et sexuelle (selon les **doigts** affectés, aller voir la définition qui s'applique) ? Des **doigts** qui se recroquevillent peuvent indiquer que je me replie sur moi-même ou que mes mains se referment pour former un poing en signe de colère et de désir de vouloir frapper quelqu'un ou quelque chose. Une **raideur aux doigts** m'indique mon inflexibilité face aux détails du quotidien. S'il est **bloqué**, je me sens paralysé dans ce que j'ai à dire ou faire. Je me **mords les doigts** pour me punir de ne pas être capable d'accomplir un travail, ce qui vient à l'encontre de mon éthique.

À partir de maintenant, j'accepte↓♥ de prendre le temps de faire une chose à la fois car j'accepte↓♥ ma dimension humaine et je **coupe** mon impatience qui me pousse à avancer trop rapidement.

DOIGTS — POUCE

Le **pouce** est relié à la **pression**, celle que je me place sur les épaules autant que celle que j'exige des autres ! C'est un **doigt** puissant qui symbolise la force, ma capacité de prendre, mon besoin de pouvoir et qui sert à **pousser**, à juger, à presser ainsi qu'à apprécier les actions des autres (**pouce** en haut ou en bas) autant que mes propres interventions. Il est lié à la bouche et au goût. Lorsque je montre le **pouce** vers le haut en tenant la main fermée, je donne mon approbation ; le **pouce** vers le bas, mon désaccord ou mon rejet. Le **pouce** est relié à mon **intellect**, à mes échanges interpersonnels et à ma sensibilité. Un **pouce** « en santé » manifeste un équilibre entre mes pensées et mes sentiments. Si je suis angoissé, toujours soucieux, mon **pouce** en sera affecté. Si je me sens « **poussé** » par les autres ou la vie, j'aurai tendance à me blesser facilement aux **pouces**. Je peux me sentir **poussé** dans les choses à faire, mais aussi obligé d'adhérer à certaines façons de faire, à certaines doctrines ou religions, sans opposition possible, ce qui peut affecter ma façon d'interagir avec les autres, devenant parfois agressif et en réaction face aux autres car je n'agis pas selon mes valeurs profondes. Ce que je veux vraiment faire reste au niveau de mes pensées au lieu de les réaliser dans le physique. Le **pouce** détermine donc le genre de contacts que j'ai avec les autres et moi-même. Des difficultés à ce niveau peuvent être en relation avec ma difficulté à laisser aller les soucis du passé, mes vieilles pensées. Puisqu'un enfant suce son **pouce** dans les situations où il se sent vulnérable, le **pouce** représente donc la sécurité et la protection. Toutes les blessures au **pouce** sont reliées à un trop-plein d'effort mental, une accumulation excessive d'idées et de **soucis** souvent face à un enfant, et une tendance à être défaitiste. Est-ce que mes échanges avec les autres sont sains ? Est-ce que je **pousse** trop les autres ou est-ce que je me sens **poussé** par une vie trépidante ? Est-ce que j'ai peur de perdre le contrôle ? Est-ce que je me ***pousse*** toujours ***à fond*** ? Quand j'en ai « soupé » ou marre d'une situation, mon **pouce** va me faire mal. Si je me **fracture** le **pouce,** ma vie doit changer de façon radicale. Je peux me sentir acculé au pied du mur. Cela m'amène une très grande angoisse intérieure car je dois changer des habitudes qui datent de loin et qui ont des conséquences négatives sur moi. Le **pouce** symbolise aussi la vie et la survivance, l'envie de vivre sa vie et non de mourir (si je garde mon **pouce** à l'intérieur d'une main fermée, je suis une personne introvertie qui a peut-être envie de mourir ou qui sent le besoin de se replier sur soi pour se protéger du monde extérieur). Je regarde si j'ai peur de mourir, de ne plus avoir la maîtrise sur moi-même. Le **pouce** me rappelle ma force intérieure, ma valeur, mes forces originelles qui m'habitent. Il manifeste ma facilité à transformer ces richesses intérieures, tous mes désirs et besoins en action dans le physique.

À partir de maintenant, je fais tout pour être en paix avec moi-même. J'observe les signes reliés à mon **pouce** et je reste vigilant lorsque quelque chose m'arrive. Je laisse monter la tristesse qui m'habite. J'accepte↓♥ la vie et les situations sans faire trop de drame car je sais que l'univers prend soin de moi ! Je cesse d'être négatif et j'accepte↓♥ de m'appuyer sur mes propres bases et valeurs : cela m'amène à me détacher de mes emprises familiales auxquelles je restais accroché. Je me libère du trop-plein de pensées qui m'habitent et j'accepte↓♥ d'être maître de ma vie.

DOIGTS — INDEX

L'index est le doigt du jugement et de la connaissance et correspond à l'odorat. Il représente l'**ego** sous tous ces aspects : **autorité**, **orgueil**, **suffisance**... Dans mes comportements non verbaux, lorsque j'active mon **index** en le pointant souvent, lorsque je ***montre*** « le **doigt** » ou « du **doigt** », cela indique un **rejet d'autorité**, qu'elle soit parentale ou autre. J'essaie d'exprimer l'autorité de façon « réactive », c'est-à-dire en réaction avec les différentes formes d'autorité présentes. Ma peur de l'autorité peut même me causer des troubles de digestion. J'ai peur d'être pris au piège, de ne pas être reconnu à ma juste valeur. J'ai peur de l'autorité et je n'accepte↓♥ pas qu'elle soit présente dans ma vie. Je veux faire valoir mon point de vue à tout prix ! Lorsque j'utilise mon **index** pour imposer mes idées d'une manière assez autoritaire, c'est ma façon d'affirmer mon « pouvoir personnel » et cacher mon sentiment d'impuissance. Je prends **conscience** que souvent, ce sont mes peurs qui me font agir de la sorte. J'ai une grande sensibilité émotionnelle et j'ai besoin de me sentir en sécurité dans la vie. J'ai peur du jugement des autres, qu'ils reconsidèrent leur relation avec moi, soit d'amitié, d'affaire soit amoureuse. Je réalise que d'accuser l'autre ou vouloir avoir raison pour un tout ou un rien ne mène nulle part. Je conserve mes énergies pour les choses importantes. Est-ce l'autorité qui me dérange vraiment ? Il s'agit peut-être d'un sentiment d'impuissance ou d'insécurité remontant à mon enfance face à l'autorité parentale. Si je me dévalorise, je peux avoir l'impression que les autres m'ignorent ou qu'ils veulent me dominer. J'aimerais donc occuper la première place mais ce n'est pas le cas. Je suis ***désappointé*** par moi mais par les autres aussi. Une **fracture à l'index** m'indique que je me cramponne trop à certaines personnes ou situations : si je ne suis plus capable de me contrôler, que risque-t-il d'arriver ? Je suis anxieux, paniqué même car au lieu d'utiliser mon vrai pouvoir intérieur, je préfère utiliser d'autres astuces pour m'amener à avoir ce que je veux.

À partir de maintenant, j'accepte↓♥ les formes d'autorité qui me dérangent en sachant qu'elles sont là pour me faire évoluer positivement. Au lieu de vivre de la frustration face à cette autorité, je cherche mon vrai pouvoir intérieur. Au lieu de vivre dans ma tête, j'accepte↓♥ de vivre dans mon **cœur♥**, acceptant↓♥ les différentes émotions qui m'habitent. J'ouvre mon esprit et, au lieu de pointer du **doigt** les autres, j'ose me regarder dans le miroir et me prendre en mains.

DOIGTS — MAJEUR

Le **majeur**, le **doigt** le plus long de la main, **représente la créativité**, **la sexualité, la force et la colère**. Il symbolise le toucher, le travail, la productivité et la fertilité. Une **blessure** ou une **douleur** à ce **doigt** signifie que ma vie sexuelle ne va pas comme je le souhaite ou que je m'incline trop facilement devant le destin. Je vis du chagrin ou une tension lié à de l'insatisfaction, et la colère s'installe doucement. Cette réaction m'empêche de réaliser mes désirs secrets. Mon côté créatif est restreint par un manque de confiance. Je me tracasse trop et je rêve beaucoup au lieu de construire ma vie d'une façon réelle et permanente. Mes frustrations m'empêchent d'avancer. Mon sentiment d'infériorité m'amène des difficultés au niveau de ma sexualité, celle-ci étant une façon d'exprimer ma créativité. Mes pulsions profondes ne sont pas exprimées. J'ai tendance à vivre dans une attitude extrême : soit de fuir mes responsabilités et de rester sur place soit devenir très orienté vers l'application stricte des lois, l'obtention à n'importe quel prix de ce que je veux. J'ai encore une attitude infantile, c'est comme si je ne suis pas encore devenu adulte, mature, « **majeur** » ! Dès à présent, j'identifie quel est l'aspect de ma sexualité ou de ma créativité qui est en cause. Quelle partie de moi demande à grandir, évoluer tout en acceptant↓♥ les responsabilités qui y sont rattachées ? Une **fracture du majeur** indique une résistance et une rigidité notamment face au toucher, qui fait naître une grande agressivité à l'intérieur de moi. Ce peut être face à ma carrière, face à mes performances (autant sexuelles que personnelles ou intellectuelles).

J'accepte↓♥ d'exprimer mes besoins plutôt que de laisser la colère monter. Je réalise que seules mes peurs (l'orgueil) m'empêchent de m'exprimer. Mes expériences sexuelles deviennent enrichissantes au lieu de n'être qu'une façon de combler un vide. J'apprends à créer ma vie chaque jour. Au lieu de m'attarder à l'image et au superficiel, je base ma vie sur mes valeurs et priorités intérieures.

DOIGTS — ANNULAIRE

Annulaire, du mot « anneau », est le **symbole** de **l'alliance** ou de **l'union** et représente mes liens affectifs. Il représente la vision (vue) et aussi la façon dont je suis en relation avec moi-même. Mon **annulaire** est atteint si je me cache derrière les autres au lieu de prendre ma place, si ma vie est remplie de désordre ou de contradictions. Il représente donc ma **liberté** que je m'accorde et de quelle façon je m'**allie** aux autres. Toute blessure à ce **doigt** provient d'un **chagrin** ou d'une difficulté dans mes relations affectives : cela peut être face à mon mari, ma femme, mes enfants et, dans certains cas, même face à mes parents. Ce peut même être un associé ou quelqu'un avec qui j'ai signé un contrat et avec qui j'entretiens une relation privilégiée. Cette blessure est la manifestation extérieure d'une blessure intérieure dont je n'ai probablement parlé à personne. Il m'est difficile de faire l'**union** avec moi-même, de vivre avec ce chagrin intérieur qui m'accable. J'ai peut-être tendance à exagérer la situation. Qu'est-ce qui me dérange ? Est-ce que je vis une certaine forme d'injustice face à une personne ou une situation ? N'ayant pas la maîtrise de moi-même, je cherche à avoir du pouvoir sur les autres quand je devrais plutôt accepter↓♥ de laisser-aller et ainsi me libérer. Je vis encore en fonction de ce que les autres vont dire et penser à mon sujet et cela m'affecte. Je peux me sentir en danger et je peux avoir tendance à m'accrocher aux autres. Je vis de la froideur au niveau de mes relations avec mon entourage et je me traite moi-même d'une façon très froide et inhumaine. Une **fracture à l'annulaire** signifie que je m'oublie trop au dépens des besoins des autres. Une situation est devenue intolérable parce que je ne me donne pas l'espace nécessaire afin de m'épanouir et d'être moi-même.

J'accepte↓♥ de me détacher pour mieux voir la situation. Qu'est-ce qui m'empêche de m'exprimer ? Est-ce que je **présume** de la réaction de l'autre ? J'apprends à vérifier et je réalise qu'entre **présumer** et **savoir**, il y a une très grande différence. Vérifier me permet d'avoir des relations beaucoup plus harmonieuses et m'apprend aussi à dialoguer. J'accepte↓♥ de me mettre à nu, de m'épanouir d'être heureux tout en étant en harmonie avec mon entourage.

DOIGTS — AURICULAIRE (petit doigt)

L'**auriculaire** est directement relié au **cœur♥**. Il représente la **famille** ainsi que tous les aspects familiaux de ma vie, particulièrement l'**amour,** l'harmonie familiale mais aussi les secrets et les mensonges. Il est relié à l'audition (oreilles) et à l'intuition et ce n'est pas sans raison que l'on dit : "Mon **petit doigt** m'a dit...". Il symbolise la sagesse, l'intégrité, la vérité, l'ouverture vers soi-même et les autres, la communication. Il peut aussi représenter mon côté rusé et prétentieux, utilisé pour satisfaire mes besoins personnels. Lorsque je m'inflige une blessure à ce **doigt**, cela indique que je vis par rapport à ma famille des émotions que j'aurais avantage à extérioriser, un manque d'harmonie à l'intérieur de mon couple ou un simple manque d'**amour** de soi. Je fais « la sourde oreille » et n'écoute pas toujours les messages que me transmet mon intuition, mon « **petit doigt** ». J'ai besoin d'un changement au niveau de mes relations avec les autres afin que celles-ci soient en harmonie avec mes nouvelles idéologies, croyances et aspirations. Un dommage quelconque au **petit doigt** (écorchure, brûlure, etc.) dénote assurément une trop grande émotivité. J'ai sûrement la fâcheuse habitude de m'en faire avec des riens et mon émotivité prend le dessus. Je deviens prétentieux et cela me déséquilibre et m'empêche de comprendre les gens et les événements de ma vie. Au lieu d'agir avec ma sagesse intérieure, j'ai tendance à vivre en fonction des autres. Cela amène indécision et insécurité. Je mets de côté mon intuition et donne plein pouvoir à mes pensées et ruminations interminables. Si je **fracture mon petit doigt,** j'ai un besoin pressant de me libérer dans un aspect de ma vie qui peut avoir un lien avec l'autorité. Ce peut être aussi un secret que je porte depuis très longtemps qui me ronge par dedans.

J'accepte↓♥ de regarder les événements et les situations avec la simplicité d'un enfant. En les dédramatisant et en faisant montre d'ouverture d'esprit, j'apprends à m'affirmer et à communiquer. Je vais de l'avant beaucoup plus allègrement. J'ai besoin de beaucoup plus de calme intérieur. Au lieu de jouer un rôle et de vivre dans un monde où les apparences priment sur « l'être », j'ai avantage à revenir aux choses simples et à être moi-même.

DOIGTS ARTHRITIQUES

VOIR AUSSI : ARTHRITE [EN GÉNÉRAL]

L'arthrite est une inflammation des articulations qui fait souffrir et qui symbolise la **critique**, l'autopunition, la réprobation, un manque profond d'**amour** et même un sentiment d'impuissance. Ainsi, les **doigts** (c'est-à-dire les détails du quotidien) **arthritiques** indiquent donc le sentiment d'être mal aimé et d'être victime des événements dans ma vie de tous les jours. Je remets le pouvoir aux autres.

J'accepte↓♥ de m'aimer et de me pardonner car, si je ne m'aime pas, comment les autres peuvent-ils m'aimer ?

DOIGTS — CUTICULES

La **cuticule** est une couche très mince de peau, une sorte de pellicule qui se forme à la base de l'ongle.

Plus la **cuticule** est épaisse et pousse rapidement, plus j'ai tendance à être dur envers moi. **Je me critique** constamment pour des futilités parce que je suis perfectionniste.

J'accepte↓♥ de voir que je suis un être humain en évolution et que je fais toujours mon possible. Je cesse de me juger aussi sévèrement et je m'accepte↓♥ tel que je suis afin de pouvoir continuer à avancer harmonieusement.

DOIGTS DE PIED

VOIR : ORTEILS

DOS (en général)

Le **dos** représente **le soutien et le support de la vie**. C'est l'endroit qui me protège si je me sens impuissant face à une personne ou une situation (« **je tourne le dos** »), en cas de besoin. Si mon fardeau est trop lourd, si je manque de support ou si je ne me sens pas assez supporté (affectif, monétaire, etc.), mon **dos** réagira en conséquence et certaines douleurs (courbatures) peuvent faire leur apparition. Si j'en ai « plein le **dos** », mon **dos** n'en peut plus et les malaises surgissent. J'ai l'impression que ma survie est en danger et j'ai l'impression qu'on va me « laisser tomber » , que ce soient les gens qui m'entourent ou tout simplement la vie qui veut me fausser compagnie. Je ne **supporte** plus ce qui m'arrive. Je peux même avoir l'impression d'être « acculé au pied du mur »[85] dans une certaine situation donnée ou d'avoir toujours « quelqu'un sur mon **dos** ». Je prends **conscience** que je m'appuie sur quelque chose ou quelqu'un qui est extérieur à moi. Puisque je ne leur fais pas entièrement confiance, j'ai de la difficulté à aller de l'avant. Je vis de la frustration, me sentant pris et me sentant limité dans les choses que je peux mettre de l'avant. Je ne suis plus capable de bien doser les choses pour prendre des décisions averties. Je peux avoir le **dos large** et être capable d'en prendre ou bien m'incliner humblement, me courber par respect ou acceptation↓♥. Peu importe la raison, un **mal de dos** indique donc que je veux peut-être me sauver de

[85] **Acculé au pied du mur** : ne plus avoir d'échappatoire, ne pas pouvoir fuir.

quelque chose en le plaçant derrière moi, car c'est avec mon **dos** que j'enfouis les expériences qui m'ont causé confusion ou peine. J'y mets tout ce que je ne désire pas voir ou laisser voir aux autres, jouant ainsi à l'autruche. Il cache donc aussi mon passé, tout ce qui est inconscient ou inconnu. Je peux même y enfouir mes rêves et mes désirs que je ne crois plus pouvoir réaliser. Je suis **profondément blessé**, incapable présentement d'exprimer ces émotions bloquées. Je refuse de voir ce qui ne fait pas mon affaire ! Je peux avoir reçu « **un coup de poignard dans le dos** » et je vis cette situation comme une trahison. Si la douleur est causée par une **vertèbre déplacée**[86], face à quelle situation suis-je révolté, à quel idéal est-ce que j'aspire mais de façon agressive ? Je résiste de toutes mes forces car j'ai peur des responsabilités. Un **dos** souple mais fort indique une certaine souplesse mentale et une grande ouverture d'esprit contrairement aux **raideurs dorsales** qui signifient orgueil, pouvoir et refus de céder. Assis bien confortablement, je peux avoir l'impression d'être protégé, en toute sécurité. Cependant, même si mon **dos** sert à y mettre ces choses indésirables et que je voudrais « jouer à l'autruche », j'accepte↓♥ de voir ce qui me dérange, et de l'exprimer. En agissant de la sorte, je me libère du fardeau que je portais. Si les douleurs au **dos** sont plutôt **musculaires**, elles indiquent une attitude rigide face aux situations que je rencontre dans ma vie. J'ai besoin d'être supporté car sinon, je pense devoir tout laisser tomber. La **posture** adoptée donne des indications sur ce que je vis et sur ma façon de transiger avec les situations de ma vie : si je suis en réaction face à l'autorité, que je veux tenir mon bout face à quelqu'un ou devant quelque chose, je vais « **raidir le dos** » par orgueil. Si, au contraire, je vis de la soumission, que j'ai peur, que je me sens faible, je vais « **courber le dos** » et autant mes préoccupations sont grandes, autant « mon **dos** va me faire souffrir ».

J'accepte↓♥ de libérer maintenant les énergies retenues aux endroits qui font mal ! Je peux intégrer davantage les difficultés de la vie dans l'écriture, le dialogue ou l'échange. Je choisis le moyen qui me convient le mieux et je laisse la vie couler en moi, afin d'apprendre à m'exprimer davantage et à m'affirmer quand j'en ai besoin. J'accepte↓♥ que la vie me soutienne à chaque instant et je « relève les épaules », sachant que j'ai la force nécessaire pour réaliser tous mes projets. J'accepte↓♥ de m'appuyer sur mes ressources intérieures. Mon intuition me guide dans les actions à faire pour atteindre mes objectifs.

DOS (maux de...) — HAUT DU DOS (7 vertèbres cervicales)

Le **haut du dos** correspond à la région du **cœur♥** et au centre énergétique cardiaque. C'est à ce niveau que j'ai la force ou non de porter mes émotions[87]. Les **maux de dos** ont trait aux premiers stades de la conception, aux besoins de base et à la structure la plus fondamentale de l'être. Les 7 **vertèbres cervicales** sont principalement concernées dans cette région. Les **vertèbres cervicales** se rapportent à la communication (surtout par la parole) et à mon degré d'ouverture face à la vie. Ma naïveté peut me rendre vulnérable à ce niveau. Si j'ai l'impression qu'on veut me

[86] S'en référer à chaque vertèbre spécifique sous : **DOS** (maux de...)
[87] « Je porte le monde sur mes épaules », le mien et celui des autres...

juger, me critiquer ou me blesser, je pourrai être affecté sur ce plan et j'aurai tendance à me refermer comme une huître. Les **cervicales** sont en relation avec ma capacité de communication, d'affirmation et d'opinion ou de soumission, à la justice. Les **cervicales C1, C2 et C3** seront plus particulièrement atteintes si je me dévalorise au niveau de mes capacités intellectuelles tandis que les **cervicales basses** réagiront à de l'injustice que je peux avoir l'impression de vivre dans ma vie ou à celle que je vois autour de moi et qui me répugne. De plus, chaque vertèbre me donne des informations additionnelles sur la source de mon malaise :

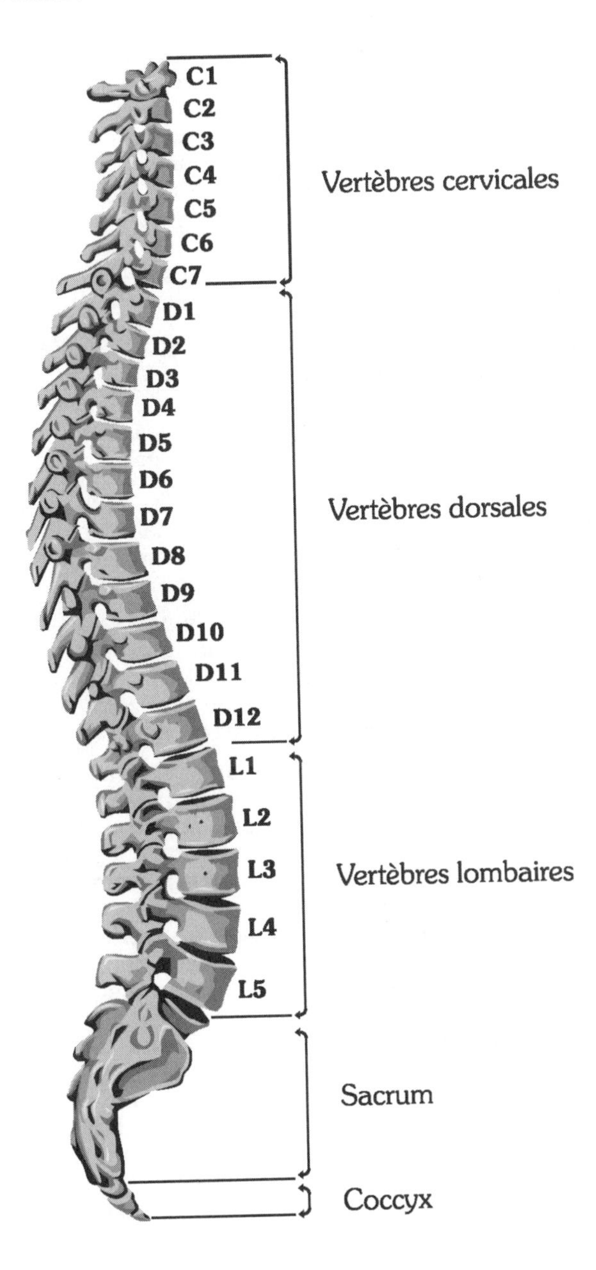

C1 = La **première vertèbre cervicale** qu'on nomme **ATLAS** et qui porte le numéro **C1**, sert de support à la tête. Elle est un pilier qui garde la tête en équilibre.

Si je m'en fais trop (« me casse la tête ») par rapport à une situation ou une personne, si je me tracasse constamment et que je doute, ma tête va s'alourdir jusqu'à me donner des maux de tête et **C1** pourra avoir de la difficulté à supporter la charge. Si je manifeste de l'étroitesse d'esprit, si je refuse de regarder toutes les facettes d'une situation, si je suis rigide dans ma façon de penser, **C1** réagira en cessant ses activités, n'étant plus capable de pivoter. Elle sera paralysée par ma peur, mon désespoir face à la vie, mon négativisme, ma difficulté à exprimer mes émotions. Un mauvais état de **C1** s'accompagne généralement de maux qui touchent la tête, le cerveau et le système nerveux, comme par exemple migraine, amnésie, vertiges, dépression nerveuse, etc. Puisque c'est la tête qui est affectée par différents maux, c'est mon individualité qui est remise en question. « Qu'est-ce que les autres pensent de moi ? », « Est-ce que je suis à la hauteur ? », « Où en suis-je rendu dans ma vie ? » Je cherche à m'éloigner de mes émotions. Je me joue un jeu afin de ne pas avoir à me regarder en face. Je préfère adopter un comportement rigide pour rester dans ma zone de confort mais, tôt ou tard, je vais devoir tourner la tête pour voir ce qui se passe autour et à l'intérieur de moi. J'ai un grand besoin de communiquer mais j'ai souvent l'impression que l'on ne m'écoute pas. J'ai tendance à avoir des comportements et pensées obsessionnels.

J'accepte↓♥ d'écouter mon intérieur, de garder mon esprit ouvert, d'amener plus de calme dans ma vie afin de diminuer mon activité cérébrale, me permettant ainsi de voir la réalité sous un nouveau jour, avec plus de confiance. Je prends ma vie en mains et j'accepte↓♥ de me voir dans chacune des facettes de ma personnalité. Je reprends mon pouvoir et je réalise de grandes choses… pour moi !

C2 = La **deuxième vertèbre cervicale** travaille en étroite collaboration avec **C1**. On la nomme **AXIS**. C'est le pivot qui permet à **C1** de se mouvoir. **C2** est reliée aux principaux organes des sens, c'est-à-dire les yeux, le nez, les oreilles, la bouche (langue). C'est pourquoi ceux-ci seront touchés quand **C2** éprouve un malaise.

Cela se produit habituellement lorsque je vis une étape dans ma vie où je me questionne par rapport à mon cheminement personnel et au rôle que joue la spiritualité dans ma vie. Des opportunités se présentent à moi pour m'aider à avoir une nouvelle vision et compréhension de la vie et de certains événements que je vis. Suis-je vraiment prêt(e) à avoir les réponses à mes questions ? Si je suis rigide dans ma façon de percevoir la vie, si je refuse de laisser aller mes vieilles idées afin de faire place à du nouveau, si je m'inquiète toujours pour le lendemain, **C2** risque fort de devenir aussi rigide. Je dois être prêt à aller plonger au fond de moi-même et de contacter l'essence de mon être. Il me reste des boucles à boucler, j'ai à compléter un ou des deuils. Souvent, mes larmes seront sèches puisque je refoule mes émotions et que mes chagrins, mes déceptions, mes regrets restent enfouis à l'intérieur de moi. Le » lubrifiant » (mes larmes de peine ou de joie) n'étant plus présent, **C1** ne pourra pas s'articuler sur **C2** aussi facilement. Il y aura irritation, échauffement, tout comme dans ma vie quotidienne. Ceci survient particulièrement dans les cas de dépression, d'émotivité excessive (si par exemple il y a un conflit familial), de colère, d'amertume, de ressentiment, de révolte et tout ceci étant souvent causé par la peur d'aller de l'avant, de changer, de prendre ses responsabilités ; la peur du jugement des autres et de soi-même, par de la non-estime de soi qui peut même mener à un désir de s'autodétruire (suicide). Qu'arriverait-il si je laissais sortir mes sentiments profonds ? Je préfère faire la sourde oreille au lieu de vraiment connaître la cause de mes différents malaises.

J'accepte↓♥ de prendre contact avec mes émotions et de les assumer, de prendre ma place en exprimant ce que je vis afin que le flot d'énergie recommence à circuler dans mon corps et que **C2** puisse recommencer à fonctionner en harmonie avec **C1** et que « tout baigne dans l'huile » ! J'accepte↓♥ de me reconnecter à ma force créatrice et à me laisser guider par ma voix intérieure.

C3 = La **troisième vertèbre cervicale C3** est une éternelle solitaire. À cause de sa position, elle ne peut compter sur personne ou travailler en coopération avec d'autres vertèbres.

Si ma **C3** ne se porte pas bien, je peux moi aussi avoir l'impression que je dois me débrouiller tout seul. Je peux aussi me replier sur moi-même, vivre « dans ma bulle »

et éviter toute forme de contact ou de communication (autant orale que sexuelle) avec mon entourage. « À quoi bon perdre mon temps ? De toute façon, on ne m'écoute jamais et on ne comprend jamais mes idées et mes états d'âme ! » Je suis séparé de ce que j'aime. Surviennent alors la révolte, le découragement, la détresse car ma sensibilité est touchée au plus profond de moi. Même l'angoisse peut s'emparer de moi. L'usure du temps fait son travail et mes rêves et mes désirs les plus chers s'évanouissent peu à peu. Je deviens irritable, amer devant une personne ou une situation que je n'arrive pas à digérer. Je suis fatigué d'avoir à prouver ma valeur, de me sacrifier pour les autres. Si j'échoue, ils ne feront que confirmer ce que je pensais de moi-même : que je suis bon à rien. Ma vie est en quelque sorte une grande mascarade. J'ai tendance à chercher appui sur quelqu'un d'autre. Je deviens angoissé si j'ai peur de ne pas réussir un projet et donc de ne pas être reconnu. Je prends note qu'un malaise à **C3** peut entraîner des maux à mon visage (autant la peau, les os que les nerfs) ainsi qu'aux oreilles et ce qui est relié à ma bouche (dents, gencives, amygdales).

J'accepte↓♥ que la solitude puisse tout autant être bénéfique pour me ressourcer, faire le point, voir clair dans ma vie, que devenir un moyen de fuir mes émotions, la réalité envers laquelle je vis beaucoup d'incompréhension. Le choix me revient !

C4, C5, C6 = Les **quatrième, cinquième** et **sixième vertèbres cervicales C4, C5, C6** pour leur part sont localisées au niveau de la **thyroïde** et vont être en relation étroite avec celle-ci. Cette dernière joue un rôle majeur dans le langage, la voix (cordes vocales) et toute disharmonie en ce qui a trait à la communication — autant quand c'est moi qui m'exprime que par rapport à ce que d'autres personnes me communiquent — va entraîner **C4, C5** et **C6** à réagir. Cela peut être que je me suis offusqué par rapport à ce que j'ai entendu, entraînant indignation et colère. **C4, C5** et **C6** vont réagir encore plus fortement si en plus je n'exprime pas mes opinions, mes frustrations, mes peines. Mon taux d'agressivité risque de monter de plus en plus, ce qui fermera les canaux de communication au niveau de ces trois **vertèbres cervicales**. **J'avale de travers** ce qui se présente à moi. J'ai tendance à ruminer certains événements pour une longue période de temps. Souvent aussi des malaises et des douleurs peuvent apparaître qui touchent tout mon système de communication verbale : bouche, langue, cordes vocales, pharynx, ***amygdales,*** etc., et toutes les parties de mon corps se situant entre le niveau de ma bouche et mes épaules peuvent être affectées. Si **C4** est particulièrement atteinte, je regarde quels sont les sentiments que je rumine continuellement, particulièrement la colère et la culpabilité. Je recherche l'équilibre, la justice. J'ai de la difficulté à trouver des solutions, souvent parce que j'hésite à exprimer mes divergences d'opinions. Je m'accroche à mes souvenirs, à mon passé. Je fuis mes émotions profondes au lieu de les extérioriser. J'évite de voir ce qui se passe à l'intérieur de moi, évitant de me découvrir et de m'épanouir. Je me détruis et me punis ; je sabote mon bonheur que je pense ne pas mériter. C'est **C5** qui réagit si je résiste à mon entourage, je refuse leurs conseils. J'ai peur qu'on me blesse avec des mots ou des actions. Je me sens inférieur aux autres et je vais donc ériger un mur autour de moi. Puisque j'ai l'impression que personne ne m'écoute ou me comprend, je me recroqueville sur moi. Les compromis ne sont pas possibles car j'évite de me positionner. Je vis de la honte et dans bien des situations, je préfère me taire au lieu de prendre la responsabilité de ce que je veux exprimer. C'est au tour de **C6** d'éprouver des difficultés lorsque je voudrais façonner les autres selon mes besoins et désirs. J'attends trop des autres au lieu de me prendre en mains. Je suis désespéré car j'ai l'impression qu'il n'y a que les autres qui peuvent me « sauver » quand pourtant, je suis le seul à avoir un pouvoir sur ma vie. Mes vieux rêves sont inaccessibles et je trouve cela injuste. Cela me rappelle toutes les fois où étant jeune, j'ai vécu cette injustice. J'ai le goût de baisser les bras, je suis déprimé car j'ai peur que le ciel me « tombe sur la tête[88] ». Je porte tellement le fardeau des autres que le fait de me sacrifier de cette façon me tue à petit feu.

J'accepte↓♥ que chaque expérience soit une opportunité de grandir et qu'il y ait une leçon à tirer de toute chose. Je dois laisser couler au lieu de m'entêter et d'en vouloir à la vie. Sinon, ma tête en vient à « bouillonner » et je me sens surchargé par toutes les tâches à accomplir et dont j'ai l'impression que je ne pourrai venir à bout. J'ai besoin de m'exprimer, soit par la parole, l'écriture, la musique, la peinture, soit toute autre forme d'expression qui va me permettre de me « reconnecter » à ma créativité, ma beauté intérieure. Tous mes sens seront alors stimulés, activés, ce qui activera ma thyroïde et permettra à **C4, C5** et **C6** de fonctionner normalement. Les maux éprouvés dans cette région pourront ainsi se résorber.

C7 = La **dernière vertèbre cervicale C7** est influencée grandement par tout mon côté moral, mes croyances, mon côté spirituel, la justice. Si je vis en harmonie avec les lois de la nature, si j'écoute les messages que mon corps m'envoie et la vie en général, **C7**

---

[88] **Que le ciel me tombe sur la tête** : qu'une catastrophe m'arrive.

va fonctionner à son meilleur. Au contraire, si je vis de la colère, si je suis fermé aux opinions et aux façons de voir des personnes que je côtoie, si je m'élève et m'oppose face à d'autres idéologies que la mienne sans garder un esprit ouvert, **C7** réagira fortement et pourra affecter mes mains, mes coudes et mes bras qui pourront s'enflammer ou avoir de la difficulté à bouger. Le fonctionnement de ma glande thyroïde sera affecté. De même, des remords de **conscience** par rapport à une parole dite, un acte posé ou une pensée envoyée vers une personne vont aussi affecter **C7**. Si je vis des émotions intenses dans ma vie, que je suis déçu, que j'ai peur d'être rejeté, que je trouve certaines situations injustes, que je me cache sous ma carapace pour éviter d'être « encore » blessé, **C7** pourra être affectée. Il est alors facile pour moi ***d'accuser*** les autres de mes malheurs. Comment vais-je me sortir de cette situation ? Ma vie manque de jeu, de spontanéité. Ma confiance en moi est très faible et je joue à « l'élève parfait et sage » afin d'éviter la foudre des gens qui m'entourent. Je laisse les autres décider pour moi. Je me sens trop vulnérable et honteux pour communiquer mes besoins. Je préfère m'isoler pour me cacher du regard des autres. J'ai un lourd bagage d'émotions non extériorisées. Je me coupe de mon moi intérieur. Mes côtés intuitif et émotif sont dissociés de ma raison et sont contrôlés par le doute. Puisque je ne peux pas faire confiance à mon propre pouvoir, ma capacité à décider, je dois m'appuyer sur des personnes extérieures. La dépression peut apparaître et je me sens toujours coincé par le temps.

J'accepte↓♥ d'apprendre à discerner ce qui est bon pour moi et ce qui ne l'est pas. J'ai à respecter les points de vue de chaque personne, même s'ils sont différents des miens. C'est en ouvrant mes bras aux autres que je vais apprendre le plus et que je serai plus à même de faire des choix qui m'amèneront à me sentir plus libre.

Aussi, les douleurs dans cette région du **dos** viennent d'émotions négatives **refoulées** que je traîne comme un boulet indésirable, que je refuse de voir en moi. J'ai de grandes **attentes** face aux autres mais j'ai de la difficulté à exprimer mes véritables émotions, si bien que la **colère**, la **peur de ne pas être aimé** ou le manque de **support** affectif apparaissent et j'ai l'impression d'avoir à penser à tout et d'avoir à tout faire. Mon niveau de frustration est grand et j'ai parfois plus envie de tourner le **dos** au monde que de lui faire face. Je résiste beaucoup en croyant être incapable de me soutenir affectivement et j'ai la conviction que si mon entourage me témoignait plus d'**amour** et de soutien, tout irait beaucoup mieux. On peut retrouver ce genre d'attentes très élevées chez moi qui suis une mère ou un père de famille dévoué mais frustré par la lourde charge qui repose sur mes épaules. Je me sens alors **responsable du bonheur des autres** et cela devient **lourd à porter**. Je peux même avoir peur que ma survie ou celle d'un de mes proches soit en danger. Le corps envoie donc des messages importants que je dois à présent écouter pour garder un bon équilibre émotionnel.

À partir de maintenant, j'accepte↓♥ de m'aimer davantage, je cesse de me juger et de me critiquer constamment ! Je redécouvre tout ce que j'avais caché et refoulé : mes ambitions, mes désirs, mes buts dans la vie et j'ai à accepter↓♥ ma **capacité** à les accomplir. Ma confusion se dissipera et je n'aurai plus à « tourner le **dos** » ou « faire **dos** » à une situation ou une personne car j'aurai acquis la **certitude** que je peux réaliser tout ce que je désire. J'accepte↓♥ de libérer toutes ces énergies qui m'empêchent de m'épanouir pleinement. Il n'est pas surprenant que j'aie eu de la difficulté à m'aimer puisque je n'étais plus moi-même. Devenir moi-même m'ouvre toutes grandes les portes de la vie et celles de mon **cœur♥**. Je cesse de critiquer et j'apprends à m'exprimer librement au lieu de refouler. J'accepte↓♥ d'avoir besoin de l'aide des autres et j'apprends de plus en plus à demander. Je respecte ainsi davantage la personne que je suis.

DOS (maux de...) — **MILIEU DU DOS** (12 vertèbres dorsales)

Le **milieu du dos** représente la grande région thoracique du corps comprise entre le **cœur♥** et les vertèbres lombaires.

C'est une région de **culpabilité émotionnelle et affective**. Les **12 vertèbres dorsales**[89] se rapportent principalement à cette région :

D1 = La **première vertèbre dorsale D1** peut réagir fortement lorsque je me pousse à bout soit dans mon travail, soit dans le sport, bref dans toutes les situations où je vais au bout de mes forces mentales, physiques ou émotionnelles. Elle n'apprécie pas non plus un « boost », que ce soit sous forme d'alcool ou de drogue, quelle qu'elle soit. Sa sensibilité sera à ce moment à fleur de peau. Je suis angoissé et je me construis alors des moyens d'autoprotection afin de me protéger de mon entourage et d'éviter d'être blessé. Cela peut se manifester notamment dans mes gestes ou dans mes paroles : par exemple, je tends à éloigner les autres par ma froideur ou par des paroles blessantes. En me retirant, j'évite qu'on « pénètre chez moi », qu'on utilise trop de pouvoir ou d'autorité sur moi. Cela peut même se manifester par une prise de poids importante, celui-ci étant ma protection naturelle et physique, car je veux inconsciemment « prendre plus de place » et en laisser moins aux autres. Cela peut aussi camoufler une timidité présente et avec laquelle j'ai de la difficulté à transiger. Elle sera encore plus mise en évidence si je crains de perdre l'**amour** des gens. J'ai tendance à être intransigeant et le désordre m'horripile. Ma fermeture et mes peurs face à la vie affectent l'état de **D1.** Je me coupe de mes émotions. Ma peur de perdre l'**amour** de quelqu'un, le décès d'un être cher me paralyse. Je n'ose pas accomplir des choses, prendre ma place. Je dois être vigilant et éviter de me recroqueviller sur moi-même et de ressasser du noir constamment, étant toujours figé sur les mêmes idées et frustrations. J'ai tendance à me condamner face à mes expériences passées. Un mauvais état de **D1** peut amener des malaises à n'importe quelle partie de mon corps située entre mes coudes et le bout de mes doigts, ainsi que des difficultés respiratoires (toux, asthme, etc.).

J'accepte↓♥ de m'ouvrir à l'**amour**, dans l'accueil et le respect de qui je suis.

---

[89] **Vertèbres dorsales** : la façon d'identifier chacune d'elles est par la lettre **D** qui désigne ***dorsale***, suivie du numéro séquentiel de la vertèbre. Une autre façon aussi est d'utiliser la lettre **T** pour désigner les vertèbres ***thoraciques***, ce qui revient au même.

D2 = La deu**xième vertèbre dorsale D2** va réagir facilement et rapidement comme une sonnette d'alarme lorsque mon émotivité est touchée. Si j'accumule et j'étouffe mes émotions, **D2** va alors me donner un message et le « mal de **dos** » va apparaître. Si j'ai l'impression que je n'ai pas ma place dans la vie et dans la société, que la vie est « injuste » et que je me sens victime des événements, **D2** sera touchée. Je peux être particulièrement concerné par tout ce qui touche ma famille et je vis toute situation de conflit, de disharmonie d'une façon intense. Je me sens oppressé, étouffé autant au niveau psychologique (émotif) que physique. Quelle est ma place au sein de mon clan, spécialement face à mon père ? Est-ce que j'ai vécu de grands manques face à ce dernier ? Ai-je trop de responsabilités face à la sécurité et au bon fonctionnement de la famille ? Je peux avoir accumulé de vieilles rancunes. Je peux aussi remuer constamment des expériences passées, des souvenirs, en voulant figer ma réalité dans des événements passés au lieu de regarder vers l'avenir avec confiance et en vivant intensément le moment présent. Je peux appréhender une nouvelle situation qui m'amène une peur de l'inconnu. Est-ce que je vais avoir trop de responsabilités ? Est-ce que je vais être soutenu ou vais-je devoir me débrouiller tout seul ? Comment vont réagir les gens autour de moi ? Si je doute de moi, de mes capacités, je pourrai réagir en jouant les « dur à cuire », en devenant très autoritaire ; j'aurai ainsi l'**impression** de contrôler la situation, tout en sachant fort bien que je tremble de peur, allant même jusqu'à faire de l'angoisse. Je peux aussi devenir irritable par rapport à une personne ou un événement et je réagis par des sautes d'humeur. Je doute des autres et je préfère qu'ils restent loin de moi. Ainsi, ils ne me blesseront pas ! Une **D2** en mauvaise condition va souvent être accompagnée de malaises et de douleurs au **cœur♥** et aux organes qui s'y rattachent, ainsi qu'aux poumons. Cela dénote une fermeture du **cœur♥** face à une personne ou une situation, car je n'ai plus le goût de souffrir.

J'accepte↓♥ d'apprendre à demander et à faire confiance en ma capacité de relever de nouveaux défis. Je laisse aller mon passé et je me tourne vers l'avenir en sachant que je suis maintenant capable de prendre ma place en harmonie avec mon entourage. Je peux aussi lire la section concernant le **cœur♥** afin d'avoir d'autres pistes.

D3 = La **troisième vertèbre dorsale D3** est principalement en relation avec les poumons et la poitrine. Je peux aller voir sous ces deux thèmes quelles sont les causes qui peuvent les affecter et j'aurai une piste afin de savoir pourquoi **D3** m'envoie aussi des messages. De plus, tout ce que je peux percevoir par mes sens et qui ne me convient pas tout à fait va faire réagir **D3**. Puisque je suis très sensible à mon entourage, je me suis bâti un système où je sais ce qui est bien, ce qui est mal, ce qui est acceptable↓♥ ou non. Je peux être figé et rigide dans ma façon de penser et de voir les choses. J'ai tendance à juger toute personne, spécialement ma mère qui m'a manqué, ou une situation qui n'entre pas dans ma définition de « convenable ». Je peux réagir fortement devant ce que je considère être une « injustice ». Je peux même devenir colérique, voire même violent tant je ne suis pas d'accord avec ce que je vois, je perçois ou j'entends. Je peux aussi me construire un « scénario » dans ma tête, ce qui amène une distorsion de la réalité, souvent à cause de ma peur de voir la réalité en face et aussi parce que ma réalité environnante me déprime. Je peux développer des craintes excessives et irraisonnées. J'ai alors moins le goût de vivre, je n'ai plus le sentiment d'être en sécurité. La tristesse peut m'envahir, je n'ai plus le goût de lutter. La déprime prendra graduellement place en moi et je voudrai me couper de ce monde qui ne m'apporte que peine, frustration, anxiété. Le chagrin m'étouffe et je me replie sur moi-même. Je réprime mes émotions et je refuse d'y faire face.

Je dois apprendre à voir la vie sous un nouveau jour. Accepter↓♥ que je puisse ne pas vivre dans un monde parfait mais que toute situation est parfaite parce que chacune d'elle me permet d'en tirer une leçon.

D4 = La **quatrième vertèbre dorsale D4** se rapporte aux plaisirs, aux désirs, aux tentations souvent inassouvis. Parfois, mes attentes sont démesurées, voir même presque irréalistes et je deviens irritable, colérique parce que « mes vœux » ne sont pas exaucés, que la vie est injuste. J'en veux à la vie, à mon entourage. Au fond de moi, je sens un si grand vide, souvent affectif, que j'ai des tendances dépressives et la seule façon que je connaisse de contrecarrer cet état d'être et d'amener un peu de « piquant » dans ma vie sera d'y créer un état d'excitation, soit naturellement soit artificiellement. Je peux pratiquer des sports à émotions fortes (parachutisme, alpinisme, etc.), ou je peux prendre des drogues pour m'amener dans un état d'extase et de bien-être temporaire. Je me réfugie ainsi dans un monde imaginaire, à l'abri de tous. Cependant, je ne suis pas à l'abri des émotions que j'ai refoulées et que j'ai tenté de fuir. Je peux en apparence être très libre mais en réalité, je suis emprisonné dans ma colère, mes peines, mes frustrations, ma ran**cœur♥** excessive et par ma peur d'être asphyxié par l'**amour** des autres, car je n'ai jamais su le reconnaître et l'accepter↓♥. Je m'oppose, je reste distant et je nourris ce fossé par ma mauvaise humeur, mon attitude dépressive. J'ai tellement besoin d'être aimé mais pourtant, j'ai tendance à rejeter les autres et à les condamner, voire même les trahir. Cependant, la vraie trahison, je la dirige vers moi-même, ce qui m'éloigne de ma mission en ce monde.

Il est important que je reconnaisse et que j'accepte↓♥ mes émotions pour pouvoir les intégrer et me permettre de vivre pleinement ma vie. Quand **D4** est affectée, il peut aussi s'ensuivre une difficulté à la vésicule biliaire et au foie.

D5 = La **cinquième vertèbre dorsale D5** est touchée lorsque je me retrouve dans une situation où j'ai l'impression de perdre le contrôle, que mon pouvoir est à l'extérieur de moi. Je me sens alors déstabilisé et la rage gronde en moi. Je peux même me retrouver en état de panique. Cela se produit notamment sur le plan affectif par rapport à mon conjoint, un membre de la famille, un ami proche, etc. Ce contrôle se cache parfois sous une apparence de » vouloir aider quelqu'un », « le guider », « l'aider dans ses difficultés », mais au fond de moi, j'exerce un contrôle par rapport à cette personne en étant en position de « force », même inconsciemment. Si les choses ne se passent pas comme je le désire, je peux devenir frustré, critique, impatient et même colérique et **D5** réagira violemment. Je veux me donner une image de « dur à cuire » qui a le « dos large » et « qui est capable d'en prendre ». Mais, au fond de moi, je sais que j'en prends trop sur mes épaules, ce qui m'amène à vivre de l'insécurité, à être angoissé, révolté contre mon entourage que je rends responsable de mon mal-être. Je ne me sens pas faire partie de ma famille et je vis de la culpabilité parce que je pourrais les aider plus mais que j'en suis incapable. J'ai de grandes ambitions, ce qui me fait parfois m'éloigner de mes valeurs profondes et agir en contradiction avec celles-ci. Je me jette alors dans des relations artificielles avec les gens, vivant déception après déception, car l'**amour** vrai, simple n'est pas suffisamment présent. J'accumule des émotions négatives et j'ai de la difficulté à voir le côté positif d'une situation, « ruminant » le négatif. Je vis plus dans mon rationnel, mes pensées, mes structures. Je m'engouffre dans mon travail, je deviens insatisfait de ma vie. Il est à noter que le mauvais état de **D5** est souvent accompagné de divers malaises affectant mon foie et ma circulation sanguine.

J'accepte↓♥ d'être à l'écoute de mon intérieur, de reprendre contact avec mon essence, avec mes vraies valeurs afin que le calme revienne dans ma vie et que je voie clair dans les événements, m'épanouissant et étant capable de vivre l'**amour** vrai.

D6 = La **sixième vertèbre dorsale D6** va réagir lorsque je me critique et que je me juge sévèrement. Je peux avoir été élevé dans un environnement très strict où les valeurs et les lignes de conduite devaient être suivies à la lettre. Ayant grandi dans ce climat autoritaire et non permissif, je peux maintenant avoir des « cas de **conscience** » où je voudrais me faire plaisir, prendre du temps pour moi mais je juge cela « pas correct » et « je ne mérite pas ça ». Je me crée des soucis inutilement car je ne cesse d'analyser chacun de mes gestes, chacune de mes paroles, chacune de mes pensées, pour être certain que je « suis correct ». Je suis déconnecté de mon corps et je vis dans ma tête. La culpabilité me ronge par-dedans. L'angoisse est très présente et je m'autopunis en me coupant du monde. J'ai de la difficulté à m'accepter↓♥ tel que je suis. Je me sens victime de la vie, impuissant devant les événements. Je juge sévèrement ceux-ci, ne voulant pas accepter↓♥ qu'ils sont là pour me faire grandir, mais les voyant plutôt comme des punitions, des injustices. Je refuse la vie et de nouvelles expériences. Je vis alors dans la frustration et l'incompréhension, le ressentiment, envieux et jaloux des autres. C'est pourquoi une **D6** en mauvais état s'accompagne souvent de malaises au niveau de l'estomac et de la vésicule biliaire car les contrariétés sont nombreuses et je fuis les responsabilités.

J'accepte↓♥ d'être plus souple et permissif envers moi-même et j'apprends à voir du positif dans chaque événement, sachant que chaque expérience m'amène à me connaître davantage et à devenir meilleur.

D7 = La **septième vertèbre dorsale D7** est une travailleuse forcenée. Si dans ma vie, je me pousse à l'extrême dans les choses à faire, en n'écoutant pas mon corps lorsqu'il a besoin de se reposer et de relaxer, **D7** va lancer un cri d'alarme. Je peux vouloir ainsi oublier ou fuir quelqu'un ou une situation quelconque. Je peux vouloir oublier mes soucis financiers, affectifs, etc. En m'arrêtant, le découragement et l'insatisfaction par rapport à ma vie risquent de refaire surface, chose que je ne veux pas. J'accumule beaucoup de colère et d'agressivité ; tout gronde à l'intérieur de moi parce que « la vie n'a rien de bon à m'offrir ». Je résiste, m'entête et m'obstine et je suis même « boqué[90] » sur certaines idées qui m'obsèdent. Je refuse de laisser voir le jour à mes aspirations, ma spontanéité, ma créativité ne sachant comment y faire face. Puisque je laisse les autres me dire comment vivre ma vie, je suis angoissé, vulnérable, non maître de ma vie. Les discordes qui affectent ma famille et dont je me sens responsable me grugent.

Je dois apprendre à apprécier ce que j'ai et ce que je suis et voir toute l'abondance qui est présente dans ma vie. J'ai le droit de prendre du temps pour moi, j'ai le droit de vivre des émotions au lieu de les laisser bouillir à l'intérieur de moi. Je me donne le droit de vivre ma peine, ma déception, mes peurs, car c'est ainsi que je pourrai les accepter↓♥ et les changer en positif. Je peux faire mon ménage intérieur au fur et à mesure et permettre à **D7** de fonctionner normalement. Je reprends contact avec mon corps, avec la vie terrestre. C'est ainsi que les maux qui accompagnent souvent une **D7** en mauvais état et qui touchent souvent le pancréas et le duodénum pourront aussi s'en aller

D8 et **D9** = Les **huitième** et **neuvième vertèbres dorsales D8** et **D9** que je retrouve à la hauteur du diaphragme et qui sont étroitement liées se ressemblent en tout point. C'est pourquoi elles sont traitées ensemble. Elles sont affectées principalement lorsque je vis de l'insécurité en raison d'une peur que j'ai de perdre le contrôle sur une situation ou une personne. Je suis dominateur : je me sens plus sûr de moi lorsque je dirige parfaitement tous les aspects de ma vie, que j'orchestre parfaitement toute situation afin de savoir exactement à quoi m'attendre. L'incertitude m'amène à tout garder pour moi. Je me cache dans ma bulle de verre, n'ayant pas à me poser de questions ni à faire d'efforts pour changer quoi que ce soit dans ma vie. Je vis toutes mes émotions « par-dedans ». Mais si ce « présumé équilibre » est troublé, **D8** et **D9** effrayées vont réagir fortement, se recroquevillant de peur. En étant en retrait, je me sens plus en sécurité. Je repousse mes émotions et réprime mes forces intérieures. **D8** m'indique plus particulièrement que je suis hanté par la peur de l'échec et qu'il y a une situation à régler face à ma famille. **D9** elle, est reliée au rôle de **victime** que je m'attribue. Le désespoir peut prendre place et j'ai le mal de vivre car je ne sais quelle direction prendre dans ma vie et j'ai peur de me tromper. J'hésite à avancer en partie parce que je retiens le passé, parce que j'ai peur de l'abandon et du rejet. J'ai de la difficulté à voir la **lumière** au bout du tunnel et je préfère rester « sur place ». Je peux avoir dédain de la vie et je me dirige vers un gouffre que je ne peux vaincre qu'en faisant confiance en la vie et en laissant aller le contrôle que j'exerce. Car c'est en laissant aller que je gagne la maîtrise de ma vie. Je prends note qu'une **D8** endommagée peut s'accompagner de maux au diaphragme et à la rate (incluant les troubles du sang) tandis que **D9** en mauvais état sera accompagnée d'allergie ou d'un mauvais fonctionnement des glandes surrénales ou de l'urticaire.

J'accepte↓♥ de laisser ma nature douce et profonde émerger. Je permets à mon côté enfant de cohabiter avec mon côté adulte qui en prend désormais soin.

[90] **Boqué** : expression québécoise voulant dire : entêté à l'extrême.

D10 = Lorsque la **dixième vertèbre dorsale D10** est atteinte, cela reflète souvent une insécurité profonde vis-à-vis laquelle je me sens désarmé, sans ressource. Ma confiance est à son plus bas et j'ai besoin « d'un petit remontant » afin de m'aider à me donner du courage et à oublier mes soucis. Souvent, cela peut être une plus grande consommation d'alcool ou de drogue que d'habitude qui me donnera ce « p'tit coup d'pouce ». Cependant, quand je reviens dans mon état normal, les « bibittes[91] » sont encore là et ma vie s'assombrit car je ne vois que le côté négatif des choses. Je fais face au néant. Je vois tout en noir, refusant la vie, m'apitoyant sur mon sort. Je m'en fais pour des riens et je me mets en colère sans toutefois être capable de la manifester, ce qui affecte ma sensibilité qui devient à fleur de peau et qui fait que je m'emporte pour des bagatelles, souvent avec beaucoup d'agressivité. Je suis devant rien et je ne sais pas dans quelle direction m'en aller ou quels sont les bons choix à faire. Je me sens victime des circonstances et cela m'empêche de prendre ma vie en mains. Je suis embourbé dans mes émotions ce qui rend mes communications avec les autres difficiles. Je cherche ma place dans la vie, je ne peux me positionner. Une **D10** en mauvais état s'accompagne souvent de malaises aux reins, reconnus comme le siège de la peur.

J'accepte↓♥ de me faire confiance et j'apprends à voir la beauté autour de moi et celle qui se trouve en moi. J'ai le courage de demander de l'aide. J'assume pleinement mes responsabilités et je reprends la maîtrise de ma vie.

D11 = Les anomalies à la **onzième vertèbre dorsale D11** se retrouvent généralement quand mon système nerveux a de la difficulté à fonctionner. Ma très grande sensibilité à tous les niveaux amène **D11** à se déformer car je déforme aussi la réalité afin de moins souffrir. Je la change à mon gré pour qu'elle soit comme je le veux. Je me perçois comme une personne laide, pas attrayante, pleine de défauts. Cette image de moi-même qui est très négative fait en sorte que j'aurai de la difficulté à établir des relations durables avec mon entourage car la peur du rejet est très grande. Je me « coupe » volontairement de mon entourage car j'ai l'impression qu'on m'envahit et je ne sais plus ce qui m'appartient ou non. Mais ceci ne peut durer qu'un certain temps et je dois tôt ou tard faire face à la réalité. À ce moment-là, une tension intérieure aura pris place, et j'aurai de la difficulté à transiger avec elle. Cela peut devenir tellement insupportable que je peux même avoir des idées suicidaires puisque je vis dans l'incompréhension et que j'ai peur de l'avenir, car je me sens **impuissant** à changer des choses dans ma vie. Je me considère « victime », blessé dans mes sentiments. Je ne suis pas à la hauteur de l'image parfaite et idéale que je veux donner. Je rumine le négatif et je fais peu d'efforts pour me tirer de cette situation. Je dois apprendre à bouger et à aller de l'avant au lieu de stagner dans un état d'être comateux et me morfondre dans la passivité. Des maux à **D11** s'accompagnent souvent de malaises aux reins ainsi que de maladies de peau (eczéma, acné, etc.).

J'accepte↓♥ de changer des choses dans ma vie mais que je dois être prêt à y mettre des efforts et à demander de l'aide. Je reprends

---

[91] **Bibittes** : mes soucis, mes préoccupations, mes « problèmes » de tous les jours.

contact avec ma force intérieure et je laisse circuler mes énergies créatrices.

D12 = La **douzième vertèbre dorsale D12** est affectée notamment lorsque je vis dans un vase clos, replié sur moi-même. J'ai tendance à critiquer, juger, sauter facilement aux conclusions, non pas parce que j'ai vérifié mais seulement parce que mes observations peuvent me donner de fausses impressions et que je les interprète à ma façon. Cela m'amène à vivre beaucoup de colère qui me « gruge par-dedans ». Mon mental est très actif. Ma sensibilité est « à fleur de peau ». Je me construis des châteaux en Espagne. Je m'invente toutes sortes de scénarios évitant ainsi mes responsabilités. Puisque j'ai de la difficulté à transiger avec mon entourage, je vis beaucoup d'insécurité et je suis perfectionniste. Je peux entretenir des idées morbides, n'étant plus capable d'absorber quoi que ce soit dans ce que je vois, dans ce que je sens ou dans ce que je perçois et enviant ce que les autres ont. Je suffoque à cause de toute cette agressivité, ce chagrin, ce sentiment d'abandon qui m'habitent. Je porte un masque pour me protéger contre d'autres déceptions ou désillusions, notamment dans mes relations affectives. Une affection au niveau de **D12** s'accompagne souvent de malaises intestinaux, de douleurs aux articulations, d'une circulation lymphatique déficiente et aussi parfois d'affections aux trompes de Fallope[92]. J'apprends à communiquer, à aller vérifier avec les personnes concernées afin d'enlever le doute et l'insécurité qui m'habitent. Je vois ainsi plus clair dans ma vie et le calme s'installe en moi.

Aussi, les malaises au **milieu du dos** sont le signe clair d'une relation difficile avec la vie et les situations de mon existence. J'ai souvent des décisions à prendre mais je suis en constant doute face à celles-ci et face au fait de les ***assumer***. Cette région du **dos** correspond également au mouvement d'extériorisation de l'énergie de vivre qui passe à travers moi. Cela signifie qu'en période de maturité intérieure (lorsque je prends de l'expérience), plusieurs qualités divines telles la confiance, l'**amour,** le détachement (c'est-à-dire le libre-arbitre, surtout sur le plan affectif) sont mises à l'épreuve. Mes **maux de dos**, y inclus le **dos courbé**, peuvent signifier plusieurs choses : de la culpabilité dans des situations où **je n'ai pas** à me sentir coupable, de l'**amertume** ou une **faible confiance en moi** reliées à une vie que je sens très lourde à porter. Je crois devoir être le pilier et bien gérer la structure qui est déjà en place. Je peux avoir l'impression « qu'on est toujours sur mon **dos** », que je suis seul à tout faire. Si j'ai un **mal de dos**, cela dénote un grand sentiment d'**impuissance** face à une situation présente difficile à traiter et où j'aurais besoin d'aide. Ne sachant pas toujours comment me positionner dans certaines situations où j'ai à faire des choix, je vais souvent vivre de l'amertume car je vais très souvent faire passer les besoins des autres avant les miens. Je suis susceptible et cela m'amène à me refermer. Le désespoir peut apparaître car **je ne me sens pas assez *soutenu* sur le plan affectif** et je souffre aussi d'insécurité. J'ai tendance à retenir mes émotions et je vis beaucoup dans le passé. J'y reste attaché, je tourne en rond. Je me sens instable et anxieux. J'ai des remords

---

[92] **Fallope**, Gabriel : anatomiste et chirurgien italien (Modène 1523 – Padoue 1562). Gabriel Fallope professa à Padoue et fit de nombreuses découvertes anatomiques, dont celle des trompes de l'utérus, auxquelles on a donné son nom.

de **conscience**. Le but à atteindre réside dans une expression plus active de l'énergie divine.

J'accepte↓♥ d'avoir besoin d'être clair en tout, avec moi-même et les autres, sans véhiculer les sentiments d'un passé boiteux pour faire place à un **ici et maintenant** calme et serein. J'ai besoin d'aide et d'encouragement, de me brancher avec mon être intérieur qui veille sur moi sans cesse. Mon corps me donne des signaux importants. Demander de l'aide n'est pas honteux. Au contraire, c'est un signe d'intelligence puisque cette aide me permet d'aller de l'avant. Je vois l'importance de mon identité propre et je suis prudent avec mon ego et mes peurs. J'apprends à communiquer avec mon être intérieur par la méditation ou la contemplation ; j'y trouverai maintes solutions et réponses. Être en contact avec mon être intérieur, c'est choisir de mieux vivre les situations de la vie.

DOS (maux de...) — BAS DU DOS

Souvent confondue avec les reins et communément associée au **mal de reins**, cette région est située de la ceinture au coccyx. C'est une partie du système de **soutien**. Il symbolise ma sécurité, mon assurance et ma confiance en la vie. Des douleurs à cette région dénotent la présence d'**insécurités matérielles** (travail, argent, biens) **et affectives**. « J'ai peur de manquer de... ! », « Je n'y arriverai jamais ! », « Je ne pourrai jamais réaliser cela !» expriment bien les sentiments intérieurs vécus. Je suis tellement **préoccupé** pas tout ce qui est matériel que je ressens de la tristesse car il y a un vide et ce vide me fait mal. Il y a une non-cohérence entre mes désirs et mes actions. Je peux même baser ma valeur personnelle sur le nombre de biens matériels que je possède. Les **douleurs** à ce niveau apparaissent souvent à la suite d'une perte d'emploi, une retraite, le départ d'un enfant, une séparation, etc. Je vis une très grande dualité, car je désire avoir autant la « qualité » que la « quantité », autant par rapport à mes relations interpersonnelles que par rapport à ce que je possède. J'ai tendance à en prendre trop sur mes épaules et à éparpiller mes énergies. Je tente de tout faire pour être aimé et je m'attarde à ce que les autres pensent de moi. Je me sens le pilier, ne pouvant compter que sur moi-même. Je peux vouloir aussi m'approprier ce rôle pour me donner de l'importance. Il peut s'agir aussi d'inquiétude face à une ou d'autres personnes. Je m'en fais pour elles et j'ai peut-être tendance à « prendre les problèmes des autres sur mon **dos** » et vouloir les sauver. La **lombalgie** risque à ce moment d'apparaître. Mon **impuissance** face à certaines situations de ma vie me rend **amer** et je refuse de me soumettre, mais j'ai peur. Ce sentiment d'**impuissance** (vécu parfois dans ma sexualité), qui peut me mener jusqu'à la **révolte** pourra me mener à un » **lombago** » ou « **tour de reins** ». Je ne me sens pas soutenu dans mes besoins de base et mes besoins affectifs et je me sens incapable d'assumer la dimension matérielle de ma vie. Les rapports entre les choses et les personnes sont conflictuels. J'ai de la difficulté à faire face aux changements et à la nouveauté qui se présentent à moi car j'aime me sentir en sécurité dans ma routine et mes vieilles habitudes. Cela dénote souvent que je suis **inflexible** et **rigide** et que je voudrais être soutenu à ma façon. Je ne peux pas être pleinement heureux : il y a toujours une « ombre au tableau », il y a quelque chose de caché.

Si j'accepte↓♥ que les autres puissent m'aider à leur manière, je vais découvrir et prendre **conscience** que j'ai tout le soutien dont j'ai besoin. Je deviens ainsi plus autonome et responsable. Je laisse aller les fardeaux qui appartiennent aux autres. Je dois reconnaître ma valeur afin de m'épanouir au lieu d'attendre la reconnaissance extérieure. J'ai à arrêter de me forcer à faire des choses pour donner une belle image de moi car ainsi, je veux manipuler les autres et je n'agis pas avec mon **cœur♥**. S'il s'agit de **pincement des disques lombaires**, je mets probablement trop de pression sur moi-même à faire des choses pour me faire aimer. Puisqu'une période de repos est nécessaire, j'en profite pour regarder ce qui se passe dans ma vie et redéfinir mes priorités. Comme **je ne me sens pas soutenu**, je deviens **rigide** (raide) envers les autres. Ai-je tendance à blâmer les autres pour mes difficultés ? Ai-je pris le temps d'exprimer mes besoins ?

J'accepte↓♥ que mon seul soutien vient de moi-même. En reprenant contact avec mon être intérieur, j'établis un équilibre dans mes besoins et je rejoins toutes les forces de l'univers qui sont en moi. Ces forces me donnent confiance en moi et en la vie car je sais qu'elles m'apportent tout ce dont j'ai besoin : physique, émotif ou spirituel. Je suis soutenu en tout temps ! Les **5 vertèbres lombaires** sont concernées dans cette région :

L1 = La **première vertèbre lombaire L1** est atteinte lorsque je vis un sentiment d'impuissance face à quelqu'un ou quelque chose qui ne me convient pas et que j'ai l'impression que je ne peux changer, que je dois subir. Je deviens alors inerte, sans vie. Je dépense beaucoup d'énergie sur des choses souvent mineures mais que j'amplifie tellement qu'elles prennent alors des proportions catastrophiques, ce qui peut même faire apparaître un sentiment de désespoir. Je peux vivre de l'insécurité face à des aspects de ma vie mais qui n'a pas vraiment de raison d'être. Je m'attends à ce que l'on me fasse des vacheries. Je veux tout contrôler mais cela n'est pas humainement possible. Je tiens tellement compte des autres que je mets complètement de côté mes besoins et ma liberté. Je peux aussi vivre des conflits intérieurs concernant ce que je veux faire mais que je ne me permets pas. J'ai besoin d'être proche des gens mais en même temps, j'ai aussi besoin de moments de solitude. Cela fait monter en moi frustration, agressivité et colère. Ces sentiments durcissent mon **cœur♥** si je ne m'en libère pas et me rendent amer de la vie. Une vertèbre **L1** en mauvais état peut amener des malaises en ce qui a trait aux fonctions de digestion (intestin et côlon) ou d'élimination (constipation, dysenterie, etc.).

J'accepte↓♥ le pouvoir que j'ai de changer le cours de ma vie, et la mienne seulement ! Je refais mes priorités afin de bien canaliser mes énergies.

L2 = L'état de la **deuxième vertèbre lombaire L2** dépend beaucoup de ma flexibilité face à moi-même et aux autres. La solitude et l'amertume souvent causées par une timidité prononcée sont aussi des facteurs importants qui peuvent affecter **L2**. Je suis prisonnier de mes émotions : ne sachant pas comment les vivre et les exprimer, celles-ci étant parfois vives et explosives, je mets des masques pour me protéger et éviter qu'on puisse voir ce qui se passe à l'intérieur de moi. Mon malaise peut devenir tellement grand que je veux « engourdir » mon mal avec de la boisson, des drogues, le travail, etc., et **L2** criera alors au secours. Je ne veux plus qu'on m'abaisse et qu'on m'humilie. J'ai tendance à broyer du noir et à vivre dans un état dépressif que j'apprécie un tout petit peu car je suis dans un rôle de victime qui ne m'oblige pas à passer à l'action et à changer des choses dans ma vie. Je peux blâmer mes parents ou certains événements de mon enfance pour mes malheurs actuels. Je crois que ma survie dépend de l'**amour** des autres. Tout comme **L1**, un sentiment d'impuissance et aussi beaucoup de tristesse vont affecter **L2**. Je suis amer face à la vie parce que je serais supposé profiter des plaisirs de la vie mais que souvent, je ne me le permets pas, à cause de mes « obligations » ou par devoir, afin de montrer le bon exemple. Je dois subvenir à mes besoins mais aussi souvent à ceux d'autres personnes. Je dois apprendre que je n'ai pas à être parfait. Je peux parfois me sentir incapable ou impuissant face à une situation, ayant de la difficulté à lâcher prise. Il est à noter qu'une vertèbre **L2** en mauvaise condition peut m'amener des malaises à l'abdomen, l'appendice ou aux jambes, où je pourrais voir apparaître des varices.

J'accepte↓♥ de laisser aller la colère ou la ran**cœur♥** que j'ai face à moi-même : je ne dois qu'être vrai avec moi-même et les autres et exprimer simplement mes peines, mes joies, mes doutes, mes incompréhensions, mes frustrations afin d'être plus ouvert face aux autres et que **L2** reprenne vie aussi.

L3 = La **troisième vertèbre lombaire L3** est principalement affectée quand je vis des situations familiales tendues ou orageuses. Il y a souvent conflit au niveau sexuel : soit qu'il existait ou existe une rivalité, soit qu'il y avait ou qu'il y a des relations hors mariage qui engendreront des enfants, soit qu'il y a des traumatismes qui son reliés à un inceste présent ou passé. Je me retiens de dire ou de faire des choses pour ne pas blesser et ne pas déranger les autres. Mais en faisant cela, c'est à moi-même que je fais du mal. Je joue les rôles de « bon garçon » ou de « bonne fille » en manifestant une très grande flexibilité. Mais je deviens « bonasse », ce qui m'amène de la frustration, surtout si j'ai à mettre mes désirs de côté. Et peut-être, aussi, que je me mets de côté, notamment à cause de ma culpabilité et de ma timidité qui m'amèneront à me rejeter moi-même. Je me juge sévèrement, j'ai des « cas de **conscience** » fondés ou non et qui peuvent se rapporter à de la trahison. **L3** réagit aussi si j'évite de communiquer mes émotions, en raison de ma grande sensibilité, ne sachant trop comment ces émotions vont être reçues. Je deviens « paralysé », impuissant même, dans mes émotions, dans mon corps, dans mes pensées, ce qui empêche ma créativité de se manifester et tout ce qui y est rattaché, notamment la communication et la sexualité qui restent « rigides » et « frigides ». La mauvaise condition de **L3** peut amener des malaises aux organes génitaux (ovaires et testicules), à l'utérus (chez la femme), à la vessie ou aux genoux, tels que l'arthrite, l'inflammation ou des douleurs.

Pour surmonter le découragement, j'accepte↓♥ de tendre les bras vers les autres et d'oser exprimer mes émotions afin que mon plein potentiel créatif se réveille et se manifeste.

L4 = Quand la **quatrième vertèbre lombaire L4** se rebelle, c'est souvent parce que j'ai de la difficulté à transiger avec la réalité de tous les jours. Je peux me complaire dans un monde imaginaire et cela peut m'amener à vivre dans la passivité, étant un peu las de voir ce qui se passe autour de moi et très attaché au passé. Un certain laisser-aller s'installe. « Pourquoi s'en faire de toute façon ? » Je subis les événements plus que je ne les crée, ce qui peut me laisser un goût amer. Cela est particulièrement présent dans le domaine de mon travail : j'ai ***d'énormes*** aspirations mais mes peurs m'empêchent d'avancer et me freinent dans les promotions que je pourrais avoir. Il s'ensuit une insécurité face à l'argent. Je me sens hors norme, différent des autres. Ce peut être par exemple au niveau de mon travail ou de mon couple qui me paraît mal assorti. J'essaie de rester dans une structure définie. C'est la seule façon d'obtenir l'approbation des autres, leur attention et de conserver une image positive. Tout comme **L4**, j'ai parfois besoin de me protéger en me fermant car je peux facilement me laisser distraire ou influencer par ce qui m'entoure, notamment par ce que les gens peuvent dire de moi, et ma sensibilité peut être grandement touchée. Cela touchera aussi ma sexualité que j'aurais tendance à nier. Je me casse aussi la tête exagérément et mon discernement est parfois biaisé ou défaillant car mon mental est très rigide ; cela m'empêche d'avoir une vue d'ensemble d'une situation et, par le fait même, des solutions ou des avenues possibles face à elle. Je veux alors contrôler au lieu d'écouter ma voix intérieure. Il est à noter qu'une vertèbre **L4** en mauvais état peut entraîner des douleurs dans la région de mon nerf sciatique, du corps utérin chez la femme et de la prostate chez l'homme.

J'accepte↓♥ d'écouter ma voix intérieure ce qui me redonne la maîtrise de ma vie. Je reprends mon pouvoir de créer ma vie comme je le veux et je retrouve le goût d'accomplir de grandes choses !

L5 = Je peux me demander ce qui se passe dans ma vie lorsque la **cinquième vertèbre lombaire L5** est atteinte. Aurais-je une attitude de mépris ou de nonchalance envers une personne ou une situation ? Je peux vivre un peu de jalousie, de mécontentement, de frustration, mais pourtant j'ai déjà beaucoup, la vie m'a choyé et j'ai de la difficulté à le reconnaître. Je me dévalorise face aux membres de ma famille, mes amis, mes collègues de travail, etc. Je me sens différent notamment dans mes fantasmes sexuels et en conséquence, je vis dans le silence. Je suis coupé de ma beauté intérieure. Ma vie est teintée de luxure (à tous les niveaux) et j'ai à apprendre à apprécier ce que j'ai et à cultiver mes relations interpersonnelles : j'ai de la difficulté surtout sur le plan affectif, à être vrai et à me sentir bien, car au fond de moi, je vis une grande insécurité et j'ai de la difficulté à exprimer ce que je vis. Donc, j'aurai tendance à être un peu dépressif, puisque je passerai souvent d'un conjoint à un autre sans trop savoir pourquoi cela m'arrive, me sentant « correct » dans ce que je vis. J'inventerai toutes sortes de scénarios et mon attention sera toujours centrée sur les petits détails anodins, ce qui m'empêchera d'avancer et de passer à autre chose. Une certaine amertume peut assombrir ma vie et m'empêcher de jouir de celle-ci. Mon incertitude, ma méfiance et le poids que je porte sur mon dos m'empêchent d'avancer.

J'apprends à savourer chaque instant qui passe et à apprécier toute l'abondance qui fait partie de ma vie. Je vis dans la gratitude et la joie. Une mauvaise condition de **L5** peut m'occasionner des maux de jambes, des genoux aux orteils.

Le **bas du dos** fait aussi partie du système du centre du **mouvement**. Si j'ai de la difficulté à transiger avec la société, tant du point de vue des directions à prendre que du soutien que j'attends d'elle, je peux vivre de la **frustration** ou du **ressentiment**. Je ne veux pas relever le défi avec certaines personnes ou certaines situations. Mes **rapports personnels** avec mon entourage **en souffrent**. Je peux aussi avoir de la difficulté à accepter↓♥ que j'avance en âge. « Je deviens vieux » et j'ai à apprivoiser lentement la notion de **mortalité**. Finalement, le **bas du dos** est relié très étroitement aux deux centres d'énergie inférieurs, le coccyx et le deuxième centre d'énergie qui est relié plus spécifiquement à la sexualité. Si je vis des conflits intérieurs ou extérieurs face à celle-ci, si j'ai **refoulé** mon énergie sexuelle, si je me sens trahi, une douleur au **bas du dos** pourra apparaître. Les **4 vertèbres sacrées** et les **5 vertèbres coccygiennes** sont en rapport avec cette région. Lorsque les **vertèbres sacrées** sont affectées, je peux avoir l'impression que je n'ai pas de « colonne » et que j'ai besoin de quelqu'un d'autre pour me soutenir. Je suis constamment « testé » par la vie afin de voir quel est mon niveau d'intégrité et d'honnêteté. J'ai un potentiel énorme mais est-ce que je suis prêt à faire les efforts nécessaires pour accomplir mes buts ? Les vertèbres du bas sont les suivantes :

S1, **S2**, **S3** = Puisque les 3 **premières vertèbres sacrées** sont soudées ensemble, elles seront traitées ensemble. Elles forment un tout. Elles réagissent à la rigidité que je manifeste, à mon étroitesse d'esprit par rapport à certaines situations ou à certaines personnes, à mon esprit fermé qui refuse d'entendre ce que les autres ont à dire. Je veux avoir le contrôle pour me sentir fort et en sécurité et, si je le perds, je vais rager, tempêter, et je peux avoir le goût de « botter le derrière » de quelqu'un tant je suis frustré et plein d'amertume. Tous ces sentiments ont bien souvent leur source dans mes relations affectives qui ne vont pas toujours comme je le désire et un conflit avec l'autorité. La communication, tant verbale que sexuelle, est déficiente, pour ne pas dire inexistante, et je suis constamment en remise en question. J'ai l'impression d'avoir à nager contre le courant et je me sens dans un » cul-de-sac ».

J'ai avantage à prendre un moment d'arrêt et à voir clair dans ma vie, à réfléchir à ce que je veux et à édifier une base solide.

S4, **S5** = Tous les désirs ont leur source dans les **quatrième et cinquième vertèbres sacrées**. Si je suis capable de bien les gérer, si je prends le temps de me reposer et de faire des choses que j'aime, **S4** et **S5** vont bien fonctionner. Cependant, si je vis de la culpabilité, me traitant de paresseux et me confrontant à mes devoirs et à ma moralité, jugeant ma conduite « pas correcte », **S4** et **S5** risquent de réagir fortement. J'ai le droit de faire des choses pour moi et m'évader parfois, mais je dois éviter que cela devienne un moyen de fuite m'évitant de faire face à mes responsabilités. C'est à ce moment que la paresse peut devenir non bénéfique : elle me garde dans un état passif de lassitude qui m'empêche d'aller de l'avant. C'est pourquoi, dans des cas extrêmes, mes pieds seront aussi atteints. La seule façon de guérir le **sacrum fêlé** ou **cassé**, c'est l'immobilité physique et le temps. Le **sacrum** est relié au deuxième centre d'énergie qui se situe au niveau de la première vertèbre lombaire. Un déséquilibre de ce centre énergétique peut transparaître dans les malaises physiques suivants : du côté des organes génitaux, il peut y avoir infertilité, frigidité ou herpès ; du côté des reins : cystite, calculs ; en ce qui a trait à la digestion et à l'élimination : incontinence, diarrhée, constipation, colite, etc. Les déviations de la colonne vertébrale (scoliose) naissent habituellement à ce niveau et entraînent avec elles des maux de dos. Le deuxième chakra, ou centre d'énergie influence mes rapports avec mon entourage et un disfonctionnement de celui-ci, qui affecte mon **sacrum**, sera le signe de mon stress, de mes angoisses, de mes peurs et de ma tendance dépressive que je dois apprendre à gérer. Une difficulté au niveau de mon **sacrum** peut manifester un conflit intérieur face à ce qui est ***saint***, **sacré**, mes valeurs religieuses. Suis-je en contradiction avec celles-ci ou est-ce que je me culpabilise d'avoir mis la spiritualité de côté ? Ai-je l'impression de devoir faire beaucoup de ***sacrifices*** ? J'ai une décision ***cruciale*** à prendre et je me sens perdu face à ce que j'ai à faire. Qui me supporte dans mes décisions ? Le **sacrum** se rapporte à ma relation enfant-parent et peut être atteint à cause d'un sentiment de haine. Je veux avancer dans la vie mais je m'accroche à mon passé ou aux choses ou personnes qui me sont familières et qui me procurent un sentiment fictif de stabilité, de contrôle et de protection. Ma dualité intérieure ne peut se dissiper que si j'identifie honnêtement mes émotions, les accueille ; alors elles deviennent un outil de transformation.

Quant au **coccyx**, il est relié au premier chakra, ou centre d'énergie, siège de la survie. Il représente le fondement de ma sexualité, l'accomplissement adéquat de mes **besoins de base** (sexualité, nourriture, protection, abri, amour[93], etc.) ce qui me permet d'être stable. Le **coccyx** est formé de **cinq vertèbres coccygiennes** qui sont soudées ensemble. Il représente ma dépendance face à la vie ou à quelqu'un d'autre. Il y a de fortes chances pour que mon corps me dise que j'ai à m'arrêter lorsque j'ai mal au **coccyx**. C'est mon insécurité qui se manifeste par rapport à mes besoins de base, de survie, notamment le fait d'avoir un toit, de la nourriture, des vêtements, etc. La nourriture ici englobe les besoins physiques mais aussi émotionnels et sexuels. J'ai besoin de me sentir en sécurité, tout comme l'oisillon dans son ***nid***. Une affection à mon **coccyx** peut provenir de mon sentiment d'être dominé, de me sentir comme un « moins de rien ». J'ai tendance à ***m'accroupir*** dans un coin comme si j'étais en punition : je sens qu'une partie de moi est morte et je regarde la vie passée sans vraiment en faire partie. Je demeure dans des situations qui auraient dû cesser il y a bien longtemps mais mon incertitude et le doute prennent le dessus. Toute personne a besoin d'**amour** dans sa vie. Elle a aussi besoin de communication par relations sexuelles avec un ou son partenaire. Ces besoins sont souvent niés et réprimés, notamment à cause de mes principes moraux et religieux, ce qui m'amène à être insatisfait. Je peux me sentir alors impuissant dans tous les sens du terme et la colère mijote à l'intérieur de moi. Je veux fuir toute situation qui fait mal à ma sensibilité et face à laquelle je peux vivre de la culpabilité. Par exemple, si je dois faire élever mon enfant par quelqu'un d'autre, mon **coccyx** réagit très fortement. Je peux me sentir comme un ***coucou*** qui sort de sa cachette pour quelques secondes et qui doit retourner dans sa petite maison pendant de longues heures. Je dois mettre mon orgueil de côté, c'est-à-dire mes

[93] **Amour** : l'**amour** dont il est question ici est comme **l'amour d'une mère pour son enfant**. Lorsque mon **coccyx** est affecté, il se peut que je vive la peur de perdre ou de ne pas avoir au moins un amour semblable à celui qu'un enfant est en droit d'attendre de sa mère. C'est de ce genre d'**amour** dont il est question ici et non pas d'une relation amoureuse entre adultes.

peurs. Je dois faire confiance à la vie et surtout me faire confiance dans ma capacité à m'exprimer et à me prendre en mains. Lorsque j'éprouve des difficultés reliées à cet aspect de moi-même, je vérifie intérieurement jusqu'à quel point je suis (je veux être) dépendant d'une personne qui, consciemment ou non, satisfait certains besoins dans ma vie. Je suis capable d'accomplir mes propres actions, d'être autonome. Il est possible que les personnes auxquelles je **m'attache** soient beaucoup plus dépendantes affectivement que moi et qu'elles aient besoin de ce genre de relation. Puisque le **coccyx** est relié au premier chakra, un déséquilibre au niveau de ce centre d'énergie peut amener des troubles physiques, les plus courants touchant le rectum ou l'anus (hémorroïdes, démangeaisons), la vessie (troubles urinaires, incontinence), la prostate. On peut retrouver également des douleurs à la base de la colonne vertébrale, une prise ou une perte de poids considérable (obésité, anorexie) et une mauvaise circulation sanguine au niveau des jambes (phlébite), des mains et des pieds. Ces malaises m'indiquent que j'ai besoin de rééquilibrer ce centre d'énergie. Si je fais une **chute sur mon coccyx** qui occasionne de la douleur, je me demande dans quelle situation j'ai l'impression de tourner en rond. Je suis dans « un cul de sac ». Je nie mes pulsions. Puisque j'ai peur de mes propres émotions, je me raidis le dos pour projeter une bonne image mais la vie me ramène à l'ordre et me fais « revenir les deux pieds sur terre » .

J'accepte↓♥ de voir jusqu'à quel point je fais preuve d'indépendance et de vigueur dans ma vie. Je dois laisser aller tout sentiment d'**inquiétude** face à mes besoins de base et prendre **conscience maintenant** des forces qui m'habitent et affirmer que je suis la personne la mieux placée pour assurer ma propre survie.

DOS — FRACTURE DES VERTÈBRES

VOIR AUSSI : OS — FRACTURE

La **fracture d'une vertèbre** est généralement le résultat d'une révolte intérieure, une réaction d'**inflexibilité** mentale reliée à l'autorité. Je vois la vie avec une étroitesse d'esprit telle que **je m'attire** cette **fracture**. Mes pensées sont trop **rigides**, je refuse de me plier à certaines idées nouvelles qui m'éloignent de l'**amour** et qui m'apportent de la douleur. Je suis intransigeant et souvent très orgueilleux et j'aurais avantage à développer plus d'**humilité**. Le **dos** est mon soutien et mon support ; le voir blessé est inconfortable. J'en ai assez de porter tout ce poids sur mes épaules. JE VEUX QU'ON ME RECONNAISSE ET ME RESPECTE. Il y a une dualité à l'intérieur de moi qui me détruit. J'aspire à être centré, en contact avec mon essence afin de savoir parfaitement ce qui est bon pour moi. Je veux être créateur de ma vie. Je me sens pris dans une situation et je dois aller de l'avant pour m'en libérer.

J'accepte↓♥ mes attitudes présentes en sachant que je peux les modifier dès maintenant. La vie est belle à vivre avec son flot de changements et il est important de respecter cela. Je reste ouvert à la vie, car je sais qu'elle est bonne pour moi. Je me laisse porter par le courant de la vie.

DOULEUR

La **douleur** est un des moyens que le corps utilise pour attirer mon attention et me dire que j'ai à m'arrêter et à prendre **conscience** que j'ai des changements à apporter dans ma vie et dans ma façon de me percevoir et de me juger. Quelle que soit la **douleur**, elle est reliée à un déséquilibre d'ordre émotionnel ou mental, à un **sentiment profond de culpabilité ou de peine**. C'est une forme d'angoisse intérieure et, parce que je me sens coupable d'avoir fait quelque chose, d'avoir parlé ou même d'avoir eu des pensées « malsaines » ou « négatives », je me **punis** en manifestant inconsciemment une douleur d'intensité variable. La question à me poser : « Suis-je vraiment coupable ? Et de quoi ? » La **douleur** vécue présentement ne fait que masquer la véritable cause : la culpabilité. Mes pensées sont très puissantes et je dois rester ouvert pour bien identifier ces culpabilités. Je n'ai pas à éviter celles-ci, mais à les affronter, car ce sont des peurs que j'aurai besoin d'intégrer tôt ou tard. La **douleur** m'indique aussi que quelque chose est inaccompli, faux. C'est un « **doux leurre** » : je crois avoir compris mais il me reste une autre étape à franchir pour être vraiment dans la Vérité et par conséquent dans le bien-être, la non-**douleur**. Je peux me complaire dans cet inconfort au lieu de faire face à mes émotions. Au lieu de vouloir engourdir la **douleur** avec des médicaments de toutes sortes, je peux plonger dans ma **douleur** et découvrir ce qu'elle veut m'apprendre. Je fais ainsi face à la peur qui est emprisonnée dans cette **douleur**. Si j'en prends **conscience**, je peux par la suite m'en libérer. J'ai besoin de faire confiance et lâcher prise face à une personne ou une situation pour laisser aller la tension intérieure. La **douleur** physique fait souvent suite à une séparation vécue qui augmente ma sensibilité. Je la vis d'une façon brutale. Si je donne un coup à quelqu'un, ce contact douloureux, même s'il est plus émotif que physique laisse une empreinte et la **douleur** peut apparaître autant sur la personne qui a donné le coup que sur celle qui l'a reçu. La **douleur** aux **os** indique que la situation m'affecte au plus profond de mon être, tandis qu'aux **muscles**, c'est davantage une **douleur** d'ordre mental. La **douleur** me « branche » instantanément à ma souffrance morale et **m'oblige** à m'arrêter et à sentir ce qui se passe dans mon corps. Dans un sens, elle est positive car elle me permet de me « connecter » à moi-même en tant qu'âme et de devenir conscient. Lorsque la **douleur** est « **chronique** », cela signifie simplement que, depuis l'apparition de la **douleur**, je n'ai pas affronté la cause réelle de cette **douleur**. Plus je tarde à en prendre **conscience**, plus la **douleur** revient régulièrement jusqu'à devenir « chronique ».

Il est important que j'accepte↓♥ de vérifier l'origine de ma **douleur** et que je demeure ouvert afin de régler la « vraie » cause de ma **douleur**. L'endroit où est localisée la **douleur** me donne des indications sur la cause réelle de celle-ci.

DOULEUR CARDIAQUE

VOIR : CŒUR♥ — PROBLÈMES CARDIAQUES

DOUTE

Le doute est directement relié au mental. C'est un état obsessionnel qui m'empêche de me « brancher » clairement dans le physique. Le doute peut résulter de questionnements tels que : l'ai-je fait ou pas ? Je me pose des questions très terre-à-terre ou au contraire sous forme métaphysique, portant sur la valeur de la vie, de la religion, du devoir, de la vérité, etc. Je remets constamment mes décisions en question, je me demande si j'ai fait le bon choix face aux situations de ma vie. Le doute peut troubler et empoisonner mon existence.

J'accepte↓♥ d'écouter ma voix intérieure et de faire davantage confiance à la vie. En rassurant mon moi intérieur, j'accepte↓♥ de rester libre des attaches mentales qui freinent mon évolution spirituelle. Lorsqu'il s'agit de mes relations avec les personnes de mon entourage, plutôt que de m'empoisonner l'existence avec le **doute**, **j'apprends à vérifier** mes besoins, mes impressions, mes intuitions auprès de ces personnes.

DROGUE

VOIR AUSSI : DÉPENDANCE

Véritable fléau de l'humanité, les **drogues** constituent l'une des pires **fuites** de l'être humain pour sa survie. Extraites de plantes ou de substances fabriquées synthétiquement, les **drogues** dites « douces » (marijuana, haschich, etc.) ou « dures » (PCP, cocaïne, héroïne, etc.) sont souvent utilisées pour un ou plusieurs des motifs suivants : désespoir, honte, fuite extrême, peur de l'inconnu et des responsabilités. La **drogue** est mon refuge, je me **protège contre moi-même**. Puisque je refuse de vivre et d'être responsable, mes faiblesses intérieures risquent de m'amener vers les **drogues**. J'ai peur de faire face à la réalité et d'avoir à faire des efforts. Ma volonté s'endort et j'ai de moins en moins tendance à prendre des décisions. Je me « laisse vivre »... Plusieurs **drogues** entraînent souvent de grandes dépendances qui ne font que refléter mes « propres dépendances » intérieures : délinquance, parent(s) absent(s), introversion, névrose, compulsion émotionnelle ou sexuelle que je tente de refouler en dopant mon mental. L'impression d'être séparé, voire même « arraché » soit d'un être cher (parent, frère, sœur, animal, etc.) soit d'un endroit ou d'une situation qui m'apportait beaucoup de bonheur, peut m'amener à vivre un vide intérieur que je veux fuir par la **drogue**. Je peux souffrir d'une relation avec un de mes parents, souvent ma mère, qui était sans émotion, sèche. Ces **drogues** qui sont des stimulants me permettent de « planer », d'atteindre certains sommets et de vivre une expérience qui me donne l'illusion d'être enfin « heureux » en m'évadant. Je ne peux plus m'en passer et ma dépendance s'accentue et s'aggrave avec le temps. Le premier pas est la prise de **conscience**, franche et sans masque : pourquoi ai-je recours à ces substances ? Je deviens conscient qu'il y a toujours une raison. Peu importe la nature de celle-ci, j'accepte↓♥ de découvrir la vraie raison.

Je m'accepte↓♥ tel que je suis et j'apprends à exprimer mes besoins. Cesser de consommer me demande beaucoup de courage, mais la recherche de la paix intérieure est ma motivation. Parvenir à être moi-même en toute circonstance me permet d'atteindre et de vivre la vraie paix intérieure et de me sentir à ma place dans ce grand univers.

Quelques unes de ces **drogues** sont :

Haschich - **Marijuana** : je suis à la recherche d'un monde sans problème, je fuis.

Amphétamine - **Cocaïne** : elle stimule la productivité donc je recherche le succès, l'**amour**, la reconnaissance.

LSD - **Mescaline**, **Champignons magiques**, **Héroïne** : je recherche des sensations et l'expansion de la **conscience**. Dans le cas de l'**héroïne** ; je me demande jusqu'à quel point j'ai idéalisé ma mère ou une femme influente dans ma vie et que je considérais comme une **héroïne** ; ai-je toujours cette opinion ou m'a-t-elle déçu, trahi ?

Opium : il amène jouissance, paresse et donne une fausse apparence de paix intérieure.

DUODÉNUM

VOIR AUSSI : INTESTINS [MAUX D'...]

Le **duodénum** est la partie initiale et la partie la plus courte de l'intestin grêle, succédant au pylore et se poursuivant par le jéjunum jusqu'à l'iléon. La majeure partie de la digestion et de l'absorption s'effectue par l'intestin grêle. Le **duodénum** représente donc la synthèse de la réception et de l'intégration. Il y a un lien d'équilibre entre donner et prendre. Lorsqu'il y a un dysfonctionnement au **duodénum**, je me sens confronté à de nouvelles idées. Inconsciemment, je doute de moi. Je manque de confiance en ma capacité à bien gérer une adaptation quelconque. Il peut s'agir de relations affectives, ou ce peut être au niveau de ma famille où je me sens contrarié, ou je vis une injustice. Il y a quelque chose ou quelqu'un qui me contrarie et que je ne supporte pas. Il y a une dispute qui a besoin d'être réglée et j'ai besoin que l'on m'aide. Je me sens tiraillé : j'ai l'impression d'avoir à me sacrifier pour le peu d'amis que j'ai et qui sont souvent peu gentils. Un **ulcère duodénal** est causé par une grande insécurité et une méfiance face aux autres. Je prends **conscience** que ce mot est formé du mot « **duo** ». Il y a donc un lien avec les échanges interpersonnels. Je me sens rongé de l'intérieur, cela me brûle en dedans. Je ne digère pas cette situation, cela m'irrite et je m'entête à vouloir tout contrôler dans mes relations. Est-ce que je me sens dominé par quelqu'un ou quelque chose ? Est-ce que j'ai peur de ne pas posséder tout ce qu'il faut pour être aimé tel que je suis ? Je prends **conscience** de ces peurs et je laisse aller ces vieilles idées.

J'accepte↓♥ de prendre **conscience** de ma capacité à laisser circuler les énergies sans résister à la vie et que parmi mes forces, se trouvent celles de faire confiance et de capacité d'adaptation. En retrouvant ma paix intérieure, ce feu qui me rongeait de l'intérieur s'estompe et mon **duodénum** s'en porte bien mieux.

DUODÉNUM (ULCÈRE AU...)

VOIR : ESTOMAC [MAUX D'...]

DUPUYTREN

VOIR : MAINS—MALADIE DE DUPUYTREN

DURILLONS

VOIR : PIEDS — DURILLONS

DYSENTERIE

VOIR : INTESTINS/DIARRHÉE/DYSENTERIE

DYSLEXIE

La **dyslexie** est une difficulté d'apprentissage de la lecture et de l'orthographe, en dehors de toute déficience intellectuelle et sensorielle et de trouble psychiatrique. Après avoir lu facilement quelques mots, je suis incapable de comprendre ce qui suit, je m'arrête et je ne peux reprendre qu'après quelques secondes de repos.

Je veux aller trop vite dans ma vie. Ma pensée va plus vite que mes paroles, tout se bouscule à la sortie. Que je vive dans un milieu familial perturbé ou que j'aie été trop couvé, dans les deux cas, je veux satisfaire un de mes parents (ou un de mes proches) et j'ai peur de ne pas être à la hauteur, de ne pas répondre à leurs exigences. Je me sens vulnérable car je manque d'estime de moi et je trébuche devant les difficultés. Elle est le résultat d'une situation bouleversante que je vis, spécialement si je suis un **enfant**. Les difficultés face à **l'écrit** me rappellent « **les cris** » que j'entends, soit à la maison ou à l'école et que je ne peux plus tolérer. Je ne sais pas comment me sortir de cette situation, je voudrais qu'elle s'arrête à n'importe quel prix ! S'il s'agit plutôt de la difficulté à **lire**, je regarde dans quelle situation on m'a obligé à lire, par exemple devant une salle où il y avait beaucoup de monde, ou encore, j'ai été ridiculisé, et chaque fois que je lis, cela réactive ce stress que j'ai vécu dans cette situation précise. J'ai aussi l'impression que les structures dans lesquelles je vis (règles à la maison ou à l'école) sont trop strictes. Je me sens comme un petit soldat qui doit écouter les ordres, autrement, je serai puni. Mes parents me protègent tellement que je le vois comme une punition Si je suis le **parent de cet enfant**, je regarde comment je peux communiquer plus dans le calme et la compréhension mes besoins, au lieu de crier, si c'est le cas, mon désarroi, et utiliser une certaine forme de violence non bénéfique.

J'accepte↓♥ de me donner le temps de faire les choses, une étape à la fois, sans trembler, sans tout bousculer. Je prends le temps de respirer, de me calmer. Je sais que je suis un être intelligent et je développe ma volonté en faisant une étape à la fois. J'accepte↓♥ de reconnaître l'**amour** qui est en moi. Je me donne la possibilité de m'aimer et d'accepter↓♥ que cet état est passager, je sais que j'arriverai à mes fins. J'accepte↓♥ aussi, comme enfant, d'avoir le pouvoir de décider ce qui est bon pour moi. J'apprends à me faire confiance et à me réapproprier ma capacité d'apprentissage car je sais que tout au fond de moi, je peux y arriver à force de courage, de volonté et de ténacité. J'utilise dorénavant la lecture comme un outil qui m'ouvre les portes sur le monde. Je risque de dire aux personnes concernées ce qui ne me convient plus car je veux vivre dans la paix et l'harmonie. Je sens ainsi plus de liberté et je prends **conscience** que les règles existent pour m'encadrer, me supporter et me guider.

DYSMÉNORRHÉE

VOIR : MENSTRUATIONS [MAUX DE...]

DYSTROPHIE MUSCULAIRE

VOIR : MUSCLES — DYSTROPHIE MUSCULAIRE

ECCHYMOSE

VOIR : PEAU — BLEUS

ÉCLAMPSIE

VOIR : GROSSESSE — ÉCLAMPSIE

ECTROPION

VOIR : PAUPIÈRES [EN GÉNÉRAL...]

ECZÉMA

VOIR : PEAU — ECZÉMA

ÉGOCENTRISME

Lorsque je suis **égocentrique**, j'ai tendance à rapporter tout ce qui m'entoure à moi. Je me considère alors comme le centre du monde. À la différence de la personne égoïste, je pourrai penser aux autres et les aider tout autant que cela est conforme à mon propre intérêt. Si je vis de cette façon, c'est que j'ai besoin d'équilibrer mon insécurité intérieure pour m'empêcher de vivre de la soumission.

J'accepte↓♥ de prendre **conscience** qu'au-delà de moi, il y a les autres. Tout en gardant la place qui me revient dans la vie, je peux considérer le point de vue des autres. Je m'ouvre à ma sensibilité. Je cesse de me regarder le nombril et je m'ouvre au partage, à l'amitié et à l'**amour.** Donc, je donne et je reçois.

ÉJACULATION PRÉCOCE

L'**éjaculation précoce** ou éjaculation prématurée peut être reliée à mes premières expériences sexuelles.

Lorsque je me masturbe, je me sens **coupable** parce que je le ressens comme étant « mal » ou « défendu ». Je me dépêche donc d'atteindre l'**éjaculation**. Le fait de vivre une sexualité et de penser que je n'y ai pas droit m'oblige à « aller vite » : ce que je fais est mal et je désobéis à certaines règles. Le plaisir dans le défendu a toujours eu un attrait très fort et, même de façon inconsciente, je tente de le revivre. Je peux aussi m'imposer des **pressions** et de la **nervosité** dans mon **désir de performance**. Je veux me prouver à moi et à ma/mon partenaire « ce dont je suis capable », avec des résultats contrariants et souvent inattendus. Je peux avoir un sentiment de désir et de possession face à mon/ma partenaire tellement grand que je n'arrive pas à le maîtriser. Le contact avec mon/ma partenaire peut raviver ma peur de perdre son amour et d'être abandonné ou rejeté, donc cela me fait « perdre mes moyens ». À moins que je ne veuille inconsciemment lui faire un règlement de compte ?

J'accepte↓♥ de me détendre et de réapprendre le plaisir sexuel relié à la masturbation dans un climat libre de contraintes et de culpabilité. Seul ou avec ma/mon partenaire, je redécouvre le plaisir de la masturbation en retardant de plus en plus le moment de l'**éjaculation**. Cela devient un jeu dans lequel je trouve beaucoup de plaisir. Je peux aussi entreprendre une psychothérapie qui m'aidera à atténuer cette culpabilité que j'ai pu vivre dans mon enfance ou qui fera diminuer mon anxiété à vouloir m'améliorer en développant davantage de confiance en moi.

EMBOLIE

VOIR : SANG — CIRCULATION SANGUINE/COAGULÉ

EMBOLIE ARTÉRIELLE

VOIR : SANG —ARTÈRES

EMBOLIE CÉRÉBRALE

VOIR : CERVEAU [MAUX AU...]

EMBOLIE PULMONAIRE

VOIR : POUMONS [MAUX AUX...]

EMBONPOINT

VOIR : POIDS [EXCÈS DE...]

ÉMOTIVITÉ

L'**émotivité**, ou plutôt l'**hyperémotivité**, fait que toutes mes émotions sont à fleur de peau. Un rien me bouleverse. Lorsque je suis dans cet état, je me sens paralysé, ma vue se brouille et je peux même en perdre l'équilibre. Je vis **insécurité**, **peur** et **anxiété**, je suis en hyperactivité mentale et j'ai tendance à tout dramatiser. J'ai aussi tendance à moins être dans l'action, à moins accomplir des tâches, à réaliser très peu de projets car la peur me paralyse. Je deviens émotionnellement et physiquement fragile. J'ai alors le réflexe de m'isoler du monde pour me protéger. Les symptômes physiques reliés à l'**hyperémotivité** sont : accélération du rythme cardiaque, serrement de gorge, digestion difficile (allant même jusqu'à des ulcères d'estomac), constipation, diarrhée et raideurs musculaires. Ayant peur de l'inconnu, je vais donc prendre des habitudes afin de diminuer l'angoisse liée à cet inconnu. D'où vient cette agitation ? Elle peut être le résultat d'un traumatisme affectif, de conflits répétés, d'un climat habituel de vie à base d'insécurité (affective ou matérielle), etc.

J'accepte↓♥ de reprendre contact avec mon essence propre, de considérer mon **émotivité** comme un mode de communication avec les autres. La méditation, la relaxation ou toute technique qui m'amène à me calmer, à me ramener ici et maintenant, peut m'aider à reprendre contact avec mon être intérieur et à rééquilibrer mes émotions. De cette façon, je redécouvre mes vrais besoins et j'apprends à me faire confiance, car je sais que tout me vient de façon parfaite pour mon évolution.

EMPHYSÈME PULMONAIRE

VOIR : POUMONS —EMPHYSÈME PULMONAIRE

EMPOISONNEMENT (..., ... PAR LA NOURRITURE)

L'**empoisonnement** ou l'**intoxication** survient quand une substance toxique s'introduit dans mon corps : un ensemble de troubles physiques s'ensuit.

Lorsqu'il y a **empoisonnement**, j'ai à regarder **qui ou quoi empoisonne mon existence**. Ce n'est pas tant la nourriture qui est en cause que le reflet de mes propres pensées. D'ailleurs, toutes les personnes qui ont pris la même nourriture ne vont pas toutes souffrir d'**empoisonnement**. Je prends **conscience** de la situation ou de la personne qui me dérange à ce point. Je cherche vers qui ou vers quoi je suis entraîné et quelles sont les **pensées empoisonnées** que j'entretiens face à cette personne ou à cette situation. Qu'est-ce qui **empoisonne** mon existence ? Qu'ai-je à comprendre de cette situation ? Pourquoi est-ce que je suis aussi fataliste ? **L'empoisonnement** met en **lumière** mon côté faux, artificiel très développé : je ne fais que jouer un rôle. Mes valeurs sont celles des autres : cela évite de créer des raz de marée. Ce peuvent être l'autorité ou les règles sociales qui **empoisonnent** mon existence. Je me sens en prison dans un aspect de ma vie. Je me demande jusqu'où je peux aller dans ce que j'exprime car j'ai **conscience** du poids des mots et de ce que cela implique.

J'accepte↓♥ de ramener la « situation **empoisonnante** » à sa plus simple expression et je la résume en un mot : peine, frustration, jalousie, etc. Puisque tout ce que je n'accepte↓♥ pas revient dans ma vie et ce, de plus en plus fort, jusqu'à ce que je l'accepte↓♥, j'ai intérêt à **m'ouvrir ici et maintenant** et à accepter↓♥ avec mon **cœur♥** cette situation. Dès lors, je réalise que cette personne ou cette situation est là pour m'aider à me dépasser et à avancer. Je laisse sortir de moi tous les poisons : toutes mes attitudes, mes actions, mes émotions qui ne conviennent plus. Je reprends la maîtrise de ma vie dans la simplicité et la vérité.

EMPYÈME

VOIR : ABCÈS

ENCÉPHALITE

VOIR : CERVEAU — ENCÉPHALITE

ENCÉPHALOMYÉLITE FIBROMYALGIQUE

VOIR : FATIGUE CHRONIQUE [SYNDROME DE...]

ENDOMÉTRIOSE

L'**endométriose** est la formation de fragments de muqueuses à l'extérieur de la paroi utérine.

Elle est reliée au refus inconscient de la maternité. Il arrive souvent que la relation que j'ai ou j'ai eue avec ma mère ou l'héritage qu'elle m'a laissé (autant au niveau physique qu'émotif) soit en conflit avec ce que je suis et la place que je veux occuper dans ce monde. Je ne sais pas comment me positionner face à cette ***dame*** qui a été si influente dans ma vie. En m'exprimant, j'ai peur de me la mettre à dos. Se peut-il que mes parents s'aimaient mais que je nie ce fait ? Si je viens d'une famille dite « éclatée », je peux avoir peur que la famille que je vais offrir à mon enfant ne soit pas parfaite, qu'elle ne soit pas assez bien. C'est comme si le nid de cet enfant était ailleurs, que je ne peux pas l'accueillir convenablement chez moi. Ai-je un doute face à mon couple ? Ai-je peur que moi ou mon conjoint « aille voir ailleurs » ? Mes aspirations et ma vie de couple me font-elles craindre qu'un enfant change tout dans ma vie ? Je doute de mes capacités d'être une bonne mère. Peut-être ai-je peur ou l'impression que la demeure, le ***foyer*** de cet enfant à venir sera à l'extérieur de ma maison. Par exemple, si je sais que mon enfant devra aller se faire garder la majorité du temps dans une garderie, je peux avoir peur que mon enfant associe son « vrai foyer » à cet endroit et/ou à cette personne avec qui il passe la plus grande partie de ses journées. Il peut aussi arriver que je n'accepte↓♥ pas le monde dans lequel je vis ou que je n'ose pas en faire partie. Si je n'accepte↓♥ pas ce monde, comment puis-je y amener un autre être ? Pourtant, avant même de naître, j'ai choisi de venir en ce monde. Je me demande qu'est-ce qui fait que j'ai de la difficulté à m'accepter↓♥ telle que je suis et à canaliser ma créativité. Je me laisse marcher dessus, j'avale tout sans rien dire. J'ai l'impression que je n'ai pas de force pour me tenir debout et m'affirmer et de constamment vivre des échecs. Je deviens agressive car je sais que je m'empêche de réaliser des choses, ayant de la difficulté à me ***focaliser*** sur mes objectifs.

J'accepte↓♥ de prendre **conscience** de la relation entre mes craintes, mes doutes, mon incertitude et la situation que je vis, et j'accepte↓♥ d'exprimer ouvertement ce que je ressens. Je m'affirme en tant qu'individu. Je reconnais ce que je suis et je ne laisse plus personne abuser de moi. Tous vont me respecter et ainsi, je peux m'épanouir et laisser s'exprimer toute ma créativité.

ENFANT BLEU

La venue de l'**enfant bleu** est liée à une malformation de son **cœur♥** au stade embryonnaire, qui a comme conséquence de remettre en circulation le sang pauvre en oxygène (sang bleu) dans la grande circulation artérielle, sans passer par les poumons pour y recevoir plus d'oxygène (sang rouge).

Si je suis un **enfant bleu**, aussi appelé **bébé bleu**, j'ai pu capter, dans le sein de ma mère, une grande peur qu'elle avait en elle de s'ouvrir à l'**amour** du monde extérieur. Cela pouvait provenir d'une grande blessure et d'un « repli sur soi par rapport à l'**amour** » causés par un événement qui lui aurait brisé le **cœur♥**. Je ne dois pas tenir ma mère responsable de mon état. Par la loi des affinités, je suis arrivé dans cette famille parce que j'avais des défis semblables à relever par rapport à l'**amour.** Je ne fais que manifester plus concrètement dans le physique la prise de **conscience** que j'ai à faire et, ma mère et moi, nous pourrons nous aider mutuellement en cela.

J'accepte↓♥ dès à présent que l'**amour** est la vie elle-même et que mon pouvoir grandissant d'**amour** formera un bouclier d'**amour** qui me protégera lors de mes échanges avec le monde extérieur.

ENFANT HYPERACTIF

VOIR : HYPERACTIVITÉ

ENFANT MORT-NÉ

VOIR : ACCOUCHEMENT —AVORTEMENT

ENFLURE

VOIR : ŒDÈME

ENGELURES

VOIR : PEAU — ENGELURES

ENGOURDISSEMENT — TORPEUR

L'**engourdissement** se caractérise par un membre qui est insensible, lourd, qui fourmille et qui souvent ne peut pas bouger.

L'**engourdissement** physique est le reflet de mon **engourdissement** mental. Je souffre, je suis blessé. J'ai tellement mal que j'ai décidé de ne plus ressentir, de ne plus laisser circuler l'énergie. J'**engourdis mes sentiments**. Je me « retire » parce qu'une partie de moi a été blessée et que je ne veux plus la sentir. Donc, je me rends moins sensible. Je deviens inactif par rapport à ce qui se passe autour et en dedans de moi. J'ai peur qu'on me fasse du tort. Il s'agit d'une « mort » partielle afin de m'éviter de souffrir. Ces blessures sont souvent présentes depuis l'enfance, elles se sont aggravées au fil des ans et je les porte comme un fardeau. Je n'ai pas appris à m'aimer et je me suis fermé à l'**amour** au lieu de partager cet amour et ma compassion. C'est une forme de fuite. Cela peut représenter pour moi une froideur intérieure, un désir de retenir l'**amour**, un manque de dynamisme. Puisque j'ai l'impression de ne pas avoir de pouvoir sur moi-même, j'ai tendance à vouloir contrôler les autres, les retenir. Il arrive souvent qu'au fil des ans, les rêves et les ambitions que j'avais étant plus jeunes disparaissent, ou plutôt que je choisisse de les « **engourdir** », ayant perdu espoir de les réaliser. Je me mets en situation de léthargie. Pourtant, ils sont encore présents et si je suis dans une période de remise en question, ces rêves peuvent revenir me hanter car non réalisés et je veux, même inconsciemment, ne pas entrer en contact avec ceux-ci pour éviter de revivre la douleur reliée au fait d'avoir dû y renoncer. L'**engourdissement** ne veut que me rappeler que ces rêves sont toujours vivants et qu'il est encore temps de les réaliser afin de donner un nouveau sens à ma vie. La partie de mon corps affectée ainsi que le côté (gauche ou droit) me permet d'identifier à quel niveau se situe ma blessure.

J'accepte↓♥ de retrouver maintenant ma spontanéité face à la vie, que je dois réveiller en moi plus d'**amour**, de dynamisme et d'enthousiasme sur l'aspect de ma vie qui est concernée. J'augmenterai ainsi ma qualité de vie en ce monde, ce à quoi j'ai droit. J'accepte↓♥, ici et maintenant, d'apprendre à m'aimer davantage et de m'ouvrir réellement à l'**amour**, au lieu de **retenir** cet amour et ma compassion. Je lève la barrière que j'avais installée depuis si longtemps. Plus j'apprends à m'aimer, plus je réalise qu'il y a un retour : je reçois amour et amitié. Cette sérénité que je cherchais depuis toujours à l'extérieur jaillit maintenant de moi et je la communique aux autres.

ENNUI

VOIR AUSSI : DÉPRESSION, MÉLANCOLIE

L'**ennui** manifeste une tristesse profonde, un grand chagrin. Dès que je dis **je m'ennuie** (je me nuis), c'est que je n'utilise pas ma force et mon potentiel. Pourquoi ai-je toujours besoin de la compagnie des autres comme stimulant ? Quel est ce chagrin qui me poursuit et que je veux fuir ? L'**ennui** est de la mélancolie qui, à long terme, peut me mener à la **dépression nerveuse si je ne réagis pas**. C'est comme si je vivais dans une nuit sans fin, sans espoir de voir un jour le soleil. La mélancolie est reliée à un manque, à un vide que je ressens dans ma vie. Je prends **conscience** de cet état.

J'accepte↓♥ de me laisser guider par mon moi supérieur puisque toutes les ressources sont en moi. J'accepte↓♥ d'être à l'écoute de ma voix intérieure. La méditation et des traitements énergétiques peuvent m'aider. Il m'appartient de diriger ma vie car je suis entier et autonome dans mon univers.

ENROUEMENT

VOIR AUSSI : APHONIE

Lorsque mon timbre de voix devient sourd, rauque ou éraillé, c'est alors que j'ai la voix **enrouée**.

L'**enrouement** signifie que je souffre d'épuisement mental et physique. Quelque chose empêche mes « roues » de tourner sans anicroche[94]. Je vis un blocage émotionnel, une émotion vive, et je retiens mon agressivité. Comme la gorge se rapporte au centre d'énergie de la vérité, de la communication et de l'expression de soi (chakra de la gorge), je peux me sentir pris par la vérité que j'ai de la difficulté à assimiler et par mes convictions personnelles. J'ai recours à certains palliatifs ou certains stimulants tels café, alcool, cigarettes, etc. Et, quand l'effet disparaît, l'**enrouement** réapparaît. La fatigue que je ressens amplifie les inquiétudes et les soucis auxquels je ne voulais pas faire face. Il y a une très forte dualité à l'intérieur de moi : « dire ou ne pas dire ? Est-ce que je dis la vérité ou

[94] **Sans anicroche** : sans obstacles ou difficultés.

non ? » Si je suis inquiet par rapport à la façon dont les autres vont recevoir ce que je dis ou si je ne suis pas sûr de ce que j'avance, ma peur ou mon incertitude transparaissent dans ma voix qui devient **enrouée**. Au lieu de communiquer vraiment ce que je pense et ce que je vis, j'exprime plutôt ce que je crois que les autres attendent de moi, ce qui en un sens s'apparente à un mensonge. Donc, au lieu de m'en remettre à ma force intérieure, je m'appuie sur les autres, ce qui est très fragile (comme ma voix) et insécurisant.

Je prends **conscience** que j'ai besoin d'un temps d'arrêt et j'accepte↓♥ de me donner le repos et le temps nécessaires pour me régénérer. En étant reposé, les situations et les événements reprennent leur proportion réelle, je suis beaucoup plus objectif et plus lucide pour prendre les décisions qui s'imposent. Je me permets d'exprimer mes émotions. Je prends **conscience** que si je parle avec mon **cœur♥**, je suis en plein contrôle de mes moyens et je me sentirai à l'aise pour m'exprimer librement. Ma voix pourra elle aussi s'exprimer pleinement car j'ai maintenant confiance en ce que je dis et je sais que les autres écoutent avec leur **cœur♥** ce que j'ai à dire.

ENTÉRITE

VOIR : INTESTINS—GASTRO-ENTÉRITE

ENTORSE

VOIR : ARTICULATIONS — ENTORSE

ÉNURÉSIE

VOIR : INCONTINENCE, « PIPI AU LIT »

ENVIE

VOIR : PEAU — TACHES DE VIN

ÉPANCHEMENT DE SYNOVIE

VOIR : BURSITE

ÉPAULE(s) (en général)

VOIR AUSSI : ARTICULATIONS

Les **épaules** représentent ma capacité de porter une charge. Mes **épaules portent mes joies, mes peines, mes responsabilités et mes insécurités**. Elles font référence au fardeau de mes actions ou celles que je voudrais faire. Comme toute autre personne, je ne suis pas exempt de porter un fardeau. Si je me rends responsable du bonheur et du bien-être des autres, j'augmente alors le poids que je porte et j'ai mal aux **épaules**. J'ai l'impression d'avoir « trop à faire » et de ne jamais être capable de tout accomplir. Je peux aussi avoir l'impression qu'on m'impose des choses ou qu'on m'empêche d'agir, soit à cause d'opinions différentes soit qu'on ne veut tout simplement pas m'assister et m'appuyer dans mes projets. Je me sens bloqué. J'ai souvent l'impression qu'on me donne des « ***claques*** » dans la figure et je n'en peux plus. Je me sens impuissant et j'ai l'impression que je dois « baisser les armes ». C'est comme si on voulait me ***fusiller***. Je vois ma vie d'une façon embrouillée et je ne peux plus voir toutes mes belles qualités. J'ai aussi mal aux **épaules** lorsque je vis de grandes insécurités affectives (**épaule** gauche) ou matérielles (**épaule** droite) ou que je me sens écrasé par le poids de mes responsabilités, tant affectives que matérielles. Je ne me sens pas **épaulé**. Je suis enfermé dans une structure et je n'arrive pas à « défoncer la porte » pour m'en sortir. J'ai tellement peur de demain que j'en oublie de vivre aujourd'hui. Les difficultés auxquelles je me heurte, la responsabilité d'avoir à créer, à faire et à réussir, tout cela peut « m'écraser ». Je peux vouloir me prouver que je peux quand même faire front aux situations en ayant les **épaules** projetées vers l'arrière, ma poitrine étant plus mise en évidence, mais la réalité est que mon dos est faible et tordu par la peur. Je m'impose constamment la perfection, je peux même aller jusqu'à me « flageller » émotionnellement si j'ai l'impression d'avoir été lâche. Je peux m'en vouloir de ne pas avoir pu retenir sous mes ailes une personne qui m'est chère. Je vis beaucoup de remords et de « j'aurais dû… ». Je suis angoissé et je m'en fais trop pour l'avenir. Si la partie affectée de mon **épaule** concerne les **os** (**fracture**, **cassure**), cela aura davantage rapport avec mes responsabilités fondamentales. Si la partie affectée de mon **épaule** concerne les **muscles**, cela aura davantage rapport avec mes pensées et à mes émotions. J'apprends aussi à laisser circuler l'énergie de mon **cœur♥** jusqu'aux **épaules** et ensuite dans mes bras, ce qui évitera la rigidité et la douleur, car mes **épaules** représentent l'action et aussi le mouvement, de la conception jusqu'à la matière. C'est à travers elles que mes désirs intérieurs de m'exprimer, de créer et d'exécuter passent, car ils ont pris naissance au niveau de mon **cœur♥**. L'énergie émotionnelle doit se diriger jusque dans mes bras et mes mains pour réaliser les dits désirs. Si je me retiens de dire ou de faire des choses, si je « m'encabane[95] » au lieu de plonger dans la vie, si je porte des masques afin de camoufler mes peurs et mes appréhensions, mes **épaules** seront tendues et plus rigides. Si j'ai mal particulièrement lorsque je lève les bras, j'ai de la difficulté à être autonome, à « voler de mes propres ailes ». Mon identité personnelle est remise en question face à moi-même mais aussi face aux autres, surtout ma famille, qui parfois va m'attaquer et me laisser en déséquilibre. Si l'os de mon **épaule** va jusqu'à **se fêler, se fracturer** ou **casser**, il existe dans ma vie un conflit qui est très profond et qui touche l'essence de ce que je suis. Je m'en demande trop. Je veux trop avoir le contrôle, et les fardeaux sont trop lourds à porter. La **tension** ou tout autre malaise que j'éprouve dans la région des **épaules** me donne une indication selon qu'il s'agit de l'**épaule** droite ou gauche. Si mon **épaule droite** est affectée, il s'agit de mon côté masculin actif : je peux vivre un conflit ou une tension par rapport à mon travail, à ma façon de réagir face à l'autorité. Je me dévalorise face à mon rôle ou à mon statut, que ce soit en rapport avec ma famille, mon couple ou la société. C'est le côté » raide et contrôleur » qui prend le dessus tandis que si mon **épaule gauche** est affectée, la tension que je peux vivre a trait à l'aspect féminin de ma vie, c'est-à-dire créatif et réceptif, à mon habileté à exprimer mes sentiments. Je me diminue face à mon image ou à ma

[95] **Je « m'encabane »** : vient du mot « cabane » et qui veut dire *s'enfermer* dans un endroit. Au sens figuré, cela signifie *se replier sur soi.*

capacité d'être moi-même un bon parent ou un bon enfant pour mes parents. Une **épaule gelée** signifie qu'elle devient froide et douloureuse et qu'elle est gênée dans sa complète utilisation. Est-ce que je deviens froid et indifférent par rapport à ce que je fais (juste pour le faire ?) ou est-ce que je veux vraiment le faire ? Il existe une profonde tension qui indique que je veux vraiment faire quelque chose de différent de ce que je fais présentement.

Je prends **conscience** de ce qui m'écrase, j'accepte↓♥ que je suis responsable de MOI et je laisse aux autres le soin de s'occuper de leur bonheur. Je cesse dès maintenant de « porter le monde sur mes épaules » et j'apprends à déléguer. J'accepte↓♥ aussi d'apprendre à vivre l'instant présent, ce qui me permet d'alléger le poids que je porte sur mes **épaules**. Je fais confiance à l'univers qui pourvoit à mes besoins quotidiens.

ÉPAULES VOÛTÉES

Les **épaules voûtées** donnent communément lieu à des expressions comme le « **Bossu** » . En plus de ce qui s'applique au mal d'**épaule**, les **épaules voûtées** symbolisent que je baisse pavillon devant la vie et son fardeau. Je n'en peux plus de porter seul tout ce poids et je crois que c'est sans espoir. En plus de porter tous mes nombreux problèmes, j'ai l'impression aussi d'avoir à porter injustement le fardeau des gens qui m'entourent. « Leur sort est entre mes mains ! ». Je traîne beaucoup de culpabilité par rapport à mon passé. Si mes **épaules** sont en plus **crispées**, il y a un état constant de tension à l'intérieur de moi. Je suis ainsi constamment aux aguets, prêt à parer à toute situation imprévue, prenant ainsi la responsabilité du bonheur des autres. Je m'attends à ce que quelque chose me tombe sur la tête. J'accepte↓♥ qu'il est grand temps que je prenne soin de moi et que je laisse les autres s'occuper de leur bonheur. Cette forme de **déviation** prononcée de ma colonne vertébrale peut aussi me signaler une **obligation** à **l'humilité**. Peu importe la raison antérieure de mon état, je dois apprendre à développer l'humilité car ce blocage énergétique provient de grandes colères passées qui m'affectent encore aujourd'hui et qui sont accompagnées de beaucoup d'irritation face à certaines personnes ou à certaines situations.

Comme je suis responsable à 100% de ce qui m'arrive, j'accepte↓♥ mon choix, consciemment ou non. C'est sans doute le plus grand défi de ma vie. Je suis à l'écoute de ma voix intérieure, elle me guide dans ce que je dois faire pour être plus heureux. Un massage ou un traitement énergétique peuvent m'aider à me centrer dans le temps présent et à prendre contact avec mon moi supérieur pour reconnaître mes propres besoins.

ÉPICONDYLITE

VOIR : COUDES — ÉPICONDYLITE

ÉPIDÉMIE

Une **épidémie** est la propagation d'une maladie contagieuse. Le plus souvent, elle a trait à une maladie d'origine infectieuse.

Il peut être facile pour moi de penser que si je contracte la maladie en même temps que plusieurs autres personnes, ce n'est pas à cause des émotions que je vis mais plutôt parce que « l'**épidémie** n'épargne personne ». En fait, la différence entre le fait que je contracte la maladie seul ou avec d'autres, c'est tout simplement que nous sommes plusieurs à vivre des situations semblables[96]. De la même façon, je peux vivre de l'insécurité personnelle et collective concernant la politique, l'économie, l'environnement, comme je peux vivre de la colère personnelle en même temps que d'autres personnes. La nature de la maladie m'indiquera ce dont je dois prendre **conscience** dans ma vie.

J'accepte↓♥ de redonner l'**amour** à la partie de moi-même qui le réclame pour retrouver plus de paix et d'harmonie dans ma vie.

ÉPIGLOTTE

VOIR AUSSI : GORGE — LARYNX/AVALER DE TRAVERS

L'épiglotte est une grosse pièce de cartilage aplati en forme de « feuille » surplombant la glotte, situé derrière la racine de la langue. Elle protège le larynx et elle est libre de se balancer vers le haut et vers le bas ; elle agit comme une trappe qui se ferme lors de la déglutition, ce qui permet à la nourriture de passer dans l'œsophage.

Lorsque la membrane s'enflamme (**inflammation-épiglottite**) et gonfle (**gonflement,**) elle sécrète une grande quantité de mucus et il peut y avoir étouffement. Il est important de dégager les voies respiratoires rapidement. J'aurai de la difficulté à avaler, il y a quelque chose que je retiens, une situation que j'ai de la difficulté à avaler. Lorsqu'il y a **épiglottite**, le feu de la colère monte en moi, voire même de la rage accumulée. Je ravale et j'encaisse sans me défendre. Il y a un rapport de force entre deux personnes, souvent mes parents et cela m'affecte. Je cache mes émotions, traînant avec moi des expériences du passé.

J'accepte↓♥ de m'étudier et de comprendre ce que j'ai envie d'exprimer et pourquoi je « ferme volontairement ma trappe » ? Je dois reconsidérer mon mode de fonctionnement, apprendre à clarifier ma pensée, à changer ma façon de communiquer. En choisissant de nouvelles directions dans ma vie, je laisse aller le chagrin, les pensées négatives et je peux enfin mettre mon attention sur des choses plus positives.

ÉPILEPSIE

VOIR : CERVEAU — ÉPILEPSIE

ÉPIPHYSE

VOIR : GLANDE PINÉALE

ÉPISTAXIS

VOIR : NEZ [SAIGNEMENTS DE...]

---

[96] Il s'agit d'une forme–pensée de groupe appelée ÉGRÉGORE ; elle peut être négative ou positive.

ÉPUISEMENT

VOIR : BURNOUT

ÉQUILIBRE (perte d'...) OU ÉTOURDISSEMENTS

VOIR : CERVEAU — ÉQUILIBRE [PERTE D'...]

ÉRECTION — DYSFONCTIONNEMENT ÉRECTILE

VOIR : IMPUISSANCE

ÉRUCTATION OU ROTER

VOIR AUSSI : ESTOMAC [EN GÉNÉRAL...]

L'**éructation** est l'émission bruyante par la bouche de gaz provenant de l'estomac.

Bien que, dans nos coutumes, ce soit considéré comme très impoli, les Orientaux y voient un signe d'appréciation et de remerciement pour un bon repas. L'**éructation** est reliée à ma volonté d'aller trop vite. Je ne prends pas le temps d'intérioriser et d'assimiler chaque étape d'un processus, que ce soit au niveau personnel ou professionnel. De cette façon, j'évite aussi d'affronter mes peurs. La tension monte dans le fait d'avoir à digérer de nouvelles idées et je sens le besoin de me libérer de cette tension. Je suis envahi par quelque chose ou quelqu'un et le morceau est trop gros pour l'avaler d'un seul coup. Une relation me pèse lourd et j'ai le sentiment de manquer d'air, de liberté. Je repousse ou rejette inconsciemment quelqu'un, surtout si en plus une mauvaise odeur est présente. Je me sens instable et j'ai peur de perdre le contrôle. Le **rot** peut me rappeler toutes ces impressions, autant positives que négatives qui me dépassent. Je ne sais pas comment les intégrer à ma vie. Si je vais trop vite, que je suis angoissé, les **rots** sont plus fréquents et puissants.

J'accepte↓♥ de ralentir et de prendre le temps nécessaire pour mes repas. Je prends **conscience** qu'en allant trop vite, je passe à côté de tant de belles choses qui rendent la vie agréable. J'accepte↓♥ de prendre le temps de vivre, je me sens moins essoufflé par le rythme trépidant de la vie et je ne m'en porte que mieux.

ÉRUPTION (... de boutons)

VOIR : PEAU — ÉRUPTION [... DE BOUTONS]

ÉRYTHÈME SOLAIRE

VOIR : INSOLATION

ESTOMAC (en général)

L'**estomac** reçoit la nourriture et la digère pour combler les différents besoins de mon corps en vitamines, en protéines, etc.

Je nourris mon cerveau de la même manière par les situations et les événements de ma vie. Chaque **estomac** a son fonctionnement propre. Même si la forme générale est la même, la digestion peut être différente d'une personne à l'autre. Mon **estomac** reflète la façon dont j'absorbe et j'intègre ma réalité et **ma capacité à digérer les nouvelles idées ou les nouvelles situations**. Il peut être comparé à un baromètre indiquant mon degré d'ouverture et ma façon de réagir dans la vie.

J'accepte↓♥ d'accueillir les nouvelles idées dans l'ouverture et le non-jugement.

ESTOMAC (maux d'...)

VOIR AUSSI : ESTOMAC — BRÛLURES D'ESTOMAC

Les malaises affectant mon **estomac** se rapportent au « pain quotidien », au côté matériel et maternel de mon existence. Je connais le travail effectué par mon **estomac** et je sais qu'il représente **ma façon de digérer, d'absorber et d'intégrer les événements et les situations de ma vie**. Les problèmes d'**estomac** surviennent lorsque ma réalité quotidienne est en conflit avec mes désirs et mes besoins. Ces conflits se retrouvent habituellement au niveau de mes relations familiales, amicales ou au niveau de mes relations de travail. Je vis des angoisses importantes. Certaines choses me « restent sur l'**estomac** » et j'en suis **estomaqué** ! Ma digestion, autant au niveau de mes pensées que de mes émotions, se fait difficilement car j'ai tendance à rester accroché au passé et j'ai de la difficulté à me pardonner à moi-même et aux autres. Si je ne ***communique*** pas, si je cache des choses, mon **estomac** réagit. Si j'ai des choses à me reprocher ou si je n'ai pas bonne **conscience**, des troubles à l'**estomac** apparaissent. Si j'ai des **crampes à l'estomac**, je me demande face à quelle situation de ma vie je vis une immense insécurité. Je me sens perdu et je me résigne, pensant que cette situation est sans issue. Les **tiraillements** dans l'**estomac** sont souvent reliés à un besoin d'**amour**, de « nourriture émotionnelle » et d'aliments. La nourriture représente l'affection, la sécurité, la récompense et la survie. Si je vis un vide quelconque dans ma vie, je voudrais le combler avec de la nourriture, particulièrement dans les moments de séparation, de mort, de perte ou de pénurie d'argent. La nourriture peut aussi m'aider artificiellement à me « libérer » des tensions matérielles ou financières. J'éprouve comme un **manque** indispensable à ma survie. La **fermentation**, pour sa part, provient du fait que je ne veux pas faire face à certaines émotions que je vis par rapport à des personnes ou des situations. Je mets ces émotions de côté, mais celles-ci sont toujours présentes, s'accumulent, « fermentent », sous l'effet de mon attitude « acide ». Je ressasse sans cesse certaines situations que j'ai vécues et que « je ne digère pas ». J'ai donc tendance à « ruminer » des situations passées et à vivre les mêmes attitudes et les mêmes émotions négatives, j'évite ainsi des conflits. Celles-ci me restent donc sur l'**estomac**. Il est très difficile pour mon **estomac** de digérer des émotions non vécues. Comme ma réalité est en conflit avec mes rêves et mes besoins, cela m'amène à vivre diverses émotions. Je n'exprime pas mes contrariétés, je suis irrité. La **colère** et l'**agressivité** grondent en moi, mais je les refoule. Et vlan ! Voilà l'**ulcère** et les **brûlures d'estomac**. J'ai de grandes **peurs**, ma digestion devient laborieuse parce que mon **estomac** est nerveux et fragile. Quelle est la situation de ma vie « que je ne digère pas » ? Il s'agit habituellement de quelque chose qui s'est passé récemment. Il peut s'agir d'une contrariété dans ma famille, mon milieu de travail, mon cercle social, le voisinage et dans lequel j'ai joué un rôle actif. Je vis beaucoup d'inquiétude, due notamment à ma faible confiance en moi, qui rend difficile l'acceptation↓♥ de mes émotions. Les **maux d'estomac** vont survenir lorsque je vis une contrariété dans le domaine de mes finances personnelles ou de ma vie professionnelle. Certaines situations sont tellement répugnantes et dégoûtantes que mon **estomac** refuse de les digérer. Quelle est la situation ou la personne que je côtoie et que je voudrais voir disparaître de ma vie ? Ou est-ce une partie de moi ou de ma façon de vivre que je désire changer car je prends **conscience** que je suis trop artificiel, rigide ? Je me sens ***incompris*** face à quelle personne ou situation ? Pourquoi me traite-t-on de façon ingrate ? Je réagis à ma réalité d'une façon négative et « acide » et je souffre d'indigestions et de nausées. La **digestion est très lente** si mon **estomac** est tendu et rigide, évitant que des changements prennent place dans ma vie. Je me demande si dans ma vie je suis moi aussi lent et passif, évitant de mettre des choses en avant à cause de mon insécurité. Cet **inconfort digestif** apparaissant après les repas (**dyspepsie**) dénote une inactivité et de l'indécision.

Je prends **conscience** que je dois montrer plus d'ouverture dans la vie et j'accepte↓♥ que les situations et les événements sont là pour me faire grandir. L'acceptation↓♥ fait en sorte de les transformer en expériences et la pression ou la tension disparaît. J'accepte↓♥ de vivre dans la vérité et la transparence afin d'apprivoiser mes émotions profondes et d'être en harmonie avec mon entourage. Le pardon et la réconciliation sont la clé pour ma guérison. Je trouve ainsi à l'intérieur de moi un vrai sentiment de sécurité et de plénitude.

ESTOMAC — AÉROPHAGIE

L'**aérophagie** est le fait d'avaler de façon involontaire une certaine quantité d'air qui pénètre dans l'œsophage et l'estomac. Elle est physiologique à tout âge mais lorsque ce phénomène est trop fréquent, il peut provoquer la dilatation de l'œsophage ou de **l'estomac** (aérogastrie).

Je vis une grande nervosité, une tension intérieure. J'ai de la difficulté à gérer, « digérer » ma vie, surtout l'aspect matériel et financier. Je deviens préoccupé en permanence. Mes angoisses dirigent ma vie. Je me sens menacé, saturé et je ne peux plus rien ingérer, intégrer de nouveau. Est-ce que j'ai besoin de prendre de l'air dans ma vie ? Qu'est-ce que je veux gober tout d'un coup ? Je veux aller trop vite et je ne prends pas de temps pour moi, ce qui augmente mes chances d'expérimenter des échecs. Qu'est-ce qui me bouscule dans mon travail, dans mes relations, dans ma vie ?

J'accepte↓♥ de prendre du recul afin de reprendre mon espace vital. J'apprends à respirer, à mastiquer, à prendre le temps de vivre et je cesse de laisser les autres contrôler mon existence. J'apprends à me choisir lorsque c'est nécessaire. En acceptant↓♥ mes forces intérieures et en acceptant↓♥ de les laisser s'exprimer, je retrouve mon sentiment de sécurité et mon équilibre.

ESTOMAC (cancer de l'...)

VOIR : CANCER DE L'ESTOMAC

ESTOMAC — BRÛLURES D'ESTOMAC

Comme son nom l'indique, une **brûlure d'estomac** (communément appelée « **brûlement d'estomac** au Québec) est le signe que quelque chose, une situation, un événement, une personne me **brûle**, m'**acidifie**, me met en **colère**. Je trouve la situation irritante, injuste, sinistre et je vis de l'impuissance intérieurement. J'ai le sentiment que ce sont des éléments extérieurs à moi qui me contrôlent. On me domine et je ne peux pas me libérer de cette emprise, ce qui fait naître de la colère et même de la rage à l'intérieur de moi. Lorsqu'une telle situation m'arrive, je peux me demander : « Qu'est-ce qui me brûle ou me met en colère ? Qu'est-ce que je n'aime pas et que « je n'arrive pas à digérer[97] » ? J'ai une attitude « acide » et amère face à la vie. Il est fort possible également que je m'accroche à cette colère d'une manière inconsciente car j'ai peur de m'affirmer, de me laisser aller et d'exprimer mes besoins, mes désirs et mes intentions au niveau du **cœur♥**. Je suis unique en tout et les autres sont différents de moi en tout. Je dois donc rester ouvert et attentif à mes propres besoins et accepter↓♥ la responsabilité entière de mes actes, même si les gens sont différents de moi. Le fait de ravaler, de refouler une émotion (de la colère, du chagrin, de la rage) augmente l'acidité des gaz gastriques et, du même coup, m'empêche d'avaler n'importe quoi d'autre (car les **brûlures** manifestent une forme de **pression intérieure** dans la région de l'**estomac**).

J'accepte↓♥ de voir les liens entre mes vrais sentiments et les **brûlures d'estomac**. Je reste calme et j'observe ma façon d'être, mes réactions par rapport aux situations que je vis ainsi que mon attitude face aux événements quotidiens. En centrant mon attention sur ma conviction que la vie est bonne et que mes besoins sont tous comblés au moment opportun, mon estime personnelle augmente et mes prochaines colères seront moins intenses. Je prends le temps d'apprécier chaque moment de ma vie et mon **estomac** s'en porte mieux !

ESTOMAC — GASTRITE

VOIR AUSSI : INFLAMMATION

La **gastrite** est une inflammation aiguë ou chronique de la muqueuse de l'**estomac**, ce lieu où commence le processus de digestion.

S'il y a inflammation, il y a irritation et colère par rapport à quelque chose ou à quelqu'un que je ne digère pas. Je ne comprends pas que certaines choses ne se passent pas comme je le voudrais, ou que certaines personnes n'agissent pas comme je le désire. Je peux avoir le sentiment d'avoir été trompé et d'être pris dans une situation ou trahi par le silence d'une personne. Je suis irrité par quelque chose absorbé par mon système de digestion et la réalité « digérée » me dérange au plus haut point. Je vis de l'insécurité et je me demande ce qui m'attend. J'ai l'impression que mon monde peut s'écrouler à tout moment. Je suis comme un chien de garde qui est à l'affût constamment du danger.

---

[97] « **Je n'arrive pas à digérer** » : ici, l'expression doit être prise au sens figuré. Il pourrait s'agir d'une personne de qui je dis : « *Elle, je n'arrive pas à la digérer* ». Cela veut dire que je n'estime pas cette personne, je lui en veux pour quelque chose, etc.

J'apprends à accepter↓♥ les situations et les autres tels qu'ils sont, sachant que le seul pouvoir que j'ai est le pouvoir sur moi-même. Je change mes attentes en positif : j'attends que ce qu'il y a de mieux de la vie. Je cesse de me tracasser et j'apprends à jouir de chaque moment de ma vie.

ÉTAT VÉGÉTATIF CHRONIQUE

VOIR : CERVEAU — ÉTAT VÉGÉTATIF CHRONIQUE

ÉTERNUEMENTS

L'**éternuement** est causé par l'excitation ou le chatouillement des parois intérieures des narines qui provoque une expulsion d'air brusque et simultanée par le nez et par la bouche.

Éternuer signifie que **quelque chose ou quelqu'un me dérange** ou **m'irrite**. Je regarde ce que je suis en train de faire et qui est avec moi. Qu'est-ce qui m'indispose, la situation ou la personne ? Suis-je en train de **critiquer** quelqu'un ou de me **critiquer** moi-même ? Inconsciemment, je sens le besoin de m'extirper d'une certaine situation, de me libérer ou de m'éloigner d'une personne car je vis une insatisfaction. Qu'est-ce que je veux rejeter dans ma vie ? De qui ou de quoi est-ce que je veux me débarrasser ? Qu'est-ce que j'ai besoin d'exprimer ou d'extérioriser ? Quelle est la partie de moi-même à laquelle je résiste ?

J'identifie la cause et j'accepte↓♥ de prendre la place qui me revient et d'agir de façon à rétablir l'harmonie, soit en m'expliquant avec la personne concernée soit en rectifiant la situation.

ÉTOUFFEMENTS

VOIR : RESPIRATION — ÉTOUFFEMENTS

ÉTOURDISSEMENTS

VOIR : CERVEAU — ÉQUILIBRE [PERTE D'...]

EUTHANASIE

VOIR AUSSI : MORT [LA...]

L'**euthanasie** n'est pas une maladie mais un acte par lequel nous voulons épargner des souffrances jugées intolérables à une personne incurable.

Ainsi, cet acte permet un départ, une mort sans souffrance. Je peux vivre un malaise moral si je suis dans la position d'avoir à décider pour l'autre personne si l'on doit abréger ses jours. Il est important que je reste branché sur ma conviction que la vie existe même après ce qui est appelé la mort, si cela fait partie de mes croyances. Si tel n'est pas le cas, je peux me demander si la personne qui est devant moi manifeste vraiment la vie. Je prends **conscience** que cela fait partie d'un choix individuel. Je peux informer mes proches verbalement ou par écrit de la décision qu'ils pourraient avoir à prendre pour moi au cas où je ne serais pas conscient.

J'accepte↓♥ d'exprimer mes volontés ou ce que je souhaite et cela facilitera la prise de décision pour les autres le cas échéant et ils seront davantage en harmonie avec les choix à faire.

ÉVANOUISSEMENT OU PERTE DE CONNAISSANCE

VOIR AUSSI : CERVEAU — SYNCOPE, COMA

L'**évanouissement** est une **perte de conscience** temporaire de durée variable, allant d'un court instant à une demi-heure. Si j'ai une **perte de connaissance** complète, brutale et de courte durée, on parle de **syncope**. Si la **perte de connaissance** dure une plus grande période de temps, il s'agit d'un **coma**.

Quoi qu'il en soit, une **perte de connaissance** me permet de **fuir la réalité**. Je me désiste momentanément parce que je suis si fatigué que ma résistance est à plat. Je suis incapable de faire face aux situations de ma vie ou de les prendre en mains. J'alterne entre des états de **peur**, d'**angoisse**, de **découragement** et d'**impuissance**. J'ai souvent peur de perdre le pouvoir et de ne pas « être à la hauteur » de certaines personnes ou de certaines situations. Je suis ici mais ***ailleurs*** en même temps. J'ai tendance à faire les choses ***machinalement***. Je me sens vaincu d'avance. Je ne me sens plus nourri et supporté par la vie. Lorsque je m'accroche, je bloque toutes les énergies et les forces qui sont en moi. J'ai besoin que ma vie change.

J'accepte↓♥ de cesser de m'accrocher au passé et à mes vieilles idées. Je laisse la vie suivre son cours. J'accepte↓♥ de faire confiance à l'univers puisque tout est ici pour mon évolution.

EWING (sarcome d'...)

VOIR : OS [CANCER DES...] — SARCOME D'EWING

EXCÈS D'APPÉTIT

VOIR : APPÉTIT [EXCÈS D'...]

EXCÈS DE POIDS

VOIR : POIDS [EXCÈS DE...]

EXCROISSANCES

VOIR : POLYPES

EXHIBITIONNISME

L'**exhibitionnisme** a trait à l'exhibition des organes génitaux.

L'**exhibitionnisme** est relié directement à l'éducation que j'ai reçue et à la manière dont je vis ma **sexualité**. En effet, si on m'a appris que la sexualité était bestiale, sale et avilissante, j'ai sûrement tenté de la réprimer et, si je ne l'ai pas fait, j'agis en fonction de ce que j'ai appris. Ainsi, je sens le besoin de me libérer de cette contrainte que je vis par rapport à ma sexualité. Le fait de m'adonner à l'**exhibitionnisme** est pour moi une façon de repousser mes propres limites pour me faire accepter↓♥, une façon de provoquer. Puisque je ne suis pas en contact avec mon intérieur, l'**amour** me semble quelque chose qui n'est pas pour moi. Je ne peux pas entrer en relation intime avec quelqu'un car j'ai peur d'être blessé. Je préfère vivre des expériences avec certaines personnes mais avec une distance qui nous sépare. Ainsi, je peux fuir quand je le veux. Je vais chercher l'excitation à l'extérieur car je me sens vide en dedans. Le fait de m'**exhiber** me donne un certain pouvoir. Mes pulsions et désirs inconscients me contrôlent. Je peux vouloir me venger inconsciemment de quelqu'un qui m'a fait du mal étant plus jeune. Je me sens impuissant, non reconnu face à mon sexe. Je prends **conscience** que l'être humain a été créé avec des besoins sexuels mais que ceux-ci doivent être expérimentés dans l'**amour.**

J'accepte↓♥ que la sexualité est une chose de belle et de saine dans laquelle je peux m'épanouir. La sexualité fait aussi partie de mon évolution sur le plan physique. J'accepte↓♥ de m'ouvrir à l'**amour** avec un grand « A ». En me respectant, j'acquiers la force nécessaire qui me permet de laisser s'exprimer ma vulnérabilité. En osant être vrai, l'autre en fera autant et une belle relation de complicité et de partage peut s'installer.

EXOPHTALMIE

VOIR : YEUX [MAUX AUX...]

EXTINCTION DE VOIX

VOIR : APHONIE

F

FACE

VOIR : VISAGE

FAIBLESSE (ÉTAT DE...)

VOIR AUSSI : ASTHÉNIE NERVEUSE

Je vis un **état de faiblesse** lorsque je sens un manque de force en général. Je peux aussi avoir la sensation que je vais perdre **conscience**.

Je suis hypersensible et je vis une contrariété ou une émotion intense. J'ai **conscience** de ce qui se passe, mais je n'ai pas envie d'être là et d'entendre ce qui se passe. Je sens le besoin de m'allonger pour m'aider à « reprendre mes sens ». Cette **faiblesse** peut provenir d'une situation face à laquelle je vis un grand inconfort car je ne sais trop comment me situer. Un membre ma famille est souvent impliqué. C'est comme si quelqu'un d'autre avait le contrôle sur cette situation et je ne peux rien y faire, ce qui m'amène un grand sentiment d'impuissance. Seulement le fait d'y penser peut déclencher une lassitude, amenant un **état de faiblesse,** qui est une façon de fuir. Cela met en **lumière** mon indifférence face à la vie, car j'y ai perdu intérêt. Je vis la routine, que ce soit au travail ou dans ma vie personnelle et je suis las de tout ce qui m'entoure.

J'accepte↓♥ de faire face à la réalité avec force et courage. Je suis conscient que j'ai le choix de prendre « ma » place ou de laisser aux autres prendre « la » place : il ne tient qu'à moi de faire le nécessaire. J'ose exprimer ce que je ressens afin de reprendre la place qui me revient. Je fais les choix appropriés pour mon bien-être et celui de ceux qui m'entourent. Je m'entoure de **lumière**, je la laisse m'englober d'**amour**

FALLOPE (TROMPE DE...)

VOIR : SALPINGITE

FASCIITE NÉCROSANTE

VOIR : BACTÉRIE MANGEUSE DE CHAIR

FATIGUE (EN GÉNÉRAL)

La **fatigue** me donne l'impression d'être à plat.

Intérieurement, je suis vidé. La source de la **fatigue** se retrouve dans le manque d'**amour** face à la vie que je mène. Où est passée ma motivation ? Mes inquiétudes, mes peurs, mes peines et mes blessures intérieures m'amènent à lutter, à résister, à refuser certaines situations. Plutôt que de centrer mon énergie pour trouver le point commun à mes difficultés, je l'éparpille dans trop de directions à la fois. Je désespère même de trouver une solution. Je vis une certaine lassitude face à la vie, une **fatigue** intérieure parce que j'ai à me débattre pour continuer à avancer. La dépression est même possible. Je me sens ***abattu***. J'éprouve un sentiment d'incompétence, de manque, d'absence d'intérêt et même ***d'impotence***. Je ne sais plus comment m'orienter dans la vie, ayant perdu ma joie de vivre. Si je m'**ennuie**, je vis dans **la nuit**. Je peux me poser des questions face à des aberrations de la vie. J'ai plein de points d'interrogation et personne pour m'aider à répondre à mes interrogations. Je peux avoir eu des difficultés avec les modèles que mes parents m'ont donnés. Si j'avais une mère très masculine ou un père très féminin, je peux, comme enfant, avoir dépensé beaucoup d'énergie à comprendre à qui je devais ressembler. Quelle que soit la cause de cette **fatigue**, j'expérimente un **affaiblissement** autant moral que physique.

J'accepte↓♥ d'avoir besoin d'un temps d'arrêt, de repos pour faire le point et le plein d'énergie. Je cesse de m'accrocher au passé et j'accepte↓♥ de vivre l'instant présent car chaque instant m'apporte l'énergie dont j'ai besoin. En faisant des choses que j'aime et que j'affectionne particulièrement, l'énergie revient naturellement !

FATIGUE CHRONIQUE (syndrome de...) OU ENCÉPHALOMYÉLITE MYALGIQUE

VOIR AUSSI : CHRONIQUE [MALADIE...], FIBROMYALGIE

Le **syndrome de la fatigue chronique ou ENCÉPHALOMYÉLITE myalgique** peut survenir à la suite d'une attaque virale et peut durer plusieurs années. Il se peut aussi que cela survienne parce que mon système de défense naturelle du corps, mon système immunologique, est affaibli. Il se peut aussi que mon psychisme soit atteint, en raison d'une dépression, du stress, de la démotivation, du surmenage, etc. Mentalement, je suis épuisé et cela se reflète par mon instabilité émotive. Je dépense toute mon énergie à m'apitoyer sur mon sort. Je voudrais tellement être reconnu et admiré des autres. Cependant, cela est difficile car je me crée une autre personnalité pour répondre aux désirs des autres et mon vrai moi est complètement mis de côté. Je ne vois pas mon avenir d'un bon œil Physiquement, je souffre de maux de tête et ma force musculaire s'amenuise petit à petit. Le moindre effort m'amène une **fatigue** intense. J'ai perdu le goût de vivre. Où sont passés mes rêves et mes ambitions ? J'ai dû les sacrifier au prix de la réussite et de la performance que la société exige de moi ou que je m'impose moi-même. Je suis ***intransigeant***, je veux me débrouiller seul et j'hésite à demander de l'aide. Pourtant, je veux tellement réussir tout ce que j'entreprends ! J'ai aussi très peur de l'échec, de la vie et des responsabilités. Je me sens incapable de répondre à ce qu'on attend de moi. J'ai l'impression que je suis descendu tellement bas que je ne peux plus remonter la pente. Cette maladie peut apparaître suite à un événement tel un accident, où j'ai survécu quand d'autres sont décédés. La culpabilité rattachée à ma survie (pourquoi moi et pas l'autre ? ? ?) peut être si grande qu'elle gruge toute mon énergie. En fait, la maladie me permet de me retirer, elle est mon excuse pour ne pas agir et, peut-être, un moyen de recevoir plus d'attention. Je me sens ainsi plus en sécurité dans ma maladie que dans ma

« confrontation » avec la vie. Qu'est-ce que je vivais au moment de l'attaque virale ? Avais-je décidé de quitter mon foyer ? Est-ce que je venais de vivre un décès, une rupture, un rejet ? Je prends **conscience** que tout cela est relié à l'**amour**, ou **l'amour que j'ai pour moi**. Je me détruis en voulant constamment vivre ma vie « avec ma tête » quand je devrais plutôt la vivre avec mon **cœur** et mes « tripes ». Je m'**entête** trop et je dépense une énergie folle à m'obstiner quand il serait beaucoup plus facile d'aller avec le courant. Je prends **conscience** combien il est facile pour moi de me dénigrer, m'abaisser, de me comparer négativement aux autres. Plus je me vois d'une façon négative, plus je diminue mon énergie vitale et je m'autodétruis.

J'accepte↓♥ d'apprendre à m'aimer davantage. **Je suis la personne la plus importante dans ma vie**. En apprenant à m'aimer, je fais les choses pour moi et je profite de chaque instant. Je fais partie de l'univers où la réciprocité est loi. Je m'aime donc j'attire l'**amour** des autres en retour et je les aime aussi. Je fais confiance à l'univers qui m'aide à avancer chaque jour. En écoutant ma voix intérieure, j'évite les détours inutiles qui demandent beaucoup d'énergie. Je pourrais ainsi utiliser cette énergie économisée à faire des choses que j'aime et qui m'aident à reprendre contact avec mes qualités profondes et me redonnent goût à la vie. J'accepte↓♥ que toute situation est parfaite. Je remplace toutes mes obligations par des choix de vie. Je crée ainsi librement mon futur.

FAUSSE-COUCHE

VOIR : ACCOUCHEMENT — AVORTEMENT

FAUX-CROUP

VOIR : GORGE — LARYNGITE

FÉMININ (principe...)

VOIR AUSSI : MASCULIN [PRINCIPE...]

Que je sois homme ou femme, le cerveau droit et le côté gauche du corps représentent le **principe féminin** (le yin), siège de la **créativité**, des **dons artistiques**, de la **compassion**, de la **réceptivité**, des **émotions** et de l'**intuition**, il a trait à ma nature intérieure. Il se manifeste aussi par la tendresse, la sensibilité, la douceur, l'harmonie, la beauté, la pureté. Il me relie à ma nature féminine et à celle des autres. C'est mon côté maternel. Il est représenté par la lune. Les principales difficultés éprouvées sont reliées à l'expression des sentiments. Est-ce que je me sens bien lorsque je réconforte quelqu'un ? Suis-je capable de dire *« je t'aime »* , *« j'ai de la peine »* ? Je ne me sens pas à l'aise quand je suis celle ou celui qui reçoit, en particulier lorsqu'il s'agit d'**amour.** Que je le veuille ou non, le **principe féminin** fait partie de moi. L'attitude que j'ai développée face à ma **nature féminine** a un lien direct avec les relations que j'ai entretenues avec les femmes de ma vie : mère, fille, amie, épouse, etc. La façon dont je vais exprimer ma féminité (soit la facilité soit la difficulté) dépendra en grande partie du modèle parental et de mon identification à l'un ou l'autre des parents. Si je suis un **homme**, j'ai de la difficulté avec mes émotions, soit de les exprimer, de m'en libérer soit de les accueillir d'autres personnes. Si je suis une

femme, il y a un aspect de ma féminité que je nie ou refoule C'est en suivant mon intuition que mon côté gauche dans le physique et ma polarité féminine sera en santé. Si mon **côté féminin** est exagérément développé, je me questionne pour savoir quel est mon niveau de confiance et d'assurance en moi et si je laisse mes émotions prendre trop le dessus sur mon côté logique et rationnel.

J'accepte↓♥ que ce **principe féminin** fasse partie de moi et je m'ouvre davantage à celui-ci, sachant que ce processus est essentiel à l'équilibre de mes deux principes (féminin et masculin). L'un complète l'autre afin d'amener l'équilibre spirituel, émotif et physique de tout mon être

FÉMININS (maux...)

Les **maux féminins** m'indiquent que j'éprouve des difficultés à accepter↓♥ d'être femme. Je ne sais même pas comment exprimer ma féminité. Agir pour répondre aux attentes de ce qu'une femme doit être me fait peur. J'ai peur de me soumettre. Pourtant, j'ai grandi dans l'entourage de femmes qui devaient être « fortes », prenaient des décisions, etc. ; en fait, elles portaient la culotte[98]. Ou ai-je vécu dans un milieu où les femmes étaient soumises et avaient abdiqué leur propre personnalité ?

J'accepte↓♥ de prendre **conscience** qu'en raison de l'éducation que j'ai reçue, j'ai développé beaucoup plus mon côté masculin, ou je me suis promis d'être le contraire de la soumission et d'être moi-même, d'assumer mon côté masculin, au détriment de ma féminité. J'accepte↓♥ d'être femme parce qu'en tant que femme, je suis entière et j'exprime mes sentiments. Je peux être forte et savoir donner douceur, **amour**, compréhension, etc. Chaque femme a sa façon bien à elle d'exprimer sa féminité, à moi de choisir la mienne. Je réaliserai à quel point je suis heureuse d'être femme.

FÉMUR

VOIR : JAMBE —PARTIE SUPÉRIEURE

FENTE PALATINE – BEC DE LIÈVRE CONGÉNITAL

Une **fente palatine**, aussi appelée **bec de lièvre congénital**, est une malformation caractérisée par une fente de la lèvre supérieure (plus fréquente chez les garçons) et/ou du palais (plus fréquente chez les filles). Elle est due à un arrêt des soudures des bourgeons de la face de l'embryon entre le 35 et le 40e jour de la vie intra-utérine. La **fente palatine** n'entraîne aucun handicap si ce n'est un préjudice esthétique, et gène l'alimentation et l'apprentissage de la parole.

Déjà à un très jeune âge, je savais qu'il serait difficile pour moi de communiquer et de m'affirmer, de « m'ouvrir la bouche ». Je me sens inférieur et je cherche à me cacher, me retirer car les autres « gèrent ma vie ». Des choses m'échappent, les « morceaux semblent trop gros à avaler » ! J'ai besoin de développer mon estime de moi, de me faire passer en premier.

---

[98] **Porter la culotte** : se dit de la personne qui dirige ou détient l'autorité, par exemple au foyer. Ainsi, lorsque c'est la femme qui *porte la culotte* au foyer, cela signifie que c'est elle qui dirige et prend les principales décisions dans le foyer.

Je dois d'abord faire face à cette réalité de ma naissance et digérer cette situation tout en acceptant↓♥ de faire place à un dépassement de soi, à une acceptation↓♥ de mon intégration à la vie terrestre. Je choisis consciemment de me connaître, de me re-connaître en tant qu'âme en évolution. En acceptant↓♥ mes qualités et mes forces intérieures, je construis une nouvelle image de moi beaucoup plus positive. Je choisis de prendre la place qui me revient de droit divin et de mordre dans la vie. En étant moi-même, je peux prendre contact avec mon essence divine et je sais exactement quel chemin prendre. Je peux exprimer librement mes besoins et passer à l'action !

FENTE VULVAIRE

VOIR : VULVE

FERMENTATION

VOIR : ESTOMAC [MAUX D'...]

FESSES

Les **fesses** sont la partie charnue du corps sur laquelle je m'assois, prends place, **MA PLACE**. Elles symbolisent mon **pouvoir**, mes fondements. Elles font référence à mon sentiment de confiance face au fait de me sentir en sécurité. C'est mon autorité intérieure, mon sentiment de fierté. Lorsque je serre les **fesses** ou que je marche les **fesses serrées**, je me sens menacé, j'ai peur de perdre le contrôle, je retiens. Il arrive souvent que mes **fesses** soient tendues quand je me sens épié par une personne en positon d'autorité face à moi ou que j'ai peur de « ne pas être correct ou à la hauteur, comme par exemple mes parents ». Je voudrais « **fesser** [99] » cette personne mais j'en suis incapable. Je ne désire pas être remarqué car cela pourrait m'amener à changer, à accepter↓♥ des choses, des événements ou des situations passées, « **postérieures** » que je ne suis pas prêt à assumer. Suis-je capable d'« asseoir mon autorité » ? Ou suis-je en réaction face à celle-ci parce que, étant plus jeune, on m'a donné la **fessée** ou qu'on a osé mettre les mains sur mes **fesses** ? Par contre, si je marche les **fesses** très relâchées avec un balancement de hanches très prononcé, je prends la place, la mienne et celle des autres. J'aime le pouvoir parce qu'en dirigeant, je m'assure le contrôle. Je n'ai pas à changer : je tente de forcer les autres à changer ! Je prends **conscience** que je suis accroché à mon passé, à mes idées, à mes vieilles blessures, et que je peux même vivre de la rancune ou de la colère. Jusqu'à quel point je veux me dérober de mes responsabilités ? Pourquoi douterais-je de ma force intérieure ? Je me sens instable et le regard des autres me dérange énormément. Je suis dispersé et « mou » face aux décisions à prendre. J'ai souvent l'impression « d'être assis entre deux chaises » ou que « j'ai constamment quelqu'un collé aux **fesses**[100] ».

J'accepte↓♥ de lâcher prise et d'aller de l'avant et de m'ouvrir aux nouvelles expériences de la vie. J'accepte↓♥ de développer mon pouvoir social en harmonie avec les gens qui m'entourent.

---

[99] **Fesser :** frapper, punir.

[100] **Avoir quelqu'un collé aux fesses** : avoir quelqu'un derrière soit qui m'épie, me poursuit ou de qui je veux m'éloigner, fuir.

FEU SAUVAGE

VOIR : HERPÈS [EN GÉNÉRAL...]

FIBRILLATION VENTRICULAIRE

VOIR : CŒUR♥ — ARYTHMIE CARDIAQUE

FIBROMATOSE

VOIR : MUSCLES — FRIBROMATOSE

FIBROMES UTÉRINS ET KYSTES FÉMININS

VOIR AUSSI : KYSTE

Le **fibrome** est une tumeur bénigne formée de tissus fibreux.

Le plus souvent, les **fibromes** apparaissent à l'utérus[101], siège de la **maternité**, de ma **féminité** et de ma **sexualité**, donc de tout ce qui concerne mon foyer, ma famille et par rapport auxquels je peux avoir vécu un choc émotionnel (blessure ou abus passé). Peut-être me suis-je sentie blessée par mon partenaire, que j'ai reçu un coup dur ou une offense que je n'ai pas su gérer et exprimer pour rétablir l'harmonie ? Est-ce que des sentiments de **culpabilité**, de **honte** ou de **confusion intérieure** refoulés depuis très longtemps m'habitent et ont formé cette masse de tissus mous ? Ces sentiments peuvent provenir d'un choc émotionnel lié à mes premières expériences sexuelles ou à un arrêt de grossesse qui m'aurait perturbé. Je vis un vide intérieur que je veux combler à tout prix : je vis de façon superficielle, dans la fuite de mes besoins et mes désirs. Je préfère faire comme les autres. Je peux entretenir de la ran**cœur♥** face à une personne qui m'a blessée. Je peux avoir des remises en question concernant le fait d'avoir un enfant. Ai-je l'impression de supporter les autres, de les nourrir parce que je me sens indispensable ? Je peux avoir le goût d'un renouveau, de changement dans ma vie et je me refuse à laisser se manifester mon côté créatif et mon goût de l'aventure. Il est intéressant de noter que historiquement, la femme mariée devenait une « épouse » au moment d'avoir un enfant de son mari. Elle portait alors la « fibre de l'homme ». Les **fibromes utérins** apparaissent souvent vers la quarantaine, au moment où moi, comme femme, je prends **conscience** que je ne pourrai plus bientôt physiologiquement avoir d'enfants. Je pouvais déjà avoir pris la décision de ne pas ou ne plus en avoir mais mon corps sait que c'est ma « dernière chance », la survie de l'espèce humaine en dépend ! Alors, si je vis ou ai vécu de la culpabilité face au nombre d'enfants que j'ai ou n'ai pas, cela pourra se manifester sous forme de **fibrome.** Il peut aussi s'agir de ce bébé que j'ai créé dans mon imagination, que je désirais tant avoir avec un certain conjoint mais cela ne s'est pas réalisé. Ce peut-être symboliquement cette compagnie - mon bébé- que j'ai mis tant de temps à créer (féconder) et qui, à la dernière minute, n'a pas pris forme, quelle qu'en soit la cause. Ce « bébé » se transpose dans le physique par un **fibrome,** un « bébé » qui n'a jamais vu le jour. Des sentiments d'impuissance et de « il est trop tard » me hantent et peuvent se transformer en ressentiment. Je suis

[101] Ce sont des fibromyomes utérins (aux dépens des tissus fibreux et musculaires de l'utérus).

consciente que les **tissus mous** représentent les schémas mentaux inconscients. Il y a donc accumulation de ces « patterns » mentaux et d'attitudes négatives qui ont maintenant pris une forme solide. Il est temps pour moi de communiquer avec mon conjoint ou avec tout autre membre de ma famille et d'exprimer ce que je ressens. Je dois cesser de taire ce qui est su par moi et que je n'ai jamais voulu dévoiler.

Pour ce qui est de la honte, de la culpabilité et de la confusion, j'accepte↓♥ d'avoir agi au meilleur de ma connaissance et de mon évolution à ce moment-là. Je me pardonne et je me libère de ce fardeau. Je me sens beaucoup plus légère et chaque jour qui passe me fait comprendre que je m'accepte↓♥ et que je suis de plus en plus heureuse en tant que femme. Je prends ma vie en mains et je me dirige où cela est bon pour moi. Je cesse de ressasser le passé. Je me tourne vers l'avenir, sachant que je suis guidée. J'utilise ma créativité afin de faire vivre mes passions et mes rêves.

FIBROMYALGIE

VOIR AUSSI : FATIGUE CHRONIQUE [SYNDROME DE...]

La **fibromyalgie** est un désordre musculo-squelettique qui se caractérise par des douleurs constantes, de la sensibilité, des brûlures musculaires, un sommeil perturbé, de la fatigue extrême (perte d'énergie) et des raideurs matinales aiguës. Il y a 18 points particulièrement douloureux répartis sur l'ensemble du corps : muscles et tendons situés aux épaules, au cou, entre les omoplates, dans le bas du dos, au nerf sciatique, aux genoux, aux coudes, aux poignets et au thorax. La persistance d'au moins 11 de ces points suffit au diagnostic. Sept femmes pour un homme en sont touchées. Certaines causes sont un déséquilibre chronique du système nerveux suite à un choc émotif ou à un accident, à un excès de zèle du système immunitaire (il continue d'agir contre un virus inexistant ou qui n'est plus là, suite à une grippe par exemple) ou une perturbation du sommeil profond. Cela m'amène à penser que je « ne vaux rien » et me sentant impuissant à faire des changements dans ma vie.

Ce syndrome (ensemble de symptômes qui se manifestent en même temps) est lié au perfectionnisme, à l'anxiété, à la haute exigence de soi poussée au-delà de mes limites. Je vis une grande douleur morale intérieure qui me suit constamment. Elle peut avoir sa source dans un événement vécu plus jeune mais qui a été source d'une grande culpabilité. Je me sens de trop et j'ai beaucoup de difficulté à m'affirmer. Je ne me sens pas à la hauteur, j'ai l'impression d'être tombé de haut. Je sens beaucoup de pression de la part de mon entourage mais au fond, c'est moi-même qui me pousse trop. Je vis de la colère, ayant l'impression de ne pas recevoir d'**amour** de mon entourage. Je ne veux plus avancer. Je préfère me couper de mes émotions, ne sentant pas de douceur dans ma vie. D'où provient cette constante douleur ? Elle survient souvent lorsque je fais des gestes répétitifs et monotones. Cela me rappelle ma souffrance morale de me forcer indéfiniment à assumer des responsabilités que je n'ai pas vraiment choisies. J'ai voulu être fidèle à certains principes qui étaient en opposition avec mes besoins profonds. Je vis une vie dont je n'ai pas le goût...

J'accepte↓♥ d'apprendre à prendre soin de moi, à me donner la douceur dont j'ai tant besoin. Je laisse vivre l'enfant qui m'habite et qui a grandi trop vite. Je n'ai plus à être une super femme (ou super homme) : je n'ai qu'à être moi. J'ai le droit d'être heureux, de vivre dans la joie. Je laisse s'exprimer ma créativité à travers le jeu, les arts, les sports ou toute autre activité qui m'apporte un plus grand bien-être. C'est ainsi que je m'épanouis et qu'une grande paix intérieure s'installe.

FIBROSE

VOIR : SCLÉROSE

FIBROSE KYSTIQUE

VOIR : MUCOVISCIDOSE

FIÈVRE (en général)

VOIR AUSSI : CHALEUR [COUP DE...]

Lorsque la température de mon corps s'élève à 38°C[102] et plus, j'ai de la **fièvre**.

La **fièvre** est symptomatique d'**émotions qui me brûlent**. Ces émotions se transforment en **colère** contre moi et les autres, ou contre un événement. Elle envahit mon corps tout entier. Pourquoi ai-je besoin d'aller à cet extrême ? Est-ce ma façon de compenser pour prendre du repos et recevoir plus d'**amour** et d'attention ? Ai-je besoin de ce temps d'arrêt pour m'ajuster à une réalité qui change très rapidement ? Qu'est-ce qui m'irrite dans ma vie ? Il s'agit généralement d'une émotion « brûlante » qui surgit ou de la vie qui devient « trop chaude » à traiter ou d'un défi à relever et qui prend la forme d'une colère intense, d'une indignation, d'un désappointement, d'inquiétudes. Je me soucie de tout ce qui m'entoure, sauf du plus important : mon bien-être intérieur. Je veux qu'on soit fier de moi mais comment est-ce que moi je me perçois ? Si je suis un **enfant**, la **fièvre** soudaine peut se rattacher à des conflits intérieurs, à de la rage, ou à une blessure refoulée. Moi, comme enfant, j'exprime mes émotions par mon corps puisque je ne peux pas encore le faire verbalement.

Quoiqu'il en soit, j'accepte↓♥ d'identifier la cause de cette **fièvre** et j'y trouve une accumulation d'irritation et de colère, qui surgit souvent quand je « rumine » les malheurs passés. Au lieu de me faire violence, je prends **conscience** de mes besoins et j'accepte↓♥ d'apprendre à communiquer pour exprimer ce que je ressens. Désormais, je n'accumule plus : je sais que le dialogue est la solution.

FIÈVRE (boutons de...)

VOIR AUSSI : HERPÈS/ [... EN GÉNÉRAL] / [... BUCCAL] / [...LABIAL]

La poussée de **boutons de fièvre** est en relation directe avec mes prises de **conscience**. Je me pose beaucoup de questions face à moi-même et à ma vie en général. Je suis en conflit entre mon identité propre et mes relations avec les autres. La seule façon que mon corps a trouvée pour extérioriser mon conflit émotionnel et m'en libérer, ce sont ces **boutons** accompagnés de **fièvre**. Qu'est-ce qui m'empêche d'être moi ? Ma crainte du rejet !

---

[102] 38° Celsius équivaut à 100.4° Fahrenheit.

Lorsque cela arrive, j'accepte↓♥ de trouver la raison pour laquelle je ne suis pas en harmonie avec moi-même. Je prends **conscience** de mon besoin d'être moi-même en toutes circonstances. J'accepte↓♥ aussi de m'exprimer, car mon entourage ne peut deviner ce qui me préoccupe. Puisque j'accepte↓♥ les autres tels qu'ils sont, je m'attire donc la compréhension. En redevenant moi-même, l'harmonie reprend sa place dans ma vie.

FIÈVRE DES FOINS

VOIR : ALLERGIE — FIÈVRE DES FOINS

FIÈVRE DES MARAIS

VOIR : MALARIA

FISSURES ANALES

VOIR : ANUS — FISSURES ANALES

FISTULE

La **fistule** est la formation d'un canal reliant directement et anormalement deux viscères (**fistule interne**) ou un viscère avec la peau (**fistule externe**).

Pour qu'un tel canal se forme, il faut qu'il y ait un blocage important à ce niveau, et qui perdure depuis un certain temps. Inconsciemment, j'étais tellement **anxieux**, je me suis **retenu** et j'**ai bloqué** la voie d'évacuation normale. Qu'est-ce qui se cache derrière mon anxiété ? J'ai peur d'être rejeté ou abandonné, d'être ridiculisé ou de me tromper. J'ai des réticences à me laisser aller. Je me replie sur moi-même afin de me protéger. Parce que j'ai peur de souffrir, je retiens tout, en commençant par mes émotions. Je peux même avoir enfoui un goût de vengeance ou de tuer quelqu'un, souvent un homme, même si dans les faits, je n'ai pas ce type de personnalité.

J'accepte↓♥ que derrière toute émotion, il y ait l'orgueil et plus il y a d'orgueil, plus ma peur est grande. J'ai besoin de me recentrer dans le temps présent et d'être à l'écoute de mon intuition. La vie est une école où j'apprends. Si je bloque mon apprentissage, je bloque aussi mon évolution.

FISTULES ANALES

VOIR : ANUS — FISTULES ANALES

FLATULENCE

VOIR : GAZ

FOIE (maux de...)

VOIR AUSSI : CALCULS BILIAIRES, JAUNISSE

Le **foie** est la glande la plus volumineuse de l'organisme, annexée au tube digestif et qui joue un rôle dans plusieurs fonctions biologiques importantes dont entre autres : la sécrétion de la bile et l'épuration et la détoxication du sang. Le **foie** représente ma ***foi*** et ma **confiance** en mes possibilités. Glande la plus volumineuse de l'organisme, annexée au tube digestif et située dans la partie supérieure droite de l'abdomen, elle joue un rôle dans plusieurs fonctions biologiques importantes.

Les **maux de foie** proviennent de ma propre attitude. Mes frustrations accumulées, mes haines, ma jalousie, mon agressivité contenue sont autant de facteurs déclencheurs de **problèmes du foie**. Ces sentiments camouflent une ou des peurs qui ne peuvent pas être exprimées autrement. J'ai tendance à **critiquer** et à **juger,** soit moi-même soit les autres très facilement. Je me plains constamment. Je résiste à quelqu'un ou à quelque chose. Je vis beaucoup de mécontentement. J'accepte↓♥ difficilement les autres tels qu'ils sont. La joie de vivre est souvent inexistante car j'envie les autres, ce qui me perturbe et me rend triste. J'ai tendance à être dépressif. Jusqu'à quel point cependant suis-je prêt à faire des efforts, tant sur le plan matériel que dans mon cheminement spirituel ? Est-ce que je me sens ***apte*** à faire les changements qui s'imposent ou ai-je l'impression de manquer de courage ? Je n'ai pas encore compris que **ce que je reproche à l'autre n'est que le reflet de moi-même**. Il n'est que mon miroir. Je me plains tout le temps et je demande aux autres de changer. Où est ma bonne volonté ? Quel est l'effort de ma part ? Je manque aussi de joie de vivre, de simplicité. Je pourrai développer un **cancer du foie** si toutes les émotions qui me sont néfastes me « grugent » depuis un bon moment. Il arrive souvent que ce cancer résulte d'un conflit par rapport à la famille ou à l'argent, spécialement quand j'ai peur de manquer de quelque chose. Il arrive souvent que l'émotion qui s'accumule à l'intérieur du **foie** soit la colère. Je ne me sens pas respecté et reconnu ce qui génère une grande frustration. Je me questionne par rapport au sens que je veux donner à ma vie. Ai-je encore « la **foi** » de me réaliser et d'être heureux ? Ma vie est-elle ***dépourvue*** de sens ? Qu'est-ce qui est bon pour moi et qu'est-ce que je devrais éliminer de ma vie ? Quelles sont mes limites et mes possibilités ? Est-ce que je me détruis ou je nourris la joie et la vie qui m'habitent ? D'où vient mon sentiment d'impuissance ? Pourquoi est-ce que je m'accroche aux autres ou aux situations au lieu de faire confiance et de croire en moi ? Je ne veux pas abandonner les miens… Toute cette retenue d'émotions génère en moi de l'angoisse et me pollue. Dans le cas du **cancer du foie**, il y a un fort sentiment de découragement, d'abattement et même de désespoir. J'ai tellement peur de perdre quelque chose ou quelqu'un que je m'y accroche autant que je le peux. Je n'ai pas **foi** en moi. J'ai peur du ***manque,*** et ***l'absence*** des gens que j'aime me pèse lourd, me paraît comme une ***éternité***. Cette peur m'amène à vouloir ***amasser***, ***accumuler*** à l'excès pour éviter toute ***carence***. Je fais des ***réserves***, je veux tout ***dévorer*** par peur du manque. J'ai un désir omniprésent et presque obsessionnel que je ne peux pas assouvir ce qui m'amène à me nourrir de façon excessive, ce qui perturbe mon **foie**. Je me soucie de tout, je me « fais de la bile[103] », je trouve la vie injuste. Le **cancer** m'indique que j'ai besoin d'accomplir de grands changements dans ma vie. J'ai tellement une image négative de moi-même que les autres me le rappellent en me traitant comme je me traite moi-même. Cela peut se traduire par des personnes qui me manquent constamment de respect.

[103] **Je me fais de la bile** : je suis préoccupé par quelqu'un ou quelque chose.

Il est ***maintenant*** temps que je prenne **conscience** que je dois m'accepter↓♥ tel que je suis et apprendre à m'aimer davantage. Être capable d'**amour** et de compréhension envers moi ouvre la voie à ma compréhension et à l'**amour** des autres. Je retrouve la joie de vivre. Je cesse de critiquer les autres et j'accepte↓♥ de prendre une nouvelle direction dans ma vie où la joie et le positivisme sont ma raison d'être. Je reconnais mes désirs, j'apprends à me respecter et ce sont ces nouvelles énergies positives qui vont faire partir le malaise que je vis.

FOIE (abcès du...)

L'abcès dans le **foie** est une accumulation de pus dans ce dernier.

Comme le **foie** est relié à la critique, un **abcès du foie** m'indique une grande insatisfaction dans ma vie, qui peut provenir du fait que les événements ne se déroulent pas comme je veux, que je m'en fais trop pour certaines situations, ou que la joie et l'**amour** qui alimentent ma vie sont insuffisants. J'ai un trop-plein d'émotions. Je vois la vie en noir et je me complais dans mon inactivité. Je m'acharne à garder quelque chose ou quelqu'un, quand ce ne sont pas mes vieilles pensées. Je donne trop de place à mes pensées négatives et je ne vis pas dans le présent et dans mon corps physique.

Cela est un message que la vie me donne pour accepter↓♥ de développer ma flexibilité et mon ouverture et m'amener à aller chercher l'**amour** et la compréhension dont j'ai besoin pour découvrir davantage cet amour qui est en moi. J'accepte↓♥ d'être dans l'action, de vivre mes passions et réaliser mes rêves. Je fais ainsi vivre davantage la vie en moi. J'ai **foi** en moi et en mon plein potentiel créateur.

FOIE (crise de...)

VOIR AUSSI : INDIGESTION

Le **foie** métabolise les aliments, élimine les excès de protéines, de gras et de sucre et purifie le sang de ses impuretés. Il est essentiel à la vie. Il est connu comme le « siège de la **colère** et de la **critique** ». Le **foie** est aussi relié à mon comportement et représente ma facilité d'adaptation aux événements et aux circonstances de la vie. Les émotions négatives que je ressens (peine, haine, jalousie, envie, agressivité) entravent le bon fonctionnement du **foie**. Mon **foie** a la capacité d'accumuler du stress et de la tension intérieure. C'est aussi dans mon **foie** que se déposent mes pensées et mes sentiments amers et irritants qui n'ont pas été exprimés ou résolus. C'est pourquoi, lorsque je nettoie mon **foie** par des moyens physiologiques (par la phytothérapie ou autrement) ou énergétiques, je me sens alors plus calme et plus en contact avec moi-même. Les désordres du **foie** peuvent même m'amener à vivre la dépression, celle-ci étant perçue comme de la déception face à moi-même. Je peux vivre à ce moment de la tristesse, de la lassitude, un laisser-aller général. Je veux me justifier pour mon sentiment de culpabilité et mon mal-être. Lorsque mon **foie** est engorgé, il affecte les niveaux spirituels et intérieurs de ma **conscience**. Je peux y perdre ma voie et la direction que je dois prendre. Le **foie** donne la vie autant qu'il peut entretenir ma peur de cette même vie.

J'accepte↓♥ d'agir pour qu'il me donne la vie. Je prends la responsabilité de mes pensées, de mes gestes et je choisis consciemment de me mettre mon attention que sur le positif. Ceci m'amène à avoir un regard neuf sur la vie. Je manifeste ainsi une plus grande ouverture et l'**amour** va circuler plus facilement à l'intérieur et autour de moi.

FOIE — CIRRHOSE (... du foie)

La **cirrhose** est une maladie inflammatoire du **foie** causée, entre autres, par la consommation abusive d'alcool. Elle se caractérise par des lésions disséminées dans le **foie**. Les cellules sont détruites et remplacées par du tissu fibreux. Lors d'une **cirrhose**, le **foie** peut soit augmenter (**hypertrophie**) soit diminuer (**atrophie**) de volume.

La **cirrhose** se retrouve chez celui qui se sent poussé par la vie, par des événements ou par certaines situations qui le contraignent à avancer. Comme je me sens poussé contre mon gré, je résiste et je m'accroche à mes opinions. Je vis de la ran**cœur♥** et de l'agressivité. Cette maladie est le reflet de ma colère, de mon ressentiment face à la vie et à ce qui m'arrive. Je suis plein d'une agressivité intérieure latente et je me culpabilise constamment parce que j'ai la conviction d'avoir « raté » ma vie. Je passe mon temps à me blâmer et à critiquer les autres. Je m'endurcis tellement que je n'arrive plus à voir la **lumière** au bout du tunnel. J'ai perdu ma spontanéité et je m'interdis, je n'ose faire des choses que j'aime au nom de la morale, des règles à suivre ou tout simplement de la routine que j'ai développée au fil des ans et qui m'emprisonne dans ma zone de confort. Mon insécurité est grande et je suis angoissé. À quoi sert de vivre ? Pourquoi se battre pour sa place ? Je ne suis qu'un numéro parmi tant d'autres... Certains événements de mon passé ont laissé une trace profonde et ma blessure est tellement grande que je n'ai pas le goût de m'ouvrir à l'**amour** de peur de souffrir encore. Je me réprime tellement que j'ai tendance à fuir dans l'alcool. La vie pourrait être « **si rose** » et je la vois si noire... Ma **foi** en moi s'est volatilisée et je me laisse aller dans la passivité. Je cherche à m'autodétruire, rejetant ma vie ou ce que je suis devenu.

Afin de m'aider à renouer avec la vie, j'accepte↓♥ de vivre l'instant présent et de voir ce qui m'arrive de bien « maintenant ». J'ouvre mon **cœur♥** et je porte mon attention sur chaque geste, sur chaque action ici et maintenant et j'apprends à ne pas être mon plus sévère juge. En étant plus tolérant envers moi-même, je le serai aussi envers les autres, ce qui amènera beaucoup plus d'harmonie et de bonheur dans ma vie. Je vérifie mes intentions véritables, je reste ouvert à l'**amour** et je me pardonne dans ce que je suis. J'affirme qui je suis et je reprends ma liberté d'être qui je veux être. Je suis dans l'action. Je laisse aller ce passé trop lourd et néfaste pour moi. J'ai **foi** en moi et j'accepte↓♥ de recommencer une nouvelle vie pleine de liberté, de spontanéité et d'**amour.**

FOIE (congestion au...)

VOIR : CONGESTION

FOIE — HÉPATITE

VOIR AUSSI : ALCOOLISME, INFECTION, INFLAMMATION, JAUNISSE

L'**hépatite** est une inflammation du **foie** causée par un virus, par des bactéries, par l'alcool, par des médicaments, par transfusion de sang infecté, soit, chez les toxicomanes, par des seringues non salubres, et elle affecte entièrement le corps. Les symptômes sont la faiblesse, la jaunisse, la perte d'appétit, les nausées, la fièvre et le malaise abdominal.

Le **foie** est le « donneur de vie », nettoyant le sang de ses poisons et excès, et gardant notre état émotionnel (le sang) dans un juste équilibre. Le **foie** est l'endroit où je peux accumuler des émotions empoisonnantes et de la haine excessive. Il est le **siège de la colère**. Les mots ou les maladies finissant par « ite », comme **hépatite**, indiquent de l'irritation, de la colère. L'**hépatite** peut être reliée à mes relations personnelles ou à une situation difficile. Je suis désespéré et je remets en question l'image que je projette. Lorsque je me fais du « mauvais sang » pour un rien, cela m'amène à vivre beaucoup de colère, de rancune, de rage et même de la haine qui peuvent conduire à la violence contre moi-même ou contre les autres. Toutes ces émotions ont souvent leur source dans mon sentiment d'échec face à un aspect de ma vie, ou ma révolte face à l'injustice vécue dans le monde. Je résiste à m'ouvrir l'esprit et à voir les choses ou les événements différemment. J'ai de la difficulté à distinguer ce qui est bien ou mal. Est-ce que je me respecte vraiment dans ce que je suis et ce que je vis ? Ai-je l'impression de me perdre tant je suis submergé par tout ce qui m'entoure, et j'en viens à ne plus être en contact avec mon moi divin et ne plus savoir dans quelle direction me diriger ? Je peux avoir l'impression que je suis entre deux mondes. Je me sens coupé de l'unité, du père qui est en haut et de la mère qui est en bas. Je peux vivre de la ran**cœur♥** face à certains membres de ma famille qui ***interfèrent*** dans ma vie. L'**hépatite virale A** trouve sa source dans une ran**cœur♥** que je peux avoir face à la nourriture elle-même ou face à un problème à connotation alimentaire et que je considère comme vital pour moi. Nous pouvons prendre l'exemple d'un mari refusant de payer la pension alimentaire. La notion de fuite est très présente dans ma vie et elle m'empêche de vivre dans la vérité et le respect. L'**hépatite virale B** met en évidence une ran**cœur♥** vécue par rapport à quelque chose ou à quelqu'un qui m'ont été imposés. Je peux avoir ***ajourné***, remis à plus tard un événement qui me tenait à **cœur♥** et j'ai vécu un grand désappointement et peut-être aussi un sentiment de rejet. C'est comme si j'avais été « injecté » dans une situation que je refusais. Par exemple, on peut m'avoir obligé à participer à un concours de danse. J'ai été ***éjecté*** d'une situation confortable et je me suis retrouvé dans une autre situation qui ne me convenait pas du tout. Je me suis senti pris, impuissant à réagir. Je suis angoissé et certains événements de mon passé m'ont tellement marqué que j'ai tendance à définir ma vie actuelle en fonction de ces expériences que je juge négatives, au lieu de faire confiance et d'accepter↓♥ que les choses peuvent bien se passer pour moi. Je suis « empoisonné » par ma propre difficulté à laisser-aller le passé, par mon attachement au matériel et à l'image sociale. Cela peut se traduire par mon besoin d'avoir plusieurs partenaires sexuels. Ainsi, j'évite de m'investir complètement, ayant peur de m'engager et évitant ainsi d'être blessé, d'être « piqué ». L'**hépatite virale C** survient à la suite d'une grande ran**cœur♥** par rapport à quelque chose d'inconnu ou secret. Par exemple : « Qui sont mes parents ? Où suis-je né ? » Je peux éprouver beaucoup de résistance face à de nouvelles situations dans ma vie qui m'amènent à apporter des changements. Je peux vouloir m'accrocher à mes préjugés et à mes idées préconçues.

Je profite du temps de repos que je dois prendre pour faire le point sur ma vie. Je me libère des préjugés, des colères que j'entretenais en moi. J'accepte↓♥ d'adopter de nouvelles attitudes qui vont me permettre de réaliser mon plein potentiel. J'élimine tout ce qui est néfaste pour moi et j'accepte↓♥ que la joie fasse partie de ma vie car je le mérite !

FOIE (pierres au...)

VOIR : CALCULS BILIAIRES

FOLIE

VOIR AUSSI : PSYCHOSE

La **folie**, aussi appelée **aliénation mentale** ou **psychose**, survient lorsque je n'en peux plus et que **je rejette le monde dans lequel je vis**. Je me sens agressé et persécuté de toute part, surtout par ma propre famille. Pour moi, la vie n'est que souffrance. Je m'enferme dans mon propre univers où je me sens très bien. Rien ne peut m'atteindre. C'est ma façon de me couper définitivement de ma famille et du monde extérieur. C'est la fuite et l'évasion. Cela se retrouve particulièrement dans la **folie des grandeurs** qui est associée à un sentiment exagéré de sa propre valeur, ou de la cause à laquelle je m'associe. Il y a un manque de réalisme qui a pour cause un manque d'estime de soi. Je me sens petit et je projette mes idéaux dans l'illusion.

J'accepte↓♥ de me libérer de cette **folie** en recevant de l'**amour** et de la compréhension. Si je crois que la « folie me gagne », je dois me prendre en mains, accepter↓♥ que tout ce qui m'arrive a une raison d'être et que cela me permet de devenir plus responsable, plus libre, plus maître de ma vie. Je peux ainsi transiger plus facilement avec les nouvelles situations qui s'offrent à moi.

FOLLICULITE

VOIR : CHEVEUX [MALADIE DES...]

FOULURE

VOIR : ARTICULATIONS — ENTORSE

FOURMILLEMENT

Le **fourmillement** est une sensation de picotement à la surface du corps qui survient habituellement de façon spontanée après une compression mécanique d'un nerf ou d'un vaisseau sanguin.

L'endroit où le **fourmillement** se produit sur mon corps m'indique la contrariété ou l'irritation temporaire que je peux vivre par rapport à un aspect de ma vie.

J'accepte↓♥ d'en prendre **conscience** et je laisse circuler l'énergie librement.

FRACTURE

VOIR : OS — FRACTURE [... OSSEUSE]

FRIGIDITÉ

VOIR AUSSI : FÉMININ S [MAUX...]

La **frigidité** consiste en une insatisfaction sexuelle chez la femme pendant les rapports sexuels.

Il y a généralement un traumatisme profond ou un conflit intérieur. La peur est au centre de cet état : peur de mes pulsions sexuelles et du plaisir qui pourrait me faire paraître « indécente », peur de m'abandonner et de perdre le contrôle. J'ai peur de « perdre quelque chose » en me « soumettant » à la sexualité. Je me sens envahie et j'ai l'impression d'être sans défense. J'ai besoin d'avoir le contrôle et puisque celui-ci est inexistant au moment de l'orgasme, je peux éviter de le vivre pour fuir cet état où je me sentirais à la merci de l'autre. Je préfère donc contrôler mes émotions et les événements pour éviter de me mettre dans une situation précaire. Je sens à ce moment que j'ai le pouvoir sur moi mais aussi sur l'autre. Ce comportement est renforcé si mon éducation sexuelle a été cachée ou mes parents voyaient la sexualité comme mauvaise, répugnante ou la pratiquaient d'une façon qui sortait des normes permises par la société. En réalité, il s'agit de la peur d'affronter ce que je cache à l'intérieur de moi. Lorsque cette peur est présente, je crois souvent que je suis laide et sans valeur. J'ai honte et je me culpabilise profondément. L'éducation que j'ai reçue a un très grand impact sur ma **frigidité.** La sexualité était-elle considérée avilissante et représentative des plus bas instincts de l'être humain ? Ai-je entendu parler de résignation et de soumission face aux relations sexuelles, avec comme sous-entendu qu'il n'y avait là aucun plaisir ? Ai-je été abusée sexuellement dans mon enfance ? Si oui, je rejette inconsciemment ma sexualité et j'éprouve de la difficulté à me laisser toucher sans ressentir de la peur et du dégoût. Je prends **conscience** qu'il n'y a rien d'indécent dans la sexualité. Au contraire, lorsqu'elle est exprimée entre partenaires consentants qui vivent une relation d'acceptation↓♥ et d'**amour** profond, **elle est belle et saine**. J'accepte↓♥ de m'ouvrir à mon partenaire, de lui exprimer mes peurs, mes craintes. J'accepte↓♥ aussi de lui faire connaître mes besoins. Je réalise que la sexualité fait partie de ma dimension physique et qu'elle est une source d'épanouissement pour mon évolution. Il est important de souligner que pour certaines personnes (autant femmes que hommes), qui sont dans un processus de croissance, il arrive qu'à un certain moment, les besoins sexuels soient peu ou pas présents. À ce moment, j'ai appris à utiliser pleinement toutes mes énergies de créativité et l'énergie sexuelle n'occupe plus une place prépondérante dans ma vie. Le plaisir est expérimenté à travers la plénitude que je vis à chaque instant en moi-même et en une joie et un bonheur auxquels je peux me connecter, même à l'extérieur du cadre de relations sexuelles.

Quelle que soit l'étape où je suis rendu, j'accepte↓♥ que l'important est de me respecter dans mes besoins, de m'ouvrir au fait que la sexualité peut être source de plaisir et une façon saine de communiquer avec mon (ma) partenaire. Si je sens qu'on abuse de moi ou que le sexe devient pour moi ou l'autre une façon de compenser un vide intérieur, c'est ma responsabilité de le lui partager. De cette façon, il n'y a alors aucun jeu de pouvoir, uniquement un échange au niveau de l'**amour.**

FRILOSITÉ

Je suis une personne **frileuse** si je crains le **froid** ou si j'ai une grande sensibilité au **froid**.

Cette **frilosité** apparaît souvent à la suite d'un événement où j'ai vécu une séparation avec une personne, un animal ou même un objet (un toutou[104] par exemple) à qui je tenais et que je sais que je ne reverrai jamais. Je vis un grand vide, un grand **froid,** car j'ai perdu l'**amour,** l'attention, le contact physique avec l'objet de la séparation. Je ne suis plus en contact avec la chaleur humaine, je me sens seul. Il arrive souvent que ce soit ma relation avec mon père que je sens vide, distante, absente. Ma timidité accentue ce sentiment de **froideur**. Surtout lorsque je suis enfant, je crois ou on m'a enseigné que quand quelqu'un part (meurt), il s'en va au ciel. Mais il fait **froid** au ciel ! Et je me mets à être **frileux** car, si je suis en contact avec le **froid**, je le suis aussi avec la personne décédée ! Ainsi, je prends **conscience** que j'ai besoin de plus de « chaleur » dans ma vie, ou si l'on veut, de plus d'**amour,** ou de me réconcilier avec ce qui m'a séparé de ce qui représentait pour moi l'**amour.** Il est important de prendre **conscience** de l'événement qui a « déclenché » la **frilosité** et de vraiment accepter↓♥ (reconnaître) le départ de la personne (objet, animal) de laquelle j'ai été séparé pour faire la paix avec moi-même et avec la situation. J'accepte↓♥ combien j'ai de la difficulté à me donner à moi-même cette chaleur dont j'ai tant besoin. J'ai tendance à me dénigrer, empêchant ainsi l'**amour** de circuler à l'intérieur de moi. L'angoisse que je vis me fait me replier sur moi-même. Je me réfugie dans mes pensées. J'ai avantage à sortir de ma coquille et à exprimer qui je suis.

En acceptant↓♥ l'**amour**, je prends davantage contact avec moi-même et les gens qui m'entourent.

FROID (coup de...)

Le **coup de froid** survient lorsque mon mental se raidit. Je me sens mis en cause et menacé. Le **coup de froid** me fournit **l'excuse pour être seul**. Je prends **conscience** que je me raidis face aux événements de ma vie. Quelle est la raison pour laquelle je me sens menacé ? Je vérifie ce qui a causé cette tension (personne ou événement) et je réalise que ce sont mes peurs, mes craintes et mon besoin de plaire aux autres. J'ai besoin d'être aimé et apprécié. C'est le manque d'**amour** qui me donne **froid**. Le **froid** représente la solitude, la souffrance, la terreur, le côté sombre des choses. Quelque chose m'a **refroidi**, m'a glacé le **cœur♥**. Je me « suis **refroidi** » à la vue de quelque chose et cela m'a « donné **froid** dans le dos ».

J'accepte↓♥ de lâcher prise et de ne pas me juger. J'agis avec plus de souplesse face à moi ; les autres ne sont que le reflet de moi-même. Dans la vie, tout ce qui m'arrive est là pour m'apprendre à me dépasser et me faire grandir.

---

[104] **Toutou** : terme québécois qui désigne un animal en peluche.

FRONT

Le **front** est situé au niveau du cerveau et, puisqu'il fait partie de ma tête, il représente mon individualité et la façon dont je fais face à ma vie et aux événements, rationnellement plutôt qu'émotionnellement. Il fit référence aussi à ma volonté et à ma vision. Je peux dire que la forme de mon **front** et ses caractéristiques particulières m'indiquent la façon dont **j'affronte** mes responsabilités. Mon ouverture d'esprit est révélée par la largeur de mon **front :** plus celui-ci est étroit, plus je suis rigide et plus j'ai besoin de m'ouvrir à de nouvelles idées. Toute **blessure** ou **affection** à mon **front** révèle une peur ou une culpabilité par rapport à mes propres idées et mes propres opinions qui sont différentes de celles des autres et que j'ai de la difficulté à assumer pleinement, sachant que je risque de déranger mon entourage[105]. Je vis souvent du mépris ou des affronts de la part des autres. Je suis sans cesse en train de penser et je tends à me dévaloriser au niveau de ma capacité intellectuelle. J'aime m'opposer aux autres afin de résoudre des problèmes majeurs : je remonte ainsi, même d'une façon superficielle, mon estime de moi. Je veux donner l'image d'une « tête forte ».

J'accepte↓♥ que mon intégrité personnelle est très importante et il est primordial que je me respecte dans ce que je suis, en restant ouvert aux opinions des autres, et en sachant que j'ai le droit d'avoir une opinion différente. J'affirme mes ***frontières*** afin de garder l'espace qui m'appartient.

FURONCLES

VOIR : PEAU — FURONCLES

FURONCLES VAGINAUX

VOIR : PEAU — FURONCLES VAGINAUX

[105] Il arrive souvent pendant la puberté que l'acné se manifeste surtout au niveau du **front**. C'est l'enfant qui se rebelle et veut contredire ou affronter ses parents.

GAI[106]

VOIR : HOMOSEXUALITÉ

GALE OU GRATTELLE

VOIR : PEAU — GALE OU GRATTELLE

GANGLION (... lymphatique)

VOIR AUSSI : ADÉNITE, ADÉNOPATHIE, CANCER DES GANGLIONS [... DU SYSTÈME LYMPHATIQUE], LYMPHE

Un **ganglion** est un amas cellulaire arrondi situé sur le trajet d'un vaisseau lymphatique.

Si j'ai de la difficulté à faire face à une situation et qu'au lieu d'en parler et de demander de l'aide, je garde tout pour moi, **je garde secret** mon découragement et mon désespoir, j'ai envie de tout laisser aller, la nostalgie face à ma vie va se manifester au bout d'un certain temps par un ou des **ganglions**. Mon estime de moi a diminué et ma peur de l'avenir me fera vivre de l'angoisse. Je vis sur la défensive et dans l'inaction. Je vis une situation où j'ai l'impression qu'on veut m'attaquer. J'ai le dos au mur et je ne peux plus bouger. Il se peut que j'aie aussi des difficultés de communication avec les autres et que cela m'affecte émotionnellement ou me cause des peurs dans mes relations avec les autres. Je voudrais pouvoir faire partie d'un groupe, me sentir appartenir à une organisation, être plus près de mes amis au lieu de vivre en solitaire. Il est important d'aller voir sur quelle partie du corps les **ganglions** apparaissent car cela me donne une piste sur la raison de cette manifestation. Par exemple, si je me fais du souci par rapport à quelque chose que je veux exprimer mais que je garde à l'intérieur, il y a des chances qu'un ou des **ganglions** apparaissent dans la région de la **gorge**. Je suis submergé d'émotions que je fuis. S'il y a des choses que je ne veux pas entendre, alors les **ganglions** près de mes **oreilles** peuvent gêner mon audition. Les **ganglions** en général me montrent que je suis ambivalent face à une situation. Je me tracasse beaucoup. Je me sens pris, coincé. Je me sens attaqué et je dois me ***défendre*** constamment, me ***protéger*** mais je ne vois aucun lieu ou ***recoin*** où ***m'abriter***. J'aimerais inconsciemment que mon père me défende. Je me sens obligé de garder la famille liée et en bons termes. Je me demande aussi si je suis prêt à prendre l'entière responsabilité de ma vie ou si je préfère « être dans les nuages ». J'ai peur de mon monde émotionnel ; tout l'aspect sexuel est perçu comme une menace pour

106 **GAI** : de l'anglais GAY.

moi. En me coupant de mes propres émotions et en me couvrant d'une ***carapace***, comment puis-je être en contact avec mon entourage ? Lorsqu'il y a un **gonflement des ganglions**, il y a une surcharge dans l'organisme, des toxines qui doivent s'éliminer. Elle peut être généralisée ou localisée (comme dans l'aine par exemple) et elle est en relation avec le système nerveux central. La charge des responsabilités que je m'impose est probablement en excès. Je n'en parle pas et je garde cette frustration en moi. J'observe mes attitudes face à une personne dans mon intimité et je constate que j'aurais avantage à me dégager d'un rôle que j'ai pris et dont la charge est trop lourde pour moi.

J'accepte↓♥ de communiquer mes besoins à tous les niveaux afin que mon désespoir s'en aille et qu'il fasse place à l'espoir et à la joie de vivre. Je dois laisser aller mes problèmes et faire confiance : une force supérieure m'aide dans mon cheminement. J'accepte↓♥ de ressentir tout ce qui m'habite. Plus j'intègre mon corps physique et tous mes sentiments intérieurs, plus je rétablis un équilibre corps-esprit pour mon plus grand bien-être. J'apprends à m'aimer et à me respecter en mettant certaines limites, à exprimer lorsque j'ai « un trop plein » et ainsi, mes relations deviennent plus authentiques.

GANGRÈNE

VOIR : SANG — GANGRÈNE

GASTRITE

VOIR : ESTOMAC — GASTRITE

GASTRO-ENTÉRITE

VOIR : INTESTINS — GASTRO-ENTÉRITE

GAUCHER

Un **gaucher**, de façon générale, est nommé ainsi parce qu'il utilise plus sa main et son bras **gauches** que sa main et son bras droits, dans des activités telles qu'écrire, jouer de la musique, faire du sport, etc.

Autrefois, dans notre éducation, on accordait une grande importance au fait d'être droitier, ce qui se traduisait par le fait qu'être droitier c'était « être correct » et être **gaucher** voulait dire « ne pas être correct ». Au point que l'expression *« Hé que tu peux être gauche ! »* voulait dire être **maladroit**. Nous passons présentement de l'ère du Poisson à celle du Verseau, i.e.[107] nous passons de notre côté rationnel à notre côté davantage intuitif et créatif. Il est reconnu qu'empêcher un enfant d'être **gaucher**, si cela est une tendance naturelle, peut l'amener à développer des tics, des maladresses, des troubles affectifs, de la difficulté à parler ou à lire, lui faire développer un sentiment de culpabilité ou d'infériorité. Si j'ai vécu des sentiments semblables parce qu'on m'obligeait à être droitier, il serait souhaitable que je rétablisse la paix envers moi-même en me donnant de la compréhension et de l'acceptation↓♥ dans ce que j'ai vécu. Puisque le côté **gauche** représente le côté affectif, intuitif, la sensibilité, bref le côté « féminin » de mon être, si je suis **gaucher**, que je sois un homme ou une

[107] **i.e. :** c'est-à-dire.

femme, mon côté créatif est très développé, j'ai une facilité particulière à apprendre la musique, le chant, bref toute forme d'art. C'est inné en moi. Le **gaucher** peut aussi avoir une personnalité plus introvertie, réservée, tandis que le droitier a tendance à être plus extraverti et à aller vers les autres.

Il ne me reste qu'à accepter↓♥ mon potentiel créatif et à mettre à profit ma grande sensibilité pour que le tout se manifeste pleinement. Quel que soit le cas, je m'accepte↓♥ tel que je suis, en sachant que j'ai des forces particulières qui font de moi une personne unique.

GAZ (douleurs causées par des...) OU FLATULENCE OU MÉTÉORISME

VOIR AUSSI : BALLONNEMENT, GONFLEMENT/[EN GÉNÉRAL]/[... DE L'ABDOMEN]

La **flatulence** (aussi appelée **météorisme)** est une production de **gaz** intestinaux avec ballonnement. L'émission de **gaz** peut se faire soit par la bouche soit par l'anus. Les **gaz** sont accumulés dans le tube digestif.

Quand je m'accroche ou que je veux retenir une personne ou une situation, c'est comme si je gardais des choses indésirables et non bénéfiques pour moi et qui se manifestent sous forme de **gaz**. **J'ai peur et je m'agrippe** car je suis anxieux et j'ai l'impression que je vais perdre quelque chose ou quelqu'un d'important, tant sur les plans affectif, intellectuel, matériel que spirituel. Il se peut aussi que je rumine les mêmes sentiments, les mêmes insécurités, cela fermente à l'intérieur de moi pour sortir au moment où je m'y attends le moins et cela se fait « sentir »... Je peux aussi m'efforcer à « avaler » (au sens figuré) une situation, une personne ou une émotion qui va à l'encontre de mes principes et de ma **conscience**. Conséquence de cela : je gonfle. Je veux régler les problèmes du monde entier et cela devient lourd à porter. Peut-être y a-t-il aussi des « parasites » dans ma vie qui nuisent à mon évolution ? Il y a une guerre qui vient briser ma paix intérieure. Si les **gaz** sont nauséabonds, il y a des choses dans ma vie « qui ne sentent pas bon » et que je veux éliminer pour retrouver ma liberté, mon espace.

J'accepte↓♥ de me donner la permission de ressentir ce qui se passe en moi et de lâcher prise. J'apprends à faire confiance et à laisser aller en sachant que j'ai toujours ce dont j'ai besoin.

GÉLINEAU (syndrome de...)

VOIR : NARCOLEPSIE

GENCIVES (maux de...)

VOIR AUSSI : ABCÈS, BOUCHE [EN GÉNÉRAL...], DENTS [EN GÉNÉRAL...]

Les **gencives** servent de support aux dents, à la solidité de ces dernières et leur état dépend grandement de l'état des **gencives**. La **gencive supérieure** se rapporte à l'énergie masculine, au père, tandis que la **gencive inférieure** se rapporte à l'énergie féminine, la mère.

Les **maux de gencives** m'indiquent que je me sens pris face à une personne ou situation car je m'entête à rester dans le passé. Au lieu de monter la prochaine marche, j'ai plutôt envie de reculer. L'indécision est très présente dans ma vie. Je doute car je me demande si je pourrai supporter mes décisions et leurs conséquences dans ma vie. Une **douleur aux gencives** peut être reliée soit à une décision que j'aurais dû prendre il y a déjà très longtemps et que je remets à plus tard, ayant peur des conséquences que cette décision peut avoir sur ma vie ; soit à d'une décision que j'ai déjà prise mais que je n'exécute pas. Je suis dans un état passif de peur, d'insécurité, d'incertitude face à mon avenir. Les mots que je dis n'ont pas de poids. Je suis souvent en colère contre moi-même. Je me sens laissé à moi-même, ayant de la difficulté à définir mes zones de tolérance, mes limites. C'est comme un petit volcan qui fait éruption et qui laisse jaillir des émotions négatives longtemps réprimées. Je peux vivre une douleur intérieure intense face à la nourriture affective dont j'ai besoin et que j'ai l'impression de manquer. S'il y a une **coupure affective** notamment avec ma mère ou avec mes enfants et que j'emmagasine peine, désappointement, tout en me sentant coupabl

e de ce qui se passe, l'**abcès** va apparaître. Je veux à tout prix me débarrasser, expulser ma souffrance intérieure pour m'en débarrasser à tout jamais. Si, de plus, mes **gencives saignent**, j'ai une perte de joie par rapport à ces décisions face auxquelles je me sens déchiré, tourmenté. Des **gencives** sensibles qui vont parfois aller jusqu'à enfler, manifestent ma grande sensibilité émotionnelle et ma vulnérabilité, car j'ai besoin de beaucoup d'**amour**, et j'ai l'impression de ne pas en recevoir, ou j'ai peur de le perdre. Je me sens vulnérable face aux limites que je me suis imposées et face à ma capacité de discerner ce qui est bon pour moi et ce qui ne l'est pas. Je me sens sans ressource et laissé à moi-même. Si je m'en veux pour certaines de mes paroles ou gestes, mes **gencives** seront atteintes.

J'accepte↓♥ de m'affirmer et d'avoir davantage confiance en moi puisque les **gencives** supportent les dents et que ces dernières ont rapport aux décisions. J'apprends à me faire confiance dans les décisions que je prends, et je fais aussi confiance à la vie qui m'apporte tout ce dont j'ai besoin. Je deviens ainsi davantage moi-même et j'apprends à m'affirmer librement. Je suis conséquent dans mes actes. Je regarde la réalité bien en face, laissant aller mon passé et étant confiant en ce qui s'en vient pour moi.

GENCIVES — GINGIVITE AIGUË

Une infection aux **gencives** indique que je vis de la peur ; cela peut être envers moi-même par rapport à une décision que j'ai prise et que je regrette ou une décision prise que je remets en question ; ou cela peut être par rapport à mon indécision à prendre une décision. Cette peur peut aussi viser une autre personne (par exemple, mon patron, mon conjoint, ma religion etc.) dont les décisions peuvent me concerner directement et face auxquelles je n'ai aucun contrôle. Quelqu'un a agi trop vite et cela m'irrite. Je vis frustration et mécontentement, cela pouvant mener à des confrontations qui ne sont peut-être pas nécessaires. La **gencive du haut** fait référence à mon travail ou mon rôle dans la société. La **gencive de bas** réfère à tout mon côté émotif. Lorsque les **gencives** s'enflamment, elles expriment une détresse et une mauvaise autodéfense qui s'accompagne de lassitude, de mélancolie et de peur. J'apprends à canaliser cette peur, à l'exprimer afin d'éviter que mes **gencives** s'enflamment. La **gingivite** implique habituellement un **saignement** à la **gencive** qui m'indique une tristesse ou une perte de joie face au fait de ne pas être capable de m'exprimer, soit qu'on ne me le permet pas, soit que moi-même je m'empêche de dire certaines choses : je peux avoir l'impression que ce que je dis n'a pas d'importance et qu'on ne m'écoutera pas. Comme les **gencives** sont les fondations sur lesquelles mes dents reposent, je peux vivre aussi de la colère, de la tristesse, ayant l'impression que mes fondations s'effondrent et me laissent un sentiment d'impuissance face aux événements de la vie ou face à autrui. Je piétine et je critique au lieu de voir comment je pourrais avancer dans ma vie, en laissant le passé en arrière. Le sentiment intérieur d'impuissance se retrouve principalement chez la personne atteinte de **gingivite expulsive**, qui se caractérise par un **déchaussement des dents**. La réalité ne tient plus et ma force intérieure en est affectée. Mes **gencives** baignent dans les larmes de mes dents — mes émotions. Je me demande sans cesse si j'ai pris les bonnes décisions et j'ai de la difficulté à maintenir mes choix. Je vis une dualité extrême car je doute de moi-même. Je veux tellement que les autres m'acceptent↓♥ que je vais être flexible et compréhensif à l'extrême mais pendant ce temps, je mets de côté mes besoins personnels.

Je peux prendre un moment de silence avec moi-même pour refaire mes forces. Je prends **conscience** que chaque événement de ma vie est là pour me faire grandir et que tout changement important est nécessaire pour que je puisse atteindre les buts que je me suis fixés. J'accepte↓♥ ma vraie valeur et j'avance dans la vie avec détermination.

GENCIVES (saignements des...)

VOIR AUSSI : SANG — SAIGNEMENTS

Les **gencives** qui saignent démontrent une insécurité, un doute face à une décision à prendre dans ma vie et une perte de joie au niveau de l'expression de soi. Ai-je raison de douter, de regretter ? J'ai de la difficulté à garder mes positions, à être ferme dans mes décisions. J'ai l'impression que ma liberté est brimée, je me sens impuissant et je rends les autres responsables de mon malaise.

Je prends mes responsabilités et j'accepte↓♥ les changements qui surviennent dans ma vie en toute sérénité. Je me fais confiance car je sais que les choix que je fais sont là pour me faire grandir davantage, pour me permettre de poursuivre mon évolution.

GÉNITAUX (organes...) (en général)

Les **organes génitaux** différencient les hommes et les femmes. Ils sont reliés au **principe masculin**[108] et au **principe féminin**[109] en chacun de nous. Ils sont aussi reliés au siège de l'énergie sexuelle, des gonades et du chakra de base[110]. Ce centre est relié aux plaisirs de la vie et à la créativité. Si je vis des difficultés en ce qui a trait à ma sexualité, c'est habituellement mes **organes génitaux** qui seront touchés.

---

[108] **Principe masculin** :
(voir : MASCULIN [principe ...])
[109] **Principe féminin** :
(voir : FÉMININ [principe ...])
[110] **Chakra de base** : relié au centre d'énergie au niveau du coccyx.

GÉNITAUX (maux des organes...)

VOIR AUSSI : FRIGIDITÉ, IMPUISSANCE, VÉNÉRIENNES [MALADIES...]

Les difficultés que j'éprouve avec mes **organes génitaux** m'indiquent une **peur**, une **culpabilité**, de la honte, de la méfiance, des regrets, de la **colère** par rapport à ma sexualité, ce qui risque de se traduire par des **maladies vénériennes**, de la **frigidité**, de l'**impuissance**, etc. Cette région est reliée à mes gonades (les testicules chez l'homme, les ovaires chez la femme) et l'énergie sexuelle reliée à la sexualité est très puissante puisqu'elle a pour but premier de perpétuer l'espèce. Cependant, il se peut que j'utilise cette énergie à mauvais escient. La notion de plaisir reliée à la sexualité me met en contact avec un de mes besoins fondamentaux, **le plaisir**, et me connecte à **mon enfant intérieur blessé**. Ainsi, ma sexualité peut m'amener à mettre en évidence ces peurs, ces blessures, ces rejets qui font partie de moi. Je peux ne pas m'accepter↓♥ dans le corps (sexe) que je suis, je peux vivre un conflit intérieur entre mes désirs physiques et ceux d'ordre religieux ou spirituel ; si j'ai peur de dire non et que j'ai des relations sexuelles pour éviter d'être rejeté, de peur de perdre l'**amour** d'une personne, juste dans un but égoïste, etc., toutes ces situations peuvent m'amener à avoir des difficultés à ce niveau. Il existe une confusion ou un conflit intérieur, une difficulté dans la communication et le partage. Je ne me sens pas toujours respecté, considéré et j'ai de la difficulté à faire confiance aux gens. De plus, si mes parents désiraient une fille et que je suis un garçon ou vice versa, ou que moi-même, j'aurais voulu être de l'autre sexe, ceci peut m'amener à vivre des **problèmes génitaux** parce que je rejette une partie de ma sexualité et il se peut que je me sente coupable d'être qui je suis. Toute la notion de mal relié à la sexualité, au plaisir et véhiculé par la société, l'enseignement moral et religieux peut m'amener à vivre une grande culpabilité. J'ai l'impression que je ne suis pas correct ou assez bien. J'intègre mal soit ma féminité soit ma masculinité dans chaque aspect de ma vie.

J'accepte↓♥ d'enlever toute cette culpabilité afin que ma sexualité devienne l'expression de mes qualités aimantes et de l'attention que je porte aux autres. Il est important que l'**amour** soit présent dans mes expériences sexuelles et aussi à chaque fois que je me regarde dans un miroir, afin de m'accepter↓♥ de plus en plus tel que je suis.

GENOUX (en général)

VOIR AUSSI : JAMBES

Les **genoux** sont les articulations sur lesquelles je m'agenouille, je m'abandonne à la hiérarchie normale ou à ce qui est au-dessus de moi et aussi au mouvement et à la direction qui prennent place. Lorsque je marche, les **genoux** entraînent tout le corps dans le mouvement. Les **genoux** manifestent donc mon degré de flexibilité et servent à amortir les chocs quand la pression est trop forte. Ils représentent aussi mon degré de persévérance mais aussi d'indécision. Ils seront affectés si je me dévalorise par rapport à mon physique ou mes performances sportives. Si j'ai de la difficulté à plier les **genoux**, je démontre par là une certaine rigidité. Cela peut venir de mon ego qui est très fort et qui est orgueilleux. J'ai peur de perdre ma liberté. Un **genou** qui plie facilement est un signe d'humilité et de flexibilité. Cela indique que j'ai de la facilité à écouter ma voix intérieure. Les **genoux** sont nécessaires pour maintenir ma position sociale et mon statut. De bons **genoux** indiquent que je suis ouvert à mon entourage et aux changements.

GENOUX (maux de...)

Les **dommages osseux ou des tissus mous** sont reliés à un profond conflit intérieur et impliquent l'abandon, à un niveau plus profond, l'abandon de mon ego et de mon orgueil. Un malaise à mes genoux me parle de ma difficulté à faire un choix entre mon individualité (JE) et celui d'un groupe (NOUS). Ce peut être moi face à mon couple, ma famille, mon cercle d'amis, une organisation religieuse, sociale ou politique, ou les deux parties de moi-même (féminin et masculin). Lorsque les **ménisques** sont touchés, je vis une dualité intérieure qui me rend nerveux et tendu. Je me retrouve souvent « pris entre deux feux ». Je me cramponne tellement à quelque chose, quelqu'un ou à ce que les autres peuvent penser de moi que cela m'empêche d'avancer. La **dislocation** d'un **genou** me montre comment je me sens déséquilibré face à une personne ou une situation et mon **genou** ne peut plus soutenir le poids de mon corps. Les **genoux « qui flanchent »** me montrent combien je suis influençable et que j'ai peu de confiance et de conviction. Quel que soit le malaise aux **genoux** que j'expérimente, je me demande devant qui ou quoi j'ai l'impression de devoir ***abdiquer*** ? Ce peut être face à une autorité extérieure à moi. Ce peut être aussi tout simplement face à la vie car j'ai l'impression d'en porter trop lourd. Je croule sous le poids des responsabilités et mes **genoux** veulent « ***fléchir*** » bien malgré moi. Je dois ***assumer*** mes paroles et gestes mais cela demande parfois un effort. Je peux vivre un échec face à un de mes grands rêves ou de mes grandes ambitions et ce constat me fait fléchir les **genoux** en guise d'abdication. Si mes **genoux craquent**, je peux avoir l'impression de craquer[111] ou d'avoir peur de craquer sous le poids des responsabilités, de la pression, des efforts, etc. Puisque je suis très perfectionniste, je vois cela un peu comme un échec, ou, à tout le moins, je suis déçu de moi-même, de ma performance… Dans le cas de l'**hygroma**[112] qui affecte plus particulièrement les religieuses ou les gens pour qui la religion occupe une grande place, je dois me demander quel conflit je vis par rapport à ma spiritualité et les implications qui en découlent dans ma vie. La douleur que je vis chaque fois que je me mets à **genoux** (pour prier par exemple) me rappelle mon conflit intérieur et le besoin de décider pour moi-même ce que je veux dans ma vie et de faire les changements appropriés. Cela peut même aller jusqu'à un déchirement spirituel. Les émotions que je refoule ne demandent qu'à être exprimées. J'ai à me positionner face à une facette de mon travail (que ce soit à la maison ou au bureau) que je n'aime pas et qui me dérange, et à voir les côtés positifs de ce dernier. **J'ai peur de trahir quelqu'un si je me choisis, que je prends soin de moi**. Si je veux éliminer les malaises qui affectent mes **genoux**, je dois accepter↓♥ de m'ouvrir au monde qui m'entoure et accepter↓♥ d'avoir à changer ma manière d'être sur certains aspects. Je prends **conscience** de la colère que je porte depuis des années et que je réprime. J'ai à apprendre à aller avec le courant, à laisser aller mes vieilles façons de penser.

---

111 **Avoir l'impression de craquer** : avoir l'impression de faillir.
112 **Hygroma** : inflammation des bourses séreuses (aussi appelée BURSITE)

J'accepte↓♥ de ***m'agenouiller*** devant quelqu'un ou devant une situation, ou peut-être tout simplement devant la vie en général, afin de pouvoir recevoir de l'aide et de m'ouvrir à une nouvelle réalité que je ne pouvais voir avant puisque j'étais emprisonné dans mon propre univers. Et j'ai tout le potentiel nécessaire pour accepter↓♥ de nouvelles responsabilités. Si je vis de la frustration et de la culpabilité parce que je me rends compte que je veux toujours avoir raison et que mon désir d'une puissance sociale supérieure est insatiable, je m'arrête et je me questionne sur mes vraies valeurs afin de revenir à l'essentiel et afin de me permettre de revenir dans mon **cœur♥** au lieu de laisser mon côté rationnel tout décider. Je me donne ainsi la permission de faire vivre la créativité en moi et je redonne pouvoir à mon intuition qui sait ce qui est bon pour moi. Je suis désormais protégé par mon autorité intérieure. J'ai maintenant la capacité de rebondir dans n'importe quelle situation !

GENOU — MÉNISQUE

Les **ménisques** sont formés de fibres et de cartilage, un à l'intérieur et l'autre à l'extérieur du genou. Ils assurent le bon ajustement des os dont les surfaces articulaires ne s'adaptent pas : c'est donc une gaine, un soutien.

Lorsqu'il y a **déchirure**, c'est que je résiste dans ma façon de m'adapter, je suis rigide et je ne veux pas me soumettre (aux situations, aux autres, etc.), à l'autorité. Une **usure prématurée** peut aussi survenir. Le **genou** est lié aux mouvements de la vie. Lorsque mes **ménisques** lâchent, c'est que je préfère rompre plutôt que de m'adapter. Une malaise à un ménisque me montre que je dépends des autres dans certaines situations, ayant peu confiance en moi. Je me plie aux exigences des autres. Je suis brusque et tendu, et la moindre tension imprévue affecte mes ménisques. J'ai l'habitude d'être le conciliateur, d'arranger les choses pour que l'harmonie règne ou que les disputes se règlent *à l'amiable*. Si je pense avoir échoué dans ce rôle d'intermédiaire, mes ménisques vont réagir. Je laisse aller la rigidité et j'essaie de comprendre pourquoi je m'entête autant.

J'accepte↓♥ de m'adapter et de changer ma façon d'être sur certains aspects de ma vie. Je suis de plus en plus souple au lieu de vouloir forcer les événements ou les personnes. En prenant **conscience** de mon potentiel, je fais de plus en plus confiance à la vie qui me donne tout ce dont j'ai besoin. Je peux réaliser toutes mes aspirations en écoutant la seule autorité qui existe, ma voix intérieure.

GERÇURE

VOIR : PEAU — GERÇURE

GILLES DE LA TOURETTE (syndrome de...)

VOIR AUSSI : CERVEAU-TICS, COMPULSION NERVEUSE, OBSESSION

Le **syndrome de Gilles de la Tourette**[113] est aussi appelé **la maladie des tics**. C'est une maladie plutôt rare, souvent familiale,

[113] **De la Tourette** (Gilles) : neurologue de l'hôpital de la Salpètrière à Paris qui décrivit les symptômes de la maladie en 1885 chez la marquise de Dampierre ainsi que ceux des neuf autres cas présentant le même tableau clinique.

débutant dans l'enfance (habituellement entre 2 et 10 ans) et de cause inconnue pour la science. Elle est caractérisée par des tics multiples (dont un tic sonore), des symptômes obsessionnels compulsifs et des troubles de l'attention avec hyperactivité. Il y a émission de mots orduriers et répétition de fragments de mots ou de phrases.

L'histoire de mon bagage génétique me précède et me suit dans la vie. Lorsque je porte en moi ce bagage de doutes, de perfectionnisme, et d'éducation rigide, mes mémoires cellulaires sont codées ainsi. Je suis *irrité*, *énervé*, ***agacé*** et je ne sais pas d'où cela provient. Je cherche ma place. Je sens le danger qui vient de tous côtés et je me sens sans issue et personne ne peut venir à mon secours. C'est ***l'impasse***. J'ai souvent perdu la face, on m'a dit « de la fermer ». Mon corps réagit en exprimant de façon inconsciente mes frustrations intérieures. Tout ce que j'aurais voulu exprimer par mes gestes ou mes paroles et que je n'ai pas fait veut s'extérioriser. Mes désirs refoulés s'expriment. Je me perçois de façon négative, donc je réprime mes forces, mes talents. J'ai peur d'être moi-même, d'exprimer mes émotions profondes. Puisque je me sens impur, diabolique, c'est cette image que les autres vont me renvoyer, principalement mes parents. Je suis un miroir pour eux et ils ont aussi à prendre **conscience** que je suis différent, que j'ai ma propre personnalité. Ils ont leurs propres frustrations et angoisses.

J'accepte↓♥ de faire des liens avec le bagage de mon passé, à faire du ménage et à laisser aller les « patterns » familiaux afin de trouver mon identité propre. Je laisse ma spontanéité et mes émotions s'exprimer. Je reconnais mon pouvoir et mes forces intérieures. Cela m'amène un plus grand sentiment de sécurité et de liberté.

GINGIVITE

VOIR : GENCIVES — GINGIVITE AIGUË — GLANDE S EN GÉNÉRAL

Une **glande** est un organe dont le fonctionnement est caractérisé par la synthèse puis la sécrétion d'une substance. Ces substances sont spécifiques et essentielles à l'harmonie du corps. Il y a deux types principaux de **glandes :** les **glandes endocrines** et les **glandes exocrines**. Les **glandes endocrines** (sans canaux) sécrètent leurs **hormones** (qui sont des messagers) à l'intérieur du corps, dans le sang comme par exemple la thyroïde, le foie, les surrénales, etc. ; elles ont une fonction intérieure et leur nom signifie "je sépare". Ces **hormones** sont nécessaires pour maintenir l'équilibre du corps (homéostasie). Les **glandes exocrines**, quant à elles, sécrètent leurs produits à l'extérieur du corps par un canal qui débouche à la surface de la peau, d'une muqueuse ou dans le tube digestif (par exemple : **glandes** salivaires, sudoripares, lacrymales, le foie ou le pancréas).

Les **glandes** sont le miroir du MOI et chacune de celles-ci est reliée à un centre d'énergie (chakra). Un mauvais fonctionnement de mes **glandes** endocrines manifeste un déséquilibre ou une disharmonie de mes centres d'énergie. Les **glandes**, quelles qu'elles soient, injectent dans mon corps des produits qui s'apparentent à des carburants dont celui-ci a besoin pour fonctionner, pour mettre en action d'autres organes. C'est l'intercommunication entre les **glandes** qui amène l'harmonie ou la dysharmonie et un juste équilibre ou un déséquilibre. Le fait de devenir de plus en plus conscient et de créer moi-même ma vie au lieu de la vivre d'une façon automate assure un bon fonctionnement de mes **glandes**.

GLANDES (maux de...)

VOIR AUSSI : ADÉNOME

Un mauvais fonctionnement d'une ou des **glandes** m'indique que j'ai de la difficulté à trouver une motivation, un « carburant » pour démarrer un nouveau projet, ou à passer à l'action face à une situation (j'ai tendance à remettre à plus tard). Cela peut se situer aussi sur le plan rationnel, où je vis de la confusion et où j'ai de la difficulté à voir clair par rapport aux choses à faire. Cela dénote une certaine insécurité intérieure. Je suis désorganisé, désordonné autant dans ma vie que dans mes pensées. Un dysfonctionnement **glandulaire** peut provenir également de désirs non réalisés ou d'émotions trop fortes. Étant le miroir du MOI, les **glandes** reflètent l'expression de mon intérieur. Elles sont atteintes si je vis passivement avec une attitude de victime ou si je choisis de vivre de façon inconsciente et dans ma tête au lieu d'être dans mon **cœur♥**. S'il y a **inflammation glandulaire**, j'en veux à ceux qui m'ont blessé, humilié. Je ne fais que me protéger...

J'accepte↓♥ de me refaire confiance car je possède toutes les qualités nécessaires pour aller de l'avant et passer à l'action.

GLANDES LACRIMALES

VOIR : PLEURER

GLANDE PANCRÉATIQUE

VOIR : PANCRÉAS

GLANDE PINÉALE OU CORPS PINÉAL OU ÉPIPHYSE

La **glande pinéale**[114] est le principal miroir du MOI et elle englobe les énergies des 6 autres centres. Elle est reliée au **JE SUIS** et aux plus hauts plans de **conscience**. La **glande pinéale** est en relation avec ma voix intérieure, ma recherche spirituelle. Elle gère tout ce qui a trait à mon questionnement existentiel. Elle recueille tout ce qui a trait aux perceptions de la terre et les met en contact avec mes expériences intérieures. Je peux avoir ainsi une vision globale de mon existence. Lorsqu'elle est en **dysharmonie**, elle signifie une non-intégration de moi, un apitoiement sur moi et m'empêche de me réaliser. Je me sens confronté et en dualité avec moi-même. Je me fais violence. Je perds ainsi ma capacité de m'émerveiller et j'ai de la difficulté à réaliser ma mission sur terre. Je ne sais sur quelles structures baser ma vie donc je vais rejeter mon milieu de vie, quand ce n'est la vie elle-même ! J'ai peur de me tromper et d'être jugé, surtout dans le choix d'une carrière. J'ai de la difficulté à intégrer dans ma vie les informations subtiles que je reçois et ma relation avec le temps entraîne une lutte intérieure. Je vis la spiritualité mais je suis coupé de mon corps

[114] La **glande pinéale** est reliée à ce que l'on appelle le centre d'énergie coronal ou chakra couronne.

physique et de la terre. Je deviens angoissé et cela m'amène à voir du négatif partout. Je me mets des limites et vis de façon artificielle et impersonnelle. Lorsqu'elle est en **harmonie**, cette **glande** amène le calme, la sérénité, l'ouverture d'esprit. Je ressens alors la présence divine et mes énergies sont en harmonie avec le TOUT. Je suis heureux d'être sur terre. L'Ego fait place à la **Conscience** universelle et la dualité n'existe plus car je suis dans le moment présent (ni dans le futur, ni dans le passé) et je sais m'adapter à toutes les situations. Puisqu'elle est le pont entre les plans de **conscience** et le monde terrestre, c'est par ce centre d'énergie que je m'intègre et que je suis conscient de ma compréhension de Dieu.

J'accepte↓♥ de foncer dans la vie, de prendre les décisions appropriées afin de me réaliser pleinement.

GLANDE PITUITAIRE OU HYPOPHYSE

La **glande pituitaire**[115] est une glande endocrine logée entre les sourcils, derrière la racine du nez, sous le cerveau dont elle dépend totalement, au-dessous de l'**hypothalamus**. Elle est en relation avec le visage, les yeux, les oreilles, le nez, les sinus, le cervelet et le système nerveux central. Elle sécrète aussi les stimulines qui agissent sur les autres **glandes endocrines** et elle joue un rôle majeur dans la régulation des sécrétions hormonales. Elle agit donc comme **glande maîtresse** par rapport aux autres glandes du corps. Elle joue le rôle de chef d'orchestre. Elle reçoit les messages du cerveau et les redistribue aux autres **glandes**. Elle a donc un rôle très important car elle capte l'oxygène et l'énergie vitale (prana) et les redistribue dans toutes mes cellules. Cette **glande** contrôle les sécrétions endocrines, de la thyroïde, des corticosurrénales et des gonades[116]. Elle régit aussi la périodicité du sommeil.

L'hypophyse recherche constamment l'équilibre. Elle traite toutes les nouvelles expériences et données en rapport avec toutes les données stockées tout au long de mon existence. Elle permet de grandes transformations intérieures, aussi longtemps que je reste ouvert au lieu de résister au changement par peur de l'inconnu. Son bon fonctionnement aide à l'équilibre de mes côtés rationnel et intuitif (Yang et Yin). En **dysharmonie**, ce centre d'énergie est relié à un désordre dans mes pensées. Je reste au niveau de l'intellect, de la raison froide, de l'égocentrisme et je m'empêche ainsi d'avoir une vision globale du grand TOUT. Je deviens arrogant et méprisant pour les autres, ce qui crée des problèmes de confusion dans mes pensées et dans mes relations. Un ralentissement de **l'hypophyse** se traduit généralement par de la paresse et un manque d'intérêt. Si un déséquilibre se manifeste, soit que mon côté rationnel « surchauffe » et que je ne laisse pas de place à mes côtés intuitifs, créatif et émotionnel, soit que mon côté intuitif, mes dons psychiques « surchauffent » à leur tour, car je veux aller trop vite : en prenant des cours, en lisant toutes sortes de livres, en essayant toutes sortes de techniques, etc., je crée un déséquilibre car mon corps physique ne peut supporter tous les changements intérieurs qui prennent place. Je serai désorganisé et la panique s'emparera facilement de moi car je ne sais trop comment réagir

---

115 Elle est aussi reliée à ce qu'on appelle le centre d'énergie ou chakra du 3ième œil.

116 Les gonades correspondent aux testicules chez l'homme et aux ovaires chez la femme.

dans différentes situations. C'est comme si je n'avais plus le contrôle de ce qui se passe dans ma vie ; j'écoute plus les autres que ma voix intérieure. J'ai perdu mon comportement flegmatique[117]. Lorsqu'elle est en **harmonie**, elle amène des prises de **conscience** de mes codages du mental et de la relation entre moi et mes pensées. C'est à travers ce centre d'énergie que je peux déterminer ce que je souhaite pour moi-même et pour les autres au niveau de l'abondance et que je peux réaliser mes désirs. La vision juste des choses est reliée à ce centre et c'est à travers lui que je trouverai les solutions. Puisque la **glande pituitaire** contrôle le bon fonctionnement de mon organisme, je m'assure que mon corps et mon esprit sont en équilibre en évitant les excès et je m'assure la maîtrise de mes pensées et de mes émotions. Si mon **hypophyse** est atteinte d'une **tumeur**, je peux vivre un sentiment profond d'**impuissance**, ayant l'impression de ne pas être capable d'atteindre les objectifs que je m'étais fixés. Au sens figuré, c'est comme si je m'allongeait le bras le plus possible pour atteindre la pomme qui est dans l'arbre mais que je n'y arrive pas. L'obstacle peut être physique ou émotionnel. J'ai l'impression d'être « trop petit » (au sens propre et figuré) pour atteindre l'objectif et je peux avoir peur des moyens à utiliser pour parvenir à mes fins. Comment puis-je me hisser au sommet ? Comment puis-je être plus grand ? Je veux croître vite. Je peux aussi vouloir ***accroître*** mon pouvoir, mon estime de moi, ma valeur aux yeux des autres mais cela me semble ***inaccessible***. Je ne me sens pas à la hauteur, moi qui suis souvent un perfectionniste. J'ai souvent l'impression d'être ***déphasé***, perturbé dans mon rythme naturel sans trop savoir pourquoi et j'ai tendance à me demander ce qui ne va pas avec moi. Je reste dans ma prison, refoulant tout et refusant de demander de l'aide.

J'accepte↓♥ que les objectifs que je me suis fixés soient peut-être trop élevés. J'apprends à être très compréhensif et patient envers moi-même, sachant que je fais toujours mon possible et que je veux ce qu'il y a de mieux pour moi et pour les autres. En étant vrai, je serai toujours fier de moi, quelles que soient mes réalisations. La vie s'occupe de moi et tous mes vœux seront ***exaucés*** ! J'accepte↓♥ de vivre intensément ma vie dans le moment présent.

GLANDES SALIVAIRES

VOIR AUSSI : OREILLONS, SALIVE

Les **glandes salivaires,** dont la plus volumineuse est la **parotide,** sont le symbole de l'**amour** et de la douceur. Puisque ces **glandes** font partie de l'appareil digestif, un mauvais fonctionnement de mes **glandes salivaires**, lesquelles produisent très peu ou trop de salive, m'indique que je vis une insécurité face au fait de trouver la nourriture nécessaire à ma survie. C'est peut-être que je n'ai pas l'argent pour m'acheter des aliments, ou que j'en ai, mais que je ne sais pas comment l'employer. Je peux aussi avoir peur de m'empoisonner. Donc, de la nourriture est disponible, mais je ne peux pas l'acheter, je n'y ai pas accès ou je n'y fais pas confiance. J'en aurai « l'eau à la bouche » et je vivrai un sentiment de manque. Je veux stocker autant que je le peux, au cas où il y aurait disette, et que je sois dépourvu de nourriture. D'une façon plus large, je peux être une personne qui aime collectionner des choses : ici, j'ai inconsciemment besoin de

[117] **Flegmatique** : calme, imperturbable.

stocker certains objets, de peur qu'un jour, je ne sois plus capable de m'en procurer. Cependant, cela a pour effet d'intoxiquer, de salir mon espace vital. Si j'en suis empêché, je peux me dévaloriser et en découlera une **parotidite**[118]. Une **inflammation des glandes salivaires** indique une insatisfaction face à un des parents. Je peux me demander aussi si j'ai le goût de montrer les crocs. Est-ce que je suis en rivalité avec quelqu'un ? Est-ce que j'ai l'impression que la vérité a été salie ? Ai-je été en contact avec la **salive** d'une autre personne et cela m'a dérangé ? Je me sens obligé de dénaturer les choses. D'où vient mon impatience ?

J'accepte↓♥ la colère qui m'habite et je lui permets de s'exprimer afin de retrouver la paix et l'harmonie. J'accepte↓♥ les situations que je vis en prenant **conscience** que moi aussi j'ai le droit de bien me nourrir et que la vie me procure tout ce dont j'ai besoin.

GLANDES SUBLINGUALES

VOIR : GLANDES SALIVAIRES

GLANDES SURRÉNALES

VOIR AUSSI : ADDISON MALADIE D'..., CUSHING [SYNDROME DE...], PEUR, STRESS

La fonction première des **glandes surrénales**[119] est de produire l'hormone du stress que l'on appelle **adrénaline** ainsi que le cortisol et la cortisone. Ces **glandes** ont pour fonction de régulariser le pouls et la pression sanguine et de permettre au corps de ressentir les situations dangereuses (peur, affrontement, survie, etc.). Elles sont reliées aux parties solides de mon corps et me maintiennent en contact avec la mère terre, donc au monde matériel, aux besoins fondamentaux et à l'acceptation↓♥ de la partie corporelle de ma personnalité.

Lorsque ce centre est en **dysharmonie**, je me préoccupe sans cesse de mes biens matériels, je me méfie des autres et je ne suis jamais satisfait. Lorsque je vis des peurs, du stress ou de l'inquiétude (réelles ou imaginaires), mon comportement sera agressif, colérique, impatient surtout lorsque mes **surrénales** travaillent **en excès**. Lorsqu'elles sont **en défaut**, je deviens facilement découragé, je remets les choses à plus tard et je ne veux pas faire face à mes problèmes, préférant la fuite. Je manque de courage et de volonté pour faire face à la vie. Lorsque je me sens ***affolé***, en danger ou si je suis réellement en danger, ma perception peut être différente, mais mon corps répondra aussitôt à toute situation de stress et de tension qu'il sent comme menaçantes, que cette situation se manifeste ou pas. Ainsi, on peut constater que le corps répond sérieusement aux avertissements qu'un stress peut provoquer. Il manquera de ***coordination***. Je peux relier ce danger à une situation dans ma vie où j'ai peur de perdre du temps, de l'argent, une récompense, un conjoint, etc. parce que j'ai pris une « mauvaise décision » ou une « mauvaise direction » dans ma vie. « Suis-je sur la bonne piste, dans la bonne voie ? » Je veux donc aller très vite et très loin dans un ou des domaines de ma vie

---

[118] **Parotidite** : inflammation de la glande **parotide**, principale **glande salivaire**.

[119] Elles sont reliées à ce qu'on appelle le centre d'énergie de la base ou chakra de la base que l'on appelle centre coccygien.

mais cela implique une grande détermination, des choix judicieux et je ne me donne pas droit à l'erreur, qui n'est en fait qu'une expérience de vie. D'où un niveau de stress intense. J'ai l'impression parfois d'en « perdre la ***boussole* »** . Je peux vivre dans la peur de me ***paumer***[120] : ce peut être au sens propre du terme où je cherche ma direction, mon chemin dans une situation donnée ou dans ma vie en général. Je peux avoir l'impression aussi d'être ***égaré*** ou de me perdre en ne suivant pas mes valeurs profondes et en voulant trop plaire aux autres. Je risque de me sentir ***abattu***. Je me sens comme le mouton qui est loin de son troupeau : je me sens ***isolé***, un peu perdu, en marge de la société, ***déboussolé***, sans ***repères***. J'***erre*** ici et là, ne sachant trop où me diriger, comme un ***itinérant***. Je me sens en ***marge*** de la société. J'ai l'impression parfois ***d'halluciner***. Il est possible que je vive un amour impossible, me trompant dans mes sentiments, ou que la personne soit inaccessible. Je ne peux prendre ma place, je me dois d'être ni vu et ni connu. Les **surrénales** se retrouvent au-dessus des reins qui sont considérés comme le siège de la peur et de la peine. L'adrénaline qui se libère lorsque je suis en état d'excitation aura pour effet de me stimuler et me rendra créatif ou, à l'opposé, pourra me causer des dommages, voire me détruire. Une trop grande accumulation de stress entraîne un épuisement total. Le syndrome du « ça passe ou ça casse » peut alors se manifester de façon régulière. Il y a plusieurs situations de ma vie ou de la société en général que je trouve ***aberrantes***. Je cherche toujours ailleurs ce qui peut se trouver juste sous mon nez. J'ai un besoin insatiable d'avoir ce qu'il y a de mieux, quel que soit le domaine.

Quand les **surrénales** sont en **harmonie,** je me sens en symbiose avec toutes les créatures de la terre. J'accepte↓♥ de me défaire de mon attitude défaitiste et je décide de me fixer un but dans la vie. J'adopte un style de vie simple et je m'ouvre davantage, je retrouve mon équilibre. J'ai confiance dans ce que le monde matériel peut m'apporter (sécurité et protection). Je me lève le matin, rempli d'énergie, j'ai le goût de vivre et je suis capable de passer à l'action. Je prends **conscience** de ce que je ***désire*** vraiment. Je ***déambule*** dans la vie tous ***azimuts***, avec foi et confiance.

GLANDE — THYMUS

VOIR AUSSI : SIDA, SYSTÈME IMMUNITAIRE

Le **thymus** est une petite glande logée dans le thorax, au niveau du **cœur♥** [121] et qui produit un type de globules blancs (lymphocytes T) jouant un rôle essentiel dans la réponse immunitaire de l'organisme. Elle est en relation avec le système immunitaire, le haut du dos, le bas des poumons, le **cœur♥**, la peau, le sang, le nerf vague et le système circulatoire.

Elle symbolise l'altruisme, le pardon, l'empathie, ma perception de l'**amour,** la puissance divine, la volonté de l'âme et l'unité de **conscience** universelle. Elle est le centre de l'**amour** et a une action sur le système immunitaire qui fabrique les lymphocytes. Elle est influencée par l'hypothalamus et l'intégrité. C'est un centre YIN-YANG, autant masculin que féminin. Il est relié à la capacité à être touché, à ressentir les choses et

---

[120] **Me paumer** : me perdre.

[121] Le **thymus** est la glande endocrine qui est reliée directement au centre d'énergie du **cœur♥,** aussi appelé chakra du **cœur♥.**

est relié à l'**amour** inconditionnel. Il est un relais, un lien entre l'**amour** de mes parents et comment je me positionne face à celui-ci. Elle est chargée de l'immunité du nouveau-né. Son activité diminue avec l'âge. Lorsque ce centre est en **dysharmonie**, il signifie **une non-acceptation de soi**. J'aurai de la difficulté à donner et à recevoir et je serai mal à l'aise face à l'**amour.** J'aurai peur du refus ou du ridicule et je m'enferme dans un mutisme pour me protéger. Lorsqu'il y a ran**cœur♥**, mon énergie est centrée vers la haine et sert à la vengeance plutôt qu'à pardonner, ce qui amène une baisse d'énergie car le manque d'**amour** entraîne une baisse de l'immunité

Une difficulté au **thymus** m'indique aussi que j'ai l'impression qu'on est venu me soutirer quelque chose qui m'appartenait, qu'on m'a dépossédé de quelque chose d'essentiel à ma vie. Ce peut être un travail, un conjoint, un objet matériel, etc. On m'a « enlevé le pain de la bouche » ! Je me suis donc senti l'espace d'un moment « sans défense », ne sachant pas comment réagir : c'est l'aspect du combat entre moi et les autres. Mon réflexe est de demander l'aide à ma maman pour m'en sortir. Je recherche l'autonomie mais je doute de moi. Mon insécurité m'amène à vouloir m'accrocher aux autres. Je refuse de prendre soin de moi-même avec amour et acceptation↓♥ de qui je suis. Je vis dans le sacrifice. Le fait de retenir mon passé m'empêche de vivre le moment présent. Une **tumeur** au niveau de mon **thymus** (**thymome**) m'indique une remise en question de qui je suis face à ma famille, comment je me situe face à mes racines.

Lorsque le **thymus** est en **harmonie,** il me permet d'être **conscient de mon identité**. C'est un canal de l'**amour** divin. Je suis capable de guérison intérieure et d'**amour** inconditionnel. Je fais les choses avec le **cœur♥**, je donne, je reçois avec amour et je trouve la force de ne pas être manipulé. J'accepte↓♥ que le pardon soit nécessaire à mon évolution et à mon harmonie intérieure. La joie de vivre augmente l'immunité. Je réalise combien je suis protégé dans ma vie de tous les jours. J'apprécie ce que j'ai dans le ici et maintenant car la vie n'est que mouvement, et ce que j'aurai demain peut être différent d'aujourd'hui. Plus je me détache du monde matériel, plus grand est mon sentiment de liberté ! Je laisse aller la haine et la dualité en moi et je la remplace par la vérité.

GLANDE THYROÏDE (en général)

La **glande thyroïde** se retrouve à la base du cou, sous le larynx. Elle est reliée directement à la gorge[122]. Elle est en relation avec le système respiratoire, la gorge, la nuque, les mâchoires, les oreilles, la voix, la trachée, les bronches, le haut des poumons et les bras.

La **thyroïde** est le centre de la parole, de l'expression verbale et de la créativité. Elle a également une action sur le système neuromusculaire. Cette **glande** est reliée à l'expression de soi, à la communication. Par ce centre d'énergie, j'exprime mes larmes, mes joies, mes angoisses et mes sentiments. Essentiellement productrice d'énergie, le rôle de cette **glande** est de sécréter deux hormones très importantes, la thyroxine et la triothyronine qui ont comme particularité de contenir de l'iode, reconnu pour être un antiseptique puissant et nécessaire au bon fonctionnement du corps tout entier. Ces dernières activent le métabolisme

122 Elle est reliée aussi au centre d'énergie qu'on appelle la chakra de la gorge.

cellulaire, la croissance et les fonctions cellulaires. Sans elles, je ne pourrais vivre. Puisque la **thyroïde règle** la température du corps, elle est aussi comme un thermostat qui fait en sorte que ce qui se passe à l'intérieur s'adapte à l'extérieur. Mon corps peut ainsi exprimer harmonieusement mes émotions et mes pensées.

La **thyroïde** symbolise aussi ma capacité à exprimer ma divinité, à extérioriser ma créativité. Elle me montre comment je prends ma place au lieu de me laisser limiter par les autres. Ma **thyroïde** réagit lorsque j'ai le « souffle coupé ». Je suis impuissant car je ne peux que me taire dans une situation donnée. « Est-ce que je suis en accord avec les **règles** que je m'impose ?» En **dysharmonie**, ce centre d'énergie indique une non-expression de soi. J'ai souvent l'impression d'avoir une boule dans la gorge, je rationalise, je deviens rigide et je me refuse le droit d'exister. Mes paroles seront brusques et ma communication deviendra conflictuelle. Je ne prends pas ma place, j'étouffe et je me sens prisonnier. Je suis comme un papillon dont on a coupé les ailes. Le taux d'hormones normal détermine le contrôle de soi : l'**hyperthyroïdie**, la chaleur et l'épuisement, et l'**hypothyroïdie**, le froid et le ralentissement.

Puisque ce centre d'énergie est relié aussi à l'expression de soi, un cas **d'hyper ou d'hypo fonctionnement thyroïdien** pourra se présenter si j'ai le sentiment de toujours ravaler des injures ou que la vie est injuste avec moi. Me complaisant dans ce rôle, j'en arrive même à provoquer autour de moi des situations problématiques afin d'être de plus en plus une pauvre victime. Je voudrais tout laisser tomber, ***déguerpir*** loin de mes problèmes, les expédier à l'autre bout du monde. Je voudrais que ces derniers ***s'évanouissent***. Aussi, lorsque je vis un conflit avec le temps, et que je me sens obligé ou pressé d'aller plus vite ou plus lentement, la **thyroïde** va réagir. Je peux avoir l'impression de ne pas pouvoir créer faute de temps, d'avoir eu à grandir trop vite et à devenir un adulte trop tôt, de ne pas être assez rapide pour attraper quelque chose, etc.

Le cou, reliant ma tête à mon corps me permet de faire les signes OUI ou NON et fait de cette région le lien entre le corps et l'esprit. Si mon orgueil est très fort et qu'il ferme mon **cœur♥**, je passe à côté de mes vrais besoins. Le centre d'énergie de la gorge représente ma créativité. Je peux me sentir en position de soumission face à une autorité extérieure. Je peux idéaliser les autres mais cela m'amène à me sentir inférieur. Cette attitude peut amener mon corps à réagir par un **cancer de la thyroïde :** les autres deviennent un outil pour combler mon vide intérieur. J'ai peur du pouvoir car je renie le mien, ce qui m'amène à vivre dans la passivité.

Lorsque la **thyroïde** est en **harmonie,** je me sens ouvert aux autres, à l'écoute, je suis peu influençable. Je sais dire non si nécessaire. Je reste ouvert d'esprit et je deviens créatif. Je suis en mesure de dire la vérité, sans jugement de moi-même ni des autres. Ce centre de créativité (la parole) me permet d'avoir un lien amoureux équilibré en exprimant mon **amour**. Au lieu de vouloir avoir du pouvoir sur les autres, j'ai avantage à faire confiance à ma voix intérieure.

Dans ***l'immédiat***, j'accepte↓♥ de m'exprimer librement et j'utilise tous mes moyens. Je développe mon esprit créateur. J'accepte↓♥ de vivre dans la Vérité

GLANDE THYROÏDE — BASEDOW (maladie de ...) OU GOITRE EXOLPHTALMIQUE

La **maladie de Basedow** est un état pathologique causé par l'hypersécrétion d'hormones thyroïdiennes et caractérisé par une saillie anormale des globes oculaires et une augmentation du volume de la thyroïde. Cette maladie touche plus souvent les femmes que les hommes. La personne atteinte a une augmentation de tout le métabolisme, elle est pleine d'énergie « nerveuse ». Le système nerveux devient irritable et elle est toujours « en hyper » due à une incapacité à fixer l'iode. Elle présente des troubles du sommeil, des tremblements de mains, amaigrissement et nervosité, sudation élevée.

Dans cette hyperactivité, qu'est ce que j'essaie de démontrer aux autres ? Qu'est-ce je ne suis pas capable d'exprimer ? Je peux vouloir prouver qui JE SUIS sans être capable de m'arrêter. J'en fais toujours plus que ce qui m'est demandé. Je suis constamment dans un tourbillon et continuellement, je sollicite ma glande thyroïde.... Je refoule mes vrais sentiments, je n'exprime pas, je ravale et je veux démontrer, voire même « me venger ». À qui ai-je besoin de prouver quelque chose ? Je me punis parce que je n'ai pas pu sauver quelqu'un ou une situation à temps. La culpabilité est grande. Je suis devenu méfiant et je me sens obligé de tout faire moi-même, ce qui me donne « l'impression » d'avoir plus de contrôle sur les événements.

J'apprends à exprimer les choses au fur et à mesure, je choisis de faire de mon mieux sans être constamment dans la performance et ainsi je laisse aller l'autodestruction. Je constate que j'ai besoin de donner (même quelque chose qui ne m'est pas demandé) pour me sentir aimé et que j'ai de la difficulté à recevoir. Je choisis de prendre soin de moi, j'accepte de reconnaître mes besoins et de faire le point avec ce que je suis réellement. Je cesse de tourner en rond et je comprends que je n'ai pas besoin d'en faire autant pour être apprécié. Je prends le temps d'exprimer, de me respecter, de me choisir. J'apprends à m'aimer et à m'accepter tel que je suis : je retrouve ainsi la stabilité de ma santé et l'équilibre dans ma vie quotidienne.

GLANDE THYROÏDE — GOITRE

Le **goitre** est le gonflement de la partie antérieure du cou. Généralement, le **goitre** indique que ma glande **thyroïde** est suractive.

Cela résulte d'une accélération de plusieurs processus corporels et mentaux. Cette glande est responsable, entre autres, de la régulation du processus respiratoire. Elle est étroitement reliée à mon désir de vivre, à mon engagement à entrer dans la vie. L'**hyperthyroïdie** est une réponse stressante qui dénote mon angoisse, mon chagrin, bref des émotions intenses non exprimées qui font gonfler ma glande **thyroïde** (gorge). **J'ai l'impression que tout va trop vite !** Faute d'organisation ou d'un taux d'énergie très bas, je me sens dans un tourbillon sans fin d'événements qui me dépassent. Cela peut aussi résulter du sentiment d'être étouffé par la vie et par les responsabilités. Ma glande **thyroïde** se questionne à savoir : « Est-ce que je dois continuer à maintenir la vie ou non ? » J'ai avantage à exprimer mes besoins, mes désirs, mes émotions, au lieu de les refouler afin de permettre à ma glande **thyroïde** de fonctionner normalement. Dans le cas où le **goitre** résulte de l'**hypothyroïdie**, c'est-à-dire que la glande **thyroïde** travaille insuffisamment durant une longue période de temps, comme si elle s'évanouissait, cette manifestation laisse voir ma personnalité défaitiste et ma tendance au désespoir, car j'ai peu le goût d'accomplir des choses et j'adopte une attitude de « victime » face à ce qui m'arrive. Je vis ainsi beaucoup de contrariété et d'amertume et j'ai l'impression que le monde entier m'en veut. Le **goitre** me montre combien je peux me sentir abandonné par les autres. J'ai besoin d'**amour** et d'attention mais je préfère vivre en retrait. Je fuis mes angoisses en me coupant de mes émotions. Je veux garder tout pour moi.

J'accepte↓♥ de développer une attitude plus positive et de me prendre en mains afin de pouvoir atteindre mes objectifs.

GLANDE THYROÏDE — GOITRE EXOLPHTALMIQUE

VOIR : GLANDE THYROÏDE BASEDOW MALADIE DE...

GLANDE THYROÏDE — HYPERTHYROÏDIE

Elle indique une hyperactivité, une trop grande activité, de la glande **thyroïde**. Mon métabolisme augmente, j'ai donc des chaleurs et je transpire.

Je vis une grande déception de ne pouvoir accomplir ce que je veux réellement ou exprimer ce que j'ai à dire, parce que je réponds aux attentes des autres plutôt qu'aux miennes. Je me sens dépassé par les événements. J'accumule les non-dits et j'écrase ma propre personnalité. Je me sens obligé de répondre aux attentes des autres. Par conséquent, je vis de la rancune, de la frustration et de la haine envers tout ce qui ne correspond pas réellement à mes attentes. J'en viens à ne garder mon attention que sur des choses négatives. Je peux aussi toujours écouter les conseils des autres sans m'écouter intérieurement. Je me bâtis moi-même une prison dont j'ai de la difficulté à me départir car je repousse ceux qui pourraient m'aider. Je me sens impuissant à changer des choses dans ma vie. De plus, je me donne des échéances très courtes dans les choses à faire, ce qui me demande de toujours me dépêcher afin de terminer à temps les projets en cours. **Il faut toujours faire plus vite** ! Je dois ***bâcler*** les choses au plus vite (surtout en affaires) et cela m'amène à vivre un grand stress. J'ai l'impression que les choses sont très ***fugaces***, qu'elles disparaissent très rapidement et que je n'ai pas vraiment le temps d'en profiter. Comme quand les enfants grandissent trop vite ou que je me fais trop de soucis pour eux. J'ai d'innombrables désirs non assouvis. Quand ma **thyroïde** est **hyperactive**, j'ai souvent de la difficulté avec le temps et avec le fait d'être en retard. Je regarde si le fait de mettre tant d'attention sur certaines choses en particulier me permet de mettre de côté certaines responsabilités. Je deviens un peu comme un enfant qui vit de naïveté et d'insouciance, espérant que les autres vont s'occuper des choses dont moi je ne veux pas être responsable. Alors, mon corps me donne un message. J'ai perdu contact avec mon moi profond. Je préfère rester à la surface des choses, de mes émotions plutôt qu'aller en profondeur et risquer de faire des découvertes inattendues.

J'accepte↓♥ que la vie ne soit pas un « sprint[123] » mais un ***marathon***. Je réalise enfin mon pouvoir. Ainsi, je prends mes décisions et je crée mes actions selon mon discernement intérieur. Je suis cocréateur de ma vie.

GLANDE THYROÏDE — HYPOTHYROÏDIE

L'**hypothyroïdie** est un sous-fonctionnement de la glande **thyroïde**, une insuffisance thyroïdienne. Les causes physiques sont : un dérèglement du système immunitaire, une destruction de la **thyroïde** par une thyroïdite avec ou sans formation d'anticorps et une carence en iode qui entraîne : une hausse du taux de cholestérol, de la fatigue, un fourmillement et une froideur des extrémités, de la constipation et une baisse des réflexes, l'augmentation du volume de la langue, etc.

Le découragement peut même apparaître, me rendant morose, défaitiste, et suscitant le sentiment d'être incompris. Mon corps me transmet un S.O.S. Les causes métaphysiques sont aussi importantes. Le chakra de la gorge est relié à ma communication et à ma créativité. Comment est ma communication avec moi-même, mes proches et les autres ? Comment est-ce que j'exerce ma créativité dans ce que je fais ? Quelle est la rancune que je porte et qui me « mange par en dedans » ? D'où me vient cette absence de désirs face à ma vie ? L'**hypothyroïdie** peut aussi provenir de mon incapacité à affronter une situation qui réapparaît à plusieurs reprises dans ma vie et face à laquelle je ne sais pas comment réagir. Je me dois d'aller doucement mais cela me demande beaucoup, soit dans mon travail, soit dans mes relations interpersonnelles, comme par exemple : je suis « trop vite en affaire » et je dois ralentir, me donner du temps et à l'autre personne aussi... Je veux fuir mes responsabilités. Je préfère vivre dans un monde irréel. Je me crée une sécurité artificielle. Je trouve ***dur*** le fait de devoir me résigner parce que je me sens dépassé par les événements.

J'accepte↓♥ de rester en contact avec mon corps émotif et physique. Je suis en sécurité et j'ai tout ce qu'il faut pour faire face à mes responsabilités. Je suis créateur de ma vie. Je communique l'harmonie partout autour de moi. Confiant, je vois la vie avec un nouveau regard. Je me laisse soutenir par la vie tout comme le ***cerf-volant*** soutenu par la vent.

GLANDE THYROÏDE — THYROÏDITE

La **thyroïdite** est une inflammation de la glande **thyroïde**. La plus commune est la **thyroïdite de Hashimoto**.

Je vis une situation qui implique souvent la famille et où je me sens coincé car je ne peux pas exprimer mes frustrations et ma colère. J'en viens à vivre au ralenti car mes émotions négatives me grugent en dedans. J'ai envie de cracher le feu mais je ne veux pas dévoiler certains secrets qui risqueraient peut-être de faire éclater le noyau familial. Je préfère me taire et me sentir coincé plutôt que d'ouvrir la porte de mon **cœur♥** et oser m'exprimer.

J'accepte↓♥ de reconnaître et accueillir les émotions qui m'habitent. Je choisis de les verbaliser afin de m'en libérer. L'**amour** et la **lumière** que je véhicule forment un bouclier qui me protège à chaque instant

[123] **Sprint** : allure la plus rapide qu'un coureur peut prendre pendant une course.

GLAUCOME

VOIR : YEUX — GLAUCOME

GLOBE OCULAIRE

VOIR : YEUX [EN GÉNÉRAL]

GLOBULES SANGUINS

VOIR : SANG

GOITRE

VOIR : GLANDE THYROÏDE — GOITRE

GONADES

VOIR AUSSI : OVAIRES, TESTICULES

Les **gonades** produisent des gamètes (spermatozoïdes chez l'homme et ovules chez la femme) et des hormones sexuelles qui combattent l'anorexie mentale, l'asthénie et qui favorisent l'énergie physique et affective. Ce centre est relié à la créativité et à la reproduction.

Lorsque ce centre est en **dysharmonie,** ma sexualité est centrée sur le plaisir égoïste et l'**amour** possessif. Je perds contact avec l'innocence de mon enfant intérieur. Je manque de maturité et de spontanéité, je me méfie du sexe opposé et je refuse la tendresse qui m'est offerte. Je manque de confiance en moi. Je sors très facilement « de mes gonds », je m'emporte pour un rien. Je dois me demander ce que j'ai perdu et qui me cause une grande peine : ce peuvent être un enfant qui est parti ou décédé (être cher), un bien matériel ou une perte symbolique comme la perte de mon amour propre ou ma fierté, etc. Je ne me sens plus le créateur de ma vie, j'adopte une attitude défaitiste face à la vie.

En harmonie, je me sens spontané, ouvert aux relations avec les personnes du sexe opposé. La vie coule de source en moi et ce centre est relié au plaisir sous toutes les formes. Lorsque ce centre est en équilibre, je sais m'adapter aux situations, la vie me passionne et m'enthousiasme. Je suis à l'aise dans le tourbillon de la vie, sans résistance. Je communique en toute confiance et je n'ai pas de préjugés, je m'accepte↓♥ dans ma totalité d'homme ou de femme. J'accepte↓♥ de laisser aller mes peurs et je construis ma confiance face à moi-même et à la vie.

GONFLEMENT (en général)

Le **gonflement** apparaît généralement quand je vis une résistance émotionnelle et que je refoule mes émotions. J'accumule ces émotions parce que je vis de l'impuissance ou que je ne sais pas comment les exprimer pour éviter de blesser quelqu'un ou tout simplement de me blesser moi-même. Le **gonflement** peut être aussi un moyen de protection et je peux me demander : pourquoi est-ce que je sens le besoin de me protéger ? et « face à qui ou à quoi » ? Est-ce que je me crée des illusions à propos d'une situation ? Les illusions sont reliées à l'eau et si je prends **conscience** que cette illusion est une mauvaise perception d'une situation ou d'une personne, j'ai intérêt à remettre en question mes valeurs et ma perception des choses de façon réaliste. Je peux aussi sentir que certaines personnes me mentent ou me cachent la vérité.

J'accepte↓♥ d'aller vérifier mes perceptions afin que les situations de ma vie soient plus claires. J'apprends à exprimer ce que je vis afin de me libérer et ainsi de faire disparaître ces **gonflements**.

GONFLEMENT (... de l'abdomen)

Le **gonflement de l'abdomen** m'amène à prendre **conscience** que je vis de la frustration par rapport à mon conjoint, à mes enfants ou à ma famille. J'ai l'impression qu'on me ment. Je me sens probablement limité sur le plan affectif ou dans l'expression de mes sentiments envers des personnes de mon entourage.

J'accepte↓♥ qu'en changeant ma façon de voir les choses et en ayant une attitude plus positive, je prends **conscience** de toute l'abondance qui est dans ma vie, tant sur les plans affectif, intellectuel, émotif, matériel, etc.

GORGE (en général)

VOIR AUSSI : GLANDE THYROÏDE [EN GÉNÉRAL]

La **gorge** contient les cordes vocales (le larynx) et le pharynx. Juste en dessous du larynx, est située la glande thyroïde. Elle me permet d'exprimer qui je suis et me permet aussi d'échanger avec les personnes qui m'entourent.

La **gorge** est reliée au centre d'énergie laryngé, aussi appelé chakra de la gorge (cinquième chakra), centre de la créativité, de la vérité et de l'affirmation. Il travaille aussi en étroite collaboration avec le centre d'énergie sacré ou deuxième chakra, le centre de l'énergie sexuelle, la sexualité étant une façon de communiquer avec une autre personne. Ce centre d'énergie est important pour l'affirmation de soi. Aussi, il est dit : « La pensée crée, le verbe manifeste ». Ainsi, par la parole, j'amène mes pensées à se matérialiser dans le monde physique. Alors, même si des pensées négatives peuvent avoir des répercussions sur ma santé, des paroles négatives pourront en avoir davantage. Ceci est vrai pour le côté positif aussi.

J'accepte↓♥ d'avoir davantage à parler de façon positive, respectant ainsi mon temple de chair qui abrite ma partie divine. Plus j'exprimerai la vérité par cette voie de communication, plus je pourrai échanger harmonieusement avec mon environnement.

GORGE (maux de...)

VOIR AUSSI : AMYGDALES, MUGUET

C'est avec ma **gorge** que j'avale mes expériences émotives, la réalité, c'est là où je prends la vie par la respiration, l'eau et la nourriture. Elle représente mon pouvoir et ma force intérieure car de ces deux éléments dépend ma capacité à m'exprimer. C'est aussi là que je libère mes sentiments, du **cœur♥** jusqu'à la voix. Elle est le pont à double sens entre la tête et le corps, l'esprit et le physique. Si ma **gorge** me **fait mal**, je peux me culpabiliser soit d'avoir dit certaines paroles, soit de penser que j'aurais dû exprimer quelque chose. C'est comme si je m'autopunissais par la douleur. Ma rage et ma colère veulent tellement s'exprimer mais j'ai peur de la réaction des autres ; je vais donc avaler mes émotions qui mettent ma **gorge** en feu. Il est peut-être temps que je dise ce que je vis afin de m'en libérer. Ma **gorge** peut aussi s'**enflammer** si je refoule de la rage et que cette émotion **me monte à la gorge**. Si je ne dis pas vraiment ce que je veux dire ou qu'il existe un conflit dans mon expression de soi, alors ma **gorge** sent ce refoulement. La **gorge** étant l'expression de l'affirmation de soi, si j'ai de la difficulté à m'affirmer, à défendre mon point de vue, je peux vouloir compenser cela en devenant autoritaire envers moi-même ou envers les autres, ce qui limite mon énergie sur ce plan-là. Je préfère cacher des choses au lieu de prendre le risque d'être ridiculisé. Je suis très attaché aux gens autour de moi et je me laisse atteindre facilement par leurs paroles ou leurs gestes. L'**infection à la gorge par la bactérie streptocoque** est l'une des formes d'infection les plus fréquentes. Cela implique irritation et retenue d'énergie. La **gorge** représentant aussi la conception, l'acceptation↓♥ de la vie, si j'ai des difficultés au niveau de la **gorge**, je peux vivre un profond conflit dans l'acceptation↓♥ de mon existence. Je recherche mon pouvoir à l'intérieur de moi tout en le niant en même temps. Je recherche aussi mon père intérieur. En ayant de la **difficulté à avaler (dysphagie)**, je peux me demander quelle personne ou quelle situation j'ai de la difficulté à avaler, ou quelle réalité je me sens obligé d'avaler même si cela ne me convient pas (cela peut être par exemple quelque chose qui vient à l'encontre de mes principes). Je veux défier quelqu'un ou quelque chose car ça ne passe pas du tout ! Je peux alors tenter de me couper de ma réalité physique, voulant peut-être fuir l'obligation d'affirmer qui je suis, mes besoins, et par le fait même, celle d'apporter des changements dans ma vie. Dans le cas où la nourriture fait « fausse-route » (« **avaler de travers**[124] ») parce que l'épiglotte ne s'est pas fermée comme elle le devait, je me demande dans quel domaine de ma vie j'ai l'impression de « faire fausse-route » et où je devrais revoir mes directions compte tenu de mes priorités. Je veux brusquer les choses, avoir le « contrôle de la situation » car je me sens en danger. Si **j'avale tout rond**, je gobe tout des autres, j'ai de la difficulté à me faire ma propre opinion. J'ai tendance à être passif, attendant que les autres fassent le travail pour moi. Si j'ai des **mucosités dans la gorge**, j'ai trop accumulé de paroles et d'émotions négatives qui ne demandent qu'à être exprimées. Le chakra de la **gorge** et le chakra sexuel sont reliés plus directement. Pour être plus précis, l'hypophyse stimule la thyroïde et celle-ci transmet les messages à nos organes génitaux. Les deux ont rapport à la créativité : le chakra de la **gorge** concerne la créativité de mes pensées tandis que le chakra sexuel concerne la créativité dans la matière. Aussi, ces deux centres d'énergie ont rapport à la communication : par ma voix, je communique mes pensées et par ma sexualité, je communique physiquement mes sentiments. Ainsi, si j'ai des problèmes à la **gorge**, il est bon que je me pose des questions sur ce que j'ai à exprimer sur moi-même, et je dois aller vérifier si je vis de la frustration quant à ma sexualité.

J'accepte↓♥ que le bonheur et la liberté viennent de **ma capacité à m'exprimer dans la Vérité**, m'approchant ainsi de plus en plus de mon

---

[124] **Avaler de travers** : expression québécoise qui symbolise la fausse-route que font les aliments et qui se retrouvent à passer dans le larynx et la trachée au lieu de l'œsophage.

essence divine. Toutes les émotions que je vis sont positives et sont ici pour m'apprendre quelque chose sur moi. Je dois les libérer afin d'enlever les tensions qui pourraient s'accumuler.

GORGE (chat dans la...)

Le **chat dans la gorge** manifeste bien malgré moi quelque chose que je désire exprimer mais que je garde à l'intérieur de moi. Ai-je peur qu'on rie de moi, qu'on me critique, qu'on me rejette, d'être incompris ? Quelque chose m'encombre, me pique la **gorge**...Cette peur a certainement rapport à « ma sensibilité » consciemment ou inconsciemment.

J'accepte↓♥ de me faire confiance et de dire les choses telles qu'elles sont, en demeurant vrai avec moi-même ; j'acquerrai ainsi le respect des autres et de moi-même.

GORGE — LARYNGITE

VOIR AUSSI : ANNEXE III, ENROUEMENT, INFLAMMATION

La **laryngite** est une inflammation du larynx, accompagnée de toux et d'enrouement. Chez les enfants de moins de cinq ans, on parle plutôt de **faux croup**.

Cette infection est causée par la difficulté à m'exprimer par crainte du ridicule, très souvent face à l'autorité. Je ne peux pas exprimer mes propres opinions, affirmer ce qui me tient à **cœur♥**. Je me soumets à l'autorité. Cela peut être lié au fait de vivre du rejet de la part des autres, et si je m'affirme, d'être incompris d'eux. Perdre la voix peut aussi devenir un moyen de fuir une situation où j'aurais eu à m'exprimer. **Je refoule de la révolte, je me sens étouffé**, il y a un trop-plein d'émotions qui sont restées coincées. Ce peut être suite à l'annonce d'une grande nouvelle qui m'a étonné et m'a laissé « bouche bée[125] ». Lorsque je me tais au lieu de m'exprimer, par honte, par crainte ou par culpabilité, ces sentiments que je cache par le silence causent un blocage d'énergie qui se traduit par une **laryngite**. Une grande résistance peut alors se manifester lorsque les émotions tentent plus tard de s'exprimer. Le larynx est enflammé et il y existe un haut niveau d'énergie émotionnelle reliée à la voix et à l'expression de soi. Ma créativité tente de trouver sa propre affirmation ; elle veut être libre de parler et « vocaliser » habilement ses émotions. Mon impuissance à m'exprimer se transforme très rapidement en colère face à moi-même. Je crois que je ne suis plus en sécurité si je m'abstiens de parler. Cependant, je me rends vite compte que la frustration est grande car je ne peux pas faire entendre mon opinion, je ne peux pas m'affirmer et je ne peux donc pas user d'autorité dans les situations où cela est nécessaire. Je pourrai donc « piquer des colères » car cela en est trop mais je le regrette ensuite. La culpabilité étant grande, je m'attire une **laryngite**, comme cela, j'ai maintenant une « bonne raison » pour ne pas parler.

Je dois apprendre à dire les choses, à exprimer mes sentiments, ce qui permettra à cette énergie de circuler librement. Si, dans ma personnalité présente, j'ai de la difficulté à m'exprimer en disant les choses, je peux alors m'exprimer en les écrivant. Comme le larynx est relié au centre d'énergie de la **gorge** qui est la communication, je peux communiquer mes sentiments

[125] **Bouche bée** : avoir la bouche ouverte d'étonnement, de stupeur ou d'admiration.

en les écrivant, même si je garde ces écrits pour moi. Cela permettra une meilleure communication avec moi-même et me permettra de clarifier ce que j'ai à exprimer.

GORGE — LARYNX

VOIR AUSSI : APHONIE, CANCER DU LARYNX, ENROUEMENT

Le **larynx** est la partie des voies aériennes supérieures située entre la trachée et le pharynx.

Il symbolise mon affirmation par le verbe, les mots, ma volonté à exprimer avec autorité ce que je vis, ce que je pense. Une affection au niveau du **larynx** survient généralement à la suite d'un événement où j'ai eu « le souffle coupé » ou j'étais stupéfait, ***interloqué***[126]. J'ai eu tellement peur « qu'aucun son ne pouvait sortir de ma bouche » . J'ai été pris par surprise et bien souvent, je me sens en danger, au point que j'ai l'impression que ma vie est en péril. Ce peut être aussi quelque chose dans mon territoire qui est concerné. Il peut s'ensuivre que j'aurais voulu hurler ou crier à l'aide mais je n'ai pas pu. Il est important que je retrace cet événement qui s'est probablement passé juste avant que mon **larynx** ne soit touché par la maladie. Je pourrai ainsi enlever le traumatisme qui est resté « accroché » à mon **larynx,** et lui permettre de guérir. Puisque le **larynx** est l'organe essentiel de la phonation, c'est-à-dire de la production des sons, je dois me demander quelles sont les émotions, les états d'âme que je vis et que je veux exprimer par la voix, mais que je réprime et garde pour moi. J'en suis peut-être rendu à changer mes priorités, mes structures de vie, et j'ai peur de la réaction des autres. Puisque ma voix est unique, je regarde comment je m'accepte↓♥ dans ce que je suis : est-ce que je me sens à l'aise à donner ma propre opinion ou j'attends l'avis des autres avant de me prononcer ? Est-ce que je ne parle que de moi et ai-je tendance à parler des autres et à leur place ? Est-ce que je laisse parler ma voix intérieure ? Ai-je tendance à parler au conditionnel ou suis-je affirmatif dans ma façon de communiquer ? Je veux faire passer mon message mais je n'y arrive pas. Est-ce que je m'interdis ou qu'on m'interdit de dire les choses, de crier même ? Est-ce qu'il y a des choses que j'ai de la difficulté à ***avaler*** ?

J'accepte↓♥ dès maintenant de laisser parler mon **cœur♥** et d'exprimer en toute simplicité mes émotions, mes opinions. Ma voix devient de plus en plus forte, solide et reflète parfaitement mon assurance et ma confiance en moi.

GORGE NOUÉE

J'ai la **gorge nouée** quand je vis de l'anxiété. Je me sens alors « pris à la **gorge** ». Il se peut aussi que j'aie un manque de confiance en moi et que je doute de mes capacités, surtout devant quelqu'un qui m'intimide et qui représente une forme d'autorité. J'ai l'impression d'avoir le souffle coupé. Je préfère subir au lieu d'assumer mes choix. Je suis paralysé par l'angoisse et la vie sociale me fait peur. J'ai de la difficulté à prendre position, je remets en question mes croyances. Je peux me sentir vulnérable mais je dois faire confiance à la vie.

---

[126] **Interloqué** : stupéfait, déconcerté.

J'accepte↓♥ de m'exprimer librement et de dépasser mes peurs. Je retrouve la paix intérieure car je suis pleinement guidé. Je suis Maître de ma vie !

GORGE — PHARYNGITE

VOIR AUSSI : ANGINE, ANNEXE III, RHUME

La **pharyngite** est beaucoup plus connue sous l'expression **mal de gorge**. Toutes les émotions, les sentiments ou les énergies qui bloquent ma **gorge** se doivent d'entrer par le nez ou par la bouche. Ou encore, elles viennent des profondeurs de mon être intérieur et elles bloquent au niveau de la **gorge**. Ce sont souvent des émotions ou des situations que je ***ravale*** et que j'ai de la difficulté à accepter↓♥ et qui impliquent un membre de la famille. Il arrive que ce soit une situation où j'ai envie de quelque chose ou de quelqu'un d'inaccessible, d'impossible à atteindre, que je ne peux attraper et dont pourtant j'ai besoin pour vivre. Donc, je sens (nez) que cela ne va pas, ou je n'absorbe pas (bouche) une ou des énergies qui se présentent à moi. Parfois, ce sont les mêmes émotions qui se sont amplifiées après un rhume. Ces émotions m'affectent plus profondément, plus près de mon intérieur qu'un simple rhume. Je regarde aussi quelle est ma relation avec les autres et combien je peux être dépendant d'eux. Je suis très influençable. J'ai le goût de crier qui je suis, mais mon anxiété et mes incertitudes m'en empêchent. J'ai tellement l'impression de vivre en arrière-plan, de ne pas avoir la première place. Je me dois donc d'analyser ces sentiments qui accrochent et bloquent au niveau de la **gorge**, pour pouvoir les accepter↓♥ et les laisser-aller.

J'accepte↓♥ de m'exprimer et je reprends le pouvoir sur ma vie car j'affirme qui je suis et quels sont mes besoins. Je retrouve ainsi mon autonomie. J'accepte↓♥ de donner la même liberté aux autres et la colère disparaît et fait place à plus de compréhension et de calme dans ma vie.

GORGE — PHARYNX

VOIR AUSSI : POLYPES

Le **pharynx,** qui correspond à la **gorge**, est un conduit qui va du fond de la bouche à l'entrée de l'œsophage.

Si mon **pharynx** est atteint, je regrette un choix que j'ai fait. Je me rends compte que j'ai pris la mauvaise direction ou la mauvaise voie. Il y a un passage d'une situation à une autre qui est en train de se faire, (tels l'adolescence, un changement d'emploi, une séparation, etc.) que je n'ai pas acceptée ou qui n'a pas été faite lorsque c'était le moment : je le regrette mais je ne peux rebrousser chemin. Je m'en veux et je trouve cela difficile à ***avaler***. Je suis déçu, je m'empoisonne moi-même l'existence à ressasser le passé. Il peut aussi me manquer quelque chose d'indispensable (une information par exemple) afin de réaliser un projet, et s'il m'est impossible de le trouver pour mettre à terme celui-ci, je pourrai développer un **cancer**. Cela m'amène à me déprécier et à me culpabiliser.

J'accepte↓♥ de revoir mes priorités : qu'est-ce qui est vraiment nécessaire à mon bonheur et qu'est-ce qui est secondaire ou superflu ? J'accepte↓♥ que tous les choix que j'ai faits jusqu'à ce jour soient les bons et qu'ils m'aient permis d'apprendre les leçons de vie dont j'avais besoin. Je suis toujours guidé et j'écoute ma voix intérieure qui m'indique la bonne voie.

GOÛT (troubles du…)

VOIR AUSSI : GORGE, LANGUE, NEZ

L'agueusie est la perte totale ou partielle (on parle alors d'**hypogueusie**) du **goût**. Elle s'associe souvent à une perte de l'odorat.

Ai-je encore le goût de continuer ce que j'ai entrepris ? Qu'est-ce que j'ai besoin de changer dans la situation que je vis ? Je n'en parle pas mais j'ai le sentiment que je perds l'expression de ce que je suis. Je peux avoir l'impression d'avoir à avaler une situation que je trouve dégoûtante : « puisque je n'ai pas le choix, mieux vaut ne rien goûter ! » C'est un mécanisme de protection qui m'aide à fuir des situations désagréables et aussi ma nature profonde, mes émotions. Je me protège des autres mais en même temps, je me déconnecte de moi-même, de mon corps, de mon ressenti. Je ne suis plus en contact avec moi-même et le monde qui m'entoure. Je diminue ou « neutralise » mon sens gustatif afin de me protéger.

J'accepte↓♥ de goûter la vie, de me permettre de nouvelles expériences, enfin de sentir que j'existe et laisser transparaître mon rayonnement. Je fais confiance à mon corps et à ma nature profonde. J'ai le droit de m'affirmer et de dire NON si une situation ne me convient pas. Je me respecte de plus en plus et les autres en feront tout autant envers moi !

GOUTTE

VOIR AUSSI : ACIDOSE, CALCULS RÉNAUX

La **goutte** est une maladie métabolique caractérisée par l'accumulation d'acide urique dans l'organisme, et qui se traduit par des atteintes articulaires, particulièrement du gros orteil et parfois par une lithiase rénale (calculs rénaux). Elle atteint aussi fréquemment les mains, les poignets, les doigts, les genoux, les chevilles et parfois, les coudes.

L'accumulation d'acide urique signifie que je retiens des émotions négatives qui devraient normalement être relâchées dans l'urine. J'ai besoin d'avoir mon espace vital, de la solitude, mais je le laisse envahir par mon entourage. Je me sens poussé dans le dos. Pour certaines espèces d'animaux, la façon qu'ils ont de marquer leur territoire se trouve dans le fait d'uriner autour de celui-ci pour mettre des frontières, une barrière (comme par exemple chez les chats). C'est leur façon de montrer au reste du monde quelle est la place qui leur revient. En faisant l'analogie avec les humains, je sais que l'urine (liquide) représente mes émotions. Si je ne peux les exprimer, il se produit un trop-plein d'émotions, c'est-à-dire un trop-plein de liquide à l'intérieur du corps. Les émotions qui sont ici en cause font référence à mes frustrations, mes déceptions, mon impuissance à affirmer mes limites, ma zone d'intolérance car je veux être le « bon garçon » ou la « bonne fille » aux yeux des autres. Je veux éviter d'être réprimandé, jugé, critiqué ; alors je me tais, mais que cela me « dé-**goutte** » ! La **goutte** est un point de départ d'une hésitation entre le plaisir et le devoir : en se clouant au lit, il n'y a plus de choix à faire. Je me sens « pris dans le passé » et j'ai de la difficulté à regarder vers l'avenir. Mon corps devient rigide comme mes pensées et mon attitude face à moi-même et les autres. Le fait de m'accrocher à mon passé m'empêche d'avancer, me sentant alors pris car je ne sais plus quelle direction prendre. Je me « ***noie*** dans ma peine ». Je peux manifester beaucoup d'impatience quand les choses ne se passent pas comme je le veux. J'ai besoin de **dominer**, de **contrôler** entièrement ma vie, ce qui peut être parfois très difficile. Je peux aller dans l'autre extrême et être impatient, colérique et chercher à dominer les autres pensant que cela amène un équilibre dans ma vie. Donc, la **goutte** se présente chez quelqu'un de très ambitieux et rigide ou, au contraire, chez une personne qui n'a aucun but, aucun enthousiasme face à l'avenir. J'ai des ambitions très limitées et il ne faut pas m'en demander trop. Sinon, « c'est la ***goutte*** qui fait déborder le vase » ! Alors, le désespoir me gagne. La **goutte** m'indique que je veux cacher mon émotivité, ma sensibilité, en me montrant fort. Mon insécurité m'amène à être possessif, me sentant mis de côté et non intégré, soit dans ma famille soit dans la communauté, etc. Je veux tout retenir. J'ai tellement besoin de prouver ma valeur, ce dont je suis capable ! Je me sens vulnérable face à mes propres émotions et je suis intransigeant face à ce que je juge comme négatif, mauvais ou mal. Le **gros orteil** est atteint quand je m'écroule à la suite d'une nouvelle qui affecte ma vie de façon existentielle. Comme la **goutte** se présente souvent chez des hommes d'âge mûr, j'ai peut-être à apprendre à laisser les autres être, plutôt que de dominer ; à faire confiance à la vie plutôt que de contrôler ; être plus flexible envers moi-même ou les autres au lieu d'être rigide. Je n'ai plus à vivre de conflit intérieur entre les plaisirs de la vie et les devoirs : je me vois « obligé » d'être inactif et d'apprécier « un repos bien mérité » !

J'ai avantage à laisser davantage d'**amour** entrer en moi pour équilibrer et libérer les émotions négatives, douloureuses, blessantes et coléreuses, afin de retrouver mouvement, liberté, bien-être. J'accepte↓♥ que toutes les émotions qui m'habitent font partie de qui je suis et je me dois de les accepter↓♥ pour m'aider à comprendre pourquoi ils vivent à l'intérieur de moi. En les exprimant, je découvre vraiment qui je suis, je suis en contact avec mon pouvoir intérieur et je peux me détacher des personnes à qui je m'accrochais auparavant.

GRAIN DE BEAUTÉ

VOIR : PEAU — MÉLANOME

GRAISSE, EMBONPOINT, OBÉSITÉ

VOIR AUSSI : POIDS [EXCÈS DE...]

La **graisse** symbolise l'énergie, la puissance, les « petites douceurs » que l'on se donne. Plus mon énergie est active et circule librement, moins elle aura tendance à se fixer dans la **graisse**. Plus je suis lourd, plus j'ai de la difficulté à bouger, donc à utiliser mon énergie, qui correspond à mes émotions, ma créativité. Alors, si je suis une personne ayant de l'**embonpoint**, je suis quelqu'un d'hypersensible et qui éprouve le besoin de se protéger. Ce besoin de me protéger se retrouve principalement au niveau du deuxième chakra[127], celui de la sexualité et du troisième

[127] **Deuxième chakra** : situé entre le nombril et le pubis.

chakra[128], celui des émotions. Les émotions, les idées sont accumulées et s'ajoutent les unes aux autres, comme les kilos s'accumulent dans mon corps. Les hommes semblent avoir besoin de se protéger davantage sur ce plan-là. L'obésité est souvent l'expression d'une insécurité ou d'un « manque » sur le plan affectif : on attend "quelque chose " qui n'arrive pas et on cherche à la mauvaise place, ce qui amène une insatisfaction ou une frustration qui me fait gonfler. J'ai besoin d'**amour** et en même temps, je m'en méfie. Je peux avoir été ***agressé*** (a-graiss-é) (physiquement ou psychologiquement) et cela m'amène à vivre de l'agressivité (a-graisse-ivité). Je préfère ne compter que sur moi-même. Je me sens limité dans ma vie et le fait de sentir un vide autour de moi m'amène à me sentir abandonné. Puisque je veux être perçu comme une personne forte, je peux inconsciemment manifester cette force en étant « une personne forte de taille », corpulente.

Pour maigrir, j'accepte↓♥ de changer mon attitude dans mes relations humaines. Je cesse d'attendre et je ventile calmement tout ce qui est inutile ou nuisible. J'apprends à avoir confiance en moi-même et en la vie, afin de permettre à cette **graisse** protectrice de s'en aller. J'exprime mes émotions librement et j'apprends à m'aimer tel que je suis. J'accepte↓♥ d'aller de l'avant dans ma vie, en cessant de m'en faire pour ce que les autres vont dire ou penser de moi. En vivant à partir de moi, j'augmente ma confiance en moi, ma valeur, mon amour-propre. Je retrouve davantage ma beauté intérieure et mon corps physique se modèlera à ma nouvelle image de moi naturellement. Je manifeste davantage la joie et ***l'allégresse***.

GRAND MAL

VOIR : CERVEAU — ÉPILEPSIE

GRATTELLE

VOIR : PEAU — GALE

GRINCEMENT DE DENTS

VOIR : DENTS [GRINCEMENT DE...], MÂCHOIRES [MAUX DE...)

GRIPPE

VOIR AUSSI : CERVEAU — ENCÉPHALITE, COURBATURE, ÉTERNUEMENTS, FIÈVRE, MUSCLE, RESPIRATION [MAUX DE...], TÊTE [MAUX DE...]

Il s'agit d'un état lié à la présence d'un virus causant fièvre, frissons, maux de tête, douleurs musculaires, éternuements, difficultés respiratoires, etc. La **grippe** qui atteint mon corps plus violemment qu'un rhume peut me forcer à rester alité pour une certaine période de temps.

Comme la **grippe** est une maladie infectieuse, elle est reliée à la colère, c'est un signe que rien ne va plus ! Je peux me demander qui ou quoi « ai-je pris en **grippe** », expression voulant dire contre qui ou contre quoi suis-je en colère ? Les symptômes qui se manifestent plus particulièrement

---

[128] **Troisième chakra** : situé au niveau du plexus solaire, à la base du sternum ou de la cage thoracique.

m'indiquent davantage ce que je vis présentement : la fièvre est reliée à la colère, les éternuements sont reliés à la critique, au fait de vouloir se débarrasser de quelqu'un ou d'une situation, etc. Il s'agit souvent d'une situation conflictuelle sur le plan familial : il s'est dit quelque chose ou une situation a été vécue que « je ne peux pas avaler » car des règles ou des limites ont été transgressées. Il y a donc eu une dispute où j'avais l'impression que mon espace vital était violé, ou que je risquais de perdre quelque chose ou quelqu'un qui m'appartenait, à qui je « m'a**grippais** ». L'influence de certaines personnes de mon entourage peut me faire douter de mon jugement ou de mes capacités à accomplir certaines tâches. S'il s'agit des membres de ma famille, cela est encore plus difficile pour moi, car toute ma vie j'ai cherché à bâtir ma propre personnalité, en me détachant de ma famille. Parce que je cherche toujours à avoir leur approbation (surtout celle de mes parents), je peux devenir confus face à qui je suis vraiment et les choix que je dois faire. J'ai l'impression que mes défenses intérieures ont disparu. Je suis dérangé par une personne qui incarne une certaine autorité face à moi. Beaucoup de cas de **grippe** sont attribuables aux croyances enracinées dans la société, la peur aussi, comme par exemple : « J'ai eu tellement froid aujourd'hui, je suis certain que je vais attraper la **grippe** ! » Je dois me demander pourquoi j'ai la **grippe**. Est-ce que j'ai besoin de repos ou d'un temps d'arrêt ? Est-ce que je m'oblige à être alité afin de ne pas faire face à mes responsabilités au travail ou dans la famille, etc. ? J'ai peu confiance en moi et je me laisse influencer par les autres et peut-être même aussi envahir ; le virus de la **grippe** fait de même et s'infiltre dans mon corps car mon système immunitaire s'est « affaibli » par ma « faible » estime de moi. Je suis dans une situation où je résiste car j'ai de grands efforts à faire dans ma vie de tous les jours et j'ai le goût de baisser les bras. La **grippe** peut aussi naître à la suite d'une situation où j'ai vécu un grand désappointement, une grande déception ou une frustration qui m'amène à vouloir ne plus sentir ce qui se passe autour de moi (nez congestionné) ou une personne (« je ne suis plus capable de la sentir ») et qui amène aussi une respiration plus difficile. Cependant, la fièvre libère mon corps de toxines qui n'ont pu sortir autrement.

J'accepte↓♥ d'exprimer mes émotions et de laisser couler mes larmes afin de décongestionner tout mon corps et que l'harmonie s'installe.

GRIPPE AVIAIRE

VOIR AUSSI : GRIPPE

La **grippe aviaire**, aussi appelée **grippe du poulet**, est une **grippe** extrêmement contagieuse pour certains oiseaux et qui peut être transmissible aux humains **(A (H5N1))**. Ses symptômes sont semblables à la grippe classique, mais en plus grave.

Si j'attrape cette **grippe**, je me retrouve dans une situation où je suis pris, confiné dans un environnement qui « me pue au nez ». Je dois me « refroidir », me fermer pour ne pas sentir toute la peine et la douleur que je vis. Je préfère faire l'autruche et me cacher « sous les ailes de ma maman ». Je suis « fier comme un coq » et « les poules auront des dents » avant que je m'excuse ou que je pardonne les dire ou les gestes d'une personne. Je vis dans une société avec laquelle je ne suis pas en accord, qui m'étouffe, me rend agressif. Je suis devenu antipathique, intransigeant et je

« prends facilement en **grippe** » les personnes qui briment ma liberté, qui transgressent mon espace vital. Je ne me sens pas suffisamment fort pour combattre la situation dans laquelle je me trouve et je pleure en « dedans » ce que je refoule depuis des mois, voire même des années.

J'accepte↓♥ de laisser aller toutes mes idées préconçues. Je guéris mes vieilles blessures, je cesse de pleurer sur mon sort et j'accepte de partager les belles choses de la vie. Je m'ouvre sur le monde, avec discernement, sans jugement. Je mets mes limites, dans le respect de moi-même et des autres. Je reprends ainsi la place qui me revient.

GRIPPE ESPAGNOLE

VOIR : CERVEAU — ENCÉPHALITE

GROSSESSE (maux de...)

VOIR AUSSI : ACCOUCHEMENT, NAUSÉES, SANG — DIABÈTE

Même si la **grossesse** est d'ordinaire joyeuse et enrichissante, elle peut aussi être effrayante par ses soucis cachés, ses doutes, ses peurs et ses inquiétudes, spécialement quand c'est la première fois. Ces sentiments cachés trouveront une façon de sortir si, comme future mère, je ne suis pas capable de les exprimer verbalement. Parfois, je peux avoir l'impression que les défis à relever sont si grands par rapport à ce que je suis capable de prendre, que je peux inconsciemment rejeter l'enfant. Je pense devoir laisser ma jeunesse derrière moi et, par le fait même, ma liberté. Je vois toutes les responsabilités que je devrai assumer. Voici quelques exemples de malaises que je peux vivre pendant la grossesse : des **brûlures d'estomac** m'indiquent une difficulté à avaler la réalité de ce qui arrive ; la **constipation** met à jour ma peur de laisser aller, que j'essaie de retenir les choses comme elles sont maintenant tout en sachant que la venue d'un enfant amène des changements majeurs dans ma vie ; un **nerf sciatique douloureux** manifeste ma peur d'aller de l'avant, dans la nouvelle direction que la vie m'apporte ; un **diabète gestationnel** est la conséquence de la tristesse que je vis pendant cette période. Il se peut aussi que je vive du mécontentement, que j'aie peur de vivre du rejet à voir ainsi mon corps changer et que je veuille que le fait d'être « grosse cesse ». Des **nausées** m'indiquent comment les transformations de mon corps me donnent des « hauts le **cœur♥** ». Je rejette l'image de moi qui se transforme. Je suis anxieuse face à l'accouchement et à mon habileté à être mère.

J'apprends à faire confiance et j'accepte↓♥ d'avoir tous les outils nécessaires afin de m'amener à vivre cette expérience merveilleuse dans la joie et l'harmonie. J'accepte↓♥ de m'engager face à cet enfant à naître. J'accepte↓♥ aussi les changements qui auront lieu en moi et qui feront de moi une nouvelle personne.

GROSSESSE[129] (... prolongée)

Lorsqu'une **grossesse se prolonge** au-delà de la période habituelle, comme mère, je peux désirer inconsciemment de continuer à porter cet

[129] La **grossesse** dure environ 9 mois ou 273 jours à partir de la date de fécondation.

enfant le plus longtemps possible, appréciant cet état où je sens mon enfant en sécurité et où le lien entre la mère et l'enfant est si fort. Je veux le garder à « l'abri des intempéries » de la vie de tous les jours. Je peux avoir peur de ces nouvelles responsabilités qui m'attendent avec ce nouvel enfant qui va naître. Vais-je être à la hauteur de la situation ? Cela va-t-il changer quelque chose dans mon couple ? Vais-je être une bonne mère ? Mes inquiétudes face à cette naissance peuvent me faire retarder la venue de l'enfant. Il se peut aussi que mon enfant se sente tellement bien dans cet environnement sécurisant qu'il veuille y rester le plus longtemps possible. Je peux entrer alors en contact avec son aspect divin, le réconforter, lui assurer que je ferai tout ce qu'il m'est possible de faire pour m'occuper de lui, que je continuerai de l'aimer et que j'ai hâte de pouvoir le tenir dans mes bras. J'ai à me détacher de mon enfant et à me convaincre qu'il a tous les outils nécessaires afin d'affronter les défis qu'il rencontrera. Tout ce dont il a besoin, c'est mon amour et mon affection.

GROSSESSE — ÉCLAMPSIE

VOIR AUSSI : CERVEAU — ÉPILEPSIE, TENSION ARTÉRIELLE — HYPERTENSION [TROP ÉLEVÉE]

Il peut survenir en fin de **grossesse** une **éclampsie** qui est une affection grave caractérisée par des convulsions secondaires associées à une poussée sévère d'hypertension artérielle avec œdème cérébral. Elle se produit généralement chez la femme dont c'est la première **grossesse**. Elle est semblable à une crise d'épilepsie, se caractérisant par une perte de **conscience**, une raideur des membres suivie de convulsions.

C'est un peu comme être atteint par la ***foudre***. L'**éclampsie** m'atteint si je suis une femme qui, par insécurité ou culpabilité, va rejeter la **grossesse** ou tout ce que peut représenter la venue de l'enfant. Je peux aussi vivre de la rancune face à mon conjoint, car je le rends coupable et responsable de la **grossesse**. Dans d'autres cas, cela peut être moi comme mère qui, ayant de la difficulté à accepter↓♥ la venue au monde imminente de mon enfant, vais me rejeter, me sentant incapable d'assumer mes nouvelles responsabilités. Je me sens dans une prison et je veux m'en libérer. Je crains la mort : la mienne et celle de mon bébé. Je me sens impuissante et je préfère me cacher derrière quelqu'un d'autre au lieu d'être en avant et foncer. Le dilemme cependant ici est que je ne peux me fier à personne d'autre pour mettre au monde cet enfant : c'est moi et seulement moi qui peux le faire. Je dois faire face à toutes ces émotions qui se bousculent en dedans et je ne sais trop comment réagir. Je suis sensible aux commérages et aux critiques. Si j'ai besoin de beaucoup d'attention, est-ce que cet enfant va venir m'enlever ce que je reçois des autres ? Va-t-il devenir le centre d'attraction, et moi devenir comme un fantôme ? Je me sens très vulnérable et je veux cet enfant mais je veux aussi avoir mon espace à moi.

J'apprends à regarder la venue de mon enfant avec une attitude positive sachant que j'ai tout le bagage nécessaire pour l'aider dans son cheminement. Je prends le temps de visualiser la façon dont la grossesse et l'accouchement vont se passer et je suis persuadé que c'est ainsi que cela va se passer. C'est ainsi que je peux créer ma vie et donner de bonnes bases à mon enfant. Je suis assez forte et je reçois toute l'aide dont j'ai besoin.

GROSSESSE ECTOPIQUE OU EXTRA-UTÉRINE (G.E.U.)

Une **grossesse ectopique** se développe en dehors de la cavité utérine.

Dans ce cas, il se peut que, comme mère, je vive une angoisse face à l'accouchement et que je me retienne d'enfanter. Je désire cette grossesse, mais je la redoute en même temps. Je peux avoir l'impression que le nid que j'offrirai à mon enfant est trop petit ou que nous nous retrouverons dans une situation qui sort de l'ordinaire. Je peux avoir peur que mon conjoint me trompe ou m'ait trompé dans le passé. Ou est-ce moi qui pense à tromper quelqu'un ?

J'accepte↓♥ de laisser aller le processus normal de la vie et de laisser l'énergie circuler librement à l'intérieur de moi afin que les éléments de la vie prennent la place qui leur revient selon le plan divin.

GROSSESSE GEMELLAIRE

VOIR : ACCOUCHEMENT — AVORTEMENT

GROSSESSE NERVEUSE

Je peux vivre dans mon corps physique les mêmes états qu'une personne enceinte même si je ne le suis pas, ceci étant appelé alors **grossesse nerveuse**.

Une **grossesse nerveuse** manifeste une incertitude, une insécurité par rapport à mes responsabilités à l'encontre de mes désirs. Je peux désirer avoir un enfant mais est-ce que je me sens à la hauteur, est-ce que j'ai l'impression d'être capable d'assumer et de remplir tous les besoins et les désirs de l'enfant ? Peut-être pas... Si la **grossesse nerveuse** se manifeste alors que je suis femme célibataire, je dois aller voir aussi si je vis des difficultés en ce qui concerne ma sexualité. J'ai peut-être le goût d'avoir un enfant, mais je n'ai pas le goût d'avoir une relation affective avec une autre personne. Je peux aussi avoir peur de toutes les responsabilités que cela implique d'avoir un conjoint même si j'en désire un. J'ai tendance à me raconter des histoires, me « monter des bateaux ». Mon corps réagit à mon imagination. J'aime jouer un rôle, passer pour quelqu'un que je ne suis pas. Je me laisse envahir par les autres. Même si la **grossesse nerveuse** se manifeste surtout chez la femme, il peut arriver que ce phénomène se produise chez un homme. Je peux me demander comment cela peut se produire. Il est important que je me souvienne, que je sois homme ou femme, que je possède les deux côtés à l'intérieur de moi, le côté YIN (femme) et le côté YANG (homme). Même si je suis un homme, je peux développer mon instinct maternel et certaines peurs qui y sont associées et ainsi, développer les symptômes d'une **grossesse nerveuse** par empathie ou symbiose énergétique. Je vérifie alors quelles sont les insécurités que mon enfant intérieur vit présentement. Je pourrai ainsi le rassurer, lui prodiguer l'**amour** et l'attention dont il a besoin afin que tout rentre dans l'ordre.

J'accepte↓♥ de naître à moi-même. Je laisse naître mes désirs, mes profondeurs qui ne demandent qu'à sortir de l'ombre. Je prends ainsi de plus en plus la place qui me revient dans l'Univers.

GROSSEUR

VOIR : BOSSE

GUILLAIN-BARRÉ (syndrome de…)

VOIR : SYNDROME GUILLAIN-BARRÉ

H

HABITUDES

VOIR : DÉPENDANCE

HAINE

Beaucoup de maladies ont pour cause la **haine**. Entretenir de la **haine** me fait détester des personnes, me rend méchant, me pousse à lancer des paroles blessantes avec la rage au **cœur♥**. Le sentiment de **haine** amène l'autodestruction : il détruit la personne qui l'entretient encore plus que la personne ou la situation concernée. Quand je vis de la **haine**, de la rage, j'ai l'impression que quelque chose brûle en moi, en divers systèmes : digestif, pulmonaire et aussi en relation avec la vésicule biliaire et le foie.

Dans l'évolution de ces signes que le corps manifeste, s'annoncent des « mal aises » de plus en plus graves. Je peux m'attirer jusqu'à un cancer. La **haine** survient quand j'ai l'impression que les autres m'empêchent de vivre ma vie. Je veux en faire à ma tête, et quand les choses ne se passent pas à ma façon, je réagis fortement. Au lieu de rester ouvert et de vouloir comprendre le point de vue de l'autre, je m'entête à rester sur mes positions. Je refuse ainsi toute responsabilité face à ma vie.

J'accepte↓♥ que l'**amour** soit la base de toute vie. J'apprends à me pardonner et à pardonner aux autres. J'accepte↓♥ de comprendre les personnes, les situations autrement, avec **amour**. Ce n'est que dans l'ouverture aux autres que je peux changer ma vision des choses et me libérer de ces jugements et de cette **haine** desquels j'étais prisonnier.

HALEINE (MAUVAISE...)

VOIR : BOUCHE — HALEINE [MAUVAISE...]

HALITOSE

VOIR : BOUCHE — HALEINE [MAUVAISE...]

HALLUCINATIONS

VOIR AUSSI : ALCOOLISME, DÉPENDANCE, DROGUE, TOXICOMANIE

Lorsque je suis épuisé physiquement ou moralement, je peux me faire une montagne d'idées noires, souvent fausses. Ainsi, je peux perdre pied avec le réel sans en avoir **conscience**, je peux décrocher du réel ; mon corps et l'âme que je suis se déconnectent l'un de l'autre. Confronté à une réalité que je ne veux pas voir, je m'en invente une, même si elle peut être fausse, et je m'isole ainsi du reste du monde. Alors, je peux me donner raison et prouver ma propre interprétation de cette réalité que je ne peux accepter↓♥. Ces interprétations, ces mondes imaginaires, créés de toute part par moi-même, peuvent aussi faire ressortir mes propres peurs. Je peux avoir peur de mon côté sombre et négatif, et j'ai l'impression d'avoir à me défendre afin qu'il ne se montre pas au grand jour.

Les **hallucinations** que je vois et qui me font peur ne représentent que les parties de ma personnalité que je nie, que je refuse de voir. Tôt ou tard, j'ai besoin d'en prendre **conscience** pour pouvoir les changer. En niant qui je suis, je m'éloigne de mon essence et je ne suis pas en contact avec ma réalité intérieure. J'ai l'impression que la vie doit me punir parce que je ne suis pas parfait. J'ai l'impression d'avoir une double personnalité : la personne que tout le monde aime, et la négative que je veux fuir. Je me sens impuissant face à cette dernière. Je peux avoir des **hallucinations** quand je vis un niveau de stress très élevé, et j'ai tendance à m'en mettre lourd sur les épaules.

Si, par exemple, je suis en train de chercher un document dont j'ai absolument besoin et dont la perte représenterait des millions de dollars, mon cerveau pourra créer une image de ce document (hologramme) qui me semblera très réel et qui va, l'espace de quelques moments, faire tomber mon niveau de stress. Par la suite, m'apercevant que c'est une **hallucination**, je peux maintenant penser plus clairement et je pourrai soit demander qu'on m'aide à le chercher, soit explorer d'autres endroits où le document va probablement se trouver. Sans cette **hallucination**, j'aurais continué à être « prisonnier » de mon état de stress. Pour ce qui a trait aux **drogues**, elles provoquent un état de **conscience** en expansion. Ainsi, la personne peut expérimenter des dimensions auxquelles elle n'a pas ordinairement accès. Pourquoi est-ce que je prends de la **drogue** ? Est-ce une fuite de mes souffrances intérieures que je n'arrive pas, faute d'aide, à affronter ? Je peux devenir dépendant des **drogues**, quelles qu'elles soient. Elles peuvent me procurer un état de bien-être temporaire. Mais une fois « straight », c'est-à-dire revenu à la normale, ce n'est plus la même chanson. Alors, où chercher ? En soi. On n'y entre qu'avec l'**amour** et également par son cheminement personnel et spirituel.

Une spiritualité qui me libère des chaînes du passé et qui me redonne ma liberté et mon autonomie. Il se peut aussi qu'à la suite d'un accident, d'un stress intense ou simplement de mon développement personnel et spirituel, mon troisième œil s'ouvre de plus en plus, ce qui m'amène à voir des couleurs autour des personnes, des courants d'énergie dans l'espace ou des présences translucides (non matérielles) dans mon entourage. Je peux avoir ainsi l'impression que j'ai des **hallucinations** surtout parce que ma sensibilité est habituellement plus grande quand j'ai ce genre de perception.

J'accepte↓♥ de me recentrer, de rééquilibrer mon corps et l'âme que je suis. Alors, je fais confiance et je me sens entouré de **lumière** blanche et dorée, sachant que je suis constamment guidé et protégé. J'aime de plus en plus découvrir et expérimenter ma vraie réalité, le « Je Suis ». J'accepte↓♥ toutes les émotions qui font partie de qui je suis, je les regarde en face et je les apprivoise : elles peuvent ainsi m'aider à découvrir ce que je veux changer dans ma vie et faire les actions appropriées afin de matérialiser mes désirs.

HANCHES

VOIR AUSSI : BASSIN

Elles portent mon corps en parfait équilibre et sont situées entre le bassin et le fémur[130]. Je prends appui sur mes **hanches**. Mes **hanches** permettent à mes jambes de bouger afin de faire avancer mon corps vers l'avant.

C'est elles qui déterminent si je vais de l'avant ou non. Elles représentent mes croyances de base face à ce que sont ou à ce que devraient être mes relations avec le monde. Les **hanches** renferment le positionnement que j'ai face au fait de vivre soit à partir de moi-même soit en fonction des autres et de leur regard sur moi. Comme le bassin et les **hanches** forment un ensemble, ils représentent **le fait de m'élancer dans la vie**. Donc, les **hanches** représenteront aussi mon niveau de détermination à avancer dans la vie.

J'accepte↓♥ d'avancer avec joie et confiance dans la vie, sachant que tout est expérience pour m'aider à découvrir mes richesses intérieures.

HANCHES (maux de...)

C'est à partir des **hanches** que s'amorce le mouvement des jambes, donc, la démarche. Les jambes servent à avancer librement ; il y a donc un rapport avec l'**autonomie**. Je peux me retenir d'aller de l'avant et de prendre des décisions importantes dans ma vie. Il arrive souvent que lorsque j'amorce un certain cheminement personnel, que je commence à me poser des questions sur le pourquoi et le comment des choses, des douleurs aux **hanches** apparaissent. D'où l'indécision pour avancer dans la vie ou le virage à prendre. Je me demande si j'ai le droit de vivre pour moi ou si je dois me sacrifier pour les autres, comme je l'ai toujours fait. Il y a donc une dualité énorme qui m'empêche d'avancer, et si je continue à vivre sous pression, à suivre un chemin qui me déplaît, je pourrais me **fracturer la hanche**. Je peux avoir l'impression que je dois céder contre mon gré à quelque chose ou quelqu'un de plus fort que moi. Par les **problèmes de hanches**, mon corps m'indique une certaine raideur, une résistance, une rigidité ; donc, je vis de l'inflexibilité face à une situation ou à une personne. Cela peut provenir d'une situation où je me suis senti **trahi** par quelqu'un ou **abandonné**, et cela m'a tellement affecté que je remets en cause mes relations avec les autres. De plus, j'ai le goût d'établir de « nouvelles règles » pour me protéger et éviter d'être encore blessé. Je peux avoir une inquiétude face à l'avenir ; donc, je suis angoissé lorsque j'ai à prendre une décision importante car je peux avoir l'impression que je ne m'en vais nulle part, ou que je n'aboutirai jamais à rien ou que je me perçois tout simplement plus « bon à rien ». Suis-je capable de réaliser mes rêves qui sont chers à mon **cœur♥** ? Quand mes **hanches** me font **mal** (comme par exemple avec **l'arthrite**), mon corps me donne un message : il y a déséquilibre à l'intérieur de moi. Je ne peux pas imposer mes idées et ma personnalité, donc je me tourne vers la soumission. Je suis en colère car les autres ne voient pas mes besoins. Je voudrais qu'ils répondent à mes attentes sans avoir à demander. Quand il y a une **douleur**, il y a une culpabilité quelconque. Une **douleur aux hanches**, ou **des hanches** qui ne veulent plus bouger, peut m'indiquer que je bloque mon plaisir sexuel par

[130] **Fémur** : os long que l'on retrouve le long de la cuisse et qui forme son squelette.

crainte ou culpabilité. Je me considère un mauvais partenaire sexuel, j'ai de la difficulté à accueillir l'autre. Je peux avoir peur de l'intimité et il serait parfois plus facile de m'éloigner de la personne aimée que de faire face à mes appréhensions. Je peux même utiliser un gain de poids à ce niveau pour aider à créer un espace physique entre moi et l'autre. Je peux vivre de l'impuissance tant au niveau sexuel que dans ma capacité à m'accepter↓♥ tel que je suis, avec mes goûts, mes désirs, mes plaisirs. Je serai troublé sexuellement et émotionnellement, empêchant ainsi mes **hanches** de fonctionner normalement. Cette impuissance peut aussi se vivre dans le fait que je ne me sens pas ou plus capable de prendre ma place et de **m'opposer** à quelqu'un ou quelque chose. Je ne me donne pas le droit **d'aller vers** une situation ou un endroit qui pourrait me procurer un certain plaisir d'ordre sexuel, dû aux interdits que je me suis donnés ou à ceux que j'ai acceptés↓♥ de la société. Cette situation m'oblige à réfléchir sur les limites que je me donne. Je regarde jusqu'à quel point je m'empêche d'avancer, car au lieu de vivre ma vie avec mes émotions, je la vis dans ma tête. La **dégénérescence** ou **décalcification** de la **hanche** m'indiquent que ma sécurité est ébranlée, je me sens impuissant et je n'ose plus bouger. Je me sens vidé car j'ai le sentiment que j'ai beaucoup donné : je me sens usé.

J'accepte↓♥ de ne plus « être la mère de tout le monde ». Je me permets de recevoir, de me nourrir d'**amour.** Mon corps m'aide à développer ma **conscience** afin que j'avance dans la vie avec confiance et sécurité et me montre qu'il faut être plus flexible dans ma manière de prendre des décisions, m'assurant ainsi un meilleur avenir. Je suis en équilibre et j'avance dans la vie avec confiance et sérénité. Je remercie la vie pour tout ce qu'elle me fait expérimenter à chaque instant. J'apprends à vivre en équilibre avec ces expériences. Je laisse aller le fardeau des responsabilités dont je n'ai plus besoin : cela me facilite mes prises de décision.

HASCHISCH (CONSOMMATION DE...)

VOIR : DROGUE

HAUTE PRESSION

VOIR : TENSION ARTÉRIELLE — HYPERTENSION

HÉMATOME

VOIR : SANG — HÉMATOME

HÉMATURIE

***VOIR :** SANG — HÉMATURIE*

HÉMIPLÉGIE

VOIR : CERVEAU — HÉMIPLÉGIE

HÉMISPHÈRE DROIT ET GAUCHE

VOIR : CERVEAU [EN GÉNÉRAL]

HÉMORRAGIE

VOIR : SANG — HÉMORRAGIE

HÉMORRAGIE CÉRÉBRALE

VOIR : CERVEAU —A.V.C.

HÉMORROÏDES

VOIR AUSSI : AMPOULES, ANUS, GROSSESSE, INFLAMMATION, INTESTINS — CONSTIPATION, SANG/SAIGNEMENTS/VARICES, TENSION ARTÉRIELLE — HYPERTENSION

Les **hémorroïdes** sont des varices, des dilatations élargies des veines, une sorte d'ampoule. Elles sont situées dans la région de l'anus et du rectum.

Étant donné que les **hémorroïdes** peuvent survenir dans les cas de **constipation** et de **grossesse**, je vais vérifier dans ces textes si je vis une ou des situations qui s'y rattachent. Lorsqu'il y a de la **douleur**, c'est relié à du stress, lorsqu'il y a des **saignements**, c'est relié à une perte de joie. Souvent, les hémorroïdes apparaissent lorsque je vis une difficulté face à ma mère : ce peut être un deuil non fait ou le désir de ne pas la voir partir. Je peux avoir un grand besoin d'elle, de son opinion, et de nouvelles conditions me font me sentir abandonné par elle. Les **hémorroïdes** m'indiquent une tension et un désir intérieur de forcer l'élimination, comme si j'essayais de faire sortir quelque chose très fortement ; en même temps, l'action de retenir se manifeste. Le conflit entre pousser et retenir crée un déséquilibre. Les veines laissent supposer une situation indiquant un conflit émotionnel entre l'action de rejeter et de repousser et l'action de vouloir retenir et de bloquer l'émotion à l'intérieur de soi. Par exemple, ce conflit peut surgir chez les enfants qui se sentent émotionnellement abusés par leurs parents (qui veulent les rejeter) et qui malgré tout les aiment et veulent qu'ils restent avec eux en les retenant. Il y a donc un certain conflit intérieur entre le sentiment de perte et mes notions face à l'**amour.** Je remets en question mon ***identité*** et mes ***affiliations*** face à ma famille, spécialement mon père, mon travail, la société en général. J'ai l'impression de n'être qu'un « ***énième*** » (sans rang déterminé) quand je sais tout au fond de moi que je suis un être merveilleux avec une place unique dans l'univers. Est-ce que je veux vivre dans ***l'anonymat*** pour un certain temps ? Est-ce que je me sens comme un ***imposteur*** ? Voudrais-je me ***substituer*** à quelqu'un d'autre, prendre sa place ? Ou au contraire, je peux vouloir trop m'attacher à ma famille de sang, particulièrement ma mère. Je ne sais pas comment transiger avec les critiques qui sont dirigées vers moi, surtout celles qui viennent de mon conjoint. D'autres causes sont reliées aux **hémorroïdes** : un sentiment intense de culpabilité ou une vieille tension mal ou non exprimée, que je préfère souvent garder pour moi et que je vis face à une personne ou une situation qui « me fend le derrière[131] ». Le corps me donne un signal d'alarme. Quelque chose dans ma vie a besoin d'être « éclairé » car je suis très ***dérangé***. Quelque chose demande à faire éruption, comme

---

[131] **Me fend le derrière** : qui me dérange au plus haut point et face à laquelle je vis de la colère.

un volcan. Je vis sûrement du stress, une surcharge de pression par rapport à laquelle je me sens coupable. J'ai peut-être des échéances à respecter et j'ai beaucoup de difficulté à laisser aller, à faire confiance et je peux me sentir obligé de remplir mes obligations et mes responsabilités même si ce que je veux, c'est parler et exprimer mes besoins afin de rectifier ou d'ajuster certaines situations. Ai-je l'impression que je suis en contrôle ou dois-je me soumettre ? Je dois me forcer dans une situation qui me déplaît et je ne peux pas m'en libérer. Il y a une contrainte et du ressentiment que j'aurais avantage à me libérer. Je ne vis qu'à moitié et je voudrais m'enfuir de la maison. La pression sociale est immense ! En plus, je porte ce fardeau seul car l'orgueil que je vis m'incitera à ne pas demander d'aide de qui que ce soit. Il se peut aussi que je vive un sentiment de soumission par rapport à une personne ou à une situation où je me sens diminué, comme si j'étais un « trou d'cul ». Je n'arrive pas à prendre ma place en montrant ma sensibilité et ma créativité et je la **cède** à quelqu'un d'autre. Je vis beaucoup dans la ***complaisance***[132] car même si je cherche mon identité et à être différent, je veux aussi que les autres m'aiment.

Quand je trouve la cause métaphysique de mon malaise, j'en prends **conscience** et j'accepte↓♥ cette situation temporaire qui m'aidera à trouver de l'aide pour m'en dégager. Mes pensées et mes actions sont soutenues par l'**amour**. Tout s'harmonise en moi et les **hémorroïdes** disparaissent. J'accepte↓♥ de lâcher prise et je prends le risque d'exprimer ce qui me dérange. Je reprends ma vie en mains et je laisse aller ces émotions négatives qui me nourrissent. J'***établis*** de nouvelles assises dans lesquelles je me sens bien et libre. Ce sentiment d'impuissance disparaît et je reprends la pleine maîtrise de ma destinée.

HÉPATITE

VOIR : FOIE — HÉPATITE

HERNIE

La **hernie** est une tuméfaction (enflure) de tissus mous ou d'un organe saillant à travers la paroi musculaire, là où existe un point faible permettant cette sortie. Il peut s'agir d'une tumeur formée par un viscère qui est sorti, à travers un orifice naturel ou accidentel, hors de la cavité qui le contient normalement. La **hernie** est provoquée par une pression du tissu mou au-dessous du muscle au moment où il est faible et sous-utilisé. Les **hernies** peuvent apparaître en divers endroits.

Le lieu indique sa nature et son message. Elles sont plus fréquentes le long de la **paroi abdominale** (**hernie de la paroi abdominale**) comme par exemple la **hernie inguinale** qui réfère à un secret que je porte en moi et que je ne révèle pas aux autres, et ma difficulté à exprimer ma créativité. Je me questionne : « Est-ce que je suis satisfait sexuellement ? Est-ce que j'essaie de répondre aux besoins de mon ou de ma partenaire en m'oubliant ?». Au niveau du **diaphragme**, elle est appelée **hernie diaphragmatique** (telle la **hernie hiatale**). Elle est liée à une colère voire même une rage où je me sens impuissant. « Je sors de mes gonds ». La **hernie ombilicale** qui touche aussi les bébés est habituellement liée à une

[132] **Complaisance** : tendance à toujours acquiescer aux demandes des autres pour plaire.

mauvaise cicatrisation du cordon ombilical après sa coupure. Cette enflure peut exprimer mon refus comme bébé de quitter le nid douillet de ma mère ou mon refus de naître. Et comme adulte, j'ai peur d'être contrôlé, sous l'emprise ou influencé par mon nouveau milieu de vie. La **hernie** peut représenter un grand désir non exprimé de rompre avec une situation ou une personne qui m'est désagréable et avec laquelle je me sens engagé. Je veux me sortir, m'extirper d'une situation qui est devenue intolérable pour moi. Cela peut concerner une rupture de mon couple provoquée par moi ou mon conjoint et que j'ai de la difficulté à accepter↓♥. Est-ce que je trouve la vie lourde à porter ? Pourquoi travailler aussi dur ? Je me sens si faible… J'ai besoin d'être appuyé mais je ne suis pas prêt à demander de l'aide. La **hernie** peut aussi exprimer une autopunition parce que je m'en veux, me sentant impuissant ou incapable de réaliser certaines choses. Je vis ainsi beaucoup de frustration face à moi-même, car je sais que je vis trop en fonction des autres et pas assez en fonction de mes propres besoins. Je réponds aux attentes des autres : parents, amis, conjoint, patron. Et moi là-dedans ? Par le contrôle de ma contrainte, j'atteins un niveau où tout explose ou plutôt « implose » en moi. Étant donné que je n'ai pas libéré extérieurement ma détresse, elle doit trouver une façon de sortir. La paroi abdominale protège mes organes internes et les garde en place. Par conséquent, la **hernie dans le muscle** peut être liée au désir de garder mon univers à sa place en ne permettant pas la libération de l'agressivité ou d'expressions plus fortes. Est-ce que je me permets de la libérer ? Je peux me sentir coupable d'être dans cet état et je me sens poussé et forcé à aller trop loin, ou j'essaie d'accomplir mon but d'une manière excessive. Il y a une « poussée mentale » (stress) qui essaie de jaillir. Je veux sortir d'un état ou d'une situation qui n'est pas agréable et dans lequel je me sens contraint de rester. Il s'agit d'une certaine forme d'autopunition. C'est le moment d'un nouveau départ.

J'accepte↓♥ d'exprimer ma créativité. Maintenant, je me permets d'être moi-même en m'extériorisant plus librement. Je vis plus d'**amour** pour moi-même et les autres car je sais qui « Je Suis ». Je prends le temps de m'intérioriser, d'être seul afin de voir clair dans ma vie et de savoir où je m'en vais.

HERNIE DISCALE

VOIR AUSSI : DOS [MAUX DE…], LUXATION

Un disque intervertébral est une structure ronde et plate, située entre chaque paire de vertèbres de la colonne vertébrale, dont le noyau est semblable à de la gelée (comme de la gélatine) qui sert d'amortisseur, permettant d'absorber les chocs. Dans une **hernie discale** (**ou disque déplacé**), la pression des vertèbres provoque l'issue de ce noyau en arrière dans le canal rachidien, réduisant l'effet absorbant et comprimant de façon douloureuse les racines des nerfs à ce niveau.

Dans une **hernie discale**, en plus de la signification générale des **hernies**, il y a un relâchement anormal des liquides, impliquant, d'un point de vue métaphysique, les émotions. Il y a aussi de la douleur aux nerfs, impliquant l'énergie mentale et la culpabilité. Tout cela indique un profond conflit affectant tous les aspects de mon être. Dans la situation de la **hernie discale**, il y a nécessairement un conflit avec la **pression**. Je peux la sentir au niveau de mes responsabilités familiales, financières, à mon travail, etc. C'est comme si j'exerçais une pression sur moi-même en dépassant mes limites, en me prenant pour quelqu'un d'autre parce que je veux aller trop vite. Cette pression peut venir de moi, des autres ou d'ailleurs. Je prends les fardeaux de tous et chacun sur mon dos. J'ai l'impression d'être seul dans la vie, je manque d'affection, je ne suis pas appuyé et j'hésite à l'avouer aux autres et, surtout, à moi-même. Ce qui me donne un sentiment d'être prisonnier et indécis. Je ne me sens pas à la hauteur, je manque de confiance en moi. J'ai tendance à vivre pour les autres. Je ne me permets aucune erreur. Je croule sous le poids des responsabilités. Au lieu de me traiter avec douceur, je suis très rigide face à moi-même. Je vis ma vie comme un automate au lieu de laisser mon **cœur♥** d'enfant s'amuser et être spontané. Puisque tout est automatique, très rationnel, donc sans émotion, cela amène des difficultés dans mes relations interpersonnelles. Mes émotions sont coincées dans mon corps et m'amènent à être très rigide. Je me révolte face à une situation que je considère comme sans issue. Il est important que je me réfère à la partie affectée de l'épine dorsale pour comprendre davantage ce qui se passe en moi. J'apprends à devenir plus « souple » envers moi-même et je me sens maintenant soutenu par la vie. Je me libère de toutes culpabilités et de toutes pressions. Je m'aime comme je suis. Je fais de mon mieux et je laisse le reste à Dieu.

J'apprends à me faire confiance et j'accepte↓♥ de pouvoir me supporter moi-même. Je remets à chacun leurs responsabilités ; je suis ainsi davantage libre de vivre ma vie selon mes propres valeurs existentielles. Je n'ai plus à être sur la « ligne de front ». Je peux être spectateur. Je prends **conscience** qu'à chaque fois que j'ai cherché une réponse ou un soutien, j'y ai trouvé la confirmation de ce que je savais ou ressentais déjà. **J'accepte↓♥ d'écouter ma voix intérieure** qui, elle, est toujours là pour m'appuyer et me guider. **J'apprends à me faire confiance**, et je découvre toute la force qui est en moi et le bonheur que cela m'apporte de me tenir debout, libre et dans la confiance.

HÉROÏNE (consommation d'...)

VOIR : DROGUE

HERPÈS (... en général, ... buccal, ...labial) — **FEU SAUVAGE**

VOIR AUSSI : BOUCHE

L'**herpès**, éruption cutanée groupée de vésicules inflammatoires, est communément appelé **feu sauvage** ou **bouton de fièvre**. Ce virus très contagieux touche un pourcentage élevé de notre population et en plus, persiste dans le corps pour le reste de la vie.

Il y a quelque chose qui « m'empoisonne » l'existence, un lien entre la peau et le système nerveux qui se fait mal : « c'est pour cela que ça fait mal ». Même après plusieurs années de « sommeil », il peut réapparaître. Les éruptions du virus **herpès simplex (HSV)** réalisent des ulcères affectant surtout la bouche, les lèvres ou les parties génitales. Plusieurs causes sont reliées à l'**herpès**. Cela peut être de la frustration parce que je n'ai pu réaliser certains désirs et je me sens quelque peu « impuissant », « incapable ». Je peux vouloir éloigner quelqu'un pour ne pas me laisser embrasser ; soit que je le juge soit que je veuille le punir. J'ai besoin de me retirer (aux sens propre et figuré !) pour un certain temps, la pression étant trop forte ; ce peut être face à ma vie sexuelle ou face au travail ou à la famille. Je peux m'en vouloir d'avoir dit certaines paroles blessantes et j'ai maintenant tendance à ***ramper***. J'ai eu à me défendre et je peux regretter les paroles dites. Je peux porter un jugement sévère sur une personne du sexe opposé et le généraliser à tout l'ensemble (Ex. : « Les hommes sont tous... »). Autant de manières pour me garder à distance des autres, car les régions où l'**herpès** se développe sont habituellement les lèvres et les parties génitales, lieux de base pour la communication personnelle, verbale ou affective avec les autres personnes. Les ulcères peuvent m'indiquer que je vis une peine émotionnelle et mentale (car le tissu mou et les fluides sont impliqués), que je vis une grande douleur intérieure qui veut se faire jour. Puisque c'est avec les lèvres que j'embrasse les personnes aimées (conjoints, enfants, parents, etc.), l'**herpès buccal** m'indique que je peux vivre une situation dans laquelle je vis une séparation par rapport à une personne que j'avais l'habitude d'embrasser. Le contact au niveau de la peau des lèvres a été retiré pour quelque raison que ce soit et l'**herpès** apparaît. J'avais des projets mais je ne peux plus les réaliser. C'est difficile pour moi de partager mes convictions. J'ai donc l'impression que ce sont les autres qui dirigent ma vie et cela ne me convient pas. Sur le **nez** (plus rare), l'**herpès** m'indique que je peux vivre de la rage liée au fait qu'on pense, dans mon entourage, que j'ai « le nez fourré partout » . Les éruptions semblent étroitement reliées au stress et aux situations conflictuelles, spécialement lorsque je fais quelque chose à contre**cœur♥** ou lorsque je vais à l'inverse de mes sentiments intérieurs (ex. : lorsque j'ai une expérience sexuelle avec une personne avec laquelle je ne veux pas être). L'**herpès** peut aussi me donner le message que je vis un chagrin, une lassitude face à la vie, un manque d'amour-propre. Ce virus apporte sur la table toutes les questions de honte, de culpabilité, de compromis et de reniement de soi qui sont reliées à la sexualité (en observant la partie du corps affectée, je pourrai en trouver la cause). Je dois m'interroger face à l'intimité que je vis avec mon partenaire et voir quelles sont les frustrations, les peurs ou les déceptions qui je vis face à celle-ci. Est-ce que je vis de la honte face à ma sexualité ? Est-ce qu'elle est satisfaisante ou n'est elle devenue qu'un plaisir charnel dénué du sens profond qu'elle devrait contenir ?

J'accepte↓♥ de cesser de me juger et de juger sévèrement les autres. J'apprends à m'ouvrir aux autres. Je me fais de plus en plus confiance dans mes relations intimes. Je m'aime davantage et le soleil revient dans ma vie. Je suis fier d'être qui je suis.

HERPÈS GÉNITAL OU HERPÈS VAGINAL

VOIR AUSSI : PEAU — DÉMANGEAISONS, VAGIN — VAGINITE

L'**herpès vaginal**, selon la croyance populaire, provient de la culpabilité sexuelle et du désir inconscient de s'autopunir. L'**herpès génital** peut apparaître s'il y a sentiment d'absence de contact sexuel. Je pouvais avoir un conjoint et l'on s'est séparé : ce qui me fait vivre des frustrations. Ou alors, nous pouvons être séparés physiquement, par exemple si l'un des deux est parti en voyage d'affaires pour une certaine période de temps. Le contact physique avec la peau de mes organes sexuels étant absent, et parce que je vis cette « séparation » très difficilement, je manifesterai mon malaise avec un **herpès vaginal**. Il se peut aussi que ma frustration soit vive en rapport avec mes relations sexuelles, soit qu'elles ne soient pas satisfaisantes ou que mes désirs sont inassouvis, soit au contraire, qu'elles soient pleinement satisfaisantes, et qu'elles fassent remonter des souvenirs malheureux. Autrement dit, je peux me demander pourquoi j'ai été autant d'années à vivre de l'insatisfaction alors qu'aujourd'hui, cela va si bien, pourquoi n'ai-je pas connu cela avant ? Dans l'éducation religieuse populaire, on allait jusqu'à prétendre que c'était voulu par Dieu pour nous punir. Le sentiment de honte m'amène même à vouloir nier, à ne pas accepter↓♥ mes organes génitaux. Les parties génitales ont été des boucs émissaires de bien des religions.

J'accepte↓♥ de prendre **conscience** que je veux fuir ma nature profonde. Je suis vulnérable ; suis-je prêt à m'investir totalement ? J'aime mon corps et je me réjouis de ma sexualité. Dieu m'a créé à son image. Je m'émerveille de la beauté que je suis. Je dois m'accepter↓♥ totalement, me donner complètement à moi-même pour ensuite en faire de même avec mon (ma) partenaire.

H.I.V.

VOIR : SIDA

HODGKIN (maladie de...)

VOIR AUSSI : CANCER DES GANGLIONS [... DU SYSTÈME LYMPHATIQUE], SANG — LEUCOPÉNIE

La **maladie de Hodgkin**[133] est une affection cancéreuse touchant les ganglions lymphatiques ainsi que la rate et le foie. Elle se manifeste par une perte des forces causée par une diminution des globules blancs.

Elle est fortement reliée à une **grande culpabilité** que je vis. Je ne me trouve pas assez bon, l'estime de moi est à son plus bas, allant même jusqu'à refuser qu'on me dise des compliments. Je crains d'être attaqué, désapprouvé et je vis un grand découragement, une perte du goût de vivre (le sang signifie la joie), une perte de mes défenses (globules blancs) car c'est comme si je n'avais pas le droit ou ne méritais pas de vivre. Je ne peux pas combler les attentes des autres, surtout celles de mes parents. Je me sens dans une course frénétique : je sens le besoin de démontrer aux autres ou à moi-même que je suis quelqu'un et que je peux accomplir de grandes choses. Je peux nourrir des sentiments de haine, de ran**cœur♥** contre quelqu'un ou contre une situation, ce qui ***mine*** ma santé mentale et physique. Ce peut être face à moi-même que j'en veux car je suis "tané"[134] de vivre en fonction des autres. Je cherche qui je suis et je porte des masques pour plaire aux autres. Je suis comme un caméléon dans un

---

[133] **Hodgkin** : la **maladie de Hodgkin** est un type de lymphome découvert par le médecin **Thomas Hodgkin** en 1832, et caractérisé par la présence de grosses cellules atypiques, les cellules de Reed-Sternberg. La cellule de STERNBERG est indispensable au diagnostic. Sa réelle nature est encore peu connue mais il semblerait qu'elle soit d'origine lymphoïde B clonale.

[134] **Tané** : fatigué, j'en ai assez.

recoin qui change de couleur afin de se ***protéger*** contre l'autorité extérieure. Je me perçois comme un monstre, je suis prisonnier.

J'accepte↓♥ que ma grande joie soit de m'aimer pour ce que je suis. Je me fais confiance et je vais à mon rythme. Mon corps se régénère puisque je me branche à **La Source** qui est en moi. Je reprends ma vie en mains. Je prends **conscience** que les autres ne peuvent m'aimer vraiment que si je suis moi-même. Je retrouve les richesses en moi et je vis selon ma propre vérité intérieure.

HOMICIDE

Je peux avoir le désir de tuer quelqu'un. Si je nourris ce désir avec du ressentiment et de la haine, je m'expose à l'égrégore[135] d'énergie négative concernant cette forme de pensée qui me poussera peut-être à passer à l'action. **Qu'est-ce que je veux tuer en moi ? Ma souffrance, ma hargne, ma haine... ?** J'en veux d'avoir perdu quelqu'un ou quelque chose et je rends les autres responsables de ma peine et de mon désarroi. Ma blessure intérieure me semble insupportable. La souffrance que je vis à l'intérieur me demande du courage. Le courage de demander de l'aide. Le courage de faire confiance à une personne qui pourra m'accueillir inconditionnellement. Une personne à qui je pourrai me confier.

J'accepte↓♥ de me libérer du passé, de pardonner et je retrouve la force de me prendre en mains.

HOMOSEXUALITÉ

Y a-t-il une exclusion à l'**amour** ? L'**homosexualité** est-elle une maladie ? Certains essaient de prouver que l'**homosexualité** pourrait être inscrite dans notre bagage génétique. L'**homosexualité** est un langage d'**amour** qui est de plus en plus accepté↓♥ par notre société contemporaine. Elle peut être une étape dans la recherche de mon identité ou un choix de vie pour mon évolution ou pour faire évoluer la société. Combien de parents se sont surpassés dans leur amour pour y inclure leur enfant **gai** (nom donné à l'**homosexualité** masculine) ou **lesbienne** (nom donné à l'**homosexualité** féminine). Il y a deux côtés en moi. Le côté féminin (YIN ou intuitif) et le côté masculin (YANG ou rationnel). Il se peut que n'acceptant↓♥ pas mon identité, je tente de retrouver chez une personne du même sexe le côté que j'ai rejeté. Il se peut aussi que je recherche un père, une mère. **Quel que soit mon choix d'orientation sexuelle, il est important que je le fasse en harmonie avec mon être**. Si je choisis l'**homosexualité** parce que je rejette les personnes de l'autre sexe pour une raison ou pour une autre, je me retrouverai à vivre des situations semblables à celles que j'aurais eu à vivre avec des personnes de l'autre sexe, parce que j'ai ces prises de **conscience** à faire. Lorsque mon choix d'orientation sexuelle est clair pour moi, que je sois **homosexuel** ou hétérosexuel, je ne devrais pas me sentir menacé par ceux qui ont une orientation différente de la mienne. Si je suis en réaction par rapport à ceux qui ont une orientation différente de la mienne, alors je dois me poser sérieusement la question à savoir de quoi j'ai peur par

135 **Égrégore** : il s'agit d'une énergie sous forme de **conscience**, formée par la pensée de plusieurs ou d'une multitude de personnes.

rapport à cette situation . De quoi ai-je besoin de me protéger en prenant l'attitude contraire ? Aurais-je peur d'avoir un côté de moi qui est **homosexuel** et de me l'avouer ? Si par exemple je suis un homme et que l'un de mes parents voulait à tout prix avoir une fille, il se peut que, même inconsciemment, je veuille développer au maximum les qualités d'une fille afin d'augmenter les chances de me rapprocher et d'être accepté↓♥ par ce parent. Si je suis un **homme**, je peux me poser de multiples questions face à mon identité. Je peux rechercher ma virilité d'homme, mon rôle en tant que père et aussi face à mon père de qui je recherche l'**amour.** Je peux avoir été élevé par une mère trop dominante ce qui m'a fait vouloir fuir les femmes. Toutes ces possibilités peuvent se transposer aux **femmes** bien sûr.

J'accepte↓♥ de prendre **conscience** que l'importance doit être mise sur l'**amour** que deux personnes ont entre elles et que cet amour doit être vrai peu importe leur orientation sexuelle. Je peux demander à mon guide intérieur de m'aider à comprendre au niveau du **cœur♥**, de m'accepter↓♥ tel que je suis et d'accepter↓♥ les autres, tels qu'ils sont.

HOQUET

Le **hoquet** est provoqué par des contractions spasmodiques subites et involontaires du diaphragme.

Je peux vivre une révolte intérieure, une culpabilité, un auto jugement. Cela perturbe mon organisme. Toujours le **hoquet** ? Il peut être fréquent et durable. C'est une expérience très incommodante et désagréable pour la personne qui l'a. Est-ce qu'il y a quelque chose d'incommodant et de désagréable dans ce que je vis ou dans ce que je voudrais vivre, mais qui ne se manifeste pas et qui me cause de la frustration ? Est-ce qu'il y a des bruits, des pensées que je ne peux arrêter ? Suis-je consistant entre ce que je pense, je dis et ce que je fais ? Le **hoquet** est-il programmé « Ex. : chaque fois que je bois de la boisson gazeuse, j'ai le **hoquet** » ? Y a-t-il une situation de ma vie que je ne peux admettre ? Sur laquelle je n'ai aucun contrôle et que je voudrais changer, arrêter, tout comme mon **hoquet** ? Sur quel sujet suis-je en ***désaccord*** et ai-je l'impression que je ne peux pas être entendu ? Est-ce que j'écoute toujours ma voix intérieure et ses O.K. (**hoquet**) ? Je peux vivre une émotion face à une personne en autorité et j'ai le goût de lui dire : c'est assez ! J'ai peur de quelque chose ou de quelqu'un et le **hoquet** me rappelle que je dois me libérer de cela. Mon impatience et mon impulsivité face à un événement peuvent aussi causer le **hoquet**.

J'accepte↓♥ de prendre la vie plus calmement. J'apprends à goûter et à apprécier ma vie pleinement. J'accepte↓♥ que tout soit en place, dans le plan divin, que tout est « O.K. », et le **hoquet** disparaîtra. J'accepte↓♥ d'avoir le plein pouvoir sur moi-même et de me prendre en charge.

H.T.A (hypertension artérielle)

VOIR : TENSION ARTÉRIELLE — HYPERTENSION

HUNTINGTON

VOIR : CERVEAU — HUNTINGTON [MALADIE DE...]

HYDROPHOBIE

VOIR : RAGE

HYGROMA

VOIR : BURSITE, GENOUX [MAUX DE...]

HYPERACTIVITÉ

VOIR AUSSI : AGITATION

L'**hyperactivité** intéresse principalement les enfants dont les activités sont intenses et constantes. Il est bien de faire la distinction entre un comportement dynamique et **hyperactif**.

Si je suis un **enfant hyperactif**, j'ai un comportement turbulent et dérangeant, voire même étrange. C'est la façon habituelle que j'ai d'ignorer les situations et les circonstances autour de moi en devenant tellement impliqué dans ce que je fais que je n'ai pas à mettre l'attention sur « ma » réalité immédiate, peut-être parce que cette réalité n'est pas valorisante et réconfortante. Je suis révolté par certaines situations ou comportements de mon entourage. La nervosité que j'exprime met en **lumière** ou à jour des états intérieurs, des non-dits, des peurs que moi ou les autres vivons. Il peut s'agir aussi d'une certaine rébellion face à l'autorité, une façon d'éviter de faire face à une certaine réalité qui m'est intolérable. Nous savons que l'**hyperactivité** est causée par les additifs artificiels : l'excès de sucre, les colorants et le *fast-food*. La nourriture de ce type est souvent le symbole du parent essayant de combler l'**amour** dont je peux manquer. Par exemple : il me donne du chocolat alors que j'ai davantage besoin d'une « collade[136] ». Lorsque je suis un **enfant hyperactif**, c'est souvent que j'ai besoin d'être centré davantage sur mon moi intérieur et mon **cœur♥**. Comme parent, avant de penser à mettre mon enfant sous médication, j'aurais grandement avantage à essayer des traitements qui agissent sur le plan énergétique, comme par exemple la détente, l'acupuncture, l'homéopathie, etc. Il serait important de vérifier le contexte de naissance de l'enfant : les circonstances, s'il est prématuré, s'il y a eu traumatisme. etc. car la naissance aura une influence sur les années à venir de l'enfant, puisque la mémoire émotionnelle enregistre tout (consciemment ou non). Le MOI s'adapte aux contraintes en mettant en place un filtre interne afin **d'éviter ce qui le dérange dans la réalité.** Dans ce cas précis, les parents peuvent expliquer à l'enfant l'histoire de sa naissance et dédramatiser la situation, ou parler à son **âme** pendant qu'il dort. Il existe également des cas où l'enfant se sent coupable, comme par exemple, si la mère a eu un accouchement difficile : il s'agit d'expliquer à l'enfant que ce n'est pas sa faute, et qu'il est aimé, quoi qu'il ait pu se passer. Il y a aussi des situations où la mère, lorsque l'enfant était dans son ventre, a eu l'impression qu'il ne bougeait plus. Le fait de ne pas bouger devenait donc un signe de danger et que peut-être l'enfant était mort. Une fois que l'enfant grandit, il sent le besoin de bouger pour montrer, même inconsciemment, qu'il est en vie. C'est comme s'il avait l'impression de vivre seulement quand il bouge. Le fait de lui expliquer aura pour effet d'enlever un grand

[136] **Collade** : expression québécoise pour accolade, embrassade.

stress à l'enfant. La même chose s'applique pour un enfant qui est devenu adulte et qui est encore **hyperactif**. Il se peut que l'**enfant** soit **hyperactif** parce qu'il est en résonance ou si l'on veut, en contact intérieur avec ce qu'on appelle notre enfant intérieur (l'enfant intérieur du parent) qui, lui, vit une grande tension ou une grande insécurité. Dans certains cas, l'enfant est surprotégé par les parents. Il peut avoir été de véhiculé à la maison le fait que le repos n'est pas permis, sinon je passe pour lâche, fainéant. Mon corps va alors automatiquement vouloir bouger. Si nous-mêmes comme parents ne sommes pas centrés énergétiquement, comment demander à notre enfant de l'être ?

J'accepte↓♥ de me prendre en mains pour moi-même, d'abord, ainsi que pour le bien-être de mon enfant.

HYPERÉMOTIVITÉ

VOIR : ÉMOTIVITÉ

HYPERCHOLESTÉROLÉMIE

VOIR : SANG — CHOLESTÉROL

HYPERGLYCÉMIE

VOIR : SANG — DIABÈTE

HYPERMÉTROPIE

VOIR : YEUX —HYPERMÉTROPIE

HYPEROREXIE

VOIR : BOULIMIE

HYPERSALIVATION

VOIR : SALIVE—HYPER ET HYPOSALIVATION

HYPERSOMNIE

VOIR : NARCOLEPSIE

HYPERTENSION

VOIR : TENSION ARTÉRIELLE — HYPERTENSION

HYPERTHERMIE

VOIR : FIÈVRE

HYPERTHYROÏDIE

VOIR : GLANDE THYROÏDE — HYPERTHYROÏDIE

HYPERTROPHIE

L'hypertrophie est l'augmentation du volume d'un organe ou d'un tissu. Il faut se référer à la partie du corps affectée pour aller chercher davantage d'informations.

L'hypertrophie m'indique un besoin particulier et plus grand face à l'aspect émotif concerné. Par exemple, s'il y a **hypertrophie du cœur♥**, je vis un manque important face à l'**amour**. Si je suis un **bébé**, c'est l'**amour** d'un ou de mes deux parents dont j'ai tellement besoin mais qu'il semble que je ne puisse pas recevoir. Quel que soit mon âge, je vis un vide et une solitude immenses ce qui m'amène à vivre de l'insécurité.

J'accepte↓♥ de reconnaître mes besoins et je me donne les moyens de les combler. Au lieu d'attendre qu'ils soient comblés de l'extérieur, j'en prends soin moi-même. Je me donne tout l'**amour,** la douceur et la tendresse dont j'ai besoin. Je choisis de m'ouvrir pleinement à la vie et d'accepter d'être quelqu'un d'épanoui et comblé.

HYPERVENTILATION (suroxygénation)

VOIR AUSSI : ACIDOSE, ANXIÉTÉ, FIÈVRE

L'**hyperventilation** consiste en une inspiration rapide et une expiration courte, amenant un excédent d'oxygène dans l'organisme.

Les causes peuvent être l'acidose, l'anxiété ou même la panique, la fièvre, un exercice physique intense. Je souffre d'**hyperventilation** parce que je n'accepte↓♥ pas le changement. En conséquence, j'éprouve un sentiment d'inquiétude face à la nouveauté et j'hésite à faire confiance à la situation actuelle ; je refuse de m'abandonner. Je peux même défier ce qui se passe dans ma vie. Puisque ma respiration est déséquilibrée, quel est l'aspect de ma vie où ce même déséquilibre est présent, souvent en excès ? Est-ce que j'accepte↓♥ les cadeaux de la vie totalement (inspiration) ? Est-ce que je donne vite ce que j'ai, notamment mon amour (expiration) afin d'éviter de m'impliquer totalement ? Je vis une surexcitation émotive car je ne sais plus où me diriger dans la vie. Je fuis, je refuse d'écouter ma voix intérieure quand je sais que j'ai toutes les réponses à mes questionnements quand j'écoute cette dernière. Je préfère vivre dans l'impuissance et comme victime au lieu de me responsabiliser. Je nie mon pouvoir et je rejette les occasions d'avancer par peur de l'inconnu. Mon corps me donne un message et j'en prends **conscience**.

J'accepte↓♥ de respirer normalement, je me laisse aller, je m'abandonne. Ma vie se transforme, je me réjouis. Je me libère de toutes mes craintes. Je respire avec joie dans la vie. Je me reconnecte avec un sentiment de sécurité intérieure. J'accepte↓♥ d'avancer avec détermination et je profite de la vie !

HYPOACOUSIE

VOIR : OREILLES — SURDITÉ

HYPOCONDRIE

VOIR AUSSI : AGORAPHOBIE, ANXIÉTÉ, DÉPRESSION, HALLUCINATIONS

Je suis **hypocondriaque** si je me préoccupe de façon excessive de ma santé. Cela peut devenir pour moi une obsession de penser que je pourrais être malade.

Pendant que mon attention est dirigée vers cette possibilité, cela m'empêche d'écouter les critiques et les commérages des autres à mon sujet. Je vis une insécurité ou une peur profonde face à cette perte de contrôle que pourrait représenter l'arrivée de la maladie. Je n'accepte↓♥ pas de souffrir par la maladie parce que je sais au fond de moi que je souffre déjà dans mon être intérieur. Cette crainte peut devenir si grande que je peux décrocher de la réalité et avoir des hallucinations.

J'accepte↓♥ de reprendre contact avec moi-même. En utilisant une approche énergétique ou de psychothérapie, cela m'aidera à reprendre davantage confiance en moi et en ma capacité divine d'ouverture que je peux manifester face à la vie.

HYPOGLYCÉMIE

VOIR : SANG — HYPOGLYCÉMIE

HYPOGUEUSIE

VOIR : LANGUE

HYPOPHYSE

VOIR : GLANDE PITUITAIRE

HYPOSALIVATION

VOIR : SALIVE — HYPER ET HYPOSALIVATION

HYPOTENSION

VOIR : TENSION ARTÉRIELLE — HYPOTENSION

HYPOTHYROÏDIE

VOIR : GLANDE THYROÏDE — HYPOTHYROÏDIE

HYSTÉRIE

VOIR AUSSI : ÉVANOUISSEMENT, NERFS [CRISE DE...], NÉVROSE

Je suis **hystérique** lorsque je vis une névrose et que j'exprime mon conflit psychique de façon corporelle, que ce soit sous la forme d'une crise de nerfs, de convulsions, de pertes de connaissance, etc.

Lorsque je fais une crise d'**hystérie**, je ne sais plus quelle direction prendre, je décroche de la réalité, je me réfugie dans l'imaginaire et je peux avoir tendance à exprimer mon conflit intérieur en public. J'exprime de façon inconsciente mes tendances refoulées et je veux attirer l'attention que je ne reçois pas dans mon quotidien. L'**hystérie** apparaît après une longue période de non affirmation et de non-expression de mes besoins. Je me suis tellement dévalorisé que j'ai toujours pris du recul face aux autres. Je me suis aussi déconnecté de moi-même pour éviter de souffrir. Mais lorsque je n'en peux plus de me sentir rejeté, différent, incompris, non aimé, j'explose. Je m'en veux à moi-même de me sentir aussi impuissant et incapable mais ma colère et ma violence sont dirigées vers les autres. Je veux que les autres m'écoutent et m'aiment. Cela est particulièrement vrai si je fais partie d'une minorité, soit ethnique, religieuse ou tout autre. Lorsque je vis cet état, cela met en évidence la douleur et la peine intérieure que je peux ressentir. J'ai besoin de guérir ma blessure intérieure afin de pouvoir retrouver un plus grand équilibre, une plus grande harmonie et une plus grande paix intérieure, afin de faire cesser ces tourments.

J'accepte↓♥ de prendre conscience que l'**amour♥**, la joie, la spontanéité, l'expression de moi prennent davantage place dans ma vie. Ce que je demande aux autres, je dois me le donner moi-même. J'apprends à écouter mes besoins et à les combler moi-même. Si je me respecte, les autres me respecteront aussi. Je demande à être guidé pour choisir l'approche thérapeutique qui me permettra d'atteindre cet état de mieux-être.

HYSTÉROPTOSE

VOIR : PROLAPSUS

I

ICTÈRE

VOIR : JAUNISSE

ILÉITE OU MALADIE DE CROHN

VOIR : INTESTINS — CROHN [MALADIE DE...]

IMPATIENCE

VOIR AUSSI : FRIGIDITÉ, NERVOSITÉ, SANG — HYPOGLYCÉMIE

L'**impatience** dénote un stress intérieur, une insécurité ou une tension qui m'ébranle et affecte mon système nerveux. Je deviens plus irritable, plus expéditif dans ce que j'ai à dire ou à faire. « Suis-je impatient envers moi ou envers les autres ? » Pourquoi ai-je toujours besoin d'aller plus vite ? C'est comme si je voulais rattraper le temps. Lorsque je sens une limitation ou qu'on veut brimer ma liberté, cela m'irrite et cela se manifeste par mes actes brusques et mon **impatience**.

J'accepte↓♥ de prendre quelques moments pour me détendre et pour trouver la source de mon irritation.

IMPUISSANCE

VOIR AUSSI : ANGOISSE, ANXIÉTÉ, PEUR

En tant qu'homme, si je suis incapable d'obtenir ou de maintenir une érection lors d'une relation amoureuse, alors je souffre d'**impuissance**, aussi appelée **dysfonctionnement érectile**.

Cela m'amène certainement à vivre de l'insatisfaction dans mes rapports sexuels. Sur le plan médical, même si l'**impuissance** peut être **organique**, c'est-à-dire provenir d'une cause physique ou provenir d'un aspect **psychologique**, je dois considérer que la cause provient d'un facteur psychologique ou métaphysique (au-delà du physique), même inconscient. L'**impuissance** est souvent reliée à la peur de me livrer en toute confiance, de m'abandonner à une femme[137], ou de perdre le contrôle face à moi-même ou face à l'autre personne. J'ai peur d'être vulnérable, donc l'intimité « m'intimide ». Je peux angoisser à l'idée de « mettre ma compagne enceinte ». Étant un homme, j'ai souvent beaucoup de responsabilités et je peux vivre beaucoup de pression et de stress au travail, et la société en général me demande d'être performant me surpasser. Transposant cette demande dans ma sexualité, je peux sentir une pression sexuelle me poussant à me surpasser et qui crée une grande

[137] Ou à un homme si mes rapports sexuels se font avec un homme.

tension intérieure me « faisant perdre mes moyens ». J'en viens à appréhender des rapports intimes. Inversement, un homme qui approche de la retraite pourra voir apparaître des signes d'**impuissance :** ne se sentant plus bon à rien, inutile. Je me sens sur mon ***déclin***. Je me dévalorise : n'ayant plus la possibilité de me surpasser au travail, je ne serai plus performant dans le lit. La même chose peut arriver si je perds mon travail d'une façon soudaine et inattendue. Dans un domaine particulier, ma vie a perdu tout son sens. N'osant pas en parler à mon ou ma partenaire, j'en viens à vivre beaucoup de culpabilité, de confusion jusqu'à avoir peur de perdre l'autre personne. Une grande angoisse éprouvée lors de mes rapports amoureux peut provoquer ce blocage qui me fait vivre de l'**impuissance**. Cette angoisse peut provenir du fait que, lors d'un rapport sexuel, je suis davantage en contact avec mon côté affectif. Comme homme, je ne suis pas habitué à manœuvrer avec mes émotions. Je suis en contact plus conscient avec mon enfant intérieur blessé qui peut vivre de l'insécurité, de la peur, du rejet, de l'incompréhension. Aussi, si dans mes relations amoureuses précédentes, j'ai eu l'impression de vivre des échecs que j'ai trouvés dévalorisants, alors je pourrai ne pas me sentir « à la hauteur » de la situation lors d'un prochain rapport sexuel. Mon insécurité, mon sentiment d'incapacité et d'échec, de haine de moi, de culpabilité ou de négligence peuvent m'amener aussi à vivre de l'**impuissance**. Je peux vivre le départ de ma femme comme une séparation tant sur le plan émotionnel que physique. Comme le contact physique sexuel n'est plus possible, mes organes sexuels perdent leur sensibilité. L'**impuissance** peut aussi avoir sa source dans un événement passé qui m'a marqué : je peux avoir été abusé physiquement ou psychologiquement dans la tendre enfance ; je peux garder de la rancune face à une relation affective antérieure, ayant l'impression que j'ai été victime d'une trahison. L'**impuissance** est aussi une façon d'avoir du pouvoir sur l'autre en retenant sexuellement un(e) partenaire qui abuse ou en demande trop. Je peux avoir l'impression que mon territoire (mes possessions, mon environnement immédiat, ce à quoi je m'identifie) est en danger. Je peux avoir une perte d'intérêt pour les femmes en général, ce qui se transposera sur le plan physique si le désintéressement perdure. Finalement, si j'identifie ma partenaire à ma mère, si cette dernière occupe une place trop importante dans ma vie, en me soumettant à elle et en ayant peur de ne pas lui plaire, en me sentant **impuissant** à la rendre heureuse et à lui faire plaisir, ceci pourra se transformer en **impuissance** sexuelle. Ma femme étant la copie conforme de ma mère, je réalise sans m'en rendre compte un inceste au niveau psychologique et qui va inéluctablement mener à **l'impuissance**, et ce, à différents niveaux. Le complexe d'Œdipe[138] n'a probablement pas bien été vécu. Je peux me sentir menacé par ma conjointe, souvent au niveau émotif mais ce peut être aussi au niveau physique. Qu'est-ce qui va arriver si je m'abandonne à elle ? Vais-je perdre mon sentiment de puissance ? Vais-je être mangé tout rond[139] ? (autant au sens propre que figuré : physiquement, émotionnellement ou financièrement) La peur de l'échec me fige. Je suis plein d'émotions et je ne sais trop quoi faire avec. Je vis dans l'obligation d'avoir des relations

---

[138] **Complexe d'Œdipe** : il est caractérisé dans le développement de l'enfant, généralement entre 3 et 6 ans, par un fort attachement affectif pour le parent du sexe opposé : le garçon vers sa mère, la fille vers son père.

[139] **Se faire manger tout rond** : expression voulant dire qu'on abuse de moi.

sexuelles satisfaisantes et le fardeau est lourd à porter. J'ai l'impression que je dois procurer du plaisir à l'autre à tout prix. Je peux porter en moi de la rancune qui a été vécue face à un(e) ou des partenaires passés. Mon corps m'amène à repenser mes valeurs face à la sexualité et l'**amour** en général. Le fait d'exister en tant qu'homme peut me renvoyer à l'image de mon père, mais je prends **conscience** que je suis différent de lui et que je peux vivre ma propre vie au lieu de la sienne par procuration.

J'accepte↓♥ de définir ma place, de prendre contact avec mes émotions et de laisser aller le contrôle afin que l'énergie circule librement dans tout mon corps, au lieu de rester dans ma tête, afin d'amener une relaxation physique et mentale. **L'impuissance** que je vis peut vouloir m'aider à prendre **conscience** de ma vraie valeur en tant que personne et non en temps que « bête de sexe ». Elle me permet de voir que je peux être créatif dans d'autres aspects de ma vie. Je suis amené à réévaluer mes valeurs et priorités profondes. Quand j'ai pris **conscience** que je peux expérimenter le vrai amour de différentes façons et que je le mérite, **l'impuissance** s'en ira et j'aurai pris contact avec ma **puissance** intérieure.

INCIDENT

VOIR : ACCIDENT

INCONTINENCE (... fécale, ... urinaire)

VOIR AUSSI : VESSIE [MAUX DE...]

Que l'**incontinence** soit **fécale** — incapacité à retenir les selles —ou **urinaire** — pertes involontaires de l'urine — les deux situations ont rapport au contrôle. Il se peut que la vie veuille m'enseigner à être plus flexible et à laisser aller les gens et les situations. La perte de contrôle, soit de mes selles soit de mon urine, m'oblige à faire une prise de **conscience** en ce sens. Je dois laisser de côté mes pensées rigides qui ne sont qu'une protection que je m'impose pour me protéger de ma sensibilité là où je ne peux contrôler la situation. Puisque l'**incontinence** résulte d'un muscle qui ne peut plus agir efficacement, il y a donc un manque ou faiblesse au niveau mental. Je peux vivre une déception immense qui conduit au désespoir. Je renonce, je « baisse pavillon » et je n'ai plus la maîtrise de mes émotions. Au lieu d'être responsable et dans l'action, je suis dans la culpabilisation, le « laisser-aller » et la passivité. Je n'ai plus l'impression d'avoir de pouvoir sur moi ou sur les événements. Dans le cas d'**incontinence fécale**, je peux me demander quelle est la personne ou la situation « qui me fait chier ». Il se peut que je sois en très forte réaction par rapport à l'autorité et le fait d'avoir à subir cette autorité m'amène à vivre cette situation d'**incontinence**. Pour moi, l'autorité peut être la vie elle-même qui m'amène à faire des changements que je ne veux pas faire. Je peux aller voir dans mon enfance qui représentait l'autorité pour moi et envers qui j'ai pu être en réaction. Si je suis un adulte qui vit cette situation, je me demande si j'ai de la difficulté à décider de ma vie et des directions que je veux prendre. Me sentant « mou » ou ayant l'impression d'avoir trop de responsabilités, j'ai le désir inconscient de redevenir bébé et de tout laisser aller, de ne plus rien prendre sur mes épaules car j'ai besoin qu'on s'occupe de MOI ! Dans le cas d'**incontinence urinaire**, cette libération incontrôlable et inconsciente d'émotions négatives que représente l'urine peut être un moyen d'avoir plus d'attention. La cause sous-jacente à ceci peut être un sentiment de rejet, de n'avoir aucun mérite, d'insécurité ou d'avoir peur de l'avenir. Je me sens en manque d'affection. Je peux dans ce cas aussi avoir peur qu'on « m'écrase », ce qui augmente mon sentiment d'impuissance. Une situation m'angoisse et je me sens sans défense. Le fait de me sentir limité ou de recevoir des punitions va intensifier mon malaise. Je me bâtirai un monde imaginaire où les méchants prédomineront. Je me sens vulnérable et je résiste à l'**amour**, à la tendresse car cela n'existe pas dans mon univers. Ou je crois que je ne le mérite pas. Je crains l'autorité sous toutes ses formes. J'ai peur de perdre ce qui m'appartient ou d'être séparé de quelqu'un que j'aime. C'est donc comme si je marquais mon territoire. L'urine représente des émotions négatives normalement relâchées lorsqu'elles ne sont plus nécessaires ou voulues. Cette libération souvent nocturne indique un conflit à un niveau plus profond et dont je n'ai même pas **conscience**. Étant incapable de « contrôler » la fuite d'urine ou de selles, je suis incapable de contrôler ce qui arrive dans ma vie, notamment mes émotions, et cela peut faire peur. Il est important que ces peurs et insécurités intérieures s'expriment et que je les ***entende***. Je peux aussi laisser aller trop facilement des choses ou des personnes qui me sont chères, sans avoir le courage ou la force d'aller chercher ce que je veux. Ayant beaucoup d'attentes face à la vie, je suis déçu et je me « laisse aller » ; cela peut être tant par rapport à mon corps qu'à mon esprit. Ai-je l'impression que le temps ou que la chance me filent entre les doigts ?

Une grande peur ou nervosité peuvent aussi causer l'**incontinence**, surtout chez les enfants. Ils sont très sensibles à ce que vivent les parents et leur nervosité ou angoisse seront ressenties par les enfants de tous âges. Comme **enfant**, je peux, suite à une incapacité à exprimer par des maux ce que je vis, utiliser de « l'encre jaune » pour exprimer indirectement qu'il se passe quelque chose à l'intérieur de moi, et cela me donne un certain sentiment d'exister. Je reçois de l'attention, même si celle-ci s'accompagne de blâmes, de cris ou d'incompréhension. Comme enfant, **l'énurésie** apparaît souvent lors de la naissance d'un autre enfant. Cela est une indication que j'ai de la difficulté à me positionner dans la famille, je ne sais plus quel est mon territoire, ou auquel j'appartiens. Si mon père ne m'a pas ***encadré*** suffisamment ou trop, je me sens perdu, sans attache, et je perdrai l'urine pendant mon sommeil, surtout la nuit. Je me sens alors coupable et je me retire dans mon coin quand ce que je veux vraiment, c'est que ma maman s'occupe de moi.

J'accepte↓♥ qu'il soit impossible de tout contrôler ce qui se passe dans ma vie. J'apprends à faire confiance et j'apprends à aimer la nouveauté et l'inattendu. Si je suis **un parent qui a un enfant qui souffre d'énurésie**, je dois le rassurer et lui enlever tout sentiment de culpabilité. Je l'amène à trouver sa propre force et son autorité intérieures. Je regarde ma propre vie et je vois quelle angoisse je vis personnellement et que mon enfant peut ressentir. Je prends **conscience** que la peur ne résout rien et qu'il y a une solution à cette situation qui m'angoisse. Je fais confiance au fait que je suis guidé à chaque instant. **L'énurésie** peut disparaître de ma vie en reprenant la maîtrise de moi et de ma vie. C'est moi seul qui peux avoir l'autorité sur mon monde intérieur. Je laisse aller mes sentiments librement car ils sont à la source de mon pouvoir intérieur. Ce n'est qu'en les reconnaissant et les acceptant↓♥ comme faisant partie intégrante de qui je suis que je peux créer ma vie comme je le veux.

INCONTINENCE POUR L'ENFANT

VOIR : « PIPI AU LIT »

INDEX

VOIR : DOIGTS — INDEX

INDIGESTION

VOIR AUSSI : EMPOISONNEMENT [..., ... PAR LA NOURRITURE], MAL DE VENTRE, NAUSÉES, SALMONELLOSE

L'estomac est l'endroit dans lequel mon corps physique assimile la nourriture. Si je fais une **indigestion**, mon corps rejette cette nourriture et j'en suis affecté par des nausées qui dévoilent mon malaise, des vomissements, des douleurs abdominales ou le ballonnement relié à l'air ambiant négatif qui m'entoure. Il en est de même avec la réalité, les pensées, les sentiments, les émotions que je vis et qui vont aussi causer une **indigestion** si j'ai de la difficulté à transiger avec celles-ci. Il y a un "trop-plein" quelque part dans ma vie. Il y a un désordre, une disharmonie à l'intérieur de moi. Quelle est la situation ou la personne que j'ai de la difficulté à digérer, à attraper ou à assimiler dans ma vie ? Qu'est-ce qui se passe dans ma vie que je ne peux plus endurer, car cela en fait trop en même temps et c'est devenu insupportable ? Quelle est la nouveauté que je refuse d'intégrer dans ma vie ? Je peux même en venir à être révolté contre cette situation ou contre cette personne que je critique sévèrement. Cela peut aussi être quelque chose que j'ai vu ou entendu qui m'était désagréable et qui « ne passe pas bien ». Je dois me positionner dans une situation et j'en suis pour l'instant incapable. Je ne tolère pas que les gens soient incohérents dans leurs gestes et leurs paroles. Je ne sais pas comment gérer cette situation ; les paroles que je voudrais exprimer restent emprisonnées à l'intérieur de moi. L'anxiété, l'insécurité, l'agressivité me mettront « l'estomac à l'envers » et la digestion ne pouvant se faire normalement, je vais rejeter physiquement la nourriture comme je rejette des nouvelles idées ou des situations que je vis. Je me sens menacé, soit physiquement soit émotionnellement. Tout m'angoisse car je ne suis pas en contact avec mon pouvoir intérieur. Puisque je ne digère pas ce qui se passe en dedans de moi, j'aurai de la difficulté à digérer ce qui se passe à l'extérieur de moi.

J'accepte↓♥ d'aller voir à l'intérieur de moi tous les trésors qui s'y trouvent. Je me regarde en face et je vois que toutes les émotions qui m'habitent font que je suis un être différent et extraordinaire. En étant conscient de qui je suis, je peux changer ce que je veux dans ma vie. J'apprends à mettre de l'**amour** dans la ou les situations, car j'ai une prise de **conscience** à faire. L'**amour** est l'ingrédient qui m'aidera à digérer et à faire passer les situations dans ma vie, en harmonie avec mon être. Je peux ainsi prendre les décisions qui m'amèneront vers la réalisation de mes buts les plus grands.

INFARCTUS (en général)

De façon générale, un **infarctus** est la mort d'une partie des tissus d'un organe, aussi appelé **nécrose**, provenant de l'obstruction de l'artère qui amenait le sang à cette région. Même si des régions comme l'intestin, la rate et les os peuvent être atteintes, les régions les plus exposées sont le cerveau, les poumons et le myocarde, qui est une enveloppe du **cœur♥**.

Comme la circulation sanguine est arrêtée brusquement par un caillot ou un dépôt de lipides (une sorte de gras) dans une artère, cela implique que la joie ne circule plus dans cette région, amenant même la mort des tissus. Selon la région affectée, je peux me demander ce qui a amené mon corps à me dire : « C'est assez, je n'en peux plus, une partie de moi se meurt ». J'ai perdu une chose de vitale dans ma vie, à laquelle je m'identifiais. Je peux aussi avoir l'impression que je suis infatigable et mon corps vient me rappeler que j'ai trop poussé au-delà de mes capacités.

J'accepte↓♥ de vérifier quels sont les besoins que j'ai pu mettre de côté et de quelle façon je pourrais remettre les choses en ordre dans ma vie pour m'aider à vivre pleinement des expériences remplies de joie et de satisfaction.

INFARCTUS (cérébral)

VOIR : CERVEAU — ACCIDENT VASCULAIRE CÉRÉBRAL [A.V.C.]

INFARCTUS (... du myocarde)

VOIR : CŒUR♥ — INFARCTUS [... DU MYOCARDE]

INFECTIONS (en général)

VOIR AUSSI : ANNEXE III, DOULEUR, FIÈVRE, INFLAMMATION, SYSTÈME IMMUNITAIRE

L'**infection** se définit par le développement localisé ou généralisé d'un germe pathogène[140] dans l'organisme, que ce soient des bactéries, des virus, des champignons ou des parasites. Cette situation survient lorsque le système immunitaire ne parvient pas à combattre ce germe envahissant.

Ce germe peut être relié dans ma vie à une situation ou à une personne avec qui je vis un conflit souvent intérieur et que je n'ai exprimé à personne. Puisqu'il n'a pas été résolu, celui-ci surgira sous forme d'**infection**. Une **infection aiguë** surgit à la suite d'une émotion violente mais qui est de courte durée. Une **infection** dite **chronique** fait référence à une émotion présente depuis très longtemps. J'ai dû faire des compromis pour rester en équilibre mais maintenant, je dois faire un choix car cette indécision et cette inaction prennent toute mon énergie et je dois puiser dans mes réserves. J'ai volontairement brimé ma propre liberté pour accommoder les autres mais je n'en peux plus. Le fait de vivre de l'irritation ou un dérangement affaiblit mon système immunitaire qui ne peut empêcher une invasion de se manifester. Je dois me poser la question : « *Qu'est-ce qui m'irrite ou m'affecte si profondément* ? Quel est ce tiraillement que je vis soit au travail soit avec ma famille qui me perturbe à ce point ? Qu'est-ce qui **infecte** ma vie et qui m'amène à ne plus pouvoir me protéger adéquatement ? Est-ce que j'ai peur ou suis-je vulnérable face à une situation ou une personne qui empoisonne ma vie ? » Une **infection** m'indique qu'il y a accumulation sur une longue période de temps

[140] **Pathogène** : qualifie ce qui entraîne la maladie.

d'émotions tristes et d'inquiétude. L'**infection** apparaît quand « je n'en peux plus ». Il existe un conflit entre deux aspects de ma personnalité. Cela se reflète dans ma vie où il y a définitivement une ou des situations de ma vie qui doivent aussi changer, évoluer afin de retrouver la paix intérieure. Une **infection virale** (par un virus) me montre que quelqu'un d'autre a la maîtrise de ma vie. Cette **infection** me force à me reposer et à réévaluer ma vie. Pourquoi ne pas vivre selon mes propres croyances et mes valeurs profondes, mais suivre les autres les yeux fermés ? **L'infection fongique** (causée par un champignon) révèle combien ma propre colère et mon sentiment d'impuissance me parasitent, me grugent en dedans. Je refuse de voir tout mon potentiel et je me laisse atteindre par les autres. Je dois accepter↓♥ les changements en cours dan ma vie, en laissant de côté la grande colère que je peux vivre. La signification de cette colère sera d'autant plus importante si l'**infection** est accompagnée de douleur ou de fièvre. Il est important d'aller voir quelle partie de mon corps est affectée. S'il s'agit par exemple d'une **infection** de mes organes sexuels, je vis une situation conflictuelle qui m'irrite et me fait vivre beaucoup de colère par rapport à ma sexualité ou à la façon dont je perçois celle-ci. L'**infection** va subsister aussi longtemps que je n'aurai pas réglé la situation, et je peux tarder à trouver une solution car j'ai peur des conséquences et des changements que cela va apporter dans ma vie. L'**infection** survient souvent à la suite d'un affaiblissement de mon système immunitaire, ce qui implique que c'est l'**amour** de moi-même qui est en jeu. Je dois me demander quelles sont les attitudes, les pensées que je dois changer ou les actions que je dois prendre pour amener plus d'**amour** dans ma vie. Comme je sais que les gens heureux ont un système immunitaire fort, je fais en sorte de prendre les moyens pour que l'**amour** grandisse en moi et, qu'ainsi, l'**amour** devienne mon bouclier, ma protection.

J'accepte↓♥ de faire du ménage dans ma vie, de la « désinfecter » afin de laisser aller les attitudes et les comportements qui ne sont plus bénéfiques pour moi.

INFECTIONS URINAIRES

VOIR : URINE [INFECTIONS URINAIRES]

INFECTIONS VAGINALES

VOIR : VAGIN — VAGINITE

INFECTIONS VIRALES

VOIR : INFECTIONS [EN GÉNÉRAL]

INFIRMITÉS CONGÉNITALES

Une **infirmité** est une faiblesse, une absence, une altération ou la perte d'une fonction.

La personne aux prises avec une **infirmité congénitale** aura de grands défis à relever dans sa vie. Il est important d'aller voir quelle partie du corps est affectée. Cela va être une indication du défi particulier que la personne s'est donné. Cette **infirmité** peut aussi résulter de situations conflictuelles non résolues que mes parents vivaient lorsque j'étais un fœtus ou avant, ou de mes grands-parents ou arrières grands-parents, et que je revis afin de les intégrer et d'apprendre la leçon de vie qui y est rattachée. Je me retrouve dans une situation personnelle et familiale où les structures de vie sont très strictes, cela étant souvent dû à la pression sociale à laquelle je me sens obligé d'adhérer. J'ai peur du regard des autres et de la critique.

J'accepte↓♥ d'avoir le droit d'être différent et que ce qui est important, c'est de suivre la voie de mon **cœur♥**.

INFLAMMATION

VOIR AUSSI : ANNEXE III

Une **inflammation** est une réaction locale de l'organisme qui se défend contre un agent pathogène[141], et caractérisée par la rougeur, la chaleur, la douleur et la tuméfaction (enflure, gonflement).

Elle est l'expression corporelle d'une **inflammation** intérieure. Je suis **enflammé** et **enragé** par quelque chose ou quelqu'un : la plupart du temps, c'est le feu du foie ou de la vésicule biliaire qui est en excès, et cela s'exprime par mon corps. Je dois me demander quel aspect de ma vie me rend « rouge de colère », « bouillant », et qui m'amènera ultimement à vivre de la culpabilité, si celle-ci n'est pas déjà la cause de l'**inflammation**. Il est important de regarder quelle partie du corps est affectée afin d'avoir une information additionnelle sur la cause de l'**inflammation**. Je me sens coincé, limité. Ma vie est rigide, trop structurée. L'**inflammation** me donne une indication que je vis une situation dans ma vie que je ne veux pas laisser aller. Je résiste au changement. Je lutte avec colère. Ce dont j'avais besoin avant pour me supporter et m'aider à avancer n'a peut-être plus besoin d'être. La contradiction que je vis m'enflamme. Cela m'irrite et je deviens exaspéré ! Il est important d'aller vérifier aussi si une difficulté sexuelle a été vécue dans le passé, refoulée et non résolue, ou si j'ai vécu un sentiment de perte que je n'ai pas accepté↓♥ et envers lequel je vis beaucoup d'irritabilité. Il me sera alors possible de prendre **conscience** de cette situation et d'avoir une compréhension nouvelle et positive de celle-ci. Je me questionne par rapport à mes croyances et je me demande si je vis un conflit intérieur aigu face à qui je suis contre les autres personnes qui m'entourent.

J'accepte↓♥ d'être différent et d'exprimer mes opinions même si elles peuvent être différentes des autres. J'affirme qui je suis et mon unicité. J'apprends à me faire confiance et à vivre de façon plus spontanée.

INQUIÉTUDE

L'**inquiétude** se manifeste par de l'agitation, de l'angoisse, de l'appréhension. Elle résulte d'une insécurité intérieure que je vis et qui me rend très émotif. Mon **inquiétude** peut avoir sa source dans mon enfance, principalement si j'ai vécu de l'insécurité physique ou sociale, ou que j'ai eu l'impression de manquer de quelque chose sur le plan affectif, le plan de mon éducation, ou si je me suis senti **abandonné** à un certain moment. Cette **inquiétude** peut réapparaître à l'âge adulte, lorsque je revis une situation semblable à celle que j'ai vécue dans mon enfance et qui

[141] **Pathogène :** qui peut causer une maladie.

« réactive » ce sentiment. Je vis aussi de **l'inquiétude** face à une situation lorsque je pense n'avoir aucun pouvoir pour changer celle-ci, ou que je me perçois plus comme victime des événements plutôt que créateur. Je pense alors que j'aurai à subir au lieu de penser que je peux être dans l'action et l'acceptation↓♥.

J'accepte↓♥ d'apprendre à faire confiance à la vie. J'ai aussi à apprendre à me faire confiance. Je dois être plus fort que mes angoisses afin de les contrôler, plutôt que ce soient elles qui me contrôlent et alimentent mon sentiment d'impuissance face à la vie.

INSOLATION

VOIR AUSSI : ACCIDENT, CHALEUR [COUP DE...], PEAU

Si je m'expose trop longuement au soleil, je risque de faire une **insolation** qui se traduira par un coup de soleil (brûlure de la peau) et un coup de chaleur qui est une élévation de ma température dans mes centres nerveux.

Que ce soit par accident (je me suis endormi au soleil) soit par un mauvais calcul du temps d'exposition, ou pour toute autre raison, je dois vivre de la culpabilité pour amener la vie à me « punir ainsi » . Si je suis en vacances, je peux me demander si je pense vraiment mériter ces vacances. La peau a un rapport avec ce que je vis intérieurement et ce que je vis extérieurement. Est-ce qu'il se peut que je vive de la frustration liée au fait de prendre **conscience** que ma vie, extérieurement, n'est pas toujours ce que je voudrais qu'elle fût intérieurement. L'intensité du coup de soleil ou du coup de chaleur m'indique l'importance d'une certaine forme de désespoir qui m'habite. Le soleil étant la représentation du père, je recherche inconsciemment la présence de mon vrai père que je peux sentir distant, ou dont j'ai manqué étant plus jeune. Le père ayant un rôle habituellement d'autorité, je peux aujourd'hui avoir tendance à placer mon pouvoir, mon autorité entre les mains de quelqu'un d'autre. Je peux me sentir frustré car je me sens à la merci des événements extérieurs. Je recherche l'**amour** (avec un grand A) à l'extérieur de moi, je l'associe principalement au sexe. Je dois apprendre à voir cet Amour à l'intérieur de moi, dans toutes les facettes de ma personnalité que je cherche souvent à cacher, à renier. Je me détruis au lieu de prendre soin de moi. Je me fie beaucoup aux autres et je préfère suivre au lieu de décider et de prendre en charge les choses. Ma peur est plus grande que mon sentiment d'impuissance et ma frustration, c'est pourquoi je préfère rester inactif. Je me dévalorise constamment, me trouvant laid, trop gros, pas assez intelligent, bref je me donne des coups de bâton moi-même. Cela vient amplifier les critiques que je peux entendre des autres à mon égard. J'aurai tendance à agir de façon compulsive car ma frustration est grande. Mon moyen de protection face à la douleur, tant physique qu'émotive est l'isolement.

J'accepte↓♥ d'augmenter mon estime de moi, de reconnaître qui je suis, de m'apprécier à ma juste valeur. Je demande à la vie de me montrer et de m'aider à apprécier les belles choses qu'elle me donne. Je rayonnerai ainsi davantage et je n'aurai plus besoin que « le soleil me tape dessus » pour me rappeler de prendre ma place dans la vie. J'accepte↓♥ de reprendre mon pouvoir. J'accepte↓♥ que ce soleil dont j'ai tant besoin se trouve à l'intérieur de mon **cœur♥** et me réchauffe et m'apaise dans les moments plus difficiles de ma vie.

INSOMNIE

L'**incapacité à dormir** correspond à une profonde frayeur à s'abandonner et à se laisser aller. Je vis de l'insécurité et je veux avoir le contrôle sur tout ce qui se passe dans ma vie. Toutefois, quand je dors, mes « facultés mentales » dorment aussi et je suis plus vulnérable, car mes sens sont plus alertes et ouverts à l'inconnu. C'est pourquoi, en gardant mon mental occupé avec toutes sortes d'idées, toutes sortes de situations mêmes fictives et que je m'invente, j'empêche le sommeil de me gagner. Ma vie est teintée par l'angoisse, la culpabilité et parfois même, une certaine paranoïa. J'ai l'impression qu'une personne de mon entourage est ***malveillante*** envers moi et j'ai l'impression que je dois ***veiller*** constamment. Je sens un danger pendant la nuit ce qui m'empêche de trouver le ***sommeil***. J'ai souvent l'impression que je ne suis pas correct. Cela peut résulter d'un sentiment que mon ego ou ma survivance a déjà été menacé d'une certaine façon, ce qui est compréhensible si j'ai expérimenté certains traumatismes profonds, spécialement entre 3 et 5 ans. Il y a des chances que j'éprouve une nervosité extrême et que j'aie de la difficulté à me positionner et à prendre des décisions. Quand je vais me coucher, il n'y a que moi avec moi : je n'ai plus les enfants, le conjoint, les collègues de travail. Je suis « coupé » du monde extérieur et je n'entends que ce qu'il y a à l'intérieur de moi. Si je vis de l'**insomnie**, si je **NIE** mes **SONS IN**térieurs (**nie-sons-in** qui est l'inverse de **in-som-nie**), ce qui se passe à l'intérieur de moi et que je m'empêche d'extérioriser, mon activité mentale, ma conversation avec moi-même ne peut pas s'arrêter et je fais ainsi fuir le ***sommeil***. En me posant trop de questions, en me questionnant sans cesse sur : « Et si j'avais fait ceci ou dit cela… ? Qu'est-ce qui va arriver si… ? », je manifeste ainsi ma non-confiance envers moi-même et les autres. Je vis dans le tourment au lieu de vivre dans la confiance que je mérite et qu'il va m'arriver ce qu'il y a de mieux. C'est aussi comme si je mourais à chaque fois que je m'endors et cela réveille des craintes dont notamment l'inconnu de la nuit. L'**insomnie** peut être reliée fortement à de la culpabilité consciente ou inconsciente. Pour une raison ou pour une autre, je peux avoir l'impression que « je ne mérite pas de me reposer ». Ce peut être parce que je me sens coupable de ne pas réussir dans la vie, de ne pas faire tout ce qu'il faut pour mes enfants, etc. Je peux aussi m'être programmé en pensant que « dormir est une perte de temps » : « j'ai tellement de choses à faire… » La glande du thymus est étroitement reliée au ***sommeil*** et, du même coup, à l'énergie du **cœur♥**. L'**insomnie** peut donc aussi être reliée à mon aptitude à m'aimer moi-même, à faire confiance à l'**amour** et par le fait même, à la vie.

J'accepte↓♥ de me relaxer, de mieux respirer et de relâcher le contrôle en trouvant une "paix de l'esprit" afin de permettre au ***sommeil*** de prendre place dans ma vie. J'apprends à me faire confiance et je sais que « la terre continue de tourner » même si je me permets des moments de repos. Je lâche prise, sachant que je suis pleinement guidé et que ma voix intérieure sait ce qui est bon pour moi.

INSUFFISANCE CARDIAQUE

*VOIR : **CŒUR♥** [PROBLÈMES CARDIAQUES]*

INTERRUPTION VOLONTAIRE DE GROSSESSE

VOIR : ACCOUCHEMENT — AVORTEMENT

INTESTINS (maux aux...)

VOIR AUSSI : CANCER DU CÔLON / DE L'INTESTIN, INTESTINS / COLITE / CONSTIPATION / DIARRHÉE, INDIGESTION

L'**intestin** est le centre d'absorption et d'intégration de la nourriture (il garde ce qui est bon pour le corps et expulse le reste) ; cette nourriture se retrouve autant au niveau physique (aliments) qu'émotif (émotions, sentiments) ou mental (pensées). Tout ce qui me cause de la tristesse, de la crainte, de la confusion, de la révolte, de la honte ou toute autre pensée ou sentiment discordant peut trouver une libération et créer des **problèmes intestinaux**. Puisque c'est à ce niveau que se fait la digestion, si je suis contrarié et que je me sens la victime d'un « coup bas », d'une « vacherie » ou que j'ai l'impression que quelqu'un m'a fait un « coup de cochon », j'aurai un malaise aux **intestins** car je ne le digérerai tout simplement pas ! Je serai particulièrement touché s'il s'agit d'un membre de ma famille qui est le « salaud ». Des **maux à l'intestin** surviennent souvent à la suite d'une séparation, ce peut être avec mon conjoint mais aussi un associé, un enfant, un professeur, etc. Ne pouvant pas digérer cette situation, elle va se manifester par un problème au niveau de mes **intestins.** Je pourrais » **mourir de faim** » et je continuerais à m'entêter à refuser d'accepter↓♥ ce qui s'est passé. Si c'est mon **intestin grêle** qui est touché, je peux avoir tendance à juger les situations qui se présentent à moi en ayant des opinions très tranchées par rapport à mes notions de « bien » et de « mal ». Je me suis « endurci » suite à la sévérité que j'ai expérimentée plus jeune. J'aurai aussi tendance à avoir l'impression de manquer de beaucoup de choses dans ma vie. J'ai de la difficulté à cerner, à ***assimiler*** mes vrais besoins. Les **intestins** (particulièrement le **gros intestin**) sont aussi reliés à **mon habileté à me laisser aller**, à me sentir suffisamment en sécurité intérieurement pour être spontané. **Mes intestins symbolisent le fait de laisser circuler les événements dans ma vie**. Je peux avoir un besoin très fort de **retenir** et de **contrôler** ce qui m'arrive. Je m'accroche à certaines choses, à des personnes ou à des situations, souvent même jusqu'à vivre de la jalousie et de la possessivité, et mes **intestins** sont congestionnés par tout ce que je retiens et qui n'est plus utile, pouvant causer, entre autres, la **constipation** ou une **tuberculose**. Je me laisse « gruger » par les critiques et je me laisse atteindre par les ragots et commérages. Je résiste au changement car le fait d'acquérir plus d'autonomie me fait peur. Je me fais vivre peine et douleur car j'ai de la difficulté à tourner la page face à une personne ou situation. Une **mauvaise absorption intestinale** m'indique que je ne sais pas ce qui est bon pour moi. Je préfère obéir docilement un chef, une religion etc. au lieu de vivre à partir de mes propres croyances et mes propres valeurs. Lorsque je démissionne parce que je ne sais pas quel sens donner à ma vie, une **perforation intestinale** peut apparaître.

J'accepte↓♥ d'être autonome et de me dire que j'ai toutes les ressources nécessaires à l'intérieur de moi pour créer ce que je veux. La seule personne sur qui je peux avoir du contrôle, c'est moi-même !

INTESTIN (cancer de l'...)

VOIR : CANCER DE L'INTESTIN

INTESTINS — COLIQUE

VOIR AUSSI : GAZ

La **colique** est une ou des contractions résultant d'une **grande tension intérieure**, d'une situation qui me rend vulnérable et qui m'énerve tellement qu'apparaissent la congestion intestinale, les douleurs à l'estomac, aux canaux glandulaires et aux voies urinaires.

Je suis impatient et irrité face à une situation ou une personne. Cela m'ennuie, « me donne la **colique** ». Je n'ai pas le contrôle et cela me dérange. Je doute de mes capacités, je manque de confiance en moi, j'ai peur de ne pas être à la hauteur, j'ignore comment m'y prendre pour résoudre un problème. Un exemple typique qui a trait aux **coliques du nourrisson**, est celui de moi en tant que mère qui ai peur de ne pas prendre soin de mon bébé correctement, de ne pas en faire suffisamment. Le bébé ressent intérieurement mon anxiété et devient, à son tour, inquiet (l'enfant qui souffre de **colique** doit être entouré de calme, de patience et d'amour).

J'accepte↓♥ que dans la vie, tout arrive pour le mieux. Donc, je **lâche prise**, je fais tout mon possible avec **amour.** Ce que je voyais comme des problèmes et des insécurités devient tout simplement des expériences qui m'aident à poursuivre mon évolution et à grandir. Des exercices de respiration, de relaxation et de méditation peuvent m'aider à reprendre contact avec mon être intérieur, à réaliser toutes les forces qui sont en moi et à faire disparaître mon **impatience** face à une personne ou une situation qui m'**agace**.

INTESTINS — COLITE (mucosité du côlon)

VOIR AUSSI : INFLAMMATION, INTESTINS — CÔLON

La **colite** (ite = colère) est une inflammation parfois ulcéreuse du **côlon**, le gros **intestin**.

Le rôle du côlon peut être comparé à ma façon de me comporter, de traiter avec mon propre univers. Lorsque je suis incapable d'être moi-même face à l'autorité et face à mes relations personnelles (conjoint, parents, professeurs, patrons, etc.), je contrôle mes gestes et mes actions parce que je crains la réaction de la personne dont je veux avoir l'approbation et l'**amour.** J'en viens à vivre d'une façon passive, croyant à la fatalité. Je vis de l'impuissance par rapport à une personne ou un groupe face auquel je me sens soumis à l'autorité ou au pouvoir. Je suis l'acolyte (complice) et non le numéro un, le chef. Je subis des situations qui me sont indigestes. C'est comme si on « me tapait dessus » à répétition. Je me sens opprimé et rejeté. J'ai tendance à avoir un comportement obsessif compulsif. Je m'accroche au passé et au lieu d'avancer dans la vie, je suis en attente. Les **colites** se manifestent souvent chez les enfants qui craignent les réactions de leurs parents qui manifestent beaucoup de sévérité et qui sont très exigeants envers eux. Je vis un manque face à l'**amour** que ma mère me porte. J'ai **tellement besoin d'affection, *d'amour* et de valorisation** que je veux **plaire à tout prix** (même jusqu'à étouffer ma personnalité et mes besoins fondamentaux). Je ne suis pas moi-même et je n'ose pas exprimer mes émotions ; je les refoule. Je suis très exigeant face à moi-même et le fait de toujours aller au maximum de mes capacités m'amène beaucoup de stress. Je ravale à plusieurs reprises des choses que je trouve indigestes. Cette **dépendance affective** m'amène à vivre de la colère qui me ronge intérieurement, de la frustration et de l'humiliation. Si je vis ces sentiments à l'extrême, un **ulcère** surgira. Mes réactions émotionnelles m'ont averti que je devais changer mon attitude mais je n'ai pas compris. C'est maintenant le signal physique. Comment agir ? La **colite hémorragique** (couramment appelée la **maladie du hamburger** dans certains pays) m'indique que le conflit se situe particulièrement face à un ou des membres de ma famille ou un groupe que je considère comme ma famille.

J'accepte↓♥ que le bonheur vienne de ce que je ressens à l'intérieur. **J'apprends à m'*aimer***, à être moi-même et je **prends ma place**. Je laisse aller mes idées préconçues et me préjugés. J'acquiers de l'indépendance et de l'autonomie et je réalise que je suis de plus en plus heureux parce que j'agis maintenant en conformité avec ma propre nature.

INTESTINS — CÔLON (maux au…)

VOIR AUSSI : CANCER DU CÔLON

Le **côlon** (ou **gros intestin**) se situe entre l'intestin grêle et le rectum. C'est à cet endroit que se termine la digestion de la matière et que cette dernière est préparée pour être évacuée.

Lorsqu'il est affecté, je dois me demander : « Qu'est-ce que je retiens autant ? » Je suis dans une situation depuis plusieurs années et je dois maintenant me détacher d'un certain aspect, sinon de toute la situation afin de faire place à de nouvelles conditions ou situations. Ce peut être autant dans ma vie personnelle qu'au travail. J'ai peur du manque, de la solitude, d'avoir mal. Je me dois de tourner la page sur une situation sale ou dégradante qui a été douloureuse et contrariante et que je ne peux pas encore m'expliquer. Il se peut que j'aie senti ma réputation entachée et cela m'irrite. Le **côlon irritable** m'indique que je vis une grande nervosité qui peut devenir hors proportion si je suis face à l'inconnu. Je ne sais pas mettre de limite et je peux sentir que mon intimité est bafouée. Je deviens alors contrôleur pour me donner un sentiment de sécurité. S'il y a des **mucosités de façon anormale**, je dois me demander ce que j'accumule ainsi (des émotions entre autres) qui comble un vide intérieur mais qui m'empêche aussi de garder le cap sur mes objectifs de vie. **L'oxyurose** (infestation du **côlon** par un ver appelé oxyure), qui atteint particulièrement les jeunes enfants, met en **lumière** mon sentiment d'être abusé. Je suis embrouillé dans mes relations et mes idées à cause de mon attachement au passé et aux gens. Je veux absolument faire plaisir à un parent. Ceci m'amène de la confusion et j'éparpille mes énergies, me sentant loin, séparé de l'autre. Il y a une situation ou une personne avec laquelle je dois couper les liens.

J'accepte↓♥ de laisser évacuer le passé, j'abandonne mes vieilles pensées afin de laisser émerger ma sagesse intérieure. Je deviens de plus en plus conscient de mes richesses intérieures dans le lâcher-prise d'une histoire révolue et l'intégration de nouvelles expériences. En laissant le mouvement de la vie circuler en moi, je sais que quoi qu'il arrive, je saurai faire face à la situation et je m'en sortirai grandi, enrichi.

INTESTINS — CONSTIPATION

VOIR AUSSI : CANCER DU CÔLON

La **constipation** prend place à l'intérieur de l'**intestin** lorsque les mouvements musculaires qui permettent l'élimination se font au ralenti, ce qui provoque un engorgement des déchets.

Ces déchets ne sont que la manifestation physique de mes idées noires, de mes préoccupations, de ma colère, de la jalousie qui m'encombrent. La **constipation** est souvent associée à une diète pauvre en fibres alimentaires. Cela est l'indication d'une grande volonté de **contrôler** les événements de ma vie, qui résulte d'incertitudes et d'une insécurité intérieure. Je suis une personne **très troublée qui a besoin de l'approbation des autres**. Je peux vivre une obsession des détails, ayant besoin de tout vérifier plusieurs fois pour me sécuriser que tout est « sous contrôle ». Cela m'amène à me questionner sur mon identité face aux gens qui m'entourent, à ma place dans la société. Par mon insécurité, je suis même porté à être mesquin et égoïste. Les situations favorisant la **constipation** peuvent se produire lorsque j'expérimente une situation financière difficile, lorsque j'ai des relations conflictuelles ou lorsque je pars en voyage, car c'est là où je suis le plus susceptible de me sentir inquiet et « sans ancrage ». Souvent, je vis une dualité entre « je veux partir » mais en même temps « je ne veux pas partir ». L'inconnu me fait peur. Je **m'accroche à mes vieilles idées et à mes biens personnels**. Ce peut être une personne que je veux retenir. Ce que je connais déjà me permet un certain contrôle et me **donne une illusion de sécurité**. Je retiens le passé duquel je me sens un ***lamentable*** esclave. Je ne me sens pas à la hauteur, impuissant à changer certaines situations et cela « me fait ***chier*** ». J'ai tellement peur d'être jugé que je refoule ma spontanéité, je m'empêche d'avancer. Je refoule aussi mes « problèmes » et mes émotions passés, de peur qu'ils ne refassent surface et que j'aie à y faire face. Je vis sous pression. Je me sens coincé dans une situation et cela m'amène à me crisper. J'ai tendance à faire des réserves de peur du manque au niveau matériel. Si je suis un **enfant**, puisque le fait de retenir mes selles démontre un certain contrôle ou pouvoir, rendu adulte, je peux vouloir faire la même chose, même inconsciemment, en signe de défi face à l'autorité en général. Quand me suis-je permis de prendre ma place et d'être moi-même ? Quelle est la dernière fois où je me suis senti libre et plein d'entrain ? Qu'est-ce qui me retient ? Pourquoi cette pudeur à aimer, à me retenir de donner ou à me donner, tant au niveau des relations amicales qu'affectives ? Pourquoi toute cette culpabilité ?

J'accepte↓♥ de devoir absolument **laisser aller** tout ce qui ne me convient plus, de ***lâcher* prise.** J'accepte↓♥, ici et maintenant, de me libérer du passé, d'aller de l'avant et de vivre une vie plus excitante. Je me sens beaucoup plus détendu car je fais confiance à la vie.

INTESTINS — CROHN (maladie de...) OU ILÉITE

VOIR AUSSI : APPENDICITE, INTESTINS — DIARRHÉE

L'**iléite** se définit comme une inflammation de la dernière partie de l'**intestin** grêle, l'iléon, caractérisée par de fortes douleurs. Dans le cas de maladies bactériennes ou virales, elle peut prendre l'apparence d'une crise d'appendicite. Les infections liées au SIDA et à la tuberculose peuvent provoquer une inflammation de l'iléon mais les cas chroniques aigus se rapportent à la **maladie de Crohn.**

Il peut s'agir d'une forme d'autopunition à la suite d'un sentiment de culpabilité intense. Il y a des "idées noires" de la colère et du désespoir. Je veux empêcher mes enfants de devenir autonomes et je fais tout ce qui m'est possible en ce sens. Cela touche mon estime personnelle : je ne me sens pas « à la hauteur », « pas correct », « bon à rien », « un moins que rien ». Je me déprécie tellement que j'en viens à penser que personne ne m'aime et qu'on veut me faire me sentir inférieur. J'en viens à « courber l'échine[142] ». Ces sentiments s'ajouteront à une situation où je vis un manque, que ce soit au niveau matériel ou affectif. J'ai l'impression que l'objet de ce manque qui était vital pour moi m'a été usurpé d'une manière méprisable, répugnante. À cela peut s'ajouter la peur de mourir. La révolte alors gronde à l'intérieur de moi. Je sens dans tout mon corps un sentiment de haine qui pèse lourd et que je refuse peut-être de voir. Un mensonge peut en être la cause. Cela ne fait qu'augmenter ma crainte d'être rejeté par les autres. Comme je trouve difficile de m'intégrer à un groupe, je reste dans mon coin en silence avec mes soucis. Je me sens comme un roi (reine) dans mon château : je m'accroche à ma couronne (« **crown** » en anglais) et je me cache derrière celle-ci. Je me sens menacé par le monde entier et je me cache derrière un masque, un titre, une fausse image. Je veux plaire aux autres pour me donner du pouvoir et pour cacher mon impuissance. Je suis continuellement sur un pied de guerre. Je ne peux pas accepter↓♥ combien ma famille a été méchante envers moi et cela me « lève le **cœur♥** ». Comme j'ai l'impression de n'être rien, cette maladie peut m'aider à recevoir l'attention dont j'ai besoin et que je n'ai pas l'impression de recevoir. Mon estime personnelle est basse et je suis trop ouvert, énergétiquement, au niveau de mon ventre, à recevoir n'importe quoi, y compris ce qui est négatif dans mon entourage et qui peut m'affecter. Je me rejette à ce point que c'est comme si, énergétiquement, mon ventre devenait une poubelle et que je permettais aux gens de mon entourage de déverser leur énergie négative vers moi. Je me laisse rentrer dedans parce que je ne prends pas suffisamment ma place et que je rejette les situations, ce qui me fait vivre des diarrhées. Je suis en profonde recherche de mon identité personnelle ou spirituelle et la gravité de la maladie m'indique jusqu'à quel point cela touche à un aspect de ma vie qui est fondamental, voire essentiel.

J'accepte↓♥ de trouver les moyens que je peux prendre pour augmenter mon estime personnelle et me permettre de trouver véritablement mon identité, la place que j'occupe dans ma famille ou dans la société. Cela m'aide à retrouver plus de calme et d'harmonie dans ma vie. Le fait de trouver vraiment la place qui me revient me procure une protection

[142] **Courber l'échine** : obéir, se soumettre.

naturelle face à mon environnement et je retrouve ainsi la sécurité de mon "Je Suis". La vie est belle, j'ai moi aussi le droit de vivre !

INTESTINS — DIARRHÉE

La **diarrhée** est une émission, aiguë ou chronique, de selles trop fréquentes. La **diarrhée** se manifeste par un déplacement si rapide de la nourriture de l'estomac à l'**intestin** qu'elle n'a pas le temps d'être entièrement assimilée. La **diarrhée** peut être brève ou chronique (quand la période de diarrhée excède 3 semaines).

Cet état est souvent causé par la peur ou le désir d'éviter ou de fuir une situation ou une réalité tout à fait désagréable ou *nouvelle* pour moi. Un flot d'idées nouvelles arrive et je n'ai pas le temps de les intégrer ceci. Je souhaite que certaines choses aillent plus vite dans ma vie ce qui amène à vivre beaucoup d'impatience. Je me sens pris au piège par quelque chose de nouveau pour moi et cela met ma sensibilité intérieure à l'envers ! Je peux me sentir pris face à mes obligations face à la Loi. Je me **rejette**, je m'en prends à moi-même et je suis désespéré ! J'ai encaissé une saloperie que je n'arrive pas à digérer et je préfère l'évacuer à toute vitesse. Je me suis senti « pris aux tripes », pétrifié. En plus, j'ai une image de moi très moche dans l'instant présent. Je me culpabilise. Je suis dépassé par ces événements. J'ai de la difficulté dans mes relations intimes à accepter↓♥ l'**amour**, la tendresse et la gentillesse des autres. Je vis de la dépendance qui me rend impuissant à agir. J'ai vraiment besoin de quelque chose de différent, de changer d'air. Ce n'est pas la nourriture mais bien mes pensées **qui ne conviennent plus**. Je veux éliminer quelque chose de dangereux ou de sale. Puisque je ne peux pas « évacuer » avec des mots, mon corps s'exprime autrement ! Si je véhicule constamment l'idée du rejet ou des sentiments de rejet (la peur de se ***sentir*** rejeté ou le désir de rejeter les autres) ou une situation où je me sens pris, il y a de grandes chances pour que j'aie la **diarrhée**. Je peux me sentir tellement débordé ou dépassé par les événements que je veux en finir au plus vite. Je laisse aller en même temps les émotions désagréables qui y sont rattachées. Je peux me sentir impuissant et je préfère fuir que d'avoir à « faire face à la musique ». J'ai de la difficulté à dire non, à me respecter ; **l'intestin** refuse la digestion et évacue immédiatement ce que je voulais laisser à l'extérieur de moi. Je cherche mon identité que je voudrais conforme aux attentes de mes parents. Si je n'écoute pas la vie et ses signaux (comme certaines personnes vivent), la **diarrhée** spontanée peut se manifester aussi. Je vis ces émotions dans le cas aussi de **choléra** : n'ayant pas **conscience** de mon pouvoir créatif, je place ma sécurité dans quelque chose d'extérieur à moi (un dieu, un gouvernement, etc.). Je me sens impuissant, désespéré car sans ressources. Je pense être condamné à vivre dans la misère.

J'accepte↓♥ de prendre le temps de voir, de sentir et d'écouter mon **cœur♥** pour voir ce qui se passe dans ma vie. Ainsi, j'intègre et j'assimile les situations de mon existence, mon passé. Lorsque je ralentis vraiment, je réalise à quel point je passais tout droit (tout comme les aliments) et ne prenais pas le temps de voir les bontés et les beautés de la vie. Mon corps m'avertit que je dois faire confiance à la vie, que je suis constamment supporté. J'accepte↓♥ mes forces intérieures créatrices. J'accepte↓♥ de mériter le bonheur, d'avoir mon propre espace où je vis dans le respect de moi-même et des autres. Ainsi, où que je vive dans le monde, je peux créer un monde meilleur où il fait bon vivre.

NOTE : Certains voyageurs en visite dans les pays en voie de développement attrapent la **diarrhée des voyageurs** ou **tourista**. La découverte d'une pauvreté immense et de la misère ouvre le **cœur♥** et dérange inconsciemment le mental autant que l'organisme physique. C'est souvent une réaction inconsciente qui me montre combien je peux être attaché à un certain confort ou à un certain rythme ou type de vie.

INTESTINS — DIVERTICULITE

La **diverticulite** (ite = colère) est l'inflammation des petites cavités (**diverticules**) des parois du côlon (le gros intestin).

Ce malaise est relié à de la **colère** retenue dans ma vie quotidienne. Je vis présentement une situation dans laquelle je me sens prisonnier et dont je n'arrive pas à voir l'issue ; cela me cause tension, pression, douleur et peine. Je me sens pris au piège. Mon **intestin** devient fragile, comme mes émotions. Je me méfie constamment et je m'attends au pire. Je suis secret dans ce que je partage avec les autres. Je ne veux laisser pénétrer personne dans les recoins de ma vie personnelle. Le premier pas vers la solution est l'acceptation↓♥. Comment puis-je régler une chose dont je refuse d'accepter↓♥ l'existence ?

J'accepte↓♥ donc la situation comme étant une réalité et je reste ouvert au canal divin qui m'apporte l'**amour** nécessaire pour intégrer cette expérience. Je laisse aller mes vieux ressentiments. De par mon acceptation↓♥ et mon ouverture, diverses solutions me sont offertes car je ne suis plus aveuglé par la colère.

INTESTINS — DYSENTERIE

VOIR AUSSI : INTESTINS — COLIQUES/DIARRHÉE

La **dysenterie** est une maladie infectieuse et contagieuse avec inflammation ulcéreuse du gros **intestin**.

La **dysenterie** m'indique combien je suis centré sur le futur et déconnecté de mon présent (et de moi-même) et je rejette mon passé. Je reste ferme sur mes positions et je me dresse contre les personnes qui ont des opinions différentes. La **dysenterie amibienne**, la plus connue, qui est due à un parasite intestinal, me montre que j'ai quelqu'un qui m'accroche à moi. C'est un vrai « parasite ». À moins que ce ne soit moi qui s'accroche aux autres... J'ai toujours fait de mon mieux mais je me suis mis souvent de côté. J'aimerais bien que quelqu'un prenne la relève car il y a des choses que je ne peux plus supporter ou que je ***sens*** que je n'ai ai plus la capacité de faire, soit physique soit psychologique. La **dysenterie bacillaire** (vient du mot « bâton ») due à une bactérie intestinale, est une indication que je ne suis pas capable de me défendre. Je laisse les autres prendre avantage sur moi. Je ne vais nulle part, je « suis à sec », au niveau financier et affectif. Je développe une attitude dure et sèche afin de me protéger.

J'accepte↓♥ d'être en contact avec mes émotions présentes. D'être vrai face aux choses que je veux changer dans ma vie. Je demande de l'aide si nécessaire, je prends mes responsabilités face à moi-même et je redeviens maître de ma vie !

INTESTINS — GASTRO-ENTÉRITE

VOIR AUSSI : ESTOMAC/[MAUX D'...] /GASTRITE, INTESTINS — DIARRHÉE, NAUSÉES

La **gastro-entérite** est une inflammation aiguë des muqueuses **gastriques (estomac) et intestinales (intestin)** caractérisée par des vomissements et une diarrhée d'origine infectieuse. Il se peut qu'on puisse déterminer la « cause extérieure » et la relier à de l'ingestion d'eau ou d'aliments contaminés.

Cependant, il faut aller voir la « cause intérieure » qui m'a fait vivre cet événement. Ici, l'irritant est beaucoup plus important que dans un cas de gastrite, car cela affecte non seulement le point où entrent les aliments mais aussi le point de départ du processus d'intégration, ce qui indique que je suis si irrité et si frustré par ce qui m'arrive que je ne peux absorber quoi que ce soit. Je veux donc rejeter une situation ou une personne—quand ce n'est pas la vie elle-même — et je suis « rouge de colère », ce qui m'amène à vivre la diarrhée et le vomissement. J'ai de la difficulté à accepter↓♥ les événements et le fait de mourir un jour. Je peux retenir certains schèmes de pensée mentaux rendus maintenant inutiles. Une personne ou une situation m'est indigeste et se retourne contre moi en m'enflammant émotionnellement. Je suis hanté par certaines pensées qui me grugent par dedans. Je vis de constantes incertitudes. Le désespoir me gagne et ma sensibilité est grandement perturbée. J'ai peur de moi-même, de ce qui m'habite. Je me perçois comme mauvais et j'ai peur d'avoir beaucoup d'ennemis. Je vis une grande incertitude et je préfère me fondre dans la masse au lieu de me lever debout, quitte à faire quelques vagues autour de moi. Je ne me permets pas de vivre ma vie comme je le désire. Il se peut que ce soit l'autorité que j'ai de la difficulté à digérer car j'ai tendance à vivre selon les lois établies avec, selon mes anciennes croyances, aucune possibilité pour moi d'y déroger.

J'accepte↓♥ de m'ouvrir à une nouvelle réalité, à de nouvelles idées et à réapprendre à faire confiance aux autres et en la vie, en étant capable de manifester mon désappointement au lieu de le laisser gronder à l'intérieur et de me créer des maux de toutes sortes. J'arrête d'attendre l'approbation de mon entourage.

INTESTIN GRÊLE (maux à l'...)

VOIR AUSSI : INTESTINS —COLITE

L'intestin grêle est la partie de l'intestin qui fait suite à l'estomac et qui précède le gros intestin. C'est à cet endroit que s'effectue l'absorption des aliments.

Cela correspond à l'intégration, ***l'assimilation*** des informations qui arrivent à ma **conscience,** et ce que je décide de ce que je vais en faire. J'analyse ce qui est bon pour moi et ce que je dois rejeter. Si je suis perturbé ou angoissé, si je me sens obligé de mettre de côté mes valeurs ou priorités pour plaire aux autres, mon **intestin grêle** va réagir. Je fais face constamment à des choix et des décisions. Si j'ai peur de manquer de quelque chose, si je laisse les autres décider à ma place au lieu de faire confiance à ma voix intérieure, mon **intestin grêle** ne pourra plus travailler de façon efficace. Par ma fermeture d'esprit, ma critique et en refusant de laisser aller mon passé, je refuse d'intégrer dans ma vie de nouvelles idées, de nouvelles expériences. Je peux me sentir séparé de ma famille ou de mon conjoint, c'est comme si une structure s'étant désintégrée. Lorsque les contrariétés deviennent insupportables et que je ne peux pas les digérer, le **cancer** apparaît. Je veux trop comprendre, analyser ce qui se passe, le pourquoi des choses et cela me gruge par dedans. Le fait de ne pas me sentir ***accepté***↓♥, surtout par ma famille, m'attriste profondément. Certains sujets ou questions ***dissimulés*** ou non adressés et qui auraient pu être réglés « pourrissent » à l'intérieur de moi.

J'accepte↓♥ de m'ouvrir à de nouvelles expériences avec confiance. Je laisse cette énergie de mouvement réintégrer ma vie. Ainsi, je peux avancer en toute légèreté et écouter ma voix intérieure qui sait exactement ce qui est bénéfique pour moi. Je remercie la Source pour tout ce que je reçois et je goûte le moment présent.

INTESTIN GRÊLE — RECTO-COLITE HÉMORRAGIQUE

VOIR AUSSI : INTESTINS — COLITE

La **recto-colite hémorragique** (abrégée **RCH**) est une maladie inflammatoire du tube digestif qui touche exclusivement le rectum et le côlon (ou gros intestin). Elle se manifeste la plupart du temps par une alternance diarrhée-constipation. Les selles contiennent du sang. C'est une affection chronique, où alternent des « poussées inflammatoires » de gravité variable et des phases de rémission parfois prolongées. L'inflammation est la réaction de l'organisme à une agression, quel que soit l'agresseur. La réaction inflammatoire correspond à l'afflux des cellules de défense de l'organisme encore appelées cellules immunitaires, (les globules blancs, certains sécrétant des anticorps), dont le rôle est l'élimination de l'agresseur.

Par qui ou par quoi est-ce que je me sens agressé ? J'ai l'impression de m'empoisonner par dedans avec les tensions que je me fais subir à moi-même. Il y a quelque chose que je ne digère pas face à ma famille et je ne peux pas m'en débarrasser. On s'accroche à moi et je n'en peux plus !

J'accepte↓♥ de prendre ma place et de me positionner face aux autres, particulièrement face aux membres de ma famille. J'affirme mes besoins et je me sens libre dans mes choix.

INTESTINS — RECTUM

VOIR AUSSI : ANUS

Le **rectum** est le segment terminal du gros intestin qui fait suite au côlon sigmoïde[143] et aboutit à l'orifice anal.

Si quelqu'un ou quelque chose dans ma vie me contrarie et que je juge cela « mal famé » ou « salaud », je voudrai expulser cette chose ou cette personne de mes pensées et de ma vie. Si je n'y arrive pas, des douleurs ou des saignements apparaîtront au **rectum**. Si je vis cette situation d'une façon très aiguë, comme une grande saloperie ***impardonnable*** qu'il m'est

143 **Côlon sigmoïde** : segment du côlon, en forme d'anse, descendant du côté gauche de la cavité pelvienne et se continuant par le rectum.

impossible de laisser aller, il pourra y avoir apparition de troubles au **rectum**, voire même un **cancer du rectum**. Ce peut être le départ d'un être cher que je n'accepte↓♥ pas car j'ai besoin d'être en contact, communiquer, partager avec lui. Je retiens de toutes mes forces une personne ou une situation. J'ai de la difficulté à pardonner ce qui s'est passé, ce qui m'empêche de laisser aller et de passer à autre chose car je me suis senti humilié. Pourtant, je peux vivre du dégoût et de la répulsion. Pourquoi alors retenir à tout prix ? La situation vécue implique très souvent un ou des membres de la famille. Dans ces situations, c'est habituellement le **rectum haut sigmoïde** qui est affecté. Je peux soit vouloir laisser aller quelque chose ou quelqu'un de ma vie et je m'en sens incapable, soit ce peut être quelque chose ou quelqu'un de l'extérieur qui me contraint à ce que « cela » fasse partie de ma vie et j'en suis grandement irrité. J'apprends à rester ouvert et à essayer de comprendre le pourquoi de la situation qui me dérange. Je vois que même si moi j'ai l'impression que quelqu'un a mal agi, cette personne avait probablement de bonnes raisons d'agir de la façon dont elle l'a fait et que ses motifs étaient bien fondés. Lorsque le **rectum bas** est touché, il s'agit d'une situation où je me demande quelle est la place qui me revient, où je m'en vais dans la vie et quel est mon vrai pouvoir. Mon orientation sexuelle pourra notamment être remise en question. Il y a un grand questionnement face à qui je suis, mon identité, quelle direction je dois prendre car étant plus jeune, on a été très directif avec moi. Je peux me sentir très seul et abandonné. Il y a absence de reconnaissance dans ma famille, je cherche ma place. J'ai l'impression d'avoir le « cul entre deux chaises ». N'ayant pas ma place dans la famille, je me sens séparé des autres et j'ai peur d'être abandonné. Est-ce que je vis ma vie ou celle d'un autre ? Les enjeux sont très grands et je peux être tellement crispé que tous mes muscles sont tendus Il est important de noter que cet état d'être peut souvent faire référence à un événement ou un état d'être lorsque j'étais enfant : le rôle d'élimination chez l'enfant est primordial et représente ma facilité ou difficulté face à toute autorité, notamment mes parents, et une certaine crainte de perdre le contrôle. Les malaises vécus au niveau de la **défécation**[144] reflètent la façon avec laquelle je retiens ou laisse aller mes malaises intérieurs et les aspects cachés de ma personnalité.

J'accepte↓♥ de reconnaître mes qualités et je sais que peu importent les décisions prises, ce qui en résultera sera toujours pour le meilleur. J'ai à procéder au **pardon** ou à faire ***clémence***, soit à moi-même soit à quelqu'un d'autre. C'est un peu comme si je donnais ***l'absolution*** pour me libérer de tout le négatif que j'ai gardé pendant tant d'années, que maintenant je veux me libérer. Je peux ainsi retrouver ma paix intérieure et être ***roi*** et maître de ma propre vie.

INTESTINS — TÆNIA OU TÉNIA

Le **tænia** est un ver parasitaire que l'on retrouve dans l'intestin et qui peut avoir quelques millimètres ou plusieurs mètres de long. La maladie parasitaire qui est due à l'infestation de ce vers est la **téniase**.

Aussi appelé **ver solitaire**, le **tænia** se développe chez une personne qui a l'impression qu'on lui impose des idées ou des façons de penser contraires

[144] **Défécation** : expulsion des matières fécales.

aux siennes. Je me sens loin et séparé en quelque sorte de ma mère et je veux lui faire plaisir en étant toujours propre et intègre. Cependant, je me sens triste et incompris, abusé et sale. Je peux avoir l'impression que des « parasites » rôdent autour de moi. Puisque j'ai de la difficulté à m'affirmer et à dire non, je me laisse « gruger » mon énergie. Les préoccupations, les peines que j'ai de la difficulté à laisser aller vont aussi favoriser l'apparition du **tænia**. Ce goût amer rend ma digestion difficile, mes poumons laissent passer une énergie corrompue et les vers parasites s'installent, amenant irritation et nervosité. Est-ce que moi aussi je peux être parasite pour certaines personnes, pensant avoir absolument besoin d'eux pour pouvoir réussir ma vie ou pour me protéger ? Je vis d'illusion et de tromperie. J'ai la critique facile. Je suis comme un ver, sans « colonne vertébrale » : je dois m'appuyer sur les autres. Je nie qui je suis, c'est comme s'il y avait un étranger qui vivait en moi. Je me suis éloigné de mon être et je vis un grand vide.

Pour guérir mon intérieur, j'accepte↓♥ de soigner mes idées, je fais place au plaisir et à la joie. Je prends la place qui me revient dans la vie. Je reprends mon pouvoir. Je dirige ma vie comme je le désire. Je vis dans la vérité et je reviens aux vraies valeurs.

INTOLÉRANCE AU GLUTEN

Le **gluten** est la protéine de la farine de blé qui, dans la fabrication du pain, constitue la trame élastique emprisonnant les bulles de gaz carbonique et dont la coagulation par la chaleur fixe la texture de la mie.

Si j'ai une **intolérance au gluten**, je dois me demander si j'ai l'impression de me sentir coincé, que les autres sont constamment "dans ma bulle", mon espace vital, spécialement mes amis. Je ne peux plus respirer tant je suis entouré, tant on me "colle à la peau". Je vis une dualité car j'aime les gens, surtout parce qu'ils me supportent, me soutiennent et me protègent. J'ai parfois l'impression que ceux qui m'entourent veulent façonner ma vie et même la gérer. Je me sens prisonnier de moi-même, donc des autres par le fait même. J'ai le goût de tout laisser aller, de tous les repousser loin de moi. Qu'est-ce que j'essaie de me cacher ? Je suis très sensible et je me laisse envahir facilement. Je reconnais que j'ai atteint mes limites. Cependant, je me dois d'apprendre à prendre ma place, à me donner de l'espace.

J'accepte↓♥ de regarder quels sont mes vrais besoins et de les affirmer avec toutes les personnes qui m'entourent. Je peux affirmer mon individualité, prendre ma place en respectant les autres. Je choisis de vivre des moments de solitude pour reprendre contact avec mon univers intérieur. Consciemment, je sais que c'est là que je trouverai toutes les réponses. Mon sentiment de Liberté grandit à chaque fois que j'écoute ma voix intérieure qui sait ce dont j'ai besoin, et je me donne les moyens de les combler moi-même.

INTOXICATION

VOIR : EMPOISONNEMENT [..., ... PAR LA NOURRITURE]

ITE (maladies en...)

VOIR : ANNEXE III

I.V.G. (interruption volontaire de grossesse)

VOIR : ACCOUCHEMENT — AVORTEMENT

IVRESSE

VOIR : ALCOOLISME

JALOUSIE

Le dictionnaire définit la **jalousie** comme « un sentiment de dépit, mêlé d'envie » lié au fait qu'un autre obtient ou possède ce que j'aurais voulu obtenir ou posséder.

Elle est le résultat d'une insécurité intérieure et d'une faible estime de soi et d'une faible confiance en moi qui m'amène à douter de ma capacité à créer des choses dans ma vie ou à avoir peur de perdre ce que j'ai (notamment mon conjoint). J'en viens à développer de l'agressivité et de la frustration. Ma méfiance envers les autres est exagérée, mes discussions mentales sont mal gérées et mes croyances sont souvent erronées. Je suis très sensible à la critique et aux commérages qui sont la conséquence de la **jalousie** des autres face à moi. Je prends **conscience** que mes frayeurs m'amènent à exercer du contrôle sur une personne ou une situation. En fait, ce sont mes angoisses qui exercent un contrôle sur ma vie.

J'accepte↓♥ de faire confiance en la vie, je me départis de mes vieilles croyances et je prends les moyens pour guérir ces blessures intérieures par la psychothérapie individuelle ou de groupe ou par une approche énergétique qui m'amènera à me connecter davantage sur mon propre pouvoir intérieur. Je réalise que cette **jalousie** m'emprisonne et empoisonne la vie des autres. Je me sentirai alors plus libre, plus confiant et je pourrai transposer cette liberté et cette confiance vers les autres afin de vivre plus d'harmonie avec moi-même et avec les gens qui m'entourent.

JAMBES (en général)

VOIR AUSSI : SYSTÈME LOCOMOTEUR

Les **jambes** symbolisent mes déplacements et mon autonomie. Les **jambes** me transportent vers l'avant ou vers l'arrière, me donnent une direction propre, de la stabilité, de la solidité et une assise ferme. **Elles représentent donc mon pouvoir et ma capacité à avancer dans la vie, à aller de l'avant**, tout en laissant le passé derrière moi. Mes **jambes** me permettent d'aller ou de ne pas aller à la rencontre des gens, de me rapprocher ou de m'éloigner de ceux-ci. Mes **jambes** sont aussi reliées à la mère (la mère terre). La **jambe gauche** représente le côté émotionnel et le fait de ne pouvoir aller à un endroit même si je le veux. La **jambe droite** représente le côté rationnel et le fait de ne pas vouloir aller à un endroit même s'il le faut. Mes **jambes** expriment ma relation avec le fait d'avancer, de me mouvoir. Elles reflètent aussi l'orientation que je prends dans ma vie (travail, famille, orientation sexuelle, etc.) et les directions à prendre pour y arriver. Elles représentent aussi tout le domaine des **relations** avec mon entourage. Un malaise à mes **jambes** peut indiquer que je suis trop enraciné dans mon quotidien, ma routine, ma zone de confort. Des **jambes** faibles m'indiquent qu'il y a peu d'énergie qui circule dans celles-ci, ce qui dénote chez moi un manque d'assurance, une incapacité à rester debout et à être fort devant une certaine situation ou une certaine personne. J'ai alors tendance à être dépendant des autres. Je cherche mon soutien et ma motivation chez les autres au lieu de les trouver à l'intérieur de moi. La grosseur de mes **jambes** me donne aussi des informations : si j'ai de **petites jambes**, j'ai plus de difficulté à être branché sur le monde physique, matériel et j'aimerais mieux déléguer les responsabilités qui y sont liées que d'avoir à les assumer. Au contraire, si j'ai de **grosses jambes**, celles-ci supportent un trop gros poids : les responsabilités que j'ai décidé de prendre (surtout sur le plan matériel) et pas seulement les miennes, celles des autres parfois que j'ai acceptées↓♥ par « obligation ».

JAMBES (maux aux...)

Lorsque j'ai de la difficulté avec mes **jambes**, je dois m'arrêter et me poser la question : « *Quelle est la situation actuelle ou que je vois venir qui me fait avoir peur de l'avenir ?* » Je résiste au changement, je me sens « paralysé », limité, et je peux être tellement effrayé que j'ai le goût de prendre « mes **jambes** à mon cou » ; mais est-ce vraiment la solution ? Avec qui ai-je des difficultés rationnelles qui sont source de tension et de conflit ? Des difficultés à mes **jambes** peuvent manifester mon impression de ne pas être ***appuyé*** par les autres, et peut-être particulièrement face à ma mère. Je ***m'effondre*** sous les responsabilités. J'aurai donc du mal à m'appuyer sur une ou mes **jambes**. Il y a des déplacements qui me semblent très difficiles à effectuer : par exemple, si je me demande si je dois partir loin de mon père ou si je veux me rapprocher de telle personne. Je ne veux pas bouger. Je crains que mon cadre de vie qui semble si structuré connaisse trop de changements. J'ai de grandes aspirations mais je pense que je n'ai pas ce qu'il faut pour les atteindre. Je suis dans une impasse. Je me sens être une charge, un poids pour les autres. Lorsque je doute ou j'ai peur du chemin que j'emprunte, je peux même aller jusqu'à me **casser une jambe**. J'avance et j'évolue à chaque jour, à chaque moment, et des **problèmes aux jambes** ne font que manifester qu'il existe présentement des obstacles que je dois enlever afin de continuer ma route vers un plus grand bonheur et une plus grande harmonie.

J'accepte↓♥, quelle que soit la nouvelle situation qui se présente à moi, d'apprendre à canaliser la sécurité intérieure ; je peux me faire confiance et aller au-delà de ma résistance au changement.

JAMBES — PARTIE INFÉRIEURE (mollet)

La **partie inférieure de mes jambes** se trouve au niveau du **mollet**, lequel est soutenu par les os du tibia et du péroné.

Les **mollets** me permettent d'avancer, il y a donc du mouvement. Ils représentent aussi une protection par rapport à mon passé alors que je vais de l'avant dans la vie. Si j'ai **mal** ou que j'ai des **crampes** aux **mollets**, je suis obligé de ralentir mon rythme. Est-ce que je veux arrêter certains événements qui m'attendent et me font peur ? Est-ce que j'ai l'impression que les événements se bousculent, que tout va trop vite ? Est-ce que j'ai de la difficulté à me repositionner face à une personne, une situation ou une croyance ? Quel que soit le cas, j'ai tendance à me « retrancher » dans mes anciens schèmes de pensées et je peux me sentir tiraillé et tendu face aux pressions extérieures. Lorsque le **muscle du mollet** est touché, je me demande si je fixe trop mon attention sur un problème en particulier. Je fais du « sur place ». Je suis têtu et j'écoute peu ce que ma voix intérieure a à me dire. Je suis très amer face à une situation (comme par exemple une histoire d'héritage) et la joie a déserté ma vie. Mon bonheur est conditionnel aux autres au lieu de venir de l'intérieur de moi. Je refuse que de belles choses m'arrivent. Si c'est le **tibia** qui est affecté, jusqu'à quel point suis-je immobilisé ? Les **tibias** sont comme des piliers qui soutiennent mon corps. Est-ce qu'ils le portent joyeusement ou n'est-ce qu'un immense fardeau ? Les **tibias** représentent mes tourments, ma difficulté à être mobile. J'ai tendance à suivre les autres, à peu agir pour améliorer ma vie. J'ai l'impression de m'être contenté de peu dans la vie et cela me déprime. Je me questionne sur le fait d'être parent. Je peux aussi me sentir attaqué et j'aurais le goût de donner un bon coup de pied à quelqu'un ! Je reste immobile, ayant des buts plus matérialistes qu'humains et spirituels. J'ai peu confiance en moi et j'ai de la difficulté à être moi-même. Je ne sais pas quel chemin prendre. Je me sens menacé et je voudrais attaquer. Je veux me détacher de ma mère, sortir de ma dépendance car je la trouve lourde à porter. Si le **péroné** est atteint, je vis une situation où je suis pris entre deux. Je me sens déchiré face à un choix. Je veux devenir indépendant mais quelque chose m'en empêche. Mon corps me dit que je peux faire confiance à l'avenir et que la vie s'occupe de moi.

J'accepte↓♥ cette force qui m'habite et je peux avoir pleinement confiance aux autres puisque j'ai pleinement confiance en mon potentiel illimité. Je choisis la vie que je veux vivre, une nouvelle voie beaucoup plus facile et enrichissante. J'accepte↓♥ de regarder et de bouger dans toutes les directions. Je ne mets mon attention que sur de belles choses. Je suis mon propre pilier et la vie me supporte à chaque instant !

JAMBES — PARTIE SUPÉRIEURE (cuisse)

VOIR AUSSI : CUISSE [EN GÉNÉRAL]

La **partie supérieure de mes jambes**, à la hauteur de la **cuisse** est portée par l'os du **fémur**. Il reflète ma tendance à retenir des choses, plus souvent liées à mon passé. Mes **cuisses** représentent plus la force de mon côté masculin, celui qui contient toutes mes énergies, les forces en moi. Si ma puissance est remise en question, que j'ai à céder dans certaines situations, je dois réévaluer mes limites, ce que je trouve difficile à accepter↓♥. Selon ce que je permets ou empêche d'arriver dans ma vie, mes **cuisses** réagiront. Si je revis constamment le passé ou si je vis de la culpabilité par rapport à certains événements, cela aura pour effet de s'emmagasiner dans mes **cuisses**, celles-ci devenant plus grosses. Je peux aussi avoir gardé de la rancune ou de l'amertume car je me suis senti trahi. C'est comme si mon passé me retenait vers l'arrière et m'empêchait d'aller de l'avant. Étant angoissé et peu confiant, j'ai peur d'aller de l'avant, je n'ai plus d'appui. Souvent, mon passé m'empêche d'être intime avec moi-même et les autres. Je me coupe de ma sensibilité et de mon essence profonde. Mes blessures et mes traumatismes me font « traîner la jambe » . Je ne vis pas pleinement ma sensualité et mes désirs sexuels, ce qui est source de colère et de frustration. Le fait d'avoir moi-même des enfants peut réactiver toutes ces blessures du passé et mes **cuisses** en seront affectées. De **grosses jambes** peuvent aussi être un signe que j'emmagasine trop (tant sur le plan matériel, émotionnel, qu'intellectuel), que je garde des choses « au cas où ! » par insécurité, par peur de manquer de quelque chose ou de quelqu'un. Tout comme les écureuils, je fais des réserves en prévision d'une disette possible mais souvent non fondée. Il est bon que je « fasse du ménage » afin de ne garder que ce qui est bénéfique pour moi. J'ai un malaise aux **cuisses** quand je garde trop pour moi des énergies et des talents que je devrais exploiter davantage. Ma créativité est étouffée, mon pouvoir de féconder, autant au niveau physique qu'émotif, est neutralisé par ma passivité et mon « obéissance » exagérée face à l'autorité (qui peut être mes parents). Je peux vivre de l'impuissance et je me demande jusqu'à quel point j'ai accepté↓♥ que mes parents ou mes instituteurs définissent ma vie au lieu que ce soit moi qui sois maître de mon destin. Quand il y a **fracture du fémur**, ma structure de base est atteinte. Je suis en ***opposition*** (soit physique soit verbale), face à quelque chose ou quelqu'un que je dois ***affronter***. J'ai l'impression de stagner ou peut-être même reculer. Mon ***adversaire*** est plus fort que moi et je dois ***fléchir***. J'en viendrai à vouloir qu'on me prenne en charge puisque quel que soit ce que je veux faire, où que je veuille aller, je rencontre un mur. On se désintéresse de moi, de mes besoins. C'est pourquoi on continue de toujours me demander de faire plus, et je reçois bien peu en retour…

J'accepte↓♥ maintenant de vivre ma vie pleinement. Je reprends l'espace que j'ai laissé aux autres. Je laisse sortir toutes ces énergies qui ont été si longtemps emprisonnées. Je laisse aller ma créativité. Je sens tout le pouvoir libérateur d'exprimer comme je l'entends mes forces intérieures. Je ne peux me sentir en sécurité que si je m'appuie sur mes forces et non pas sur les autres. Plus je suis dans l'action et plus je me sens en vie !

JAMBES — VARICES

VOIR : SANG — VARICES

JAUNISSE OU ICTÈRE

VOIR AUSSI : FOIE [MAUX DE…], SANG / [MAUX DE…] / CIRCULATION SANGUINE

L'**ictère**, communément appelée **jaunisse** est un excès de bilirubine causé par une destruction massive de globules rouges dans le sang, du fait d'une anomalie congénitale de leur membrane ou d'une agression. Elle peut provenir aussi de la destruction des cellules du foie ou l'incapacité d'éliminer la bile (syndrome rétentionnel). Le résultat est une coloration jaune de la peau et du « blanc de l'œil ».

Comme c'est relié au nettoyage du système sanguin, j'ai donc de la difficulté à « nettoyer » mes émotions. J'éprouve des émotions amères très intenses d'envie, de désappointement, de frustration, au point où « je fais une **jaunisse** de telle situation » et je « tourne au jaune ». Je vis beaucoup de ran**cœur♥**. Je deviens tellement tranchant et excessif dans mes idées et mes opinions que je m'y accroche, créant un déséquilibre à l'intérieur de moi. Je suis en conflit face au pouvoir exercé par l'autorité et à ma place dans la société que je préfère fuir au lieu d'intégrer. Je veux m'éloigner d'une situation qui est intolérable pour moi. Je refuse de changer. Je vis de la culpabilité et de la honte. Je me sens prisonnier, dans un carcan, qu'il soit émotif, social ou physique. Je me questionne face au chemin à suivre et je me remets en question face à qui je suis, quelles sont les directions que je devrais prendre. Mon esprit négatif devient borné, étroit et j'ai de la difficulté à avoir une vue d'ensemble d'une situation donnée, quand ce n'est de ma vie en général. J'ai perdu courage et je me sens tellement prisonnier de mes émotions non exprimées et canalisées que j'ai besoin de me retrouver seul afin de refaire le plein. "La **jaunisse du nouveau-né**" est reliée également aux frustrations, au désappointement ou à une ran**cœur♥**. Je voudrais me sauver mais cela est impossible : je suis ligoté à une situation ou tout simplement à ma mère. Moi, comme enfant, je peux avoir "pris sur moi les pensées de mes parents" comme par exemple si mes parents désirent un garçon et qu'ils ont une fille..., je peux me sentir responsable de la déception de mes parents et j'ai l'impression que je manque de protection.

J'accepte↓♥ de m'ouvrir aux gens qui m'entourent car j'ai beaucoup à apprendre d'eux.

JOINTURE

VOIR : ARTICULATIONS

JOUE (se ronger l'intérieur de la...)

VOIR : BOUCHE [MALAISE DE...]

JUMEAU

VOIR : NAISSANCE [LA FAÇON DONT S'EST PASSÉE MA...]

KAPOSI (sarcome de…)

VOIR AUSSI : SIDA

Le **sarcome de Kaposi**[145] (ou **maladie de Kaposi**) est une prolifération maligne de tissu conjonctif. C'est une affection peu fréquente à évolution lente. Il existe aussi une forme d'évolution rapide chez les personnes atteintes du SIDA.

Le tissu conjonctif servant au soutien des autres tissus du corps (nutrition, défense), je regarde dans quel aspect de ma vie je me sens laissé à moi-même. Je me suis abandonné moi-même dans un événement marquant un épisode de vie, un tournant. J'ai besoin d'un support, autant moral que physique. Je me sens persécuté, fragile, sans protection. Je suis fatigué de mon rôle de « soutien de famille », que ce soit face à mes enfants ou d'autres membres de ma famille dont j'ai la responsabilité, la charge. La révolte s'empare de moi quand je fais face à mon impuissance.

J'accepte ↓♥ mes limites et je vais chercher l'aide dont j'ai besoin. Je sais que je peux me choisir, je le fais consciemment et je prends du temps pour me faire plaisir et me reposer. Ainsi, j'ai plus d'énergie pour accomplir les tâches que ma voix intérieure me guide de faire. Je retrouve ma Liberté et ma joie de vivre.

KÉRATITE

VOIR : YEUX — KÉRATITE

KÉRION

VOIR : CHEVEUX — TEIGNE

KILLIAN (polype de…)

VOIR : NEZ — KILLIAN [POLYPE DE…]

---

[145] **Kaposi** (Moriz) : dermatologue et histologiste austro-hongrois (Kaposvar 1837- Vienne 1902). En 1870, il décrivit la xérodermie pigmentaire. Plusieurs affections porteront son nom : le pustulose vacciniforme, la sarcomatose hémorragique et une variété de lupus chronique avec nodules hypodermiques. Il publiera un ouvrage de dermatologie à Vienne en 1879. Il dirige cette même année la clinique dermatologique de l'Allgemeines Krankehaus, faisant de Vienne le centre de la dermatologie mondiale.

KLEPTOMANIE

VOIR AUSSI : DÉPENDANCE, NÉVROSE

Si, de façon compulsive, je suis porté à commettre des vols sans raison utilitaire, alors je souffre de **kleptomanie**.

Je vis une tension qui provient d'un vide intérieur allié à un sentiment de culpabilité. Alors, pour moi la fin justifie les moyens et c'est comme si je me lançais le défi de pouvoir m'approprier ce qui est défendu. J'en retire un soulagement, même si le remords peut se manifester à moi par la suite. Il se peut qu'inconsciemment, j'espère qu'on va me prendre « la main dans le sac » car c'est pour moi une façon d'attirer l'attention. Le fait de poser un geste défendu peut être pour moi une façon de démontrer ma révolte face à l'autorité et de « braver » celle-ci. Cette autorité que je n'ai pas acceptée↓♥ étant jeune était soit celle de mon père ou de ma mère, soit de la personne qui avait la charge de mon éducation. Les pensées sont si désordonnées qu'elles se manifestent par le manque de contrôle sur les gestes. J'utilise mon charisme pour soutirer ou m'approprier des choses qui ne m'appartiennent pas au lieu de l'utiliser pour, par exemple, faire passer un message positif et d'espoir à travers mes paroles.

J'accepte↓♥ de me diriger vers une thérapie afin de pouvoir identifier ce vide intérieur ou cette révolte face à l'autorité et de pouvoir remettre de l'**amour** dans la situation. Je vivrai ainsi une plus grande paix intérieure et « les autres s'en porteront mieux aussi ».

KYSTE

VOIR AUSSI : OVAIRES [MAUX AUX...], TUMEUR [S]

Un **kyste** est une cavité située dans un organe ou un tissu. Il contient une substance liquide, molle ou parfois solide, et limitée par une paroi qui lui est propre.

Un **kyste** se forme lorsque j'entretiens des remords face à un projet, à un désir que je n'ai pu réaliser. Je me suis « gonflé », j'ai « accumulé » des informations, des données de toutes sortes pour un projet que je n'ai jamais pu rendre à terme : elles sont demeurées prisonnières de mon corps et de mon esprit et elles deviennent "une boule qui bloque l'énergie vitale". Je reste accroché sur certaines expériences passées. Une douleur me suit partout. C'est un refus de pardonner. Le **kyste** peut correspondre aussi à la solidification d'attitudes et de « patterns mentaux » qui se sont accumulés inconsciemment durant une certaine période de temps. Ceux-ci peuvent me servir de barrière de protection, me gardant emprisonné dans un cadre bien délimité et m'évitant de faire face à certaines personnes ou à certaines situations. Cela a aussi pour résultat de me freiner ou de m'empêcher d'aller de l'avant car j'ai de la difficulté à m'ouvrir à d'autres opinions ou aux autres façons de penser. Mon ego peut être profondément blessé et ma ran**cœur♥** se solidifie pour devenir un **kyste**. C'est mon sentiment d'impuissance qui fait que je m'imprègne de toute cette douleur, cette haine et parfois même avec le goût de vouloir me venger de quelqu'un. Je recherche la reconnaissance de mon plein potentiel mais celle-ci tarde à venir. J'ai joué à la victime pendant longtemps mais je prends maintenant **conscience** qu'il n'y a que moi qui peux créer ma vie comme je le veux. Je suis à la recherche de mon pouvoir créateur. J'ai tendance à me replier sur moi-même et je refoule tout à l'intérieur de moi jusqu'à ce qu'il y en ait trop et que cela se transforme en **kyste**. Je fuis un conflit au lieu d'y faire face. Lorsque je vis aussi une peur vitale ou un danger de mort, il devient **cancéreux**.

J'accepte↓♥ de laisser circuler l'énergie librement à travers moi et j'ai confiance dans le fait de faire avancer mes projets et je demande à voir les solutions pour que tout « coule » mieux dans ma vie. Je me pardonne, je m'aime, je me tourne vers l'avenir, je suis donc en paix. J'ose dire les vraies choses. Je libère toutes ces émotions **enkystées**. Par mes pensées négatives, je m'attirais des événements négatifs ; alors, maintenant je ne sème que des belles pensées et de belles paroles pour que je puisse finalement créer la vie dont je rêve. Je suis créateur de ma vie et j'avance avec confiance.

L

LABYRINTHITE

VOIR : CERVEAU — ÉQUILIBRE [PERTE...]

LANGUE

VOIR AUSSI : GOÛT .[TROUBLES DU...]

La **langue** est un organe musculaire auquel est relié le goût et elle est annexée à l'appareil digestif.

Si je veux exprimer une pensée verbalement, j'ai besoin de ma **langue**. Si je me « **mords la langue** » je dois me demander si je m'en veux pour ce que je viens de dire, si je vis de la culpabilité. Est-ce que « je sais tenir ma langue ? » Où est-ce que cela me fait mal de ne pas dire les choses telles que je les vis, de ne pas exprimer mes sentiments n'étant pas capable de trouver les mots justes ? Lorsque j'utilise des expressions telles que : « Cela me ***brûle*** la **langue** » ou « Tu as la **langue** bien pendue », cela dénote une situation face au « dit » et au « non-dit » qui peut engendrer des maux de « **langue** » (**picotement**, **sensation de brûlure**). Qu'est-ce qui me brûle de faire ou de dire et je me retiens ? Mon sentiment d'impuissance m'amène à me taire. Je peux garder pour moi un secret de famille qui, si divulgué, risquerait de me faire vivre de la honte. Puisque j'ai l'impression qu'on ne m'écoute pas, je deviens complètement indifférent face aux autres. S'il y a de la culpabilité face à ce que j'ai dit, je me **mords la langue**. L'adage : « Se tourner la **langue** sept fois avant de parler » illustre bien cela. Une **douleur à la langue** m'indique quelque chose de bien précis que je refuse de dire et qui reste sur « le bout de la **langue** ». Un **bouton sur le bout de la langue** me montre comment je peux réprimer mes élans de passion, autant verbaux que physiques. Ce peut être un souvenir douloureux que je voudrais exprimer pour m'en libérer. Si ma **langue** est **fissurée**, je veux arrêter de jouer « au bon garçon/bonne fille » et dire au monde entier : « Ça suffit ! Écoutez-moi ! » J'en ai assez de me sentir divisé, en dualité entre ce que je veux exprimer et ce que je dis réellement. J'ai la **langue engourdie ou enflée** quand je veux goûter davantage à la vie, ou que j'ai du « dégoût » face à une personne, une chose ou une situation. Une **langue épaisse** me montre combien j'ai l'impression de m'empêtrer dans mes mots et de ne pas savoir comment m'exprimer. Un **ulcère sur le bout de la langue** me montre que quelque chose que je veux dire me brûle. Un repli sur moi-même ou une culpabilité face au plaisir qui m'est offert fera réagir ma **langue**, dans le cas par exemple d'une **glossite (inflammation)**. Je n'ose pas goûter toutes les saveurs de la vie. Je ne fais que me punir et je vis en esclave. Une **mycose** (langue **recouverte d'un enduit blanchâtre**) manifeste la critique et la rage qui grondent à l'intérieur de moi et que je n'ose exprimer. J'ai été blessé dans le passé et cela me poursuit ; je préfère rester seul avec ma douleur.

J'accepte↓♥ dès maintenant de « goûter » toutes les joies qui s'offrent à moi. J'apprends à dire mon opinion, à me faire respecter dans mes différences et je jouis de la vie !

LANGUE (cancer de la...)

VOIR : CANCER DE LA LANGUE

LARMES

VOIR : PLEURER

LARYNGITE

VOIR : GORGE — LARYNGITE

LARYNX

VOIR : GORGE — LARYNX

LARYNX (cancer du...)

VOIR : CANCER DU LARYNX

LASSITUDE

VOIR AUSSI : FATIGUE [EN GÉNÉRAL], SANG — HYPOGLYCÉMIE, TENSION ARTÉRIELLE — HYPOTENSION [TROP BASSE]

Je ressens la **lassitude** quand mon corps est fatigué, j'ai le goût d'abandonner. L'ennui et le découragement gagnent mon cerveau. Je suis **las** et je n'ai plus le goût d'être "**là** où je suis actuellement".

"*Qu'est-ce qui a amené cette* ***lassitude*** *?*" Je suis insatisfait de mes relations affectives avec mon conjoint ou mes amis. Je suis **las** de m'adapter sans cesse aux autres. Je vis une dualité entre mettre en priorité mes besoins et ceux des autres. Souvent, mon sang s'appauvrit, la joie de vivre n'étant plus présente.

J'accepte↓♥ de reprendre goût à la vie en faisant des choses que j'aime, en me faisant plaisir et en écoutant de la musique douce. Cela m'aidera à me « remonter le moral ». Je reprends contact avec l'âme que je suis qui me guidera afin de retrouver ma joie de vivre.

LÈPRE

VOIR AUSSI : CHRONIQUE [MALADIE...], NERFS, PEAU/[EN GÉNÉRAL]/[MAUX DE...]

La **lèpre**, aussi appelée **maladie de Hansen[146],** est une maladie infectieuse. « J'ai la **lèpre**, j'ai l'impression que je n'ai pas tout ce qu'il faut pour assumer ma vie, mes responsabilités. » *« Pourquoi ai-je attrapé cette infection ? Est-ce que j'ai une lèpre chronique due au bacille de Hansen qui se traduit par des atteintes de la peau, des muqueuses et des nerfs ?* » Elle est surtout fréquente dans les pays tropicaux. Elle a un caractère « familial » contagieux et son incubation est longue (entre 3 à 5 ans). Si j'en suis atteint, je me sens sale, impur, je ne me sens pas à la hauteur. Je souffre d'isolement et j'ai même du dégoût de moi. Je m'autodétruis. « Etait-elle présente *dans ma famille ? Est-ce que la communication y existait ?* » La souffrance encourue par ce manque de communication m'a-t-elle affecté au point de vouloir me détruire ? *Ma sensibilité a été atteinte, « écorchée à vif »*. De toute façon, est-ce que je mérite de vivre ? J'ai tendance à me poser souvent cette question et je vais me laisser aller[147], me sentant incapable de changer quoi que ce soit dans ma vie. Je vis comme victime au lieu d'être créateur de ma vie. Je me sens condamné, critiqué par un dieu, la société ou mon entourage. Je me sens donc impuissant à changer quoi que ce soit. Je porte toute la responsabilité des maux de la terre sur mes épaules. Je règle le bagage accumulé dans le passé familial et je trouve MA place dans la société.

J'accepte↓♥ dorénavant de me nourrir de pensées d'**amour** et d'harmonie afin de me refaire une nouvelle peau qui reflétera davantage l'être divin que je suis. Je reprends le pouvoir que j'ai laissé aux autres il y a très longtemps et je prends la responsabilité de ma vie. Je reconnais mes énergies créatrices. J'accepte↓♥ mon corps comme faisant partie intégrante de tout mon être divin. J'accepte↓♥ que je mérite ce qu'il y a de mieux !

LESBIENNE

VOIR : HOMOSEXUALITÉ

LEUCÉMIE

VOIR : SANG — LEUCÉMIE

LEUCOPÉNIE

VOIR : SANG — LEUCOPÉNIE

---

146 **Hansen** (Gerhard Henrick Armauer) (Bergen 1841-i.d. 1912). Médecin et botaniste norvégien. Issu d'une famille aisée, il fait ses études de médecine à Christiana puis se spécialise en microbiologie à Vienne. Rentré en Norvège, il découvre en 1869 le bacille de la lèpre dans un nodule mais il n'ose l'annoncer, étant fiancé à la fille du professeur Danielsen, farouche adversaire de l'origine bactérienne de la lèpre. Ce n'est qu'en 1874 qu'il publie sa découverte à la Société Médicale de Christiana. Il est alors nommé Inspecteur général de la lèpre pour la Norvège.

147 **Laisser aller** : ici, on fait référence au fait de « démissionner » et non pas de « se détacher ».

LEUCORRHÉE

VOIR AUSSI : CANDIDA, INFECTIONS, PEAU — DÉMANGEAISONS, SALPINGITE

La **leucorrhée** est aussi appelée pertes blanches ou pertes vaginales.

C'est une infection vaginale qui démontre soit un refus d'avoir des relations sexuelles, soit de la culpabilité ou de l'agressivité envers mon partenaire, ou le fait de ne pas en avoir. Elle résulte souvent de mon impression que je suis impuissante face à mon conjoint, et comme j'ai l'impression de n'avoir aucun pouvoir sur lui, cette maladie devient comme un outil de manipulation qui me fera sentir que je contrôle la situation et donc, de mon conjoint, parce que c'est MOI qui décide si je peux avoir des relations sexuelles ou non. J'ai tant besoin d'**amour** mais je l'attends de l'extérieur au lieu de me le donner à moi-même. Puisque je ne suis pas en contact avec mes besoins et désirs, je joue à la victime. Je les fais passer après ceux des autres. Je suis soumise et je peux même me laisser exploiter si ce n'est pas moi qui exploite mon conjoint. Mes énergies créatives sont complètement ignorées. Le fait d'être une femme ne veut pas dire que je doive être soumise aux autres. Je n'en peux plus de toujours « m'adapter » aux autres, faire des concessions, notamment dans mon couple.

J'accepte↓♥ de prendre ma place, reconnaître ma vraie valeur et me convaincre que je suis la seule personne qui peut avoir le contrôle sur moi et sur ma vie.

LÈVRES

Par les **lèvres**, je peux comprendre **l'ouverture ou la fermeture d'esprit**, ce que je veux ou ne veux pas dire. Je peux percevoir de la tension, des soucis, des chagrins ou des craintes par le fendillement ou l'assèchement des lèvres. Elles peuvent être charnues si j'ai de la joie, du plaisir, de l'**amour** dans le **cœur♥,** ou plutôt minces lorsque je suis plus retenu et même rigide face à mes désirs et aux plaisirs de la vie. Chez une femme, les **lèvres** du **vagin** témoignent de répercussions causées par les mêmes troubles sauf qu'il y a plus de chance que tout malaise ou toute maladie reliées à celles-ci se rapportent à l'expression de sa sexualité et de sa féminité.

La lèvre inférieure représente mon côté masculin, rationnel, la raison, et la lèvre supérieure représente mon côté féminin, réceptif, émotionnel. L'état et la forme de mes **lèvres** m'indiquent si je m'ouvre facilement aux autres, si mes angoisses me grugent sans que je m'en rende compte. Est-ce que j'ai tendance à « pincer les **lèvres** », remettant en question et jugeant l'opinion des autres ? Ou ai-je plutôt tendance à me « mordre les **lèvres** » car je n'ai pas assez confiance en mon propre jugement, mon bon sens ? Je peux vivre un conflit intérieur face à ma sensualité, à la place que je lui laisse dans ma vie. Est-ce que j'abuse d'un certain pouvoir ? Si j'ai de la difficulté à me faire plaisir, mes **lèvres** seront touchées. Si je reçois un baiser non désiré, si je dois « souffler dans la balloune[148] », si j'ai l'impression d'être trahi par un de mes proches (le baiser de Judas), mes **lèvres** seront atteintes. Dans ce cas, j'ai l'impression que la personne en autorité abuse de son pouvoir.

---

[148] **Souffler dans la balloune** : expression québécoise voulant dire : passer un alcootest.

J'accepte↓♥ d'exprimer mes sentiments, autant négatifs si je suis mécontent (sinon mes **lèvres** peuvent enfler), que positifs tels que des compliments, mon affection, mon appréciation, etc. Car c'est avec mes **lèvres** que je peux donner un baiser et montrer mon amour aux gens que j'aime. Je me sens en sécurité et j'ose dire et montrer qui je suis réellement.

LÈVRES SÈCHES, GERCÉES, FENDILLÉES

J'ai les **lèvres sèches** quand je ressens une grande fatigue, quand je fais une fièvre "en sourdine", quand je me sens seul, quand j'ai des soucis ou que je regrette d'avoir dit certaines paroles. Ma joie de vivre s'en va et j'éprouve peu de plaisir dans mes échanges avec les autres Je ne peux plus partager mes émotions avec les autres ou la personne avec qui je partage ma vie.

Cette perte de joie sera d'autant plus grande si, en plus, mes **lèvres** vont jusqu'à **saigner**. Si mes **lèvres se fendillent**, je me demande qu'elle est la « division » que j'ai laissée s'installer à l'intérieur de moi. Ce peut être un abîme qui existe entre mon monde réel et imaginaire. Je veux rester dans ma tour d'ivoire de peur d'être blessé. Les **lèvres fendillées** peuvent se retrouver chez un enfant dont les parents sont séparés et qui a besoin de douceur. Je me crée un monde de fantaisie et d'illusion qui m'aide à fuir mes émotions négatives, mes « fantômes » qui contrôlent ma vie. Je fais des compromis, je ***mets*** de l'eau dans mon vin mais j'en ai assez de tout cela.

J'accepte↓♥ d'être en contact avec la réalité et les gens qui m'entourent. Je me permets d'augmenter ma communication avec les autres et « d'embrasser la vie » avec plus d'**amour**. Au lieu de vivre dans le passé ou le futur, j'apprends à goûter le moment présent. En prenant contact doucement avec qui je suis et avec les autres, je n'aurai plus besoin de vivre dans l'irréel. En unifiant ce qui était divisé auparavant, mes **lèvres** « revivent » et redeviennent dans un parfait état.

LÈVRES VAGINALES

VOIR : VULVE

LIGAMENTS

VOIR : ARTICULATIONS — ENTORSES

LITHIASE BILIAIRE

VOIR : CALCULS BILIAIRES

LITHIASE URINAIRE

VOIR : CALCULS RÉNAUX

LOCOMOTION

VOIR : SYSTÈME LOCOMOTEUR

LOMBAGO

VOIR : DOS [MAUX DE...] — BAS DU DOS

LOMBALGIE

VOIR : DOS [MAUX DE...] — BAS DU DOS

LORDOSE

VOIR : COLONNE VERTÉBRALE [DÉVIATION DE LA...] — LORDOSE

LOUCHER

VOIR : YEUX — STRABISME CONVERGENT

LOUPE

VOIR : KYSTE, PEAU / [EN GÉNÉRAL] / [MAUX DE...]

LSD (CONSOMMATION DE...)

VOIR : DROGUE

LUMBAGO

VOIR : DOS [MAUX DE...] — BAS DU DOS

LUPUS

VOIR : PEAU — LUPUS

LUPUS ÉRYTHÉMATEUX CHRONIQUE

VOIR : PEAU—LUPUS

LUXATION

VOIR AUSSI : ACCIDENT, COLÈRE, DOULEUR, OS

La **luxation** concerne le déplacement de deux extrémités osseuses d'une articulation. Ce peuvent être l'épaule, le coude, les doigts, le genou, les vertèbres, la hanche. Souvent, une **luxation** survient à la suite d'un coup, d'un choc ou d'un mouvement forcé.

Je connais l'expression québécoise qui dit : « Je me suis déboîté le genou » ou « Je me suis déboîté l'épaule». Selon l'endroit où s'est effectuée la **luxation**, je dois me demander quelle peur ou quel choc émotionnel me donnent l'impression d'être pris « comme si je me faisais mettre en boîte ». Je veux m'échapper, me dégager d'une obligation mais je me sens forcé, pris par cette situation. C'est comme si je portais une camisole de force et que j'essayais de toutes mes forces de m'en défaire. Mon corps a ainsi réagi à l'inverse en assumant le contrecoup émotionnel. Est-ce que j'ai l'impression de ne plus avoir ma place dans ce monde ? Est-ce que je suis déstabilisé dans mes émotions par une personne ou un événement ? Par rapport à qui ou à quoi suis-je si intransigeant ? Si la **luxation** atteint mon **épaule**, je me demande de qui je veux me rapprocher. À la **mâchoire** (déboîtement de l'articulation temporo – mandibulaire), je me sens pris dans une situation, ne pouvant ni avancer ou reculer. Je suis déchiré entre la raison et la passion.

J'accepte↓♥ de prendre **conscience** de la liberté que j'ai à l'intérieur de moi et je laisse entrer de la **lumière** intérieure sur toutes situations qui semblent me limiter, afin de ***dissoudre*** et dissiper mes craintes, et que je développe plus d'harmonie envers la vie.

LYMPHATISME

Le **lymphatisme** se caractérise par une pâleur anémique, une mollesse des tissus et une peau fine.

Je manque de force et de rigueur. J'évite de me faire violence, je ne fais rien, je démontre un laisser-aller, un manque d'audace et de vitalité. Je ne trouve aucune motivation dans la vie et je me sens inutile. Je laisse les autres envahir ma vie car j'ai de la difficulté à délimiter mon espace vital et à le faire respecter.

Ma non-acceptation↓♥ de moi-même a souvent sa source dans des situations dans lesquelles je me suis jugé sévèrement. Le **lymphatisme** me montre comment j'ai besoin de me réconcilier avec moi-même. C'est un signe que je dois me reprendre en mains, bouger, faire avancer des choses afin de faire circuler l'énergie et de sortir de cette léthargie qui m'amène à en faire de moins en moins et à m'enfoncer de plus en plus dans le négativisme.

J'accepte↓♥ de reprendre mon élan, je choisis de donner de la joie à ceux qui en ont besoin par des petits gestes et je me sens ainsi plus utile, ce qui me fait m'apprécier davantage.

LYMPHE (maux lymphatiques)

VOIR AUSSI : CANCER DES GANGLIONS [... DU SYSTÈME LYMPHATIQUE],

GANGLION [... LYMPHATIQUE] (infections, inflammation, œdème, système immunitaire)

La **lymphe** contient des globules blancs, des protéines et des lipides (des formes de gras). Elle lutte contre les infections et rejette ce qui est mauvais pour le corps.

Une **inflammation des vaisseaux lymphatiques** (**lymphangite**) me montre combien j'ai su contrôler mes émotions et mon environnement mais je n'en peux plus ! Je suis découragé ! Je me sens comme un gros éléphant pris dans une petite maison : je veux en sortir, je veux être libre ! **L'œdème lymphatique,** lui, manifeste mon sentiment d'insécurité. Je me donne une image d'être au-dessus de tout mais ceci me rend très fragile car ma vie est basée sur une mascarade au lieu de la vivre au niveau de mon **cœur♥**. Je suis alors confus et ne sais plus quel chemin prendre, ce qui me rend vulnérable.

Les **maux lymphatiques** me disent de faire attention à mes pensées, de bien gérer mes émotions et d'accepter↓♥ que la joie circule librement en moi, comme la sève dans l'arbre. Je dois revenir à l'essentiel et mettre mon attention sur les vraies valeurs de la vie plutôt que sur le matériel et les choses dont j'ai l'impression de manquer.

LYMPHOME

VOIR : HODGKIN [MALADIE DE...]

M

MÂCHOIRES (maux de...)

VOIR AUSSI : MUSCLES — TRISMUS

Les **mâchoires** constituent des os essentiels pour ***manger***, pour commencer le processus de digestion et d'assimilation de ce que je prends, soit la nourriture soit la réalité qui m'entoure.

Elles me permettent d'avaler certaines réalités, tout autant que je puisse les avaler, tant au niveau physique qu'émotif. Elles représentent ma capacité et ma force à choisir de m'ouvrir à quelque chose ou à quelqu'un. Mes **mâchoires** permettent donc des échanges avec les autres, en toute sécurité. Elles ouvrent la voie à la vérité et à l'affirmation de soi. Tout le pouvoir intérieur que je manifeste est symbolisé par mes **mâchoires**. Celle du **haut** réfère à ma relation face au père. Celle du **bas** réfère à ma relation face à la mère. Puisqu'elles doivent se rencontrer, s'opposer pour être efficaces, les **mâchoires** symbolisent ma capacité à faire face aux luttes ou oppositions que je rencontre ou à celles qui m'habitent. Les **problèmes de mâchoire** peuvent survenir lorsque je **serre les dents** parce qu'il y a du refoulement et que je retiens toute l'énergie reliée à la colère, à l'obstination, à l'entêtement, et peut-être même à une envie inconsciente de me venger de quelqu'un ou de quelque chose. À moins que je veuille éviter de crier ma douleur intérieure... Les choses ne vont pas comme je le voudrais et la rage m'envahit. Je "remâche" sans cesse les mêmes problèmes sans trouver de solutions. Je m'accroche à mes émotions et comportements immatures. Peuvent alors apparaître des **tics de la mâchoire** qui me montrent que je « parle dans le silence ». Qu'est-ce que je veux absolument garder pour moi ? Quelles sont les émotions que j'emprisonne ? Je vois les événements avec une certaine étroitesse d'esprit. Je ne suis pas en contact avec mon pouvoir intérieur et je cherche à m'accrocher à une autorité extérieure à moi. Où est passé mon sens des responsabilités ? Mon sentiment d'impuissance engendre un sentiment d'infériorité et de jalousie. Lorsqu'elles sont **douloureuses**, c'est parce que je cache mon désir d'attaquer ou de mordre quelqu'un par un sourire forcé. Une **fracture des mâchoires** fait suite à ma tendance à précipiter les choses, les décisions. Je me sens brusqué par la vie et les autres mais c'est moi qui veux aller trop vite. Je peux être cinglant dans mes commentaires face aux autres. Cependant, je me sens muselé, impuissant à vraiment exprimer mes vrais sentiments de peine et de douleur intérieures. Si j'ai une difficulté au niveau de **l'articulation de mes mâchoires** (appelée **ATM, articulation temporo-mandibulaire**) (elles paraissent non alignées), je dois me demander s'il y a un décalage, une différence entre ce que je pense et ce que j'ose dire ouvertement. Je vis une dualité intérieure entre dire ou cacher la vérité, mes sentiments profonds. Il y a distorsion entre mes émotions et mes pensées ; je suis déchiré entre ce que je voudrais faire (envies) et ce que je dois faire (devoir). Les rêves que j'avais face à ce que serait ma vie sont totalement différents de la réalité et s'en suivent de grands désappointements et des remises en question. Je perds espoir d'atteindre mon idéal, soit personnel, de couple soit face à la société. Lorsque je **grince des dents**, je vis de l'insécurité. Je suis anxieux et je réprime beaucoup mes émotions. Cela est particulièrement vrai chez les enfants face à leurs parents. Je peux voir aussi mes **mâchoires** se **décalcifier** et se **ramollir**. Elles me montrent comment moi aussi je peux être « mou » dans certaines situations, spécialement quand j'ai l'impression qu'on a ri de moi et qu'on ne prêtait pas attention à ce que je disais. Il s'en suit une très grande dévalorisation de moi-même. Je peux aussi me sentir dominé, étant impuissant à m'exprimer, à cause de ma timidité ou de mes peurs. On peut aussi m'avoir défendu de parler, ce que j'ai interprété comme : « Je ne dois pas avoir grand-chose d'intéressant à dire ! ! ! ». Lorsque mes **mâchoires bloquent**, je suis dans l'incapacité de m'exprimer, de contrôler ce qui m'entoure, je refoule mes émotions. Ma **mâchoire** peut être paralysée par la peur ou la peine suite à une situation où je me suis senti(e) impuissant(e) à dire ou à faire afin d'éviter qu'une situation arrive. Une **mâchoire bloquée** peut aussi s'être crispée au moment même où j'ai voulu de toutes mes forces ***contredire***, empêcher une parole d'être dite ou un événement d'arriver. Je me suis senti paralysé de ne pas pouvoir dire quelque chose. Je me sens ***muselé***. Lorsqu'il y a **cancer de la mâchoire**, cette incapacité est vécue intensément, spécialement dans ma famille où ma parole n'a aucun poids. Si mes **mâchoires sont trop étroites**, le développement de ma personnalité a été brimé. Mon obligation d'être le meilleur me met une grande pression. Mon intellect est constamment stimulé contrairement à mon côté émotif qui devient déficitaire. Je dois me détendre, laisser l'énergie circuler librement.

J'accepte↓♥ de m'exprimer librement. Je suis pleinement guidé dans ce que j'ai à dire et je reprends la place qui me revient. Je vis dans l'intégrité, au niveau de mon **cœur♥** et de la vérité.

MAIGREUR

VOIR AUSSI : ANOREXIE, POIDS [EXCÈS DE...]

Une sous-alimentation peut entraîner la **maigreur** et une consommation excessive se transformer en **obésité**. Dans les deux cas, l'intestin grêle ***assimile*** mal les aliments.

La nervosité, l'anxiété, la consommation de médicaments, les grandes peurs ou de très grandes joies sont des facteurs qui font qu'un individu engraisse et que l'autre maigrit. Si je suis une personne **maigre**, je suis souvent très émotive avec une très grande sensibilité et je ne sais pas toujours comment exprimer mes sentiments, car ayant déjà été blessé, je veux me protéger pour ne plus avoir à souffrir du ***sarcasme*** des autres. Je vis dans un constant ***marasme***. J'ai tendance à me rejeter et à ***m'acharner*** sur certaines choses ou personnes. J'ai facilement dédain de ce qui m'entoure. Je garde ainsi une certaine distance face aux autres. Je suis aigri par la vie. Je peux avoir l'impression que je dois ***déguerpir***, ***abandonner*** quelqu'un ou quelque chose pour survivre, d'où un sentiment de ***lâcheté***. Je peux aussi avoir l'impression que c'est moi qu'on a ***délaissé***, ***abandonné***. Dans **l'anorexie**, il y a souvent un lien avec la mère ou l'image de la mère. Cette même sensibilité se retrouve chez une personne ayant un **excès de poids**, celle-ci se créant une protection et une barrière par son physique plus imposant. Les gens qui sont **anorexiques** refusent de vivre, aiment mieux mourir qu'accepter↓♥ l'**amour**. **L'obésité** a un lien avec l'image de soi et, parfois, l'image du père. Pour l'un comme pour l'autre, je dois trouver la cause afin "d'assimiler" la vie de façon saine et équilibrée.

En m'accueillant et **m'acceptant↓♥** tel que je suis, je peux ainsi me relier ou me reconnecter aux autres de façon consciente, ce qui réchauffera mon **cœur♥**.

MAINS (en général)

Les **mains** représentent ma capacité de prendre, de donner ou de recevoir. Elles symbolisent la réalisation de l'acte et l'exécution du travail. Elles sont l'expression intime de moi-même dans l'Univers et la puissance du **toucher** est tellement grande que je me sens impuissant quand mes **mains** sont endommagées. Elles me permettent des échanges avec les autres mais aussi de commander. Elles ont un caractère unique : tout comme mes empreintes digitales, elles représentent mon passé, mon présent et mon avenir. Ma **main gauche** est celle du **cœur♥**, celle qui reçoit et capte. Ma **main droite** représente ma volonté, le pouvoir. Elle représente l'action et l'affirmation. J'ai entre les **mains** les situations de mon quotidien et l'état de mes **mains** me montre jusqu'à quel point je saisis ma réalité, comment j'exprime l'**amour** aussi bien que la haine (sous la forme du poing), comment je « **manipule** » les événements ou les personnes. La qualité de mes contacts avec les autres se reflète dans mes **mains**, notamment ceux qui sont reliés à mon travail. Si j'ai les **mains froides**, je me retire émotionnellement d'une situation ou d'une relation dans laquelle je suis impliqué. Je peux aussi refuser de prendre soin de mes besoins de base et de me faire plaisir. Je peux trouver froide ma relation avec mon père. Une situation face à la mort me perturbe. Les **mains moites**, elles, m'indiquent un taux excessif d'anxiété et de nervosité. Je suis débordé par mes émotions, me sentant peut-être trop impliqué ou trop actif dans une certaine situation de ma vie quotidienne. Je voudrais vouloir tout régler, « éteindre le feu » moi-même avec mes **mains**. Je peux avoir peur d'un contact où on va me faire mal. Si j'ai de la **douleur** ou des **crampes**, c'est que je me refuse à être flexible face aux situations présentes. Je dois me demander ce qui me dérange ou ce que je ne veux pas réaliser. Je peux avoir un sentiment d'incapacité ou vivre une grande peur face à l'échec. Cela m'amène à vouloir tout « maîtriser » avec mes **mains**, à vouloir tout posséder au cas où quelque chose ou quelqu'un me « filerait entre les doigts ». Est-ce que j'ai l'impression de perdre mes moyens dans une situation ou face à une personne ? Est-ce qu'un geste ou une action posée par mes **mains** a eu comme résultat de produire une blessure, autant physique qu'émotive ? Est-ce que je suis capable de « prendre les choses en main » et de rendre concrètes mes idées ? Si, de plus, mes **mains saignent** (ex. : mains sèches, eczéma, etc.), il y a sûrement une situation dans ma vie, un rêve, un projet que j'ai l'impression de ne pas pouvoir réaliser et cela m'amène à vivre de la tristesse. J'ai fait « des pieds et des **mains** » et cela n'a pas fonctionné. Alors, la joie de vivre s'en va. Si mes **mains se paralysent**, je peux me sentir « paralysé » en ce qui a trait aux moyens à prendre pour réaliser une certaine tâche ou une certaine action et je vis de l'impuissance par rapport à cela. Aussi, la paralysie des **mains** peut survenir à la suite d'une activité mentale très intense où je me sens surexcité, contrarié et où la pression bout à l'intérieur de moi. Peut-être même que j'ai le goût de « tordre le cou » à quelqu'un avec mes

mains. Mes **mains** seront **raides** si je manifeste de la rigidité dans ma façon d'accomplir certaines tâches ou d'exprimer ce que je ressens. Elles vont jusqu'à **bloquer** lorsque que je me sens sous l'emprise de l'autorité parentale. Si je me **blesse les mains**, peut-être que je résiste au toucher, évitant une certaine intimité, ou le toucher que je peux donner ou recevoir d'une autre personne. Cette crainte d'entrer en contact peut être rattachée à un événement présent particulier qui me rappelle un abus vécu dans le passé. Il peut s'agir d'un événement où je me suis senti **manipulé** et je revis le même sentiment dans ma vie présente. Il est aussi bon de se demander : « Qu'est-ce que je ne suis pas capable de faire ou qu'est-ce que je suis obligé de faire maintenant que j'ai **mal** à une ou aux deux **mains** ? Qui ou qu'est-ce que je veux retenir avec mes **mains** et que je devrais lâcher, laisser aller ? À qui aurai-je le goût de donner un bon « coup de poing ? » Si mes **mains** sont affectées, je me demande quelle partie de moi je veux éloigner « du revers de la **main** » . J'ai tendance à être intransigeant avec moi-même ou les autres. Cela peut être en réaction au fait que j'étais toujours très conciliant dans le passé, sans nécessairement être soutenu dans mes actions d'où une **fracture** possible. Je me force à suivre une certaine route quand je pourrais peut-être en prendre une autre plus bénéfique pour moi. Est-ce ma raison ou mon intuition qui mène ma vie ? Qu'est-ce que j'ai l'impression que je dois ***maintenir*** à tout prix dans ma vie ? Est-ce mon statut social, mon train de vie, ma popularité, etc. ? Une blessure à la ***paume de ma main*** m'indique une peur de me perdre, de m'égarer, de me « faire ***paumer***[149] », que ce soit au niveau affectif ou social. Le **dos de la main** est atteint lorsque je me sens rejeté, qu'on m'a mis de côté ou frappé « du revers de la **main** ».

J'accepte↓♥ de lâcher prise et de « tendre les **mains** vers le ciel », en prenant **conscience** que le seul pouvoir que j'ai est sur moi-même et non pas sur les autres. Je prends « en **mains** » ma vie en acceptant↓♥ toutes les facettes de mon être.

MAINS (arthrose des...)

VOIR : ARTHRITE — ARTHROSE

MAINS — MALADIE DE DUPUYTREN

VOIR AUSSI : DOIGTS — / ANNULAIRE / AURICULAIRE

La maladie de **Dupuytren**[150] est une affection de la main caractérisée par une flexion de certains doigts vers la paume, principalement l'annulaire et l'auriculaire et ce, de façon permanente.

Cette maladie dénote une « crispation » dans mes attitudes, laissant transparaître un repli sur soi, une certaine fermeture face à mon conjoint ou à mes enfants. J'ai l'impression qu'on me tient les rênes, que je suis « tenu

[149] **Me faire paumer** : me faire prendre, me faire coincer.

[150] **Dupuytren**, (Guillaume, Baron) : chirurgien français (Pierre-Buffière, Haute-Vienne, 1777 – Paris 1835). Considéré comme l'un des fondateurs de l'anatomie pathologie, le baron Guillaume **Dupuytren**, devint en 1815, grâce à son habilité technique, chirurgien en chef de l'hôpital de l'Hôtel-Dieu de Paris. Il est membre de l'Académie de médecine en 1820, chirurgien de Louis XVIII qui le fait baron en 1823, puis de Charles X en 1825 et membre de l'académie des sciences. Il a écrit en 1829 « leçons orales de clinique chirurgicale » où l'on retrouve entre autres choses, la description de la fracture bi-malléolaire et la rétraction de l'aponévrose palmaire, maladie portant son nom.

par la ***bride*** », qu'on veut me mettre les ***freins*** face à un projet. Ou c'est peut-être moi qui veux trop posséder, qui ai de la difficulté à lâcher prise, qui ne veux pas « lâcher les rênes ». Je voudrais plus contrôler ma vie mais tout m'échappe, je manque de force. Mes **mains** étant fermées et crispées, qu'est-ce que je veux garder à tout prix pour moi ? Ou qu'est-ce que je ne veux plus prendre ?

J'accepte↓♥ de devenir plus flexible et ouvert en exprimant davantage mes états d'âme. J'accepte↓♥ de voir quel est le sens profond de ma vie.

MAJEUR

VOIR : DOIGTS — MAJEUR

MAL DE L'AIR

VOIR : MAL DE MER

MAL D'ALTITUDE

VOIR : MAL DES MONTAGNES

MAL AU CŒUR♥

VOIR : NAUSÉES

MAL AU DOS

VOIR : DOS [EN GÉNÉRAL...]

MAL DE GORGE

VOIR : GORGE — PHARYNGITE

MAL DES MONTAGNES

VOIR AUSSI : APPÉTIT [PERTE D'...] BALLONNEMENTS, OREILLES — BOURDONNEMENTS D'OREILLES, NAUSÉES, TÊTE [MAUX DE...], VERTIGES

Lorsque je vais en altitude, il peut se produire un ensemble de troubles qui proviennent du fait que l'oxygène y est plus rare, mon corps a de la difficulté à en prendre plus : il y a un manque d'ouverture ou d'adaptation quelque part. Lorsque je monte ainsi, je change de niveau de **conscience**, ce qui peut provoquer un choc pour moi. Les troubles que je vis ne sont que le reflet de mes angoisses et de mes blessures intérieures conscientes ou inconscientes. Il est certain que plus j'aurai un corps physique en forme, plus il me sera facile de supporter, jusque dans le physique, ces changements de **conscience** intérieure.

J'accepte↓♥ de rester calme et confiant envers moi-même et envers la vie, de m'ouvrir à d'autres horizons et à développer davantage ce sentiment de liberté qui m'habite.

MAL DE MER

VOIR AUSSI : MAL DES TRANSPORTS

Le **mal de mer** est la sensation de ne pas avoir le contrôle de la situation, de se faire ballotter par les événements de la vie, l'impression de tout perdre. N'ayant pas « les deux pieds sur terre », je vis une certaine insécurité qui prend des proportions encore plus grandes quand j'ai des appréhensions face à l'avenir et face à tout ce qui est inconnu. Cela se manifeste par des nausées. Je dois me demander ce que je ne digère pas ou que j'ai envie de rejeter, que je n'ai pas accepté↓♥. En fuyant mes propres émotions et l'essence de chaque chose, j'évite ainsi de me sentir en confiance et bien ancré à la vie. Je suis comme un bateau qui se laisse aller au gré des vents. Ce n'est pas moi qui décide du chemin que je vais suivre mais je laisse les événements extérieurs s'en occuper, d'où mon sentiment d'insécurité. Je vis de la rancune face aux autres et je les critique mais au fond, je me reproche à moi-même de vivre dans l'impuissance. Je dois me demander qu'elle est la souffrance que je vis face à ma mère (mal **de mère**). Peut-être qu'elle a quitté son corps physique et que son absence me manque. Ou ce peut être que notre relation est tendue ou conflictuelle. Il arrive aussi très souvent que tout **mal des transports** (**bateau**, **avion**, **auto**, **train,** etc.) soit relié à ma peur (consciente ou inconsciente) de la mort.

J'accepte↓♥ de voir à l'intérieur de moi pour y trouver les réponses à mes questions. J'arrête de me détruire par mes pensées négatives et ma façon de me juger sévèrement.

MAL DE TÊTE

VOIR : TÊTE [MAUX DE...]

MAL DES TRANSPORTS

VOIR AUSSI : ANXIÉTÉ, MAL DE MER, NAUSÉES, VERTIGES

Le **mal des transports** survient lorsque je vis une dualité ou un désaccord entre 2 sources d'informations différentes et ceci cause une difficulté à ajuster mes repères face à certaines personnes ou situations. Par exemple, ce que dit maman et papa ne concorde pas. Mon monde intérieur, imaginaire est tout à fait différent de la réalité, du monde extérieur. Je peux me sentir bien et en contrôle de mon véhicule mais pas des gens qui m'entourent. Je vis de l'insécurité, de l'inconfort. Cela dérange mes habitudes établies et je peux avoir l'impression de perdre le contrôle de ce qui se passe dans ma vie. L'inconnu m'effraie, et indirectement, la mort. J'ai l'impression d'avoir à subir les choses et les personnes, comme dans ma vie. Il y a quelque chose que je veux fuir car je veux être rendu à destination tout de suite ! Le fait de vivre de la ran**cœur♥** me fera avoir des « hauts le **cœur♥** » pendant le trajet. **Le mal de l'auto** réfère souvent à un sentiment de me sentir pris, coincé, étouffé. Si j'ai de la difficulté à conduire moi-même l'automobile, je me demande de quelle façon je conduis ma propre vie : est-ce moi qui suis en charge ou est-ce que je laisse les autres la gérer parce que je peux avoir peur de l'autorité et de la responsabilité inhérente à prendre des décisions ? Si je n'aime pas que ce soit quelqu'un d'autre qui conduise, est-ce que je suis capable de faire confiance aux autres ou ai-je tendance à vouloir tout contrôler, pensant que c'est la seule façon pour pouvoir me sentir en sécurité ? Il arrive que mon inconfort face à un **moyen de transport** soit relié à une expérience passée qui à été traumatisante pour moi ou seulement désagréable. Quand je me replace dans une situation similaire, mon corps se souvient du souvenir négatif et il réagit. Je peux, par exemple, avoir reçu une très mauvaise nouvelle pendant que j'étais en voyage. J'associe maintenant inconsciemment les voyages à une mauvaise nouvelle à venir. Je pourrai m'inventer toutes sortes de raisons pour ne plus me remettre dans une situation semblable, au cas où encore une fois je recevrais une mauvaise nouvelle. Je tends alors à mettre le blâme de ma peine sur le moyen de **transport** utilisé pour faire ce voyage et j'ai l'impression qu'à l'avenir le **train** ou l'**avion** par exemple sont des signes d'un mauvais sort que je dois éviter à tout prix pour m'éviter de souffrir.

J'accepte↓♥ de faire la paix avec moi-même et de prendre **conscience** que les moyens de **transport** sont sécuritaires ; c'est en moi que je dois avoir confiance et bâtir ce sentiment de sécurité. Je sais que je suis pleinement guidé et que je suis toujours à la bonne place au bon moment. Je dois avoir confiance en l'avenir, je dois accepter↓♥ de vivre de nouvelles expériences, en sachant que j'en sortirai grandi.

MAL DE VENTRE

VOIR AUSSI : INTESTINS, VENTRE

Pour l'enfant comme pour l'adulte, le **mal de ventre** est le signe d'un sentiment d'abandon, de solitude. Je suis sensible à un événement extérieur qui m'affecte sans que je puisse l'exprimer. Cela fait naître de la révolte en moi. Les **maux de ventre** chez l'enfant sont souvent une façon de faire prendre soin de soi. C'est le refus de communiquer, la crainte de ne pas être écouté. Je suis angoissé car je ne sais que faire de toutes mes possibilités. Ai-je pris les bonnes décisions ? Je veux « être correct ». J'ai peur de souffrir et de mourir. J'ai l'impression qu'on me surveille constamment et mon niveau de stress est très élevé. Je peux faire en sorte de me parler pour me rassurer et me donner plus confiance en moi-même.

J'accepte↓♥, de plus, de communiquer avec mon entourage en laissant circuler l'**amour** vers les autres. Je fais confiance à la vie.

MAL DE VOITURE

VOIR : MAL DE MER

MAL DU VOYAGE

VOIR : MAL DES TRANSPORTS

MALABSORPTION INTESTINALE

VOIR : INTESTINS [MAUX AUX...]

MALADIE(s)

L'humain est fait pour être en santé mais il est sans cesse confronté aux troubles de fonctionnement de son corps, de ses émotions, de ses pensées. Toutefois, son esprit et son corps sont inséparables. Lorsque la santé d'un être vivant est affectée, il fait face à la **maladie**.

Il y a une dysharmonie (un état conflictuel) que le corps cherche à exprimer. Quand un dysfonctionnement s'installe, il faut interpréter "***ce que le mal a dit***", car la **maladie** implique une cause, des symptômes, des signes cliniques, une évolution, un traitement. Être malade n'est pas le fruit du hasard : c'est un signe que mon corps m'envoie pour m'informer d'un conflit ou d'un traumatisme que je vis, par rapport à moi-même et/ou par rapport à mon environnement.

Accepter↓♥ de décoder le message, le comprendre et faire ce qu'il faut pour me réharmoniser m'aidera à retrouver la santé plus rapidement. Il faut changer ma manière de vivre ou de penser car la vraie guérison se trouve d'abord en Moi.

MALADIE D'ADDISON

VOIR : ADDISON [MALADIE D'...]

MALADIE D'ALZHEIMER

VOIR : ALZHEIMER [MALADIE D'...]

MALADIES AUTO-IMMUNES

VOIR AUSSI : SYSTÈME IMMUNITAIRE

Une **maladie auto-immune** est caractérisée par le fait que mon système immunitaire agresse mon organisme.

Si c'est le cas, ma vie est vide et ne « vaut pas la peine d'être vécue ». Je me dévalorise en me culpabilisant de certaines » erreurs » commises dans le passé. Il y a des traits de ma personnalité ou de mon physique que je déteste, que je ne peux pas supporter. Je prends des décisions en fonction des autres et de leurs attentes. Je ne crois pas mériter le bonheur ou pouvoir changer quoi que ce soit à ma vie. Ce sont mes propres pensées, émotions, états d'âme, croyances négatives qui sont en train d'attaquer mon corps : je m'autodétruis.

J'accepte ↓♥ d'accueillir chaque partie de mon être dans l'ouverture et l'**amour** inconditionnel de qui je suis et dans ma propre divinité. Je me détache des attentes et des valeurs de la société afin de bâtir mes propres références. Dès aujourd'hui, je cesse toute agression envers l'Être que je suis. Ainsi, je me connecte à mon pouvoir de création et de guérison qui nourrit et renforce mon immunité naturelle.

MALADIE DU BAISER

VOIR : SANG — MONONUCLÉOSE INFECTIEUSE

MALADIE DE BECHTEREWS (ancylosing, stondylitis)

La **maladie de Bechterews**[151] est une douleur rhumatismale survenant après un traumatisme.

Elle est le résultat d'une rigidité et d'un manque de souplesse dans sa façon de penser. Je mets mon ego de côté, celui-ci prenant trop de place.

Je dois accepter↓♥ face à l'**amour** d'être plus flexible (envers moi-même), de faire confiance aux situations de la vie.

MALADIE DE BOUILLAUD

VOIR : RHUMATISME

MALADIE DE BRIGHT

VOIR : BRIGHT [MAL DE...]

MALADIE CHRONIQUE

VOIR : CHRONIQUE [MALADIE ...]

MALADIE DE CROHN

VOIR : INTESTINS — CROHN [MALADIE DE...]

MALADIE DE DUPUYTREN

VOIR : MAINS —MALADIE DE DUPUYTREN

MALADIE CHEZ L'ENFANT

VOIR AUSSI : MALADIES DE L'ENFANCE

De façon générale, on se réfère aux malaises ou **maladies** décrites dans ce dictionnaire. Aussi, si je suis cet enfant qui vit un malaise ou une **maladie**, il y a de fortes chances que l'expression de la **maladie** manifeste le malaise intérieur de l'un ou l'autre de mes parents. Mes parents pourront ne pas développer de **maladie** mais ma grande sensibilité me connecte à la réalité intérieure de mes parents. Je suis alors en résonance avec l'enfant intérieur de mes parents.

J'accepte↓♥ que la **maladie** que j'ai présentement ne mette en évidence que la prise de **conscience** que j'ai à faire **aussi**. Mes parents ne sont pas coupables de ce que je vis.

---

[151] **Bechterews** (Vladimir Mikaïlovitch) : (Sorali-1857- Leningrad 1927) Il fut l'un des collaborateurs de I. Pavlov. En 1893, il décrivit la maladie qui portera son nom. En 1904, il proposa son « réflexe tarso-pharyngien » signant une altération de la voie pyramidale. On connaît également le « noyau de **Bechterews** » sur la voie acoustique. On lui doit le traité sur la conduction dans le cerveau et dans la moelle épinière.

MALADIES DE L'ENFANCE (en général)

VOIR AUSSI : MALADIE CHEZ L'ENFANT, OREILLONS

La rubéole, la rougeole, la picote, la coqueluche, les oreillons, la scarlatine, la varicelle, bref, toutes les **maladies propres à l'enfance** coïncident habituellement avec des périodes d'évolution de l'enfant. Si je suis un **enfant**, ces **maladies** arrivent souvent durant les difficultés scolaires et lorsque je suis anxieux face à une situation. Si je sens de la discorde ou une guerre entre mes parents ou des personnes que j'aime, je deviens plus vulnérable et manifesterai plus facilement une maladie spécifique aux enfants. Je recherche la sécurité et l'affection. Lorsqu'une de ces **maladies** survient, je développe mon système immunitaire qui représente ma capacité d'adaptation, ou encore, ma capacité d'entrer en relation : "Moi par rapport aux autres". Ce peut être un temps de repos que le corps exige. Si je suis un **parent**, en donnant à l'enfant de la tendresse, de l'**amour**, de l'attention, cela lui permettra de se renforcer afin d'avancer dans la vie avec plus de confiance. L'adulte qui vit une de ces **maladies** a quelque chose de non réglé dans l'enfance, une situation qu'il a mal gérée : « La situation que je vis actuellement a-t-elle un lien avec une situation émotionnelle que j'ai vécue dans mon enfance ? » Par exemple : il se peut que j'aie vécu à l'école du rejet que je n'ai pas su gérer et que je vive aujourd'hui dans mon travail un même rejet.

J'accepte↓♥ de régler les sentiments venant de mon enfance pour mieux grandir et je ne fais plus de fixation pour cette émotion afin de m'en libérer.

MALADIES DE L'ENFANCE — COQUELUCHE

La **coqueluche** est une maladie infectieuse contagieuse et épidémique due au bacille de Bordet et Gengon. Elle est caractérisée par des accès de toux spasmodiques revêtant la forme de quintes, les quintes étant séparées par une inspiration longue et sifflante appelée reprise (chant du coq). Elle atteint surtout les enfants de moins de cinq ans et son pronostic est grave chez le nourrisson, car alors il y a risque d'asphyxie lors d'une quinte.

Si j'ai la **coqueluche**, il me semble que la mort rôde autour de moi (ou de mes parents). Je me demande si je vais pouvoir « entendre chanter le coq » un autre jour. Cette mort peut se manifester par une séparation, spécialement si je suis dans une relation (ou celle de mes parents) où j'ai l'impression de ne me retrouver qu'avec les restes. Je râle sporadiquement (ou par épisode) devant une situation ou devant la vie. Je constate que ce n'est pas moi la « **coqueluche** », quelqu'un d'autre « détient » ce titre, et cela me dérange et je m'étouffe moi-même. Ou au contraire, ai-je acquis ce titre, car nouveau venu, je retiens toute l'attention et cela fait des jaloux ? Je peux me sentir étouffé, emprisonné, impuissant. Toute l'attention est sur moi ce qui m'amène à me sentir « scruté à la loupe », critiqué. Je joue le rôle du bon garçon (bonne fille) au lieu d'être moi-même.

J'accepte↓♥ d'être en contact avec mes émotions, d'être vrai avec moi-même. Ainsi, le regard des autres ne m'affecte plus, je peux laisser tomber mes masques. En délimitant mon espace vital, je cesse de suffoquer, je respire paisiblement et je retrouve mon sentiment de liberté.

MALADIES DE L'ENFANCE — ROUGEOLE

La **rougeole** est une maladie virale contagieuse, épidémique, responsable d'une éruption fébrile de taches rouges cutanées et muqueuses précédée d'une rhino-pharyngite. Elle peut se compliquer d'atteinte broncho-pulmonaire et neurologique (encéphalite), ce qui explique qu'elle soit une des premières causes de mortalité infantile des pays pauvres.

La **rougeole** survient après un événement où j'ai vécu une séparation à laquelle je ne m'attendais pas. Je suis en état de choc car cela m'est arrivé comme une surprise et cette situation me « pue au nez ». « Comment a-t-il pu me faire cela ? ? ? »... « On m'a joué dans le dos, c'est sûr... » J'ai toujours voulu satisfaire aux désirs des autres (parents, amis, etc.) au prix de ma propre liberté. Je me sens vulnérable, n'ayant pas **conscience** de ma valeur. Je deviens facilement « rouge de colère », je rougis d'un rien. J'ai peur d'être spontané car je suis incertain de mes possibilités. L'inaction me protège dans une certaine mesure, et bien sûr, on prend soin de moi sans que je fasse d'effort. Ce n'est pas « ma faute » car je suis malade. Où se trouve le vrai pouvoir ? Comment puis-je être guidé sans être contrôlé ?

J'accepte↓♥ de ne plus vivre dans l'anonymat, qu'on me laisse de l'espace nécessaire à la découverte de mes limites et de mes capacités. Je deviens un être autonome et à part entière. Je suis un être unique et je laisse aller les structures rigides dont j'avais besoin dans le passé : je suis suffisamment fort et à l'écoute de ma voix intérieure pour savoir ce qui est bon pour moi.

MALADIES DE L'ENFANCE — RUBÉOLE

La **rubéole** est une maladie virale contagieuse, épidémique, responsable d'une éruption fébrile de taches rouges cutanées d'aspects différents. Sa gravité réside dans le risque d'avortement ou d'anomalies, de malformations du fœtus lorsqu'elle touche une femme enceinte non immunisée. Elle s'apparente à la rougeole.

J'ai vécu une séparation inattendue qui m'a semblé être une vraie « gifle en plein visage » ! Je dois maintenant parler par personne interposée. J'ai honte de m'être fait avoir. Quelle injustice ! Pourtant, ces choses peuvent arriver parce que j'ai peu **conscience** de ce qui se passe à l'intérieur et autour de moi. Je laisse les autres prendre en charge ma vie.

J'accepte↓♥ de développer mon propre système immunitaire et de construire ma propre volonté afin de pouvoir me bâtir des fondations solides. En étant conscient de mes valeurs, de mes capacités à me prendre en main, je peux ainsi me tenir debout et affirmer qui je suis.

MALADIES DE L'ENFANCE — SCARLATINE

La **scarlatine** est une fièvre éruptive caractérisée par un début brusque (frisson violent, angine, céphalées), une éruption sur les muqueuses buccales et pharyngées et une éruption généralisée de teinte écarlate et une desquamation par larges placards.

Je suis angoissé, dans une forme d'incertitude ou encore dans une insécurité. Je suis loin d'une personne que j'affectionne particulièrement. Le fait de me rapprocher plus d'un de mes parents me rend mal à l'aise face à l'autre que je vois plus distant et dont j'ai peur d'être séparé. Je crains de trahir l'un ou l'autre. J'ai peur de l'échec qui pourrait mener à une punition ou encore, j'anticipe un échec à tout moment sans être en mesure de l'identifier. Cette fièvre est un feu latent constamment présent en moi qui surgit brusquement. Cela m'amène à me taire, et à rester dans mon coin.

J'accepte↓♥ de laisser s'exprimer mes sentiments, en faisant confiance au fait que mes parents vont m'accueillir dans ce que je suis et dans ce que je vis. Le fait d'extérioriser mes angoisses fait place à plus de calme et de sécurité.

MALADIES DE L'ENFANCE — VARICELLE

VOIR AUSSI : PEAU–ZONA

La **varicelle** est une maladie infectieuse, contagieuse, ordinairement très bénigne, caractérisée par une éruption, se faisant en plusieurs poussées, de vésicules qui se flétrissent et se dessèchent au bout de quelques jours. Elle survient généralement entre les âges de 2 et 10 ans.

Je suis très influençable et affecté par ce qui se passe autour de moi, spécialement avec ma mère (ou le père, ou la personne qui détient plus le rôle de parent, que je considère essentiel pour moi). Puisque je suis très perméable et sensible à mon environnement, je réagis si des changements surviennent. La **varicelle** apparaît si ces changements sont interprétés comme amenant plus de distance entre moi et ce parent, pouvant même être vécu comme une séparation. Ce peut n'être qu'un changement dans les habitudes des repas ou du bain (la personne étant toujours présente…mais je me sens délaissé).

J'accepte↓♥ que la vie comprenne une multitude de changements auxquels je dois m'adapter et que si mes parents sentent le besoin d'en effectuer, c'est pour mon plus grand bien être, et pour me préparer à ce qui s'en vient pour moi dans le futur, à travers mon évolution. Je peux exprimer mon opinion, mes frustrations : cela fait partie du processus d'autonomie. Je me donne le droit de poser des questions à ce parent afin de mieux comprendre la situation. Ainsi, sans me sentir lésé, je pourrai mieux m'adapter à tout changement.

MALADIE DE FRIEDREICH

VOIR : ATAXIE DE FRIEDREICH

MALADIE DU HAMBURGER, DE LA VIANDE HACHÉE, SYNDROME DU BBQ

La **maladie du hamburger** est une inflammation du côlon causée par la bactérie E.coli naturellement présente dans le tube digestif des animaux. Certains porteurs incluent le bétail, les cochons et les brebis. Les personnes infectées sont aussi porteuses de la maladie. La bactérie E.coli O157 :H7 peut s'infiltrer et causer des troubles dans le système sanguin et aussi dans les reins. Lorsque la viande à hamburger cuite sur barbecue n'est pas cuite à point, il y a risque de s'exposer à un empoisonnement alimentaire causé par la bactérie E.coli 0157. Cette infection est connue sous le nom de syndrome hémolytique et urémique (SHU). Il y a d'autres souches de la bactérie E.coli qui peuvent causer des infections. La souche

O157 :H7 est bien connue, ayant été en cause dans de récentes flambées d'infection. Je m'acharne à rester dans une situation où je n'ai plus raison de rester mais je persiste. Je suis en colère et je bouillonne en dedans, je m'empoisonne avec « de la vache enragée ».

Je prends le temps de considérer ce qui m'irrite au plus haut point, et j'accepte↓♥ de revoir mes comportements et mes attitudes. Je cesse d'attaquer les autres avec mes sarcasmes et de me comporter avec violence. J'accepte↓♥ de me responsabiliser et de reprendre ma vie en main. Je deviens porteur de **lumière** plutôt que de me laisser détruire. Je goûte la vie.

MALADIE DE HANSEN

VOIR : LÈPRE

MALADIES HÉRÉDITAIRES

VOIR AUSSI : INFIRMITÉS CONGÉNITALES

Au sens médical du terme, les **maladies héréditaires** se transmettent par les gènes provenant des cellules reproductrices d'un ou des deux parents. Il s'agit du **terrain** qui est une prédisposition à contacter les maladies. En fait, si je veux parler d'**hérédité**, ce sont plutôt les pensées, les émotions ou les conflits intérieurs des parents ou des grands-parents qui n'ont pas été réglés. Par exemple, si je dis que le diabète est **héréditaire** dans ma famille parce que mon grand-père était diabétique, mon père était diabétique et que je suis diabétique, c'est plutôt que mon grand-père vivait de la **tristesse profonde** (la tristesse profonde peut être considérée comme l'une des causes métaphysiques du diabète), que mon père vivait de la tristesse profonde et que moi, je vis de la tristesse profonde. Alors, au lieu de penser que cette maladie est **héréditaire** et que je ne peux rien y changer, je pourrai alors commencer à chercher comment changer mes pensées, mes émotions ou régler le conflit intérieur qui m'a amené à vivre cette maladie. Je peux, en tant qu'enfant, ne pas accepter le milieu dans lequel je devrai évoluer et cela entraîne un stress permanent qui, si non géré, se transforme en maladie ou **anomalies physiques dites congénitales**, et ce, quel que soit mon âge. En gardant à l'esprit que la maladie doit favoriser une prise de **conscience** personnelle, je sais cependant que la raison métaphysique de la maladie, en ce qui concerne mes pensées et mes émotions, se retrouve chez l'un ou l'autre de mes parents ou chez les deux, bien qu'eux n'aient pas forcément développé la maladie. Dès le moment de la conception, je commence à accumuler des expériences et des ressentis. Si déjà je me perçois de façon négative ou que j'ai l'impression que je mérite peu, cet état d'âme sera dévoilé au grand jour par une **maladie** ou **anomalie physique**. Si je suis né aveugle par exemple, moi, comme bébé, j'avais de la difficulté à voir et accepter↓♥ la vie qui s'offrait à moi.

J'accepte↓♥ la responsabilité de mes propres émotions. Je regarde ce en quoi elles peuvent s'apparenter à celles de mes parents. En ouvrant la porte à la possibilité d'une guérison physique suite à une guérison émotive, je prends **conscience** que tout est possible !

MALADIE DE HODGKIN

VOIR : HODGKIN [MALADIE DE...]

MALADIE IMAGINAIRE

VOIR AUSSI : HYPOCONDRIE

Si j'ai une **maladie imaginaire**, je pense être malade sans l'être réellement. Je vis de l'angoisse, j'ai besoin d'**amour** et d'attention. Je me dis que personne ne s'occupe de moi, je ne vaux donc rien. Comment faire pour changer cette situation ? M'inventer une **maladie** ! J'y crois tellement qu'elle devient réelle à mes yeux. Si je continue à me dire que je suis malade, tôt ou tard, je vais réellement développer la maladie. Je vérifie si j'ai acheté les vieux codages d'un de mes parents qui avait la même cassette face aux peurs, ou encore, si c'est un « pattern » qui revient me hanter afin que je puisse le régler maintenant.

J'accepte ↓♥ de voir que cette soi-disant maladie manifeste un mal de l'âme, une blessure émotive non gérée. Au lieu de vivre dans mon imagination, je reprends contact avec le monde physique. Ainsi, je peux apporter les changements nécessaires à mon bien-être. Je fais confiance à mon corps et je remercie mon esprit, je célèbre la vie car je suis en santé parfaite.

MALADIE IMMUNITAIRE

VOIR : SYSTÈME IMMUNITAIRE

MALADIES INCURABLES

Incurable veut dire « qui ne peut être guéri par aucune forme de médecine ».

Je dois me demander si cela fait mon affaire d'avoir une **maladie** dite **incurable**. En quoi cela peut-il m'arranger ? Suis-je tenu d'être d'accord avec cette étiquette d'**incurable** qui signifie qu'il n'y a plus rien à faire pour y remédier ? Je dois m'intérioriser pour trouver la cause profonde de ce mal : la peur, la colère, la jalousie, le désespoir peuvent en être la cause. J'ai l'impression que, outre la maladie elle-même, il y a une situation dans ma vie que je crois impossible à changer. C'est un « problème » qui n'a aucune solution.

Je dois accepter↓♥ que l'**amour** circule librement en moi, parce qu'il n'y a que l'**amour** qui peut tout guérir.

MALADIES INFANTILES

VOIR : MALADIES DE L'ENFANCE

MALADIES KARMIQUES

Je viens sur terre pour poursuivre une évolution. J'ai des expériences à faire et à vivre pour arriver à une transformation intérieure. Si j'arrive au monde avec une infirmité, c'est que souvent des « choses » n'ont pas été réglées dans d'autres vies (pour ceux qui y croient).

Prendre **conscience** et accepter↓♥ de vivre l'expérience sont les premiers pas vers une guérison, tant physique qu'émotionnelle. À ce moment-là, tout est possible, car la transformation intérieure mène à la guérison physique.

MALADIE DE MÉNIÈRE

VOIR : MÉNIÈRE [MALADIE DE...]

MALADIE MENTALE

VOIR : FOLIE, NÉVROSE, PSYCHOSE

MALADIE DE PARKINSON

VOIR : CERVEAU — PARKINSON [MALADIE DE...]

MALADIE PSYCHOSOMATIQUE

Le mot **psychosomatique** indique le rapport qu'il peut y avoir entre l'esprit (psycho) et le corps (soma). À l'origine, on croyait que l'esprit avait une influence sur le corps et, inversement, que le corps avait une influence sur l'esprit. Toutefois, cette influence que l'on attribue au corps sur l'esprit a été peu à peu remisée, de sorte que le terme **psychosomatique**, dans le langage médical, signifie surtout la relation de l'esprit au corps.

Qui plus est, lorsque je me fais dire que « ma » **maladie** est **psychosomatique**, c'est un peu comme si j'avais une **maladie** imaginaire et que cela se passait seulement dans ma tête. Du point de vue métaphysique, toutes les **maladies** ont leur origine au-delà du physique et, donc, je pourrais dire qu'elles sont toutes **psychosomatiques**. Je dois traiter mon corps au meilleur de ma connaissance en utilisant le savoir des professionnels de la santé, tout en cherchant la cause réelle qui a amené le malaise ou la **maladie** à se manifester. Le subconscient a un pouvoir énorme de régénération des tissus ainsi que la capacité de produire des effets physiques suivant l'interprétation qu'il fait. Voici quelques exemples. On retrouve une personne morte dans le wagon frigorifique d'un train, alors qu'elle s'y était enfermée accidentellement. L'autopsie a révélé que la personne était morte gelée, alors que le système de réfrigération ne fonctionnait pas, ce que la victime ne savait probablement pas. Les personnes marchent pieds nus sur des braises et ne développent ni brûlure aux pieds ni cloche d'eau, le subconscient n'ayant enregistré aucun danger par suggestion, etc.

TOUTES LES MALADIES APPARAISSENT À LA SUITE D'UN CONFLIT, D'UN CHOC ÉMOTIONNEL, D'UN TRAUMATISME CONSCIENT OU INCONSCIENT. Le cerveau déclenche alors un mécanisme de survie biologique en rapport avec le conflit ou avec le traumatisme vécu. Il s'agit par la suite de pouvoir décoder le message pour modifier le programme que le cerveau envoie pour rétablir la santé.

Sachant cela, j'accepte↓♥ de prendre soin de mon corps physique pour ramener celui-ci à un état représentant plus la santé.

MALADIE DE RAYNAUD

VOIR : RAYNAUD [MALADIE DE...]

MALADIE DU SOMMEIL

VOIR : NARCOLEPSIE

MALADIES TRANSMISES SEXUELLEMENT (M.T.S.)

VOIR : VÉNÉRIENNES [MALADIES...]

MALADIE DE LA VACHE FOLLE

VOIR : CERVEAU —CREUTZFELD-JAKOB [MALADIE DE...]

MALADIES VÉNÉRIENNES

VOIR : VÉNÉRIENNES [MALADIES...]

MALAISE

Un **malaise** n'est pas une maladie mais plutôt un inconfort que je ressens et dont l'intensité peut varier.

C'est un "mal-aise" ou un "mal-être que je vis, et je suis en conflit avec moi-même ou avec une situation de ma vie. La façon de décoder le **malaise** est la même que pour une maladie. Cependant, les symptômes cliniques sont plus vagues et peuvent aller de l'indisposition à l'évanouissement. Comme pour la maladie, le **malaise** provient d'un conflit ou d'un traumatisme conscient ou inconscient. Le **malaise** peut être passager mais il peut indiquer un conflit intérieur à régler avant que le message ne soit envoyé plus fortement sous forme de maladie.

MALARIA OU PALUDISME

VOIR AUSSI : COMA, FIÈVRE, SANG [MAUX DE...]

La **malaria** se manifeste par de fortes fièvres.

Cela correspond à de la critique et du refoulement contre quelqu'un ou contre une situation, parce que j'ai dû me séparer de quelque chose ou de quelqu'un que j'aime. La communication est ainsi coupée totalement, moi qui en ai tant besoin. La ran**cœur♥** et le ressentiment se sont emparés de moi et mon mental prend plaisir à « ruminer » ces sentiments néfastes pour moi. Je ne peux pas faire de véritables choix face à mes émotions et mes relations. Je me vois sans pouvoir. J'ai perdu espoir face à une situation, je n'ai plus foi en moi et en la vie. C'est comme si j'étais incapable de convertir en actions mes idées, mes aspirations. Mon côté masculin, actif, fonceur est en « hibernation ». Tout ce que je vois me semble négatif, noir. Je laisse la mort venir. Pour me libérer de cette fièvre, je dois m'intérioriser pour laisser sortir cette tension, régler cette situation.

J'accepte↓♥ de changer mon point de vue face à la vie. J'ai à reconnaître toutes mes possibilités. Je m'offre de petites douceurs. Je laisse aller toutes mes rancœurs♥ afin de retrouver la paix intérieure.

MALENTENDANT

VOIR : OREILLES — SURDITÉ

MALFORMATION (en général) ... (au cœur♥ ...)

Une **malformation** est une anomalie d'une partie du corps existant à la naissance et due à un trouble du développement pendant la vie intra-utérine. Contrairement aux déformations acquises après la naissance, les malformations sont toujours et par définition congénitales, c'est-à-dire présentes à la naissance. Elles peuvent être héréditaires ou bien acquises suite à un conflit, un traumatisme ou un choc pendant la vie utérine.

Quel mal y a-t-il eu en moi lors de ma formation ? Une **malformation** m'indique une prise de **conscience** particulière (souvent face à une peur) reliée à la partie du corps concernée (aller lire le texte concernant cette dernière). Puisque je suis en résonance avec mes parents, eux aussi peuvent avoir le même conflit. Par exemple, une malformation congénitale du **cœur♥** m'indique que je prends la vie très à la légère. Le **cœur♥,** représentant l'**amour,** est une pompe qui aspire et retransmet . Je mets de côté mes émotions, ma profondeur spirituelle. La vie pour moi ne vaut pas grand-chose et l'**amour** n'est qu'un concept très vague qui ne s'applique pas à moi. Le manque d'**amour** est d'abord dirigé envers soi, envers les autres ou envers la vie en général. Je suis ici pour apprendre à pardonner et à m'ouvrir à cette forme d'énergie qu'est l'**amour**. Dès le départ, je me suis fermé à cette circulation fluide en moi.

J'accepte↓♥ de régler les circonstances de ma naissance et de m'ajuster dans ce que j'ai à dépasser afin de ressentir cette énergie et cet **amour.** J'apprends à pardonner et à prendre soin de mon **cœur♥**. Je m'accepte tel que je suis et je m'ajuste en faisant de mon mieux, sans me critiquer, et je prends **conscience** que je fais partie du grand tout. Plus je ressens de l'**amour** pour ce que je suis, plus je suis en mesure de le retransmettre aux gens qui m'entourent. J'accepte↓♥ de prendre pleinement goût à la vie. De savourer chaque instant, d'explorer chaque facette de la vie, autant physique qu'émotive. J'accepte↓♥ d'expérimenter l'**amour** sous toutes ses formes, de comprendre avec mon **cœur♥** la vraie valeur de la vie terrestre.

MAMELLES

VOIR : SEIN

MANIACO-DÉPRESSION

VOIR : PSYCHOSE

MANIE

VOIR AUSSI : ANGOISSE, ANXIÉTÉ

Les **manies** sont des habitudes qui cachent de l'angoisse et de l'anxiété. Cet état d'agitation amène une surexcitation dans les mouvements et une humeur exaltée. C'est une façon de rechercher la paix et le calme. Ce peut être une forme de fuite puisque je m'oblige à évoluer toujours dans le même cadre, m'empêchant ainsi d'explorer de nouvelles avenues, afin de toujours me sentir en sécurité et maître de la situation. J'ai peur d'utiliser mon côté fonceur, indépendant, novateur. Je m'emprisonne dans des habitudes qui me gardent dans du connu, dans une certaine zone de confort.

J'accepte↓♥ de déterminer quelle est la source de cette anxiété afin de retrouver plus de calme intérieur et plus d'harmonie. Je verrai ainsi la vie avec plus de paix et de sérénité. Mes gestes et mes attitudes seront plus en accord avec ma sagesse intérieure.

MARCHE IRRÉGULIÈRE

VOIR : CLAUDICATION

MARFAN (syndrome de...)

Le **syndrome de Marfan**[152] est une maladie dite héréditaire, génétique, par atteinte des fibres du tissu conjonctif, responsable d'anomalies squelettiques, oculaires, et cardiaques ; cette maladie se rencontre chez des personnes de grande taille aux articulations anormalement souples qui présentent des anomalies cardiaques et surtout de l'aorte, qui justifient fréquemment une opération. Le **syndrome de Marfan** est le plus souvent associé à des malformations cardiaque (problème de communication inter auriculaire), pulmonaire ou squelettique.

Y a-t-il des secrets de famille qui m'ont été cachés ou que je cache moi-même ? Il y a un lien qui n'a pas été établi avec le passé. La voie du **cœur♥** a été bloquée par manque de communication, par gène, par honte. Quelle est la raison qui m'empêche de communiquer avec mes parents ou avec mes héritiers ?

MARIJUANA (consommation de...)

VOIR : DROGUE

MASCULIN (principe...)

VOIR AUSSI : FÉMININ [PRINCIPE...]

Le **principe masculin** est représenté par le côté droit du corps et l'hémisphère gauche du cerveau. Il est aussi appelé le côté YANG, en médecine chinoise, ou le côté rationnel en Occident.

Il représente ma relation avec le principe masculin, tant le mien que par rapport aux hommes de ma vie : père, compagnon, etc. Les qualités

---

[152] **Marfan** (Anthonin Bernard Jean) (Castelnaudary 1858-1942) : fils d'un médecin qui fut maire de Castelnaudary et député en 1894, il entreprend des études médicales à Toulouse au lieu de faire Polytechnique comme l'aurait voulu son père. Il soutient sa thèse sur les troubles gastriques de la phtisie. C'est un pérdiatre français qui démontra en 1886 qu'un enfant qui a eu une atteinte de tuberculose est ensuite immunisé contre la tuberculose pulmonaire : c'est la loi de **Marfan**. Il décrivit la « dolichosténomelie » en 1896, mieux connue sous le nom de **Syndrome de Marfan**. Il existe aussi une **Maladie de Marfan**, la paraplégie spasmodique syphilitique congénitale.

dominantes sont le courage, la puissance, la logique ; il est relié aux connaissances, à la parole et au raisonnement. C'est le côté rationnel, autonome, matérialiste de l'être. Il est représenté par le soleil. Il représente aussi l'aspect intellectuel, le côté actif de ma personne qui prend les idées et les intuitions de mon côté féminin et les met à exécution. Il gère le pourquoi des choses. C'est lui qui choisit les directions. **Chaque être humain, tant homme que femme, possède un côté masculin (YANG) et un côté féminin (YIN).** Des malaises du côté droit me montrent un conflit avec ma notion de virilité et de rivalité si je suis un homme et, pour la femme, une dualité face à ma vie professionnelle et les clichés auxquels je désire me soustraire. Puisque j'ai développé mon **côté masculin** en analysant et en voulant « devenir comme mon père » (comportement appris), il y a de fortes chances pour que nous ayons tous les deux des points très similaires par rapport aux qualités et aux caractéristiques nommées au début.

J'accepte↓♥ que c'est lorsque je peux équilibrer mon **côté masculin** et mon côté féminin que je peux atteindre ma pleine réalisation.

MASOCHISME

VOIR : SADOMASOCHISME

MASTICATION

VOIR : BOUCHE [EN GÉNÉRAL...]

MASTITE

VOIR : SEIN — MASTITE

MASTOÏDITE

VOIR AUSSI : FIÈVRE, INFLAMMATION, OREILLES — OTITE

La **mastoïdite** est l'inflammation qui se produit à la base de l'os temporal, appelé mastoïde, juste en arrière des oreilles.

La **mastoïdite** peut se produire lorsque je refuse d'écouter. Je suis contrarié et frustré dans ce que je viens d'entendre ou aurais aimé entendre, par rapport à quelqu'un ou à quelque chose qui me dérange. Je vis de la peine et, quand je suis enfant, je peux ne pas comprendre ce qui est dit, ce qui provoque de l'insécurité. Ma crainte ou l'impression qu'on m'a dupé, piégé me font vouloir ne plus entendre ce qui se dit. Je préfère ***m'extraire*** de certaines conversations pour me protéger mais je me sens ainsi limité.

J'accepte↓♥ que « Je suis en paix. L'harmonie et la joie circulent en moi. MERCI ! »

MASTOSE

VOIR : SEINS [MAUX AUX ..]

MAUVAISE HALEINE

VOIR : BOUCHE — HALEINE [MAUVAISE...]

MAUX DIVERS

Lorsque je vis des **maux divers** plus ou moins définis, cela est souvent le signe d'un besoin d'**amour.** Je sens un vide, je vis une grande insatisfaction dans un domaine de ma vie. Je peux aussi être en recherche d'identité. Il fait froid dans mon **cœur♥** (maux **d'hiver** !).

J'accepte↓♥ d'avoir besoin d'être réconforté, serré dans des bras où je pourrai me sentir compris, accepté↓♥ tel que je suis. Je fais confiance à la vie, et je vais chercher cet amour dont j'ai besoin à travers les situations de la vie, les animaux et les personnes qui sont prêtes à me prodiguer cet **amour**.

MAUX DE TÊTE

VOIR : TÊTE [MAUX DE...]

MÉCHANCETÉ

VOIR AUSSI : RAISON [J'AI...]

La **méchanceté** est un désir maladif, de la haine exprimée dans le but de faire mal, que ce soit en parole ou en action.

Je veux ainsi me prouver que je suis « correct » et que « j'ai raison ». Cela peut provenir de grandes blessures, ce qui m'amène à retourner ma hargne et ma frustration vers les autres. Comme j'en veux à la vie ou à des personnes pour la souffrance que je vis, je veux me venger, pensant y trouver une quelconque satisfaction. C'est une façon pour moi de faire sortir mon agressivité pour aller chercher plus de paix intérieure. J'ai besoin de changement, de liberté d'action mais en même temps, cela me fait peur et je me ferme. Je vis donc une grande dualité intérieure. Lorsque je peux identifier un tel comportement chez moi, je peux demander de l'aide afin d'être mieux avec moi-même. Car même si j'exprime mon irritabilité par de la **méchanceté**, je me rends bien compte que cela n'apaise ma souffrance que temporairement.

J'accepte↓♥ que ma souffrance m'appartienne et qu'au lieu de vouloir me venger, je reste à l'écoute de mes émotions et de leur source première. C'est de cette façon que je peux apprendre les leçons de vie dont j'ai besoin pour grandir. Je pourrai ainsi développer des attitudes d'ouverture et de bonté envers les gens qui m'entourent, et vivre une plus grande paix intérieure.

MÉCONTENTEMENT

Je ne suis pas satisfait de ce qui se passe dans ma vie. Je pourrais pourtant l'être, mais il y a toujours un « mais... ».

Je suis peut-être trop perfectionniste. Je refoule de la pression, j'ai un désir de vengeance non exprimé verbalement. Le **mécontentement** se voit souvent dans l'expression du visage. J'ai besoin de faire des changements dans ma vie, changer mes structures et cadres de vie mais j'ai peur des conséquences qui en découleraient. Je préfère donc ruminer, me plaindre au lieu d'agir. Car si je me contentais, qu'adviendrait-il ?

J'accepte↓♥ de chercher la cause de ce **mécontentement** pour ainsi, me permettre d'apporter des changements positifs, en prenant des moyens appropriés pour y parvenir. Je serai alors le premier à bénéficier de plus de joie dans ma vie, ce qui se reflétera dans mon entourage.

MÉDECINE

La **médecine** est une science mais aussi l'art de prévenir et de soigner les maladies de l'homme[153]. Ainsi, même s'il existe une **médecine** préventive et prédictive, la **médecine** s'occupe davantage des maladies, des traumatismes, des infirmités et des façons pour y remédier.

Lorsqu'un médecin peut poser un diagnostic sur une maladie que j'ai, il lui est alors plus facile de choisir quel genre de traitement peut-être appliqué. Ce siècle a permis à la **médecine** de faire des bonds gigantesques avec d'importantes découvertes en chimie et en biologie, à l'aide des nouvelles technologies. La **médecine**, dans bien des cas, s'est montrée très efficace là où on pouvait arriver à poser un diagnostic. Cependant, lorsque mon malaise ou ma maladie ne peuvent être identifiés, il arrive que la **médecine** soit impuissante à m'aider. Je peux alors rechercher les causes de ce malaise ou de cette maladie à l'aide de l'iridologie, de la psycho-kinésiologie, des lectures énergétiques ou d'autres formes d'investigations en faisant appel à des personnes responsables ayant une éthique professionnelle reconnue.

MÉDIACALCOSE

VOIR : ARTÉRIOSCLÉROSE

MÉLANCOLIE

VOIR AUSSI : ANGOISSE, CHAGRIN, DÉPRESSION, PSYCHOSE, SUICIDE

La **mélancolie** est un état de tristesse profonde.

Je me sens fautif, je vis un état dépressif grave et j'ai de la difficulté à supporter cette douleur morale. Mes déplacements, même physiques, en sont affectés. Je fais face à une insatisfaction, à une contrariété, à un chagrin qui amènent un manque de joie. Cette tristesse m'amène à me sentir « mêlé dans mes émotions » qui deviennent de plus en plus sombres. J'ai l'impression de tourner en rond. J'ai un mal de l'âme. Je veux être reconnu à ma pleine valeur mais je passe plutôt inaperçu.

J'accepte↓♥ « d'affirmer que la joie habite tout mon être ». Je me fixe des buts réalisables qui m'aideront à retrouver davantage cette énergie de vie en moi, dissipera la tristesse et qui laissera place à plus de joie et de satisfaction. Je fais la paix avec moi-même et je me retrouve l'âme légère pour reprendre mon envol.

MÉLANOME

VOIR : MÉLANOME MALIN

---

[153] Définition du « Petit Robert ».

MÉMOIRE (... défaillante)

VOIR AUSSI : ALZHEIMER [MALADIE D'...], AMNÉSIE

La **mémoire** a la faculté d'emmagasiner les idées, les émotions et de ramener au conscient ce qu'on veut bien se rappeler.

Je peux, après un choc émotionnel, occulter de ma **mémoire** des peurs, des craintes, du chagrin. J'évite, par exemple, de me souvenir d'une séparation douloureuse, d'un drame difficile à supporter, tout ce qui est pénible de se rappeler. C'est le subconscient qui refuse au conscient de se souvenir, de ***retenir*** des informations. C'est pour moi une façon, même inconsciente, de fuir une forme de réalité que je trouverais difficile à vivre. Mon cerveau décide de ne garder que les « solutions gagnantes », celles auxquelles il n'y a pas de douleur rattachée, ou qui me reconnecteraient à des situations désagréables dans lesquelles j'ai l'impression d'avoir échoué. J'ai besoin de me sentir appuyé, soutenu par les autres. J'ai l'impression que je ne suis pas à la hauteur et je laisse aller ce qui me tient à **cœur♥** de peur de ne pas réussir. La fuite est plus facile que l'angoisse et le chagrin.

J'accepte↓♥ de prendre pleinement la responsabilité de ma vie, prenant **conscience** que chaque situation est ici pour m'aider à mieux me connaître et à me sentir plus libre.

MÉNIÈRE (maladie de...) – LABYRINTHITE

VOIR AUSSI : ACOUPHÈNE, VERTIGES ET ÉTOURDISSEMENTS

La **maladie de Ménière**[154] est marquée par des vertiges vrais, rotatoires, avec sensation d'être dans un manège par atteinte d'un labyrinthe(habituellement une augmentation de pression des liquides dans le labyrinthe) et associée à des acouphènes ainsi qu'à une baisse de l'audition. Elle s'apparente dans ses symptômes à la **labyrinthite** qui est une inflammation du labyrinthe, cavité de l'oreille interne. Elle est souvent associée à une grande fatigue physique et mentale ou à du surmenage. J'ai trop de données dans la tête, de détails, il y a chaos et « surchauffe ».

Je ne suis pas en contact avec le monde physique, il y a des absences dans mes pensées. Je me sens comme dans un labyrinthe, je me refuse à entendre les messages de ma voix intérieure. J'ai tendance aussi à rejeter les conseils des autres. Je préfère fuir de façon parfois très soudaine dans mon propre monde. J'erre, je tourne en rond et je ne sais trop ou aller. J'ai égaré ma carte de route... Suis-je en train d'entrer dans la négation de soi ? Je n'en peux plus ! Je veux me boucher les oreilles. Trop longtemps j'ai dû endurer, je me suis tu, j'ai réprimé mes besoins et désirs, mais j'ai atteint mes limites. Je ne peux plus me cacher, rester immobile. J'observe les situations d'intolérance ou de déséquilibre dans les différentes sphères de ma vie. Quel changement serait-il important de faire afin de retrouver mon équilibre sans m'étourdir ? Pourquoi est-ce que j'écoute les autres mais que je ne veux pas partager mes souffrances et mes peines avec les autres ?

---

[154] **Ménière** (Proper Paul) : médecin et otologiste français (Angers 1799- Paris 1862). C'est en 1861 qu'il publie l'article où il décrit son fameux syndrome « Mémoire sur des lésions de l'oreille interne donnant lieu à des symptômes de congestion cérébrale apoplectiforme ». À Paris, il devient entre autre l'ami de Balzac, qui le prend comme modèle de son héros, le docteur Biandron.

J'accepte↓♥ de me donner un repos physique et intellectuel. Je choisis de faire une pose et je laisse le mouvement de la vie circuler en moi, en faisant les choix qui s'imposent. Je retrouve ainsi l'équilibre dans tous les sens du mot.

MÉNINGITE

VOIR : CERVEAU — MÉNINGITE

MÉNOPAUSE (maux de...)

À l'automne de la vie, le corps de la femme change et je dois l'accepter↓♥. C'est une période grandement émotionnelle qui atteint particulièrement mes sentiments reliés au fait d'être encore aimable et désirable, mais surtout aimée et désirée. Je fais le point sur ma vie et je peux avoir des regrets de ne pas avoir fait ceci ou cela, avoir l'impression de ne pas avoir profité pleinement de la vie. J'ai l'impression que je dois me résoudre à recevoir moins d'**amour**, notamment par la sexualité. C'est comme si mon corps se ***taisait***, ne pouvant plus vivre de passion. Dans la première moitié de ma vie, souvent appelée « la période active », je suis dans l'action, je « fais », je procrée, je bâtis. C'est mon côté rationnel, actif, organisateur, aussi connu comme mon côté masculin, ou « Yang », qui prédomine. Mais maintenant, je me sens diminuée et je peux vouloir continuer toutes mes « corvées » domestiques et mes tâches sociales, au lieu de laisser surgir toute ma féminité, ma douceur, ma créativité qui sont mon côté féminin, Yin. Je voudrais m'élancer dans la vie, à partir de ma propre autorité, en me donnant la première place, mais cela me fait peur car je me dirige vers de l'inconnu. Je vis de la pression et je peux réagir en résistant ou en étant indifférente pour me protéger. Les **bouffées de chaleur** que j'expérimente à la **ménopause** manifestent un conflit intérieur et mon côté féminin se fait « étouffer » par ces symptômes que mon côté masculin provoque (men-oppose). Cette dualité intérieure peut mettre en évidence l'opposition que je vis avec certains hommes dont je ne peux pas tolérer le comportement. Cette chaleur qui fait surface est remplie d'émotions qui pouvaient sortir lors des règles. Maintenant, j'ai à trouver une autre façon d'exprimer ces émotions. Ce peut être par la communication orale ou par mes désirs physiques et sexuels qui sont toujours bien présents. Ces **bouffées de chaleur** me rappellent que mes besoins de chaleur humaine par la sexualité sont prioritaires et que j'ai à en prendre soin. Inconsciemment, le fait de me dévêtir parce que j'ai trop chaud me rappelle les situations où je me dévêtais pour attirer l'homme que j'aime. La **transpiration** qui résulte de ces bouffées de chaleur libère toutes mes émotions qui n'ont plus raison d'être. La seule façon efficace de les faire disparaître consiste à retrouver la femme utile, expérimentée et pleine de sagesse, car mon **entêtement** à ne pas suivre le courant de la vie pourra se transformer en mal de tête ou en migraine. Même si je ne suis plus procréatrice, je dois trouver ma direction spirituelle. J'ai besoin de trouver la **Femme** en moi. C'est un peu comme à la retraite : j'ai maintenant le temps de travailler en toute liberté, d'échafauder d'autres plans, d'autres défis. Je découvre un nouveau sens aux mots « Liberté » et « Individualité » me permettant de **renaître** à une nouvelle vie. Mon attention est maintenant portée sur moi et sur mon conjoint au lieu d'être uniquement portée sur les enfants (dans bien des cas) et la famille. Je découvre une nouvelle raison de vivre. C'est un peu comme un recommencement, je peux faire des choses que j'aime et que j'ai choisies. Cela permettra à ma circulation sanguine de se faire normalement et à mon **cœur♥** de se remplir d'**amour** de soi. Ces sentiments chauds de frustration, d'insécurité et de colère doivent être remplacés par des sentiments plus frais de liberté, de douceur, de confiance en l'avenir. La crainte de vieillir peut devenir plus présente et réelle. Je peux même inconsciemment faire réapparaître des menstruations pour m'aider à retourner dans le passé et à « m'accrocher » à une jeunesse physique qui a disparu. Il est donc important que j'accepte↓♥ et que je fasse le deuil de ma jeunesse afin de vivre pleinement le moment présent. Je prends **conscience** que cette étape, au lieu d'être la fin de quelque chose, est plutôt une **PAUSE** afin de me permettre d'évaluer ma vie, de faire le bilan, de régler les situations que j'ai toujours fuies. Ma sexualité peut être redécouverte et pleinement vécue, ce qui permettra d'enlever mes symptômes de **frigidité** et de **sécheresse vaginale**.

J'accepte↓♥ les transformations qui surviennent, autant à mon corps qu'à ma vie intérieure, spirituelle, ainsi qu'à ma vie sociale et familiale. Je vis dans la simplicité. Je savoure chaque moment et j'ai le pouvoir de créer ma vie, grâce à toutes les expériences que j'ai vécues jusqu'à maintenant et qui font que je possède une sagesse et un trésor extraordinaires. Je prends **conscience** que la **ménopause** est une naissance à qui je suis réellement. Je n'ai plus à vivre pour les autres mais je vis pour moi. Plus j'avance en âge, plus la sagesse m'amène à vivre la joie, le calme, l'**amour** pur et inconditionnel et c'est seulement en développant c'est états d'être que je peux réellement rester jeune toute ma vie. C'est la jeunesse de **cœur♥** et non du corps.

MÉNORRAGIES

VOIR : MENSTRUATION — MÉNORRAGIES

MÉNISQUES

VOIR : GENOUX [MAUX DE…]

MENSTRUATION (maux de...)

Les **menstruations** sont l'écoulement, par le vagin, de sang provenant de la muqueuse utérine Elles surviennent périodiquement chez une femme non enceinte, entre la puberté et la ménopause.

Les **douleurs menstruelles** (**dysménorrhée**) peuvent être reliées à de la **culpabilité** et de la **colère**. Ces sentiments peuvent trouver leur source dans une expérience où j'ai été abusée sexuellement, plus particulièrement avant la puberté. Si je refuse ma condition en tant que femme, si je m'indigne de la soumission de la femme dans la société ou des **règles** auxquelles je dois me soumettre, si j'en veux aux hommes, à mon père ou à la personne qui a été la figure masculine marquante quand j'étais enfant, mes **menstruations** vont être douloureuses. Je suis très perfectionniste et j'attends le même comportement des autres. D'autre part, si j'ai l'impression aussi que mes parents sont déçus d'avoir mis au monde une fille, je pourrai tout faire pour avoir l'air d'un garçon et ainsi être aimée de mes parents. Ma vie affective est instable et j'ai peur pour mon avenir. Je peux inconsciemment **retarder ou faire arrêter mes menstruations**. Je refuse ma féminité, et peut-être aussi ma sexualité, croyant que c'est sale ou péché. Il se peut que chaque ***mois***, même inconsciemment, je sois déçue de ne pas avoir été enceinte, car c'est la perte de sang (reliée à la perte de joie) qui indique généralement si je suis enceinte ou non. En résulte un vague sentiment de solitude, ne me sachant pas « accompagnée » par un bébé à venir. Cette déception de ne pas être enceinte provient de la mémoire incluse, celle de l'espèce, qui veut que je sois faite pour la procréation qui assure sa survie. Ainsi, les pertes de sang, reliées d'un point de vue métaphysique à une perte de joie, m'indiquent, dans une certaine mesure, ma peine, même inconsciente, de ne pas avoir été enceinte, liée à ma programmation génétique pour la préservation de l'espèce. Dans le passé, les **règles** étaient un signe positif que la femme n'était pas enceinte, surtout dans des situations hors mariage. Si mes pertes « sortent de ma normalité » c'est-à-dire qu'elles diminuent, pouvant même aller à **l'arrêt des menstruations**, ou si au contraire elles **augmentent**, je dois alors vérifier si je vis l'un ou l'autre des aspects mentionnés plus haut que je peux vivre dans ma vie et qui expliquerait ce changement. Mes difficultés avec les **menstruations** trouvent souvent leur origine dans la résistance que j'ai face à mon pouvoir sexuel ou à mon potentiel de maternité et de créativité. Je me sens impuissante, non ***prédisposée*** à assumer mes besoins, je refoule mes émotions. La honte que je vis m'amène à vivre en victime. J'ai de la difficulté à laisser aller, à lâcher prise, à « **régler** des problèmes ». Plus j'ai du chagrin, plus mes menstruations sont abondantes.

Plus j'accepterai↓♥ que c'est simplement une réponse de mon corps à une programmation, plus cette période se déroulera en harmonie. Je me dois d'accepter↓♥ en tant que femme de vivre en harmonie avec ce corps qui fonctionne selon des cycles. Je laisse couler le flot de mes émotions et mes énergies créatrices. Je mets mon attention sur des choses positives et je crée ainsi une nouvelle vie.

MENSTRUATION — AMÉNORRHÉE

L'aménorrhée est l'absence ou la suppression des règles chez la femme, appelées aussi menstruations.

L'**aménorrhée**, qui survient alors que je suis une femme en âge d'avoir mes règles, peut être reliée au rejet de la féminité, à un choc ou aux **inconvénients** d'être une femme ; à de la culpabilité pouvant provenir des paroles ou des actions de mon partenaire sexuel ; aux sentiments vécus lors de certaines règles. Je vis une certaine crainte, un malaise ou de la culpabilité. Je peux avoir peur de perdre mon enfant au profit de la famille. Pour remédier à cela, je me programme mentalement et fais cesser mes règles, en refusant la vie, en décidant de cesser de procréer. Je refuse peut-être de vivre ce que ma mère a déjà vécu par rapport à mon père et je refuse de servir inconsciemment de « **génitrice** » (comme un « outil de reproduction ») dans ma relation présente, car je me rappelle la douleur que je ressentais en voyant ma mère triste dans sa relation amoureuse. Je refuse de vivre cette expérience. Je suis en conflit avec ma créativité et mon désir de plaire. J'ai au fond de moi ce besoin d'être admirée que je combats de toutes mes forces.

En tant que femme, j'ai à accepter↓♥ au niveau du **cœur♥** mon partenaire et à lui faire confiance, surtout s'il m'aime et est ouvert face à moi. J'accepte↓♥ que la vie s'exprime à travers ma féminité.

MENSTRUATION — MÉNORRAGIES

VOIR AUSSI : FIBROMES

Les **ménorragies** sont l'augmentation anormale de l'abondance et de la durée des règles pouvant provenir entre autres de la présence d'un fibrome utérin.

Il y a une difficulté avec la coagulation du sang, une perte que je ne peux contrôler, un sentiment que quelque chose m'échappe. Les **ménorragies** sont reliées à de la non-acceptation↓♥ d'avoir des enfants, ou à de grandes pertes de joie face au fait que je ne peux pas enfanter, que ce soit parce que je suis infertile, ou parce que j'utilise un moyen de contraception afin d'éviter de devenir enceinte. Je perds ma place en tant que femme. Je recherche mon identité. J'ai deux côtés de moi qui veulent se rencontrer, se réconcilier : l'ange et le démon intérieurs. Qu'est-ce que je veux vraiment ? Comment puis-je assouvir ce besoin de tendresse et de plaisir ? Quelle est la situation dans mon couple que je ne peux plus supporter et dont j'ai besoin de changer ?

Quelle que soit ma situation, j'accepte↓♥ de faire la paix avec qui je suis et où j'en suis rendu actuellement face aux enfants.

MENSTRUATION — SYNDROME PRÉMENSTRUEL (SPM)

VOIR AUSSI : DOULEUR

On observe le **syndrome prémenstruel** lors de la période qui précède les **menstruations**. Il se traduit par de la nervosité, des maux de dos, de tête et de ventre, des sautes d'humeur. Le déséquilibre hormonal amène des changements physiques qui imitent un état de maternité (rétention d'eau qui occasionne une prise de poids, gonflement des seins, etc.).

C'est le processus de rejet et de culpabilité qui commence à faire surface. La période menstruelle est pour la femme le rappel qu'elle vit dans un univers dominé par les hommes. Je dois prouver que je suis une femme forte et épanouie et en même temps, j'aimerais tellement ne pas avoir à travailler et devoir prouver ma valeur ! Je suis peut-être lasse d'avoir à me soumettre quand je voudrais pouvoir, comme beaucoup d'hommes, dominer et contrôler Cela indique donc comment le **syndrome prémenstruel** amène des situations qui me font m'interroger sur ma perception en tant que femme dans ma relation avec ma féminité, surtout si je veux réussir une carrière professionnelle. Je peux être troublée, confuse et je me laisse influencer par les stéréotypes imposés par la société. Je trouve les « **règles** » de la société très « **douloureuses** ». Quel est le rôle que je veux jouer ? Est-ce que je peux me permettre d'avoir une vie active et me permettre aussi des moments de détente ou de plaisir ?

Je m'accepte↓♥ et je m'aime comme je suis et je laisse place à l'évolution.

MESCALINE (consommation de...)

VOIR : DROGUE

MÉTABOLISME LENT

VOIR : POIDS [EXCÈS DE...]

MÉTÉORISME

VOIR : GAZ

MIGRAINES

VOIR : TÊTE — MIGRAINES

MILIEU DU DOS

VOIR : DOS — MILIEU DU DOS

M.N.I. (mononucléose infectieuse)

VOIR : SANG — MONONUCLÉOSE

MOELLE ÉPINIÈRE

VOIR AUSSI : SCLÉROSE EN PLAQUES

La **moelle épinière** est la partie du système nerveux central contenue dans le canal rachidien, à l'intérieur de la colonne vertébrale. Elle fait suite au bulbe rachidien et se termine au niveau de la deuxième vertèbre lombaire.

Puisqu'elle transmet les données du cerveau aux parties du corps concernées, une atteinte à ce niveau m'indique que je peux avoir de la difficulté à mettre en pratique dans le monde physique, mes pensées et toute ma créativité. J'ai tellement besoin de tout calculer et planifier à la perfection, sans jamais me tromper, que la spontanéité n'a pas sa place dans ma vie. Puisque la **moelle épinière** travaille de cette façon, ma trop grande rigidité entraînera des malaises et des dysfonctionnements. J'hésite beaucoup à aller de l'avant : mes démons intérieurs se battent avec mon côté sagesse.

J'accepte↓♥ de m'écouter, de faire les choses par intuition en sachant que je fais toujours pour le mieux et que l'erreur n'existe pas : tout est expérience pour m'aider à grandir.

MOELLE OSSEUSE

VOIR AUSSI : SANG[EN GÉNÉRAL], [MAUX DE...]

La **moelle osseuse** est un tissu présent dans les os. Elle est responsable de la production de tous les éléments figurés du sang (globules blancs, rouges, plaquettes).

Une affection à celle-ci me montre comment je ne peux plus m'accrocher à rien et que plus rien ne circule comme je le voudrais. Je ne peux donner aucun sens à ma vie. Ma déception face à qui je suis ou suis devenu est tellement grande que je ne me sens pas digne de vivre. J'ai l'impression de descendre aux enfers et de ne plus pouvoir en ressortir.

J'accepte↓♥ d'avoir besoin d'aide et j'ose la demander. Je considère les éléments manquant à mon bonheur. Je comprends que je suis le créateur de ma destinée. Je décide de réviser mes structures de base et de m'ajuster à certaines facettes de moi-même. Je dis ainsi oui à la vie ; oui à regarder mes blessures intérieures et à apprendre les leçons de vie qui vont me permettre de me reconnecter à l'**amour**, la paix et à la joie de vivre.

MOLLET

VOIR : JAMBE — PARTIE INFÉRIEURE

MONGOLISME OU TRISOMIE 21 OU SYNDROME DE DOWN

Le **mongolisme** est une maladie congénitale où dès sa naissance l'enfant présente des anomalies morphologiques (l'aspect de la face en permet souvent le diagnostic ainsi que le pli palmaire unique), et qui va toucher son développement intellectuel avec présence d'une débilité ; des anomalies cardiaques peuvent lui être associées.

Si je suis **mongol**, je me sens angoissé face à ce monde artificiel et j'accepte↓♥ difficilement certains aspects dérangeants et menaçants. Il y a tellement de responsabilités attachées au fait de grandir que je préfère rester dans un monde « enfant », un monde où règne la simplicité, la spontanéité, la joie de vivre. Je n'ai pas à m'impliquer ni à satisfaire les normes de la société. Je sens, même avant la naissance que je suis ou que mes parents sont différents des autres ; je veux être séparé. du monde et être aussi près que possible de ma mère qui sait me protéger. Mon agressivité n'est que le miroir de mes frustrations à ne pas pouvoir accomplir tous mes buts. Si un de mes enfants est atteint de trisomie 21, je me demande jusqu'à quel point cet enfant est venu m'apprendre à vivre les vraies valeurs humaines, à tout faire avec amour et gratitude…

J'accepte↓♥ de vivre chaque expérience dans l'ouverture et la confiance à autrui et à la vie. Je laisse la confiance grandir à chaque nouvelle rencontre, à chacun de mes contacts avec des personnes, animaux ou objets. Je me sens ainsi de plus en plus en vie et faisant partie de ce monde. J'apprends à mettre mes priorités et mes valeurs aux bons endroits et je lâche prise sur le jugement des autres. Ainsi, je m'en porte mieux et je rayonne de joie.

MONONUCLÉOSE

VOIR : SANG — MONONUCLÉOSE INFECTUEUSE

MORPIONS

VOIR AUSSI : VÉNÉRIENNES [MALADIES…]

J'attrape des **morpions**, aussi appelés **poux,** ordinairement par contact vénérien ou médical.

Je me sens coupable, je me sens sale d'avoir eu des relations sexuelles en dehors des cadres permis dans notre société, ou je peux avoir l'impression qu'elles n'ont pour but que de combler mes besoins personnels, sans que je sois engagé avec l'autre personne. Je suis honteux, je ne veux pas faire face à mes sentiments profonds envers mon corps et ma sexualité. J'ai peur qu'on me fasse mal. Je suis dépendant des autres : c'est plus facile pour moi d'être soumis que de me tenir debout avec le risque de me faire rejeter. Je me sens envahi dans mon espace, mon intimité. L'enfant qui a des **poux** peut réagir à un parent, souvent la mère, qui ne supporte pas le désordre ou la non propreté de son enfant, celui-ci ne «rencontrant pas les critères» parentaux qui s'avèrent parfois très élevés, voir même irréalistes. Comme enfant, je suis très sensible aux critiques et remarques de mes parents que je ressens comme me parasitant.

J'accepte↓♥ que toute situation vécue soit une expérience et j'apprends à reconnaître mes besoins et ce qui est bon pour moi. J'apprends à être fier de qui je suis.

MORT (La...)

VOIR AUSSI : AGORAPHOBIE, ANXIÉTÉ, EUTHANASIE

La **mort** n'est pas une maladie mais un état. Elle arrive lorsque les fonctions vitales de mon corps telles que battements du **cœur♥**, respiration, activités cérébrales cessent : mon corps ne pourra plus reprendre ses fonctions, à moins que l'on puisse utiliser des moyens mécaniques ou autres pour en réactiver certaines.

Il arrive, dans le cas de maladies graves comme certains cancers, le SIDA, les maladies incurables, etc., que je guérisse juste avant le moment appelé la **mort**. En effet, alors que j'intègre dans mon **cœur♥** et dans l'**amour** la prise de **conscience** que j'ai à faire, il se peut que je sois libéré de toute souffrance physique et morale. Si je suis trop avancé dans la maladie, mon cerveau peut me débrancher après que la prise de **conscience** est faite. C'est pourquoi il est si important que je comprenne dans mon **cœur♥**, et que j'accepte↓♥ la raison qui a fait que je vis cette maladie. Plus j'accepterai↓♥ ce que la vie m'enseigne, plus je pourrai partir[155] en harmonie, dans la **lumière** et dans l'**amour.** Mes proches ont un grand rôle à jouer dans ce processus de guérison en acceptant↓♥, au niveau du **cœur♥**, mon départ afin que je puisse continuer ma route en toute liberté. Plus j'intégrerai de situations avant de quitter mon corps physique, plus j'aurai pris de l'avance sur le travail qui me reste à faire après mon départ. Puisque la vie continue (pour ceux qui y croient !), je préfère que l'on parle de moi en disant que je suis « parti » , que j'ai « quitté mon corps physique », que je suis « passé dans les autres mondes ». Cela me semble plus réel d'utiliser ces expressions que de dire que je suis « **mort** ». Pour ce qui est des cas de **mort clinique ou apparente**, il y a habituellement arrêt cardiaque, respiratoire et une suspension de la **conscience**. Il s'agit d'une phase initiale qui est réversible, car il peut y avoir réanimation cardio-respiratoire (elle est cependant différente du coma profond). Je me demande quel conflit profond je vis, qui m'amène à me demander si je dois vivre ou non. Je peux vivre une situation qui m'apparaît sans issue. Je me sens en prison. Je ne peux plus avancer et la

---

[155] **Partir :** ce terme est préféré à « mourir ».

douleur est devenue insupportable. Je me dois d'être très vigilant : si j'envoie des pensées telles que : je ne veux plus vivre sur cette terre ou que la vie ne « vaut pas la peine d'être vécue », je m'attire une situation où je vais réellement mourir. Je peux me sentir très vulnérable, et tout le monde des émotions m'est tellement inconnu que je préfère fuir plutôt que d'y faire face.

J'accepte↓♥ de prendre ma vie en mains et je sais qu'en semant des pensées positives je ne m'attire que de belles expériences. Je dois me faire confiance ! Je **mords** dans la vie et je la célèbre à chaque instant !

MORT SUBITE DU NOURRISSON

La **mort subite du nourrisson** est le décès brutal et inattendu d'un bébé considéré jusque-là comme bien portant. On évoque parfois **l'apnée du sommeil** comme cause. S'il présentait des symptômes, rien ne laissait présager une issue rapidement fatale.

Moi, bébé, je vois cette vie devant moi comme un fardeau. Je ne suis rien, pas assez bien pour papa et maman. Je ne désire pas vivre, je préfère m'en retourner car j'ai pris peur devant le mandat que je m'étais donné. J'ai un chagrin immense, une grande déception. Ou encore, je suis venu pour vivre cette expérience de naissance-mort pour évoluer et faire cheminer les gens autour de moi à travers le lâcher-prise et le détachement. Mes sanglots m'étouffent. Si je suis le parent, je vois en quoi ce bébé est mon miroir : est-il possible que moi aussi je m'autodétruise car je ne me crois pas à la hauteur ? Que je me sente coupable et inférieur ? Quelle est mon identité propre, est-ce que je protège mon espace vital ou je me laisse engouffrer par les autres ?

J'accepte↓♥ dès maintenant de vivre ma vie pour moi. Je me donne de l'**amour** de façon inconditionnelle. En étant autonome et fort, je reprends courage et je pourrai davantage donner aux autres, particulièrement à mes enfants. Je prends **conscience** et j'accepte↓♥ que tout nous est prêté dans la vie : les gens, les choses, les situations. Je constate que rien n'est immuable ou permanent et que tout est expérience de vie pour grandir et évoluer.

M.T.S. (maladies transmissibles sexuellement)[156]

VOIR : VÉNÉRIENNES [MALADIES...]

MUCOSITÉS AU CÔLON

VOIR : INTESTINS — COLITE

MUCOVISCIDOSE OU FIBROSE KYSTIQUE (F.K.)

VOIR AUSSI : PANCRÉAS, POUMONS

La mucoviscidose, aussi appelée **fibrose kystique** (**du pancréas**) est la plus fréquente des maladies mortelles, dites héréditaires, chez les jeunes. Elle est caractérisée par un défaut enzymatique. Elle touche

[156] **M.T.S. (maladies transmissibles sexuellement)** : en Europe, plus particulièrement en France, on va parler de M.S.T. (maladies sexuellement transmissibles).

principalement les poumons et l'appareil digestif. Il y a viscosité anormale du mucus que sécrètent les glandes des bronches et du pancréas.

Ma façon de penser rigide et mes « patterns » mentaux font que j'ai refusé d'avancer dans la vie. Je me suis accroché à tant de vieilles idées que je n'ai pas suivi le courant de la vie. Les douleurs que je ressens me paralysent. Je suis découragé, rien ne marche dans ma vie. Je peux avoir l'impression de toujours m'être retenu soit de faire soit de dire des choses, ayant peur des conséquences. C'est pourquoi mes jambes et mes bras sont souvent affectés puisque cela symbolise ma peur de prendre les situations de la vie (bras) et ma peur d'avancer dans la vie (jambes). Je me plains, je m'apitoie sur mon sort et je voudrais que les autres en fassent autant. Je pense que la vie n'a rien à m'apporter. Je sens le besoin de me surprotéger. Je peux me retrouver au **cœur♥** de certaines disputes bien malgré moi et je veux m'y soustraire. Il y a quelque chose que je dois absolument empêcher d'être absorbé par mon corps physique (une substance nocive), ou je dois m'abstenir d'être en contact avec certaines personnes ou situations qui pourraient entrer « dans ma bulle » et qui me poseraient un danger. Je contrôle et résiste tellement à mes émotions et mon environnement que je dois manger sans cesse pour combler le vide qui ne se remplit jamais.

J'accepte↓♥ de m'ouvrir davantage à la vie et je laisse aller mes vieilles idées. De cette façon, je prends un nouvel essor dans la vie et la place qui me revient dans l'univers. Je vis de façon spontanée, en écoutant ma sagesse qui s'exprime par ma voix intérieure. J'ai la force nécessaire pour affirmer mes besoins. L'énergie circule à l'intérieur de moi et m'aide à retrouver l'équilibre.

MUGUET

VOIR AUSSI : BOUCHE / [EN GÉNÉRAL] / [MALAISE DE...], CANDIDA, GORGE / [EN GÉNÉRAL] / [MAUX DE...], INFECTIONS [EN GÉNÉRAL]

Le **muguet,** également appelé **candidose buccale,** est une maladie due à une levure et caractérisée par la présence de plaques d'un blanc crémeux causée par des parasites sur les muqueuses buccales et pharyngiennes, c'est-à-dire dans la bouche et dans la gorge. Cette maladie est très fréquente **chez les enfants**.

Elle apparaît à la suite des cris et des pleurs incessants de mon enfant qui désire avoir des caresses, des contacts physiques avec nous, ses parents. Si je me mets à la place de l'enfant, un bébé en particulier, je me rappelle que j'ai besoin du contact de ma mère ou de mon père pour me sentir en sécurité et hors de danger, car je sais que je suis vulnérable. La seule façon que j'ai d'aller chercher l'attention de mes parents pour qu'ils me prennent dans leurs bras est de crier et de pleurer. C'est la seule façon de me « gorger » (larynx !) de chaleur humaine. Puisque mes parents peuvent mal interpréter ces cris et penser que j'ai faim, soif, froid, etc., je n'obtiendrai pas ce dont j'ai besoin. Et mon **larynx**, organe essentiel de la phonation, n'étant pas capable de remplir mon besoin de contact physique, déclenchera le **muguet**. Il s'agit pour mes parents de me prendre dans leurs bras le plus souvent possible, de me caresser, de me sécuriser pour que le **muguet** s'en aille. Lorsque le **muguet** apparaît chez moi, **l'adulte**, il se peut que cela survienne à la suite d'une infection de mes poumons, de mes voies respiratoires. Mes besoins sont alors les mêmes que ceux de l'enfant mentionné plus haut, à la différence que c'est mon enfant intérieur qui a besoin d'attention et d'être sécurisé. Je vis un grand vide affectif, je suis mélancolique. Ma partie adulte peut réconforter cet enfant qui est en moi et le rassurer. L'harmonie s'installera davantage, ce qui permettra à la santé de prendre sa place. En tant qu'adulte, j'ai de la difficulté à faire entendre mes besoins et je me sens incapable de communiquer ce que je ressens. Je veux qu'ils sachent ce que je veux, qu'ils « devinent » et ce n'est ainsi que cela se passe ; je suis alors très frustré et agressif. Tout est flou pour moi et je ne sais pas dans quelle direction aller. Les prises de décision sont pour moi très difficiles. J'ai l'impression de rester sur place au lieu d'évoluer. Pourtant, je sais que j'ai tout le potentiel nécessaire pour réaliser mes projets.

J'accepte↓♥ de reconnaître mon potentiel et de mettre les choses en avant afin de manifester dans le monde physique tout ce pouvoir intérieur. Je suis maintenant capable de manifester toute ma douceur et ma compréhension tout en osant vivre pleinement ma vie.

MUSCLE(s) (en général...)

Les **muscles** sont contrôlés par la force mentale ; c'est la vie, la puissance et la force de nos os. C'est le reflet de ce que nous sommes, croyons et pensons devenir dans la vie. Les muscles représentent l'effort à déployer et le travail à accomplir pour aller de l'avant. Les **muscles**, correspondant à mon énergie mentale, sont nécessaires afin de bouger, de passer à l'action. Ils symbolisent l'évolution, la vitalité. Des malaises à mes **muscles** me montrent que je me sens impuissant face à une situation, comme si j'étais dans une ***camisole de force***. Je me sens diminué face à ma force qui peut être physique, intellectuelle ou émotive. Cela amène une diminution de ma performance ou de mes capacités. De plus, toutes mes expériences et mes sentiments s'y rattachant sont imprégnés dans mes **muscles**. Mon état intérieur (par exemple tendu, nerveux ou détendu, etc.) correspond exactement à l'état de mes **muscles**. Ils réagissent fortement à un surstress vécu. Comme tout mon corps est constitué de **muscles,** celui-ci prendra la forme de mes pensées et des attitudes que je véhicule. Si je me laisse facilement aller à la dépression, au négativisme ou à la peur, j'adopterai une posture équivalente. Au contraire, si j'ai de la joie de vivre, de l'entrain, si je suis positif, mes **muscles** seront fermes et flexibles. Si j'accepte↓♥ de me transformer, à vivre le présent au lieu de m'accrocher au passé, mes **muscles** seront en santé. Mes **muscles** enveloppent mes os ; ils représentent donc aussi tous mes sentiments profonds qui font partie de ma vie émotionnelle. Si je ne suis pas en contact avec ceux-ci et que je privilégie plutôt le côté matériel et artificiel de la vie, mes **muscles** en souffriront. J'ai tendance alors à être sur mes gardes et il existe une nervosité permanente. Des **convulsions**[157] peuvent en découler. Je veux trop rationaliser les choses et c'est comme si je « surchauffe » et le trop-plein s'extériorise par ces **convulsions**. **L'élongation d'un muscle** me dit que je vis une tension énorme et je me sens obligé de plaire aux autres. Je sais que je devrais faire les choses différemment et suivre un autre chemin mais je m'obstine à ne pas changer, par peur des réactions des autres. Si j'en viens au **claquage** ou à la **déchirure** de certains **muscles**, la pression est encore plus extrême et je m'obstine à aller dans une direction quand ma

[157] Contractions brusques et involontaires des **muscles.**

voix intérieure me dit d'aller dans une autre. Je suis entêté et m'accroche à quelque chose qui n'est plus bénéfique pour moi. Des **douleurs musculaires** me rappellent que je « mets la barre très haut » pour moi-même. Je suis ébranlé par certains événements et ma souffrance est telle que je dois apporter des changements majeurs dans ma vie. Ma douleur extérieure exprime ma douleur intérieure. Je veux baisser les armes. Je suis ***démotivé***, ***découragé*** parce que je vis dans les regrets et les remords. Mes rêves ***s'évanouissent***. Quand il y a des **maladies musculaires**, je dois m'en référer aux parties de mon corps atteintes pour déterminer la cause qui est exprimée. Je vais voir à quelles situations mentales, à quel « pattern » ou à quels comportements cette partie du corps se rapporte.

J'accepte↓♥ que mon corps reprenne contact avec tout mon univers d'émotions, que je devienne ma propre autorité. Mes **muscles** retrouvent la santé quand je fais confiance à ma sagesse intérieure, quand je prends le temps nécessaire afin de lire dans les événements. Cela enlève la tension émotionnelle que je vis ainsi que celle qui se trouve dans mes **muscles**. Je vis à partir de mon **cœur♥**. Je change ma façon de vivre. En étant plus ouvert face à la vie et plus flexible, mes **muscles** le seront aussi.

MUSCLES — CONVULSION

VOIR AUSSI : CERVEAU —ÉPILEPSIE

Une **convulsion** est une contraction des **muscles** qui survient de façon brusque et involontaire.

Je vis une dualité intérieure qui m'amène à agir de façon irrationnelle. Lors d'une crise de **convulsions**, je ne suis plus maître de mon corps et de mes émotions. Au-delà des peurs, il y a de l'agitation, des spasmes, de la souffrance et tout mon corps réagit. Je ne sais trop dans quelle direction aller, mon corps tremble car je ne maîtrise plus rien, je me sens dans le néant.

J'accepte ↓♥ de m'arrêter, de prendre le temps de voir ce qui dans ma vie cause tout ce stress et cette agitation. Je prends le temps de m'arrêter et je porte mon attention sur les dualités de mon existence. Je prends le temps de goûter la vie, je fais le choix de priorités et je prends les décisions en conséquence afin de les honorer. Je retrouve la paix et la joie de vivre.

MUSCLES — DYSTROPHIE MUSCULAIRE

La **dystrophie musculaire** est une maladie où les **muscles** s'affaiblissent et dégénèrent parfois rapidement. La plus fréquente et la plus sévère s'appelle **myopathie de Duchenne**.

Elle est reliée à un si **grand désir de contrôler les situations et les gens** que je perds tout contrôle. J'ai le sentiment que, pour moi, tout est perdu d'avance et mon corps est si fatigué par ce stress qu'il s'abandonne et s'autodétruit progressivement. Je ne suis pas assez bon, ou bien je ne me crois **pas capable d'être à la hauteur**. Ma vie est « moche », elle ne m'intéresse plus. J'ai vraiment peur de ne pas réussir ma vie et je ne fais plus d'efforts. Par conséquent, mes **muscles**, qui représentent l'action, deviennent malades et c'est maintenant ma propre peur qui prend le contrôle et je me laisse contrôler par la société. J'ai l'impression que nous ne sommes que des marionnettes, que la misère fait partie de ma vie. Il n'y a qu'à voir comment les autres me traitent ! En ne jouissant pas de la vie, en ne gardant pas cet espace vital dont j'ai tant besoin, en restreignant mes possibilités, je m'enlise dans du sable mouvant. Je ne peux plus avancer, je ne peux pas me fier à personne. Je ne peux pas gérer mes propres forces vitales afin d'atteindre mes objectifs. Je déforme mes souvenirs du passé pour moins souffrir. La **dystrophie musculaire** est une maladie grave et souvent dite incurable, mais son état peut se stabiliser et par la suite se résorber si j'y mets les efforts nécessaires.

J'accepte↓♥ de lâcher prise, de **rester ouvert et d'affronter mes propres peurs ici et maintenant** ! Lorsque j'affronte mes craintes et que je les identifie, je n'ai plus besoin de tout diriger. J'accepte↓♥ d'aller de l'avant, de me libérer du besoin de contrôler qui, en fait, n'est que la projection de mes peurs.

MUSCLES — FIBROMATOSE

La **fibromatose** provient de tumeurs fibreuses (fibromes) ou de l'augmentation des fibres dans un tissu (fibrose) qui amène de la raideur au niveau de mes muscles et de mes tissus fibreux, ce qui provoque une douleur intense.

Les tissus mous ont trait à ma façon de penser. Les douleurs que je ressens m'avertissent que je vis beaucoup de stress et de tension, d'où une fatigue mentale intense. Elles me font réaliser que **je manque de souplesse**, que **je suis rigide et angoissé** particulièrement au regard de mes pensées et de mes attitudes. En raison de mes propres conflits intérieurs, j'empêche l'énergie de circuler librement dans mes muscles. Je prends **conscience** de ces tensions : d'où viennent-elles ? Est-ce une fatigue mentale reliée à ce que je fais, à ma façon d'être et de m'exprimer ? Est-ce que je n'ose pas mettre en avant certains projets qui pourraient soulever la controverse, sans compter tout le temps et l'énergie impliqués ? Je devrais parer aux coups et cela me dérange. La partie de mon corps affectée m'aide à trouver la cause. Il se peut que j'aie à changer de direction.

J'accepte↓♥ d'être ouvert et je sentirai les nœuds de tension disparaître. Je suis ici pour évoluer. Le fait de me raidir me cause toutes ces douleurs. Je vis l'instant présent et j'apprends à faire confiance.

MUSCLES — MYASTHÉNIE

La **myasthénie** est une affection chronique neurologique caractérisée par une fatigabilité, c'est-à-dire un affaissement musculaire. Il y a blocage de la transmission de l'influx nerveux aux **muscles**.

Même s'il est rare que je vive une telle maladie, lorsque cela arrive, c'est que je vis du découragement, un manque de motivation et que je suis « fatigué de la vie ». J'ai l'impression que je ne pourrai jamais faire ce que je veux ou que je ne pourrai jamais réaliser mes rêves. Je suis épuisé : j'ai été longtemps sous tension et maintenant, je flanche !

J'accepte↓♥ de prendre **conscience** de ce qui me décourage au point de me laisser dépérir. Lorsque j'ai trouvé, je peux plus facilement changer la situation. Si je ne trouve pas la cause exacte de mon conflit, je peux quand même chercher des sources de motivation qui m'amèneront éventuellement à trouver la solution à mon conflit.

MUSCLES — MYOPATHIE

Le terme général de **myopathie** concerne toutes maladies congénitales résultant d'une altération des fibres musculaires.

Or les **muscles**, du point de vue métaphysique, sont étroitement reliés à mon mental, à ma façon de penser. Je me dévalorise constamment et je suis sans motivation. Je veux empêcher une situation d'avancer, je veux arrêter tout mouvement par rapport à quelqu'un ou à quelque chose qui fait partie de ma vie en ce moment ; c'est pourquoi mes **muscles**, qui me permettent de faire des mouvements et de me **déplacer**, vont se détériorer. On peut aussi vouloir m'interdire de faire un mouvement ou m'obliger à m'arrêter. Je suis angoissé, ma propre incapacité à accomplir certaines choses et mon manque de force me révoltent. Ma peur de ***faillir*** à la tache m'angoisse. Je travaille fort pour construire des bases solides dans ma vie et je dois démontrer encore plus de ténacité et de persévérance. C'est en regardant la partie affectée de mon corps et ce que cela m'empêche de faire que j'aurai une bonne indication de la nature des pensées que je dois changer.

J'accepte↓♥ de reconnaître que cela arrive toujours pour m'aider à agrandir mon champ de **conscience**, pour me permettre de vivre plus d'**amour,** de liberté, de sagesse. Je me donne la permission de vivre pleinement ma vie. en m'appuyant sur mes propres valeurs et ma force intérieure.

MUSCLES — MYOSITE

La **myosite** est une inflammation des **muscles** qui provoque une faiblesse et une rigidité musculaires, les **muscles** étant reliés à l'effort.

Elle provient du stress face à des efforts que je dois fournir, que ce soit face à un travail physique, intellectuel ou émotionnel que je n'ai pas nécessairement le goût de faire, parce que cela me demande beaucoup d'énergie, mais face auquel je me sens « coincé ». Comme j'ai l'impression que je suis obligé de le faire et que je n'ai pas vraiment le goût de fournir l'effort, je ressens très peu de motivation. J'ai besoin de calme, de solitude, d'introspection mais cela cadre mal avec mon rythme de vie plutôt rapide. Cela provoque des réactions chez les autres qui ne me comprennent pas. On me trouve mystérieux, énigmatique. C'est comme s'il y avait un orage autour de moi et je me dois de me protéger contre toute menace.

J'accepte↓♥ de prendre mon temps, je demande de l'aide ou je me donne plus de temps pour accomplir mes tâches afin de faire reposer mes **muscles** et de refaire mes énergies. Je me détache du doute et des questionnements des gens qui m'entourent et je suis la Voie qui me convient et m'apporte une paix intérieure.

MUSCLES — TÉTANOS

VOIR AUSSI : MUSCLES — TRISMUS

Le **tétanos** est une maladie infectieuse. Il est dû à l'infection d'une plaie ou parfois même d'une piqûre par une bactérie. Une personne atteinte du **tétanos** verra en premier lieu les **muscles** de sa mâchoire se contracter de façon très douloureuse[158]. Par la suite, ce sont les **muscles** respiratoires et cardiaques qui seront touchés.

Cela démontre une grande irritation intérieure provoquée par des pensées nuisibles à mon bien-être. Je m'accroche à mes vieilles idées. Je vis en partie dans les ***ténèbres,*** ce qui devient insoutenable. Au lieu de les exprimer, je les ravale et les étouffe en moi. Je pense trop et je reste sur place. Je me replie sur les structures et les autorités extérieures au lieu de prendre ma place. En même temps, je refuse et la vie et de vivre selon mes pulsions et mes passions profondes. Je vis une situation familiale où, soit je me sens comme un fardeau pour la famille, soit quelque chose d'extérieur à moi est un poids énorme. Je m'interroge face à mon rôle comme soutien de famille. Je veux tenir tête soit à ma mère soit à mes enfants. Je suis persuadé que ce que je fais est pour le bien-être de tous, mais les autres peuvent percevoir cela comme de l'égoïsme.

J'accepte↓♥ de laisser l'**amour** me purifier, je fais place à l'harmonisation. Je me prends en mains. Je vis au niveau de mon **cœur♥** et j'avance avec la certitude que tout ce qui arrive est pour le mieux.

MUSCLES — TRISMUS

VOIR AUSSI : MUSCLES — TÉTANOS

Le **trismus** se caractérise par le resserrement involontaire des mâchoires, lequel est dû à la contraction des **muscles**. C'est souvent le premier signe m'indiquant que je suis atteint du tétanos.

Cette situation peut se produire lorsque je ressens de l'agressivité. En refusant d'exprimer mes sentiments, j'ai l'impression de garder le contrôle. Je refuse de m'ouvrir par crainte d'être jugé, rejeté, incompris. Je me mords la langue, regrettant certaines paroles dites ou entendues. En me refermant, je ferme aussi la porte à l'**amour**. Je suis rempli de tristesse. Je m'occupe des autres au lieu de m'occuper de moi-même. Je veux me montrer plus fort pour me valoriser mais au fond de moi, je me sens petit et faible.

J'accepte↓♥ de faire confiance, d'exprimer clairement mes désirs et de faire place à l'**amour**. Je dissous toute pensée de revanche et je les remplace par le pardon.

MYASTHÉNIE

VOIR : MUSCLES — MYASTHÉNIE

MYCOSE (... entre les orteils) OU PIED D'ATHLÈTE

VOIR : PIEDS — MYCOSE

MYCOSE (... du cuir chevelu, poils et ongles)

VOIR : CHEVEUX — TEIGNE

[158] Ceci étant appelé: rigidité spasmodique.

MYOCARDITE

VOIR : CŒUR♥ — MYOCARDITE

MYOME UTÉRIN

VOIR : FIBROMES ET KYSTES FÉMININS

MYOPATHIE

VOIR : MUSCLES — MYOPATHIE

MYOPIE

VOIR : YEUX — MYOPIE

MYOSITE

VOIR : MUSCLES — MYOSITE

NAISSANCE (la façon dont s'est passée ma...)

VOIR AUSSI : ACCOUCHEMENT

Pendant les neuf mois de ma gestation, lorsque je n'étais qu'un fœtus, tous mes sens étaient déjà éveillés et j'ai eu connaissance de tout ce que ma mère, mon père et les ***gens*** autour de moi ont verbalisé. De même, je pouvais ressentir les émotions, les « états d'âme » de ceux-ci, plus particulièrement ceux de ma mère, avec laquelle j'entretenais des liens très étroits et intenses. La façon dont je peux avoir interprété ce que j'ai entendu ou ressenti pendant cette période va avoir une répercussion sur mes comportements dans l'avenir.

Par exemple, je peux avoir eu l'impression que « j'ai fait souffrir maman » lors de l'accouchement quand, bien souvent, elle a elle-même contribué à augmenter le niveau de douleur par son anxiété, ses peurs et aussi par le fait qu'elle revoit inconsciemment sa propre **naissance** qu'elle peut avoir trouvée très douloureuse. J'ai pu interpréter aussi que c'est à cause de moi que ma mère a failli mourir. Je traînerai alors toute ma vie ce sentiment de culpabilité « d'avoir fait mal à maman » que je revivrai face à d'autres personnes. Si j'ai l'impression que je **n'étais pas désiré** ou qu'on a **voulu me cacher**, je peux vivre ma vie comme un fantôme. Je peux vivre un grand sentiment de rejet et j'ai tendance alors à prendre mes distances face à mon entourage. Si j'ai eu peu de contact avec mes parents, je peux vouloir compenser en devenant exagérément proche des gens, devenant comme « une sangsue[159] ».

De plus, la façon dont s'est passée ma **naissance** ou les moyens utilisés pour faciliter celle-ci, vont aussi influencer des comportements que je reproduis dans ma vie de tous les jours et qui font justement référence à **la façon dont ma naissance** s'est produite. Cela est particulièrement vrai lorsque je vis de grands bouleversements ou de grands changements dans ma vie où je n'ai pas le contrôle de ce qui se passe. Voici des exemples de situations les plus fréquemment rencontrées :

Si ma **posture était mauvaise** dans le ventre de ma mère, la **naissance** a été extrêmement difficile et douloureuse. Cela peut m'amener plus tard à vivre une vie de sacrifice, continuant ainsi de me punir et pensant que c'est la seule façon de faire qui existe. J'ai tendance à endurer beaucoup de douleur et de frustration avant de me sortir de certaines situations.

Si je suis **né prématurément**, je vais souvent manifester de l'impatience : je veux avoir fini une tâche avant même de l'avoir commencée. J'ai l'impression de ne pas être complet, qu'il me manque

---

[159] **Sangsue** : personne qui s'impose discrètement.

quelque chose. Je rechercherai constamment « cette chose ». De plus, si j'ai été **placé en couveuse** pour une certaine période de temps, je revivrai souvent la même solitude profonde et une impression de vivre de l'impuissance face à certaines situations ou à certaines personnes, ce qui m'amène à m'isoler et à avoir un niveau d'énergie très bas. J'aurai peur du noir, ayant été habitué très tôt dans ma vie à être dans la **lumière** vive et le bruit. Je peux vivre un sentiment de rejet intense du fait que j'ai eu l'impression que ma mère m'a délaissé après ma naissance ou l'impression qu'elle m'a « expulsé » de chez moi. J'aurai tendance, dans ce cas, à me remettre dans des situations où on m'expulsera, soit de mon logis, de mon travail, soit de mes relations affectives. Les contacts sont rares ou absents. J'ai manqué pendant quelque temps de la nourriture de ma mère, donc j'aurai tendance à manger compulsivement pour éviter de revivre ce manque. J'aurai pu entendre des personnes qui sont venues me voir à l'hôpital : « Comme tu dois te battre pour survivre ! ». En grandissant, je vais garder cette impression de devoir me battre pour ma vie et pour les bonnes causes. Laisser aller, démissionner devient alors pour moi synonyme de danger de mort. Le fait **d'être placé en couveuse** est pour ma survie et ceci se fait notamment en prenant suffisamment de poids. Plus tard, je pourrai avoir de la difficulté à perdre du poids puisque j'ai enregistré dès la **naissance** que je dois conserver un certain poids afin de survivre.

Au contraire, si je suis **né en retard**, je vais avoir de la difficulté à être ponctuel et à remettre des travaux à temps. Je prends mon temps et je me sens souvent bousculé dans les choses à faire. J'aime aussi que les choses soient faites à ma manière. Je pourrai démontrer de l'agressivité face aux personnes qui veulent me faire sentir coupable de mes retards, car j'aurai l'impression que c'est à cause des événements extérieurs si je suis en retard. J'aurai tendance à ruminer avant d'agir, ayant de la difficulté à prendre des décisions. Dans ma vie, je peux aussi avoir tendance à vouloir m'accrocher aux personnes avec lesquelles je me sens à l'aise. Peut-être ma mère voulait me garder plus longtemps avec elle, s'en faisant pour moi et étant si heureuse de me sentir à l'intérieur d'elle. Ou était-ce plutôt moi qui voulais rester fusionné à elle ?

Le fait d'être **né soit trop tôt soit en retard** engendre donc en général des situations conflictuelles avec le temps. J'accepte↓♥ d'apprendre à prendre le temps de bien faire les choses et aussi prendre du temps pour moi. Au lieu de vivre toujours dans le futur ou le passé, j'apprends à vivre dans le moment présent.

Une **naissance** qui doit être **provoquée** dénote souvent que je n'étais pas prêt à venir au monde ; je peux alors vivre beaucoup de frustrations qui m'accompagneront tout au long de ma vie. Je peux aussi développer une méfiance par rapport à mon entourage. L'accouchement **provoqué** ou par **césarienne** amène souvent l'enfant à être frustré ou en réaction de colère car il n'est pas prêt à venir au monde : soit qu'il sente les peurs de la mère, soit qu'il ait peur lui-même. La coupure de la césarienne est drastique : l'enfant est sorti brutalement du ventre de la mère. Il est donc évident que cette sortie trop rapide pour lui entraîne des frustrations. C'est pourquoi on voit souvent ces nouveau-nés pleurer beaucoup dans les premiers mois de la naissance. Le fait que l'accouchement ait dû être provoqué implique parfois que c'est le médecin qui a décidé du moment de l'accouchement. Cela peut se traduire dans la vie de tous les jours par le besoin que quelqu'un d'autre prenne les décisions pour moi. Je pourrai aussi avoir une réaction totalement opposée, ne supportant pas que ce soient les autres qui décident pour moi, ne voulant pas « laisser ma destinée entre leurs mains ». Seule mon opinion comptera puisque, inconsciemment, je me souviens que lors de ma **naissance**, on ne m'a pas consulté pour savoir quand j'étais prêt à venir au monde.

Si ma mère a eu besoin d'une **anesthésie** pour me mettre au monde, je peux avoir tendance à m'endormir à tout moment et j'« **anesthésie** » la réalité, je ne perçois pas clairement et j'interprète à ma façon les événements, selon les peurs que j'entretiens. Il s'agit d'une forme de fuite, tout comme une drogue : en m'engourdissant, me « gelant », j'évite de rentrer en contact avec mes émotions et mes peurs. J'ai de la difficulté à recevoir des caresses et je peux avoir des maladies au niveau de la peau. Je peux avoir une peur marquée pour la douleur et avoir tendance à être distrait au travail, et ayant de la difficulté à accepter↓♥ de faire des tâches qui demandent plus de temps et d'énergie.

Si je me retrouve avec le **cordon ombilical enroulé autour du cou**, je me sens « étouffé » par les gens ou les situations. Je peux être plus fragile au niveau de la gorge, j'ai de la difficulté à m'exprimer, à communiquer simplement et affirmativement. J'ai tendance à me sentir « pris à la gorge ». Cela peut dénoter le désespoir de la mère face à cet enfant à naître, se demandant si ce bébé naîtra dans les meilleures conditions possible et s'il doit vraiment venir en ce monde. Elle ne veut pas le laisser aller.[160] Je peux vivre un malaise lorsque j'ai à porter une cravate, un foulard ou des bijoux car cela me rappelle, même inconsciemment, que j'ai déjà failli mourir avec le **cordon autour du cou**. J'aurai de la difficulté à rester proche des gens, autant physiquement qu'au niveau affectif car j'ai l'impression qu'on « prend mon air » et je n'ai surtout pas le goût de me mettre la « corde au cou » en me mariant.

Si l'enfant est **né par césarienne**, il y a deux scénarios possibles : il peut avoir décidé de sortir mais il est coincé. L'autre possibilité est que l'on soit allé le chercher avant qu'il ne soit prêt à sortir. Dans ces cas, j'ai généralement de la difficulté à mener des projets à terme ; un effort prolongé et constant m'est difficile. Le découragement me gagne facilement. Je préfère que les gens fassent les choses à ma place, me sentant incapable de le faire moi-même. Je pourrai avoir l'impression aussi que la vie ou que les gens me traitent injustement ou, si l'on veut, que je n'ai pas le juste retour des efforts que je mets pour accomplir une tâche. « Rendez à César ce qui appartient à César ! ». Le fait d'avoir une **césarienne** m'empêche, moi en tant que mère, d'accoucher par le vagin. Il se peut que j'aie vécu une situation dans ma vie où je me suis sentie abusée, que ce soit arrivé vraiment ou que j'aie eu une peur atroce que cela n'arrive, cela ne fait aucune différence. Ce qui compte, c'est comment je l'ai vécu dans mon ressenti. Voulant éviter de me remémorer cet événement douloureux, la **césarienne** devient donc une façon plus facile pour moi d'accoucher de mon enfant. Si je suis cet enfant, je peux développer un comportement hésitant, peureux et avoir de la difficulté à m'engager dans la vie. Je ne fais pas confiance à mes décisions car j'ai peur de me tromper. Puisqu'il n'a pas eu ce contact (peau) avec la mère au moment de la naissance, j'aurai peut-

160 Patrick Drouot a mentionné dans un de ses livres qu'un fort pourcentage (60%+) de personnes nées avec le **cordon ombilical** autour du cou ont pris **conscience,** lors de régressions dans l'une ou l'autre de leurs vies passées, qu'elles avaient été pendues.

être de la difficulté à apprécier la sexualité dans le contact avec la peau plus tard.

Si je suis **né par le siège**, je vis souvent de la culpabilité, notamment parce que j'ai l'impression de faire souffrir les gens autour de moi. Je retiens beaucoup et j'ai de la difficulté à laisser aller et à faire confiance. Je vis alors beaucoup de tension intérieure. Tout ce que je vis est difficile et semble durer une éternité. Je ne me sens pas bien assis dans la vie. C'est comme si j'étais en ce monde à reculons, n'étant pas désiré ou ne me sentant pas capable de rencontrer les désirs et les attentes de mes parents. Je peux aussi avoir l'impression que je me sens limité dans mes actions et dans mes projets. C'est comme si les gens et les circonstances de la vie faisaient en sorte de vouloir me faire céder dans les nouvelles actions que je veux entreprendre.

Si l'utilisation de **forceps** a été rendue nécessaire, ceux-ci saisissant et protégeant ma tête afin de faciliter mon expulsion lors de ma **naissance**, je peux souffrir de maux de tête, de douleurs au crâne et j'ai l'impression de me heurter à beaucoup de difficultés dans ma vie, particulièrement au début d'un projet, ou d'une nouvelle relation. J'aurai l'impression que je devrai « tenir tête » aux circonstances qui se présentent pour mener à bien mon nouveau projet ou ma nouvelle relation. Je me mets beaucoup de pression sur les épaules et je prends un malin plaisir à prendre de plus en plus de responsabilités inutilement. Je me sens « forcé » à faire les choses, ayant souvent l'impression que « je n'ai pas le choix ». J'ai tendance à attendre au dernier moment pour faire les choses. Je peux vivre fréquemment des situations d'urgence où j'aurai besoin d'une aide extérieure, tout comme à ma **naissance**. Sans cette aide, je vais mourir… Cependant, si je voulais en tant que bébé rester en fusion avec ma mère, l'aide extérieure est perçue comme négative, me privant du contact avec ma maman.

Je peux demander à mes parents les détails de ma **naissance**. Le seul fait de prendre **conscience** des difficultés vécues à ce moment va m'aider à comprendre et à changer les comportements qui en découlent et qui peuvent me déplaire.

Si je suis un **jumeau**, je peux me demander pourquoi mes parents étaient si pressés de faire des enfants qu'ils en ont fait deux, ou plus, en même temps. Est-ce qu'ils avaient peur de perdre leur enfant et qu'ils en ont inconsciemment fait un deuxième pour se sécuriser ? Quelle qu'en soit la raison, je leur dis merci de m'avoir mis au monde…

NAISSANCE PRÉMATURÉE

VOIR : ACCOUCHEMENT PRÉMATURÉ

NANISME — GIGANTISME

VOIR AUSSI : OS — ACROMÉGALIE

Le **nanisme** est une anomalie de l'être humain caractérisée par la petitesse de la taille comparée à celle de la moyenne des individus de même âge, de même sexe et de même race, sans insuffisance sexuelle ni intellectuelle, ce qui le différencie de l'infantilisme. (le **gigantisme** possède la même définition, à la seule différence que la taille est anormalement grande). La croissance se fait rapidement et mes systèmes osseux et glandulaires ont des déficiences et des carences.

Le **nanisme** me montre que, inconsciemment, je veux rester enfant le plus longtemps possible. C'est comme si je restais recroquevillé sur moi-même. Je suis différent de tout le monde et je ne réponds pas aux normes. Je me méfie des autres, du monde en général et habituellement, j'entretiens un complexe de « petitesse » à tous les points de vue. Je veux me cacher derrière les autres, me sentant ainsi plus en sécurité. J'ai tendance à me replier sur moi-même et vivre selon des règles très strictes : ainsi, je pense avoir plus la maîtrise de ma vie si je vis de façon structurée. Le fait de devenir grand implique que je deviens aussi adulte et si pour moi cela représente un danger (par exemple avoir à prendre plus de responsabilités qui me font peur), mon corps refusera de grandir. On peut également m'interdire de grandir ou que c'est dangereux pour moi (par exemple si j'ai peur de l'inceste avec un parent si je grandis trop).

J'accepte↓♥ de grandir, autant au niveau physique qu'émotif, vers mon évolution spirituelle. Chaque étape de mon évolution amène des défis différents et l'âme que je suis a tout ce qu'il faut pour faire face à ces défis. La maturité apporte une plus grande sagesse et force intérieure. Mon être peut s'épanouir pleinement et manifester davantage la liberté intérieure. En libérant mes fausses croyances, je réalise que je choisis consciemment de faire face à la situation en me sentant guidé et protégé par la Source. Je fais un pas de plus chaque jour en me donnant de l'**amour** sans condition.

Quant au **gigantisme**, il m'indique que je me sens prisonnier de mon corps et de mes émotions et que je veux en sortir à tout prix ! J'étouffe, je ne veux avoir à me plier à aucune autorité. En étant plus grand que les autres, cela me donne une fausse impression de pouvoir et de contrôle sur moi et les autres. Je me sens dépassé par les événements de la vie en général. Je veux entrer trop vite dans le cycle de la vie et ne respecte pas les mouvements naturels.

J'accepte↓♥ de prendre ma vie en mains. J'apprends à ralentir et à ne rien forcer car je reconnais les sentiments qui m'habitent et j'apprends à les canaliser, afin que l'énergie en moi soit positive et m'amène plus d'**amour** et de liberté. Je porte une attention particulière à mes objectifs de vie. Je fais la paix avec l'âme que je suis et je cesse de pousser pour aller plus vite que les autres. La seule autorité est celle de ma voix (voie) intérieure et elle est le chemin vers la libération totale de toutes mes limites. Je lui fais confiance totalement et je m'épanouis de plus en plus chaque jour.

NARCOLEPSIE OU MALADIE DU SOMMEIL

VOIR AUSSI : COMA, ÉVANOUISSEMENT, INSOMNIE, SOMNOLENCE

La **narcolepsie** est une tendance irrésistible à s'endormir[161]. Je m'endors soudainement et cela peut durer de quelques secondes à plus d'une heure. Si cela s'accompagne d'une diminution de mon tonus musculaire, aussi appelée **catalepsie**, on parle alors du **syndrome de Gélineau**.

Le sommeil devient une échappatoire face à des peurs et des résistances. Je dis non à l'évolution et je refuse d'accepter↓♥ ce qui se passe

[161] La **narcolepsie** est très semblable à **l'hypersomnie** (Hyper= en excès et Somnie = sommeil). La seule différence est que dans le cas de cette dernière, je **choisis** de dormir plus souvent et plus longtemps.

dans ma vie. Je vais donc **fuir** parce que je n'ai plus le goût de voir ou de sentir certaines personnes ou certaines situations. Ne sachant pas comment résoudre cette situation, étant incapable de m'affirmer, je vais me retirer dans mon **sommeil**, cela étant la solution la plus facile pour éviter un danger. À ce moment-là, j'ai tendance à agir en victime, me sentant impuissant ou pensant ne pas avoir les outils nécessaires afin de faire face à ce qui me fait peur. Je refuse de vivre dans la réalité qui est si contraignante. Je dois réévaluer ma vie et je refuse de laisser aller certaines personnes ou situations.

J'accepte↓♥ de me prendre en mains et de foncer, quitte à demander de l'aide à un ami ou à un parent, afin d'être dans l'action et de créer ma vie comme je le veux. Je reprends contact avec mes sens, mes émotions, avec ma vie, avec le monde qui m'entoure ainsi qu'avec la nature. Je libère mes peurs et j'accepte↓♥ de vivre chaque instant en étant conscient que tout ce qui m'arrive est une expérience pour mon évolution. Je cesse de fuir et j'apprécie d'être « ici et maintenant ».

NAUPATHIE

VOIR : MAL DE MER

NAUSÉES ET VOMISSEMENTS

VOIR AUSSI : GROSSESSE [MAUX DE...]

La **nausée** se définit comme un spasme nerveux précédent le vomissement. C'est une envie de vomir qui s'accompagne d'une impression de malaise général.

Je ressens un sentiment de peine et j'éprouve de la douleur face à une réalité qui cause un dérèglement dans ma vie et que je voudrais pouvoir éviter. La **nausée** est un signe que j'éprouve du **dégoût** ou que j'éprouve une aversion face à une chose, une personne, une idée, une situation, ou peut-être même, une émotion car je ne me sens pas en sécurité. Je vis soit de la révolte, de la colère, de la peur, de la frustration, soit de l'incompréhension face à celle-ci, et elle me « reste sur **l'estomac** ». J'ai à prendre **conscience** que j'ai absorbé quelque chose de ma réalité ou de mon être qui crée le désir de l'exprimer immédiatement. Et si ça ne se fait pas avec la parole, ce sera manifesté par des **nausées**. Lorsque c'en est trop, que la ran**cœur♥** est trop grande, l'effet de **vomissements** survient car je tends à manifester physiquement le rejet de cette situation que je trouve injuste. Ce rejet peut avoir comme objet quelque chose d'extérieur mais ce peut être aussi une partie de moi-même que je voudrais voir disparaître. Lorsque je **vomis**, je refuse quelque chose ou quelqu'un. J'évite ainsi d'avancer et d'évoluer. Je regarde face à qui ou à quoi je résiste autant. Ce peut être l'un de mes parents que je voudrais « sortir de ma vie » car ce que nous ***avions*** en commun semble avoir disparu. Ai-je peur de ne pas être à la hauteur de ce qui s'en vient pour moi ? Pourquoi est-ce que je refuse le nouveau ? Est-ce que je me sens forcé par les autres de dire ou faire des choses ? Je peux avoir un « haut-le-cœur♥ » à voir comment je me sens impuissant à agir ou à prendre ma vie en mains. Je peux ne plus vouloir de cette vie superficielle. Si je **vomis de la bile**, une situation est maintenant insoutenable et j'en ai assez d'avoir à mettre « de l'eau dans mon vin ». Un début de **grossesse** est souvent accompagné de **nausées** et, dans cette condition, je dois accepter↓♥ les changements que l'arrivée du nouveau-né va apporter dans ma vie. Est-ce que je refuse cet enfant ou est-ce une partie de moi (mon impuissance, mes insécurités, etc.) que je veux nier ? Est-ce que j'ai suffisamment de force pour prendre soin de cet enfant ? En étant maître de ma vie, je peux transmettre les mêmes valeurs à mon bébé. Je demande la paix et j'accepte↓♥ de digérer les émotions et les conflits que cet événement produit dans mon quotidien.

J'apprends à accepter↓♥ chaque facette de ma personne. C'est la seule façon de bâtir ma vie à mon image et de laisser aller le passé. Je fais confiance à la vie et à l'avenir. J'ai toujours la **liberté** de choix. Quand je fais ce que j'aime, je n'ai plus à résister. Je laisse venir à moi toutes les belles choses que la vie veut me donner.

NÉPHRITE

VOIR : REINS — NÉPHRITE

NÉPHRITE CHRONIQUE

VOIR : BRIGHT [MALADIE DE...]

NÉPHROPATIE

VOIR : REIN — NÉPHRITE

NERFS (en général)

Les **nerfs** sont des organes qui reçoivent et qui donnent des informations à tout le corps en provenance des sentiments, des pensées et des sens. Les activités conscientes sont contrôlées par les **nerfs** périphériques qui prennent leur source à l'épine dorsale qui est la demeure du système nerveux. Les activités inconscientes, par exemple les battements du **cœur♥** ou la respiration, sont contrôlées par le système nerveux automatique.

Par la méditation ou par une profonde relaxation, je peux obtenir un contrôle conscient sur ce système. Je peux être affecté de plusieurs manières car le système nerveux couvre plusieurs activités fonctionnelles. Les **nerfs** sont comme le système électrique de mon corps. Si mes circuits sont surchargés parce qu'il y a trop « de tension », cela affecte le fonctionnement de mon organisme. Cette tension peut provenir du fait que j'ai des inquiétudes face à l'avenir et que j'ai peur aussi que les projets que je veux réaliser n'arrivent pas à terme. Cette **tension** de mes **nerfs** manifeste mon état intérieur : je me sens en dé***tention*** (prison) face à une personne, une situation ou tout simplement face à moi-même. Si ce sont les **nerfs sensitifs** qui sont atteints (qui partent des organes des sens), je veux m'insensibiliser à quelque chose ou quelqu'un. Si ce sont mes **nerfs moteurs** (qui vont jusqu'aux muscles), j'ai de la difficulté à faire certains mouvements. Les **nerfs** sont donc **à la base de la communication** et s'ils ne fonctionnent pas adéquatement, je peux me demander dans quelle sphère de ma vie j'aurais avantage à communiquer et à recevoir ce que les autres ont à dire. Si j'ai les **nerfs en boule** ou les **nerfs à fleur de peau**, cela me rappelle ma grande sensibilité et, bien que je puisse m'être senti blessé par le passé, j'accepte↓♥ d'apprendre à faire confiance aux autres et à la vie.

NERFS (crise de...)

VOIR AUSSI : HYSTÉRIE, NÉVROSE

La **crise de nerfs** est aussi appelée **nombrilisme**. Il s'agit d'une montée d'énergie, de vibration à l'intérieur de moi qui bloque, soit au niveau de la parole par manque ou incapacité de communiquer son point de vue, soit au niveau d'une activité, lorsqu'il m'est impossible de réaliser, d'accomplir une action.

Alors, le blocage devient si fort, si gros, que je ne peux libérer l'énergie dans l'harmonie et **il y a explosion**. Cela m'amène à dire des paroles extrêmes ou à poser des gestes extrêmes. Ces crises ont leur source dans mon attention qui est toujours portée sur la peur ; je crains constamment que quelque chose de négatif arrive mais je ne fais rien pour changer la situation.

J'accepte↓♥ de m'arrêter et d'en prendre **conscience** tout en prenant de grandes respirations et en me relaxant profondément. Il faut que j'accepte↓♥ la situation et que je prenne le temps de faire baisser la pression tout en rééquilibrant mes émotions.

NERFS — NÉVRALGIE

VOIR AUSSI : DOULEUR

La **névralgie** peut être définie comme un mauvais contact sur le parcours d'un fil électrique. Les fils électriques représentent tous nos **nerfs**. C'est une douleur vive sur un **nerf**, causée par une trop forte tension sur son parcours.

Si le **nerf** est coupé, c'est que la communication, la libre circulation de l'énergie en moi est coupée. Il y a séparation, espacement. Il y a un « froid » qui s'est installé entre moi et une autre personne. Une certaine animosité, accompagnée d'agressivité et de ran**cœur♥,** m'empêche d'entrer en contact avec celle-ci. Mes pensées sont irritantes et brûlantes. J'ai l'impression que « mes **nerfs** vont craquer ». L'endroit où la douleur est située m'indique le genre d'émotion impliquée. Un sentiment de culpabilité et le désir d'être toujours dans les normes établies par la société seront souvent la source d'une **névralgie**. Je crains l'autorité. Si la **névralgie** se situe dans un **bras** ou dans une **main**, cela m'indique qu'une pression (telle que l'engagement) ou une autre émotion (telle que l'impuissance) m'empêche de « prendre » une décision ou une direction harmonieuse dans ma vie. Si la **névralgie** est dans une **jambe**, dans un **mollet** ou dans un **pied**, c'est un pas de plus dans une nouvelle direction que l'émotion bloque et, par conséquent, la libre circulation des énergies dans ma vie. La **névralgie faciale** me montre que mon visage « est de glace », que je cache mes émotions pour me protéger. Je peux aussi avoir constamment « en plein visage » quelque chose qui me rappelle un événement douloureux de ma vie. La **névralgie dentaire** me montre que le fait de me plier devant les autres m'amène à me révolter. Je deviens indifférent afin de m'éviter de devoir prendre des décisions.

J'accepte↓♥ de prendre **conscience** des les émotions à l'intérieur de moi qui empêchent le flux naturel. Dans quelle situation est-ce que je me sens coincé ? De quel comportement ou habitude est-ce que je veux me débarrasser ? En prenant **conscience** de l'aspect de ma vie (par la partie du corps affectée) qui est affecté par l'anxiété ou par l'insécurité, je pourrai y remédier plus facilement et trouver les solutions et tout l'**amour** que la situation me demande. Je laisse aller cette prison que j'ai érigée moi-même afin de pouvoir voler de mes propres ailes. Je laisse couler chaque émotion qui m'habite afin de les accepter↓♥, les intégrer et les changer en positif. Je reste ainsi en contact perpétuel avec mon essence divine et je peux accomplir ainsi de grandes choses !

NERF — NÉVRITE

Une **névrite** est l'inflammation d'un ou de plusieurs **nerfs**.

La partie de mon corps qui est affectée par le ou les **nerfs** m'indique sur quel aspect de ma vie j'ai une prise de **conscience** à faire. Même si la **névrite** peut « sembler » trouver sa source dans une infection, l'alcoolisme, dans certaines maladies ou dans les effets secondaires de certains médicaments, il est souhaitable que je trouve ce qui m'amène à vivre de la colère dans la communication que j'ai à avoir avec moi-même. Je refuse aussi les autres dans ce qu'ils sont et font. Je me sens agressé et je veux me défendre. Je déteste les ***imprévus***, c'est pourquoi j'essaie de tout ***prévoir***, me donnant un faux sentiment de contrôle. Je préfère vivre dans l'***anonymat***. De cette façon, les autres ne me voient pas et j'évite les critiques.

J'accepte↓♥ de rétablir cette communication avec moi-même, en m'apportant la compréhension dont j'ai besoin. Je retrouve ainsi davantage de calme dans ma vie et dans mon corps. Je vis dans la vérité, la transparence et l'ouverture du **cœur♥**.

NERF OPTIQUE

VOIR : NERFS —NÉVRITE

NERF SCIATIQUE (le...)

VOIR AUSSI : DOULEUR, DOS / [MAUX DE...] BAS DU DOS, JAMBES / [EN GÉNÉRAL] / [MAUX AUX...]

Le **nerf sciatique** commence dans la partie lombaire (bas du dos) de la colonne vertébrale ; il traverse la fesse, la cuisse et la jambe et descend jusqu'au pied.

La douleur ressentie me paralyse. Il se peut que la douleur se manifeste plus dans une jambe que dans l'autre. Je suis alors inquiet financièrement car je vis une transition importante dans ma vie qui me fait vivre une grande insécurité. Si ma **jambe droite** est en cause, c'est peut-être parce que j'ai peur de manquer d'argent et de ne pouvoir faire face à mes responsabilités dans ce qui s'en vient pour moi. Je peux aussi avoir le sentiment de « perdre un appui », surtout si s'ajoute à cela une trahison. Je me sens obligé d'aller dans une direction même si je n'en ai pas envie. Si la douleur se situe dans ma **jambe gauche**, mon manque d'argent peut intensifier mon sentiment de ne pouvoir tout donner, sur le plan matériel, aux gens que j'aime. Il y a donc des choses que je voudrais faire mais je ne le peux pas. Je crains que leur amour pour moi en soit affecté. Je m'illusionne, je me crois très spirituel et détaché des biens matériels (une sorte d'hypocrisie). Cependant, **la peur de manquer d'argent** me poursuit et me rend très **anxieux**. Je travaille très fort, j'ai de grandes responsabilités et, malgré tous mes efforts, j'éprouve quand même certains ennuis financiers. Mon corps se raidit : **je me sens coincé**. C'est comme si je me sentais tenu à la gorge, impuissant dans une situation, ayant l'impression qu'une autre personne a le pouvoir sur cette situation et pas moi. Je me sens limité dans ma liberté et ma créativité. Je me remets sans cesse en question. Qu'est-ce que je ne fais pas ? Est-ce que je possède les connaissances et le talent nécessaires pour faire face à une nouvelle situation ? Mon **insécurité** m'amène à me **révolter**, j'en veux à la vie. J'en viens à développer un sentiment d'infériorité. Je peux refuser de me « plier » à une personne ou une situation. Insidieusement, l'**agressivité** s'installe et ma communication avec les autres s'en ressent. La colère bouillonne à l'intérieur de moi. Je voudrais tout ***arrêter*** ! J'ai intérêt à me **calmer les nerfs** car, en ce moment, j'ai l'impression d'avoir les **nerfs en boule**. Je prends **conscience** de ma **confusion intérieure** et de ma douleur (tant intérieures qu'extérieures) au regard de la ou des directions de ma vie, **ici et maintenant**. Cette douleur résulte souvent de mon entêtement à vouloir m'accrocher à mes vieilles idées au lieu de m'ouvrir au changement et à la nouveauté. Je me soucie de ce que les gens autour de moi soient bien et heureux mais au détriment de mon propre bonheur. Cette situation est fréquente chez la femme enceinte qui vit une confusion intérieure et une douleur concernant la direction maintenant prise dans sa vie : des doutes, des craintes et des inquiétudes peuvent faire surface. Est-ce que je me sens assez soutenu dans les nouvelles responsabilités que je vais maintenant avoir ? Vers qui ou vers quoi voudrais-je m'approcher ou au contraire m'éloigner mais j'ai de la difficulté car cela amènerait beaucoup de changements dans ma vie ? Je prends **conscience** que moi-même je me suis emprisonné dans un étau afin de m'éviter d'être heureux et de développer mon plein potentiel. J'évite de vivre à partir de mon essence, de mon moi authentique. Je mets de côté tout mon côté intuitif, impulsif, créatif. Je m'empêche d'aller à une plus grande vitesse à cause des peurs qui m'habitent. Je recherche la sécurité à l'extérieur de moi et dans des choses matérielles, artificielles. Je n'ai pas à me juger, mais à m'accepter↓♥ tel que je suis.

J'accepte↓♥ que **la source de ma véritable sécurité soit en moi** et non dans les biens que je possède. Je lâche prise et je fais confiance à l'univers, car il est abondance pour tous sur tous les plans : physique, mental et spirituel. En faisant confiance à l'univers, je fais confiance à la vie. Je choisis d'accepter↓♥ la souplesse, je découvre la vraie richesse, celle que j'ai à l'intérieur de moi. La vraie valeur d'un être se mesure à sa grandeur d'âme. J'accepte↓♥ mes limites, je prends **conscience** de mes craintes, je les intègre. Je décide d'avancer dans la vie, je me laisse guider en toute sécurité pour mon plus grand bien.

NERVOSITÉ

La **nervosité** est un signe indiquant que je manque de confiance en moi, en mon entourage et en l'avenir. Le fait de vouloir faire trop vite ou de parler très rapidement trahira ma **nervosité**. J'ai peur de « ne pas y arriver ». Je veux m'affirmer, foncer, être le premier mais ne m'ayant pas senti soutenu ou encouragé étant plus jeune, cela me suit aujourd'hui et toute situation qui amène de la nouveauté, de l'inconnu fait surgir cette **nervosité**. Lorsque je suis **nerveux,** je perds cette connexion avec mon intérieur. Je deviens irritable, instable.

J'accepte↓♥ de faire confiance à la vie et savoir qu'il n'est pas nécessaire de tout contrôler à la perfection pour que la vie soit belle et aimante. Je prends **conscience** que ma **nervosité** dissimule l'instabilité, la crainte d'un événement que je redoute ou la peur de perdre quelqu'un ou quelque chose qui m'est cher. Je dois donc m'en libérer en faisant confiance à mon être intérieur tout en me relaxant régulièrement.

NEURASTHÉNIE

VOIR AUSSI : BURNOUT, DÉPRESSION, FATIGUE [EN GÉNÉRAL]

La **neurasthénie**, ou **épuisement nerveux**, est un état de fatigabilité physique et psychique extrêmes. Ses symptômes se traduisent par la difficulté à prendre des décisions et par la confusion. Bien que je ne présente aucun trouble organique, je peux avoir des difficultés à digérer, des douleurs physiques, une émotivité extrême et être très faible. La **neurasthénie** ressemble en plusieurs points à une **dépression**. J'aurai alors tendance à me retirer dans la solitude et à broyer du noir.

Je ne veux pas faire d'effort car je me dis que cela ne va rien changer. C'est mon attitude négative qui produit cette maladie. Je me sens dans une impasse. Je veux exceller, me démarquer mais il me semble que je bousille mes chances d'avancement à chaque fois et je me décourage.

J'accepte↓♥ qu'au lieu de mettre mon attention sur « tout ce qui ne va pas dans ma vie », j'ai avantage à dire ***Merci*** pour ce que j'ai. J'ai à me prendre en mains, à faire des projets et à accepter↓♥ le fait que j'ai tout le potentiel, la persévérance et le courage pour atteindre tous les buts que je me fixe. La joie et le bonheur pourront alors prendre encore beaucoup de place dans ma vie.

NEUROPATHIE

VOIR : SYSTÈME NERVEUX

NÉVRALGIE

VOIR : NERFS — NÉVRALGIE

NÉVRITE

VOIR : NERF — NÉVRITE

NÉVROSE

VOIR AUSSI : ANGOISSE, HYSTÉRIE, OBSESSION

La **névrose** est une affection nerveuse, caractérisée par des conflits psychiques, qui détermine des troubles de comportements, mais n'altère que très légèrement la personnalité de la personne qui en est atteinte.

Comme la dépression et la psychose, la **névrose** est causée par des émotions non maîtrisées ou par la recherche d'une identité qui remplacerait celle que je refuse. Même si je garde contact avec la réalité et que je peux continuer de vivre en société, je peux vivre un sentiment d'angoisse, mon jugement peut être altéré et ma vie sexuelle peut s'en ressentir sous forme d'impuissance ou de frigidité. Je me sens seul, n'ayant personne pour me soutenir. Je me sens vide, étant déconnecté de mes émotions. Je me refuse au plaisir. Je m'empêche de vivre vraiment et en même temps, la mort me fait peur. Je peux développer des dépendances car j'ai besoin d'une soupape afin de laisser sortir tout ce à quoi je résiste. Le combat intérieur est constant et exténuant. Si je réprime une partie de moi, je dois équilibrer avec des comportements qui peuvent être obsessionnels. Je suis contrarié car beaucoup de monde, incluant les personnes en autorité, sont en désaccord avec ma façon de faire et de penser.

J'accepte↓♥ de reprendre la place qui me revient et d'avoir besoin qu'on me donne de l'attention afin de me valoriser. J'ai aussi besoin de trouver un sens à ma vie, ce qui me permettra de me libérer des tensions que je vis. Je serai libre car je porterai mon attention sur le but fixé, source de bonheur et de satisfaction. Je me dois donc d'accepter↓♥ ma nature profonde qui est d'aimer les autres et de m'aimer moi-même sans nécessairement être obligé de comprendre toute la vie de A à Z pour m'accepter↓♥ tel que je suis.

NEZ (en général)

VOIR AUSSI : ODEUR CORPORELLE

Le **nez** fait référence à l'instinct de l'homme, particulièrement en ce qui a trait à la survie. Comme il m'aide à sentir, il m'aide aussi à ressentir ce qui se passe à l'intérieur et à l'extérieur de moi. Si j'ai le « **nez fin** », il devient mon gouvernail. Il détecte ce que j'ai à faire dans ma vie ; il est donc constamment en recherche. Mon **nez** me montre de quelle façon je prends ma vie en mains, si je suis maître de ma vie et de ma destinée. Le **nez** est l'organe par lequel l'air (la vie) passe pour atteindre mes poumons. L'air est très important. En plus de recourir à nos deux narines pour respirer, on peut le faire par la bouche. Une difficulté de respiration peut me renseigner sur les difficultés que j'ai dans ma vie. Si je refuse de vivre ou si j'ai de la difficulté à transiger avec mon entourage parce que ce que je sens ou ce que je ressens ne me convient pas, ma capacité de respirer par le **nez** sera diminuée. C'est comme si je voulais chasser une situation conflictuelle par mon **nez**. Ai-je l'impression de « me faire mener par le bout du **nez** » ? Si la **narine gauche** me pose un problème, c'est du côté émotionnel ou affectif que je dois chercher le message car c'est par elle que rentrent mes émotions alors que la **narine droite** m'informe d'une difficulté rationnelle car c'est par elle que rentrent la compréhension, l'analyse. Un danger à ressentir amène ma **narine gauche** à se bloquer et un danger à comprendre affectera la **narine droite**. Tout comme les animaux, le **nez** sert à sentir le danger, les prédateurs ; l'odeur va m'aider à repérer les proies ou au contraire ma propre odeur me fera repérer par les autres. Il y a donc des notions d'odorat, de senti, de danger et de survie reliées au malaise au **nez**. Je peux flairer une mauvaise affaire ou un danger, que quelque chose se trame ou qu'on me cache quelque chose. Il y a donc de l'angoisse qui résulte de cette situation qui implique un intrus. Quel que soit le cas, je peux même avoir à remonter au moment de ma naissance pour découvrir la source de mon malaise au **nez**. Si j'ai dû être opéré au **nez** pour me permettre de mieux respirer, c'est comme si je disais oui à mon intuition, à mon senti, à la vie.

J'accepte↓♥ d'adopter cette attitude d'ouverture et de confiance en moi. Je peux ainsi guérir tout malaise touchant mon **nez**.

NEZ (maux au...)

Le **nez** est l'organe de l'odorat. C'est le sens qui me permet de vivre, d'être en contact avec l'atmosphère, avec l'extérieur. L'odorat est un des sens les plus puissants que j'ai et il est relié à mon premier centre d'énergie (chakra) situé au niveau du coccyx. Le **nez** est la double ouverture sur la vie ! Les narines droite et gauche sont les canaux de l'intérieur et de l'extérieur. Si mon corps met une barrière dans le canal de la respiration, c'est pour m'indiquer que je m'isole de quelqu'un de mon entourage ou de quelque situation qui m'affecte, qui me dérange ou que je n'accepte↓♥ pas, de là l'expression populaire : *«Celle-là, je ne peux plus la sentir ! »* Je désire me » couper » de quelque chose pouvant toucher mon côté secret et intime, tant au regard de mes pensées qu'au plan physique ou émotionnel. « Ça me pue au **nez** ! » Ou ce peut être une personne que je « n'ai pas en odeur de sainteté ». Cette personne que je ne peux pas sentir peut être tout simplement moi (ou certains aspects de ma personnalité que je rejette) ! ! ! C'est ainsi que je pourrai **perdre ma faculté olfactive**. Cela entraîne de la mélancolie et de la tristesse car je suis ainsi coupé d'odeurs que j'aime. Je veux qu'on respecte mon intimité. Toutefois, je dois me demander si moi « je ne mets pas mon **nez** dans les affaires des autres », que je n'ai pas « le **nez** fourré partout » . C'est peut-être une personne ou une situation que je critique, que je juge comme « sentant mauvais » et vis-à-vis desquelles je peux avoir de la ran**cœur♥** et même du dégoût. Je « sens » venir une situation, il y a un événement qui se « trame » et que j'ai peur d'affronter. Je vis une situation ou quelque chose ou quelqu'un va naître (il **naît- nez**) et cela crée un malaise à l'intérieur de moi. J'ai de la difficulté à sentir la proximité d'une personne. Ma paix intérieure est troublée par une présence intruse que je veux éloigner de moi. Ce peut être au niveau sexuel où j'ai de la difficulté à repérer un « prédateur » ou une « proie » selon le cas. Ce peut être aussi une odeur que je n'aime pas, peut-être parce qu'elle me rappelle un événement que je voudrais oublier, et que je qualifie de puant. Mon odorat est étroitement relié à ma mémoire holographique (en trois dimensions) des événements. Par mon odorat, il peut être très facile de me souvenir d'événements agréables comme d'événements désagréables. Lorsque je ne peux plus sentir, je veux couper une information avant qu'elle n'arrive à mon cerveau, ne plus être en contact avec une situation qui peut réveiller de la colère en moi. Alors, toute mémoire douloureuse qui implique une odeur précise peut causer un malaise à mon **nez**. Ce peut être une odeur nauséabonde mais ce peut être aussi la bonne odeur d'une personne dont j'ai dû me séparer et qui m'affecte encore aujourd'hui. Lorsque j'ai le « **nez bouché »**, je ne peux plus goûter les aliments. Je dois donc par conséquent me demander si j'ai encore le goût de vivre ou ce qui, dans ma vie, me laisse un « goût amer » ! En ayant le **nez bouché**, je peux vouloir inconsciemment ne pas me souvenir d'événements que j'ai vécus afin de m'éviter de revivre des émotions douloureuses de mon passé. Je peux vouloir résister à quelqu'un ou à une situation. Je force trop au lieu d'écouter ce que mon intérieur me dit de faire. J'ai l'impression de me faire « mener par le bout du **nez** ». Puisque mon **nez** est directement lié à mon côté intuitif et à mon res**senti**, je dois me demander si je peux m'être fermé à mes intuitions et mes perceptions. C'est comme si je mettais un voile sur mes émotions, mon ressenti. Je laisse les préjugés m'enfermer dans un cadre limité au lieu de rester ouvert à toute nouvelle possibilité. En « bloquant » ma respiration, je « bloque » ma compréhension, ce qui peut très bien me convenir. Si je me suis senti blessé, je peux me couper d'une partie de moi-même et je peux alors avoir tendance à valoriser plus le côté extérieur et superficiel des choses. Je peux devenir arrogant, entêté, avoir tendance à **narguer** les autres, tout simplement parce que je me suis coupé de ma sagesse, de mon côté intuitif. J'étouffe mon agressivité et ma frustration. Je veux changer complètement ma vie mais je n'exprime pas mes sentiments les plus profonds. Ainsi, un **nez sec** indique que je ne peux pas exprimer mon amour ouvertement. Si je me **fracture le nez**, ai-je peur qu'une séparation survienne, que ce soient mes parents ou des membres de la famille ? Si je me **casse le nez**, il y a quelqu'un que je veux chasser de ma vie. Je veux aussi peut-être trop dépasser mon père, lui montrer que j'ai réussi. Mon incompréhension face à lui peut me faire regretter de l'avoir comme père. Ma peur d'échouer est grande. Je n'ai pas senti venir un agresseur et n'ai donc pas pu me défendre. Une **déviation de la cloison nasale** m'indique que ma vie est « mal cloisonnée », que j'ai tendance à tout mélanger (surtout travail et affectif).

J'accepte↓♥ cet état de restriction dans ma respiration pour libérer les autres de leurs décisions que je n'ai pas à juger, à critiquer. Je cesse donc de juger les gens, les situations, leurs choix et leurs décisions comme je me libère moi-même de mes choix et de mes décisions. Cela permet à la vie de circuler librement en moi et à l'**amour** de grandir. J'accepte↓♥ pleinement qui je suis et toutes les expériences que j'ai vécues. En ayant une nouvelle compréhension d'événements qui ont été difficiles pour moi, j'accepte↓♥ que ceux-ci fassent partie de mon histoire et je pourrai recommencer à respirer librement.

NEZ (congestion)

VOIR : CONGESTION

NEZ (éternuements)

VOIR : ÉTERNUEMENTS

NEZ (ronflements)

VOIR : RONFLEMENTS

NEZ (saignements de...)

Le **nez** étant l'organe par lequel l'air circule pour aller à mes poumons et le sang étant le transporteur de l'air, de l'oxygène dans tout mon organisme, le **saignement de nez (épistaxis)** me montre que je laisse partir de la joie, de l'**amour** de la vie hors de mon corps, hors de mon être. **J'ai donc une perte de joie par rapport à quelque chose que je ressens**. Cela indique sûrement une grande déception dans ma vie. J'ai l'impression d'être vidé de tout mon sang, de toute ma joie de vivre. J'éprouve un sentiment qui me dit que je ne suis pas reconnu, accepté↓♥ ou aimé à ma juste valeur. Je joue à la victime et j'ai tendance à prendre mes distances face aux autres. Je me sens enfermé et pressé par les choses à faire. Le fait que le sang coule ainsi de mon **nez** attire l'attention des autres. Si je suis un **enfant**, je trouve difficile de prendre ma place face à la personne qui représente pour moi l'autorité. Je recherche sans cesse son approbation.

J'accepte↓♥ d'apprendre à me reconnaître, à m'aimer moi-même, donc à comprendre que je dois mon bonheur seulement à ce que je pense de moi-même. Une ancienne croyance provenant de la nuit des temps me dit qu'une mauvaise émotion ou une mauvaise situation s'en va en dehors de ma vie.

NEZ — KILLIAN (polype de...)

VOIR AUSSI : TUMEUR[S]

Le **polype de Killian**[162] est une tumeur bénigne qui se développe dans un sinus ou dans la fosse nasale correspondante et qui a pour effet d'obstruer plus ou moins complètement le côté affecté.

Comme pour les tumeurs en général, j'ai subi un choc émotionnel par rapport à ce que j'ai « ressenti ». La douleur me fait me refermer et m'amène à ressentir à nouveau des situations qui pourraient m'affecter. Je situe le **polype**, cette « boule de chair », et je pourrai trouver ce qui a pu me perturber soit du côté gauche, l'aspect affectif, émotionnel, soit du côté droit, l'aspect rationnel ou lié aux responsabilités.

Si je dois me faire enlever le **polype**, je dis merci à mon corps pour l'information qu'il m'a donnée et j'accepte↓♥ dans mon **cœur♥** la prise de **conscience** que j'avais à faire.

NEZ QUI COULE DANS LA GORGE

Tout liquide dans mon corps représente un aspect de mes émotions. Si mon **nez coule dans ma gorge** au lieu que le liquide sorte à l'extérieur de mon corps, cela indique que je « ravale » mes émotions ou mes larmes. J'ai tendance à me recroqueviller sur moi-même et à « pleurer sur mon sort ». Je suis attaché à quelque chose ou à quelqu'un. Il y a un trop-plein de larmes qui veulent couler mais j'ai de la difficulté à les laisser aller : je veux montrer que je suis très fort et en contrôle mais la réalité est tout autre. Ma sensibilité est toujours présente et si je la réprime, tôt ou tard, elle doit s'exprimer. J'ai tant besoin qu'on s'occupe de moi ! Ce que je montre aux autres est tout le contraire de ce que je vis intérieurement et je me coupe ainsi du monde qui m'entoure.

Il est important que je me reprenne en mains, que je fasse des choses pour moi, afin de reprendre goût à la vie et d'accomplir ma mission. Je dois être vrai avec mon entourage. J'assume pleinement mes émotions. Je recommence à prendre soin de moi si je veux que les autres me donnent leur chaleur humaine.

---

162 **Killian** (Gustav) : oto-rhino-laryngologiste allemand (1860-19210). Il exerce à Berlin puis aux États-Unis, où il invente la bronchoscopie en 1897 et l'oesophagoscopie en 1898.

NEZ — SINUSITE

Lorsque je suis affecté d'une **sinusite**, je vis un blocage au **nez** et ce sont les **sinus** de la face qui sont concernés ici.

Cette infection des **sinus** est reliée à l'impuissance face à une personne ou à une situation : **je ne peux pas la sentir** ou la **moutarde me monte au nez**. J'imagine la sensation d'avoir de la moutarde forte dans le **nez**, ça m'étouffe, ça me brûle... Je peux aussi pressentir un danger ou une menace qui font surgir une peur à l'intérieur de moi. Le danger peut être réel ou imaginaire ; le résultat sera le même. « Ça sent mauvais pour moi ». La vérité est cachée ou déformée et cela me rend inconfortable. Suis-je dans une situation où j'ai l'impression qu'il n'y a aucune issue possible, que je suis dans une impasse ? Ai-je le désir d'avoir un enfant mais j'ai l'impression que cela est impossible ou en ai-je déjà un mais je voudrais me sentir davantage proche de lui, ***uni*** à lui ? Je peux avoir l'impression que « quelque chose ne sent pas bon », « qu'il y a quelque chose de louche » ou qu'on fait des choses à mon ***insu***. Je résiste à ce qui me nourrit car je refuse de laisser entrer l'air à l'intérieur de mon **nez**. Ma créativité sera ainsi très basse et j'aurai tendance à travailler plus d'une façon rationnelle. Je vis beaucoup d'irritation car je me sens limité, sans aucune marge de manœuvre. Je me sens forcé, comprimé « pressé comme un citron » autant au niveau de mon espace vital (**sinus maxillaires**) que dans le temps (**sinus frontaux**). Je me retrouve dans une situation où il y a une hiérarchie : puisque je me sens soumis, que je reçois moins d'informations que si je faisais partie de ceux qui décident, j'ai l'impression de subir et de flairer le vent sans avoir vraiment tous les éléments de chaque situation. Puisque je ne comprends pas tout, je peux sentir des choses mais je n'ai aucune confirmation de mon ressenti et cela me gêne beaucoup. Au lieu d'écouter ma voix intérieure, je laisse mes vieux schémas de pensée dicter ma conduite. Je réprime alors mes émotions d'angoisse et ma peur de ne pas être aimé. Je me sens pris à la gorge. Mon impuissance m'amène à me cacher dans l'illusion et dans la révolte. J'ai l'impression d'avoir gâché ma vie... La **sinusite** « explose » quand moi aussi je n'en peux plus et que je suis prêt à exploser émotionnellement. Je ne peux plus vivre dans la sécurité de la vie organisée et rigide que je me suis créée. Je n'en peux plus de vivre en fonction des autres que j'utilise comme « bouées de sauvetage ». J'ai besoin de nouveaux ***repères*** et d'affirmer mon autorité. Le message que je dois comprendre est que je dois sentir l'**amour** autour de moi et l'inspirer au plus profond de moi.

J'accepte↓♥ de parler de moi. Je n'ai plus besoin de faire des compromis constamment. Je fais confiance à ma voix intérieure pour savoir ce qui est bon pour moi. Je laisse la douceur prendre place dans ma vie. Je me fais confiance et je peux enfin voir la **lumière** !

NODULES

Un **nodule** est une lésion cutanée ou muqueuse qui est bien délimitée, presque sphérique et palpable et qui peut se loger à différentes profondeurs de la peau (derme, épiderme ou hypoderme). Il se retrouve communément sur les cordes vocales ou dans l'oreille.

Ce **nodule** m'aide à prendre **conscience** que je vis de la déception, de la ran**cœur♥** face à un projet que je n'ai pu réaliser parce que « **j'ai frappé**

un nœud[163] » qui m'a fait m'éloigner de mon but ou ne m'a pas permis de l'atteindre. Ce peut être tant sur le plan professionnel qu'affectif. Ma communication (cordes vocales) peut être en cause ; j'aurais voulu dire des choses que je n'ai pas osé dire ou j'ai l'impression d'avoir trop parlé et d'avoir « mis les pieds dans les plats ». Ce peut être aussi quelque chose que j'ai entendu (**nodule** au niveau de l'oreille) et qui m'a dérangé au point « d'arrêter le chantier qui était en construction ». L'important, c'est de décider que tout arrive au bon moment. Je regarde si la rigidité que je manifeste dans ma vie peut être la cause de mon malaise intérieur. Si je suis trop dur envers moi-même, j'aurai un jour le goût de me révolter. J'ai parfois l'impression que les attentes des autres envers moi sont pratiquement irréalistes et je dois être quelqu'un d'autre pour survivre dans ce monde. Le **nodule** apparaît habituellement à l'endroit de mon corps où je ne veux pas me faire toucher car le fait de me faire toucher par quelqu'un (même par quelqu'un que j'aime ou en qui j'ai confiance, par exemple un médecin) me rappelle mon premier choc, un événement douloureux. Mon sentiment d'insécurité peut avoir été amplifié à ce moment. Je peux m'être retrouvé dans une situation où on m'a dit « non » et cela a été très dur à vivre. Je ne reçois pas la reconnaissance dont j'ai besoin et je doute de mon pouvoir de création.

J'accepte↓♥ ce qui a freiné mon élan afin de pouvoir le dépasser. L'important, c'est d'atteindre le but fixé, quels que soient les embûches et les retards qui se trouvent sur mon chemin. Je n'en serai que plus fier et content de moi ! Je laisse tomber ma façade et j'apprends à être moi-même. Je décide des projets qui me tiennent à **cœur♥** et qui sont importants pour moi et non pas juste pour les autres. En reprenant ma place, je serai en mesure d'exprimer mes besoins et j'aurai toute l'énergie et la force nécessaires pour accomplir tous mes buts.

NOMBRIL

VOIR : OMBILIC

NOSTALGIE

VOIR AUSSI : MÉLANCOLIE

La **nostalgie** est une mélancolie causée par un regret.

Habituellement, lorsque je suis **nostalgique**, cela implique que je regarde à travers un nuage embrouillé d'émotions, hors du temps présent, avec le sentiment qu'il me manque quelque chose. C'est une forme de rêverie. Il ne faut pas que ce « rêve » devienne une fuite régulière du moment présent. Je m'accroche aux « bons vieux souvenirs du passé » pour « m'aider à tenir le coup ». En m'accrochant au passé, je ne peux plus voir ce qui s'en vient de beau pour moi. C'est mon optimisme, ma spontanéité qui s'en vont. Je ne peux savourer le « ici et maintenant » et je laisse filer d'innombrables occasions de rencontrer de nouvelles personnes, vivre de nouvelles expériences. La **nostalgie** peut facilement se transformer en négativisme et mes amis pourront s'éloigner de moi. Cette **nostalgie** peut

---

[163] **J'ai frappé un nœud** : expression québécoise voulant dire que j'ai rencontré un obstacle majeur.

ne pas me nuire, à condition que je n'en fasse l'expérience qu'à l'occasion et sans exagération.

J'accepte↓♥ de savourer pleinement le moment présent afin que chaque seconde qui passe soit vécue comme une expérience unique et riche d'enseignement.

NUQUE (... raide)

VOIR AUSSI : COLONNE VERTÉBRALE, COU

La **nuque** est la région de mon corps par où toutes les énergies (ondes) doivent passer pour aller se répartir dans tout mon corps. La **nuque** est au sommet de ma colonne vertébrale. Ma colonne est le soutien, la structure de mon corps.

Ma **nuque** est donc le pivot de ma tête. Ma **nuque** me permet de considérer toutes les facettes d'une situation. Si elle est souple, je peux être ouvert complètement au monde qui m'entoure et faire face à ses exigences. Elle correspond à ma confiance en moi. Si j'ai peur de recevoir « une tuile par la tête », ma **nuque** sera touchée. De même, si je vis ou vois de l'injustice, ma **nuque** réagit. Je peux me retrouver à un moment dans ma vie où « je ne sais plus où donner de la tête ». Il y a beaucoup de surprises et d'inattendus (souvent au niveau familial) et j'ai tendance à jouer au martyr. Une **nuque raide** est une démonstration d'un refus ou d'un engorgement d'énergie. La tête ne peut plus tourner dans différentes directions. Je peux avoir l'impression de manquer de soutien et j'ai tendance à être entêté et rigide dans ma façon de penser, de n'en faire qu'à ma tête. Ceci m'amène à être passif, évitant d'aller de l'avant et d'être dans l'action. Je me dois de laisser circuler ces pensées diverses qui bloquent ma tête et qui ne demandent qu'à être exécutées par mon corps physique. J'ai l'impression de ne pas avoir toutes les qualités nécessaires à la réalisation de mes désirs et de mes idées qui risquent de rester à l'état de « projet » ou de « rêve irréalisable ». Si ma **nuque**, comme pivot, s'appuie sur des valeurs, des principes hors de moi, celle-ci sera plutôt faible. La **nuque** permet à ma tête de regarder différentes options de la vie ou différents paysages qui s'offrent à moi. Je me dois de regarder avec amour ces différents paysages, sans critique ni jugement, en toute liberté, comme un fleuve permet à l'eau d'y circuler dans un va-et-vient perpétuel, sans contrainte ni restriction.

J'accepte↓♥ les différentes sensations qui viennent à moi et je les laisse circuler librement. J'accepte↓♥ aussi toutes les richesses que j'ai à l'intérieur de moi, je n'ai plus à me préoccuper de ce que les autres pensent de moi car je suis maintenant pleinement conscient de tout le potentiel qui m'habite.

NYSTAGMUS

VOIR : YEUX —NYSTAGMUS

OBÉSITÉ

VOIR : POIDS [EXCÈS DE...]

OBSESSION

L'**obsession** est une maladie de la pensée. Lorsque je suis **obsédé** par quelque chose ou par quelqu'un, toute mon attention, toute mon énergie sont dirigées vers celui-ci ou celle-ci. Ces idées me viennent de façon répétitive et menaçante. Je demeure cependant conscient du caractère irrationnel que sont ces idées. Il n'y a rien d'autre qui compte.

Si j'ai une personnalité **obsessionnelle**, il y a de fortes chances que je sois une personne remplie de doutes, ayant beaucoup de difficulté à prendre des décisions, et que je vive de l'ambiguïté amour-haine, face à moi-même et face aux autres. Les **obsessions** peuvent revêtir des formes très diverses : cela peut être une phobie face à quelque chose ou à quelqu'un, cela peuvent être des « ruminations mentales » sur « ce qui pourrait se produire si... », la folie du doute, ou une compulsion à commettre certains actes qui peuvent être sans conséquence, ou qui peuvent aussi être criminels, même suicidaires, mais qui ne sont pratiquement jamais suivis de passage à l'acte. La plupart du temps, j'ai une crainte angoissante face à « quelque chose qui pourrait arriver » par négligence ou par faute personnelle et qu'il faut éviter. Ma priorité, c'est d'entretenir mon **obsession**, même inconsciemment. Mon système de pensée est paralysé. Je suis nourri par l'objet de mon **obsession**. Je comble ainsi un vide intérieur et une grande insécurité. Pour que je vive de l'**obsession**, il faut que je vive une sorte de tension intérieure, d'inquiétude ; alors, il serait temps pour moi de trouver un point d'intérêt dans ma vie m'apportant plus de calme et plus de paix intérieurs. Je pourrai ainsi profiter davantage de ce que la vie m'apporte. Si je suis une personne **obsédée**, je me juge et critique très sévèrement. Je panique à l'idée de ce qui va arriver dans le futur mais ma peur est souvent non fondée. Cette angoisse m'empêche de vivre pleinement ma vie, d'évoluer. Je m'oblige à rester dans ma zone de confort et j'hésite à faire des projets, à avoir des rêves car j'ai décidé d'avance que quelque chose de négatif va arriver qui va les empêcher de se concrétiser. Je sais que je suis rendu à une étape de ma vie où je dois laisser aller des choses ou des personnes qui ne me conviennent plus. Je dois laisser aller ce qui est négatif pour moi mais je m'accroche, ayant peur de l'inconnu.

Je décide aujourd'hui de prendre ma vie en main. Je regarde d'une façon objective toutes les belles choses qui me sont arrivées et j'accepte↓♥ que la vie ne veut que ce qu'il y a de mieux pour moi. Je le mérite et je me fais confiance. En me libérant de ce qui n'a plus lieu d'être dans ma vie, je me rapproche de plus en plus de mon essence divine. C'est ainsi que je me reconnecte à mon pouvoir et à ma sécurité intérieure. Je n'ai donc plus à être obsédé, je n'ai qu'à faire confiance à ma voix intérieure qui me guide toujours vers ce qui est bon pour moi.

ODEUR CORPORELLE ET TRANSPIRATION

VOIR AUSSI : NEZ

En général, tous les liquides contenus dans le corps humain représentent mes émotions. Dans ce cas-ci, une **odeur corporelle désagréable** est le signe que des émotions néfastes débordent et que je dois exprimer celles-ci au lieu de tout retenir à l'intérieur de moi. Cela peut être de l'irritabilité, du mécontentement, de la haine, de la frustration, de la rancune, du dégoût face à une personne ou une situation, etc. Je suis très sensible aux commérages et aux critiques dirigés contre moi. Cela peut être aussi le signe d'un relâchement, d'une émotion intense qui sont reliées à la partie du corps où la transpiration arrive. Si j'ai peu de confiance en moi et qu'en plus, j'ai peur d'être critiqué ou rejeté, mon **odeur corporelle** risque d'être désagréable. Cette situation éloignant les gens autour de moi, je peux me demander quelle raison j'ai de vouloir les garder à distance. Une personne qui a une **bonne odeur corporelle** aura généralement de belles pensées et sera en harmonie avec son entourage. Il arrive que je sois une personne qui a reçu une vie avec une mission spirituelle élevée, que je meure « en **odeur** de sainteté ». On peut alors réellement sentir comme un parfum de fleur qui se dégage du corps. De même, si je lis des textes spirituels, que je suis en état de méditation ou de contemplation, ou que je me sente dans un état où je suis très heureux, alors je peux dégager une senteur comme l'œillet, la rose, le bois de santal et divers autres parfums. Les personnes pourront sentir ou non le parfum que je dégage. Même si cela est rare, je peux être une personne qui est capable de sentir les maladies et même les sentiments chez une autre personne. Les anciens médecins de campagne disaient qu'il faut "*sentir les humeurs...*" Ainsi, chaque maladie a une **odeur** particulière, au même titre que les maladies ont une couleur particulière dans le champ magnétique que l'on appelle l'aura. Si la **transpiration est abondante**, c'est le signe que je vis beaucoup de nervosité intérieure, d'insécurité ou que j'ai de grandes angoisses. Je laisse sortir par les pores de ma peau tout ce que je refoule et qui reste emprisonné à l'intérieur de moi. Il s'agit souvent de colère et de honte. Je suis incertain quant au chemin à prendre dans ma vie. Je suis sur la défensive car j'ai peur qu'on me blesse ou qu'on me piège si j'exprime mes émotions, surtout devant un public. Toutefois, je prends **conscience** que c'est de moi-même que je veux me protéger : je refoule tellement mes émotions que celles-ci veulent refaire surface et c'est ce que je veux éviter. Je me méfie des autres quand c'est de moi-même que je me méfie. Par l'eau qui sort de ma peau, je veux « laver » une situation où je me suis senti séparé d'autrui et dans laquelle j'ai vécu un sentiment de souillure, d'injustice. J'ai des **sueurs froides** quand je suis paralysé par la peur et que j'ai beaucoup de difficulté dans mes relations avec mon entourage.

J'accepte↓♥ de m'affirmer et d'exprimer mes sentiments tant positifs que négatifs afin de me dégager, de faire place à du neuf, et que de belles pensées d'**amour** me nourrissent. Je n'ai que des gens qui veulent mon bien autour de moi. Je fais disparaître mon seul ennemi, moi-même, en m'aimant davantage et en prenant **conscience** de toutes les possibilités qui m'habitent.

ODORAT

VOIR : NEZ

ŒDÈME

L'**œdème** est un renflement causé par une rétention d'eau. Il cause un gonflement et est très fréquent dans les chevilles et les pieds. Il peut se retrouver aussi dans les autres articulations ou les tissus conjonctifs.

Les liquides dans le corps représentant mes émotions, il se peut que je retienne ou refoule mes sentiments intérieurs. Je peux aussi nier mes impulsions ou **sentir des limitations et des barrières par rapport aux choses que je désire**, amenant découragement et désappointement. Je peux aussi vouloir retenir quelqu'un ou quelque chose, soit de mon passé, soit dans mon présent et m'y accrocher comme à une bouée de sauvetage. Ce peuvent être aussi des souvenirs douloureux. Je suis en conflit avec le temps qui passe, il va trop vite. Sinon, je vais me noyer dans ma peine, dans ma déception, dans mon amertume face aux événements. Je me sens bloqué. Même mon mécanisme de pensées est « figé ». Je prends tellement en considération les sentiments des autres que je fais abstraction des miens. Je recherche l'harmonie et j'essaie de toutes mes forces de lier, rapprocher les êtres qui ont des différents. J'ai peur d'exprimer ce que je ressens. Je me sens **impuissant** et je vis de la **mélancolie**, de la **tristesse** et une **grande lassitude**. Je crois que je suis voué à l'échec, ce qui m'empêche d'aller de l'avant. J'ai développé un complexe d'infériorité et j'ai très peur. Je peux avoir le sentiment que la vie est très injuste, vivant un grand vide intérieur. Je ne peux agir pour moi, je démontre donc beaucoup d'autorité envers les autres et je tente de prendre des décisions à leur place. Comme je cache à tout le monde ce qui me dérange, je prends **conscience** de l'urgence d'exprimer mes besoins. L'**œdème** me montre que j'ai besoin de protection par peur d'être blessé dans mes émotions. Cette peur m'amène à fuir, à me construire différentes personnalités qui m'évitent d'être en contact avec mon moi profond. La séduction est un outil que j'utilise pour aller chercher l'attention et l'**amour** des autres. La fonction de la partie du corps affectée par l'**œdème** ajoute d'autres informations. Au niveau des jambes, des chevilles ou des pieds, je peux vivre un très grand désir d'aller dans une direction différente, mais je me sens émotionnellement pris dans la direction dans laquelle je vais, me sentant incapable de m'affirmer et de m'en libérer. Il y a des situations de ma vie qui ne sont pas claires qui impliquent certaines personnes en particulier et cela m'amène à vivre de la confusion. Lorsque l'**œdème** se forme à la suite d'un coup, d'une blessure ou qu'une partie de mon corps cherche à se reconstituer, cela est appelé l'**œdème de guérison**. Dans certains cas, mon corps amène alors ce liquide comme pour diminuer la friction, et aider l'environnement immédiat de la partie affectée à se reconstituer. L'**œdème** amène le besoin de reconnaître et de découvrir l'expression de mes émotions **embouteillées** et **renfermées**.

J'apprends aussi à lâcher prise afin de me permettre d'avancer et d'effectuer des changements positifs dans ma vie. J'accepte↓♥ d'être aimé pour moi-même, quelles que soient les émotions qui m'habitent. J'accepte↓♥ d'apprendre à communiquer mes besoins et je réalise qu'il est possible de le faire sans que l'autre personne se sente attaquée. En me permettant d'être moi, je retrouve la joie de vivre et, du même coup, un regain d'énergie. Ma compréhension envers les autres devient plus grande parce que je m'exprime et que je me comprends mieux moi-même

ŒIL

VOIR : YEUX [EN GÉNÉRAL]

ŒSOPHAGE (l'...)

L'**œsophage** est le passage pour les aliments afin que ceux-ci soient digérés. Il relie le pharynx à l'estomac.

Il permet de laisser passer aisément les nouvelles expériences, ce qui m'amène une ouverture sur le monde et m'aide à évoluer. D'une façon générale, si j'ai des émotions ou des idées qui « passent de travers », l'**œsophage** se crispe et le passage est plus difficile, pouvant même provoquer de l'irritation, celle-ci manifestant mon irritation intérieure face à quelque chose ou face à quelqu'un que j'ai de la difficulté à tolérer. Je manifeste beaucoup d'intransigeance. Il y des choses qui ne me conviennent pas mais je suis passif et ne fais rien pour changer les choses. Mes appréhensions, mon angoisse, ma peine amèneront mon **œsophage** à se contracter, pouvant même aller jusqu'à **obstruer** complètement le passage. Je m'oblige à faire des choses pour les autres au lieu de faire ce que j'ai vraiment envie de faire. Je laisse tout passer afin d'éviter les confrontations. Mes émotions me paralysent et m'empêchent « d'avaler » de nouvelles expériences. Il y a des situations ou des façons de penser que je me force à avaler, à accepter↓♥ comme faisant partie de moi mais je sais qu'au fond de moi, je ne veux pas qu'elles s'incorporent à moi, à ma vie. Je peux « ***avaler* de travers** » parce que j'ai peur de l'autorité extérieure ou « la pilule ne passe tout simplement pas ». Je m'empêche d'avancer, de grandir. Je veux peut-être vouloir avaler trop vite par gloutonnerie, de peur de manquer plus tard d'**amour** et d'affection. Je préfère me « fermer la ***gueule*** ». J'ai l'impression que je dépends de quelqu'un d'autre pour « amener du pain sur la table[164] ». Je m'attache trop au passé. Je prends ainsi une attitude molle et passive. Comme l'**œsophage** est le passage entre ma bouche qui représente l'entrée de nouvelles idées et mon estomac, les idées que j'ai à digérer, si j'éprouve une forte colère ou de la haine face à quelque chose dans ma vie « qui ne passe pas », je pourrai développer un **cancer de** l'**œsophage**. Il survient lorsque je vis une situation que je considère sans issue ; quoi qu'il arrive dans ma vie, je me dis qu'il n'y a plus rien qui pourrait se passer et qui me permettrait de me redonner espoir. **La partie inférieure de l'œsophage** se réfère à mon désir de tout prendre, avaler, de ne rien jeter. J'ai « les yeux plus gros que la panse ». J'ai peur qu'on me prenne ce qui m'appartient et en même temps, j'ai de la difficulté à vraiment profiter de ce que j'ai. **La partie supérieure de l'œsophage** met en **lumière** une situation que je refuse « d'avaler »

[164] **Amener du pain sur la table** : gagner ma vie, de l'argent pour subvenir à mes besoins.

même si on m'y force. Quelque chose ou quelqu'un passe en travers de ma gorge.

J'accepte↓♥ de laisser aller toute amertume et voir chaque expérience de ma vie comme une occasion de grandir afin que les joies de la vie me nourrissent. J'accepte↓♥ d'être un pionnier, un « leader » ! Je suis dans l'action : je recherche de nouvelles possibilités de m'épanouir. En pardonnant tout acte ou parole qui m'ont blessé, je laisse aller ces nuages noirs qui flottaient au-dessus de ma tête et qui m'empêchaient d'avancer. Je m'ouvre aux leçons que la vie veut me montrer et j'acquiers ainsi une plus grande liberté et une paix intérieure.

OIGNON

VOIR : ORTEILS — OIGNON

OLFACTION

VOIR : NEZ

OMBILIC

L'**ombilic** est l'ouverture de la paroi abdominale du fœtus par laquelle passe le cordon ombilical. Peu de temps après la naissance, il devient une cicatrice, et il est communément appelé **nombril**.

Une douleur à ce niveau implique que je dois m'ouvrir davantage aux autres au lieu de rester centré sur moi. Il se peut que je sois en train de « **couper le cordon ombilical** », c'est-à-dire ma dépendance envers ma mère, mon milieu familial. C'est par le **nombril** que lorsque j'étais fœtus, j'ai reçu toute la nourriture essentielle à ma croissance et à ma survie. Une anomalie ou un malaise à ce niveau peut donc aussi me donner une indication de quelque chose dont j'ai un besoin vital dans ma vie et que je ne reçois pas, ou au contraire quelque chose que je voudrais rejeter, évacuer car consommé ou reçu en trop grande quantité et qui n'est peut-être plus bénéfique pour moi. Je peux avoir de la difficulté à me détacher de l'influence parentale, à « couper le cordon ». Tout ce que je traîne inutilement devient un fardeau. Je remets en question ma place au sein du clan, ayant l'impression que je n'en fais pas partie. Si je suis un **bébé dont le nombril est rouge** et qu'il y a **inflammation**, cela indique que je vis beaucoup de colère face à mon incapacité à vivre choses. J'ai besoin d'être tout près de maman et en même temps, j'ai besoin d'espace. Si je suis le parent de ce bébé, je dois regarder si moi aussi je vis la même chose car le bébé est très sensible à ce que je vis. Le **nombril** est aussi considéré par certaines personnes comme un centre d'énergie important pour l'ouverture, car il existe même un groupe appelé « les adorateurs du **nombril** » qui font des exercices de méditation sur cette partie du corps qui représente l'ouverture du passage de la vie alors que j'étais un fœtus dans le ventre de ma mère.

J'apprends à accepter↓♥ mon côté ***excentrique***, à reconnaître mes qualités avec humilité, évitant ainsi de « me prendre pour le **nombril** du monde » et me permettant de voir toute la beauté qui existe en chaque être et en chaque chose. Je laisse aller toute relation ou situation qui n'est plus bénéfique pour moi et je laisse venir à moi de nouvelles connaissances ou de nouveaux contacts amenant un vent de fraîcheur et de changement positif dans ma vie.

OMBILICALE (hernie...)

VOIR AUSSI : HERNIE

La **hernie ombilicale** peut être une manifestation de mon désappointement ou de mon regret d'avoir dû me détacher de l'environnement douillet et sécuritaire qu'était le ventre de ma mère. Maintenant, j'ai l'impression que je dois me débrouiller seul et j'ai des efforts à faire pour atteindre les buts que je me suis fixés et qui deviennent tout à coup beaucoup moins excitants.

J'accepte↓♥ le fait d'avoir tout le potentiel nécessaire pour atteindre mes objectifs et que la vie me supporte entièrement. En acceptant↓♥ de servir sans égoïsme, j'ouvre mon **cœur♥** à **l'amour** des autres.

OMOPLATE

L'**omoplate** est un os plat, large et mince faisant partie du squelette. Avec la clavicule, l'**omoplate** sert à unir le bras au tronc.

De la douleur à cet endroit peut indiquer une révolte face à l'autorité, car je me sens coincé ou écrasé par celle-ci. Les difficultés (fracture ou autres) au niveau de l'**omoplate** peuvent provenir d'une contrariété entre ce que je suis, représenté par le tronc, et ce que je veux exprimer, représenté par mes bras qui sont le prolongement de l'énergie du **cœur♥**. Les **tensions** (ou nœuds) au niveau de l'**omoplate gauche** m'indiquent que je suis en désaccord avec mon conjoint ou mes enfants et les **tensions** de l'**omoplate droite** m'indiquent qu'il y a quelque chose qui me contrarie au travail. Un **malaise** à **l'omoplate** indique que j'ai tendance à me laisser « piétiner, marcher dessus ». J'ai besoin d'un ***bouclier*** pour me protéger. Il y a une situation de ma vie où je me sens totalement en dessous des autres, moins bon, moins compétent. Je vis dans la passivité, ce qui diminue mon niveau d'énergie.

J'accepte↓♥ de considérer ce que je suis dans mon entier pour manifester de l'harmonie dans ma vie, dans les actions que je pose. Je prends du temps dans le calme pour méditer et faire une introspection de qui je suis réellement. J'apprends à être à l'aise avec la solitude car elle me permet de reprendre contact avec mon essence divine. Par la suite, il me sera plus facile d'exprimer mes besoins.

ONGLES (en général)

Les **ongles** représentent le tissu dur et mon énergie la plus profonde et spirituelle, ma force intérieure. Ce sont ces derniers que je peux manier pour créer ma vie. Je prends le temps, je ne brusque pas les choses ainsi, j'évite de brusquer le courant de la vie. Cette force en moi me soutient. Cette protection représentée par mes **ongles** est constamment avec moi. Ils me montrent quelle est ma capacité à être flexible. Les **ongles** se manifestent sur mon corps aux endroits les plus « prolongés ». Ils peuvent être affectés lorsque mon activité, ma dextérité, ma direction tendent à changer et que j'ai de la difficulté à faire face à ces changements. Ils dénotent aussi une difficulté à me positionner face aux situations ou personnes. Les détails de mon quotidien peuvent devenir le point de mire de toute mon attention. Les **ongles** représentent ainsi le sentiment de **protection** que j'ai par rapport à tout ce qui se passe autour de moi. Un malaise à mes **ongles**, par exemple une **inflammation**, indique que je m'accroche et ai de la difficulté à laisser aller. Je me sens vulnérable. Où est mon vrai pouvoir ? Mes **ongles** peuvent devenir **exagérément épais** car je veux me protéger comme la tortue avec une carapace épaisse. Je veux m'armer contre les dangers extérieurs et je vis dans une prison. Je veux sortir mes griffes pour me défendre. Si je suis une **femme**, je n'ose pas me défendre, tandis que si je suis un **homme**, je peux hésiter à attaquer ou à m'affirmer. Qui que je sois, est-ce vraiment des autres que je dois me protéger, ou de mes propres sentiments d'agressivité et d'autodestruction ? Je veux fermer la porte d'accès de ma personne à tous ceux qui m'entourent pour protéger ma vulnérabilité. Si je prends excessivement soin de mes **ongles**, je dois me demander quelle est l'image que je veux projeter aux autres afin de cacher une partie de moi que je trouve laide. Des **points** ou **taches blanches** sur les **ongles** m'indiquent que j'ai vécu un événement bouleversant. J'étouffe ma frustration car j'ai peur d'être dans l'action et je reste donc dans la passivité. Je sens le besoin de me défendre comme un animal pourchassé. Des **ongles endommagés** sont une expression de mon sentiment d'être ***emmuré*** et de me sentir presque comme enterré. Des **ongles qui se dédoublent** sont un signe de ma tendance à vouloir m'accrocher à deux endroits ou deux personnes à la fois. Je suis une route, des règles qui sont néfastes pour moi mais je m'entête à continuer. Je me sens déchiré intérieurement. J'ai le choix d'utiliser mes **ongles** soit négativement (pour agresser, pour me défendre et pour faire mal, comme chez les animaux), soit positivement en les utilisant pour ma dextérité et ma créativité. Quelle que soit l'énergie utilisée, je peux découvrir l'état de celle-ci en définissant l'état de mes **ongles**.

J'accepte↓♥ d'apprivoiser cette force intérieure. Je laisse aller les résistances et je cesse de m'accrocher aux autres. Je ne peux développer cette solidité intérieure qu'en prenant appui sur moi-même.

ONGLES (se ronger les...)

Si je me **ronge les ongles**, cela indique une nervosité intérieure très grande et l'existence d'une situation qui gruge mon énergie. Cela peut être aussi une insécurité profonde de ne pas être capable d'être ou de faire ce que l'on attend de moi. S'il s'agit d'un **enfant**, cela peut manifester la présence de rancune ou de frustration face à un parent, cette situation pouvant aussi survenir lorsque je suis devenu adulte. Comme enfant, je peux avoir l'impression que la famille dans laquelle j'évolue m'empêche de m'affirmer et brime ma créativité. Je peux me sentir incapable de me prendre en mains et de m'autosuffire et je veux que les autres s'occupent de moi. Je peux aussi **ronger mon frein** en refoulant mon agressivité ; en **mettant de l'eau dans mon vin**, je peux laisser entrevoir un débordement imminent d'émotions non exprimées. Ce peut être une partie de moi que je prends en aversion. Je supprime mon besoin d'exprimer mes besoins, tant au niveau de la parole que sexuellement, car j'ai peur de découvrir ma vraie essence. J'ai de la difficulté à assumer mon autonomie, souvent par rapport à mes parents. Je ne veux plus donner ou recevoir de coups. J'ai l'impression de « creuser ma tombe[165] ».

J'accepte↓♥ d'exprimer toutes mes émotions et d'aller chercher ma sécurité et ma confiance à l'intérieur de moi. Ainsi, je m'épanouis !

ONGLE INCARNÉ

Il s'agit d'un **ongle** dont les bords latéraux s'enfoncent dans les tissus mous voisins. Il touche le plus souvent le gros orteil.

Un **ongle incarné** indique de la culpabilité ou de la nervosité face à une nouvelle situation. J'ai le goût de me venger, de m'opposer à quelqu'un (souvent la mère) mais j'en suis incapable. Il peut aussi représenter un conflit entre mes désirs mentaux et spirituels. S'il s'agit de l'**ongle d'un doigt**, il s'agit d'une situation de mon quotidien et, plus fréquemment, s'il s'agit de l'**ongle d'un orteil**, il s'agit d'une situation ou d'une décision face à l'avenir. Dans le cas du **gros orteil**, l'**ongle incarné** peut représenter mon inquiétude face à la pression que je crois devoir affronter à l'avenir et face à laquelle je me sens déjà coupable, car j'appréhende de ne pouvoir vivre cet avenir avec harmonie et succès. Je vis de la rancune et ma culpabilité m'amène à penser que je n'ai pas le droit d'avancer et de réaliser des choses. Je peux aussi vivre des regrets face à certaines décisions que j'ai prises. Je me punis par la souffrance qu'un **ongle incarné** occasionne. Il est important de voir quel doigt ou quel orteil est touché afin d'avoir des informations supplémentaires sur la facette de ma vie par rapport à laquelle j'ai à m'ajuster tout en éliminant ma culpabilité. L'**ongle** a tendance à se replier sur lui-même comme moi je le fais dans ma vie. Je me retire sous ma carapace et je veux tout retenir contre moi. Pourtant, je veux réussir ma vie mais je me sens incapable de réaliser mes rêves. J'ai alors tendance à être agressif, frustré. Je crois que je dois « faire » des choses pour montrer ma valeur.

J'accepte↓♥ de regarder toutes mes richesses intérieures, de reconnaître toute la force qui m'habite et d'être moi-même. Je n'ai plus besoin de ses « **griffes** » qui continuent à pousser de tous les côtés et dont je croyais avoir besoin pour me défendre et m'affirmer. Au lieu de vouloir m'accrocher, j'ai avantage à aller au-devant des autres. Je vais de l'avant et je m'appuie sur ma force intérieure.

ONGLES JAUNES (syndrome des...)

Le syndrome des **ongles jaunes** se manifeste lorsque les **ongles** de mes doigts ou de mes orteils ont une couleur jaune verdâtre, qu'ils sont épais et recourbés. Médicalement parlant, cela se produit lorsque la circulation de mon système lymphatique est inadéquate, lui-même provenant de trouble respiratoire chronique. Parce que mes **ongles** sont une protection pour mes doigts et mes orteils, mon corps me manifeste que je dois augmenter mes protections car je me sens fragile et ne fais pas face aux événements de la vie (poumons = vie) dans les petits détails qui se présentent à moi aujourd'hui ou demain. Je trouve ma vie terne.

[165] **Creuser sa tombe** : prendre beaucoup de risques inutiles.

J'accepte↓♥ de chercher en moi ce qui peut amener plus de passion dans ma vie. J'augmente en moi l'énergie vitale pour qu'elle se manifeste jusqu'au bout de mes doigts.

ONGLES MOUS ET CASSANTS

Les **ongles** représentent ma vitalité, l'état de mon énergie vitale. Des **ongles cassants** expriment un déséquilibre quant au niveau de mon énergie et quant à l'utilisation que je fais de celle-ci. Des **ongles mous** expriment la lassitude que je vis, l'indifférence qui m'habite. Ma vie est aussi terne que mes **ongles**. C'est à moi d'y mettre du piquant et de voir à bien utiliser mon énergie. Je prends **conscience** que je vis ma vie d'une façon « molle », en laissant décider les autres pour moi. Je vis dans l'ombre, en refusant les forces qui m'habitent. Je me sens impuissant, fragile comme mes **ongles**. J'ai de la difficulté à faire face à toutes les émotions qui m'habitent.

J'accepte↓♥ de me reprendre en mains ! Je découvre toute la force qui m'habite. Que je suis grand et fort et que je peux accomplir de grandes choses. Il ne tient qu'à moi d'être sûr de mes capacités et d'aller de l'avant.

OPIUM (consommation d'...)

VOIR : DROGUE

OPPRESSION

Lorsque je me sens **oppressé**, j'ai la sensation d'un poids sur la poitrine, donc au niveau des poumons. Je peux aussi avoir l'impression d'étouffer.

Cela peut être mes émotions qui m'accablent, mes soucis qui pèsent lourd, ma révolte qui gronde. Je peux me sentir accablé par l'autorité, et « le pouvoir » par qui j'ai l'impression d'être abusé. Je peux sentir face à une personne ou une situation, de la **pression** provenant d'une insécurité intérieure profonde qui fait que je voudrais voir se régler la situation le plus rapidement possible. Je crains la critique et je m'enferme dans une certaine façon de faire pour passer inaperçu et ne pas créer de vagues.

J'accepte↓♥ de reprendre le pouvoir qui m'appartient. Je prends **conscience** de la liberté que je possède. Je libère mes sentiments négatifs afin de faire place au calme et à l'**amour**.

OPPRESSION PULMONAIRE

Un tel état démontre qu'il y a un déséquilibre entre la pression de mon intérieur et celle de l'extérieur. **C'est un sentiment très fort qui bloque la libre circulation de la vie en moi**. Je dois donc en prendre **conscience** et me demander si cette forte pression vient de mon intérieur et ce qui, dans ce sentiment probablement très fondamental, m'empêche de respirer régulièrement et profondément. Quelque chose me brûle ; c'est comme si mes **poumons** surchauffaient. Cette sensation est amplifiée par mes incertitudes et mes insécurités.

J'accepte↓♥ de lâcher prise, de ne plus m'obliger à être d'une certaine façon ou de faire tant de choses. Afin de m'aider à dissiper cette pression, j'inspire la **lumière** qui éclaire et l'**amour** qui purifie ces émotions, lesquelles seront ainsi équilibrées.

ORCHITE

VOIR : TESTICULES [EN GÉNÉRAL]

OREILLES (en général)

VOIR AUSSI : OREILLES — SURDITÉ

La vue et l'ouïe me permettent de me situer dans l'environnement. Je peux voir des choses sans qu'il y ait de son, je peux entendre des sons sans nécessairement voir d'où proviennent ces sons. À eux seuls, ces deux sens forment une sorte de « trois dimensions » de mon environnement.

Ainsi, les **oreilles** me permettent d'entendre tous les sons qui m'entourent, autant harmonieux que disharmonieux et me préviennent du danger. La **surdité** totale ou partielle peut survenir lorsque je ne peux traiter ou accepter↓♥ ce que j'entends. Je coupe ainsi le contact entre moi et les autres. Si je suis **sourd**, c'est que s'est installé un processus sélectif d'informations et que je veux entendre seulement ce qui fait mon affaire et que je me coupe, parmi tout ce qui se dit, de ce qui ne me convient pas. Ce processus sélectif est très efficace car il permet de « reconnaître », par exemple, la voix de mon enfant que je cherche dans une foule. De la même façon, ce processus agit à l'inverse pour ce que je ne veux pas entendre. D'une façon indirecte, les **oreilles** permettent un maintien de l'équilibre corps-esprit évoluant dans l'Univers. Cet équilibre me tient debout, en alerte, me permettant d'être centré et de suivre ma voie. L'**oreille** est aussi un symbole de mon écoute intérieure. Le fait d'écouter ma sagesse intérieure se manifeste à travers mes **oreilles**. L'état de mes **oreilles** montre combien je suis ouvert à mes émotions les plus profondes, et comment souple et accueillant envers celles-ci.

J'accepte↓♥ de demeurer flexible face à mes structures de vie qui sont constamment en évolution. En construisant des bases solides avec l'aide de ma voix intérieure, mes **oreilles** restent en parfaite santé !

OREILLES (maux d'...)

VOIR AUSSI : OREILLES / ACOUPHÈNE / BOURDONNEMENTS D'OREILLES / OTITE

Des **maux d'oreilles** surviennent quand je vis de la peine, que je suis irrité ou que je me sens blessé par des choses que j'ai entendues. Je peux aussi avoir l'impression que personne n'écoute ce que j'ai à dire, ou je suis déçu par rapport à ce que j'aimerais m'entendre dire et que l'on ne me dit jamais (compliments, remerciements, etc.). C'est comme si je voulais me renfermer et ne plus être en contact avec ce qui m'entoure. Ce peut être moi qui suis entêté et qui refuse d'entendre ce que les autres ont à dire. Ce que **j'entends** dépasse mon **entend**ement. Si je suis contrarié parce qu'il y a des mots ou des informations que je n'ai pu capter ou entendre, en raison par exemple de bruits ou d'un brouhaha autour de moi, et que ces dernières étaient d'une importance capitale, par exemple pour prendre une décision, suivre une direction, etc., ma colère ou ma frustration amènera un malaise au niveau des **oreilles**. Il y a une défaillance au niveau de la ***communication, des bruits***. Il y a souvent un conflit lié à la mère se manifestant par un **malaise à l'oreille** (or-elle). Le **mal d'oreilles**, lui, survient à la suite d'une critique qui est **venue à mes oreilles** et qui m'était destinée ou destinée à une autre personne. Ce que j'entends m'angoisse et me fait mal, tant physiquement qu'émotionnellement. Je suis enfermé dans mon passé sombre auquel je m'accroche. Je m'en veux et je me culpabilise. Je me fais du mal à moi-même et ce sont peut-être les autres que je laisse me maltraiter. S'il s'agit d'une **infection à l'oreille**, j'ai probablement entendu des paroles qui me causent de l'irritation, un bouleversement émotionnel, un conflit ou de la disharmonie. Mes **oreilles** réagissent fortement quand j'entends des personnes que j'aime qui ne peuvent ***s'accorder***, qui sont incapables d'en venir à une ***entente***. S'il s'agit d'une **otite**, je vis beaucoup d'impuissance face à ce que j'ai entendu. C'est comme si mes **oreilles** avaient été ***fracassées*** par des mots remplis de violence. Si un **enfant** vit un malaise à ses **oreilles**, cela peut exprimer un conflit relié à l'environnement familial ou à l'école. Les **maux d'oreilles** sont fréquents **chez les enfants** qui entendent tout ce que les grandes personnes disent, les disputes de leurs parents, sans pouvoir donner leur point de vue. Je peux entendre différentes versions d'une même histoire et cela me trouble énormément car je ne sais pas qui croire. Habituellement, l'un de mes deux parents vit au niveau affectif la même situation que moi. Je peux être un miroir qui lui indique qu'il aurait avantage à s'écouter plus. Les **maux d'oreilles** peuvent aussi se manifester **chez des adultes** qui ont de la difficulté avec la communication orale, notamment si j'ai du dégoût par rapport au fait d'utiliser le téléphone. Je peux avoir de la difficulté à terminer des conversations que je trouve ennuyeuses ou sur des mêmes sujets qui se répètent sans fin. Je développe une « phobie du téléphone » qui, mal gérée, pourra s'exprimer par un **mal d'oreilles**. Mon corps peut aussi me dire que je devrais écouter davantage ma sagesse intérieure. Je peux être confus aussi par rapport aux messages ou signaux qui me sont envoyés et je désire d'une certaine façon ne plus entendre ce qui se passe, « je n'en crois pas mes **oreilles** » ! Mes **oreilles** pourront **se boucher** si je veux me cacher, me réfugier à l'intérieur et que je ne veux plus rien entendre car cela fait trop mal ou est trop dérangeant. C'est le cas si j'ai un **bouchon de cérumen :** je ne veux plus entendre de disputes, de paroles blessantes. Je garde et rumine tout au lieu de laisser aller.

J'accepte↓♥ de me discipliner à « **prêter l'oreille** » à tout ce qui se trouve autour de moi et surtout à l'intérieur de moi. J'apprends à garder mes **oreilles** « ouvertes » en tout temps, tout en développant ma capacité à me détacher de ce que j'entends. Mon **cœur♥** peut ainsi rester ouvert constamment.

OREILLES — ACOUPHÈNE

VOIR AUSSI : OREILLES — BOURDONNEMENT D'OREILLES

L'**acouphène** est le phénomène qui fait que j'entends des sons tels que sifflements, bourdonnements, grésillements sans que cela ait un rapport avec mon environnement. Cela peut être passager ou permanent et peut se produire avec des intensités sonores différentes.

L'**acouphène** se retrouve souvent chez des personnes qui vivent un stress très grand de performance. Il apparaît souvent à la suite d'un événement où un choc émotif a été vécu et où le niveau de stress a augmenté d'une façon significative : divorce, perte d'un emploi, cambriolage, etc. J'ai besoin d'être reconnu et qu'on respecte mon identité, mes droits. J'ai cependant peur de perdre mon emploi ou un certain statut social (travail ou vie personnelle) et je ne veux pas y faire face. Je peux parfois avoir de la difficulté à remettre en cause certaines de mes idées et je peux même devenir entêté. Je m'obstine à rester dans une situation insatisfaisante. Je résiste à des changements que je n'ai pas choisis et sur lesquels je n'ai pas le contrôle. Je sais inconsciemment que si rien ne change, il pourra y avoir séparation, autant au niveau personnel qu'en affaire. Lorsque cela m'arrive, je dois prendre le temps de me questionner si j'ai été à l'écoute de ma voix intérieure. C'est comme si je n'étais pas parfaitement syntonisé sur « mon poste de radio intérieur ». Lorsque je syntonise un poste de radio qui est en ondes et qui n'émet pas de musique ou de parole, je peux « entendre le silence ». Par contre, si je déplace le récepteur sur une fréquence où il n'y a pas de poste qui émette, j'entends un grésillement ou du sifflement, comme si j'utilisais un poste à ondes courtes. Y a-t-il des émotions que j'aurais refoulées de crainte de troubler mon équilibre intérieur ? Ainsi, la vie me rappelle d'être à l'écoute de ma voix intérieure, de mes besoins et de mes désirs. Je dois me prendre en mains afin de diminuer le « niveau de bruit ou les interférences » qui peuvent exister dans mes pensées et dans mes émotions. Car le fait d'entendre ces sifflements ou ces bourdonnements m'indique peut-être aussi qu'il y a quelque chose que je ne veux plus entendre et que ces sons vont « étouffer » pour éviter que cela parvienne à mes **oreilles**. L'**acouphène** m'indique que mon corps est sous tension. Cela va tellement vite dans ma tête que j'ai l'impression que « tout va sauter ». Je suis très ***attentif*** à tout ce qui se passe autour de moi. Lorsque j'ai de **l'acouphène**, je me sens souvent loin d'une personne que j'aime. Je me sens séparé de celle-ci parce que nous avons de la difficulté à communiquer. Le silence vécu me fait peur et m'est insupportable. J'ai besoin d'être rassuré, d'avoir des explications, des paroles gentilles mais tout cela est inexistant. Je me sens ainsi agressé dans cette non-communication. Je n'ai d'autre choix que de rentrer dans ma coquille pour me protéger de ce mur de silence. Je vis une certaine dualité : j'ai besoin de la solitude mais seulement lorsque je la choisis et non pas quand elle m'est imposée ou qu'elle survient hors de mon contrôle ! Ce son que j'entends peut aussi me permettre de rester en contact avec une souffrance vécue que je ne veux pas oublier. Est-ce que ce son ou bruit me permet de m'apaiser d'une certaine façon car c'est ce qui arriverait si je l'entendais réellement dans le physique ? Parfois, le silence me renvoie à la notion de mort et si j'ai peur de celle-ci, mon cerveau « fait du bruit » pour m'éviter de penser à celle-ci. Il est important que j'identifie exactement ce que j'entends (sifflement, grésillement, bourdonnement, cloches, klaxons, etc.) pour identifier ce que je vis. Il se peut que j'entende les sons suivants : comme le bruit d'un ruisseau, le rugissement d'un torrent, des cloches, le sifflement des abeilles, une seule note de flûte, le son de la cornemuse, le vent dans les arbres, des milliers de violons, un vrombissement profond. Lorsque cela survient, c'est que je suis en contact avec un des sons qui existent sur les plans intérieurs et qui est représentatif d'un plan de **conscience** en particulier[166]. Dans ce cas, je ne fais pas d'**acouphène** ; il s'agit d'un son naturel. Mon oreille intérieure, spirituelle, est davantage ouverte. J'ai à dire

[166] Source : « Le carnet de notes spirituelles » de Paul Twitchell.

merci d'entendre ce son parce qu'il m'indique que je suis en contact plus conscient avec un des mondes intérieurs de la création. Je reste calme et mon attitude est celle de celui qui habite juste à côté d'un ruisseau et qui entend ce son normalement. Le cerveau enregistre ce son comme normal et je me sens à l'aise de fonctionner dans mon quotidien avec **ce son naturel**.

J'accepte↓♥ d'ouvrir davantage mes **oreilles** intérieures (situées à 8 à 10 cm en arrière de mes **oreilles** physiques) pour être plus en mesure de capter ma voix intérieure. Je peux demander aussi à entendre plus consciemment les sons de la nature et les mélodies célestes afin de bénéficier de plus de paix et de repos en moi-même. Toute approche holistique telle que yoga, détentes dirigées, acupuncture, ostéopathie, vitaminothérapie, énergie, etc., peut aider à diminuer le niveau de stress et à ramener la tranquillité intérieure. Il se peut que j'entende aussi comme le son d'un ruisseau, d'un torrent, le tintement des cloches (petites, moyennes ou grosses), de la cornemuse, du vent dans les arbres, du bourdonnement d'abeilles, des milliers de violons. Ces sons correspondent à des sons que je peux entendre sur différents plans de réalités intérieures et peuvent me permettre de déterminer sur quel plan je me syntonise. Cela signifie alors que mon oreille intérieure est ouverte à entendre davantage la réalité de ces mondes.

OREILLES — BOURDONNEMENT D'OREILLES

VOIR AUSSI : OREILLES — ACOUPHÈNE

Les **bourdonnements** sont reliés au **refus d'écouter** ma voix intérieure, les signes intérieurs qui guident ma vie. J'en « fais à ma tête », je refuse d'entendre certaines paroles que je trouve déplaisantes. Je peux même être entêté. Je résiste car j'ai peur de **savoir la vérité**, d'être au courant d'une situation ou même de prendre éventuellement une décision. Cela peut même me mettre en disharmonie et je déclencherai un **bourdonnement d'oreilles** pour ne pas entendre... J'ai l'impression qu'une personne pense à moi alors qu'en réalité c'est souvent le contraire. Je peux être tendu à cause des idées qui me « trottent » dans la tête. Je me nourris de pensées négatives. Mes angoisses m'empêchent d'écouter ma sagesse intérieure. Je me crée tout un monde dans ma tête, je vis dans l'illusion. Je suis trop centré sur moi-même.

En acceptant↓♥ de rester ouvert au niveau du **cœur♥**, je peux entendre les paroles avec plus de détachement. Je laisse aller les idées préconçues, les préjugés, les faux dieux sur qui je bâtissais ma vie auparavant. Je découvre la richesse de mon **cœur♥** et j'apprends à faire confiance à ma voix intérieure. Je ne suis plus obligé de faire la **sourde oreille**. Les sages disent "*Écoute ce que tu ne te dis pas...*". Je reconnais la **lumière** qui m'habite et je m'y abreuve. Il est ainsi plus facile de voir la beauté chez les autres.

OREILLES — OTITE

L'**otite** est une inflammation d'une ou des deux **oreilles** et qui a son origine dans l'inconfort que je peux vivre face à quelque chose que j'entends ou que j'ai entendu dernièrement. L'**otite** est fréquente lorsque je suis enfant, notamment par rapport à ce que mes parents peuvent se dire entre eux ou par rapport à ce que je peux me faire dire, n'étant souvent pas capable d'exprimer mon mécontentement ou ma frustration. Je suis très sensible à mon environnement et à ce que je considère comme dangereux. Que je sois adulte ou enfant, même si cette peine peut provenir de ce que j'entends, elle peut provenir aussi de ce que je n'entends pas comme par exemple : « Je t'aime », « Félicitations pour ce que tu viens de faire », etc. En général, quand j'ai une **otite**, il y a du liquide qui apparaît derrière le tympan. Ce que j'entends doit alors passer à travers cette eau avant d'être entendu. Cette situation est la même que lorsque j'étais bébé dans le ventre de ma mère. Donc, je recherche, même inconsciemment, par une **otite**, à retrouver cet environnement privilégié. Je préfère peut-être faire « **la sourde oreille** », me « **boucher les oreilles** » pour ne plus avoir à entendre. Je me replie sur moi-même, n'ayant que tristesse, lassitude, incompréhension comme compagnons. Je veux me sentir proche de ma mère mais je veux me protéger de ses craintes et insécurités. C'est un signal pour mes parents qui leur signale que moi, enfant, qui ai une **otite**, je vis un conflit intérieur et qu'il est important qu'ils m'amènent à exprimer ce que je vis afin d'amener une guérison rapide. Je recherche l'harmonie à la maison et je fuis les désaccords. Je peux avoir connaissance d'une séparation et je ne veux pas entendre les changements qui en résulteront. Comme adulte, l'**otite** me permet de me questionner par rapport à ma voix intérieure : « *Est-ce que j'écoute celle-ci ?* » , « *Est-ce que je reçois des messages qui me dérangent et qui me mettent en colère par rapport à ce que j'ai à faire ou par rapport à ce que l'on me demande de faire ?* » « Ai-je que l'impression c'est toujours moi qui tends l'**oreille** aux autres mais quand vient le temps qu'on m'écoute, moi, il semble n'y avoir personne pour m'aider ? L'**otite** est une façon de fuir mes problèmes. Je me sens emprisonné, restreint. Je préfère rester dans un monde imaginaire. J'évite ainsi de faire face au monde terrestre et au moment présent. Je suis révolté. Je ne veux pas entendre la souffrance ou le mal que j'ai pu causer à quelqu'un.

J'accepte↓♥ que c'est par l'écoute, tant intérieure qu'extérieure, que je peux avancer dans la vie, celle-ci me permettant d'être centré et d'éviter des obstacles inutiles. J'accepte↓♥ mon passé, je laisse aller tout sentiment de mort ou des souvenirs douloureux. Quel que soit mon âge, j'écoute ma sagesse intérieure. Je vis dans la spontanéité du moment.

OREILLES — SURDITÉ

Lorsqu'il y a diminution de l'acuité auditive, on parle d'**hypoacousie**. Lorsque cette acuité diminue de façon très importante ou complètement, on parle alors de **surdité**. « *Mieux vaut être sourd que d'entendre cela !* » Je choisis de ne plus entendre, je décide de m'isoler des autres. Me sentant facilement rejeté, « je me bouche les **oreilles** » car je ne veux plus être ennuyé. Ne sachant parfois quoi répondre, je fais la **sourde oreille**. J'ai peur d'être manipulé et je n'accepte↓♥ pas la critique, je ne veux pas « entendre » raison ; donc, en créant cette barrière, je m'isole de plus en plus, je m'entête à ne pas entendre. Je préfère me terrer à l'intérieur de moi, « rentrer dans ma coquille », tout comme un animal blessé. Je suis ***abasourdi*** par ce que j'entends ou par ce que je découvre face à moi-même ou à d'autres personnes. J'ai l'impression qu'on ***rabâche*** toujours les mêmes choses. Je suis très sensible aux « ***qu'en-dira-t-on*** ». Je me sens agressé par tout le « vacarme » autour de moi. Pourtant, que je le veuille ou non, le temps fait en sorte que les problèmes non réglés dans ma vie reviennent tous un jour et je devrai y faire face. J'ai tendance justement à tout vouloir régler moi-même au lieu de demander de l'aide. Je suis fermé face aux autres. Je peux me demander si j'écoute mes émotions, mes frustrations et ultimement, ma voix intérieure ? La colère grandit en moi et j'ai peur de la laisser s'exprimer. Je préfère me recroqueviller sur moi-même, ne sachant trop comment cette colère pourrait s'exprimer. Je ne sais trop dans quelle direction aller. Je peux être très obstiné et faire la « sourde **oreille** » car je veux n'en faire qu'à ma tête et je n'accepte↓♥ pas qu'on me dicte quoi faire ou qu'on me donne des conseils. Je prends **conscience** des situations particulières où j'ai plus de difficulté à entendre : est-ce des sons plus aigus ou plus graves ? Est-ce que mon pourcentage d'acuité auditive s'améliore pendant certaines périodes pour diminuer par la suite ? S'agit-il des personnes du genre masculin ou féminin ? Des adultes ou des enfants ? Des personnes qui possèdent un ***accent*** particulier ? Car il est intéressant de noter que la **surdité** subit des variations au lieu d'être toujours constante et qu'elle diffère d'une personne à l'autre. J'ai donc tendance à « bloquer » certains sons avant qu'ils soient envoyés au cerveau et qu'ils viennent déranger ma tranquillité intérieure. Je peux arrêter ces sons par la présence **d'eau dans mes oreilles**. Cette eau peut représenter des émotions qui se sont accumulées par rapport à ce que j'ai entendu, elle me prive de communiquer pour épargner aux autres ce qu'ils pourraient entendre sortir de ma bouche. Ces différentes formes et intensités de **surdité** me font me sentir seul, isolé. Je préfère être loin du monde car j'ai peur de toute façon de me tromper dans mes choix. Si je suis un **enfant**, les chicanes, les réprimandes, les cris, le bruit que j'entends peuvent devenir à un moment trop pour moi et j'ai besoin de me couper de tout ce vacarme. Si je crains tout le temps qu'une ***alarme*** sonne, autant au sens propre que figuré, cela me fait monter les larmes aux yeux et je préfère ne pas entendre car c'est le présage d'un danger.

J'accepte↓♥ de « tendre l'**oreille** » et d'écouter ma voix intérieure qui est la meilleure conseillère dans ma vie. Le plus bel acte d'**amour** que je puisse faire est d'ouvrir mon **cœur♥**. J'accepte↓♥ d'entendre les messages et je m'ouvre aux autres. Je trouve le calme à l'intérieur de moi. Je sors de l'ombre pour enfin vivre dans la **lumière** de ma sagesse intérieure.

OREILLONS

VOIR AUSSI : GLANDES SALIVAIRES, INFECTIONS [EN GÉNÉRAL], MALADIES DE L'ENFANCE

Les **oreillons** sont une infection virale contagieuse qui se manifeste le plus souvent par l'inflammation de certaines glandes, notamment les glandes salivaires. Ce sont les enfants qui sont le plus fréquemment touchés.

Il y a quelque chose ou quelqu'un dans ma vie envers qui je vis de l'irritabilité, de la frustration. Je me sens dénigré, critiqué et j'ai parfois envie de cracher à mon tour au visage des gens. À moins que ce ne soit quelqu'un d'autre qui voudrait en faire autant par rapport à moi ou mes idées ! J'ai de la difficulté à attraper ou avaler les choses que j'aime beaucoup car on peut m'en empêcher ou m'interdire. Les **oreillons** affectent généralement plus les enfants que les adultes, ceux-ci ayant beaucoup de difficulté à exprimer leur colère et leur frustration. Je me bats continuellement contre moi-même. Je me juge sévèrement, me percevant comme fragile ou anormal. Je nie mes instincts et mon énergie sexuelle qui s'éveille. Cela limite mon rayonnement.

Au lieu de me dédaigner moi-même ou une autre personne (ou situation), j'accepte↓♥ plutôt de regarder ce que j'ai à apprendre de celle-ci. Je laisse couler les énergies qui m'habitent, mes désirs naturels et je peux ainsi être en contact davantage avec ma créativité et ma joie intérieure.

ORGANES GÉNITAUX

VOIR : GÉNITAUX [ORGANES...]

ORGELETS

VOIR AUSSI : FURONCLES

L'**orgelet** est un petit furoncle[167] rouge et douloureux situé au bord de la paupière, à la base d'un cil.

Il se manifeste quand je vis de la tristesse, du ressentiment face à quelque chose ou quelqu'un que je vois et qui ne me convient pas. Il se peut qu'une personne (ce peut être mon conjoint) ait une opinion différente de la mienne, qu'elle fasse les choses différemment et que cela soit perçu comme « une souillure » à mes yeux. J'ai été mis à l'écart ou je pense avoir mal agi mais je désirais bien faire et je voudrais réparer mon « erreur ». Je ne me sens pas en sécurité et je vis beaucoup d'incertitude. C'est comme si je n'étais pas maître de moi-même et j'ai besoin de la force d'un autre sur qui je peux m'appuyer car je me sens trop petit. Je peux même me cacher derrière l'autre ce qui m'empêche de créer moi-même la vie que je désire. Je deviens passif et me ferme aux différentes opportunités qui s'offrent à moi. Ma vie devient vide et froide. La différence entre la conjonctivite et l'**orgelet** est que dans ce dernier cas, je trouve de la « laideur », dans la situation.

Au lieu de refouler mes émotions, j'accepte↓♥ de les exprimer, car elles pourraient apparaître sous forme d'**orgelets**. C'est en devenant maître de ma vie et en faisant partie de celle-ci, en étant aux « premières loges » que je peux pleinement m'épanouir.

ORTEILS

Les **orteils** représentent les détails de l'avenir. Ils sont un point d'équilibre et me permettent de percevoir le sol, donc le monde. Si je vis de l'insécurité face à cela, des **crampes** surgissent, et si je vis de la culpabilité, je peux me **cogner l'orteil**, me **couper** (s'il y a perte de joie) ou me **blesser** plus sévèrement (**orteil** cassé, fêlé). Un **orteil fêlé** (ou **entorse bénigne**) me montre que je veux changer de direction, prendre une décision, mais je résiste au changement car je suis trop attaché à une chose, personne ou situation. Je suis fatigué de toujours avoir la responsabilité que tout se passe en harmonie. Une **fracture** met en évidence mon sentiment d'être dans un cul-de-sac. Ma petite routine me sécurise mais en même temps, j'ai besoin de changement ! Je peux être un peu volage et dans les nuages, comme un ***artiste*** qui vit dans son imaginaire. Je peux vouloir, consciemment ou non, omettre des détails qui sont importants et le fait de

[167] **Furoncle** : infection aiguë d'un follicule pilosébacé.

me blesser me réveillera pour que je sois plus vigilant et attentif. Ou je peux trop m'en faire pour les petits détails à régler dans le futur et cela m'éloigne de l'essentiel. Si j'ai de la difficulté à aller droit au but que je me suis fixé ou au contraire si je veux faire trop vite, mes **orteils** seront affectés. Le fait de brusquer les choses s'exprime souvent par le fait que je me cogne un ou des **orteils**. Si je me fais violence dans mes pensées, je me ferai mal juste pour me le rappeler. Si on **m'écrase un orteil,** je me sens de plus en plus coincé face à une direction à prendre. « L'étau se resserre », je veux fuir mais je sais en mon for intérieur que ce n'est pas la solution. Si j'ai un **oignon**, qui est une déviation du **gros orteil** vers le deuxième **orteil,** il y a un conflit à un niveau très profond qui touche mes valeurs. L'**oignon** apparaît généralement au moment de vivre une relation avec un(e) partenaire ou un parent que je trouve très dominant. Comme je laisse l'autre prendre les décisions, je fuis ma responsabilité devant mes propres décisions. L'expression « mêle-toi de tes **oignons** » exprime bien le fait que je trouve que des personnes de mon entourage s'occupent de mes affaires et que cela ne les regarde pas, à moins que ce soit moi qui me fasse des reproches de m'occuper indirectement des affaires des autres. L'**oignon** peut disparaître si je me prends en mains, j'assume mes responsabilités, me permettant ainsi de vivre pleinement ma vie. Comme les **orteils** sont la partie de mon corps qui va en premier de l'avant, des **orteils vers le bas** peuvent indiquer une insécurité à aller de l'avant, un désir de « s'agripper au sol » pour éviter d'avancer. Mes orteils sont comme des crochets et j'ai donc tendance à rester sur place. Les **orteils vers le haut**, eux, indiquent ma tendance à vivre ma vie de façon superficielle, à m'élever vers les réalités plus abstraites que terrestres. Les **orteils crochus** m'indiquent une grande confusion dans la direction à prendre et une absence de liberté et de clarté intérieures, ce qui m'amène à vouloir fuir. L'**orteil en marteau** m'indique un stress et une répugnance à aller de l'avant. Cela peut être aussi la peur d'une façon d'être abstraite ou peu structurée. Pour connaître la signification métaphysique de chacun de mes **orteils**, je peux me référer à la signification de chacun de mes doigts en commençant par le pouce, pour le **gros orteil**, pour finir par le petit doigt, l'auriculaire, pour le **petit orteil**. Il suffit simplement de transposer la signification des doigts, qui sont les détails du quotidien, vers celle des **orteils** qui sont les détails de l'avenir. C'est souvent le **gros orteil** qui est touché par un malaise. Il représente mon ego, mes convictions, mon territoire. Lorsqu'il est atteint, je peux me demander si je vis un conflit face aux obligations, aux lois ou face à l'autorité qu'exerce ma mère sur moi, que cette mère soit réelle- **gros orteil de pied droit** ou symbolique-**gros orteil du pied gauche**. Je me sens obligé d'y obéir. Si le **gros orteil est par-dessus le deuxième doigt du pied**, ai-je l'impression que je suis responsable ou que je dois subvenir aux besoins d'un petit frère (ou sœur) ? Si le **gros orteil est en dessous**, je peux me sentir soumis ou subir un grand frère (ou grande sœur). S'il est **dévié vers les autres orteils** (**hallux valgus**), je me sens coupable d'être heureux. Je me replie sur moi-même, je n'ai plus ma place en ce monde. On m'impose tellement de choses, je veux me sauver mais je ne sais pas quelle direction prendre.

J'accepte↓♥ de rester ouvert et flexible face à l'avenir. En me faisant confiance dans les choix et directions à prendre, mes **orteils** seront en pleine forme et exempts de tout malaise. J'avance dans la vie avec conviction !

Os (en général)

Les **os** sont la charpente solide du corps, les piliers, l'arbre de vie. À l'intérieur même de l'**os** existe la moelle, le plus profond noyau de mon être, là où naissent les cellules immunes possédant l'habileté de me protéger.

L'énergie des reins (en lien avec les peurs et les insécurités/confiance en soi) nourrit les **os** et la moelle, d'où l'expression « avoir les reins solides ». Les **os** concernent ma structure, la charpente ***fondamentale*** sur laquelle mon être entier est construit, le **soutien** de tout mon corps émotionnel. Donc, ils se rapportent aussi à la structure des lois et principes fondamentaux avec lesquels j'ai à transiger chaque jour et qui sont appliqués par l'autorité (police, instituteurs, parents, etc.) pour me permettre d'avoir un certain soutien et pour que le bon ordre règne. Lorsque enfant je grandis, je me positionne face à l'autorité et il arrive souvent que lorsque j'atteins la même taille que ma mère autoritaire, mon attitude envers elle va changer de façon significative.

J'accepte↓♥ de cesser d'avoir peur et j'apprends à **me faire confiance.**

Os (maux aux...)

Des malaises ou des maladies aux **os** reflètent, y compris le **cancer des os**, une rébellion face à cette autorité à laquelle je résiste et vis-à-vis de laquelle je peux même aller jusqu'à me révolter, me sentant incapable ou impuissant à agir face à une certaine situation dictée, soumise à certaines lois ou principes existants. J'ai l'impression qu'on veut me mettre des ***bâtons*** dans les roues. Je m'oppose à l'autorité. Je peux me demander si je me sens profondément bouleversé ou perturbé par rapport à mes croyances de base, à mes convictions intimes. Je suis très ***désappointé*** face à plusieurs aspects de ma vie et face à la société en général. Je peux même ressentir un sentiment de ***désolation*** tant je suis affecté par certaines situations. Si un malaise ou une maladie affecte mes **os**, je dois me demander face à quelle facette ou quel aspect de ma personne **je me dévalorise**, en venant presque à vouloir que celui-ci ***disparaisse***. Ma valeur en tant qu'être humain est remise en question. Je me sens comme un ***rebut***, un déchet. Est-ce que je me sens ***annihilé***, ***brisé***, ***fracassé***, détruit par les autres ? Soit que je me dévalue et j'ai de la difficulté à me faire respecter, soit que je me cache derrière une image qui ne veut faire transparaître que le côté positif de ma personne. Je préfère paraître dur et froid : cela me donne l'impression d'être en contrôle quand au fond de moi, je tremble de peur à l'idée de prendre contact avec mes émotions. Je me sens faible, sans défense, même ***fainéant***. Me sentant inférieur, j'ai de la difficulté à me tenir droit. Je me sens d'une certaine façon déjà mort. Je ne vaux rien, je ne suis rien. Je suis structuré sur le rien. Ma vie tourne autour du vide et du manque. Je n'ai pas le droit à l'erreur. Je suis très ***austère*** dans ma vie de tous les jours. Ai-je ***enfreint*** ou transgressé certaines lois et je vis de la culpabilité et des remords ? Je peux vouloir m'accrocher à l'image que je donne afin d'aller chercher une estime de moi superficielle. Je voudrais tant que quelqu'un ***m'accompagne*** dans ce que je vis… Si je regarde et analyse quelle partie du squelette est affectée, j'aurai une bonne indication quant à l'aspect de mon existence qui est touché. Dans quel domaine de ma vie ou devant qui ai-je l'impression de devoir plier ? Je me rebelle face à l'organisation de la société et je veux me soustraire aux lois existantes. Si je me **casse un os**, je dois me demander ce qui est « brisé » dans ma vie et face auquel je résiste tellement que je dois me casser un **os** pour m'aider à m'arrêter afin d'en prendre **conscience**. Une affection de mes **os** me montre comment j'ai l'impression parfois d'être déstructuré. Mon corps m'envoie un **S.O.S**.

J'accepte↓♥ de développer plus de flexibilité envers moi-même et d'arrêter de me mettre de la pression inutilement. Je prends le temps de m'intérioriser et au besoin je demande de l'aide afin de voir plus clair dans les décisions que j'ai à prendre. Je fais confiance au fait que tout est en place et que je suis guidé. Je peux moi aussi, tout comme un ***architecte***, bâtir ma vie avec tous les éléments que je veux.

Os (cancer des...)

VOIR AUSSI : CANCER [EN GÉNÉRAL]

Si j'ai un **cancer des os**, je vis un conflit très profond où j'ai l'impression que je ne vaux rien, que je ne suis qu'un moins que rien. J'ai l'impression de n'avoir aucune valeur et je suis tellement rempli d'émotions que je garde à l'intérieur de moi celles qui **me trempent jusqu'aux os**. Une autre façon de l'exprimer est que je vis un profond sentiment de dévalorisation. Je vis dans ***l'abnégation*** de moi. Je renonce à qui je suis vraiment. Je peux vivre une situation où mes structures et mes principes sont fondamentalement ébranlés, remis en question. Cette situation peut m'avoir pris par surprise et je me sens **fait jusqu'à l'os**. Parce que je me sens contraint par ce qui m'entoure, je me révolte.

J'accepte↓♥ de reconnaître mes qualités. C'est en devenant plus ouvert et flexible que je pourrai plus facilement transiger avec l'inattendu et le « non conventionnel ». C'est en apprenant à exprimer ce que je vis, mes émotions que j'éprouve souvent très intensément, que je pourrai guérir et que mes **os** pourront se régénérer.

Os (cancer des...) — **SARCOME D'EWING**[168]

VOIR AUSSI : CANCER [EN GÉNÉRAL]

C'est une forme de **cancer des os** qui est plus susceptible de m'arriver entre l'âge de 10 et 15 ans, même s'il est rare. Comme ce **cancer** atteint les **os** de mes jambes, cela signifie une grande peur d'avancer dans la vie. Je crains de ne pas avoir tout ce qu'il faut pour « affronter » l'avenir. Mon corps crie de douleur devant l'insécurité qui m'habite. Je crois ne pas être en mesure de m'insérer dans le monde adulte.

J'accepte↓♥ de faire confiance en la vie sachant que celle-ci m'apportera les occasions dont j'ai besoin pour vivre en société.

---

168 **Ewing** (James) (pittsburg, Pennsylvania 1866-New-York 1943) : médecin histologiste américain, il se consacre à l'histologie des tumeurs et laisse son nom à un sarcome des os longs.

OS — ACROMÉGALIE

L'**acromégalie** se caractérise par une croissance exagérée des **os** des extrémités et de la face. L'hormone de croissance sera donc sécrétée en beaucoup plus grande quantité que la normale.

Si je suis dans cette situation, je me demande quelle est la situation où je me suis senti trop petit pour atteindre ou réaliser un projet. Où est-ce que je me suis senti trop petit, trop menu et trop faible pour pouvoir prendre ma place et me faire respecter ? La réponse de mon corps a été de grandir démesurément afin de m'aider à prendre plus facilement ma place. Je lui dis merci ! Je voulais impressionner, montrer que j'étais le plus fort. Je peux m'être senti abandonné par l'un de mes parents et l'angoisse d'être blessé encore me fait être distant des gens qui m'entourent. Bien que je puisse avoir l'impression que mon corps prend beaucoup de place, j'essaie par tous les moyens de rester éloigné de la vie qui m'entoure. Je perçois le monde comme froid et j'ai besoin d'une bouée de sauvetage : « Quelle est la personne ou l'institution qui pourrait me prendre en charge et qui me permettrait de ne plus avoir besoin de m'inquiéter de l'avenir ? » Je doute de mon pouvoir et je recherche la vérité. Je fais de la compensation en devenant accro à une substance, l'argent, la nourriture, etc.

J'accepte↓♥ de revoir les structures que je me suis données et celles que la société a voulu m'imposer. Ma croissance physique étant grande, il est maintenant temps que je grandisse autant au niveau émotif et personnel. Je fais confiance à la vie et je décide de m'investir dans celle-ci. Ma nouvelle structure (**os**) de pensées inclut maintenant le respect de moi-même, de mes émotions, de mes différences.

OS — DIFFORMITÉ

Les **os** peuvent se déformer à cause de la pression que je me mets ou que j'ai l'impression d'avoir à supporter. Je suis plus rigide mentalement et cela se manifeste par de la colère. La **difformité** exprime ce que je n'ai pas pu crier haut et fort. Il arrive souvent que je vive une situation familiale qui « écorche » ma sensibilité et je voudrais pouvoir garder l'harmonie mais cela me demande beaucoup. Je me sens obligé de plier et mon corps en fait tout autant. Il est important de regarder où se situe la **difformité** et regarder la correspondance émotive spécifique de cette partie du corps.

J'accepte↓♥ d'être plus flexible par rapport à mes principes de vie. Mon ouverture d'esprit me permettra d'apprécier différentes facettes de la vie et de découvrir que l'**amour** est présent sous différents aspects.

OS — DISLOCATION

Le mot **dislocation** (dis-location) signifie une « perte de location », comme si j'étais hors circuit ou dans une voie tout à fait contraire à ce qui se passe. Une **dislocation** est reliée à un profond sentiment de **déséquilibre**. Au niveau de l'articulation, l'**os** se déplace et « sort » complètement du siège de celle-ci. La **dislocation** me montre jusqu'à quel point je ne suis pas ou je ne me sens pas dans la bonne direction. Comme l'**os** est relié au noyau de mon être, à l'énergie fondamentale, la **dislocation** indique un profond changement dans l'énergie la plus profonde de mon être. Ai-je encore ma place dans l'univers ? Qu'est-ce qui me dérange au point que je me sente si confus ? Je suis rendu à une étape de ma vie où mes structures sont en train de changer. Mes valeurs changent, je veux renforcer mes bases. Je peux me sentir tout à fait « à côté de la track[169] ».

Je vérifie et j'accepte↓♥ de faire la ou les prises de **conscience** qui s'imposent, ce qui me permettra de me dépasser et de voir du nouveau dans ma vie. La **dislocation** est suffisamment douloureuse pour que je prenne **conscience** que je dois changer afin de ne pas la revivre.

OS — FRACTURE (... osseuse)

VOIR AUSSI : DOS — FRACTURE DES VERTÈBRES

Les os représentent la structure des lois et des principes du monde dans lequel je vis. Lorsqu'il y a fracture, celle-ci est l'indication que je vis présentement un conflit intérieur profond. Il peut être en relation avec de la révolte ou des réactions face à l'autorité dont je veux me couper. Je me sens limité et je veux sortir de ma prison. J'ai l'impression que je dois constamment faire mes preuves pour montrer ma valeur. En résistant trop et en étant impatient face à moi-même aux autres, mes os n'en peuvent plus et se fracturent. Cette fracture me signale que je ne peux continuer ainsi et qu'un changement s'impose. La localisation de la fracture m'informe quant à la nature de ce conflit. Si la fracture a eu lieu lors d'un accident, il faut voir quelle culpabilité je vis par rapport à cette situation. Pourquoi être aussi dur envers moi au point de me fracturer un os ? Les os représentent aussi le soutien, la stabilité et une fracture peut être un avertissement que j'ai à me séparer de mon passé, à le laisser aller avec flexibilité afin d'éviter un stress inutile et afin de passer à une autre étape de mon évolution. Une rupture s'impose et cela me remet en question. Ce peut être au niveau d'une relation, soit affective soit professionnelle. Ce peut être aussi me séparer d'une idéologie, une façon de faire ou de penser qui ne me convient plus. Mes standards envers moi-même ou la société font-ils que j'exige une certaine perfection au point d'être rigide ? Ai-je mis davantage d'attention sur les activités physiques au détriment des aspects spirituels de ma vie ? Une fracture du crâne m'indique que je vis une situation où je me « casse continuellement la tête » et qu'elle semble sans issue. Je me sens pris et frustré. C'est à « s'en frapper la tête contre les murs » !

Pour retrouver cette liberté intérieure, je prends **conscience** de ce qui me dérange. J'accepte↓♥ de m'aimer suffisamment pour exprimer ce que je ressens. En retrouvant ma liberté intérieure, je retrouve la liberté de mes mouvements. Je décide de ma vie. Je deviens centré sur moi-même et mon potentiel illimité.

OS — OSTÉOMYÉLITE

L'**ostéomyélite** est une infection de l'**os** et de la moelle de l'**os** qui affecte habituellement une partie située près d'une articulation et survient plus souvent chez les enfants ou les adolescents. L'**ostéomyélite** se retrouve surtout sur les **os** longs tels que tibia, fémur, humérus.

L'énergie contenue dans mes **os** est manifestée par mes articulations. Une infection implique une irritation qui crée une faiblesse

[169] **Track :** terme anglais qui veut dire chemin.

intérieure. Je vis colère et frustration face à l'autorité et face à la façon dont la vie est structurée et « enrégimentée ». Je peux aussi avoir l'impression de ne pas être assez soutenu et **supporté,** souvent par mon père. Je le trouve indifférent et j'adopterai à mon tour le même comportement. Je suis constamment sur mes gardes. Je me méfie de moi-même et de tout ce qui m'entoure, ce qui entraîne une certaine passivité. Je compense par le contrôle parfois la dictature.

J'accepte↓♥ d'avoir à apprendre à faire confiance, à lâcher prise et à accepter↓♥ que l'Univers me supporte. L'infection ne veut que mettre en **lumière** certains conflits que je vis présentement. Si l'**ostéomyélite** vient d'une blessure antérieure, il est possible que les causes originelles de cette blessure n'aient pas encore été traitées.

Os — Ostéoporose

L'**ostéoporose** implique une perte de la trame protéique des **os** qui deviennent poreux.

Elle implique une perte dans l'intention du désir « d'être », une perte d'intérêt et de motivation à être « ici » au plus profond niveau de soi. « Je ne suis plus ce que j'étais ». Je vis du découragement. Je suis ***seul*** et las de toujours avoir à me battre contre l'autorité ou contre les lois de l'être humain. L'**ostéoporose** apparaît habituellement chez la femme après la ménopause. Puisque ce sont les **os** qui sont touchés, c'est-à-dire mes structures et croyances de base, je peux me demander quelles sont les croyances auxquelles je m'accroche et que je devrais peut-être changer puisque maintenant, je ne peux plus avoir d'enfants. Je peux encore être autant « utile » et « productive », non pas en ce qui a trait à la procréation mais à d'autres niveaux, tant personnel, que social ou professionnel, et que cela est tout autant valorisant et enrichissant. Il y a plein de choses que je n'ose plus faire, pensant que « ce n'est plus de mon âge ». Je dois donc surmonter **cette tendance à me dévaloriser**, me pensant inutile, « bonne à rien ». Je perds mon identité féminine, je me vois moins désirable qu'avant. Puisque je ne peux pas rester jeune, je veux m'effacer de façon progressive, sans laisser de trace. En me critiquant sans cesse et en critiquant les autres je m'empêche de vivre pleinement ma vie. La culpabilité que je vis peut provenir de mes croyances religieuses. Je regarde ma vie et je peux avoir l'impression que je l'ai ratée. Un sentiment de ***désolation*** m'envahit parfois. J'ai l'impression que ma vie est en décomposition. Je ne sais pas comment organiser ma vie qui change rapidement, le courage me manque. J'ai l'impression que ma mort approche ; mes pensées négatives vont anéantir mon énergie créative.

J'accepte↓♥ de changer mon regard face à celle-ci et de développer plus de tolérance envers moi-même. Je regarde toutes les belles réalisations que j'ai faites. J'accepte↓♥ d'avoir atteint une nouvelle étape dans ma vie et que de pouvoir changer ces structures qui m'ont contrôlé toute ma vie. Je regarde vers l'avenir, j'analyse ce que j'aime réellement faire et je m'engage à de nouveaux projets. Je surmonte ma ***timidité***. J'ai à faire confiance à la vie et à me trouver de nouvelles sources de motivation. Je suis désormais maître de ma vie !

OSE (maladie en ose)

VOIR : ANNEXE IV

OTITE

VOIR : OREILLES — OTITE

OUBLI (perte des choses)

VOIR AUSSI : ACCIDENT

L'**oubli** se manifeste par une défaillance momentanée ou permanente de la mémoire.

Cela peut être un signe que je m'accroche à certains événements ou à des personnes, souvent de mon passé, et en face desquels je dois me détacher, car je vis dans le passé au lieu de jouir du moment présent. Je peux aussi être préoccupé par une ou des situations dans ma vie et cela m'empêche d'être complètement présent. Si j'**oublie** ou si je perds mes **clefs**, mon **portefeuille**, ou ma **bourse**, alors il se peut très bien que je sois **à la recherche de mon identité**. Je peux me sentir coupable de prendre du repos, de m'offrir des douceurs, de vouloir de l'attention (parce que ce n'est pas raisonnable) et ainsi, je me punis en perdant mes choses. Être dans la « lune » signifie que je ne suis pas **ici et maintenant**, que je voudrais être ailleurs (dans le passé ou dans le futur). J'aime le changement et je m'éparpille, je me précipite à faire les choses au lieu de prendre mon temps.

J'accepte↓♥ de laisser aller les choses et les personnes, je laisse le passé en paix et je m'ouvre à toutes les beautés de la vie qui sont ici et maintenant.

OVAIRES (en général)

VOIR AUSSI : FÉMININS [MAUX...]

Les **ovaires** représentent mon désir d'enfanter et aussi ma créativité, mon habileté à créer, ma féminité, au fait d'être une femme et d'être comblée ou satisfaite comme femme.

OVAIRES (maux aux...)

Les **problèmes ovariens** indiquent un profond conflit quant au fait d'être femme, à l'expression de ma féminité, ou au fait d'être mère. Je peux aussi avoir escamoté le côté créatif qui est présent en moi. C'est comme si je me « coupais » d'une partie de moi-même, car les **ovaires** sont le commencement de la création de la vie et ils se situent dans le pelvis, qui est la région où je peux donner naissance à un enfant, mais aussi à de nouveaux aspects de moi-même, là où je peux me redécouvrir. Il peut donc y avoir un conflit intérieur face à la création et à la découverte de ma propre voie. Je préfère jouer un rôle qui me protège des dangers au lieu d'être moi-même. Puisque j'ai enfermé tout mon potentiel, j'ai aussi emprisonné ma créativité. Je me sens ligoté par les autres mais c'est moi qui me mets mes propres menottes. Je me sens sous l'emprise de la ***fatalité***. Je peux vouloir compenser en **surproduisant des ovules**. Un **kyste ovarien**, qui est une collection anormale de liquide dans **l'ovaire,** m'indique que des émotions se sont accumulées, que je ressasse sans cesse les mêmes pensées ou ennuis. Est-ce que je vis un tiraillement face au fait de devenir mère ? Quelle est la raison qui fait que je me retiens d'avoir un enfant ? Ai-je vécu récemment un événement qui peut me rappeler une expérience sexuelle traumatisante ? Si je ne me sens pas digne d'avoir des enfants, je peux **arrêter la production d'ovules**. Quant au **cancer des ovaires**, celui-ci peut se développer à la suite d'un événement où j'ai vécu la ***PERTE*** d'une personne chère. J'ai l'impression que ma vie ou que la vie de quelqu'un que j'aime a été ***ruinée*** ou est en ***perdition***. Le correspondant du **cancer des ovaires** chez l'homme est le **cancer des testicules**. Il arrive très souvent que ce soit un de mes enfants morts dans un accident, à la suite d'une maladie ou d'un avortement. Cela peut être une personne avec qui je n'ai pas de lien de sang mais que « j'aime **autant que** s'il (elle) était mon enfant ». Le **sentiment de perte** peut être vécu face à un élément abstrait, comme par exemple : *« Depuis qu'il a ce nouveau travail, mon mari n'est plus à la maison, il rentre tard, nous ne nous parlons presque plus, il a toujours son travail en tête. J'ai perdu mon mari ! Si ça continue comme ça, le travail va avoir raison de notre mariage...* » Donc, « j'ai perdu » l'homme que je connaissais avant et avec qui j'étais heureuse, ce qui n'est plus le cas aujourd'hui. Cela peut être **la perte** d'un projet qui me tenait à **cœur♥** et qui a avorté. D'ailleurs, si j'étais l'instigateur de ce projet, j'en parlais aux autres comme étant « mon bébé ». Mon sentiment de culpabilité face à l'événement en question est très souvent un élément marquant et déclencheur de la maladie. J'ai maintenant de la difficulté face à l'engagement car je me suis sentie déchirée par une personne de l'autre sexe. Le **cancer des ovaires** fait suite à une situation douloureuse qui me blesse dans mon image de mère et qui engendre de l'impuissance et une impression d'échec. Même le fondement de ma vie face à la création est remis en question. Tout comme pour une **tumeur**, bien des choses ne me plaisent pas mais je refuse de procéder aux changements appropriés.

Quelle que soit la situation, il est important que j'accepte↓♥ ***immédiatement*** tous les sentiments qui m'habitent, que je les exprime afin que ma blessure intérieure puisse guérir et que je puisse me tourner vers l'avenir avec un regard plus positif et rempli de projets à réaliser.

PALAIS

VOIR : BOUCHE — PALAIS

PALPITATIONS

*VOIR : **CŒUR♥** — ARYTHMIE CARDIAQUE*

PALUDISME

VOIR : MALARIA

PANARIS

Le **panaris** est l'inflammation aiguë d'un doigt ou plus rarement d'un orteil.

Si les **doigts** sont affectés, j'ai de la difficulté à aller de l'avant dans les détails du quotidien, tandis que les **orteils** concernent plutôt les détails de l'avenir. Je suis passif, indifférent, mélancolique et mon énergie d'action qui a besoin d'être extériorisée sort par mes doigts ou mes orteils. "Ai-je le goût d'aller vers les autres ?" Il y a sans doute un manque de ce côté. J'ai besoin de sortir de moi toutes ces émotions et toutes ces pensées néfastes refoulées, d'aller vers les autres et de partager. Je veux me libérer de ma prison intérieure. Je peux même garder un secret qui maintenant me ronge en dedans. Je suis maintenant en panne de rire et de plaisir. N'étant pas en contact avec mon intérieur, je m'appuie sur les autres. C'est comme si je ne peux pas maîtriser mon destin. Je laisse violer mon espace intime car j'ignore mes limites.

J'accepte↓♥ de décider dès maintenant de mon territoire. Je prends contact avec mon pouvoir. J'enlève les barreaux de ma prison. Je suis maintenant libre de créer ma vie comme je la veux.

PANCRÉAS

VOIR AUSSI : SANG / DIABÈTE / HYPOGLYCÉMIE

Le **pancréas** est situé environ 10 centimètres au dessus du nombril[170]. Le **pancréas** synthétise des enzymes qui aident à digérer la nourriture. C'est ici qu'est maintenu le taux d'insuline qui aide à la stabilisation du taux de sucre dans le sang. S'il est en déséquilibre, survient

[170] Le **pancréas** est relié au centre d'énergie (chakra) du **plexus solaire** qui est situé à la base de mon sternum, à quelques centimètres au-dessus de mon nombril.

alors le **diabète** ou l'**hypoglycémie** (se reporter à ces maladies pour plus de détails).

Il symbolise la liberté, le pouvoir, la maîtrise de soi, ma définition de mon « moi ». Lorsque je vis beaucoup d'émotions, je peux avoir de la difficulté à digérer. Lorsque cet état se prolonge, et que je vis dans la tristesse, je peux développer de **l'hypoglycémie** (relié au manque de joie). Siège de l'EGO, de mon énergie émotionnelle, des sentiments, ce centre d'énergie est constamment en mouvement. Il capte les vibrations des autres (positives ou négatives) qui influencent mon humeur. Il est le centre des émotions et des désirs. Le **pancréas** représente ma capacité d'exprimer et d'intégrer l'**amour** à l'intérieur de moi et ma capacité de transiger avec les sentiments opposés (exemple : la colère) sans créer de la douleur. Une difficulté au niveau de mon **pancréas** m'indique qu'il y a désordre et confusion dans mes émotions, c'est pourquoi j'ai de la difficulté à digérer. Je souhaite garder le contrôle et le pouvoir sur les autres, je deviens agité à l'intérieur et j'ai une baisse d'estime de moi. Il y a une bataille intérieure devant les obstacles, j'ai peur des nouveaux défis et je m'épuise à combattre, ce qui amène une baisse d'énergie. Je tiens à ma liberté. Un mauvais fonctionnement du **pancréas** fait suite à des événements souvent traumatisants, comme la perte d'un être cher, un choc que j'ai encaissé mais qui m'a déstabilisé. Il représente les instincts primaires que j'ai refoulés. Il s'agira souvent d'une situation qui met en cause un autre membre de la famille et dont l'enjeu consiste à acquérir plus de pouvoir ou d'argent (par exemple dans le cas d'un héritage). Ce peut être autant moi qui suis au centre du conflit (je subis les reproches, on veut me « chasser ») qu'une autre personne (je suis la personne qui maugrée). Cette situation où je porte un fardeau émotif peut m'amener à produire des **calculs**. Le **pancréas** est relié aux obsessions et à la rumination, "je passe et je ressasse" sans cesse les mêmes pensées sans trouver de solutions. Je trouve une situation de ma vie ***abjecte*** et injuste. Si je vis une situation d'une très grande difficulté à avaler et que **je trouve *ignoble, odieuse*** ou ***immonde***, je pourrai aller jusqu'à développer un **cancer du pancréas**. Dans ce cas, je suis ***révolté***, je résiste de toutes mes forces en restant sur mes positions. Je peux par exemple avoir perdu mon nom ou chercher mes racines en vain. Il est relié à ma joie de vivre : je me sens désabusé et j'ai tellement peur de l'échec que je préfère ne rien faire. En n'ayant aucun but et aucune attente, j'évite d'être déçu ! Est-ce que je laisse les nouvelles situations prendre place facilement dans ma vie ou est-ce que je résiste au changement ? Quels sont les changements ou ajustements que j'ai à faire pour que cela m'aide à assimiler davantage les émotions qui m'habitent ? De quelle façon j'accepte↓♥ d'accueillir tous les cadeaux de la vie ? Est-ce facile pour moi de jouir avec tous mes sens ou est-ce que je refuse plutôt le bonheur sous toutes ses formes me sentant ***indigne,*** même du ***nom*** que je porte ? J'ai tendance à être ***dédaigneux***. Je m'indigne devant certaines situations. Je peux même être ***humilié*** et j'aurai de la difficulté à me défendre. Est-ce que j'ai tendance à vouloir suivre deux maîtres ou enseignements à la fois ? J'ai à prendre **conscience** de mes besoins et engager des choses de l'avant afin d'aller chercher ce que je veux. Cela m'aidera à prendre **conscience** que ma peur du manque n'a pas sa raison d'être car je vis dorénavant dans l'abondance et ce, à tous les niveaux. J'ai à trouver un équilibre entre ce que je donne et ce que je reçois, entre le travail et les loisirs. Je n'ai pas besoin d'aller chercher de stimulants artificiels pour me « nourrir » (drogues, nourriture, sexualité, etc.), je n'ai qu'à apprendre à m'aimer tel que je suis. J'ai besoin de m'offrir « de petites douceurs ». Je dois regarder ma perception, mon opinion face au sucre ou face aux douceurs de la vie en général. Est-ce que pour moi le sucre est néfaste et poison ? Est-ce que je refuse de me « payer du bon temps » ou des cadeaux parce que j'ai l'impression que je ne les mérite pas ou que je vais passer pour quelqu'un de matérialiste ? Ma relation non harmonieuse avec le sucre et ses représentations au niveau affectif (**amour,** douceur, tendresse) a pour conséquence d'affecter mon **pancréas**.

Je prends **conscience** que lorsque mon **pancréas** est en harmonie, j'éprouve une sensation d'équilibre, de paix, de bien-être. Je me sens à ma place dans ma vie et bien dans ma peau. J'accepte↓♥ que tout est expérience dans la vie, je m'adapte aux situations, je lâche prise sur mes émotions et je cesse de tout contrôler, autant les situations que les personnes.

PANCRÉAS — PANCRÉATITE

VOIR AUSSI : ANNEXE III

Je vis beaucoup de rage face à la vie car elle ne m'offre plus de « douceurs ». Je veux la rejeter. Je vis une colère immense, me sentant emprisonné face à une personne ou une situation. Je suis dans une impasse et je préfère rester sur place avec toutes mes émotions qui me font me sentir impuissant car je ne sais pas comment transiger avec celles-ci. Je préfère renoncer au lieu de faire un effort supplémentaire. Je suis rempli d'insécurité. Je me laisse aller. Je n'ai plus de tonus, tant au niveau de mon physique que de mes pensées et mes émotions. Au lieu d'attendre que les « douceurs » viennent à moi, c'est à moi de m'en offrir, sachant que je les mérite. Je choisis de vivre. Je chasse mes pensées noires.

Au lieu de fuir mes émotions, je les accueille et je regarde ce qu'elles veulent m'apprendre. Je regarde toute la tristesse qui se cache derrière la colère. Je laisse aller tout ce qui dans ma vie ne convient plus et me construit de nouveaux cadres de vie (tant au niveau personnel, familial et professionnel). Je crée ainsi une nouvelle vie remplie de bonheur et de joie.

PANIQUE (attaque de…)

VOIR : PEUR

PARALYSIE (en général)

La **paralysie** est une impossibilité d'agir, un arrêt du fonctionnement de l'activité d'un ou de plusieurs muscles. Elle peut affecter un organe, un système d'organe ou tout le corps.

Cette maladie est reliée à la fuite : est-ce que j'essaie d'éviter ou de résister à une situation, une personne ou à mes responsabilités ? **C'est souvent la peur qui me paralyse**. Ce que je vis peut me sembler tellement insoutenable et insurmontable que je désire me « couper », me rendre insensible, ayant l'impression qu'il n'y a pas de solution envisageable, n'étant pas capable d'assumer pleinement mes responsabilités. Je peux aussi vivre ou avoir vécu un traumatisme profond qui me demande « d'arrêter de vivre » car cela en fait trop. Parfois, la vie me demande de prendre un temps d'arrêt pour réévaluer mes priorités et si je fais la sourde oreille, la **paralysie** peut survenir et m'oblige à m'arrêter. Il est possible aussi qu'une intense haine ou un manque de confiance en moi-même m'amène à ne plus agir. De cette façon, je ne peux pas me tromper. Je veux à tout prix réaliser un désir qui est irréalisable : mon corps s'arrête pour me donner un signe qu'il est préférable que j'accepte↓♥ ce fait. Je peux aussi être très rigide quant à ma façon de penser, et si tout ne se dessine pas comme prévu, ma réaction est de me retirer, de m'évader. Il est important que je prenne **conscience** de la pression qui me hante, par rapport à ce qui arrive ou à ce qui va arriver, afin de la maîtriser et de permettre à la partie **paralysée** de « recommencer à vivre ».Je peux me sentir « **paralysé** » dans une situation où je ne peux pas bouger ou qui ne m'offre aucune latitude face aux choix ou aux actions à entreprendre. Le fait de manquer d'initiative ou de ne pas trouver d'issue dans une situation me **paralyse**. Où dois-je aller ? Il est peut-être préférable de rester sur place… La partie du corps affectée me donne des indications supplémentaires quant à la source de mon malaise et de ma peur. Si par exemple ma **jambe droite** est **paralysée**, cela peut être la peur face à ce qui s'en vient pour moi dans mon futur travail, dans mes responsabilités familiales ou dans mes responsabilités comme citoyen. Si je ne peux pas fuir une situation, ne pas trouver d'issue, mes **jambes** se paralysent. Si je ne peux pas repousser ou retenir une situation ou une personne, mes **bras** seront atteints. Si je n'ai plus le goût de parler ou boire mais ne sais pas comment m'y prendre, ma **bouche** se paralyse. Lorsque j'expérimente la **paralysie**, je sens que tout mon monde ***s'effondre***. C'est comme si on me donnait une ***gifle*** en pleine figure, qui souvent entraîne une **paralysie faciale**. Cette dernière exprime ma peur viscérale de montrer mes sentiments dont j'ai honte. Je suis **paralysé** à l'idée qu'on me voie sous mon vrai jour. La **paralysie infantile** met en **lumière** le sentiment du bébé de se sentir prisonnier. La **quadriplégie** ou **tétraplégie**[171] met en **lumière** mon sentiment profond que quoi que je fasse, je ne peux pas être à la hauteur ou que je ne peux pas satisfaire les attentes de tous et chacun. J'ai beau me « fendre en quatre[172]), me « saigner aux quatre veines[173] », rien n'y fait. Je prends **conscience** que je me **paralyse** moi-même avec ma propre attitude négative face à qui je suis. Je me sens victime, « **paralysé »**. Le fait que je sois peu en contact avec mon **cœur♥** et mes émotions m'empêche d'avancer, d'évoluer. Je reste dans ma coquille, accroché au passé. L'angoisse me **paralyse**. Je veux anesthésier ma douleur intérieure.

J'accepte↓♥ de voir quelle est la situation de ma vie qui est « **paralysée** » et que j'ai à changer ou améliorer pour accroître mon bien-être intérieur. Je laisse aller le passé que je veux « figer » et je me tourne vers le futur, sachant que le meilleur est à venir. Je me prends en charge : je fais des choses pour moi. Au lieu de vouloir contrôler les autres et les éléments extérieurs de ma vie, je prends le contrôle de ma propre vie ! J'apprends à accepter↓♥ l'**amour** des autres. Je croque dans la vie !

PARALYSIE CÉRÉBRALE

VOIR : CERVEAU — PARALYSIE CÉRÉBRALE

[171] Paralysie touchant simultanément les quatre membres.
[172] Expression québécoise qui veut dire : se donner beaucoup de mal.
[173] Donner tout ce que je peux, me priver pour quelqu'un d'autre.

PARALYSIE INFANTILE

VOIR : POLIOMYÉLITE

PARANOÏA

VOIR : PSYCHOSE — PARANOÏA

PARESSE

La **paresse** est une tendance à éviter toute activité, à refuser tout effort.

Elle est reliée à de la lassitude par rapport à ma vie en général, un laisser-aller, car je n'ai pas le goût de faire des efforts ou de me forcer à faire quoi que ce soit. En évitant d'être dans l'action, j'évite en même temps de me faire critiquer et d'avoir à me remettre en question. Je reste dans ma bulle et dans la monotonie.

J'accepte↓♥ de passer à l'action. Je commence à agir, à faire des choses afin de me redonner énergie, entrain, joie de vivre. Je découvre ainsi mes talents qui sont restés jusqu'à maintenant, cachés et cela me procure un grand sentiment de réalisation personnelle !

PARKINSON (maladie de...)

VOIR : CERVEAU — PARKINSON [MALADIE DE...]

PAROI

La **paroi** est une partie qui circonscrit (limite) une cavité du corps ou d'un organe creux (par exemple la vessie, le gros intestin, la vésicule biliaire, l'intestin grêle, estomac).

Si elle est affectée, je dois me demander face à quelle situation de ma vie je me sens fragile. J'ai l'impression que je n'ai pas le pouvoir de changer les choses. Je me sens limité, dans une situation, un rôle que je n'ai pas choisi. Mes paroles ne sortent pas comme je le voudrais, je ne me sens « pas le roi », le maître de ma vie. Je vis donc une soumission due à ma faible estime de moi et aux doutes qui me paralysent. Je me sens séparé, cloisonné, différent des autres. J'ai de la difficulté à mettre des limites, à me faire respecter dans mes besoins. Il est important d'aller lire l'organe atteint pour me donner de plus amples informations face à ce que je vis.

J'accepte↓♥ de reprendre contact avec mes besoins et mes émotions. Je les exprime en toute confiance et dans le respect de moi-même et des autres. Je suis dans l'action et je reprends ainsi la maîtrise de ma vie !

PAROLES

VOIR AUSSI : APHONIE

Les **paroles** que je prononce aujourd'hui créent mon avenir. On dit que la pensée crée, et que le verbe (la **parole**) manifeste. Ainsi, lorsque je parle, j'amène déjà mes pensées à se concrétiser sur le plan physique, comme si la **parole** était matérielle. Si j'ai de la difficulté à **parler**, à choisir des mots pour exprimer ce que je vis, je peux me demander dans quelle situation j'ai été obligé de ne rien dire ou de mentir, donc utiliser des mots qui ne respectaient pas ma réalité. Par exemple, si je suis une femme qui ne pouvait pas dire que j'étais enceinte, il y a un stress immense qui a été enregistré face au fait de ne « pas dire », de cacher, du non-dit. Après cela, quand il arrive des situations semblables ou dès que je me sens en situation de stress, j'ai de la difficulté à **parler**. Je me sens inférieur aux autres il est donc difficile pour moi de m'exprimer car j'ai peur de ne pas être à la hauteur. Je peux vouloir jouer un rôle. De la qualité de mes **paroles**, du choix de mes mots dépend l'harmonie ou la disharmonie dans laquelle je SUIS ou je m'en vais. Si le chant est mélodieux, si je parle avec mon **cœur♥**, si la gaieté, le positivisme, les encouragements sortent de ma bouche, j'attire le soleil. Si mes **paroles** ne sont que médisance, négativisme, colère, destruction, j'attire alors nuages gris, orages et intempéries. **Le choix est mien !**

J'accepte↓♥ d'être vrai, en toute simplicité.

PAROTIDE

VOIR : GLANDES SALIVAIRES

PAUPIÈRES (en général)

VOIR AUSSI : TRAITS TOMBANTS

Les **paupières** recouvrent et protègent mes yeux.

Des **paupières** gonflées, irritées ou pochées sont le signe que je vis de la tristesse qui peut être due à une situation telle que je ne reverrai pas une personne, et qui s'exprime par des larmes, mais je veux me retenir, garder en dedans de moi ma douleur. « Je ferme les yeux sur des évidences qui me sont difficiles à admettre ». Je vis une séparation, avec quelqu'un mais ce peut être aussi mon pays. Je dois fermer les yeux quand je veux me reposer ou dormir, ce mouvement étant fait volontairement. Mais si mes **paupières** sont **mi-fermées en permanence**, il y a quelque chose ou quelqu'un dans ma vie que je veux fuir ou que je n'ai pas le courage de regarder en face. Ce peut être quelqu'un ou quelque chose qu'il ne faut pas voir. Je refuse le regard et le jugement des autres car il est facile pour moi de me dénigrer et de rejeter qui je suis. Je suis sur la défensive et me sens sous pression. Si, en plus, je vis une grande tension, mes **paupières** ont tendance à cligner plus rapidement. Une **chute des paupières (ptôsis)** m'indique une tristesse profonde et une résignation face à des événements que je ne veux plus voir. C'est comme si le rideau tombait sur une partie de ma vie. Ce que je vois est loin de mon idéal. J'ai été témoin d'un événement ***pire*** que tout ce que j'avais vu avant… **Chez la femme**, cela se manifeste le plus souvent à l'œil gauche et dévoile une situation conjugale où il y a une impasse et une grande déception. Lorsque les **paupières** (le plus souvent la paupière inférieure) se retournent **vers l'extérieur** (**ectropion**), je vis une grande insécurité : parce que ma vie est tout embrouillée, je suis angoissé par l'inconnu et la mort. Si les **paupières** se retournent **vers l'intérieur** (**entropion**), je ne reçois pas l'attention et la tendresse des autres dont j'ai besoin. La **blépharite** (inflammation) exprime ma dualité entre dire la vérité ou « fermer les yeux » et me taire. Je peux aussi chercher à cacher mes larmes…

J'accepte↓♥ de voir que je me ferme les yeux pour mieux me centrer, m'intérioriser mais il est aussi important que je les ouvre tout grand pour voir Toutes les beautés de l'Univers et voir toutes les possibilités qui se présentent à moi.

PAUPIÈRES (clignement des...)

Mes **paupières** ont tendance à cligner plus vite quand je vis un stress ou une tension plus grande que d'habitude. Je suis « survolté » par rapport à ce que je vois». Y a-t-il une situation que j'aimerais mieux ne pas voir dans ma vie" ?

J'accepte↓♥ dans ma vie les moments de calme et de détente et j'apprends à « voir » le côté positif de toute chose.

PEAU (en général)

La **peau** recouvre tout mon corps et elle délimite ce qui est « à l'intérieur » et ce qui est « à l'extérieur », c'est-à-dire mon individualité. Par sa superficie, ma **peau** est l'organe le plus important de mon corps.

C'est une couche protectrice qui cerne avec précision mon espace vital et qui laisse transparaître fidèlement et inconsciemment mon état intérieur : il y a donc un lien dans mon rapport avec mon entourage (moi par rapport aux autres). Ma **peau** est le prolongement de mon ressenti, de ma sensibilité intérieure. Elle est le miroir de ma vie intime, ma carte de visite. Elle analyse toutes les informations de contacts. Si je suis une personne douce, telle sera ma **peau**. Si ma sensibilité est très grande, ma **peau** sera aussi très sensible. Au contraire, si je suis plutôt dur avec moi-même ou avec les autres, ma **peau** sera elle aussi dure et épaisse. Si ma **peau** est irritée, il y a quelque chose ou quelqu'un dans ma vie qui m'irrite. Une grande insécurité rend ma **peau moite** tandis qu'une **peau** qui transpire beaucoup évacue les émotions que je retiens et que j'ai besoin d'évacuer. Une maladie qui « **touche** » ma **peau** m'indique que je vis des difficultés au niveau de ma communication avec mon entourage. Je ressens une perte au niveau de mon intégrité. L'état de ma **peau** indique l'état de mes relations avec autrui. Mon individualité est remise en question, mon intimité et ma vulnérabilité peuvent être menacées. Quelles sont mes limites ? Quelles sont mes zones d'intolérance ? Ma **peau** réagit quand j'ai besoin de toucher et d'être touché et que je vis un manque à ce niveau. C'est pourquoi, au moment d'une **séparation**, je pourrai développer de l'**eczéma** ou du **psoriasis** par exemple : ma **peau** vit un stress, elle est en besoin et elle devient rouge de colère, ne comprenant pas pourquoi elle ne reçoit pas d'affection, de tendresse. Je vis un **froid** immense au niveau affectif et j'ai de la difficulté à ***m'acclimater*** à ma nouvelle vie, ma nouvelle situation. La qualité de mes relations avec le monde extérieur sera donc représentée par l'état de ma **peau**.

PEAU (maux de...)

La **peau** est comme l'écorce d'un arbre. Elle nous montre qu'il y a des problèmes extérieurs ou intérieurs. Elle isole les cellules de mon corps, mes composantes face à mon environnement extérieur.

Si ma **peau** a des **anomalies**, il y a de fortes chances que je sois une personne qui donne beaucoup d'importance à l'opinion des autres et à ce qu'ils peuvent dire à mon sujet. Étant peu sûr de moi et ayant peur d'être rejeté ou de me faire blesser, je vais me créer une maladie de **peau** qui deviendra une « barrière naturelle » qui permettra de garder une certaine distance avec mon entourage. Je veux tellement ***adhérer*** à un groupe, ma famille, mes confrères de travail, etc. mais ayant peu d'estime de moi, je crée une distance avant qu'on ne me rejette. Je souffre de ***l'absence*** de contact avec ma mère et je peux vouloir mettre la faute sur mon ***père***. La **peau** étant un tissu mou qui est relié à l'énergie mentale, elle exprime mes insécurités, mes incertitudes et mes soucis profonds. Il est important de voir quelle couche de la **peau** est atteinte, particulièrement dans le cas de **brûlure**. Une atteinte de l'**épiderme** fait référence à une situation où il y a eu une séparation difficile ; le **derme** réfère plutôt à un événement que j'ai perçu comme sale, malpropre. Enfin, lorsque l'**hypoderme** est atteint, donc plus près des os, il y aura diminution de mon estime de moi et dévalorisation. La **peau** reflète donc constamment mes sentiments intérieurs, d'où l'expression « être rouge de colère ». Ma **peau** peut changer de couleur lorsque je suis gêné ou alors je peux éprouver de la honte. C'est donc la ligne de démarcation physique, mon masque entre mon intérieur et mon extérieur. Si ma **peau est sèche**, c'est qu'elle manque d'eau. L'eau est le deuxième élément (après l'air) nécessaire à la vie. Mes relations avec la vie sont donc sèches, arides. Je me bloque intérieurement dans mes relations avec mon entourage. Je peux avoir l'impression de « sécher sur place ». Je retiens tellement mes émotions (desquelles je veux me couper) au lieu de les laisser transparaître par ma **peau** que cette dernière devient **sèche**, étant « **en panne sèche** » d'essence (liquide) émotive que sont mes émotions. Je dois rechercher la joie dans ma communication avec autrui. La **peau moite** exprime une « émotion à fleur de peau ». La **peau morte** floconneuse (squame) indique que je me laisse aller à de vieux schèmes mentaux. Si je vis une situation stressante, j'ai tendance à aller dans tous les sens, à me disperser. Si des **boutons** marquent la surface de ma **peau**, c'est que j'exprime extérieurement des problèmes de relations, de communication avec mon entourage, concernant des points précis. Si ma **peau** montre des signes d'**inflammation**, je me dois alors d'être moins irrité face à certaines situations de conflit intérieur ou extérieur. Si ma **peau est grasse**, c'est que je retiens, que je garde trop d'émotions pour moi. Dans ce cas, il y a un « trop-plein » d'émotions qui s'extériorise bien malgré moi. Je peux vouloir fuir une situation ou une personne comme si on essayait de m'attraper, comme le petit cochonnet huilé que l'on veut attraper et qui nous glisse entre les doigts. Je ne veux pas être touché…C'est donc une sorte de protection. Une **hypersécrétion de sébum** indique aussi mon attitude « adolescente », immature quand il s'agit de mes émotions. Je suis très nerveux et je ne sais pas quoi faire. Je dois laisser circuler l'énergie afin que mes pensées négatives puissent disparaître. Lorsque ma **peau** est affectée, il est important que je me demande si je vis une situation de séparation dans laquelle j'ai peur d'être séparé de quelqu'un ou de quelque chose « que j'ai dans la **peau** » et de me retrouver tout seul. Ce peut être une séparation physique : par exemple, mon conjoint(e) a une promotion et doit déménager. Ce peut-être aussi le fait que je me sente séparé d'une personne parce que la communication est inexistante ; donc, je peux vivre dans la même maison que mon conjoint(e) ou mes enfants, mais je vis un grand vide car il y a un grand fossé qui nous sépare et j'ai l'impression de vivre seul. Cette solitude est souvent due au fait que je me renferme dans ma coquille, vivant une plus grande insécurité. J'aurai alors tendance à voir les situations d'une façon négative et à broyer du noir. J'ai l'impression qu'on m'a ***criblé*** de coups ou qu'on voulait me « passer au ***crible*** [174] ». Cela peut aussi entraîner une **perte de la sensibilité de la peau**. Les **égratignures**, **écorchures** ou **griffures** montrent que je me sens déchiré, « écorché vif » en dedans. Je me laisse égratigner, je ne prends pas suffisamment ma place et j'aurais intérêt à poser mes limites et à me faire respecter. En faisant constamment des compromis, je me mets dans une position d'infériorité et je perçois la vie comme injuste. Lorsque ma **peau** est agressée, elle peut réagir en coupant la sensibilité pour se protéger. Si par exemple j'ai vécu des attouchements non désirés, ma **peau** peut vouloir « geler » cette région et ne plus pouvoir sentir afin d'éviter de se rappeler cette situation désagréable. Au contraire, ma **peau** peut être **hyper-sensible** et la façon de me protéger est de me retirer ou fuir certaines situations (par exemple ne pas aller au soleil ou devoir porter un chapeau). C'est le cas par exemple quand j'ai des **taches de rousseur** : souvent, je peux me sentir taché, souillé. Ce peut être au niveau moral, affectif ou physique. Je peux aussi avoir l'impression que j'ai entaché l'image de ma famille par exemple et « qu'en ne faisant pas de bruit » ou en me conformant aux attentes des autres, je vais me racheter. Je dois regarder calmement, froidement, les frustrations que je nourris afin que ma **peau** soit plus claire et moins épaisse. Plus je deviens transparent et vrai avec les autres, plus ma **peau** va être transparente. Une **démangeaison** me montre qu'il y a une ou des pensées irritantes qui montent à la surface de ma **peau** et que je me dois de les regarder en face pour qu'elles cessent d'attirer mon attention et de me déranger. S'il y a des **changements de couleur de ma peau**, je me demande jusqu'à quel point j'accepte↓♥ ma sensibilité et mon intuition. Est-ce que je me vois comme « moche » ? La honte et la culpabilité m'empêchent de vivre avec spontanéité. Je m'oblige à m'engager dans des relations non bénéfiques pour moi. Mon être intérieur crie à la liberté et à l'acceptation↓♥ de tout mon être. Si j'ai des **rougeurs**, mon intégrité est touchée, je voudrais tellement passer inaperçu... On se moque de moi et je veux tellement qu'on m'aime et être à la hauteur.

J'accepte↓♥ qu'au lieu d'acheter des « petits pots » (**peaux**) avec des crèmes dites miracles, je commence par apprécier mes qualités et m'offrir de petites douceurs : ma **peau** va « transpirer » ce bien-être par sa douceur et sa clarté. Plus je suis capable de communiquer librement mes émotions, plus ma **peau** se détend et resplendit. Je fais confiance et j'accepte↓♥ **l'amour** des autres. Tout est une question d'attitude. Je choisis une meilleure qualité dans mes relations avec le monde extérieur.

PEAU — ACNÉ

VOIR AUSSI : PEAU / BOUTONS / POINTS NOIRS, VISAGE

Au visage, l'**acné** est reliée à l'**individualité** (tête=individualité) et a rapport à l'harmonie que je vis intérieurement et à ce qui se passe extérieurement. Le **visage** est cette partie de moi qui fait face aux autres en premier, celle qui me permet d'être accepté↓♥ ou rejeté. L'**acné** peut survenir lorsque je suis émotionnellement et mentalement en conflit avec ma propre réalité, surtout à l'adolescence lorsque la personnalité n'est pas encore bien établie. Ce conflit est relié à l'expression de soi et à ma propre nature intérieure. **Ainsi, l'acné est une expression visible d'irritation, de**

[174] **Passer au crible** : m'examiner avec soin.

critique, de ressentiment, de rejet, de peur, de honte ou d'insécurité face à moi ou aux autres et témoigne d'une non-acceptation↓♥ de moi-même. Je me trouve moche et parfois même dégoûtant ! Tous ces sentiments sont en ***effervescence*** à l'intérieur de moi. La révolution intérieure que je vis se manifeste par une révolution des boutons. Ces expressions sont toutes liées à l'affirmation de mon identité, à l'**amour** et à mon acceptation↓♥ inconditionnelle de moi-même. J'en viens à trouver ma vie ***aigre,*** m'en faisant constamment pour l'image que je projette aux autres et qu'ils se font de moi. Au lieu de vivre la liberté et le mouvement, je me renferme dans mon monde intérieur et dans mes peurs. L'**acné** se manifeste physiquement par des lésions cutanées (de la **peau**) situées sur l'épiderme. Je sais que le *fast-food* (la restauration rapide) peut favoriser l'apparition de l'**acné** et affecter le fonctionnement du foie, siège de la colère. Cela me rappelle que si je mange d'une façon gloutonne, je veux tout simplement remplir un vide intérieur. En tant qu'adolescent, l'**acné** est souvent reliée aux changements intérieurs que je vis, au moment où je dois choisir entre la peur de m'ouvrir à moi-même et aux autres (résistances, choix, décisions) et ainsi rompre (d'une façon souvent inconsciente) tout contact avec autrui, ou bien, **faire face** aux changements dans ma vie, aux ajustements par rapport à mon monde intérieur et à ma vision du monde extérieur. N'étant plus enfant et pas tout à fait adulte, je peux me sentir dans une position inconfortable en rapport avec **ma propre image**. Il se peut même que j'aie peur de **perdre la face** par rapport à ce que l'entourage peut penser de moi ou des jugements qu'il porte sur moi. Autrement dit, l'**acné** se manifeste par une peur inconsciente de ma sexualité, par une tentative d'extériorisation de ce que je suis vraiment. Je désire être vu, remarqué mais je ne m'y prends pas de la bonne façon. Comme adolescent, mon comportement est d'entrer en contact avec les autres, même si je veux ardemment faire le contraire. Je m'enlaidis pour filtrer les gens que je ne désire pas dans mon champ magnétique ou dans mon environnement ; j'établis des frontières, je marque mon territoire en quelque sorte et je n'y laisse entrer que les gens avec qui je suis vraiment bien ; je veux rester en paix sans être dérangé par les autres que j'éloigne inconsciemment ; je me replie sur moi et je veux rester ainsi ; je n'arrive pas à m'aimer suffisamment, alors les autres ne peuvent pas m'aimer, et je sais que quelque chose me harcèle et crée de la négativité sous ma **peau** ; je me compare aux autres et je me trouve toutes sortes de défauts (trop gros, trop grand, etc.) ; je me sens limité dans mon espace vital et je me rejette ; je me sens contrôlé et dirigé par mes parents d'une manière excessive. Je me rebelle facilement contre l'autorité et je nie les règles établies. Je m'identifie à l'un de mes parents pour faire plaisir à l'autre, plutôt que de garder ma propre identité. Je me coupe donc d'une partie de moi. L'**acné** peut se situer sur différentes parties du corps. **Au niveau du dos**, elle représente mon passé, mes habitudes, mes peurs antérieures et mes angoisses. C'est une façon de me rejeter. Ou bien, je peux diriger le rejet vers les personnes à qui je reproche leur manque de soutien et d'appui à mon égard. Quand elle se situe sur le **haut du dos**, elle représente la colère refoulée ou de l'irritation qui essaie de trouver un soulagement. **Sur la poitrine**, elle représente l'avenir et ce qui est prévu pour moi. L'**acné** signifie la **recherche de mon espace vital** et du **respect des autre**s face à celui-ci.

En acceptant↓♥ au niveau du **cœur♥** les changements en moi, je reste à l'écoute de mes besoins fondamentaux (sexuels ou autres) d'une manière saine et naturelle. Je découvrirai un jour la personne qui correspondra à mes attentes. J'ai à prendre ma place avec le **cœur♥** et même, si nécessaire, à exprimer aux autres quel est mon espace et la place qu'ils peuvent prendre en rapport à mon espace vital. Je m'accepte↓♥ et m'aime tel que je suis et je cesse de vouloir plaire aux autres à tout prix ! J'accepte↓♥ d'aller vers les autres et je les laisse m'approcher, en toute sécurité.

PEAU — ACNÉ ROSACÉE OU COUPEROSE

VOIR AUSSI : PEAU / BOUTONS / POINTS NOIRS, VISAGE

La **couperose** est une lésion cutanée due à une congestion et une dilatation de petits vaisseaux. Il y a un dérèglement des glandes sébacées. Les joues et le nez sont plutôt rouges et cela est suivi de petits boutons auréolés de rose. Cette forme d'**acné** se remarque le plus souvent chez les femmes dans la cinquantaine. Cette inflammation au niveau du visage est souvent associée à une alimentation non saine, un excès d'alcool ou de cigarette et peut-être aussi la conséquence d'une cirrhose du foie.

Il s'agit de ma colère qui se manifeste, mes frustrations d'avoir l'impression que personne ne m'écoute, que mon opinion ne compte pas, que je ne suis point reconnu. Je me sens **coupé** de ma famille et je résiste à leur **amour,** leurs marques d'affection. J'ai la critique facile, surtout face à mon propre corps et je dois me demander si je me donne la liberté d'être moi-même. Est-ce que j'exprime et accepte↓♥ mes différences ? Est-ce que j'accepte↓♥ ma féminité ou celle-ci représente un danger pour moi ? **J'ose** me **couper** de qui ? (coupe-**ose**) De moi-même ? Pourquoi mes relations sont si compliquées avec les autres ? Qu'est-ce qui a besoin d'être amélioré dans mes relations avec les autres ? Pourquoi ce besoin de vouloir prendre « tout ce qui passe » (autant les choses que les personnes) et mettre autant d'importance sur les apparences et la superficialité ? Je suis très émotif et je complique les choses inutilement… Je suis en période de transition et je ne me reconnais plus, je dois m'adapter à un changement physique et d'ordre émotionnel. Suis-je en harmonie avec ce changement ?

Je choisis de me réconcilier avec moi-même et accepte↓♥ les cycles de la vie. Je me reconnecte à mon essence divine et j'accepte↓♥ de rétablir l'ordre et faire la paix avec ce mouvement de la vie. J'apprends à me faire davantage confiance, à vraiment apprécier qui je suis. En devenant plus autonome, je réalise mon plein potentiel créatif.

PEAU — ACRODERMATITE

L'**acrodermatite** est une maladie de la **peau** qui affecte essentiellement la paume des mains et la plante des pieds, là où se situent quatre des vingt et un centres d'énergie (chakras) mineurs du corps.

Je me questionne face aux sacrifices que je m'impose. Est-ce bien nécessaire ? Est-ce que je peux offrir de mon temps et de mon énergie selon mes besoins et mon rythme à moi ? J'ai une très grande sensibilité qui peut limiter ma capacité à gérer les relations et les événements de ma vie. **L'acrodermatite** m'indique un besoin de donner davantage d'**amour** avec mes mains, surtout aux membres de ma famille, puisque le centre d'énergie situé dans la paume de chaque main est une extension du centre d'énergie du **cœur♥** qui représente l'**amour.**

Je peux apprendre une technique de guérison par imposition des mains, ce qui m'aidera à laisser circuler cette énergie d'**amour** que je bloque pour moi-même. Je peux aussi faire des travaux manuels de créativité, de la peinture ou du dessin, afin de permettre à cette énergie de passer plus librement à travers mes mains. Pour ce qui est des pieds, je dois me considérer comme marchant sur un terrain sacré et laisser l'énergie qui m'habite circuler librement vers la terre, sachant que je reçois constamment en laissant cette énergie circuler.

PEAU — ACROKÉRATOSE

VOIR AUSSI : PEAU — ACRODERMATITE

Comme pour l'acrodermatite, l'**acrokératose** affecte la plante des pieds et la paume des mains par un épaississement de l'épiderme.

J'utilise mon énergie mentale pour me protéger d'avoir à donner par mes mains et de me sentir davantage en harmonie avec la terre. J'ai peur du changement et je n'ose ainsi pas aller vers les autres. Je me durcis et repousse toute nouvelle opportunité qui s'offre à moi. Je me sens limité et deviens impatient et impulsif.

J'accepte↓♥ de libérer mon mental de mes angoisses. J'ose croquer dans la vie : je fais confiance et je m'ouvre à donner et recevoir en toute sécurité. Ma curiosité m'ouvre des portes à de nouvelles expériences qui me permettent de me rapprocher des gens. Je peux tenir compte des suggestions faites pour l'**acrodermatite** pour faire circuler l'énergie.

PEAU — ALBINISME OU ALBINOS

VOIR AUSSI : PEAU- VITILIGO

L'albinisme est l'incapacité à produire de la mélanine qui joue un rôle sur la pigmentation (coloration) de la peau. **L'albinisme** atteint généralement la peau, les cheveux et les yeux (lorsqu'il y a absence partielle de mélanine, la personne est atteinte de vitiligo, il y a à ce moment-là des taches non pigmentées à certains endroits du corps).

« Est-ce que je laisse quelqu'un contrôler ma vie en pensant qu'il ou elle le fait mieux que moi parce que je n'en suis pas capable ou que c'est au-dessus de mes forces ? » Je crois que je n'ai pas le droit à la vie. Je veux m'en aller loin tant le regard des autres sur moi me pèse. Je me rejette, m'exclue du monde qui m'entoure. Je me rends responsable de toutes les fautes du monde et je veux inconsciemment me purifier. Je me sens comme un fantôme, sans **âme** ni identité propre.

J'accepte↓♥ dès maintenant d'être différent et unique non pas seulement à cause de mon physique mais parce que je possède d'innombrables qualités qui font de moi un être merveilleux. Je peux mettre mes talents au service de l'humanité et je prends **conscience** ainsi davantage de mon pouvoir.

PEAU — AMPOULES

L'**ampoule** est une accumulation d'eau qui se forme entre deux parties de la **peau**, soit le derme et l'épiderme, à la suite d'une friction répétée au même endroit. L'accumulation d'eau ainsi formée agit à titre de protection naturelle du corps.

Elle met donc en évidence mon manque de protection, notamment au niveau émotionnel, ou mon manque de résistance. L'**ampoule** est le rappel d'une **faiblesse émotionnelle** et l'endroit où elle se situe donne une indication du niveau de la faiblesse. Une **ampoule** aux **pieds** est reliée aux directions que je prends dans ma vie et le sentiment d'insécurité qui peut en découler. Si elle est à l'arrière du **talon**, elle est liée à ma mère et à mes propres attributs maternels. Je dois me demander si j'avance réellement dans ma vie ou je ne fais que me conter des histoires ? Je suis très dur envers moi-même. Je me fais souffrir, je pleure les autres. Je veux me durcir la **peau** comme je veux durcir mes émotions pour ne plus souffrir. Je résiste à quelque chose ou à quelqu'un. Une **ampoule** aux **mains** m'amène à voir l'irritation et la frustration dans ce que je fais ou dans la manière dont je mène ma vie. J'ai tendance à idéaliser d'autres personnes au lieu de voir toutes les belles qualités que je possède. Ainsi, en regardant où se situe l'**ampoule**, je peux me demander ce qui **m'agace** dans ma vie, ce qui me cause une friction et provoque chez moi de la peine (l'eau) même inconsciente. Ce peut être ce que je vois ou ce que je ressens et je me sens à part des autres car ma vision de la vie est très différente. Je veux être un canal et partager mes connaissances et mes expériences mais souvent les gens font la sourde oreille et sont dérangés par ce que je dis. L'**ampoule** est là pour m'apporter plus de « **lumière** » sur ce que je vis. Je me demande quelles sont les émotions qui sont rendues à fleur de **peau** et qui sont sur le point d'éclater. Il y a une tension intérieure qui ne demande qu'à s'extérioriser. J'ai tendance à me restreindre moi-même ce qui peut se manifester par de l'agressivité, souvent tournée vers moi-même.

J'accepte↓♥ d'exprimer mes émotions davantage, en suivant le courant de la vie. J'enlève toute limite que je me suis imposée.

PEAU — ANTHRAX

VOIR AUSSI : PEAU — FURONCLES

L'**anthrax** est une infection de la **peau**, constituée par la réunion de plusieurs furoncles et qui s'étend au tissu conjonctif sous-cutané.

Je vis alors de l'agressivité malfaisante provenant du fait que j'ai le sentiment que l'on a entravé ma liberté personnelle de façon **injuste et inacceptable**. Je voudrais « ***ameuter*** tout le quartier », crier mon indignation. Je me sens pris, traqué, coincé, impuissant. Il y a un combat intérieur qui se livre, reflétant celui qui se passe à l'extérieur, souvent dans une situation impliquant une personne ou une organisation en position de force et de pouvoir. Cette lutte se passe entre ma tête et mon **cœur♥**. Je mets de côté mon côté affectif, intuitif qui pourtant devrait être l'autorité première face à ce que j'ai à faire dans ma vie.

J'accepte↓♥ d'avoir à apprendre comment trouver la place qui me revient et d'avoir le pouvoir de changer toute situation dans ma vie. Je n'ai qu'à le décider. J'apprends à écouter mes émotions et mon intuition. Je redécouvre ma spontanéité, mon **cœur♥** d'enfant. J'accepte↓♥ d'être moi-même en tous temps.

PEAU — BLEUS

Les **bleus** portent aussi le nom de **contusions**. Il s'agit d'une meurtrissure de couleur rouge, bleuâtre ou noire, qui survient lorsque je me frappe sur un objet dur qui écrase la **peau**.

Cette contusion est reliée à une **expression refoulée**, une douleur mentale ou une angoisse profonde que je ne verbalise pas. Mon agressivité se retourne contre moi. Cela peut survenir dans les moments de grande fatigue lorsque je suis décentré. Je cherche quel est mon vrai pouvoir sur la vie et les événements. Je fuis mes émotions et j'ai l'impression de n'être rien, me ***fondant*** dans la masse. Je me sens esclave des autres, me demandant quelle est la place qui me revient. Je laisse aux autre l'autorité que je devrais moi-même manifester par mes paroles et mes actes. Je fuis ma vraie valeur personnelle. Mon sentiment de faiblesse m'irrite au plus haut point ! Je me sens **coupable** pour quelque raison que ce soit, je veux **me punir**, j'adopte l'attitude d'une victime, je manque de résistance face aux événements de la vie (prédisposition aux **contusions**). La vie m'avertit donc instantanément qu'en frappant cet objet, je ne me dirige pas dans la bonne direction (peu importe celle-ci).Habituellement, l'objet est immobile, si bien que **je le frappe en allant vers lui au lieu du contraire**. Donc, je m'autopunis. Est-ce que je regarde où je vais ? Est-ce que je me meus avec douceur dans la vie ou ai-je tendance à agir brusquement ? Suis-je assez attentif pour continuer ou trop faible et fatigué par mes meurtrissures et mes blessures intérieures qui se manifestent maintenant sur mon physique ? Suis-je assez calme intérieurement ? Est-ce que je prends assez de recul face à une situation pour bien en saisir le sens ? Je vis de la fuite et je « suis ailleurs ». Je peux vouloir tellement faire les choses pour être aimé et apprécié que je mets toute mon attention sur ce que j'ai à faire et que je ne vois plus ce qui se dirige vers moi. Je me « cogne le nez » à force de me poser des questions et d'avoir l'impression qu'elles restent sans réponse. Je deviens « boqué » (entêté) au lieu d'être persévérant. J'ai les « **bleus** »[175] car j'ai besoin d'**amour** et d'affection et je ne reçois que violence et « coups bas ». Je me sens victime des événements que j'ai l'impression d'avoir à endurer. Je m'apitoie sur mon sort. Je suis « **bleu de colère** » : j'ai l'impression d'avoir à me battre dans la vie donc, je me mutile moi-même, pensant que je suis tout ce que je mérite. Je dois peut-être réviser mes positions pour être en mesure d'éviter les obstacles qui se présentent sur mon chemin.

J'accepte↓♥ le contrôle de ma vie. Il est très important que je choisisse et que j'assume des décisions qui sont en harmonie avec moi-même et mon évolution. Je prends plus soin de moi et je n'ai plus besoin de me faire mal car je sais que je mérite d'être heureux et qu'on s'occupe de moi. Je reprends les rênes de ma vie. Je me respecte et **j'accepte↓♥** de changer mes cadres de vie afin de rester flexible face à la vie et ce qu'elle a à me donner.

[175] **J'ai les bleus** : je vis de la morosité, un peu comme des sentiments dépressifs.

PEAU — BOUTONS

VOIR AUSSI : HERPÈS / [... EN GÉNÉRAL, ... BUCCAL], PEAU — ACNÉ

Les **boutons** sont souvent reliés à l'acné. Alors que l'acné est habituellement localisée sur certaines parties du corps (visage, dos, etc.), les **boutons** peuvent se retrouver sur l'ensemble du corps. Ce sont de petites bosses rougeâtres qui peuvent contenir du pus, selon l'infection en cause. J'ai des **boutons** parce que j'exprime de l'**impatience**, je veux aller au-devant des choses et vite ! Si le pus se manifeste (**boutons à tête blanche**), je suis en **colère**, je **bous à l'intérieur**. Je refoule mes émotions qui ne demandent qu'à s'extérioriser. J'ai toujours peur de me tromper. Je me sens contrarié et soucieux, je vis peut-être une petite tristesse intérieure et, dans le cas de **boutons** sur l'**ensemble** du corps, un découragement généralisé. Les **boutons** au visage sont reliés à l'individualité. C'est la même signification que l'acné faciale. Je me rejette, je filtre les personnes qui passent mes « barrières », je veux la paix sans être approché. Les **boutons** sont la manifestation de pensées qui sont toxiques pour moi. Je garde tout à l'intérieur de moi et mes **boutons** me rappellent que ce n'est pas bénéfique pour moi. Je veux me cacher mais en même temps, je voudrais tellement dire au monde qui je suis et que j'existe.

J'accepte↓♥ de prendre le temps de dire ou faire les choses, me souvenant que je suis pleinement guidé. Je me rappelle que chaque être humain a le droit de s'exprimer en toute franchise et en toute simplicité. En exprimant davantage mes émotions, mon corps n'aura plus besoin de les exprimer sous forme de **boutons**.

PEAU — CALLOSITÉS

VOIR AUSSI : PIEDS — DURILLONS ET CORS

La **callosité** est un épaississement et un durcissement de la **peau**, liés à des frottements répétés, donc à des attitudes et à certains schèmes de pensées **rigides** que je véhicule actuellement. Plusieurs régions du corps peuvent être affectées.

La **peau** est reliée à l'énergie mentale et lorsque celle-ci s'accumule ou se cristallise, en réaction de peur par rapport à une situation quelconque, survient alors une immobilité ou une inertie empêchant le déplacement de cette énergie, sans flexibilité dans mes pensées. Je reste ouvert **même si j'ai peur**. Cette peur m'amène à fermer et à rétrécir ma vision objective de la vie. Mes préjugés me cloîtrent dans mes positions. Je peux rejeter mon rôle de pacificateur ou mes responsabilités à servir les autres. Je me protège en épaississant ma **peau**, empêchant ainsi de laisser pénétrer les agresseurs. Je dois prendre **conscience** qu'en se faisant, j'empêche aussi les marques d'affection, la douceur de se manifester à moi. La région où se manifeste la **callosité** peut m'apporter des informations supplémentaires : par exemple, au niveau de **l'épaule**, je **durcis** mes idées et mes attitudes par rapport aux responsabilités de ma vie. Si ce sont mes **pieds** qui sont calleux, cela m'indique que je résiste à un changement qui s'en vient pour moi. Au lieu de faire confiance, je mets une couche de protection pour « parer les coups ». Puisque les **pieds** me donnent la stabilité et m'aident à avancer, lorsque je développe de la **corne aux pieds** (en général au talon), je vis de l'angoisse car je ne me sens pas appuyé. J'ai peur de perdre **pied** ou d'avoir des manques dans mes besoins de base (sécurité) et je

« protège » mes arrières (talon) en développant une peau plus épaisse. Inconsciemment, je fuis mon sentiment d'insécurité en moi. L'épaississement de la **paume des mains** m'indique aussi que je résiste à un changement. Je me protège pour ce qui est de donner ou de recevoir. J'enferme ma spontanéité et ma créativité dans des structures rigides qui me limitent.

J'accepte↓♥ de devenir plus doux avec moi-même. Je découvre la source de mes peurs et alors, l'énergie bloquée et accumulée sur l'épiderme commencera à se diffuser en harmonie avec moi. Ma **peau** revient souple et jeune.

PEAU — CICATRICE

Une **cicatrice** est un tissu fibreux remplaçant à titre définitif ou très prolongé un tissu normal après une lésion. Elle est le résultat de la cicatrisation.

L'endroit où la **cicatrice** se situe me montre que la blessure physique est reliée à une blessure morale. Le fait d'avoir cette **cicatrice** est un constant rappel de cet événement qui a été source de mal, de déchirure, de blessure. Lorsqu'il n'y a plus de douleur physique à cette cicatrice, il en reste seulement un souvenir dans cette tranche de vie. Lorsque je regarde cette **cicatrice** et que la blessure morale revient, je dois réaliser les apprentissages que cette expérience de vie m'a apportés ou quelle leçon je dois tirer de cette situation.. La difficulté à cicatriser met en **lumière** le fait que cette douleur morale a laissé ces traces. J'ai de la difficulté à accepter↓♥ et à pardonner (à quelqu'un d'autre ou à moi-même !) ce qui s'est passé. Elle « m'infecte » encore la vie…

J'accepte↓♥ de pardonner afin de remettre davantage d'**amour** dans la situation et davantage de paix à l'intérieur de moi. Ceci permettra à la cicatrice de désenflammer et de se refermer, allant même parfois jusqu'à disparaître complètement.

PEAU — DÉMANGEAISONS

VOIR AUSSI : PEAU — ÉRUPTION [... DE BOUTONS]

La **démangeaison,** aussi appelée **prurit**, est reliée à la peau, l'organe sensoriel le plus étendu du corps humain. La **démangeaison** est une irritation, quelque chose qui « se glisse » sous la **peau** et qui m'affecte à un endroit particulier ou qui m'**irrite** intérieurement.

Je me **sens contrarié** par des désirs insatisfaits et une certaine **impatience** s'installe et fait que je me gratte, gratte, gratte... Ces grattements m'indiquent que les situations de ma vie ne vont pas selon mes désirs, que je suis séparé du plaisir et de la jouissance que je veux retrouver. Les choses n'avancent pas assez rapidement pour moi. Je suis irrité, insatisfait de ma vie et j'ai l'impression que les autres en sont la cause. Je cherche souvent trop loin ce bonheur qui est à ma portée… Je ne me sens pas avoir le contrôle de ma vie et j'en veux à l'autorité sous toutes ses formes. Est-ce plutôt moi qui me limite en me séparant de mes propres émotions ? La vie me pousse à faire des changements rapides. Je vis de l'**insécurité** et des **remords** en conséquence de tout cela. Qu'est-ce qui me **démange** autant jusqu'à parfois déchirer la **peau** jusqu'au sang ? (comme quoi j'ai besoin d'aller voir dans les profondeurs de mon être pour trouver les réponses à mes questions). Est-ce que je n'ai pas la réponse ou que je ne veux pas la voir ? Je ne veux peut-être pas me retrouver dans la rue. Que dois-je faire pour changer cet état ? **J'identifie la « cause » de l'irritation**. Est-ce relié à mon père, à ma mère ou à quelqu'un que j'aime ? Est-ce une situation que je veux intérieurement changer ? Je m'interroge quant à ma place à l'intérieur de ma famille. Est-ce que je me sens appartenir à celle-ci ou ai-je plutôt l'impression que je suis séparé d'elle et que je dois aller chercher l'**amour** ailleurs ? Ai-je perdu contact avec mes propres émotions ? Si l'irritation est généralisée à l'ensemble du corps, elle affecte donc tout mon être d'une manière très intense. Si elle est à un endroit particulier, je trouve la réponse selon la partie du corps affectée. Par exemple, au **niveau du cuir chevelu**, il y a désordre dans mes pensées. Je me fie à mon mental pour trouver des réponses à mes questions quand je dois aller voir dans mon **cœur♥**.

J'accepte↓♥ ces **démangeaisons** car je sais qu'elles ont un message à me transmettre. Je n'ai plus besoin de fuir ou de quitter ce que je vis pour que les **démangeaisons** disparaissent. Par contre, s'il s'agit d'**allergies**, je regarde à quoi ou à qui je suis allergique. Je n'aurai plus besoin de me sentir mal au point de me gratter sans cesse. En mon for intérieur, je sais que l'ouverture du **cœur♥** guérit beaucoup de maux ! Je reprends la place qui me revient. Je laisse ma créativité s'exprimer. J'accepte↓♥ de voir ce que je dois changer dans ma vie en me faisant totalement confiance.

PEAU — DÉMANGEAISONS À L'ANUS

VOIR : ANUS — DÉMANGEAISON ANALE

PEAU — DERMATITE

La **dermatite** est l'inflammation de ma **peau**.

Une inflammation est une colère sourde, une irritation réprimée essayant de s'exprimer. La colère qui me consume peut être autant envers moi-même qu'envers les personnes qui m'entourent. La **dermatite** est une façon de réagir si quelqu'un « se glisse » sous ma **peau**, me bouleverse, me dérange ou si une situation me cause de la frustration. Elle met en évidence un besoin de contact physique (habituellement par le toucher) qui demande à être comblé ou le besoin d'éviter un contact qui m'est imposé et que je rejette. Ma vulnérabilité et ma sensibilité sont mises en danger. Je vis un inconfort et même une certaine dualité face aux limites dans mes relations avec les autres. Jusqu'où va ma liberté tout en me sentant en sécurité ? Ayant de la difficulté ou n'osant pas dire à l'autre personne d'arrêter, ma **peau « bout » de colère**, ou au contraire, je peux avoir de la difficulté à manifester mon besoin de contact humain, de caresse, etc. Je vis un inconfort face à ma mère : soit que je sens qu'elle me rejette soit qu'elle me surprotège et cela m'incommode.

J'accepte↓♥ que l'important soit de respecter mes besoins, de faire part de ceux-ci aux personnes concernées, et la **dermatite** pourra se résorber naturellement.

PEAU — DERMITE SÉBORRHÉIQUE

La **peau** est l'enveloppe protectrice du corps et elle protège aussi mes organes intérieurs. La **dermite séborrhéique** est une affection cutanée fréquente qui est caractérisée par des rougeurs plus ou moins grandes et recouvertes de lamelles qui se détachent de la peau (squames jaunes et grasses). Elles prédominent dans les zones où la sécrétion séborrhéique est la plus importante (le plus souvent le cuir chevelu, les ailes du nez, le front, les tempes, le sternum, etc.). La séborrhée (hypersécrétion de sébum) prédispose à la dermite séborrhéique. Puisque le sébum lubrifie la **peau** et la protège, est-ce que je sens ce besoin de me protéger car « une tuile risque de me tomber sur la tête » ? Elle manifeste un excès, un surplus, un trop, un secret trop lourd à porter, comme par exemple : je peux m'être rendu compte d'une fraude dont je suis le témoin ou à laquelle je participe et j'ai peur d'être démasqué. Je vis un stress dans ma vie qui est récurrent et grandissant, relié à un excédent, une surcharge d'une situation que je ne peux plus tolérer. Est-ce que je prends soin de quelqu'un à l'excès sans m'occuper d'abord de mes propres besoins ? Elle exprime une contrariété intérieure non résolue, lorsque j'ai un complexe face à mon physique, et qu'il y a des choses que je veux cacher de ma vie personnelle, je rejette la proximité avec les autres.

J'accepte ↓♥ de vivre dans la vérité. En reconnaissant mes propres besoins, en exprimant mes contrariétés et mes frustrations, je manifeste de plus en plus la transparence de mon être intérieur. La paix peut ainsi s'installer en permanence.

PEAU — ECZÉMA

L'**eczéma** est une affection de la **peau** surmontée par des zones rouges pouvant apparaître autant chez l'adulte que chez l'enfant. Je suis une personne hypersensible.

Je n'ai pas appris à m'aimer et, comme je crains d'être blessé, je vis beaucoup en fonction de ce que les autres attendent de moi. J'ai peur d'être abandonné. Si j'ai de l'**eczéma**, j'ai déjà vécu une situation de séparation très intense, comme par exemple lors d'un déménagement, un changement de classe à l'école ou une dispute qui a mené à une séparation ultérieure. Celle-ci peut même remonter au moment où j'étais dans le ventre de ma mère. J'ai eu par la suite beaucoup de difficulté à ***m'acclimater*** à mes nouvelles conditions de vie. Parfois, tout se passe au niveau du ressenti car vu de l'extérieur, il semble ne pas y avoir eu de grands **changements**. Je peux avoir senti que mes valeurs ont été bafouées et c'est comme si c'était mon être profond qui avait été rejeté. J'ai l'impression de n'avoir aucun pouvoir sur ma vie. J'aurai tendance à recréer des situations où je me sentirai séparé, particulièrement des gens que j'aime. L'**eczéma** « touchant » la **peau**, ce qui me manque, même inconsciemment, c'est le contact, le toucher de la personne avant la séparation, que j'ai maintenant perdu ou que je n'ai plus que rarement. Il me reste un deuil à faire. C'est donc ma **peau** qui faisait contact avec l'autre et ce contact m'ayant ***été retiré***, ma **peau** exprime son besoin d'être touchée sous forme d'**eczéma**. Ma **peau** me dit : j'ai déjà été aimé mais cela est du passé… L'**eczéma** me montre aussi que je vis une ambivalence face au toucher : j'en ai besoin mais il me fait peur aussi. Si **l'eczéma** est généralisé, la séparation a été soudaine, totale et est arrivée plus tôt que prévue. C'est comme si ma **peau** envoyait un cri, un **appel** à l'aide. Si par exemple, j'ai de **l'eczéma** seulement dans les **mains**, je peux me demander s'il y a un animal domestique dont j'étais très proche et que j'ai perdu ; puisque je prenais cet animal dans mes mains, **l'eczéma** se retrouve à cet endroit en particulier. Je peux aussi vivre une situation où je suis frustré car je m'en veux de ne pas agir ou de ne pas recevoir. Aux **coudes** et aux **genoux**, **l'eczéma** manifeste un repli sur moi qui me contrarie. Cela m'amène à m'***isoler***, à me retirer et à me déprécier. Soit qu'on m'oublie soit que j**e m'oublie constamment au détriment des autres**. J'accorde beaucoup d'importance à ce que les gens peuvent penser de moi ou à la façon dont ils me perçoivent. L'image que je projette est très importante. J'éprouve de la difficulté à être moi. Ne pas savoir où me mène mon destin me crée beaucoup d'inquiétude et alors, l'anxiété me gagne. Je passe du désespoir à la révolte ou à la colère. Ce désespoir qui « mijote » va « faire irruption » par vagues. ***L'effervescence*** et l'impatience que je vis face à une situation que je veux régler s'expriment par ma **peau** qui bouillonne à l'extérieur de moi. Tous ces facteurs ***réunis*** m'amènent à vivre de la **frustration,** de l'**irritation** et beaucoup de ***chagrin***. Mes émotions sont « à fleur de **peau** ». Alors même que je cherche à plaire à tout le monde, j'omets de prendre en considération mes propres besoins ; tout cela afin de me faire aimer des autres. Je suis donc séparé d'une partie de moi. J'agis en fonction des attentes des autres au lieu de faire ce qui me plaît. **Je rejette qui je suis**. Je ne m'aime pas comme je suis donc, le fait que la **peau**, qui est apparente et que tous les gens peuvent voir soit en mauvais état, voire même « laide », va confirmer dans le physique comment je me perçois intérieurement. Plus je me rejette et plus j'attire des gens autour de moi par qui je vais avoir l'impression d'être rejeté ; ma peur du rejet va se manifester ! Cela m'amène à » battre en retraite » et à me couper de la réalité extérieure quand au fond de moi, ce que je veux, c'est me rapprocher des gens. Je peux aussi être « irrité » émotionnellement sans que j'en sois conscient. Je vais avec l'**eczéma** ériger une **barrière** physique entre moi et les autres afin de me **protéger** et d'éviter de me sentir menacé ou blessé. Toutefois, dans **le cas d'un bébé**, je vais développer une **croûte de lait** (**dermite séborrhéique**) parce que j'ai besoin de davantage de chaleur humaine et de contact physique avec les gens que j'aime, spécialement ma mère. Me sentant « isolé », je vais manifester de l'**eczéma** afin de me rapprocher des autres. Je suis vulnérable au niveau de ma sensibilité. J'ai besoin d'**amour** et d'attention. Il est à noter que la plupart des **eczémas** apparaissent chez le **nourrisson** entre l'âge de deux et six mois. Or, c'est à cet âge que l'enfant prend **conscience** de son existence propre, séparée de sa mère. Le fait que cette « séparation » engendre de l'insécurité ou une peur fera apparaître **l'eczéma**. Chez l'**enfant**, mon besoin d'être touché se manifeste avec celui d'avoir un contact **peau sur peau** (au sens propre du terme) avec une personne qui m'aime et non pas un contact où il y aurait une couverture ou des vêtements qui empêcheraient ce **contact physique**. Je peux me sentir impuissant face à « toutes ces grandes personnes qui m'entourent ». Je me sens impuissant face à eux, étant vulnérable face à leurs réactions. Que je sois un adulte ou un enfant, cette croûte représente ce que je dois laisser aller pour enfin devenir moi, ce moi caché depuis si longtemps. Ma personnalité est emprisonnée et je me coupe de certaines parties de moi-même. Je préfère vivre d'une façon superficielle, me punissant en croyant que je ne mérite pas mieux.

J'accepte↓♥ de laisser aller certaines attitudes, certains schèmes mentaux afin de me détacher de mon passé et de me concentrer sur les actions à entreprendre afin de réaliser mon potentiel. J'ai à m'accepter↓♥ tel que je suis et à m'aimer. **CE QUE JE NE ME DONNE PAS MOI-MÊME NE PEUT M'ÊTRE DONNÉ, TELLE EST LA LOI DE LA RÉCIPROCITÉ.** J'identifie donc mes besoins réels et j'agis en fonction de ceux-ci. J'apprends à vivre pleinement l'instant présent, sachant que chaque geste que je pose aujourd'hui forme mon demain. J'avance dans la vie avec confiance. Ainsi, je « fais **peau** neuve ».

PEAU — ENGELURES

VOIR AUSSI : FROID [COUP DE...]

Les **engelures** sont des rougeurs causées par le froid que l'on retrouve aux extrémités telles les oreilles, le nez, les mains, les pieds. Ces rougeurs violacées sont épaisses, froides et parfois très douloureuses. Les **engelures** forment parfois de petites cloques d'eau sur la surface de la **peau**.

La vie me brûle et j'ai **gelé** mes réactions. Lorsque l'**engelure** se retrouve aux mains et aux talons, cela me permet de bouger plus lentement. Je m'empêche de ressentir. D'un autre côté, je m'accroche à ces situations et je ne vois rien d'autre. Physiquement, je donne l'impression d'être un fonceur alors qu'intérieurement, je me sens vidé, épuisé. Je n'ai plus le goût d'avancer et mon goût de vivre s'arrête, s'immobilise. Je me demande même pourquoi je vis. Mes pensées sont crispées et réduisent ma circulation sanguine. Le froid qui a causé ces **engelures** provient d'un froid que je vis avec une personne, souvent un membre de ma famille : je ressens un manque d'amour ; le caractère glacial de cette personne me gèle l'âme. Je vis dans la peur, j'en ai « froid dans le dos ». Je refuse de reconnaître mes limites, ou que l'on a transgressé mon espace vital. La disharmonie familiale me pèse lourd.

Plutôt que de voir seulement les aspects négatifs de mes expériences, **j'accepte↓♥ de lâcher prise sur le passé et de m'ouvrir à la vie**. Lorsque je m'ouvre à la vie, je suis à nouveau en mesure de voir tout l'**amour** dont je suis entouré et de vivre en harmonie avec ce que je suis et avec mon entourage.

PEAU — ÉPIDERMITE

VOIR AUSSI : ANNEXE III, HERPÈS, PEAU — ZONA

L'**épidermite** est une atteinte inflammatoire de l'**épiderme**, cette partie extérieure de la **peau**.

Il existe certainement une tension entre ce que je vis intérieurement et ce qui se passe dans ma vie extérieurement. Je peux me sentir poussé à me séparer de mon passé, à me couper de celui-ci. Ce peuvent être certaines façons de penser ou idéologies, certains comportements ou certaines personnes qui ne sont plus en harmonie avec moi. La colère que je vis, due à nos différences, me chagrine car je ne comprends pas ce qui s'est passé pour que nous nous soyons éloignés à ce point.

J'accepte↓♥ d'accueillir les changements qui se produisent dans ma vie, je laisse aller les vieilles structures et façons de penser. En étudiant ce à quoi est reliée la **peau** et les problèmes de **peau** sur le plan métaphysique, j'arriverai à mieux saisir ce que je vis afin d'y remédier.

PEAU — ÉRUPTION (... de boutons)

VOIR AUSSI : PEAU — DÉMANGEAISONS

Une **éruption de boutons** est l'apparition de petites rougeurs accompagnées de petites excroissances à la surface de la **peau**.

Ma **peau** est la première partie de moi qui entre en contact avec l'univers. La rougeur est reliée à mes émotions et la **démangeaison**, le signe de ma contrariété. Je suis irrité face à des retards ou ralentissements et frustré par une situation ou par quelqu'un. Cette **éruption** peut aussi être reliée à la honte et à la culpabilité que je ressens. Ai-je agi trop rapidement ? Suis-je allé trop loin dans mes paroles et mes actes ? La plupart du temps, il y a eu un état de stress intense par rapport à mes émotions et c'est ce qui fait apparaître les **boutons**. Comme la terre manifeste des **éruptions** volcaniques parce qu'une trop forte pression s'accumule sous la surface de la croûte terrestre, la **peau** manifeste des **éruptions** causées par des tensions intérieures qui veulent se libérer. Si je me retrouve dans une situation semblable dans l'avenir, mon corps s'en souviendra et une nouvelle **éruption** surgira. Je me sens contrarié intérieurement, je peux me sentir menacé, je peux même me rejeter en tant que personne. Mon insécurité m'amène à me « retirer », avec l'espoir peut-être de ne pas être approché par quiconque. Inconsciemment, je peux même utiliser ce moyen pour attirer l'attention. Je retiens ma créativité, mes forces. Si je suis un adolescent, je peux avoir peur ou résister à l'autorité extérieure. Je voudrais que mon intégration en tant qu'adulte se fasse plus rapidement. Quel que soit mon âge, ma vie est organisée par les autres car j'ai peu confiance en mon propre potentiel. J'ai besoin d'agir, d'entreprendre des choses, de foncer mais certaines expériences éprouvantes de mon passé, souvent reliées à mon père, me retiennent de faire des choses pour acquérir plus d'autonomie. La région du corps affectée m'indique à quel niveau se situe ma contrariété.

J'accepte↓♥ de prendre **conscience** de la cause de l'**éruption** et j'accepte↓♥ d'exprimer ce que je ressens. Cela me libère et ma **peau** s'éclaircit à nouveau. Je reconnais ma valeur, ma sagesse intérieure

PEAU — FURONCLES

VOIR AUSSI : INFLAMMATION

Un **furoncle, (**appelé communément « **clou** » au Québec), se définit comme étant une inflammation de la **peau** causée par une bactérie, caractérisée par une masse blanchâtre de tissu mort.

J'ai l'impression que quelqu'un ou quelque chose **empoisonne** mon existence et comme je refoule à l'intérieur toute ma colère, mes angoisses, j'en ai « par-dessus la tête » et le trop-plein se manifeste par un ou des **furoncles**. Puisque les **furoncles** touchent la **peau**, la colère vécue est souvent la résultante d'une situation où j'ai été **séparé** de quelqu'un ou de quelque chose qui m'était cher et avec qui je ne peux plus avoir de contact physique (par le toucher). Je peux par exemple, être passé à côté d'un moment de gloire, là où j'aurais été « le **clou** du spectacle » mais j'ai plutôt été laissé dans l'ombre. Ce peut-être une promotion ou un avancement à mon travail qui m'est glissé entre les doigts. L'endroit de mon corps où le **furoncle** se manifeste me donne une indication par rapport à l'aspect de ma vie qui suscite chez moi tant de colère et sur la raison pour laquelle « cela » bout à l'intérieur de moi parce que je me sens souillé. Par exemple, un **furoncle** sur mon épaule gauche m'indique de la frustration par rapport à mes responsabilités familiales et celles de mon couple. Je peux avoir l'impression d'en avoir trop et que mon conjoint n'en fait pas assez.

J'accepte↓♥ d'exprimer la colère que je vis et de demander de l'aide, s'il y a lieu, pour éviter que je ne m'empoisonne de la sorte par des **furoncles**.

PEAU — FURONCLES VAGINAUX

Tout **furoncle** indique de la frustration non verbalisée. S'il se manifeste au niveau de mes organes sexuels, se peut-il que je vive de la colère par rapport à mon conjoint (ou partenaire sexuel) et sur la façon dont la sexualité est vécue (par exemple : je peux être frustré par rapport à la durée, à la fréquence, à l'intensité de nos relations sexuelles) ? Et si je n'ai pas de partenaire au moment où les **furoncles** apparaissent, je peux vivre de la colère face au fait que je ne vis pas ma sexualité comme je le veux, faute de conjoint. Quelle que soit ma situation, si j'ai un conjoint, il est important que je communique mes besoins, ma frustration, pour qu'à deux nous apportions les changements nécessaires à une sexualité plus épanouie.

Si je n'ai pas de partenaire, j'accepte↓♥ ma situation présente comme étant la meilleure pour le moment. En ayant une attitude positive, j'augmente mes chances de rencontrer une personne avec qui je pourrai développer une belle relation et qui saura me satisfaire à tous les niveaux.

PEAU — GALE OU GRATTELLE

La **gale** est une maladie cutanée causée par des parasites, caractérisée par des démangeaisons.

Qu'est-ce qui me démange au point de susciter tant d'impatience et d'agacement ? Est-ce qu'il y a une situation dans ma vie que je désire voir changer depuis un certain temps sans que rien ne se passe ? C'est peut-être que les choses ne se passent pas comme je le désire ni à la vitesse que moi je veux. Je me laisse déranger, infester, par une personne, une chose ou une situation et j'ai avantage à lâcher prise et à ne pas vouloir tout contrôler dans ma vie. Ce qui me démange peut être le fait que j'ai de la difficulté à supporter mon comportement soumis. Me sentant impuissant dans certaines situations de ma vie, j'ai tendance à jeter mon dévolu sur les autres. J'ai peur de m'affirmer et c'est comme si je laissais quelque chose ou quelqu'un « me creuser sous la **peau** » sans que je n'y puisse rien. J'ai peur qu'on me fasse mal et je préfère me mettre de côté au lieu de dire franchement mes pensées et comment je me sens. Je m'intériorise beaucoup et suis presque « sauvage » à l'égard des autres. Je regarde où la **gale** se situe, sur quelle partie de mon corps, afin de découvrir la source de mon malaise. J'ai à laisser aller le cours de la vie et à me dire qu'il y a un moment pour chaque chose.

J'accepte↓♥ que tout soit en place et en harmonie. En me respectant et en prenant les rênes de ma vie, je reprends contact avec mon pouvoir de création.

PEAU — GERÇURE

Les **gerçures** sont des crevasses douloureuses que l'on rencontre le plus fréquemment aux mains et aux pieds.

Je vis probablement de l'irritation prononcée par rapport à quelqu'un, à quelque chose ou par rapport à une situation. Je me sens piégé ; j'ai les « **pieds et poings liés** » dans une relation et je ne sais comment m'en sortir. Comme les **gerçures** se rencontrent très souvent l'hiver, celles-ci étant causées par le froid, je peux avoir l'impression de m'être fait **brûler vif** par une personne ou par une situation, car le froid intense peut brûler autant que le feu. S'il s'agit de **gerçures** aux **mains**, cela affecte plus mon quotidien, tandis qu'aux **pieds**, je peux appréhender ce qui s'en vient pour moi dans le futur. Je me sens limité dans mes actions. Je veux faire plein de projets mais il existe des conditions non favorables à leur réalisation. Je trouve difficile la froideur de mon père ou de ma mère. Mes contacts avec les autres sont douloureux. Je vis une grande tension et ma **peau** qui devient tendue aussi va se craqueler. Je prends sur mes épaules le chagrin des autres. Me sentant vulnérable, il m'est difficile de m'exprimer. À quoi bon parler ? Je voudrais me départir de ce passé qui me pèse lourd. Pour adoucir ma **peau**, je mets du baume et le baume suggéré dans ce cas est : « cesser de me tracasser pour une situation pour laquelle je n'y peux rien ». Ainsi, ma **peau** redeviendra douce et lisse.

J'accepte↓♥ de prendre **conscience** de ma valeur, Je parle avec mon **cœur♥.** En prenant soin de moi, les autres vont en faire autant.

PEAU — IMPÉTIGO

L'**impétigo** est une infection cutanée contagieuse qui affecte le plus souvent l'enfant de moins de 10 ans.

Je vis une période très difficile au niveau émotif. Quelqu'un m'empoisonne l'existence mais je ne peux l'exprimer : alors mon corps parle pour moi. Je me sens vulnérable, agressé et je voudrais me sentir en sécurité et protégé du monde extérieur. Je vis une situation injuste qui porte atteinte à mon équilibre et je veux éloigner ou chasser cette chose ou personne de ma vie mais je ne sais trop comment m'y prendre. Je déteste ce que je vois.

J'ouvre mon **cœur♥** à quelqu'un de confiance dans mon entourage et j'accepte↓♥ de livrer mes secrets. Ce qui me permet de me libérer d'une grande peine ou d'une grande souffrance. J'accepte↓♥ d'avoir mes propres limites. Je les fais respecter par tous les gens qui m'entourent ce qui me permet de retrouver cette sécurité intérieure dont j'ai tant besoin.

PEAU — KÉRATOSE

VOIR AUSSI : PEAU — ACROKÉRATOSE, PIEDS / DURILLONS / VERRUES

La **kératose** se caractérise par un épaississement de la couche superficielle de la **peau**. Sur la **peau**, cela peut se présenter comme des surfaces rougeâtres, rugueuses, pouvant former une croûte.

Comme la **peau** est la jonction entre le monde extérieur et le monde intérieur, je peux avoir de telles peurs que de mon environnement, que je sens le besoin de me protéger en formant « une barrière plus épaisse ». La couleur rougeâtre m'indique de la frustration refoulée par rapport à ce que je vis. Je me rebelle contre mon « destin ». Je n'ose pas « prendre le taureau par les cornes » et affronter certaines difficultés. Je peux avoir peur que mon partenaire me trompe et que je sois « cocu ». Cela m'amènerait à revoir mes priorités et structures de vie. Les bases de ma ou mes relations sont peut-être plus fragiles que je le pense… L'endroit où se forme la **kératose**, que ce soit sur les bras, les cuisses, le visage ou les mains, m'indique sur quel aspect de ma vie je sens le besoin de me protéger.

J'accepte↓♥ d'envoyer des pensées d'**amour** à mon corps à l'endroit où se forme la **kératose** afin d'intégrer la prise de **conscience** que j'ai à faire. La confiance face à la vie augmentera en moi et je pourrai retrouver la souplesse naturelle de ma **peau**.

PEAU — LEUCODERMIE

VOIR AUSSI : CICATRICE, PEAU —ALBINISME / VITILIGO

La **leucodermie**, aussi appelée **achromie** ou **dépigmentation**, est une diminution, perte ou absence de la pigmentation normale de la peau, consistant en l'apparition de plaques décolorées, d'un blanc mat, entourées d'une zone où la peau est plus pigmentée que normalement. Elle apparaît souvent à l'endroit d'une cicatrice.

Un événement majeur est survenu et ma vie a pris une teinte différente de ce à quoi m'attendais. Je me suis senti blessé, trahi, non respecté dans mon intimité. La douleur intérieure me suit et je voudrais disparaître pour ne plus souffrir. Ce peut être une toute petite tache blanche mais elle est reliée à une blessure profonde qui a laissé sa trace. Je peux me sentir coupable d'avoir repoussé, par mes propos ou mes gestes et de façon involontaire, une personne. Cela affecte ma vie de tous les jours. La couleur de certaines de mes relations est maintenant devenue superficielle ou inexistante.

J'accepte ↓♥de prendre la responsabilité de mes propres émotions et je remets aux autres la leur. Je considère ce qui entrave ma joie de vivre et je fais la paix avec moi-même. J'écoute mon **cœur♥** et j'exprime aux personnes concernées ce qui m'a fait mal et de quelle façon je veux voir notre relation évoluer.

PEAU — LIPOME

Un **lipome** est une tumeur bénigne formée par une prolifération de tissus adipeux (graisse) ; sa localisation habituelle est sous-cutanée et son ablation n'est pas nécessaire. Il apparaît généralement entre l'âge de 30 et 60 ans. L'endroit où il se situe me donne des indications sur la raison de son apparition.

Il arrive souvent que je me dévalorise, me juge par rapport à certaines parties de mon corps physique et le **lipome** peut apparaître à ces endroits en particulier par exemple au ventre. On peut avoir ri de moi ou seulement s'être moqué de moi et cela m'a fait mal et je me suis senti agressé. Puisqu'il y a surproduction de cellules graisseuses, je peux me demander face à qui ou de quoi je désire me protéger. Je me sens agressé (a-graissé) et sans protection : quelles sont les causes profondes qui me hantent ? Je me sens abandonné, à moins que ce ne soit moi qui mette une distance pour être capable de continuer à vivre en société… En prenant **conscience** du message de cette « tumeur bénigne », je peux rectifier la situation dérangeante sans me faire violence, sans continuer à m'agresser.

J'accepte↓♥ de déloger la blessure reliée à une situation antérieure afin de m'accepter tel que je suis et je lâche prise sur cette peur du ridicule. Je cesse dès maintenant de me surprotéger et j'accepte↓♥ de m'ouvrir au changement. Je me départis de ces ancrages que j'avais codés au niveau de mon subconscient. Je fais la paix avec moi-même et je m'ouvre à nouveau aux échanges avec les autres, aux partages.

PEAU — LUPUS (érythémateux chronique)

Il existe différentes sortes de **lupus**. Cependant, le **lupus** en général est une maladie inflammatoire qui peut toucher un grand nombre d'organes. On attribue son origine au système auto-immunitaire. Lorsque la **peau** est affectée, on parle de **lupus érythémateux chronique**.

Je développe un **lupus** quand je vis un profond découragement, de la haine ou de la honte envers moi-même, ce qui fait que mon système de défense s'affaiblit. Mon mal-être a bien souvent sa source dans une culpabilité émotionnelle profonde qui m'envahit et me ronge de l'intérieur. Je me vois comme une mauvaise personne, je ne mérite pas d'être heureux. Je préfère me punir plutôt que de m'affirmer. Je baisse les bras, je capitule car j'ai l'impression qu'il n'y a aucune issue possible, aucune solution, et je peux vivre de la frustration face à mon impuissance. J'en ai tellement « ***bavé*** dans ma vie » que je ne peux plus en prendre. J'en garde encore de profondes cicatrices. Je me sens comme un ***loup*** battu, sans pouvoir. Je veux qu'on me laisse seul. La mort est une échappatoire et je refuse d'accepter↓♥ **l'amour** et le pardon envers moi-même ou envers les autres.

J'accepte↓♥ de réapprendre à m'aimer moi-même, ce qui constitue une étape importante, voire essentielle, à ma guérison. Je peux demander de l'aide intérieurement ou demander à des personnes compétentes de m'aider afin d'amorcer ce processus de guérison intérieure. Je reconnecte avec mon pouvoir intérieur et je laisse se manifester mes ambitions de « jeune loup » ! C'est ainsi qu'on pourra reconnaître mes talents et mon plein potentiel.

PEAU — MÉLANOME MALIN

Le **mélanome malin** est aussi appelé le **cancer du grain de beauté**. Il s'agit d'une tumeur au niveau de la **peau** ou des muqueuses, accessoirement de l'œil et qui provient des cellules qui sont chargées de pigmenter cette dernière (mélanocytes). Il existe le **mélanome** d'apparition spontanée ou celui qui résulte de la transformation d'un grain de beauté et qui est plus rare.

Le **mélanome** fait référence à certaines mêmes émotions vécues dans le cas du simple **grain de beauté** (lentigo) mais celles-ci sont plus violentes, profondes et diversifiées pour le **mélanome**. Le **mélanome** apparaît à l'endroit de mon corps que je peux relier à un événement où **je me suis senti *SOUILLÉ***, taché, mutilé, défiguré, ***dénigré***. L'intégrité de mon corps a été atteinte. Ma peau se modifie, ***s'altère***. C'est comme si ma **peau** se souvenait d'un contact physique désagréable, non consentant ou obligé par la société, la famille ou toute autre personne. Le **mélanome** devient comme un bouclier, une carapace pour éviter toute autre agression. Je remets en question mon ***INTÉGRITÉ*** physique et morale. J'ai besoin d'être ***blanchi***, soit face à ce que j'ai fait ou dit, soit face à ce qu'on m'a fait et que j'ai ressenti comme une souillure. Je peux aussi avoir vécu un événement où je me suis senti ***ARRACHÉ*** de quelqu'un ou de quelque chose qui m'était cher (les maladies de **peau** étant souvent reliées à une séparation) et dont je peux avoir perdu toutes ***traces***. Je peux aussi avoir peur que cet arrachement arrive dans le futur… Par exemple, il peut y avoir des secrets de famille comme la naissance d'un enfant hors mariage toujours passée sous silence et dont on a soigneusement tu le nom des personnes concernées. Mes frontières et mes limites ont été transgressées et je me sens très vulnérable. Mes relations avec les autres, spécialement certains membres de ma famille, sont « irritantes ».Le **mélanome** se manifeste souvent suite à un conflit avec une personne qui fait référence à l'élément masculin, soit mon père soit une personne qui évoque son image. Je peux faire partie d'un couple mais me sentir divisé, déchiré de mon/ma partenaire. Mon espace a été ***pollué***. Je me sens tout « ***cabossé*** », ***immonde***. e peux aussi me juger très sévèrement et je me considère comme « un souillon » vivant dans la ***déchéance*** ; je n'ai aucune estime de moi, et les autres passent toujours avant moi. Je me sens ***amoindri, DÉVALORISÉ*** dans ce que je suis et ce que je suis capable d'accomplir. Je laisse les autres avoir du pouvoir sur moi en écoutant leurs critiques. Les situations où je dois être proche des autres, autant physiquement qu'émotionnellement, sont très difficiles pour moi. ***Frotter*** ma **peau** contre quelqu'un d'autre ravive mes blessures intérieures. Je vis un combat incessant entre le fait que j'ai besoin des autres, jusqu'à en devenir dépendant et en même temps, je voudrais tellement être autonome ! Je peux me sentir arraché, ***écartelé*** à l'intérieur de moi. Je ne supporte plus mes limitations. J'ai besoin de liberté. J'ai besoin de faire place ***nette***. Je me sens ***abattu*** car j'ai l'impression d'avoir perdu mon intégrité morale et physique. J'ai tendance à broyer du ***noir***.

Pour que tout cela ***cesse***, j'accepte↓♥ de remettre de l'**amour** dans la situation qui est la source de ce **mélanome**. Bien que cela ait pu être difficile au moment où j'ai vécu cela, j'accepte↓♥ de voir quel élément positif ou quelle sagesse en a résulté. J'accepte↓♥ de demander de ***l'aide***.

PEAU — POINTS NOIRS

VOIR AUSSI : VISAGE

Les **points noirs** ou **comédons** sont de petites saillies à la surface de la **peau**, noirâtres au sommet et causées par une hypersécrétion de sébum[176].

Ils sont l'expression extérieure de mon sentiment intérieur d'être sale, « pas propre » et de « ne pas valoir grand-chose », et indique que je me mésestime. J'ai même honte de moi, ce qui rend mes contacts avec les autres difficiles. Mon sentiment d'abandon, de solitude et d'échec pèse lourd. J'apprends à m'aimer tel que je suis et à être fier de moi, alors le teint de mon visage (où l'on retrouve généralement les **comédons**) devient éclatant.

---

[176] **Sébum** : une forme de gras, en partie des triglycérides qui se forment surtout à la surface de l'épiderme.

J'accepte↓♥ d'apprendre à me faire davantage confiance. Je fais à nouveau des projets. Toutes ces pensées **noires** que j'ai face à moi-même et qui se manifestent sous forme de **points noirs** sont remplacées par des pensées positives. Je mets mon attention sur mes qualités, et les autres me respecteront aussi.

PEAU — PSORIASIS

Le **psoriasis** consiste en une surproduction de cellules cutanées, créant un entassement des cellules mortes, un épaississement de la **peau**, des plaques rouges épaisses ou en gouttes et qui sont recouvertes de fragments de substances cornées blanchâtres. Si j'ai du **psoriasis**, je suis parmi les 2 % de la population du globe qui a cette maladie.

Je suis généralement hypersensible, « à fleur de **peau** » et j'ai un très grand besoin d'**amour** et d'affection qui n'est pas comblé, me rappelant peut-être une autre période difficile de ma vie. À ce moment-là, j'ai probablement eu un très grand sentiment d'abandon ou de séparation de quelqu'un ou de quelque chose qui m'était cher. Car le **psoriasis** implique qu'il y a eu une double séparation[177], c'est-à-dire le plus souvent avec deux personnes différentes ou une double séparation face à une même personne. Cela pourrait être qu'on m'a séparé de mes deux parents lorsque j'étais enfant. C'est la **peau** qui est « touchée » car, pour moi, étant un enfant, ce dont j'ai le plus besoin, c'est du contact physique avec mes parents ou avec toute autre personne que j'aime et avec qui je me sens proche. La double séparation peut être celle avec ma mère et un de mes frères ou une de mes sœurs, ou avec mon conjoint et un projet de travail (« mon bébé »), ou n'importe quelle autre combinaison qui implique une séparation avec deux personnes ou deux situations que j'aime et qui me tiennent à **cœur♥**. Je peux me sentir séparé de moi, de ma propre identité. De plus, je peux me sentir obligé d'avoir des contacts non désirés avec d'autres personnes. Le fait d'être ou de me sentir séparé m'empêche d'avoir ce contact, surtout par rapport au toucher, donc de ma **peau**, avec ces personnes que j'aime. La ***réunion*** est impossible. Il y aura alors apparition du **psoriasis**. Maintenant, j'ai tellement peur d'être blessé que je veux garder une certaine distance entre moi et les autres. Je veux éviter de perdre la face. Le **psoriasis** est une belle façon qu'a mon corps de se protéger contre trop de rapprochement physique et de se protéger contre ma vulnérabilité. C'est comme une cuirasse qui moule et protège mon corps à l'extrême. Je vis donc un conflit intérieur, une ambivalence entre mes besoins et mon désir de rapprochement et ma peur du contact qui me fait garder mes distances. Je me sens incompris des autres. Je veux contrôler ce que les autres me donnent. J'ai l'impression que je me fais avoir, que certaines personnes abusent de leur autorité, surtout s'ils ont beaucoup d'argent. Je dois donc me libérer de certains « patterns » mentaux et attitudes qui se sont accumulés et qui, maintenant, n'ont plus raison d'être, étant éteints et morts. J'ai tellement réprimé mes émotions que je vis une angoisse permanente. Je contrôle bien ma vie jusqu'au moment où je dois faire face à mes propres émotions. À ce moment, c'est la panique.

---

177 **Double séparation** : dans le cas de l'eczéma, il s'agit d'une simple séparation, avec une seule personne ou situation.

J'accepte↓♥ maintenant ma sensibilité ; j'apprends à faire des choses pour moi et non pas seulement en fonction de ce que les autres attendent de moi. Et bien que le **psoriasis** soit probablement survenu à la suite d'un événement douloureux ou d'un choc émotionnel, j'accepte↓♥ que cela fasse partie du processus naturel de la vie et de ma croissance et de devenir plus fort et plus solide intérieurement. J'apprivoise chacune de mes émotions. J'apprends à me faire confiance. J'ose prendre le risque de m'ouvrir aux autres afin de recevoir la douceur du contact. En étant « en contact » avec ce qui se passe à l'intérieur de moi, l'angoisse fait place à la confiance en moi-même et en la vie !

PEAU — SCLÉRODERMIE

VOIR AUSSI : SYSTÈME IMMUNITAIRE

La **sclérodermie** se caractérise par le durcissement de la **peau**, la perte de sa mobilité et de sa souplesse.

Étant une personne souffrant de cette maladie, je suis souvent très dur envers moi-même et je me suis souvent senti blessé. Vivant une grande insécurité, je crois devoir constamment me protéger des gens qui m'entourent. Pour y arriver, je m'endurcis tellement que je deviens un bloc de glace et j'évite de parler quand je le peux. J'ai peur du changement et surtout, de vieillir. Je peux vivre une situation où je me sens loin, séparé de quelqu'un ou de quelque chose et la prolongation dans le temps de ce sentiment amène la **sclérodermie** à se manifester. C'est comme si cette personne avait arraché une partie de moi. Je vis la solitude, le vide et j'ai l'impression de ne pas vivre. Je me cramponne au passé et je nourris mes vieilles blessures. Parce que je retiens trop, le fardeau s'alourdit de jour en jour. N'étant pas en contact avec mon **cœur♥** et mes émotions, je ne jouis pas de la vie. Je me recroqueville sur moi, évitant d'être en relation avec les autres et d'une certaine façon, je me détruis. Je me sens comme une saleté, « nul » de ne pas avoir été capable d'éviter cette séparation. Je vois les choses comme ***immuables***[178] et je me demande comment les choses pourraient changer dans ma vie. Parce que j'ai peur d'être jugé, j'évite de montrer mon vrai visage.

La guérison se trouve dans l'ouverture aux autres. Ainsi, j'accepte↓♥ d'ouvrir mon **cœur♥** à l'**amour,** de sentir la chaleur et le bien-être qui se trouvent autour de moi, cette chaleur qui descend au plus profond de moi et fait fondre ce bloc qui me glace. Je prends **conscience** de ma valeur et j'accueille chaque partie de mon être. C'est en acceptant↓♥ d'être en relation avec moi-même pleinement que je pourrai être en relation avec mon entourage.

PEAU — TACHES DE VIN

Ces **taches de vin**[179] aussi appelées « **envies** », sont des malformations très fréquentes des petits vaisseaux sanguins, aussi appelées capillaires, localisées sur la partie superficielle de la **peau**.

Si à ma naissance j'avais une **tache de vin**, je peux commencer par examiner sur quelle partie de mon corps la **tache** se situe. Cela correspond

[178] **Immuable** : qui reste identique, qui ne peut éprouver aucun changement.
[179] Sur le plan médical, cela est appelé **angiomes matures** ou **angiomes plans**.

habituellement à une émotion forte, souvent de colère ou de peine, vécue par ma mère lorsqu'elle me portait et dont j'ai été affecté « aussi ». Il y a un sentiment de honte qui remonte très loin et qui m'amène à me dévaloriser. Cette honte semble affecter toute la famille. Cela peut faire référence aux contacts familiaux qui sont soit inexistants soit contraignants et qui amènent beaucoup de ***confusion***. Je suis attaché à ma famille. J'ai tendance à attaquer en guise d'affirmation. Les **taches de vin** sont souvent assez apparentes et je voudrais tant me ***fondre*** dans la foule et qu'on ne me remarque pas. Puisque la chirurgie ou le traitement au laser permettent de faire disparaître tout ou partie de ces **taches**, je vais prendre **conscience** de la relation que cela a avec moi pour l'intégrer et m'amener à être davantage moi-même.

Je n'ai plus à supporter cette honte emprisonnée dans cette rougeur : je m'en libère et j'accepte↓♥ d'avoir ma propre vie indépendamment de celle de ma famille.

PEAU — URTICAIRE

L'**urticaire** se caractérise par l'apparition de plaques rouges sur différentes parties du corps. Celles-ci, légèrement bombées, provoquent de vives démangeaisons. L'**urticaire** provient, selon le cas, d'une intoxication alimentaire, liée à la prise de certains médicaments ou autres substances, mais cet état peut s'aggraver avec le stress et les tensions.

Il se peut que je me sente débordé, j'en fais beaucoup mais ce que je fais n'est pas reconnu. J'ai besoin de l'attention des autres mais je ne supporte pas leurs critiques. Si je souffre d'**urticaire**, je suis très probablement une personne hypersensible vivant beaucoup de rejet. Je n'aime pas l'être que je suis, et ma crainte d'être blessé est si forte que, pour être aimé, je fais les choses en fonction de ce que les gens attendent de moi. Ma peur d'être rejeté se concrétise puisque je me rejette moi-même. J'ai souvent l'impression qu'on veut se débarrasser de moi, me « jeter aux orties ». Ma **peau** abîmée par ces plaques rouges me fait sentir laid et indésirable. Je suis comme une bête **marquée au fer rouge** ; je suis dépendant de mon propriétaire. Puisque je vis en fonction des autres, je m'empêche de faire des choses pour moi ; je n'ose pas accomplir de nouveaux projets, ce qui augmente mon sentiment d'impuissance. J'en veux aux autres, je les rends responsables de mon malheur. Je me sens séparé, même arraché de quelqu'un et mon intégrité est atteinte. Cependant, je désire cette séparation car j'évite ainsi des complications.

J'accepte↓♥ d'être le maître de ma vie, je deviens la personne la plus importante pour moi. J'avance et je me fais confiance. J'accepte↓♥ d'être en avant, d'interagir avec les autres. J'ai toutes les qualités nécessaires pour être un bon « leader ».

PEAU–VERGETURES

Les **vergetures** sont de petites raies d'abord rouge violacé puis blanc nacré, ayant un aspect cicatriciel, qui sillonne la peau soumise à une distension exagérée. On pense d'abord aux **vergetures de la grossesse**, mais il peut s'agir aussi de jeunes filles à la période de puberté, ou de personnes qui, après avoir plus ou moins grossi, se font maigrir. On a tendance à croire que ce sont surtout les femmes qui ont des

vergetures. Ce n'est pas le cas, il y a beaucoup d'hommes et parfois même, des enfants. Les **vergetures** sont souvent en lien avec « je grossis et je maigris ». Les **vergetures** se situent surtout au ventre mais peuvent être aussi aux fesses, aux cuisses, aux bras. Je m'en fais pour mon apparence esthétique. Je manque de souplesse et d'élasticité, je ne vis pas vraiment dans le prolongement de ma propre nature profonde. Je vis de grandes divergences d'opinions qui me rendent mal à l'aise. Je suis tendu et ma peau fait des **vergetures**. Je me sens blessé ou meurtri face à l'attachement et la vulnérabilité. C'est souvent moi qui me donne « des coups de verge[180] ».

J'accepte↓♥ de me donner toute la douceur dont j'ai besoin. Je suis compréhensif et flexible face à moi-même et aux autres.

PEAU — VERRUES (en général)

VOIR AUSSI : TUMEUR[S]

Les **verrues sont une infection virale de la peau** qui cause un excès dans la production de cellules, créant une masse dure et indolore (tumeur bénigne).

Cette masse est l'accumulation de barrières que je dresse sur ma route. Des barrières de peines, de ran**cœur♥**s, liées à certains côtés de moi que je juge laids et détestables, provoquant un sentiment de culpabilité. J'ai honte de qui je suis. Je rejette ma sensibilité et ma spontanéité. Je me sens donc rejeté et incompris par les autres. Si c'est par mon père, la **verrue** apparaît habituellement **aux mains** et si c'est par ma mère, souvent elle sera localisée **aux pieds**. À ce niveau, elle peut correspondre à une situation impliquant mes racines, ma patrie ou ma famille. La **verrue** peut aussi apparaître sur un membre particulier quand j'ai fait un geste que je regrette (comme par exemple à **l'intérieur de la main**). Mon insécurité me fait me replier sur moi-même. Je vis en fonction des autres. J'ai besoin de toucher et d'être touché. Je me cherche désespérément. Pour moi, rien n'est ***manifeste***, évident. Si j'ai par exemple des **verrues** sur le **dos de mes mains**, je me juge très sévèrement par rapport à mon écriture et à celle des autres ou un travail manuel. J'ai l'impression que « ma main ne fait pas aussi bien que le professeur » et je me dévalorise à cause de cela. L'apparition de **verrues** vient combler un vide affectif. Je considère que je ne mérite pas mieux que cette chose laide et je me punis de cette façon. Si je crois être laid, mon corps deviendra laid ; c'est simplement le reflet de mes attitudes intérieures. Si j'ai honte de ce que je fais ou bien que je souhaite quelque chose mais que je crois ne pas le mériter, il est possible que des **verrues** apparaissent. Je recherche la reconnaissance et j'ai tendance à mettre « la charrue devant les bœufs ». Ces **verrues** contiennent toute ma créativité et mon émotivité refoulées et qui ne demandent qu'à s'exprimer. Je rumine sans cesse les mêmes pensées. J'ai peur de la solitude et de la mort. Il est important d'aller voir sur quelle partie de mon corps la **verrue** est apparue, afin de connaître quel aspect de mon corps ou de ma vie est affecté. Dans le **dos**, cela concerne le passé, le **côté de mon corps**, le présent et le **devant du corps**, le futur. Au **visage**, il s'agit d'une situation où mon estime de moi est bafouée. Un virus étant à l'origine de

---

[180] **Verge** : baguette de bois ou de métal.

cette **verrue**, je dois me demander si je me sens attaqué, envahi par quelqu'un ou quelque chose qui exerce un pouvoir sur moi. Je suis dégoûté de m'être « fait avoir » comme cela. Je me sens rongé en dedans. Les **verrues épidermoïdes** (au niveau de l'épiderme) impliquent une séparation ponctuelle dans le temps. Au niveau du **derme**, il s'agit plus d'un événement où je me suis senti souillé et qui est teinté de regrets. J'aurai tendance à me critiquer.

En acceptant↓♥ ce que je suis, un être digne d'**amour,** je n'ai plus besoin de **verrues** pour me le rappeler et elles disparaissent. Je laisse émerger mon être véritable. Ma créativité s'exprime librement.

PEAU — VERRUES PLANTAIRES

VOIR : PIEDS — VERRUES PLANTAIRES

PEAU — VITILIGO

Le **vitiligo** est une dépigmentation de la **peau**, laquelle est considérée comme étant la plus fréquente. Ainsi, ma **peau** devient ***blanche*** en certains endroits de mon corps et par plaques. Cela peut se produire sur n'importe quelle partie du corps, y compris le visage et les mains.

Je peux en être affecté si je ne me sens pas concerné par les choses ou par les personnes qui m'entourent. J'ai l'impression de ne plus avoir d'identité. Je n'ai pas de sentiment d'appartenance face à ma famille, à ma communauté, à mes collègues de travail ou à mon peuple. Comme j'ai l'impression d'avoir été ***taché***, ce qui peut représenter un sentiment d'impureté, je veux que cette tache « disparaisse » et au lieu d'une tache foncée, je me retrouverai avec une tache blanche. J'ai l'impression qu'on m'a « **saigné à blanc** », qu'on m'a soutiré toutes mes ressources, autant physiquement qu'émotionnellement. Je peux vivre un sentiment de vouloir « **disparaître** » ou devenir « **transparent** » afin de passer inaperçu. Je voudrais être ***aseptisé***, sans microbes ni problèmes. Je peux avoir vécu une ou des expériences sexuelles où ce sentiment de souillure ressort. Je peux aussi avoir l'impression qu'on m'a **séparé** d'un ou de plusieurs êtres chers. Je trouve cela moche et leur absence me pèse lourd. J'ai été incapable d'arrêter ou d'empêcher cette séparation que j'ai vécue de façon brutale. Les conséquences autrement auraient été cependant catastrophiques, par exemple la mort ou l'exclusion. Cela bouscule mon fort sentiment du devoir et des traditions. Mes racines, mes structures de vie sont bouleversées. J'ai été mis en échec. Je peux aussi avoir vécu cet événement comme une rupture, une déchirure qui est souvent reliée à mon père ou la personne qui représente celui-ci et d'une façon plus subtile avec le père céleste, le Dieu en qui je crois. Je veux, si je suis un homme, devenir un père à l'image de quelqu'un d'autre mais ce n'est pas moi. J'ai aussi un besoin incessant d'élucider les choses. J'ai perdu mes références, mes repères, le plus souvent face à mon père. Je sens que je n'ai plus de protection face à celui-ci. Il est comme un inconnu pour moi. Je vais donc me culpabiliser et me dévaloriser, me sentant souillé, sale par rapport à cette situation. Si je peux être « lavé de tout soupçon » alors je pourrai retrouver ma dignité. L'endroit particulier du corps qui est affecté m'indique quel aspect de moi-même est concerné. Une partie de moi est complètement cachée, ***détachée*** du tout, dans le ***noir***. Je voudrais donc être « **blanc**

comme neige », ***immaculé*** comme un enfant innocent et naïf. Je ne dois pas me tromper ou être pris en défaut. Je dis non à une partie de moi, à mon côté impulsif et créatif. Il y a contradiction entre l'enseignement qu'on m'a donné et mes vraies valeurs personnelles. Je me cache pour me protéger. Ma sensibilité a été durement atteinte dans mon enfance et même aujourd'hui, je me sens sans défense. Je me suis construit une nouvelle personnalité pour plaire aux autres et ainsi éviter qu'on me fasse du mal. J'ai la plupart du temps la bouche ***scellée***. Tout au fond de moi, j'ai le goût de tuer tout le monde car personne ne me comprend. Je ne vois plus ***clair*** dans les choses que j'ai à faire car je mets trop l'importance sur ce que les autres s'attendent de moi au lieu de ce que moi je veux réellement. Étant jeune, je me sentais un fardeau pour mes parents ; je crois que je leur ai causé des soucis, ne serait-ce qu'au niveau pécuniaire car mes parents devaient travailler beaucoup plus fort pour nourrir la famille, moi en particulier.

J'accepte↓♥ de prendre **conscience** de l'importance de ma vie. Je reprends contact avec ma nature profonde. Je suis en sécurité quand je suis moi-même. Je mérite ce qu'il y a de mieux et je ne laisse personne me faire du mal. En me respectant, les autres vont en faire de même.

PEAU — ZONA

VOIR AUSSI : MALADIE DE L'ENFANCE—VARICELLE

Le **zona** est une maladie infectieuse due à la réactivation du virus **varicelle-zona**. Le **zona** se reconnaît à l'éruption qu'il entraîne sur la **peau**, laquelle se manifeste unilatéralement et en bande, suivant le trajet d'un nerf.

Les nerfs étant nos moyens de communication intérieure, la douleur que provoque cette éruption indique une brisure de communication dans la région affectée. Le **zona** brûle comme du feu (ce feu peut être relié à de la colère résultant de critiques ou de peur). Je me suis senti agressé et je vis une profonde amertume. Une situation ou une personne m'a blessé, provoquant de **la tension** alors que mon corps désire de **l'attention**. Je peux de plus avoir l'impression d'avoir été souillé, taché. La douleur me rappelle un contact non voulu, une soumission obligée à une autorité quelconque. Mon premier réflexe est de me retirer, de me fermer, croyant ainsi éviter d'autres blessures. J'ai ce comportement parce que la situation me fait vivre **une grande insécurité intérieure**. En agissant de cette façon, je retourne vers moi cette agression dont je crois avoir été la victime ; je donne raison à mes agresseurs. Je me sens constamment en danger. C'est une partie de moi-même que je refuse de voir. Je retiens mes énergies créatrices. Je veux fuir mon côté que je juge comme sombre. J'accepte↓♥ que l'éruption boursouflante ait pour but de me faire prendre **conscience** que je vis une réaction ou une irritation émotionnelle intense face à quelqu'un ou à quelque chose qui m'occasionne un stress excessif et qui rend mes prises de décisions difficiles. Même si je recherche l'harmonie dans mes relations et dans celles des autres entre eux, le seul pouvoir que j'ai, c'est sur ma propre vie. Mon corps me dit de faire confiance au courant de vie qui est en moi.

J'accepte↓♥ ma sensibilité puisqu'elle fait partie de moi. Je cesse d'être mon propre ennemi et j'accepte↓♥ de me regarder dans les yeux. C'est en prenant contact avec chaque partie de mon être que je peux retrouver un sentiment de sécurité. J'apprends à me détacher de la souffrance des autres, sachant que eux-aussi ont des prises de **conscience** à faire pour se réaliser.

PÉDICULOSE

VOIR : MORPIONS

PELADE

VOIR : CHEVEUX — PELADE

PELLICULES

VOIR AUSSI : CHEVEUX [MALADIE DES...]

Les **pellicules** sont la couche calleuse et sèche de la ***peau.*** Elle ont l'aspect de flocons blancs et se retrouvent la plupart du temps sur le cuir chevelu.

Puisqu'il y a accumulation de peau morte, il y a aussi accumulation d'attitudes et de « patterns morts » dont je n'ai plus besoin. Mon cuir chevelu est relié au mental, à l'abstrait ; ce sont ces schémas de pensées mentaux que je dois laisser aller afin de faire place à plus d'ouverture et plus de flexibilité. Que je sois très actif ou au contraire très inactif intellectuellement (par exemple, si je laisse les autres penser à ma place), les deux peuvent produire des **pellicules**, puisqu'il existe dans les deux cas un déséquilibre par rapport à mon fonctionnement rationnel et mental. Je me sens agressé et j'ai besoin de faire sortir cette colère d'une façon seine. Je me sens contrôlé par les autres mais ce ne sont que mes propres émotions qui me hantent et je ne sais trop quoi faire avec. Je suis coupé de la réalité et je m'invente des scénarios pour m'aider à transiger avec des situations où je me suis senti blessé. Je ne comprends pas encore certaines situations où j'ai vécu une séparation difficile. Je disperse mes énergies dans tous les sens. Des situations se présentent à moi, tant au niveau social, religieux ou moral, et je dois me repositionner face à mes nouvelles croyances ou convictions. Surgissent de grandes indécisions et je me dois d'expérimenter moi-même et laisser aller ce qui ne me convient plus. J'ai peur d'être démasqué dans ma nouvelle réalité.

J'accepte↓♥ de m'ouvrir de plus en plus aux nouvelles façons de fonctionner dans la vie et je me sens de plus en plus flexible, me laissant conduire par le courant de la vie. Je prends contact avec mes émotions et je prends **conscience** de ma vraie valeur. En laissant circuler librement le flot de la vie et toute ma créativité, je suis de plus en plus en contact avec tout mon potentiel et je deviens maître de ma propre vie.

PELVIS

VOIR AUSSI : BASSIN, HANCHES

Le **pelvis** est l'ouverture de la région pelvienne charpentée par les hanches et la colonne. Les douleurs à cette région sont souvent perçues comme des élancements.

Le mot est très approprié car c'est cette région pelvienne, supportée par les hanches, qui m'aide à avancer, à être en mouvement, et donc **à « m'élancer » dans la vie ou dans un nouveau projet**. Ce projet peut être de donner naissance à quelqu'un, mais aussi à moi-même, surtout en ce qui concerne de nouvelles attitudes ou de nouveaux comportements. Cela implique une communication soit sur le plan sexuel, soit interpersonnel. J'hésite à m'engager dans un projet ou dans une relation. Ou au contraire, je peux avoir de la difficulté à me désengager d'une responsabilité, d'une relation, d'un travail ou d'une promesse faite à quelqu'un. Je me sens pris, on me « serre la vis[181] ». Une **torsion récidivante ou chronique du pelvis** indique généralement une difficulté à adapter mes aspirations intellectuelles, mes désirs existentiels au quotidien et ma vie matérielle ou terrestre : « Il y a tellement de choses que je voudrais accomplir mais je ne peux pas parce que… ».

J'accepte↓♥ de me faire confiance dans les décisions à prendre face aux nouvelles directions à choisir, d'entreprendre des choses de l'avant afin de découvrir toute la richesse de mon monde intérieur et toutes les possibilités qui s'offrent à moi.

PÉNIS (maux au…)

Le **pénis** est l'organe mâle destiné à la copulation. Il représente mon aspect masculin, ma puissance, le mâle procréateur et aussi la sécurité affective. Lorsqu'une maladie se loge au niveau du **pénis** ou des **testicules**, elle indique un conflit profond dans l'expression de ma masculinité. Ce conflit a-t-il pris naissance avec ma mère ? Je fais le lien avec l'**amour** maternel que j'ai eu et qui n'était pas celui auquel je m'attendais. Devais-je me surpasser pour être aimé ? Me suis-je adapté à ce que je pensais que l'on attendait de moi en tant qu'homme ? Est-ce que je suis heureux d'être l'homme que je suis ? Je suis devenu un peu fataliste dans mes relations affectives. J'ai l'impression de ne plus avoir le contrôle sur rien et je me referme sur moi-même.

J'accepte↓♥ d'enlever le masque de l'homme fort et je m'interroge sur ma relation avec les deux aspects qui sont en moi : le masculin et le féminin. J'accepte↓♥ cette vulnérabilité qui est en moi et je prends contact avec mon sage intérieur. Je me donne de l'**amour** sans condition, je m'accepte↓♥ tel que je suis. J'utilise ma créativité dans sa totalité, autant dans l'aspect masculin que féminin et je rayonne la joie d'être en possession de tous mes moyens.

PÉRICARDITE

VOIR : CŒUR♥ — PÉRICARDITE

PÉRITONITE

VOIR AUSSI : APPENDICITE

La **péritonite** est l'inflammation chronique ou le plus souvent aiguë du péritoine. Elle provoque habituellement une douleur ressentie comme un « coup de poignard » abdominal, et accompagnée souvent de vomissements.

---

[181] **Serrer la vis** : expression qui veut dire restreindre les libertés, traiter avec une grande sévérité une autre personne ou soi-même.

Cette douleur abdominale me signifie qu'il y a un désordre affectif, un besoin criant de régler mes peurs face à l'abandon. Je n'ai pas tenu compte des signaux déjà envoyés par mon corps. La **péritonite** me démontre que ces douleurs rejoignent l'intensité de mes émotions non réglées. Elles sont si vives et fortes en moi qu'elles éclatent d'elles-mêmes. Ma souffrance éclate au grand jour. C'est une forme d'autodestruction de soi, un moyen de dire : prends soin de moi. Pourquoi suis-je si dur avec moi ? Je suis irrité et agressif « à cause des autres ». Je me sens attaqué, comme si on m'avait ou on allait me donner un coup dans le ventre ». Je sens le besoin de me *protéger*, de me mettre une *carapace*. Je peux aussi avoir un mal qui me gruge en dedans de moi.

Plutôt que de me voir comme une victime, j'accepte↓♥ d'être un réceptacle d'**amour** et responsable de mes joies comme de mes peines. J'examine la situation qui me préoccupe avec un regard nouveau et je lâche prise, quelle que soit la circonstance ou la personne. Je cesse de critiquer les autres parce qu'ils ne répondent pas à ce que j'attends d'eux. J'utilise l'intelligence du **cœur♥** pour parler calmement avec la personne afin de comprendre et de régler cette situation. Quelle que soit la réceptivité de l'autre, je choisis de laisser circuler l'**amour** sans condition, en moi et autour de moi. J'accepte↓♥ de prendre mon bonheur en main, quelle que soit la circonstance. Je suis le seul responsable de ma vie. Lorsque je lâche prise par moi-même, mon corps se détend, je gère beaucoup mieux mes émotions et ainsi tout devient fluide et harmonieux.

PÉRONÉ

VOIR : JAMBE — PARTIE INFÉRIEURE

PERTE D'APPÉTIT

VOIR : APPÉTIT [PERTE DE…]

PERTE DE CONNAISSANCE

VOIR : ÉVANOUISSEMENT

PERTES BLANCHES

VOIR : LEUCORRHÉE

PERTES VAGINALES

VOIR : LEUCORRHÉE

PEUR

VOIR AUSSI : REINS [PROBLÈMES RÉNAUX]

La **peur** est une crainte ou une appréhension que j'éprouve face à un danger **réel ou imaginaire**. Lorsque j'ai **peur**, mon **cœur♥** bat la chamade, je deviens tendu.

La **peur** prend place à l'intérieur de moi lorsque je me sens inquiet, peu sûr de **moi**, découragé, que je suis très émotif, etc. L'objet de ma **peur** peut être la **peur** de l'échec, de l'abandon, du rejet, la **peur** d'être blessé, etc. ; elle devient tellement réelle à mes yeux que tout mon corps va réagir à celle-ci et particulièrement mes **reins**. Ma **peur** ne fait qu'augmenter les chances que tout ce que j'appréhende arrive. **La peur de la maladie elle-même peut être un facteur déterminant pour l'apparition de celle-ci**. Il est important que je prenne **conscience** ici que ce sont mes **peurs** qui contrôlent ma vie et non pas les gens ou les situations. Parmi les six **peurs** fondamentales, il y a :

la **peur** de mourir

la **peur** de la maladie

la **peur** de la pauvreté

la **peur** de perdre l'**amour** d'un être cher

la **peur** de la vieillesse

la **peur** de la critique.[182]

Le fait d'avoir **peur** me montre que j'ai laissé aller mon pouvoir. S'il arrivait quelque chose, cette chose ou quelqu'un d'autre contrôlerait ma vie. Lorsque mes peurs en sont rendues à contrôler ma raison, je peux faire des **attaques de panique**. Je ne suis plus capable d'être neutre et détaché de ce que je vis. Je suis en constant état de déséquilibre et de vulnérabilité intérieure. Je suis centré plus sur ce que les autres attendent de moi que sur mes propres besoins. Je n'ai plus de référence et j'ai parfois l'impression que je suis en train de devenir fou.

J'accepte↓♥, dès à présent de remplacer la **peur** par la confiance. J'ai le plein pouvoir sur ma vie. Je demande toujours à être guidé et protégé dans les actions que j'ai à prendre ou dans les paroles que j'ai à dire, pour le bien-être de tous. Il en est de même pour les membres de ma famille et toutes les personnes que j'aime.

PHARYNGITE

VOIR : GORGE — PHARYNGITE

PHLÉBITE

VOIR : SANG — PHLÉBITE

PHOBIE

VOIR AUSSI : ANGOISSE, CLAUSTROPHOBIE, RAGE

Une **phobie** est une crainte injustifiée, caractérisée par une angoisse face à un objet, une situation, un acte ou une idée.

Si j'ai une **phobie**, je **peux** avoir eu une éducation très stricte et répressive et il se peut que j'aie réprimé certains aspects de ma sexualité étant enfant. Une **phobie** sous-tend habituellement une peur de la mort (le suffixe ***bie*** =vivre, « il faut vivre ! » (**pho-bie**)) En effet, l'objet de ma **phobie** est dangereuse pour ma survie, autrement, elle n'existerait

[182] La **peur** m'indique dans quel aspect de ma vie je dois mettre davantage d'**Amour.** La **peur** me donne le chemin à prendre afin que je prenne davantage **conscience** du conflit émotif à régler, ou à intégrer, pour me retrouver avec plus d'**Amour,** de Sagesse et de Liberté.

pas. Lorsque cette **phobie** est apparue dans ma vie, j'ai vécu une immense colère face à une situation où je me suis senti impuissant. Ceci est venu toucher mon besoin vital de sécurité qui a été complètement bafoué. Souvent, je peux me souvenir d'une situation particulière où j'ai vécu une grande peur face à **l'objet de ma phobie**. Cependant, il est important aussi de le regarder tant au niveau propre que figuré pour en découvrir la charge émotive (souvent beaucoup de colère) qui y est rattachée. Par exemple, si j'ai la **phobie des araignées**, je me demande quelle est la caractéristique prédominante des **araignées** : il s'agit de leur capacité à tisser une toile pour capturer leurs proies. Je peux avoir moi-même peur de me faire prendre au piège, par un collègue de travail, un membre de la famille, etc. Puisque certaines **araignées** sont *vénéneuses*, je peux aussi ne pas tolérer les gens qui *m'empoisonnent* la vie et qui m'empêchent d'être le numéro un. Si j'ai la **phobie de la saleté** ou des **microbes**, je déteste tout ce que je considère de « sale », que ce soit dans ma sexualité, mon corps physique ou toute chose que je considère immorale. Je ne tolère « aucune tache à mon dossier » donc j'exige la perfection pour moi-même et pour les autres. Si j'ai la **phobie des serpents**, j'ai autant horreur de l'animal que de la personne qui a un comportement de **serpent**, c'est-à-dire qui prend tous les détours possibles pour arriver à ses fins et qui est totalement imprévisible. Le serpent est associé à la sexualité.

J'accepte↓♥ de faire face à cette angoisse, même si cela me demande peut-être de consulter un thérapeute pour me guider et m'accompagner dans ma démarche. Je prends **conscience** de l'objet réel ou imaginaire de ma peur. Je remonte à l'origine ou à la cause de cette frayeur. Je laisse s'exprimer mes sentiments de colère et d'impuissance afin de me reconnecter avec mon pouvoir divin de création. Ainsi, mon angoisse se dissipe et je reprends la maîtrise de ma vie !

PICOTE

VOIR : MALADIES DE L'ENFANCE [VARICELLE]

PIEDS (en général)

Les **pieds** représentent mon contact avec la terre d'énergie nourricière. Ils sont en rapport avec les relations que je vis avec ma **mère** ainsi qu'avec les conflits face à celle-ci, lesquels peuvent remonter aussi loin que ma conception. Mes **pieds** me donnent de la stabilité dans mes déplacements vers un but, un désir ou une direction. Ils m'aident à me sentir en sécurité dans ma relation avec l'univers. Ils représentent la position que je prends face aux situations qui se présentent à moi, ainsi que ma position sociale. Le fait d'avoir un **pied gauche** plus fort que le **pied droit** (ou vice versa) peut me renseigner sur les différentes tendances que je dois privilégier dans mes déplacements ou contacts avec le sol, tant physiques que mentaux ou spirituels. De plus, si je marche les **pieds tournés vers l'extérieur**, je peux vivre de la confusion face à la direction prise ou avoir une dispersion de mes énergies dans différents projets, tandis que si mes **pieds** sont **tournés vers l'intérieur**, je vis une fermeture ou une résistance face aux directions à prendre dans ma vie.

PIEDS (maux de...)

C'est avec mes **pieds** que je me déplace sur le chemin de la vie. Mon cerveau est le poste de commande de mes **pieds**. La science de la réflexologie nous enseigne que tout notre corps est réparti sur toute la surface de nos **pieds**. Donc, tous les problèmes que je peux relier à mes **pieds** me permettent de savoir quel endroit de mon corps me parle. Un problème relié à mes **pieds** m'indique un conflit entre la direction et le mouvement que je prends, ma difficulté à aller vers un but, et témoigne de mon besoin de plus de stabilité et de sécurité dans ma vie. L'avenir et tous ses imprévus me font peur. J'ai aussi de la difficulté à laisser aller le passé. Je peux me demander quelle est la situation conflictuelle que je vis face à ma mère (qu'elle soit en vie ou partie) : la Terre représentant la mère au sens large du terme et mes **pieds** étant presque constamment en contact avec « celle-ci », quelle pourrait être la situation que je vis où je sens un inconfort face à mon sentiment de fusion avec ma mère : soit je désire prendre un peu de distance entre nous deux et cela est difficile, soit j'aurais toujours rêvé être près de ma mère et des circonstances ont fait que le rapprochement n'est pas possible. Ai-je de la difficulté à me détacher du nid familial ? Est-ce que je me laisse facilement « marcher sur les **pieds** » ? Mes **pieds** peuvent réagir si un membre de ma famille est sur le point de quitter son corps physique : je sais inconsciemment qu'il sera « mis en terre », et je refuse cette réalité. Je voudrais faire « des **pieds** et des mains » pour l'aider. Quand j'ai **mal aux pieds**, je dois ralentir le pas. Est-ce par ennui ou par découragement face à toutes mes responsabilités et face à toutes les choses que j'ai à faire et qui me semblent impossibles à réaliser ? Ou au contraire, vais-je à 300 kilomètres à l'heure et mon corps me dit de ralentir avant de « faire un accident » ? Je porte de lourdes responsabilités et j'ai de la difficulté à suivre le flot normal des choses. Je veux bousculer, ***expédier*** les choses, et je m'appuie sur les autres au lieu de m'appuyer sur mes ressources intérieures. Je crains de ne pouvoir « mettre sur **pied** » un projet, une entreprise. Une **crampe** au **pied** gauche ou au **pied** droit m'indique à quel niveau se situe l'hésitation ou le refus d'avancer ou quelle est la direction que j'ai peur de prendre. Le blocage est-il à l'intérieur ou à l'extérieur de moi ? J'ai à prendre position dans une situation donnée et je peux avoir peur de » **perdre pied** » et « **je ne sais plus sur quel pied danser** ». Si je me **tords le pied**, j'ai envie de partir, me distancer d'une personne mais je suis obligé de rester. Si je ne fais que **heurter mon pied**, quelque chose ou quelqu'un entrave ma vie. S'il y a **fracture**, je m'entête à aller dans une direction et la vie me demande de m'arrêter et de réévaluer ma vie et les décisions que je dois prendre. Un **pied plat** m'indique une colonne vertébrale très droite, très rigide, et donc, une structure peu souple. Puisqu'il n'y a aucun espace entre mon **pied** en entier et la terre sur laquelle je marche, cela dénote que mes frontières personnelles sont mal délimitées. J'abandonne mon identité. Je me sens donc vulnérable et, pour me protéger, je « survolerai » la surface des choses au lieu de créer un contact plus en profondeur et de bien « prendre racine », que ce soit dans une relation affective, dans un travail ou dans tout autre domaine. Cela a aussi comme conséquence que je vais entremêler mon travail et ma vie privée, les deux se chevauchant très souvent, peu importe ce qui arrive, et au détriment du reste de mes relations. Puisque la terre représente la mère, le fait que mes **pieds** collent à la « mère » presque constamment, cela dénote un besoin de proximité, de fusion, conscient ou non, avec ma mère ou la personne qui joue ce rôle dans ma vie. Je veux rester « collé » à elle. À l'opposé, si j'ai l'**arche du pied haute**, cela me renseigne sur un déplacement plus lourd comme une colonne vertébrale très chargée. Cela dénote aussi que j'ai bien séparé ma vie publique et ma vie privée. Cela m'amène à être à l'écart et silencieux, ayant de la difficulté à amorcer une communication et à aller au-devant des autres. Pour ce qui est de la relation face à la mère, dans ce cas-ci, j'ai plutôt tendance à fuir celle-ci. Je veux être autonome, différent, distinct d'elle. Une retenue de mes émotions face à la direction à prendre dans ma vie se traduira par des **pieds enflés** et l'excès de ces émotions qui se libèrent se traduira par de la **transpiration**. Quelque chose traîne dans ma vie (se traîner les **pieds**) et je veux que cela aille plus vite ! Je peux avoir peur d'être « mis à **pied** ». Des **pieds froids** m'amènent à me questionner sur mes relations avec ma mère et à voir ce qui peut m'amener à avoir des **pieds froids**, voire glacés. Il peut s'agir tout simplement de mes rapports avec elle que je trouve distants et « froids ». Il peut y avoir aussi une situation face à la mort qui me glace. Si je **marche sur la pointe des pieds**, pourquoi ai-je ce besoin de me cacher ou de passer inaperçu ? C'est comme si je devais constamment me sauver de quelque chose (tout comme le fait d'avoir un **pied bot** qui symbolise mon besoin de fuir quelque chose). Mes aspirations spirituelles sont très hautes et j'ai de la difficulté à être en contact avec le monde physique.

J'accepte↓♥ d'aimer mes **pieds** car ce sont eux qui transportent tout mon être sur le chemin de la vie. Plus je les aime et les accepte↓♥, plus sera facile le travail qu'ils accomplissent. Je choisis de suivre le chemin de la joie et celui qui est en harmonie avec mes aspirations profondes. En prenant contact avec mes racines, je peux ainsi m'épanouir et avancer avec grâce et détermination.

PIED D'ATHLÈTE

VOIR : PIEDS — MYCOSE

PIEDS — DURILLONS ET CORS

VOIR AUSSI : PEAU — CALLOSITÉS

Les **durillons** et les **cors** sont des épaississements cutanés localisés, liés à des frottements répétés. Le **cor** forme un cône jaunâtre douloureux et peut prendre un aspect macéré (**œil-de-perdrix**). Il siège au dos des articulations des orteils, entre ceux-ci ou à la plante des pieds. Le **durillon**, lui, est un épaississement localisé de la couche cutanée de l'épiderme sur une zone de frottement du **pied**. Il est arrondi et conserve à sa surface le dessin normal des lignes cutanées, contrairement à la verrue.

Je vais de l'avant avec mes **pieds** mais quelque chose me dit que cela accroche un peu... C'est le **durillon**, cette petite boursouflure qui m'indique une attitude d'appréhension dans ma vie présente. Je ne vois pas tous les aspects positifs de ma vie, ce qui m'amène à ne pas en profiter pleinement. Si c'est un **cor**, la différence se situe au niveau de la douleur qui est beaucoup plus présente et intense, ce qui m'indique un sentiment de culpabilité profond. C'est la crainte d'avancer vers l'inconnu avec confiance car je n'arrive pas à rester « naturel », à faire les choses simplement. Je laisse les autres décider à ma place. Aller de l'avant est difficile pour moi : la vie est difficile sur le plan matériel et cela me demande de grands efforts pour avancer. Je veux m'élancer vers l'avenir mais j'hésite et je pousse trop ou peut-être pas assez. Qu'est-ce qui me tracasse autant ? Il m'est impossible de vivre le moment présent. Je peux vouloir me venger de quelqu'un. Je me durcis. J'évite d'exprimer ma douleur intérieure. Elle en vient donc à se manifester par mon corps (**cor**) physique. Je veux avancer, réaliser mes objectifs mais mes émotions sont tellement nouées qu'elles m'en empêchent. Je peux avoir l'impression que ma mère m'empêche de vivre. Quelle est la personne qui est une « épine » dans ma vie ? Quelle situation vis-je à répétition, ou vis-je de la pression ou une grande friction ? Je cherche la cause de cette difficulté de vivre mon présent ou face à mon avenir. La tristesse et le chagrin, la crainte de ne pas réussir en sont-ils la cause ? Bien sûr, je peux réduire la grosseur de mes **callosités** par une chirurgie mais c'est insuffisant car je ne travaille pas avec la vraie cause.

J'accepte↓♥ de voir ce qui me dérange à ce point et qui m'empêche d'aller de l'avant. J'accepte↓♥ de chasser toutes ces idées noires et cette culpabilité. Je suis ainsi plus en « accord » avec la vie. Ma confiance en l'avenir n'en sera que plus grande.

PIED — ÉPINE DE LENOIR OU CALCANÉENNE

VOIR AUSSI : TALON

L'**épine de Lenoir** ou calcanéenne est une excroissance osseuse située à la face inférieure du calcanéum. Ce dernier est un os qui forme la saillie du talon et l'appui postérieur de la voûte plantaire.

Je ne sais trop d'où je viens et je ne sais trop où je m'en vais. Une chose est certaine : je ne suis pas ancré et je n'ai pas d'assises ni de stabilité intérieure. Je suis comme dans un trou noir. Quelle direction prendre ? Quel sens donner à ma vie ? Il semble que ma vie a été tellement difficile à certains moments que j'en ai oublié une partie. Je dois apprendre à m'enraciner quelque part, à trouver une stabilité, un équilibre. Qu'est-ce qui boite dans ma vie ? S'agirait-il de ma vie de couple, de mes relations affectives, ou encore, de mon travail ?

J'accepte↓♥ d'aller au fond de moi et de connecter à mes aspirations profondes et de me donner de nouveaux buts. Je garde mon attention sur le présent en faisant confiance que le futur ne peut m'amener que de bonnes choses. En écoutant ce que ma voix intérieure me dit de faire, les portes s'ouvrent devant moi, m'apportant une grande satisfaction intérieure et une joie infinie.

PIEDS — MYCOSE (... entre les orteils) OU PIED D'ATHLÈTE

VOIR AUSSI : PEAU / [EN GÉNÉRAL] / [MAUX DE...], SYSTÈME IMMUNITAIRE

La **mycose** est une infection provoquée par un champignon microscopique. Le **pied d'athlète** est une des nombreuses formes de **mycose**. Il est situé entre les orteils et est caractérisé par une peau fendue ou crevassée, et ce, d'une façon plus ou moins profonde.

Cela indique que mon mental est irrité ou contrarié, que je me sens limité ou incapable d'avancer comme je le voudrais actuellement comme dans l'avenir. J'ai de la difficulté à m'accepter↓♥ tel que je suis et je voudrais avoir l'acceptation↓♥ et l'adoration des gens qui m'entourent, tout comme l'« athlète » qui a réussi et qui est adoré. Au contraire, je me sens ***banni***. Dois-je ***m'exiler*** pour retrouver la paix ? Cela produit un stress et de la douleur interne. Je vis une dualité profonde : j'apprécie de pouvoir vivre en sécurité sous « les ailes » des autres. En même temps, je me sens prisonnier. Je porte un masque de dureté pour m'éviter de montrer mon vrai visage. L'irritation des orteils est reliée aux détails et aux directions de ma vie future, à l'abstrait et aux concepts énergétiques. Ce sont des peurs et un manque de compréhension.

J'accepte↓♥ de me visualiser sur une route où il est agréable d'avancer et où je me sens pleinement confiant. Cela m'aidera à laisser aller les peurs et m'apportera plus d'harmonie dans la vie. J'apprends à vivre selon mes besoins et désirs. J'enlève mon masque et je vis mes émotions d'une façon simple et naturelle.

PIEDS — VERRUES PLANTAIRES

VOIR AUSSI : PIEDS — DURILLONS

Une **verrue plantaire** se remarque habituellement par l'apparition d'une petite particule translucide sous le **pied**, autour de laquelle se forme une callosité, provoquant de la douleur lorsque sous pression.

Une **verrue au pied** m'indique que je vis des craintes face à mon avenir et face à mes responsabilités. C'est une façon de crier à l'aide. La douleur qu'elle provoque veut me faire comprendre que je ressens de la colère dans ma manière de concevoir la vie. Qu'elle est la direction dans laquelle je dois aller mais qui me fait mal ou me frustre ? Il est probable que je me laisse facilement arrêter par les petites embûches qui se posent devant moi. Que je donne la priorité aux besoins des autres avant les miens. Il se peut aussi que je vive une dévalorisation par rapport à mes capacités ou habiletés physiques dans les sports. Je peux être un très bon sportif au-dessus de la moyenne et vivre de la dévalorisation parce que je m'oblige à toujours être le meilleur ou à toujours être aussi performant en toutes circonstances. Je peux avoir l'impression que « mes **pieds** ne font pas aussi bien que les **pieds** des autres ». J'ai aussi l'impression » de jouer au hockey comme un **pied** », ce qui veut dire que je me compare aux autres et que je me sens très inférieur par rapport à leur capacité physique. Je joue un rôle pour me faire accepter↓♥ des autres. J'accumule les frustrations. Je me sens vulnérable et je m'appuie, tout comme mes **pieds**, sur des personnes ou choses extérieures à moi.

Mon corps me dit qu'il est inutile de me faire autant de mal et que je peux avancer dans la vie en toute confiance. Je dois accepter↓♥ autant mes forces que mes faiblesses et en persévérant, je pourrai moi aussi réussir.

PIERRES AU FOIE

VOIR : CALCULS BILIAIRES

PIERRES AUX REINS

VOIR : CALCULS RÉNAUX

PINÉALE

VOIR : GLANDE PINÉALE

« PIPI AU LIT »

VOIR AUSSI : INCONTINENCE [... FÉCALE, ... URINAIRE]

Le fait de se laisser aller durant le sommeil me renseigne sur certaines émotions de crainte ou de peur que vit mon enfant **face à l'autorité** parentale ou scolaire. Si je suis cet enfant qui souffre d'**incontinence**, il peut s'agir pour moi d'une façon de libérer les émotions (que l'urine représente) que je retiens pendant la journée, souvent parce que j'ai peur qu'on me punisse ou par peur de déplaire aux autres et de ne plus être aimé. J'exprime ainsi un profond ***mal-être***. Je vis tellement de pression pendant la journée que je dois la relâcher la nuit venue. Cette pression vient très souvent de ma famille ou du milieu scolaire. C'est comme si je me dressais contre mes parents qui possèdent « l'autorité suprême ». C'est une petite revanche car cela réveille habituellement de la colère chez eux. Je vis un conflit face à ***l'encadrement*** qu'on me donne. Puisque je ne peux pas m'exprimer pendant le jour, je le fais la nuit. Il y a une notion de secret rattaché à ce que je vis : je veux que personne ne découvre mon secret et je veux bien le garder mais c'est plus fort que moi et c'est habituellement pendant la nuit, quand tout le monde dort et dans la noirceur de ma chambre, que je vais me laisser aller. J'ai peur de pleurer devant mes parents, je le fais donc dans le silence. Je veux ainsi éviter de voir leur réaction face à mes pleurs mais j'aurai à faire face à leur réaction le matin venu.... Tout comme les animaux vont marquer leur territoire avec leur urine, de même moi, comme enfant, je peux sentir inconsciemment le besoin d'en faire autant, comme pour définir mon « petit territoire d'enfant » que j'ai peur qu'on m'enlève ou qu'on transgresse, vivant ainsi beaucoup d'insécurité. Mon insécurité sera aussi ravivée si on me force à dormir dans la noirceur. Comme enfant, je peux vivre un sentiment de séparation intense face à quelqu'un ou à quelque chose que j'aime, et c'est comme si, pendant la nuit, j'appellais « à l'aide » car j'ai besoin de « chaleur ». C'est mon sentiment de honte et d'impuissance qui crie au secours.

J'accepte↓♥, en tant que parent ou éducateur, de prendre **conscience** de la sensibilité de l'enfant face à l'autorité, de l'aider à se libérer de ma trop grande autorité par des paroles d'**amour** qui se transforment chez lui en une confiance accrue.

PITUITAIRE

VOIR : GLANDE PITUITAIRE

PLAIE

VOIR : ACCIDENT

PLEURER

Les larmes sont un écoulement des yeux, une libération d'émotions. Que ce soit lié à la joie, l'**amour**, la peur ou la déception, le fait de **pleurer** me libère d'un trop-plein de sentiments, de pensées très fortes. Ce peut être aussi que mes yeux ont été fascinés à la vue d'une scène qui était insupportable, horrifiante, mais que j'étais poussé à regarder, comme pour attraper chaque détail. Je peux **pleurer** aussi parce que je me sens incapable de communiquer ce que je ressens. On m'ignore, c'est comme si j'étais invisible. J'ai peu de contact avec mon univers intérieur. Je m'attache trop aux gens et aux choses de peur de les perdre. Je suis angoissé, me sentant fragile car j'ai peu confiance en moi. Je vis de la dépendance. Mes **pleurs** sont une évacuation de tristesse, de déception. J'ai donc une réaction qui fait baisser la pression. Je peux aussi utiliser mes larmes pour attirer l'attention, la sympathie afin que l'on s'occupe de moi. Cela ne sert à rien puisque je peux tout simplement montrer toutes les belles qualités qui m'habitent et j'aurai le même résultat. Je peux avoir l'impression de toujours me battre et je suis épuisé. J'ai toujours le goût de **pleurer** car ce que je vis, c'est trop ! J'ai besoin d'aide et je ne la demande pas. Le fait de **pleurer** donne parfois l'impression à une autre personne qu'elle est plus forte, qu'elle m'a fait « craquer » et qu'elle a un certain pouvoir sur moi. En ne pouvant pas **pleurer**, j'évite de paraître plus faible. Les **conduits lacrymaux bloqués** m'indiquent qu'il y a une résistance quant à ma libre expression, liée peut-être à cette croyance que **pleurer**, « c'est seulement pour les bébés ». J'ai voulu, dans une situation, ne pas montrer ma souffrance par mes larmes et j'ai bloqué mes **conduits lacrymaux**. Je veux montrer que j'existe mais sans succès. S'il y a **inflammation des conduits lacrymaux chez un bébé**, ce dernier est vulnérable lorsqu'on le touche. Il a peur d'avoir mal ou d'être blessé. Mes larmes, en sortant de mes yeux, amènent avec elles des choses me privant de voir, peut-être par peur de ne pas pouvoir les **voir** se réaliser.

J'accepte↓♥ de me laisser aller librement, ce qui me libère d'émotions bouleversantes, de toxines accumulées, entraînant la guérison et le ressourcement. J'accepte↓♥ de me respecter et de vivre dans la joie.

PLEURÉSIE

VOIR : POUMONS — PNEUMONIE ET PLEURÉSIE

PLEURITE

VOIR : POUMONS — PNEUMONIE ET PLEURÉSIE

PLOMBAGE

VOIR : DENTS — CARIE DENTAIRE

PNEUMONIE

VOIR : POUMONS — PNEUMONIE ET PLEURÉSIE

PNEUMOPATHIE

VOIR : CONGESTION

POIDS (excès de...)

VOIR AUSSI : GRAISSE

L'**excès de graisse** que mon corps emmagasine entre mon être intérieur et le milieu extérieur m'indique qu'inconsciemment je cherche, je veux m'isoler, dans ma communication avec l'extérieur ou encore, qu'il existe une émotion ou un sentiment prisonnier, « isolé » à l'intérieur de moi, que je ne veux plus voir. Par mon **obésité**, je cherche **une forme de protection** que j'accumule continuellement dans mes pensées profondes. Il y a un fossé entre moi et le monde extérieur. Je veux tellement aimer et m'approcher des gens que j'aime mais j'ai tellement peur ! Je camoufle ainsi mon insécurité d'être exposé, d'être vulnérable et ainsi, je veux éviter d'être blessé soit par des remarques, par des critiques, soit par des situations qui me seront inconfortables, notamment face à ma sexualité. Si j'ai vécu une situation traumatisante face à la sexualité (je peux avoir seulement eu peur ou il peut s'être passé quelque chose aussi au niveau physique), cela pourra se traduire chez la **femme** par une prise de poids au niveau des cuisses et des hanches comme pour « protéger » d'une agression les organes génitaux, et les **hommes** auront tendance à avoir un ventre bien rond pour que leurs organes génitaux soient moins en évidence. Il peut s'agir aussi de toute situation, même non sexuelle, où je sens qu'on **m'agresse** (a-graisse). Je peux aussi interpréter mon **excès de poids** comme étant le fait que je veux tout posséder. J'entretiens donc des émotions comme l'égoïsme et des sentiments que je me refuse de laisser aller. Je me cramponne au passé. Cela peut aussi être un déséquilibre, une révolte face à l'entourage, une réaction à des gestes, à des situations que je ne veux plus voir ou dont je ne veux plus me souvenir. La nourriture terrestre représente aussi une nourriture émotionnelle. Donc, je vais manger excessivement pour **combler un vide intérieur,** l'impression qu'on m'a ***délaissé*** ou pour compenser la solitude ou l'isolement que je vis. Je reste inconsciemment dans la dépendance, dans le besoin de l'autre. Je veux cacher la honte et **l'agressivité** que je vis face à une situation. Je préfère parfois ***déguerpir***, disparaître pour ne plus souffrir. Je déteste les « ***impondérables »*** dans ma vie » de même que toutes les choses qui me sont ***imposées***. Cependant, je sens, moi, le besoin de ***m'imposer*** pour m'affirmer ou pour faire peur aux autres qui risquent alors de partir et me laisser en paix. Je peux vivre une grande insécurité tant au niveau affectif que matériel, et j'ai inconsciemment besoin d'emmagasiner afin d'éviter toute « pénurie » ou « manque » qui pourrait survenir. Je veux « avoir tout », au cas où… Ce manque peut avoir été vécu dans l'enfance et souvent par rapport à la mère, elle qui était mon lien direct avec la nourriture et la survie (tétée). Si un **bébé a un surpoids**, la mère le nourrit beaucoup. Il peut développer un réflexe de demande permanente, comme s'il ne pouvait jamais être assouvi. La mère a un désir, même inconscient, de rester en fusion avec son bébé, et il aura de la difficulté plus tard à se détacher de sa mère. L'**obésité** arrive souvent après un grand choc émotionnel ou une perte importante, et le vide vécu devient très difficile à ***supporter***. J'ai perdu ma ***contenance***. **Je vis un grand sentiment d'abandon, un vide intérieur**. Je me sens souvent coupable du départ ou de la perte d'un être cher. Cet ***abandon*** peut être vécu face à une personne mais aussi face à une chose non physique par exemple l'entreprise que j'ai dû ***abandonner***, à laquelle j'ai dû ***renoncer*** pour des raisons personnelles. J'ai dû ***abdiquer*** et cela me brise le **cœur♥**. J'ai dû ***abandonner*** un projet qui m'était cher (par exemple avoir un enfant), et je peux me considérer comme ***lâche*** ou comme un perdant. J'ai aussi l'impression de perdre le contrôle sur une situation ou une personne. Je ne suis plus connecté à la ***matière***. J'ai l'impression que « je ne fais pas le poids » dans une certaine situation. Je cherche un but à ma vie, je cherche à accomplir « quelque chose de bien ». J'ai de la difficulté à prendre ma place avec mes paroles et mes gestes. Je le fais donc en prenant plus de place avec mon corps physique. De plus, **je me dévalorise par rapport à mon apparence physique** : une légère « imperfection » ou quelques livres gagnées vont prendre à mes yeux des proportions gigantesques, et je ne peux plus voir et apprécier mes qualités et mes attraits physiques. Mettant toute mon attention sur « ce qui est disgracieux », mon corps se mettra à réagir à cela en ajoutant encore et davantage de **poids** pour me faire réaliser combien je suis dur envers moi-même et combien je me détruis, simplement par mes pensées négatives. Le fait d'effectuer des exercices et de faire une diète ne sera pas suffisant pour maigrir car je dois prendre **conscience** de la vraie source de mon **excès de poids,** qui résulte habituellement d'une situation d'***abandon***. Que je sois un enfant ou un adulte, je prends **conscience** que je me rejette moi-même. Je peux avoir **l'impression de me sentir limité** par rapport à différents aspects de ma vie ou à ce que je veux réaliser. Ce sentiment de limitation fait que mon corps prend de l'expansion, et absorbera un surplus de **poids**. Aussi, si je suis une personne **qui accumule des pensées, des émotions ou des choses**, mon corps « accumulera » lui aussi mais sous forme de graisse. Je dois me demander quels sont les bénéfices que je retire du fait d'avoir un surplus de **poids.** Quelles sont les activités que je peux ainsi éviter parce qu'elles me font peur ? Quelles sont les personnes de qui je reste éloigné ? Ai-je l'impression d'avoir moins le contrôle ou moins de pouvoir dans certains domaines de ma vie, et cela est-il bien ainsi car cela implique que j'ai moins de responsabilités et que je peux moins m'investir personnellement ? Un autre aspect très important à prendre en considération est : quel est le danger qui me guette si j'atteins mon **poids** idéal ? Un exemple peut être une femme qui, une fois avoir perdu du **poids**, sera plus attirante aux yeux des hommes et sera placée dans des situations où elle devra dire non fréquemment aux avances faites par ces derniers. Elle pourra ainsi se sentir en danger de perdre sa liberté, son espace, elle devra apprendre à s'affirmer, ce qui peut être très difficile dans certains cas. Le fait d'être attrayante peut aussi réveiller le stéréotype « beau corps mais rien dans la tête » d'où la peur qu'on ne me trouve pas intelligente. Donc, si mon cerveau a détecté un danger face au fait de perdre du **poids** et d'avoir une belle ***silhouette***, dès que mon corps est dans une situation où il est sur le point d'aller puiser dans ses réserves de gras, un signal d'alarme est lancé afin de neutraliser ce besoin. Il y aura à ce moment une demande pour l'absorption de calories qui va empêcher d'aller puiser dans ces réserves de graisse. Je peux sentir une baisse d'énergie significative car tous les efforts de mon corps sont déployés afin de garder mon **poids** stable ou même à l'augmenter si nécessaire. Mon corps **résiste** tout comme moi dans certaines situations de ma vie. Le **poids** est souvent relié à la notion de force. Une personne avec un surpoids est appelée communément une « personne forte » ou de « forte taille ». Ai-je l'impression que je dois être fort(e) pour survivre ou réussir dans la vie ? Dois-je être plus imposant physiquement pour pouvoir être en mesure de m'imposer dans mes relations et faire fuir les « prédateurs » ? Est-ce ma façon d'agir pour que les gens me voient, me repèrent facilement car sinon, je passerai inaperçu ? Est-ce que je fais le « contre-poids » dans une situation qui semble désavantageuse pour une des parties ? Ou peut-être je « ne fais pas le **poids** » dans une certaine situation. Si la raison de mon **surpoids** est due à un « **métabolisme lent** », mon insécurité me rend trop prudent, ce qui m'empêche de passer à l'action.

J'accepte↓♥ d'exprimer mes émotions, de reconnaître ma valeur et toutes mes possibilités. Je sais maintenant que tout vide que j'ai l'impression de vivre dans ma vie peut être rempli par de l'**amour** et des sentiments positifs envers moi-même. Par mon acceptation↓♥ de moi-même et des autres, avec l'**amour** dont je m'entoure, je me libère donc de cette peine et de ce besoin de protection.

POIGNET

VOIR AUSSI : ARTICULATIONS

Les **poignets** sont les articulations, les pivots qui permettent la mobilité, la souplesse et la flexibilité de mes mains et qui me relient à mes avant-bras. Ils initient le mouvement de mes mains qui veulent effectuer un mouvement quelconque, donc être dans l'action.

Ils manifestent ma volonté dans l'action. Si j'agis et avance d'une façon fluide, mes **poignets** seront forts et en santé. Une rigidité dans les **poignets** m'empêche donc de prendre avec harmonie ou de choisir tout ce que la vie me présente. Il y a donc une obstruction, un blocage ou un refus face aux actions que je devrais poser. Les activités qui demandent de l'adresse en sont affectées. Quel avantage puis-je tirer du fait que je suis maintenant « forcé » de ne pas faire certains mouvements, donc certaines activités ? La pression que je vis peut être si grande que je ne sais plus dans quelle direction m'en aller. Je vis une grande indécision. Je veux rejeter mes responsabilités face à certaines situations, je ne veux pas assumer ou reconnaître l'importance de mes actes. La **douleur** aux **poignets** peut représenter de l'énergie refoulée concernant quelque chose qui doit être fait mais que je retiens et ne fais pas. Ce peut être quelque chose aussi qui s'est passé dans le passé et qui me pèse tellement lourd que je veux nier son existence. La **fracture** ou l'**entorse** m'indique un profond conflit d'expression face à la vie et comment celle-ci se sert de moi pour faire son œuvre. La **fracture** me ramène à l'ordre et me dit d'arrêter de me trouver des raisons pour me libérer de mes responsabilités. Je dois arrêter de blâmer les autres pour ma propre rigidité. Une affection au **poignet** me montre combien je suis influençable. Je peux résister à de nouvelles directions, à de nouvelles solutions ou tout simplement à ma propre créativité. Je me sens ***enchaîné,*** menotté dans une situation ou une relation et on m'empêche de dire quelque chose. Je dois m'immobiliser et ne plus bouger les mains.

J'accepte↓♥ de réfléchir sur ces douleurs de manière à prendre **conscience** du fait qu'il me faut libérer ces énergies avec amour et confiance, car leur libre circulation me permet d'agir de façon constructive à travers ces actions. Je me fais confiance, je suis déterminé et je garde une ouverture qui m'aide à évaluer chaque situation. Je reste ainsi au niveau de l'**amour** et tout ce que je fais est en harmonie avec mon évolution. Je saisis toutes les opportunités que la vie m'offre.

POIGNET — SYNDROME DU CANAL CARPIEN

Le **syndrome du canal carpien** se caractérise par une sensation d'engourdissement, de fourmillement et parfois même de douleur dans les doigts. Il affecte le plus souvent les femmes lors de la grossesse ou de la ménopause, et survient la nuit ou le matin au réveil.

Il se présente lors des grands changements hormonaux lorsque je n'ai pas intégré suffisamment mon aspect féminin dans sa globalité. Il apparaît habituellement lorsque dans ma vie, je me sens relayé au second plan ou encore lorsque je ne me sens plus à ma place. Avant j'avais l'impression que j'étais le pilier qui amenait l'équilibre dans ma vie et celle des personnes proches de moi (ce peut être dans ma famille, au travail, une activité sociale). Maintenant que l'attention est portée sur quelqu'un d'autre, je me mets de la pression afin de trouver de nouvelles façons de me faire remarquer. Je ne sais pas comment user de mon autorité : j'ai besoin de lâcher-prise mais je refuse de laisser aller le contrôle, de « lâcher la bride ». J'ai tendance à vouloir donner des ordres. Je me sens loin de mon conjoint et je ne suis plus en contact avec ma sexualité qui est inexistante. Je vois peu de solutions, peu de chemins à prendre ; le « tunnel est très étroit ». Je me sens pressée par la vie, et compressée par mes responsabilités ce qui rend la prise de décision plus difficile. Les structures que je m'oblige à satisfaire m'amènent à me sentir limité.

J'accepte↓♥ la nouveauté, les changements qui surviennent dans ma vie. Toute situation ou tout défi qui survient a pour but de me permettre d'acquérir ou de développer de nouvelles forces ou qualités afin de réaliser mon plein potentiel. Il est essentiel que je fasse ce passage toute seule, face à ce que je suis, face à mes changements physiques et psychiques. J'accepte↓♥ de prendre des risques, de découvrir différentes avenues qui vont me procurer une très grande satisfaction personnelle car j'aurai pu surmonter mes peurs ! Je choisis d'intégrer ce que je suis dans la globalité, je me libère de ce qui m'enchaînait et je renais à moi-même.

POILS

VOIR AUSSI : CHEVEUX [PERTE DE...]

Les **poils** ont une double fonction : protéger et réchauffer. Une **pilosité masculine chez la femme** appelée **hirsutisme** ou **virilisme**, est due à un dérèglement hormonal. On rencontre souvent ce problème à la ménopause ou à l'adolescence. Ce désordre hormonal est lié au fait que je ne prends pas assez ma place, j'ai envie de passer à l'action (aspect yang de la personne) mais je n'y arrive pas comme je le voudrais. Je deviens donc autoritaire. Je protège ma peau par des **poils** superflus, donc, je me protège. Suis-je bien dans ma peau de femme ? Qu'est-ce que je veux changer dans ma vie ? Le refus de certaines émotions en moi ainsi que mon côté féminin (affectif et créatif) m'empêche d'avancer. Je veux tout contrôler, tout rationaliser et j'ai tendance à me sous-estimer donc je mets de côté ma spontanéité. Une **pilosité abondante**, autant chez l'homme que chez la femme, dénote un besoin immense de contact et des énergies et forces primitives très présentes qui peuvent être très positives si utilisées de façon consciente. Cependant, si celles-ci contrôlent d'une façon démesurée ma vie, mes décisions, c'est alors qu'apparaît la **pilosité** dite « **anormale** ». En découlent des comportements compulsifs et agressifs qui se manifestent par une autorité démesurée et de l'égoïsme. Je suis de type « guerrier ». Lorsqu'il y a une **chute de poils** (suite à une maladie ou à un choc), je me sens démuni et seul au monde. L'énergie vitale est en perte de vitesse. Qu'est-ce que j'ai l'impression de perdre dans ma vie ? Pour ce qui est de la **chute des cils**, elle touche les yeux et le regard. J'ai peur de regarder ce qui m'arrive, d'y faire face. Je vis de l'anxiété car je sais que je ne peux plus retourner en arrière. Je peux par exemple regarder mon enfant partir de la maison : j'ai dépassé un point de non-retour. Je me sens ***incompatible*** avec une situation ou une personne. Je me sens menacé par les autres, acculé au pied du mur. Si mes **poils** sont atteints de **folliculite** (inflammation de la racine d'un **poil** ou cheveu), je me demande pourquoi je sens le besoin de me hérisser comme un porc-épic. Je me défends en partie parce que je ne peux m'exprimer dans mes besoins. Je me fais beaucoup de soucis pour des détails. Je me sens « écorché vif ».

Même si j'ai laissé les autres diriger ma vie dans la passé et que cela m'étouffait, j'accepte↓♥ de prendre ma vie en mains. En écoutant ma voix intérieure, je sais que je suis toujours protégé. Je vais vers les autres, j'accueille toutes mes émotions, ce qui entraîne un équilibre avec mon côté rationnel. J'avance en toute sécurité, me sentant toujours entouré d'**amour** et de douceur.

POINT DE CÔTÉ OU DOULEUR IRRADIÉE OU PROJETÉE

Le **point de côté** est une douleur qui survient après avoir fait un effort, en marchant rapidement ou en courant. Ou encore une douleur intercostale due à une agitation physique intense ou une exaspération. Cette douleur sonne l'alarme : pourquoi vais-je si vite ? Qu'est-ce qui me presse tant ? Je refuse d'écouter ma voix intérieure et je m'oblige à faire certaines choses pour donner une bonne image, pour correspondre aux normes de la société en termes de réussite. Cette irritation est-elle due à une exaspération, à un mécontentement ou à une déception ? Je me pousse au maximum, quelles qu'en soient les conséquences pour mon corps physique. Je n'écoute que ma tête et mes insécurités. Le **point** me force à ralentir le pas. J'apprends à laisser circuler les énergies sans m'impatienter : je prends le temps de faire une pause.

J'accepte↓♥ de prendre **conscience** que j'ai aussi dans ma vie de tous les jours à ralentir, à prendre le temps de vivre. J'écoute ma voix intérieure qui sait ce dont j'ai besoin et ce qui est bon pour moi. Je vais à mon propre rythme et mon corps se détend et n'a plus besoin de protester !

POINTS NOIRS

VOIR : PEAU — POINTS NOIRS

POITRINE

La **poitrine** est la partie antérieure et externe du tronc qui s'étend des épaules à l'abdomen.

La **poitrine** est reliée à mon sens de l'identité et à la partie intérieure de mon être. J'ai tendance à bomber ma **poitrine** pour me donner du courage et me montrer fort ou, au contraire, je me recroquevillerai par peur, gêne ou désespoir. C'est à ce niveau que reposent mon **cœur♥** et mes poumons. Si j'ai un malaise ou une douleur à ce niveau, je peux me demander : «Est-ce que ma sensibilité face à mes relations familiales a été touchée ou affectée dernièrement ?», « Est-ce que j'ai peur de m'engager face à une personne ou une situation, ce qui m'amène à éviter les occasions de donner et de m'impliquer ?», «Est-ce que j'ai enfoui toutes sortes d'émotions négatives qui s'entremêlent et qui me détruisent ?», «Suis-je désillusionné face à mon couple ?». Je vis une situation comme un échec et cela me pèse lourd.

J'accepte↓♥ qu'il me soit très bénéfique de montrer mes vrais sentiments et ma vulnérabilité : je suis toujours gagnant quand je suis vrai !

POITRINE (angine de...)

VOIR : ANGINE DE POITRINE

POLIOMYÉLITE

La **poliomyélite** est une maladie contagieuse produite par un virus qui se fixe sur les centres nerveux, en particulier sur la moelle épinière, provoquant des paralysies qui peuvent être mortelles lorsqu'elles atteignent les muscles respiratoires. La **poliomyélite antérieure aiguë**, qui est l'atteinte de la corne antérieure de la moelle épinière, est communément appelée **poliomyélite**. Comme c'est une maladie que l'on retrouve surtout chez les enfants, on l'appelle aussi la **paralysie infantile**.

Si je suis atteint de cette maladie, le virus qui me paralyse est la **jalousie** et l'**impuissance**. J'envie ce qu'un autre ou ce que les autres sont capables d'accomplir. Je voudrais les freiner mais c'est moi-même que je freine et que je paralyse. Je n'aime pas avoir de compte à rendre, devoir obéir à l'autorité, ne pas avoir d'alternative. Je laisse les autres avoir le dessus sur moi. Ma vulnérabilité m'amène à me sentir constamment en danger. Je veux tellement accomplir de choses mais je me sens paralysé. Je crois que je n'ai pas le pouvoir sur ma vie. Je suis toujours sur mes gardes. Je veux tellement prouver ma valeur ! Le désespoir est très présent et intense.

J'accepte↓♥ de ne pas envier les autres : je suis une personne extraordinaire avec des capacités immenses. J'ai autant de qualités et de forces que les autres et je dois accepter↓♥ celles-ci. Au lieu de **fuir** et de mettre mon attention à **brimer** les autres, je reprends ici et maintenant le plein pouvoir sur ma vie et j'accepte↓♥ que l'abondance fasse partie intégrante de ma vie.

POLYARTHRITE CHRONIQUE ÉVOLUTIVE

VOIR : ARTHRITE — POLYARTHRITE RHUMATOÏDE

POLYARTHRITE RHUMATOÏDE

VOIR : ARTHRITE — POLYARTHRITE RHUMATOÏDE

POLYOREXIE

VOIR : BOULIMIE

POLYPES

Le **polype** est une tumeur bénigne qui se développe sur une muqueuse, par exemple les muqueuses buccales, nasales, intestinales et utérines.

L'excroissance qui en résulte est un signe physique pour me montrer qu'il y a une personne ou une situation dans ma vie qui me dérange et que j'ai le goût d'éviter, de fuir, mais ce n'est pas possible. Au contraire, je me sens pris, coincé et **je ne peux pas m'y soustraire** de peur d'être abandonné ou de déplaire aux autres. Je nie mon pouvoir intérieur et cela m'amène à me sentir trop encadré, enrégimenté. J'ai des émotions qui se solidifient en moi. Ce sont comme des « boules de chagrin » qu'il me reste à dénouer.

Au niveau du **nez**, je me demande quelle est l'odeur qui est annonciatrice d'un danger et qui m'affecte ? Je veux me protéger et j'ai besoin du support des autres. Au niveau des **intestins**, j'ai l'impression que les autres veulent m'empêcher d'atteindre mes buts. J'en suis venu à suivre les autres plutôt que de foncer et être un chef de file : ainsi, je risque moins d'être déçu...

J'accepte↓♥ que quelque chose ou quelqu'un me dérange et je me demande ce que j'ai à apprendre de tout cela ? De quelle façon pourrais-je me sentir plus libre ? En faisant face à mes responsabilités, le ou les **polypes** disparaîtront.

POUCE

VOIR : DOIGTS — POUCE

POULS (anomalies du...)

*VOIR : **CŒUR♥** ARYTHMIE CARDIAQUE*

POUMONS (en général)

VOIR AUSSI : BRONCHES

C'est par l'action de mes deux **poumons** que la vie circule en moi. Ils sont donc les filtres de l'air dans tout mon corps. J'inhale la vie et je la retourne à l'Univers. Un bon fonctionnement de mes **poumons** permet d'aérer chacune de mes cellules. C'est par mes **poumons** que je prends **conscience** que « JE » existe. Ils représentent ma faculté de faire tomber tous les murs que j'ai érigés moi-même ou que la société a mis en place, ainsi que ma capacité à m'adapter. Un mal d'exister peut donc être reconnu par eux et cela me permet d'aérer ces sentiments négatifs qu'il me faut purifier par l'**amour** que j'inhale.

POUMONS (maux aux...)

VOIR AUSSI : ASTHME, BRONCHES — BRONCHITE, SCLÉROSE

Les affections du **poumon** telles que **pneumonie**, **bronchite**, **asthme**, **fibrose**, etc., sont le signe que j'ai une peur très profonde d'étouffer ou de mourir. Je vis à l'encontre de la vie et de mes aspirations profondes. C'est comme si mon but de vie était entravé. J'ai peur de faire face à la vie. Je me sens tellement anxieux que je me restreins à vivre dans un territoire très délimité qui lui aussi me semble incertain. Je peux avoir l'impression que j'ai perdu mon territoire[183] ou que je suis en train de le perdre ce qui me fait me sentir coincé. Si je le perds, c'est comme si je mourais, je ne suis plus rien ! J'éprouve donc une certaine difficulté à trouver ma place et à gérer mes relations avec le monde qui m'entoure. J'ai l'impression de me perdre moi-même. Les **poumons** servant à ma respiration, un mauvais fonctionnement de ceux-ci entraîne une difficulté de transfert de l'oxygène de l'air vers le sang, fonction vitale pour ma survie. Ce mauvais fonctionnement ne fait que mettre en évidence cette mort qui m'effraie et que j'ai avantage à apprivoiser. J'ai tendance à étouffer mes ***pleurs***. La tristesse affaiblit mes **poumons**. Si j'ai une **douleur** ou une **difficulté respiratoire**, je dois me demander si j'ai l'impression de me sentir étouffé ou oppressé dans ma vie. Est-ce que j'ai l'impression de « manquer d'air » ou de me sentir ***asphyxié***, particulièrement par rapport à mes relations avec les membres de ma famille ? Est-ce que je me sens limité ou ai-je l'impression de ne pas mériter d'être heureux ? J'ai le goût de « crier à pleins **poumons** » ma détresse. Je n'aime pas les conflits, les dualités et j'ai tendance à être trop conciliateur pour éviter les disputes. Je me sens triste et déprimé et je dois apprendre à reconnaître ma valeur personnelle et à faire les choses qui me font plaisir. Mes **poumons** seront touchés, particulièrement ma respiration, si je me suis déjà senti abandonné étant enfant. Si je suis orphelin, ma confiance en la vie et les adultes en général peut être ébranlée et mes **poumons** manifestent cette blessure intérieure. Je peux avoir de la difficulté à faire face à des changements dans ma vie et à vivre des séparations, surtout si la séparation d'avec ma mère à ma naissance (qui se traduit dans le physique par la première respiration) a été vécue d'une façon traumatisante. Mes **poumons** qui devraient jouer un rôle important dans le fait de devenir autonome (respirer tout seul) peuvent interpréter cette situation comme une mort dans une certaine mesure. Suis-je capable de vivre d'une façon indépendante, sans toujours avoir besoin de quelqu'un pour faire les choses à ma place ? Je peux entretenir des idées ***macabres*** qui peuvent faire naître une **tumeur**. Bien que la société véhicule l'idée que c'est la cigarette qui cause les **maladies aux poumons**, c'est plutôt l'angoisse de la mort vécue suite à la consommation de tabac qui cause la maladie. Dans le cas de **l'embolie pulmonaire**[184], il y a rupture de joie, de la tristesse qui s'est accumulée et que j'entretiens. Je me révolte face à mon sentiment d'impuissance. C'est comme si on m'empêchait (obstruait) le passage pour accomplir un projet de ou me rendre à un endroit bien précis, et la dépression s'en suit. Je ne me sens plus chez moi. Mes émotions et mes idées sont obstruées,

J'accepte↓♥ le fait d'être constamment protégé et guidé. Au lieu de « prendre plaisir » à entretenir de vieux souvenirs qui me rendent mélancolique et qui peuvent amplifier mon sentiment d'être seul et isolé, j'ai avantage à regarder tout ce que j'ai et toute l'abondance qui est présente dans ma vie. J'ai le droit d'avoir un territoire, une place bien à moi qui me soit personnelle et qui n'appartienne à personne d'autre, tout comme les autres ont chacun leur propre territoire. C'est ainsi que peut exister l'harmonie et que je peux m'épanouir pleinement. Je reprends le pouvoir qui m'appartient et je respire la vie « à pleins **poumons** » !

---

[183] **Mon territoire** : mon conjoint, ma famille, mes amis, mon travail, ma maison, mes idées, etc.

[184] Obstruction brutale de l'une des branches de l'artère pulmonaire.

POUMONS (cancer des...)

VOIR : CANCER DES POUMONS

POUMONS — CONGESTION

VOIR : CONGESTION

POUMONS — EMPHYSÈME PULMONAIRE

L'emphysème pulmonaire se caractérise particulièrement par une difficulté respiratoire à l'effort.

Quand je suis encore fœtus et que mes **poumons** se forment, cela marque mon engagement à être ici, mon accord à dire **oui** à la vie, ceci se faisant grâce à ma respiration. Si j'ai peur de la vie ou si je veux que quelqu'un d'autre prenne soin de ma propre vie, mes **poumons** pourront connaître certaines difficultés. En respirant superficiellement, je me protège contre le fait d'avoir à traiter avec la réalité. Je vis de l'anxiété et j'ai peur car je me sens menacé. Comme mes **poumons** se dilatent et se contractent, cela correspond à ma capacité d'élargir, de partager et d'entrer dans la vie ou à me contracter, m'isoler et me retirer de la vie. Être atteint d'**emphysème pulmonaire** signifie que j'ai de la difficulté à respirer et que je me sens oppressé par l'effort. Par la respiration, j'aspire la vie en moi. Pourquoi ai-je de la difficulté à prendre la vie ? Dans quel aspect de ma vie est-ce que je me sens indigne ? Est-ce ma façon de **fuir** la vie ? La vie ne m'intéresse plus, je n'y ai aucun intérêt. J'ai de grandes peurs et l'une d'elles, c'est de m'affirmer et de prendre ma place. Pourquoi la vie a-t-elle perdu tout son sens pour moi ? Je me sens coincé, étouffé. Je n'ai pas appris à être moi-même et à prendre la place qui me revient ; je vis en fonction des autres. Je vis une absence de communication profonde. Les mots « ***s'étranglent*** » à l'intérieur de moi d'où un sentiment d'impuissance. Mes frustrations et mon mécontentement m'étouffent. J'ai l'impression que je ne mérite pas de vivre. Je porte un très lourd fardeau.

J'accepte↓♥ de prendre **conscience** que chacun a sa place et que je dois prendre la mienne. **J'accepte↓♥ de m'aimer davantage**, de m'affirmer et d'exprimer mes besoins, en un mot, d'être MOI. L'oppression que je ressentais est remplacée par l'apport d'air et de vie dans mes **poumons**. Je vois à nouveau toutes les possibilités que la vie m'offre. Je reprends le goût au bonheur.

POUMONS — LÉGIONNAIRES (maladie des ...)

La **maladie du légionnaire** est une maladie infectieuse dont la première épidémie a été observée en juillet 1976 parmi des anciens combattants réunis en congrès dans un hôtel de Philadelphie. Elle est due à un petit bacille Gram, jusqu'alors inconnu et baptisé Légionella pneumophila. La **maladie des légionnaires**, aussi appelée **légionellose**, est une maladie voisine de la pneumonie. Après une période d'incubation de 2 à 20 jours, elle débute brutalement, évolue très rapidement et peut entraîner la mort (mortelle dans 16% des cas).

Le fait d'être en contact avec d'autres combattants (comme moi), m'a rappelé des souvenirs douloureux, de la tristesse face à la souffrance humaine. Je me suis senti impuissant devant la mort. Les souvenirs se sont réveillés brusquement et mes peurs, mes conflits intérieurs face au travail sont remontés à la surface. Un sentiment de colère et d'injustice m'emprisonne, m'empêche de respirer et de participer pleinement à la vie en général. La situation est lourde à porter et je me sens coupable de n'avoir fait davantage. J'ai envie de fuir mais je suis obligé de rester. Je porte une honte de participer à des guerres avec lesquelles je suis en désaccord.

J'accepte↓♥ de faire la paix avec moi-même et de me libérer de ces souvenirs. Je fais mes deuils et je cesse de me ronger en dedans. Je demande de l'aide et je me donne le droit de respirer, de participer pleinement à la vie. Je réalise que la vie est précieuse et je goûte le moment présent et je remercie.

POUMONS — PNEUMONIE ET PLEURÉSIE

La **pneumonie** est l'infection du poumon provoquée par une bactérie ou par un virus, tandis que la **pleurésie** est l'inflammation aiguë ou chronique de la plèvre, membrane enveloppant les **poumons** (autrefois, on utilisait **pleurite** pour désigner les **pleurésies** sèches localisées).

Les **poumons** étant l'organe de la respiration où se fait, où se produit la transformation de « mon » air pour tout « mon » corps, je vis un conflit intérieur qui m'affaiblit gravement. Je me dois donc de trouver l'émotion ou le sentiment qui irrite et limite le fonctionnement de ma relation avec l'air de ma vie intérieure, car ce ou ces blocages empêchent mon être de vivre pleinement. Ces sentiments profondément ancrés à l'intérieur de mon être, représentés par l'inflammation, peuvent me signaler que je suis profondément « choqué », « irrité ». Cette irritation fait partie intégrante de moi, c'est comme un réflexe et amène beaucoup de sentiments négatifs. Je dois me demander quelles sont cette situation ou cette personne envers qui j'ai tant de haine et qui se retrouvent souvent dans mon milieu de travail. Mon habileté à respirer devient très affectée par mes émotions, ma peur d'être seul ou d'être accablé, par ma révolte face à la vie. J'ai l'impression d'être « emmêlé » dans mes relations personnelles. Je peux me sentir étouffé par toutes mes responsabilités, et je ne sais pas comment m'en sortir. Le découragement et le désespoir me gagnent, je me demande même quel est le sens de ma vie et si elle vaut vraiment l'effort d'être vécue. J'ai l'impression qu'on peut venir envahir mon espace, me soutirer quelque chose. J'ai l'impression de ne pas vivre pleinement. Je me questionne face à mon cheminement personnel et je cherche un nouveau sens à ma vie, la voulant plus riche au niveau interpersonnel et me demandant quelle est la place de la spiritualité (et non pas la religion) dans ma vie de tous les jours. Je me sens vulnérable et ne sais trop comment réaliser mes ambitions. Je donne une image d'« homme fort » mais au fond de moi, je me sens impuissant. Je suis fatigué de vivre et le désespoir me gagne. Je veux vivre ma vie et non celle tracée par mes parents. Je suis angoissé car j'ai beaucoup de difficulté à entrer en contact avec mon entourage. Mon travail ne me satisfait plus et ne correspond pas à mes aspirations. Quant à la **pleurésie**, qui a souvent comme caractéristique du liquide entre les deux feuillets, elle me parle des ***pleurs*** que je n'ai pas voulu ou pas pu exprimer face à une situation où j'ai vécu le désespoir face à un deuil de quelqu'un qui m'était cher. Je veux montrer ma ***carapace*** pour me ***protéger*** et monter que je suis fort, mais au fond de moi, je me sens comme un enfant sans ***défense***. Je suis en contact avec la douleur qui suit un drame et qui est souvent inexpliquée. Ce drame se vit habituellement face à un membre de ma famille. Je peux être aussi face à une situation qui dépérit et dont je vois venir la fin, que ce soit un couple, une entreprise, etc. et je voudrais veiller sur les personnes concernées.

J'accepte↓♥ d'avoir besoin de prendre du temps pour moi et de faire « le ménage » dans ma vie. Je ne garde que les responsabilités qui me reviennent et je remets à qui de droit celles que j'ai prises sur mes épaules et qui ne m'appartiennent pas. Je me donne le droit de demander de l'aide. La vie sera ainsi plus facile et plus belle.

POUX

VOIR : MORPIONS

PRESBYTIE

VOIR : YEUX — HYPERMÉTROPIE ET PRESBYTIE

PRESSION ARTÉRIELLE OU SANGUINE

VOIR : TENSION ARTÉRIELLE

PROBLÈMES CARDIAQUES

VOIR : CŒUR♥ — PROBLÈMES CARDIAQUES

PROBLÈMES DE PALPITATIONS

VOIR : CŒUR♥ — ARYTHMIE CARDIAQUE

PROLAPSUS (descente de matrice, d'organe)

VOIR AUSSI : PROSTATE [DESCENTE DE...]

Le **prolapsus** indique un déplacement pathologique d'un organe vers le bas, lié au relâchement des éléments qui le maintenaient en place. Il est fréquent au niveau de la prostate, de l'utérus, du vagin, du rectum, de l'urètre ou de la vessie.

Je vis alors un grand **laisser-aller**, un **abandon**, un **manque de contrôle**. Les muscles s'affaissent car mon niveau d'énergie est tellement bas qu'il ne peut pas maintenir l'élasticité de l'organe. Je suis las, je vis un **désespoir intérieur** immense, celui-ci étant relié plus particulièrement à l'aspect de ma vie qui est représenté par l'organe atteint. Par exemple, le **prolapsus de l'utérus** (**hystéroptose**) exprime tout le poids que je porte d'être mère, lorsque les problèmes des enfants semblent ne jamais se régler et que je suis lasse d'avoir tous ces soucis à gérer. J'aime mes enfants mais je suis fatiguée et je n'en peux plus… J'ai soif de liberté, de ne plus avoir de contraintes. J'ai de grandes ambitions que je ne peux atteindre. Le **prolapsus de la vessie** (cystocèle) me montre combien mes émotions non exprimées pèsent lourd. Ma confiance en moi est tellement basse que je m'abaisse devant les autres et ma **vessie** en fait autant. Je suis profondément attristé car je pense avoir manqué à mon devoir. Je préfère décrocher, rompre le contact, soit physiquement soit émotionnellement.

J'accepte↓♥ de trouver des moyens de reprendre ma vie en mains et d'être actif. Je peux chercher ce que j'aime vraiment, que ce soient l'art, le sport ou un passe-temps, afin de me redonner de la vitalité et le goût de vivre.

PROSTATE (en général)

La **prostate** est une glande de l'appareil génital masculin située sous la vessie et qui sécrète un liquide constituant l'un des éléments du sperme.

Elle représente donc le principe et la puissance masculine. Une **prostate** en santé indique que je sais clairement où je vais, que j'écoute ma voix intérieure. Je vis mes émotions et je sais évacuer le trop-plein. Je suis capable d'être moi-même et maître de ma vie.

J'accepte↓♥ que l'autorité se trouve à l'intérieur de moi et qu'elle me guide dans les choix que j'ai à faire au lieu de me laisser emporter par des valeurs artificielles.

PROSTATE (maux de...)

La **prostate** est reliée à mon sentiment de puissance au niveau social et de capacité sexuelle. Puisque ce sont souvent les hommes plus âgés qui ont des troubles de **prostate**, je dois me demander : est-ce que je me sens satisfait et à l'aise dans ma sexualité ? Est-ce que je vis de la frustration, de l'impuissance ou peut-être même de la confusion par rapport à ma sexualité et aussi face à ma recherche d'un(e) partenaire peut-être plus jeune ? Vaudrait-il mieux tout abandonner ? Je me sens peut-être maintenant inutile, inefficace, incapable d'être un « vrai homme ». Je peux aussi avoir l'impression que je ne suis pas à la hauteur de mes enfants ou un mauvais père. Suis-je encore ***désirable*** ? Je vis la peur intense de ne pas être dans les ***normes*** sexuelles que la société a implantées, particulièrement si je suis moi ou un de mes enfants homosexuel : inconsciemment, je sais que l'espèce est en danger dû à une non-procréation. Suis-je correct avec mes désirs sexuels ou la grosseur de mes organes génitaux ? Je dois apprendre à me déculpabiliser et à cesser de me mettre de la pression par rapport à la « performance » que la société veut que j'atteigne. Je dois prendre **conscience** de ma valeur non pas selon mes « prouesses sexuelles » mais en regardant toutes les belles qualités humaines que je possède. Je peux avoir l'impression que je suis mal « ***accordé*** » avec ma conjointe, que nous formons un couple mal assorti, surtout au niveau sexuel. Nous formons un ***amalgame***, un mélange qui sort de l'ordinaire. Est-ce que je réprime mes émotions et mes pulsions créatrices ? Est-ce que je refuse tout acte ***érotique*** dans ma vie ? Je peux vivre un amour platonique qui n'est pas exprimé dans mon corps physique. Si je ne connais pas mes besoins et désirs, c'est comme si j'étais déconnecté de ma personne. Je me sens obligé de me prosterner devant quelqu'un ou même devant le dieu en qui je crois. Cela est humiliant ! J'arrête de me mettre de la pression sur les choses à faire ou que je n'ai plus à faire : est-ce que je me sens vulnérable face à l'argent parce que je prends ma retraite ? Est-ce que je me sens inutile, étant beaucoup moins dans l'action que lorsque j'étais sur le marché actif du travail ? Si j'ai une difficulté à la **prostate,** je dois me demander si je vis de la difficulté et de la culpabilité face à mes petits-enfants ou face à mes propres enfants qui, même devenus adultes, sont pour moi encore comme « tout petits » et « fragiles ». J'ai peur que ceux-ci soient en danger, soit moralement soit physiquement, et plus particulièrement en toute situation qui peut être reliée à la sexualité et qui apparaît à mes yeux comme sale ou qui sort des normes habituelles et établies par la société. Je veux encore être leur ***protecteur***. J'ai l'impression qu'on m'empêche d'être près d'eux. Si je n'ai pas d'enfant ou de petits-enfants, la difficulté peut être vécue avec un neveu ou un enfant du quartier que je considère » comme faisant partie de la famille ». J'ai tendance à vouloir ***m'adapter*** aux attentes des autres. Je veux aussi que les autres se rendent conformes à mes valeurs ou celles de la société. J'ai l'impression que j'ai d'***énormes anomalies,*** et je ne sais trop quoi faire pour être dans les normes. Je me sens souvent ***étrange***, différent des autres. Je n'aime pas mon image de père. Un **adénome** survient si j'ai un gros chagrin face à un de mes enfants ou que j'ai l'impression de perdre ma « puissance », au travail ou dans la société. J'ai à apprendre à faire confiance et le fait d'avoir peur qu'il arrive quelque chose de « grave » ou de « mal » aux gens que j'aime ne fait qu'attirer davantage l'objet de ma crainte. J'ai confiance dans le fait que nous sommes tous guidés et protégés intérieurement, y compris ceux pour qui je me fais du souci. J'éviterai ainsi le développement du **cancer de la prostate**. Ce dernier se manifeste après avoir vécu plusieurs échecs au niveau de mes relations affectives. Je ressens au plus profond de moi-même que j'ai perdu cette dimension masculine nécessaire pour séduire et attirer une compagne. Je suis frustré et amer mais ces sentiments sont habituellement retournés contre moi-même. Ma vie n'a plus de sens (souvent lorsque je suis à la retraite). J'ai perdu confiance en mes moyens, en mon image de père et d'homme. Je me suis coupé de ma créativité et du droit au bonheur et à la jouissance.

J'accepte↓♥ d'apprendre à jouir de la vie. Pas seulement au niveau sexuel mais aussi de tous mes sens. Je peux être en contact avec ma créativité et réaliser de grandes choses. J'accepte↓♥ aussi de ressentir vraiment toutes les émotions qui m'habitent et d'apprendre à les accueillir pleinement. Elles font partie de moi. Je reprends ainsi le plein pouvoir sur ma vie.

PROSTATE (descente de...)

VOIR AUSSI : PROLAPSUS

Quand la **prostate** descend, elle met une grande pression sur la vessie. Elle indique que j'ai de la difficulté à relâcher les sentiments d'inutilité que je me suis construits intérieurement, l'urine représentant la libération de mes émotions négatives. Je me sens confus et j'ai de la difficulté à exprimer mes désirs.

J'accepte↓♥ de reconnaître de plus en plus ma valeur et je sais que ma contribution à la société est inestimable.

PROSTATE — PROSTATITE

VOIR AUSSI : ANNEXE III, INFECTION, INFLAMMATION

La **prostatite** est l'inflammation de la **prostate**. Je peux vivre de la déception ou de la frustration, soit face à ce que mon ou ma partenaire attend de mes prouesses sexuelles, soit face à moi-même, car je m'en veux de ne pas être plus « viril », plus « performant ». Je me juge vieux, « bon à rien », « fini ». Je ne peux pas « posséder » ma partenaire. Mes valeurs ou MA valeur se basent sur des choses matérielles et superficielles. Je me coupe ainsi de mes émotions car j'en ai peur.

Il est donc important que j'accepte↓♥ que ma sexualité puisse avoir changé et évolué avec le temps, mais qu'elle puisse être tout aussi excitante et entière.

PRURIT

VOIR : PEAU — DÉMANGEAISONS

PSORIASIS

VOIR : PEAU — PSORIASIS

PSYCHOSE (en général)

La **psychose** est une maladie mentale majeure, troublant gravement l'existence psychique de la personne dans ses rapports avec elle-même et avec le monde extérieur, comportant l'altération de la **conscience** de soi, d'autrui et du monde extérieur, de l'affectivité, de l'intelligence, du jugement, de la personnalité, ce qui va se traduire par un trouble marqué du comportement extérieur, le sujet vivant comme s'il était étranger à ce monde. La **paranoïa** et la **schizophrénie** sont des **psychoses**.

Si je souffre de cette maladie, je veux fuir qui je suis et m'évader de ce corps que je n'accepte↓♥ pas. Je me sens tellement mal à l'aise que j'ai l'impression de ne plus avoir d'identité, m'étant laissé envahir par les gens qui m'entourent. J'ai une faible estime de moi-même et je cherche par tous les moyens à me faire aimer et à recevoir de l'attention. Je n'ose plus être moi-même. Par reniement de ma personne, de mes relations avec les autres, de ma vie en général, je deviens obsédé, fixé sur quelque chose ou quelqu'un qui m'éloigne de ma douleur intérieure. La **psychose** peut résulter aussi d'un événement où j'ai vécu un choc émotionnel tellement grand que j'ai voulu me couper de la réalité, mon mental ne comprenant pas « pourquoi cela pouvait m'arriver à moi » ! Et j'ai caché des événements, des émotions dans mon subconscient mais ils y sont encore et je vais devoir tôt ou tard y faire face afin de les intégrer et d'apprendre la leçon de vie qui y est rattachée. C'est en libérant de leur prison mentale ces événements qui me contrôlent inconsciemment et qui me font agir de façon impulsive, que je vais pouvoir reprendre le plein contrôle sur ma vie et que je vais vivre en paix avec moi-même. La **psychose maniaco-dépressive** est une alternance de crises d'excitation (manie) et d'épisodes dépressifs qui se traduisent par de la mélancolie. J'ai peur de gâcher ma vie, de n'avoir aucun futur. Elle se manifeste souvent après avoir perdu quelque chose ou quelqu'un qui m'était cher. Je vais rapidement dans les extrêmes car je me sens déconnecté de mon pouvoir intérieur donc impuissant à prendre ma vie en mains. La **psychose infantile**, pour sa part, peut résulter d'une relation perturbée entre l'enfant et ses parents. Comme enfant, je peux vivre du rejet lié à la révolte inconsciente de ma mère ou parce que je suis soumis à des révélations sexuelles trop précoces pour être intégrables, etc. Moi comme enfant, je m'enferme dans un état d'indifférence, d'inertie et de stagnation quant à mon développement mental, ou je m'enferme dans un monde à part qui cesse d'être communicable et qui sert de moyen de protection. C'est comme si je n'étais pas capable de trouver ma place et de me prendre en charge. Je me replie dans une «séparation protectrice », ayant vécu un profond rejet ou une » sécheresse affective », et ayant l'impression de ne pas pouvoir être ce que mes parents veulent que je sois, ces derniers étant contrôlés par leurs peurs, leurs désirs, leurs craintes, leurs fantasmes à l'égard de moi, leur enfant.

J'accepte↓♥ de m'ouvrir doucement à mon univers intérieur. Je reconnais le pouvoir que j'ai sur ma vie. Les douleurs vécues dans le passé font partie du processus d'évolution de chaque être et je me dois de l'accepter↓♥ : c'est la seule façon que de pouvoir laisser derrière moi la souffrance et bâtir ma vie sur de nouvelles bases positives. Ma sensibilité devient un outil de transformation car j'ai ainsi accès à différents niveaux de **conscience**. Je peux faire confiance à la vie car je suis pleinement protégé et guidé.

PSYCHOSE — PARANOÏA

La **paranoïa** se définit comme une **psychose** caractérisée par la surestimation de soi, la méfiance, la susceptibilité, la rigidité psychique, l'agressivité et qui engendre un ***délire*** de persécution. Le comportement **paranoïaque** peut être considéré comme un syndrome qui naît d'un sentiment d'infériorité ayant la valeur d'une protestation, d'une compensation, d'une revanche ou d'une punition. Cependant, si je suis **paranoïaque**, je continue de garder mes capacités intellectuelles.

J'ai des obsessions, des idées fixes, sur lesquelles toute mon attention se porte. Je remarque chaque petit détail qui, même insignifiant, peut prendre des proportions insensées. Puisque mon univers est ainsi déformé, tout est dangereux. Je me sens constamment poursuivi, épié ce qui entraîne un état de ***délire***. Si je suis atteint de **paranoïa**, je me sens victime de tout ce qui m'arrive et je suis constamment sur mes gardes. J'ai l'impression qu'on me ***guette***, qu'on me ***talonne*** constamment. Ma vision du monde extérieur est faussée (je pense à ce que les autres pensent de moi...). Mon désespoir et ma détresse m'amènent à « crier ***aux abois*** ». Je me sens ***adossé*** au mur, ne sachant dans quelle direction m'en aller pour m'enfuir. ***J'anticipe*** toujours le pire et je me cache derrière une ***carapace***. Mes blessures émotionnelles, ma grande sensibilité, les peurs qui m'habitent et mes regrets aussi, notamment face à mes expériences que je juge comme des échecs, n'ayant pas reçu tout le succès et l'admiration que j'avais escompté, tout cela m'amène à fuir et à me couper d'une réalité avec laquelle j'ai de la difficulté à transiger. Je suis inconsolable face à une situation que j'ai vécue Ce peut être face à une situation où j'ai dû faire face à la mort, la mienne ou celle de quelqu'un d'autre. Je la sens encore très près de moi, comme si elle m'épiait. Je me sens vivre entre deux mondes et je ne sais plus ce qui est réel ou imaginaire. Je n'ai plus ***confiance*** en personne. Je me cherche des « portes de sortie » pour éviter de faire face à la réalité. J'ai un côté de ma personne que j'accepte↓♥ difficilement. Il fait référence à toutes mes angoisses, mon sentiment d'impuissance, ma colère refoulée. Je fuis mes propres émotions. « Je ne suis rien ». J'ai dû apprendre étant très jeune à vivre dans un environnement dangereux, réprobateur. On peut même m'avoir « mis dehors » de la maison, de l'école ou de mon cercle d'amis. N'étant pas capable de me regarder en face, je fuis la vérité dans un monde irréel. J'aurai tendance à ***jalouser*** les autres.

J'accepte↓♥ que mes pensées négatives obsessionnelles soient néfastes pour moi et que j'aie avantage à prendre de plus en plus mes responsabilités face à ma vie, car je suis capable de créer celle-ci comme je le désire. Je crée ma vie avec des pensées positives. Je suis sincère et vrai avec moi-même et mon entourage. J'accueille toutes les émotions qui m'habitent.

PSYCHOSE — SCHIZOPHRÉNIE

La **schizophrénie** est une façon de me cacher et de cacher aux autres ma vraie identité. Souvent, si je suis **schizophrène**, j'ai grandi dans un cadre familial très rigide dans lequel j'ai perdu ma vraie identité. Ne sachant plus qui je suis, je décide alors de devenir quelqu'un d'autre. C'est un reniement, un refus total[185] de mon **JE SUIS**. Ce que je vis est tellement intense que mon état **schizophrénique** devient une solution de détresse à un stress trop grand ; **j'ai l'impression qu'il n'y a pas de solution à ma situation, donc ma seule chance de survie est de fuir**. Comme personne souffrant de **schizophrénie**, je possède souvent un intellect très fort et j'ai besoin de comprendre ce qui m'arrive en plus de simplement l'accepter↓♥. Je vis habituellement dans un climat de menace et me sentant menacé, je déforme la réalité à défaut de quoi, je panique et la peur s'empare de moi. Je sens le besoin de me défendre du monde qui m'entoure. Ma vision de celui-ci est très différente de la réalité. J'ai l'impression que la seule façon de contrôler est de vivre dans la solitude. Je me bâtis un monde où je contrôle à ma guise chaque partie de ma personnalité. Je ne suis jamais entièrement moi avec les autres. J'ai un pouvoir fictif ***fabuleux*** sur ma personne jusqu'à ce que refassent surface ces parties de moi que je voulais oublier. Cette personnalité cachée demande à s'exprimer et à se faire entendre. C'est pourquoi j'ai l'impression d'entendre des voix ou d'être possédé, la réalité m'étant insupportable, et je me retire dans un certain ***délire***. Je dois arrêter de ***dénier*** la réalité. Je ne suis pas possédé par des entités, ce n'est que la partie de moi que j'ai toujours étouffée qui demande à sortir de sa cachette. Le fait d'être « divisé » devient insupportable. Le fait d'attirer à moi les gens mais en même temps vouloir les repousser est très fatigant. Parfois, il arrive aussi qu'ayant de grands dons psychiques, je les développe de manière exagérée. Nous vivons tous de la **schizophrénie** à un pourcentage plus ou moins élevé. En effet, lorsque j'ai enregistré une blessure intérieure dans mon enfance (surtout entre 0 et 12 ans) sous forme de rejet, de soumission, de colère, d'incompréhension, d'abandon, etc., j'ai tendance à déformer la réalité lorsque, dans ma vie d'adulte, un événement aura réactivé cette blessure. C'est comme si je développais des mécanismes, parfois inconscients, pour m'empêcher de revivre la douleur ou le souvenir de cette douleur vécue antérieurement. Parmi ces mécanismes de défense, notons le fait de changer de sujet automatiquement lorsqu'on vient pour aborder une situation où je me suis senti blessé ; je peux avoir un comportement incohérent lorsqu'on touche à un sujet comme par exemple aller chercher le sel dans le réfrigérateur et qui passera pour « une distraction », etc. J'ai

[185] Il y a différents degrés d'intensité de la maladie.

avantage à redécouvrir l'être merveilleux que je suis et à accepter↓♥ la responsabilité de ma vie.

J'accepte↓♥ de pouvoir vivre en toute sécurité et que la clé de ma libération réside dans le fait d'accepter↓♥ chaque partie de mon être car elles forment un tout. S'il y a des choses que j'aime moins, je sais que je peux les changer. Mais pour ce faire, je dois laisser tomber mes masques et me regarder en face. Ainsi je ne sens plus le besoin de réagir à l'excès puisque tout mon être a maintenant une voix et peut s'exprimer. Je me fais confiance et je sais qu'il n'y a que du bon à l'intérieur de moi. Je laisse aller la notion de « mal » que j'ai laissé s'infiltrer dans ma vie et qui ne correspond plus à ma nouvelle réalité.

PSYCHOSOMATIQUE (maladie...)

VOIR : MALADIE PSYCHOSOMATIQUE

PUBIENNE (toison...)

La **toison pubienne** cache en partie les organes génitaux et le pubis. Si elle est **fournie**, cela dénote une peur par rapport à ma sexualité, quelque chose que je veux dissimuler. Au contraire, une **toison clairsemée** ou **absente** dénote une vulnérabilité par rapport à ma vie sexuelle ou dans mes rapports avec mon conjoint.

J'accepte↓♥ de m'épanouir dans ma sexualité en exprimant mes peurs et en faisant de plus en plus confiance.

PUBIS (os du...)

VOIR AUSSI : ACCIDENT, OS — FRACTURES [... OSSEUSES], TENDONS

Le **pubis** est une pièce osseuse formant la partie antérieure de l'os iliaque, l'os large et plat qui forme le bassin. Il sert à protéger naturellement les organes génitaux.

Comme plusieurs muscles de l'abdomen et de la cuisse s'insèrent à cet endroit, il peut parfois se produire une **tendinite** qui représente du désappointement relié à ma sexualité, entre ce que je veux et ce que je vis. Une **fracture** à ce niveau implique une plus grande peur ou culpabilité dans les actions que je pose ou que je ne pose pas au regard de ma sexualité. Une affection au **pubis** révèle ma peur d'être blessé dans mon intimité. Cela arrive souvent lorsque je viens de rencontrer une personne et qu'il y a de bonnes chances de développer une relation plus profonde. Je peux me sentir abusé. Cela peut réveiller un stress que j'ai vécu pendant la puberté. Je me questionne face à ma capacité d'être un bon partenaire sexuel, performant. Je m'interroge aussi sur le fait d'avoir un enfant et jusqu'à quel point je vois cet enfant à naître comme un fardeau. Je peux avoir l'impression que ma « performance » laisse à désirer.

J'accepte↓♥ d'apprendre à reconnaître mes vrais besoins sexuels afin de me permettre de m'épanouir davantage dans ce que je suis. Je prends **conscience** de mes limites et j'accepte↓♥ de m'ouvrir aux autres, sachant que je suis constamment protégé.

PUS

VOIR : ABCÈS — EMPYÈME

PYORRHÉE (gingivite expulsive)

VOIR : GENCIVES [MAUX DE...]

PYREXIE

VOIR : FIÈVRE

QUADRIPLÉGIE

VOIR : PARALYSIE [EN GÉNÉRAL...]

RACHITISME

Le **rachitisme** est une maladie de la croissance affectant le squelette et occasionnée par un défaut de minéralisation osseuse (trouble du métabolisme du phosphore et du calcium) par carence en vitamine D.

Si je suis atteint de cette maladie, la malnutrition que je vis sur le plan physique met en **lumière** celle que j'ai l'impression de vivre d'un point de vue personnel et affectif. J'ai l'impression que ce que je produis par ma créativité ou ma sexualité n'a aucune vitalité. Je vis un vide ou un manque de tendresse, d'**amour.** Je peux avoir l'impression que je suis seul au monde et que personne ne me comprend. Je n'ai donc pas le soutien dont j'ai besoin et je me sens vulnérable. Conséquemment, je vis pour les autres. Je me sens inférieur aux autres et il est facile de jouer les martyrs. Cette maladie m'affecte surtout comme enfant et met en **lumière** le fait que ma mère peut vivre les mêmes émotions que moi.

Je dois me rappeler que je suis constamment protégé et que l'**amour** universel est présent partout. Je me dois d'accepter↓♥ cet amour et de le laisser me nourrir afin de faire partir la maladie qui n'aura plus alors de raison d'être, car j'aurai compris que je dois tout d'abord me donner de l'**amour** avant de pouvoir en donner aux autres. La vraie richesse est intérieure.

RAGE

La **rage** est une maladie épidémique qui affecte certains mammifères (renard, chat, chien, etc.), lesquels la transmettent à l'être humain, généralement par morsure. La crainte morbide de l'eau ou **hydrophobie** est l'un des premiers signes de la **rage**, de même que la peur des mouvements de l'air, l'**aérophobie**.

Si j'ai la **rage**, il y a de fortes chances que je sois « plein de **rage** », de colère ou d'amertume, celles-ci étant dirigées envers moi-même ou une personne ou une situation. Je me sens impuissant, dans l'obligation de faire quelque chose qui me répugne. Je veux donner une image de moi qui est parfaite car je n'ai aucune confiance en mes capacités. Je préfère dépendre des autres même si j'en veux à l'autorité. Je me suis senti blessé par une personne qui avait du pouvoir sur moi, et maintenant, je voudrais me venger. Une tempête intérieure fait **rage** et les bases ou fondations de ma vie sont faibles et en danger.

J'accepte↓♥ qu'il n'y ait pas qu'avec la force et la violence que je puisse régler mes différends et mes désaccords. J'apprends à communiquer calmement mes besoins, mes opinions, mes sentiments, tout en me respectant et en respectant l'autre. J'accueille mes émotions, quelles qu'elles soient.

RAGE DE DENTS

VOIR : DENTS [MAUX DE...]

RAIDEUR (... ARTICULAIRE, ... MUSCULAIRE)

La **raideur musculaire** causée par l'accumulation d'acide lactique implique une accumulation d'énergie mentale rigide et bloquée. Je manifeste ainsi des schèmes de pensée rigides et de l'entêtement, ainsi qu'un refus ou une incapacité à « me rendre ». Je résiste au mouvement. Cela peut être aussi face à l'autorité, face à une situation ou face à moi-même. Je me fige dans une structure, je me raidis au lieu d'aller avec le courant. Je mets de côté ma spontanéité et je résiste à la vie. Je ne laisse pas s'exprimer mon intuition. Je deviens intransigeant. Une **raideur** limite certains de mes mouvements : avais-je l'impression que j'avais trop de liberté dans une certaine situation ou est-ce que l'on veut brimer ma liberté ? Je dois vérifier mes attitudes mentales en relation avec la partie du corps qui connaît la **raideur**. Si ce sont les **articulations** qui sont **raides**, soit au niveau de mes membres soit au niveau de ma colonne vertébrale, il y a une résistance profonde manifestée par l'os, démontrant une rigidité profonde et un refus d'aller de l'avant.

J'accepte↓♥ de devenir plus ouvert et flexible face aux nouvelles directions qui se présentent à moi pour m'éviter de descendre en pente raide. Au lieu de résister, je laisse couler et je vis au rythme de la vie et des saisons.

RAISON (j'ai...)

<u>Si je manifeste une attitude de « **j'ai raison** » en permanence</u>, je dois me demander : « Pourquoi est-ce que je suis fermé à l'opinion des autres ? De quoi est-ce que je veux me protéger ? » Je dois prendre **conscience** que les gens de mon entourage peuvent rester calmes vis-à-vis de moi, garder leur distance, faire attention à ne pas me heurter et aller même jusqu'à penser que **JE SUIS MALADE**. On dit que l'âge de raison arrive vers 7 ans : « Se peut-il qu'une partie de moi soit restée enfant dans mon raisonnement ? »

J'accepte↓♥ qu'en écoutant les autres, qu'en me donnant la chance de changer d'avis, qu'en acceptant↓♥ que les autres puissent aussi avoir des opinions valables, j'augmente mon degré d'**amour**, d'ouverture, de liberté dans le respect mutuel et le partage.

RANCUNE

Si je vis de la **rancune** face à une personne ou une situation, j'éprouve un profond ressentiment et j'ai le goût de me venger. Je vais même cultiver ces sentiments négatifs, me percevant comme la personne qui a été brimée, blessée et qui est une victime. Ma vie devrait être meilleure, j'aurais dû atteindre les rangs supérieurs de la société « mais quelqu'un m'en a empêché ! » Je rends les autres responsables de ma propre vie. Pourquoi perdre ses énergies à haïr quelqu'un ?

J'ai avantage à accepter↓♥ avec mon **cœur♥** les événements et à me tourner vers l'avenir au lieu de ruminer le passé sans cesse : sinon, mon **cœur♥** va se durcir et mon corps va réagir par un malaise ou une maladie.

RATE

La **rate** est située dans la partie supérieure gauche de l'abdomen, sous le diaphragme. Les principales fonctions de cet organe lymphoïde qui participe au système immunitaire sont de veiller à la qualité des globules rouges et de lutter contre l'infection par la production d'anticorps.

La nostalgie, les choses inachevées, les regrets, les soucis peuvent s'y loger. Si ma **rate** ne fonctionne pas bien, il se peut fort bien que moi aussi j'aie de la difficulté à bien fonctionner, la raison majeure étant que je reste fixé sur des idées noires et négatives. Je suis obsédé par quelqu'un ou quelque chose. Cela baisse mon niveau d'énergie et je n'ai plus le goût de faire quoi que ce soit. J'ai l'impression d'être un **RATÉ**, d'avoir **RATÉ, *massacré*** ma vie parce que je n'ai pu terminer certaines choses, que je n'ai pas su « tourner la page ». J'ai « **raté** le train », de belles opportunités et je m'en veux, me croyant maintenant incapable de réussir ma vie. Je ternis ainsi l'histoire de ma famille. Je veux compenser en m'oubliant pour ma famille ou mes amis mais je n'en peux plus ! J'ai créé une situation dont je ne peux plus me soustraire. Cela entraînera éventuellement une **ablation de la rate**. Ce négativisme est souvent relié à ma façon de me voir : laid, « pas correct », pas bon, pas à la hauteur. J'ai plutôt le goût de dormir et d'être passif. Je me nourris de colère et il n'y a rien de bien gai dans ma vie. Quelqu'un ou quelque chose « me tombe sur la **rate** » : ce peut être quelqu'un de ma famille que je considère comme un ***raté*** ou un ***taré***. Les difficultés au niveau de la **rate** me donnent une indication sur les peurs que je pourrais vivre face au **sang**, par exemple celle de manquer de sang, de trop ***saigner*** (comme au moment des menstruations ou lors de transfusions sanguines). Je peux penser que mon sang n'est « pas bon » ou tellement rare que je doute qu'on pourrait me sauver la vie en cas d'accident majeur où j'aurais besoin d'une transfusion sanguine. **La peur de la mort est donc souvent présente en arrière-plan**. La **rate** veillant à la qualité des globules rouges du sang, un mauvais fonctionnement de celle-ci peut m'indiquer une grande blessure intérieure qui reste à guérir. C'est comme une plaie qui saigne. Le **sang** représentant la joie de vivre, je peux avoir l'impression que la vie est un combat tellement dur que je devrais peut-être baisser pavillon et battre en retraite. Je peux vouloir me réfugier loin de la réalité, dans un monde plus spirituel, non connecté à la terre ; ceci peut engendrer un **gonflement de la rate**. Je me limite moi-même dans une structure rigide, ce qui m'éloigne d'un sentiment de liberté. Ceci peut se traduire dans mon physique par de la ***maigreur***. Je dresse un mur entre moi et mes émotions et je porte ainsi un masque : j'ai l'impression que cela est un bon moyen de me défendre contre le monde extérieur et d'éviter d'être ***humilié***.

Au lieu d'être toujours obsédé par des idées négatives que j'ai tendance à exagérer, j'accepte↓♥ de changer ces idées en trouvant des moyens de me « dilater la **rate** ». Je dédramatise ma vie et j'apprends à rire de moi-même et de certaines situations. J'apprends à communiquer au fur et à mesure mes émotions afin de garder mon équilibre et l'harmonie dans tout mon corps.

RAYNAUD (maladie de...)

VOIR AUSSI : SANG — CIRCULATION SANGUINE

La **maladie de Raynaud** est caractérisée par une constriction de la circulation, brutale et douloureuse, des petites artères des mains, des pieds, mais surtout et quasi exclusivement des doigts, créant de la pâleur et des extrémités engourdies qui peuvent devenir bleues ou pourpres. Les doigts sont d'abord blancs puis se colorent ainsi lors de la reprise de la circulation qui est douloureuse ; la répétition et la durée des crises peuvent induire une gangrène des doigts. Le sang ne circule donc pas bien dans les extrémités.

Les émotions qui devraient circuler dans le sang sont stagnantes. Lorsqu'un ou plusieurs de mes doigts est affecté, je peux aller chercher la signification du ou des doigts en question, ce qui m'éclairera davantage sur l'aspect de ma vie qui est concerné. Les membres affectés se sentent abandonnés et « vivent » un sentiment de perte. Je dois alors me poser ces questions : « Est-ce que moi, dans ma vie, je vis du rejet ? Est-ce que j'ai peur de m'exprimer et de prendre ma place ? Est-ce que j'ai terminé une relation amoureuse à laquelle je m'accroche ? ». Est-ce que je me sens abandonné par quelqu'un ou par la vie ? (ce peut être la mort qui l'a emporté et ceci me glace le sang, refusant d'en faire le deuil) Pourquoi est-ce que je ressens le besoin de m'éloigner des gens ? Pour ne pas me sentir forcé à faire des choses ? Pourquoi les contacts physiques et émotifs sont si difficiles ? De quoi est-ce que je veux me protéger ? Je me sens peut-être trop vulnérable ou pas assez important ou entreprenant pour que l'on s'intéresse à moi « de toute façon ! » Je vis de grandes indécisions et cela m'empêche d'avancer. J'ai peur de revenir à la maison car un danger me guette. J'ai besoin de faire la paix avec ma mère ou la personne qui joue ce rôle dans ma vie.

J'accepte↓♥ qu'à un certain degré, je me sois coupé de l'Univers qui m'entoure et que j'aie besoin de trouver ma place et de réintégrer cet Univers dans lequel je joue un rôle important. Si je vais à sa rencontre, mes extrémités seront à nouveau nourries d'**amour** et de compréhension. Je suis persuadé que toutes mes actions et décisions sont les meilleures pour moi et mon évolution. J'accepte↓♥ de foncer, de mettre en action mes idées et rêves, mêmes ceux qui semblent les plus fous. C'est ainsi que je construis une nouvelle réalité et que je crée de nouvelles opportunités. Ma vie est ainsi riche et stimulante.

RECTUM

VOIR : INTESTINS — RECTUM

RÈGLES (maux de...)

VOIR : MENSTRUATION [MAUX DE...]

REGRETS

Si je me nourris de **regrets**, je nourris mon corps de peine, de chagrin, de mécontentement face à ce que j'aurais dû faire ou non, dire ou penser. Je fais face à une réalité contrariante. J'ai l'impression d'avoir perdu quelque chose ou quelqu'un pour de bon.

Mes **regrets** me rongent à l'intérieur et abaissent mon niveau d'énergie. Ils créent un terrain propice à la maladie.

J'accepte↓♥ d'avoir une attitude positive en sachant que je fais toujours au mieux de mes connaissances. J'apprends de mon passé et cela me permet de m'améliorer, de prendre de l'expérience, de devenir plus sage.

REINS (problèmes rénaux)

VOIR AUSSI : CALCULS [EN GÉNÉRAL] / RÉNAUX, PEUR

Les **reins** maintiennent l'équilibre (comme une balance) du milieu intérieur en épurant le sang des substances toxiques et en compensant les « entrées » dans le milieu intérieur par des « sorties » (sécrétions d'urine).

Ils m'aident à faire face à la vie. Ils participent au contrôle de la pression artérielle. Les **reins** stimulent la production des globules rouges. Au sens figuré, puisque les **reins** débarrassent le corps des déchets, c'est comme s'ils nettoyaient mon corps en évacuant les idées négatives qui l'habitent, de tout ce qui me ***pollue*** et ainsi aide à la purification de celui-ci. Les **reins** filtrent les émotions et me permettent de vivre dans la joie quand le nettoyage est fait d'une façon constante et naturelle, laissant aller les vieilles colères, les vieux chagrins. Si j'ai une bonne relation avec mon monde intérieur, mes **reins** fonctionnent bien. Les **reins** représentent la stabilité, le discernement, l'équilibre. Un mauvais fonctionnement de mes **reins** dénote une rétention de mes vieux patterns émotifs ou bien une retenue de certaines émotions négatives qui ne demandent qu'à être libérées. Ma relation avec mon (ma) partenaire est souvent disharmonieuse et je me sens vulnérable, recherchant désespérément un certain équilibre. La sexualité peut devenir pour moi un moyen de fuir mes problèmes. J'attends que les autres me rendent heureux. Je me sens ***liquéfié***, comme si on m'avait enlevé toutes mes forces. Mes vieilles émotions retenues se manifestent le plus souvent par des **pierres aux reins**, aussi appelées **calculs rénaux.** Je fais sans cesse des « calculs » (rénaux !) pour savoir ce qui m'appartient ou ce que je risque de perdre. J'ai peur qu'on me « casse les **reins** [186] » Je veux imposer mes limites et mes frontières afin de ne pas en « perdre » un centimètre ! Il arrive souvent que ce soit toute ma tristesse non exprimée qui se solidifie au fil du temps car je n'ai pas lâché prise sur une situation angoissante qui m'apporte de l'insécurité (autant émotionnellement que pécuniairement), ce qui en aurait permis une nouvelle compréhension ; alors, c'est la colère qui s'est manifestée, qui s'est emparée de cette tristesse et l'a gelée au lieu de l'exprimer et de la laisser couler comme l'eau d'un ruisseau. Je peux me sentir comme un bateau qui s'est ***échoué*** et qui ne peut plus avancer. J'ai l'impression de tomber en ***ruines***. Je suis plein de remords ; je voudrais tellement retourner dans le passé pour changer les choses… Les **reins** sont aussi connus comme le « siège de la peur ». Lorsqu'ils s'affaiblissent ou qu'ils sont endommagés, il peut y avoir une peur que je ne veux pas exprimer ou que peut-être je ne veux même pas m'avouer à moi-même. Mon discernement est ainsi touché. J'ai l'impression d'être ***concerné*** par des situations qui en fait n'ont rien à voir avec moi. J'ai donc tendance à vivre des extrêmes, soit que je devienne très autoritaire, avec une tendance prononcée pour la critique, soit, au contraire,

---

[186] **Se faire casser les reins** : qu'on brise ma carrière.

que je devienne soumis, indécis, me sentant impuissant et vivant déception sur déception. La vie pour moi est « injuste ». J'ai de la difficulté à prendre des décisions. Je peux avoir de la difficulté à juger de ce qui est bon pour moi de ce qui ne l'est pas et que je devrais éliminer de ma vie. Je trouve difficile de vivre avec moi-même et les autres. Je ne peux pas toujours dire la différence entre vérité et illusion et cela m'amène à vivre désappointements et frustrations. Si mes reins arrêtent de filtrer le sang, c'est comme si mon corps voulait garder le plus possible de ce liquide afin de ne pas le perdre ou de peur d'en manquer. Je dois donc me questionner et me demander quelle situation aurait pu engendrer une peur associée à un liquide (par exemple, si j'ai déjà eu peur de me noyer, le liquide serait ici l'eau). Cela peut être aussi le fait d'avoir failli ingurgiter un liquide toxique. Il peut s'agir d'une situation où l'argent est impliqué car on parle souvent « **d'argent liquide** » ; ou bien j'ai vécu ou vu une personne vivre une situation où elle a dû « **liquider ses dettes** » et j'ai porté un jugement, alors mes **reins** seront affectés. Les **tubes collecteurs des reins** sont touchés si j'ai l'impression d'avoir à lutter pour mon existence. Je me sens dépossédé, abattu à la suite d'un événement marquant de ma vie. Je me sens ***affligé*** de tous les maux du monde. Les **problèmes aux reins** surviennent souvent à la suite d'un accident ou d'une situation traumatisante où j'ai eu peur de mourir. Lorsque la peur engendre un conflit existentiel, le **cancer** apparaît. J'ai l'impression de n'être devant « rien » (**rein**), d'être devant le néant. J'ai l'impression d'avoir tout perdu, que tout mon monde s'écroule. Je me sens anéanti car je suis confronté à n'avoir plus rien. Je ne suis plus heureux dans ma famille, ma vitalité profonde s'est envolée. J'ai peur d'être incapable d'affronter la vie donc je me coupe de mes propres sentiments. Les **reins** symbolisent aussi la collaboration (puisqu'il y en a deux et qu'ils doivent travailler en étroite collaboration). Je dois me demander comment est ma relation avec mon partenaire présentement. Est-ce que je le rends responsable de tous mes maux ? Est-ce que j'ai tendance à « déverser mes déchets » sur les autres et leur empoisonner la vie avec mes « problèmes » ? Ou au contraire, est-ce que je m'accroche à mon passé, ce qui ***m'éreinte*** et m'amène un déséquilibre ? Je critique facilement et je suis défaitiste car j'ai l'impression que ma vie est remplie d'échecs. Si c'est le cas, mes **reins** auront de la difficulté à fonctionner et je pourrai même avoir une **insuffisance rénale**. J'ai alors à « collaborer », sans en avoir le choix, avec une machine, le générateur d'hémodialyse, qui va m'aider à épurer mon sang. Je dois repenser tout mon système de relation avec mon entourage.

J'accepte↓♥ de me prendre en mains, d'apprendre à découvrir mes vrais besoins. Je prends la responsabilité de ma vie et je cesse de blâmer les autres. Je suis capable d'assumer mes choix. Mon discernement est sûr et précis. Je collabore à 100 % avec la vie et j'ai alors « des **reins** solides ». Je laisse couler mes émotions tout comme le ***fleuve*** sachant qu'elles font partie intégrante de mon être.

REINS — ANURIE

VOIR AUSSI : REINS [PROBLÈMES RÉNAUX]

L'**anurie** est due à l'arrêt de la production d'urine par les **reins** ou à un obstacle au cours de l'écoulement de l'urine entre le rein et la vessie.

Si je souffre d'**anurie**, je peux me sentir « nu » (à nu) et sans protection face à la vie ; mon risque d'avoir peur augmente plus que d'habitude (**rein** = siège de la peur) et j'ai tendance à m'accrocher à mes vieilles croyances. De plus, l'urine représente de vieilles émotions à éliminer du corps. Si je m'accroche à mes vieilles possessions, à mes croyances, à mes craintes, à mes doutes ou à mes manies (très puissantes sur le plan métaphysique), je manifeste l'**anurie**, c'est-à-dire la suppression de la sécrétion urinaire (on dit communément : les **reins** sont bloqués). L'angoisse peut être tellement grande que c'est comme si je devais « me retenir », de crainte de laisser aller mes émotions de peine, souvent représentées par le *liquide* à laisser circuler. L'intensité de cet arrêt (un arrêt complet signifie la mort) me donnera une bonne indication sur ce que je dois laisser aller de vieux schémas afin de m'ouvrir à de nouvelles pensées. Je me replie sur moi-même et mon **cœur♥** est rempli de chagrin. Je suis dépendant des autres et je crois encore qu'ils peuvent me rendre heureux. Je peux aller jusqu'à me couper de mes émotions. Je les empêche de se manifester pour ne pas les ressentir. Cela implique un grand stress pour mon corps physique. Je suis comme un désert au niveau affectif. Ma vie est devenue fade, sans aventure et excitation. Je me suis coupé de ma curiosité.

J'accepte↓♥ de laisser circuler mes émotions à l'intérieur de moi, quelles qu'elles soient car elles font partie de mon essence divine. Par la suite, je fais du ménage et je me départis de toute émotion, relation ou bien qui ne m'est pas bénéfique et je les remplace par du nouveau, du positif. J'ai confiance en la vie qui s'occupe de me procurer tout ce dont j'ai besoin. J'écoute mon intuition me dicter le chemin à prendre.

REINS — NÉPHRITE

VOIR AUSSI : COLÈRE, INFLAMMATION, PEUR

Le terme **néphrite** désignait de façon générale l'ensemble des maladies des **reins**. Cependant, on utilise également ce terme pour désigner une inflammation des **reins** (qui est maintenant plus connue sous le terme **néphropathie**).

Cela correspond à de la frayeur et à de grandes angoisses face à la vie et à la mort. Ce sont des frustrations, un sentiment d'échec ou des déceptions qui n'ont pas été canalisés mais refoulés au fond de moi. Je deviens exagérément en réaction ou surexcité face à quelque chose qui me contrarie, face auquel je peux me sentir impuissant, sans savoir quelle leçon de vie j'ai à en tirer. Je me fais violence car je m'en veux de ne pas être capable de m'affirmer et de dire non quand j'en ai envie. Je m'intoxique avec les choses que je ravale. Les secrets bien cachés amènent les **reins** à travailler beaucoup plus fort.

J'accepte↓♥ de faire confiance à la vie. Je m'exprime et je prends davantage confiance en moi-même. Je vis en paix.

REINS — PIERRES AUX REINS

VOIR : CALCULS RÉNAUX

REINS (tour de...) (lumbago)

VOIR : DOS [MAUX DE...] / BAS DU DOS

RENVOIS

VOIR : ÉRUCTATION

REPLI SUR SOI

Le **repli sur soi** peut être une merveilleuse façon de m'arrêter, de prendre du temps pour moi, de découvrir mes besoins. Cela peut aussi s'appeler de l'introspection. Cependant, si cette période se prolonge et qu'au lieu d'être un moment de croissance et de connaissance de soi, elle devient une occasion de me fermer au monde, de « brasser » des idées négatives, de m'apitoyer sur mon sort et de jouer à la victime, je risque alors de vivre un malaise profond, autant psychologique que physique.

J'accepte↓♥ de rester ouvert à l'Univers tout en me respectant dans mes besoins afin de vivre dans la joie et l'harmonie.

RESPIRATION (en général)

La **respiration** est une fonction qui préside aux échanges gazeux entre moi comme être vivant et le milieu extérieur. Il s'agit donc d'une voie d'accès pour la vie afin qu'elle pénètre à l'intérieur de moi. Si je peux respirer profondément, cela représente mon habileté à donner vie et force à mes émotions. Une **respiration** superficielle m'indique une peur ou une résistance par rapport à la vie, particulièrement dans des moments de détresse ou de panique, et m'indique que j'ai tendance à refouler mes émotions. Je vis ma vie de la façon dont je respire, cela peut être d'une façon superficielle, dénuée de sens, ou bien au rythme des saisons. Le rythme entre « prendre » (inspirer) et « donner » (expirer) se fait en harmonie ; les voies de communication entre moi et le monde extérieur sont ouvertes et libres.

RESPIRATION (maux de...)

VOIR AUSSI : ASTHME, GORGE [MAUX DE...], MORT SUBITE DU NOURRISSON, POUMONS [MAUX DE...]

Mes difficultés sur le plan respiratoire dénotent un conflit entre la place que j'occupe dans la vie et celle que j'aimerais occuper. Cela peut être aussi un conflit entre mes désirs matériels et spirituels ou alors un conflit entre mon désir de vivre et celui de « tout lâcher » . Je peux me sentir étouffé par les choses que je m'oblige à faire ou par les personnes que je me sens obligé de rencontrer, ce qui occasionne entre autres un « **manque de souffle** ». Est-ce que mes limites sont bien établies ou au contraire est-ce que je laisse les autres et la vie elle-même me dicter qui je dois être ? De plus, si mes **difficultés respiratoires** sont cycliques, je dois me demander quel événement ou quelle personne se trouve être l'élément déclencheur de celles-ci ; qu'est-ce qui me « coupe le souffle » ou bien est-ce qu'il se peut que je veuille « qu'on me laisse respirer » ? Je peux devenir tellement exaspéré que mes **problèmes respiratoires** peuvent devenir, souvent inconsciemment, une façon de manipuler mon entourage pour avoir ce que je désire. Je peux me sentir limité. J'aurai aussi de la difficulté à **respirer** si j'hésite à donner, à partager des choses ou des sentiments. J'ai peur de prendre, d'absorber ou de fusionner en moi de nouvelles choses ou peut-être la vie elle-même avec toutes les joies qu'elle peut apporter. Je désespère de rire un jour. Ma **difficulté à expirer** dénote mon repli sur moi-même, je n'occupe pas l'espace qui me revient. Je n'ai plus d'aspiration profonde et, d'une certaine façon, j'attends la mort, mon « dernier souffle ». Ceci est caractéristique si j'expérimente **l'apnée du sommeil**. Dans ce cas, je sens qu'il y a « quelque chose dans l'air qui ne sent pas bon ». Je sens un danger sans pouvoir l'identifier et je veux pouvoir me sentir en sécurité, comme lorsque j'étais dans le ventre de ma mère.

J'accepte↓♥ de laisser aller les résistances, de laisser couler et de m'abandonner en faisant confiance à la vie. Je suis alors plus en mesure de trouver la place qui me revient dans l'Univers. Je laisse aller ce qui n'est plus bon pour moi. J'accepte↓♥ d'avoir changé, évolué et que bien que ma vie ait changé sur plusieurs aspects et que certains de mes rêves se soient évanouis, il est temps pour moi de regarder vers le futur avec confiance, de prendre la place qui me revient et d'affirmer qui je suis maintenant. Je dis Merci à tout ce que j'ai vécu jusqu'à aujourd'hui, sachant que la Vie s'occupe de moi.

RESPIRATION — ASPHYXIE

VOIR AUSSI : ASTHME, RESPIRATION [MAUX DE...]

L'**asphyxie** est un trouble respiratoire manifesté par l'arrêt de la **respiration** ou l'obstruction (consciente ou non) des voies amenant l'oxygène aux poumons et permettant la **respiration**.

Cet état très spontané est relié à une méfiance face à la vie, à son déroulement et face à certaines peurs profondes manifestées durant l'enfance. Cet état peut provenir de l'insécurité à rester coincé ou « fixé », comme si je me sentais « fixe » (**as- « fixe » -ie**) dans une situation où j'étouffe et suis incapable de bouger. Il est même possible que l'**asphyxie** soit reliée à une « fixation mentale » par rapport à la sexualité, car en état d'**asphyxie**, c'est souvent la gorge qui manifeste le blocage ; or elle est reliée à l'expression de soi, à la créativité et à la sexualité. Je me sens ***abattu*** et je ne sais trop comment me sortir de ma léthargie. Parce que j'ai peur de l'avenir, je peux vouloir rester dans le passé, au moment de l'enfance ou de l'adolescence, selon la période qui était la plus belle pour moi.

J'accepte↓♥ d'être maintenant prêt à voir autre chose, à bouger, à ne plus avoir de **fixation** et à faire confiance à la vie ! Je dois prendre mes responsabilités et cesser de mettre une attention **fixe** sur les frustrations de l'enfance. Elles sont présentes et je fais ce qu'il faut pour les intégrer.

RESPIRATION — ÉTOUFFEMENTS

L'**étouffement** indique que je me sens coincé, que je manque d'air et d'espace. La **gorge** correspond au centre d'énergie relié à la vérité, à l'expression de soi, à la créativité et indirectement, à la sexualité. Je peux me sentir « pris à la gorge » ; une idée est passée « de travers » ; je me sens hautement critiqué. J'ai tellement refoulé mes émotions qu'il y a un trop-plein. Malgré tout, je tente encore de les réprimer. Ces émotions sont pourtant très présentes dans ma vie quotidienne et, inconsciemment, je les alimente jusqu'à ce qu'elles m'**étouffent**. Il est possible que certaines situations soient tellement difficiles à avaler qu'elles m'**étouffent** aussi. Je « **m'étouffe** » avec certaines situations de mon passé qui me font encore souffrir et qui sont encore très fraîches à ma mémoire. Il m'est difficile d'être intégré dans la société, à mon travail ou dans ma famille. Pourquoi ai-je si peur d'être moi et de m'exprimer ? Serait-ce par peur du rejet parce que je crois que je ne peux être aimé en étant moi ?

Je dois absolument lâcher prise et accepter↓♥ de laisser monter en moi tout ce qui y est enfoui. La solution est d'apprendre à communiquer et d'exprimer mes besoins. Quel soulagement je ressens déjà ! Et je réalise que les autres ne sont pas des devins et que nos besoins respectifs peuvent toujours être satisfaits dans le respect de l'autre et dans l'harmonie.

RESPIRATION — TRACHÉITE

La **trachéite** est une inflammation de la muqueuse tapissant l'intérieur de la **trachée**, ce conduit où passe l'air du larynx, des bronches et des bronchioles. Elle est le plus souvent associée à une laryngite, une bronchite ou une rhinopharyngite.

Mes voies respiratoires ainsi touchées démontrent que je me sens étouffé. L'air étant la vie, je ressens une grande tristesse et souvent de la colère. Je me sens incompris par mon entourage, ce qui m'amène progressivement dans un état dépressif. J'ai l'impression de **manquer d'air** et de vivre par obligation et non en étant libre de décider moi-même de ma vie. C'est comme si j'avais les deux mains liées dans le dos. Je vis une dualité raison/passion. Je m'étouffe de vouloir contrôler les autres. J'ai besoin d'espace, peut-être même d'être séparé de certaines personnes pour me sentir mieux car je me sens très irrité. Mon corps me dit de respirer librement et de laisser place à l'**amour**.

J'accepte↓♥ l'autonomie et la liberté, pour moi et les autres et je retrouve ma ***dignité***.

RÉTENTION D'EAU

VOIR AUSSI : ENFLURE, ŒDÈME

La **rétention d'eau** est souvent causée par un mauvais fonctionnement des reins.

Mon corps « fait des réserves » et cela met en **lumière** le fait que je puisse emmagasiner des choses ou des émotions parce que j'ai horreur de perdre quelque chose ou quelqu'un. Je garde mes pleurs à l'intérieur. Je vis beaucoup de retenue, je « fais attention » afin de ne pas déranger mon entourage. J'évite de « succomber à la tentation » mais cela amène frustration et instabilité. Mon insécurité peut être la raison inconsciente de ce « stockage ». J'ai aussi tendance à me critiquer, ou à critiquer les autres. Cela découle soit de ma difficulté à m'affirmer soit, au contraire, de mon ego qui est un peu trop grand et qui me fait prendre et ma place et celle des autres. Je camoufle ainsi mes angoisses. Ma relation face à l'autorité sera aussi très chaotique, car je me sens souvent victime d'injustice.

J'accepte↓♥ de prendre la responsabilité de ma vie et d'apprendre davantage le respect et l'humilité. J'apprends à prendre la place qui me revient par droit divin, sachant avec confiance que tout est disponible, tout autant que j'en fasse la demande.

RÉTINITE PIGMENTAIRE

VOIR : YEUX — RÉTINITE PIGMENTAIRE

RÉTINOPATHIE PIGMENTAIRE

VOIR : YEUX — RÉTINITE PIGMENTAIRE

RHINITE

VOIR : RHUME [...DE CERVEAU]

RHINOPHARYNGITE

VOIR : GORGE — PHARYNGITE

RHUMATISME

VOIR AUSSI : ARTHRITE — POLYARTHRITE RHUMATOÏDE, ARTICULATIONS, INFLAMMATION

Le **rhumatisme** se définit comme une affection douloureuse aiguë et le plus souvent chronique, qui gêne le bon fonctionnement de l'appareil locomoteur. J'ai de la raideur dans mes articulations, ceci rendant les mouvements plus difficiles.

Cela manifeste ma rigidité, mon inflexibilité et mon entêtement face à certaines personnes ou certaines situations. Je crains de me faire blesser, je vais donc montrer une image comme quoi je suis « au-dessus de tout », que « tout va bien » même si au fond de moi, ce n'est pas le cas. Dans mon monde à moi, je vais me considérer comme la victime des injustices qui m'arrivent. Je ressasse sans cesse « mes petits malheurs », cela conduisant à de la **critique**, que ce soit envers moi-même ou envers les autres. Je suis un martyr. Je ne me donne aucune chance ; je suis exigeant et je trouve à la vie une saveur aigre. Je dois me demander si je suis tourmenté par rapport à une situation où je vis de l'ambiguïté : « *Est-ce que je le fais ou non ?* », « *Est-ce que je le frappe ou pas ?* », etc. Je vis un conflit de séparation à l'intérieur de moi, par exemple, avec mon enfant, je veux être proche de lui mais je ne le peux pas. Si j'ai frappé mon enfant et que je le regrette par la suite, il y a de fortes chances que la main qui a effectué le geste soit touchée par le **rhumatisme**. Mon estime de moi est donc à son plus bas car je me dévalorise sans cesse. Je m'en fais pour les autres, surtout lorsqu'il s'agit de mes enfants. Je m'appuie sur eux car ils sont souvent ma raison de vivre et la raison qui me fait avancer. Si ceux-ci sont blessés, qu'ils trébuchent, qu'ils ont des échecs, j'ai peur qu'ils ne soient pas capables de se relever et je me demande : « Qu'est-ce que j'aurais dû faire de plus ou autrement ? J'aurais dû pouvoir les aider… ». La culpabilité et la responsabilité sont grandes et la dévalorisation aussi. Je dois en faire cent fois plus et être cent fois meilleur pour aller chercher mon estime de moi, ma valeur et l'**amour** des autres que j'ai l'impression de ne pas recevoir de toute façon. Je vis dans un monde imaginaire et je ne suis pas satisfait de ma vie. Je suis frustré, déçu car je me sens impuissant à changer des choses dans ma vie. Je voudrais être le premier, manifester plus d'indépendance et de courage mais je m'en sens incapable. J'ai l'impression que je ne mérite pas d'être heureux, que je dois de toute façon endurer les « épreuves » de la vie. Ai-je l'impression qu'on a voulu me manipuler ou qu'on m'a trahi ? Le **rhumatisme articulaire aigu** (ou **maladie de Bouillaud**[187]) met en évidence le fait que j'ai peur de perdre l'**amour** de quelqu'un qui m'est cher parce qu'il va partir.

J'accepte↓♥ mon grand besoin d'**amour.** J'apprends à prendre soin de moi-même et à assumer mes émotions, car elles sont toutes positives et elles me permettent de me connaître davantage. Je me mets au volant de ma vie et, de victime que j'étais, je deviens créateur de ma vie. Je sais que tout est possible. Il ne suffit que d'être patient et d'accepter↓♥ d'avancer à mon propre rythme en évitant de me mettre de la pression et en faisant les changements nécessaires à mon mieux-être.

RHUME (...de cerveau)

VOIR AUSSI : ALLERGIE — FIÈVRE DES FOINS

Le **rhume**, aussi appelé **rhinite,** est une infection virale qui entraîne une toux et un écoulement nasal. La plus connue est la **rhinite aiguë (coryza)**, communément appelée le **rhume de cerveau**. Le **rhume** entraîne aussi des courbatures, de la fatigue ; le nez devient obstrué. Il est très répandu et contagieux. Puisqu'un germe ou un virus affecte mon corps, cela indique une défaillance de mon système immunitaire.

Cela peut provenir de la **confusion de mes pensées**, du fait que je ne « sais plus où donner de la tête ». C'est le désordre total et ma sensibilité est grandement affectée. Il y a trop de choses à gérer en même temps. Je me demande alors par où je dois commencer. Je croule sous les obligations familiales ou professionnelles. Je me sens froid et donc, je « prends froid » et le **rhume** apparaît. Le **rhume** m'amène alors un temps de répit où je peux me « protéger » des gens pendant un certain temps et « garder mes distances » pour ainsi me permettre de reprendre contact avec moi-même. Puisqu'il y a libération de sécrétions, je vis probablement une situation émotionnelle particulière qui m'affecte et face à laquelle je vis plein d'émotions qui ne demandent qu'à être libérées. Y a-t-il une chose sur laquelle je veux vraiment pleurer sans l'admettre ? Puisque mon nez est obstrué, y a-t-il une personne ou une situation qui « me pue au nez » ou qui sent mauvais et que je veux éviter de sentir ? Comme le **rhume** peut affecter autant la poitrine (le corps) que la tête (l'esprit), il peut y avoir déséquilibre si je mets toute mon attention sur l'un en ignorant l'autre. Puisque le **rhume** est souvent relié au fait que « j'ai pris un coup de froid »,

---

[187] **Bouillaud** (Jean-Baptiste Bouillaud) (1796-1881) : né en pleine Révolution, le 16 septembre 1796, au hameau des Braguettes aux environs d'Angoulême, dans un milieu modeste de vignerons. **Bouillaud** débute sa carrière en 1818 comme externe à l'hôpital Cochin. Le 23 août 1823, il est docteur en médecine. Il devient à 30 ans membre de l'Académie royale de médecine. Il sera le premier à démontrer le lien entre la polyarthrite et l'endocardite dans son ouvrage, édité en 1840, le *Traité clinique du rhumatisme articulaire et la loi des coïncidences, des inflammations du cœur avec cette maladie.* **Bouillaud** propose dans les atteintes cardiaques du rhumatisme articulaire aigu un traitement curieux basé sur les saignées et les sangsues.

je dois me demander quelle est la situation ou quelle est la parole que l'on m'a dite qui a « jeté un froid » sur la relation concernée ou qui m'a tant glacé tout le corps que je me suis senti blessé, déçu, coupable, etc. Est-ce que je suis en froid avec quelqu'un ? Qui parle dans mon dos ? Ou est-ce moi qui deviens froid face à ma propre douleur et mon chagrin ? En me sentant victime, j'accepte↓♥ que les autres me donnent des « virus ».

J'accepte↓♥ d'avoir besoin de chaleur humaine. Je dois commencer tout d'abord à prendre soin de moi-même pour que les autres en fassent autant. Je laisse aller tous mes masques car je suis « immunisé » contre toute attaque extérieure. J'ai besoin d'un temps d'arrêt pour me permettre de voir clair dans ma vie. J'ai besoin de reprendre des forces. J'adopte de nouvelles attitudes et de nouveaux comportements. Je fais le ménage dans ma vie et je cesse de laisser les croyances populaires m'affecter (« le **rhume** frappe fort cet hiver ! » ou bien « j'ai toujours le **rhume** quand vient le mois de décembre »). J'apprends à connaître mes limites et à ne pas les dépasser. L'harmonie peut ainsi s'installer et je deviens maître de ma vie. Si j'ai besoin qu'on s'occupe de moi, qu'on me réconforte, j'ose le demander !

RHUME DES FOINS

VOIR : ALLERGIE — FIÈVRE DES FOINS

RIDES

Les **rides** sont des crevasses cutanées. Elles peuvent être d'expression ou de vieillesse. Il y a **rupture** des fibres élastiques du derme et il y a atteinte du reste du tissu conjonctif.

Les **rides** apparaissent lorsque je vis un choc émotionnel, un chambardement ou une souffrance intérieure. Ces stries dans ma peau expriment et cristallisent cette souffrance et cette douleur qui grugent ma peau. Je peux vivre aussi une **rupture** ou un événement où je dois me détacher d'une personne, d'une situation ou d'un bien matériel. Cela m'amène à vivre du chagrin, du désespoir, de l'incompréhension et de la douleur intérieure. Si je me tracasse constamment, ce qui est souvent le cas face à mon travail, quand je vis des doutes ou que je ne me sens pas à la hauteur, ces inquiétudes vont s'imprégner dans ma peau et former des **rides**. **Les rides verticales entre les yeux** dénotent une tension excessive, de l'agressivité et de l'impatience.

J'accepte↓♥ de laisser aller le passé, je fais le tri dans ma vie, dans mes structures psychologiques rigides qui me freinent dans mon avancement. J'apprends à accepter↓♥ que tout événement de ma vie est là pour m'aider à grandir et que c'est par le détachement que je manifeste l'**amour** inconditionnel. Ainsi, mes **rides** n'ont plus de raison d'être et elles peuvent disparaître. La sagesse apporte la vraie jeunesse du **cœur♥**.

RONFLEMENT

Le bruit que j'émets en respirant pendant mon sommeil et qui provient d'un obstacle entre mes voies nasales et le larynx s'appelle **ronflement**.

Si je **ronfle**, je dois me poser les questions : Est-ce que je m'accroche à mes vieilles idées, attitudes, biens matériels ? Est-ce que je m'entête à rester dans une relation ou dans une certaine situation qui n'est pas bénéfique pour moi ? Est-ce que je suis fatigué ? Est-ce que je stagne dans mes vieux schémas de vie, ce qui brime ma liberté ? Si mes sinus sont engorgés, quelle est la chose que je respire difficilement et qui me suit même pendant la nuit (ex. : odeur de mon conjoint, d'un parfum. etc.) ? Ou peut-être que je veux « attraper » mon conjoint qui couche près de moi et ôter la distance qui nous sépare (autant physiquement qu'émotionnellement). Je cherche donc à me rapprocher de celui-ci. Est-ce que je veux lui dire pendant la nuit tout ce que je n'ai pas pu exprimer par des mots pendant la journée ? Si je ne me sens pas entendu dans mes demandes, j'ai tendance à **ronfler** et mon inconscient continue à s'exprimer pendant la nuit puisque je ne peux l'exprimer autrement. Je me sens piégé, soit dans ma relation avec mon conjoint soit dans une autre relation personnelle. Il est important de voir si le **ronflement** se produit à l'inspiration ou à l'expiration. Si c'est à l'**inspiration**, c'est comme si j'appelais au secours. Si c'est à l'**expiration**, je veux éloigner un danger.

J'accepte↓♥ d'apprendre à laisser aller et à faire de la place pour du nouveau. Je fais en sorte que mes communications soient claires et libres de tout sous-entendu ou de toute ambiguïté. Je suis ouvert aux changements et au renouveau.

RONGER LES ONGLES

VOIR : ONGLES [SE RONGER LES...]

ROTER, ÉRUCTER

VOIR : ÉRUCTATION

ROTULE

La **rotule** est un os de forme triangulaire qui permet les mouvements de flexion-extension de l'articulation du genou. L'expression « être sur les **rotules** » signifie que je suis épuisé. Si j'ai de la **douleur** ou que ma **rotule** est **déformée**, je peux vivre de la colère, de la déception et de l'irritation par rapport à mes rêves qui me semblent hors d'atteinte ou irréalisables. Je « fléchis les genoux », je me sens battu. Il y a une situation qui semble stagnante, bloquée dans le moment présent et je suis en attente qu'elle s'améliore mais je doute fort que cela se produise. Je peux refuser de céder devant l'autorité, n'étant pas prêt à me mettre à genoux. Je me sens dominé par ma famille. Je me sens descendre dans un trou et je ne sais pas comment m'en sortir. Mon autonomie est limitée.

J'accepte↓♥ que le moment soit venu de prendre du temps pour moi, de me mettre debout et de prendre des initiatives afin de réaliser mes rêves les plus chers. C'est en y croyant qu'ils pourront prendre forme.

ROUGEOLE

VOIR : MALADIES DE L'ENFANCE

ROUGEUR

VOIR : PEAU [MAUX DE...]

RUBÉOLE

VOIR : MALADIES DE L'ENFANCE

RYTHME CARDIAQUE (trouble du...)

VOIR : CŒUR♥ — ARYTHMIE CARDIAQUE

Sacrum

Voir : Dos— Bas du dos

Sadisme

Voir : Sadomasochisme

Sadomasochisme

Le **sadomasochisme** implique une relation où l'un des partenaires exprime sa **domination** (**sadisme**) et l'autre exprime sa **soumission** (**masochisme**).

Si je suis **masochiste**, je tire mon plaisir sexuel de souffrances (physiques ou morales) que je subis volontairement, ce qui me donne l'impression d'avoir du pouvoir ou une emprise sur l'autre. Au fond de moi, je me sens vraiment vide, impuissant à créer ma vie et à avoir des relations satisfaisantes avec les autres, à tous les niveaux. Ce même sentiment d'impuissance se retrouve si je suis une personne **sadique** mais il s'exprime différemment. J'ai développé un côté dur pour me protéger des autres. Dès mon jeune âge, j'ai eu à me défendre face à certaines personnes qui exerçaient un pouvoir sur moi. J'ai dû refouler mes émotions, ma douleur. En grandissant, j'ai voulu punir les autres pour mon passé. En pratiquant le **sadomasochiste**, il arrive que je puisse y trouver un certain équilibre dans mes relations. Cependant, si je sens le besoin de pratiquer cette forme de relation, je veux certainement me libérer d'une souffrance, d'un certain stress intérieur et même dans certains cas d'une pulsion suicidaire, soit en pouvant contrôler soit en me soumettant. Je me libère ainsi de certaines angoisses. Une partie de moi est toujours dans sa période d'adolescence : je me rebelle et je veux montrer aux autres que je suis sous contrôle. Il y a aussi un aspect de plaisir dans la douleur. Est-ce vraiment ce que je veux dans ma vie ? Ces programmes risquent de ressurgir dans ma vie au moment où je m'y attends le moins. Ainsi, dans des conditions de stress important, je pourrai identifier que contrôler ou me soumettre seront les solutions. Je dois être attentif au fait que **je deviens ce sur quoi je porte mon attention**. Ainsi, ce comportement qui peut paraître négatif risque d'amplifier ces attitudes négatives en moi.

J'accepte↓♥ de développer, dans mon subconscient, le programme suivant : je suis libre lorsque je contrôle et je me sens mieux après, ou dans l'autre cas, je me sens libre lorsque je me soumets « volontairement » et je me sens mieux après. J'accepte↓♥ mon désir de me libérer de mes peurs et de mes limitations, d'avoir à développer davantage l'humilité que la soumission, d'être guidé plutôt que de contrôler. Je peux ainsi aller chercher une satisfaction pour mon plus grand épanouissement personnel.

SAIGNEMENTS

VOIR : SANG — SAIGNEMENTS

SAIGNEMENTS DE NEZ

VOIR : NEZ [SAIGNEMENTS DE...]

SAIGNEMENTS DES GENCIVES

VOIR : GENCIVES [SAIGNEMENTS DES...]

SALIVE (en général)

VOIR AUSSI : GLANDES SALIVAIRES, OREILLONS

La **salive** a le pouvoir d'éliminer le développement des microbes. Elle permet aussi, par son pouvoir humectant, de faciliter les sons au niveau de la gorge, de mieux avaler les aliments. Elle favorise la première étape de digestion en transformant les amidons. Trop de **salive** ou pas assez la rend inefficace, inutile. Si je souffre de dépression, je suis souvent porté à manger rapidement, à avaler mes aliments tout rond, ce qui provoque un manque de **salive** et la sensation d'étouffer. J'ai l'impression de toujours avoir « **l'eau à la bouche** » ou de « **baver d'envie** » pour quelque chose ou quelqu'un sans jamais être assouvi dans mes désirs.

J'accepte↓♥ de me faire confiance dans mes décisions, de décider de laisser entrer la joie à la place des regrets, d'avancer avec confiance. En faisant des actions pour avoir ce que je veux, je redonne tout son pouvoir à ma **salive**.

SALIVE — HYPER ET HYPOSALIVATION

VOIR AUSSI : BOUCHE

L'**hyposalivation** est un manque de **salive**. La **salive** est l'humeur aqueuse et un peu visqueuse qui humecte la bouche et les aliments. Les glandes salivaires sécrètent la **salive** qui aide la digestion. Je peux respirer par la bouche, plutôt que par le nez. Cela entraîne un assèchement de la bouche et des voies respiratoires.

Comme la bouche représente mon ouverture à la vie, je peux me demander en quoi mes désirs ou mes appétits sont présentement « à sec » et pourquoi ils ne se manifestent pas comme je le voudrais dans ma vie. Je peux trouver que les événements de la vie ne me nourrissent pas suffisamment et que je perds de l'intérêt dans ma vie. Si c'est de **l'hypersalivation**, je me demande si j'ai souvent « l'eau à la bouche » : j'ai plein de fantasmes, de désirs et de projets mais ceux-ci tardent à se réaliser. J'ai besoin d'affection. Je veux dire et faire toute sorte de choses mais je me sens limité dans mes gestes. Je suis sur mes gardes car je doute de moi. Mon grand besoin d'**amour,** même inconscient, peut s'extérioriser par une **hypersalivation** pendant la nuit. Quel qu'en soit le cas, je me sens sous tension et je suis insatisfait de ma relation avec tout ce qui vit, et la vie elle-même. J'ai besoin de différentes expériences pour être « rassasié ».

J'accepte↓♥ de prendre **conscience** du don de la vie et de la liberté que j'ai. La vie me donne tout ce dont j'ai besoin pour bien intégrer les situations que je vis. Je mets de côté l'opinion des autres et je vis d'une façon spontanée. Je savoure le moment présent. Je jouis de la vie, je me ***désaltère*** et je goûte chaque instant de bonheur. Je fais la paix avec tous ces désirs intérieurs et je suis dans l'action afin que ceux-ci se concrétisent.

SALMONELLOSE OU TYPHOÏDE

VOIR AUSSI : EMPOISONNEMENT [..., ... PAR LA NOURRITURE], INDIGESTION, INFECTIONS [EN GÉNÉRAL], INTESTINS — DIARRHÉE, NAUSÉES

La **salmonellose** est une infection à point de départ digestif, la contamination se faisant par les eaux souillées ou la nourriture. Ses formes les plus sévères sont la **typhoïde** et les **paratyphoïdes**. Les symptômes en sont divers : vomissements, diarrhée, syndromes infectieux et toxique.

Je peux me demander ce qui m'amène à vivre autant d'irritabilité. Même s'il était facile pour moi de penser que je ne suis pas responsable de ce qui m'arrive puisque c'était la nourriture qui était infectée (cause extérieure), je dois me rappeler que le hasard n'existe pas et que les éléments extérieurs ne sont ici que pour m'aider à déclencher le malaise que je vis présentement dans ma vie par rapport à une situation « que je ne digère pas et qui me met en colère ». Je vis sur la défensive, je suis tendu au plus au point. Je me sens en prison, impuissant à agir dans une situation. Une situation qui implique souvent ma famille me lève le **cœur♥** et puisque je ne peux pas m'exprimer, la maladie se charge d'expulser ce qui ne me convient plus. Je suis plein d'irritations. Je cherche mes vraies origines, je veux retourner à mes origines ou mes croyances mais j'en suis empêché. Je me révolte contre « ce sale nom » que je porte car j'ai l'impression qu'il m'empêche de faire certaines choses. Je dois être à la hauteur et rester dans le cadre de ce qui est « acceptable ». Je me laisse engloutir par la société et ses règles. Je dois exprimer ce que je vis, les émotions qui prennent de plus en plus de place et qui m'infectent car je ne vois plus de solution. J'en porte lourd sur les épaules ! Ma vie est un tourbillon d'émotions.

J'accepte↓♥ de remettre de l'harmonie dans cette situation que j'ai pu identifier ; ainsi, ma santé s'en trouvera améliorée. Je serai plus riche d'une expérience qui m'aide à développer plus de sagesse. En me valorisant et en m'acceptant↓♥ tel que je suis, je me sens en sécurité et je rayonne la paix et le bien-être.

SALPINGITE

VOIR AUSSI : CHRONIQUE [MALADIE...], FÉMININS [MAUX...], INFECTIONS [EN GÉNÉRAL]

La **salpingite** est une infection aiguë ou chronique des **trompes utérines** (ou **de Fallope**).

Les **trompes** symbolisent la rencontre avec mon conjoint et la communication qui peut en découler. Cette maladie est souvent reliée à de l'impuissance face à un partenaire sexuel. Ai-je l'impression ou ai-je peur que mon conjoint sexuel « me ***trompe*** » ? Ai-je moi-même l'impression qu'une personne qui m'est proche comme mon conjoint, mon père, un de mes frères, ami, etc. m'a ***trompé*** ou ***trahi***, par ses attitudes ou par ses gestes et cela fait monter tant de colère en moi ? Quelle que soit la situation, très souvent celle-ci impliquera un aspect de la sexualité que j'ai trouvé **moche** ou **dégradant**. Puisque les **trompes** sont le lieu de rencontre entre les semences de la femme et de l'homme, j'ai une difficulté relationnelle avec certaines rencontres dans ma vie de tous les jours. J'ai l'impression que les bases de mon couple sont très peu solides. Pourrons-nous avoir un jour des enfants ? Ou garder notre famille unie ?

J'accepte↓♥ de mettre de l'**amour** dans la situation afin de pouvoir percevoir la vérité dans l'expérience que la vie m'apporte. Je me retrouverai ainsi plus heureuse avec plus de joie de vivre et de sérénité.

SANG (en général)

Pour assurer le bon fonctionnement de son véhicule, on doit lui procurer une bonne essence. **L'essence** du corps est le **sang** qui, pour être efficace, doit circuler librement dans tout mon corps.

Si l'essence contient des saletés, elle risque d'endommager le moteur qui est le **cœur♥**. **Le sang représente la joie de vivre, la soif de vivre** et les impuretés qui s'y trouvent provoquent des malaises dans tout mon corps. Selon ce dont je me nourris, l'estomac produit une énergie qui fortifie mon **sang** ou le rend anémique ; tout comme pour mon véhicule, je dois choisir la bonne essence. Le **sang** représente l'énergie qui circule en moi. Il est le centre même du **cœur♥**. Les **globules rouges (hématies)** transportent l'oxygène des poumons jusqu'aux cellules. Ils portent la vie, l'action. Les **globules blancs (leucocytes)** défendent l'organisme contre les intrus et représentent aussi qui je suis, ma personnalité. La circulation sanguine symbolise le désir d'évoluer de l'être humain. Une mauvaise circulation m'indique que l'**amour** est bloqué ; je n'arrive plus à exprimer mes sentiments, je suis en conflit avec l'**amour.** Un bébé dans le ventre de sa mère est relié à celle-ci par le système sanguin ; le **sang** contient tout mon bagage génétique et héréditaire. Donc, si je rencontre des difficultés au niveau de mon **sang**, je peux me demander si je vis un conflit avec un membre de ma ***famille***, de ma « **lignée de sang** », de mon ***clan :*** je peux me sentir comme un ***étranger.*** Est-ce que je remets en cause mon implication au niveau affectif ?

Le message de mon corps est : je laisse **couler** le **sang** dans mes veines, je laisse l'**amour** arriver jusqu'à mon **cœur♥**, j'accepte↓♥ de donner et recevoir et je retrouve la joie de vivre. Je fais place aux idées nouvelles car je suis une personne ***exceptionnelle*** !

SANG (maux de...)

VOIR AUSSI : SANG / ANÉMIE / LEUCÉMIE

Une mauvaise circulation du **sang** indique un manque de joie de vivre dans ma vie. Je me sens engourdi, mes idées s'embrouillent. J'ai l'impression que je dois me battre pour vivre. Mon **sang** est affecté quand je vis plus au niveau de mes pensées que de mes émotions. Je n'ai plus de joie de vivre. Une maladie qui affecte mon **sang** est signe d'une blessure profonde non acceptée↓♥ ni pardonnée. J'ai l'impression de vivre une vie

clandestine, ne me sentant pas vraiment faire partie d'un groupe, d'une famille. Je souffre de ne pas avoir ma place dans mon clan, ma famille. Tout ***s'emmêle*** (**sang- mêle**) dans ma tête et je ne sais plus où me diriger. Puisque je ne me respecte pas, je suis constamment à cours de souffle, d'énergie. Je vis mes relations d'une façon superficielle où l'argent, le pouvoir, le sexe, le paraître sont rois et maîtres. J'ai l'impression que j'ai toujours besoin du ***consentement*** (con-**sang**-tement) des autres pour être « correct ». Je me fais du « **sang** de cochon », je me tracasse constamment dans ma tête, même pour des riens. Ce que je veux réellement, c'est vivre au niveau de mon **cœur♥** et de ma sensibilité. Je **crache du sang** quand ma sensibilité n'en peut plus, qu'il y a un trop-plein de souvenirs douloureux de mon passé qui me suit et dont j'ai besoin absolument de me débarrasser. C'est comme si mon corps avait besoin d'une vidange d'huile. J'ai besoin de mouvement, de changement, de nouveauté.

Pour retrouver la joie, j'accepte↓♥ les nouvelles idées, je reconnais les beautés qui m'entourent, je souris à la vie. Je prends **conscience** que je vis aussi longtemps que je souhaite vivre. Il n'en tient qu'à moi ! Je reprends contact avec la douceur et l'**amour** qui m'habitent.

SANG — ANÉMIE

VOIR AUSSI : SANG / CIRCULATION SANGUINE / LEUCÉMIE

L'anémie est la diminution du taux d'hémoglobine[188] dans le **sang**. Le fer est au centre de l'hémoglobine, sur lui se fixent l'oxygène et le gaz carbonique. L'**anémie ferriprive** (due au manque de fer dans le sang) est la plus fréquente.

Le **sang** représente la **joie de vivre**, l'**amour** et les **émotions**. Cet état est relié à un manque de joie, de force et de profondeur dans l'**amour** que j'ai pour moi et les autres ; à mes doutes dans ma capacité d'aimer vraiment avec force et détermination ; **à un découragement et au refus de vivre** ; ou à l'impression d'être sans valeur et d'avoir des résistances face à l'**amour**, d'où cette dévalorisation de ma personne. Je me dévalorise dans ce qui me fait vivre, ce qui me transporte dans ma vie, notamment mes espoirs et mes aspirations. Je vis ma vie en « oui mais… » donc avec peu ou pas d'intérêt, en me sentant restreint par tout. Ainsi, je pense ne pas pouvoir réaliser mes aspirations les plus profondes. J'ai l'impression que je vais ***m'écrouler***, que ma vie ou que ma famille ***s'émiette***. Ce qui me fait vivre, me transporte ne vaut plus grand chose à mes yeux. Je dois être appuyé par d'autres car j'ai l'impression de ne pas être assez fort pour réaliser mes désirs profonds. Je peux même vivre du désespoir et de la résignation. Je me sens miné, faible et je ***blêmis*** tant j'ai l'impression d'être drainé de mes énergies. C'est comme si quelqu'un me « suçait » le **sang** ; je me retrouve en ***miettes***… J'étouffe dans mon milieu ou souvent dans ma famille dont je me sens à l'écart. Pourquoi ai-je à aller jusqu'à l'épuisement pour être reconnu par les gens que j'aime ? Je peux aussi manifester beaucoup de rigidité face aux événements de la vie. Je peux même en vouloir à quelqu'un au point de vouloir le supprimer, pensant que cela va alléger mon fardeau. Tous ces symptômes sont le résultat d'une grande faiblesse au niveau sanguin. En anglais, le « ***Fer*** » se dit « Iron » et on peut faire un jeu de mots en changeant « Iron » (fer) par « I run » qui veut dire en français « je

---

188 Pigment des globules rouges assurant le transport de l'oxygène des poumons aux tissus.

cours ». De même, on peut remplacer le mot « fer » par son homonyme « faire ». Ainsi, la personne **anémique** ne sent plus suffisamment de joie et de motivation à accomplir tout ce qu'il y a à **faire** (il y a un manque de « faire », ou un manque « à faire ») et ne se sent plus en mesure de **courir** pour obtenir ce qu'elle veut. J'ai l'impression que je ne peux pas faire ce qu'il faut pour régler une situation ou que ce que je fais n'est pas juste. Mais pour quelle(s) raison(s) est-ce que je refuse d'utiliser l'énergie de l'univers qui est disponible pour moi ? De quoi ai-je peur ? Qu'est-ce qui me fait me « ronger les **sangs** » ? J'ai le sentiment profond de ne pas avoir été aimé de ma famille et je peux même avoir envie, d'une façon consciente ou non, d'éliminer ou supprimer un membre de celle-ci. Je vis un conflit face à l'**amour** de mon « clan ». Je n'ai aucune motivation car je ne sais pas ce qui, au fond de moi, me fait réellement plaisir. Je ne suis pas en contact avec mon intérieur. L'avenir devient flou, incertain, dangereux. Mes pensées négatives envers moi-même me drainent mon énergie. C'est comme si je ne pouvais pas intégrer la réalité physique.

J'accepte↓♥ de dire **oui** à cette belle énergie prête à servir ma vie avec **amour**. Je choisis avec soin les aliments qui m'aident à nourrir mon corps et mon système sanguin et à refaire mes forces. À partir de maintenant, je regarde, j'observe et je découvre la joie autour de moi. Elle est partout : famille, travail et amis. Ces êtres de **lumière** sont là eux aussi pour m'aider à grandir. J'accepte↓♥ de vivre ma vie au lieu de celle des autres. Je reconnais mes désirs profonds.

SANG — ARTÈRES

Les **artères** sont les « vaisseaux qui conduisent le **sang** oxygéné du **cœur♥** aux organes ».

Ces mêmes vaisseaux sanguins (ainsi que tous les autres conduits sanguins, veines, capillaires, etc.) sont le moyen pour l'**amour** de manifester les qualités divines. Ils logent partout dans le corps et communiquent avec chaque partie de celui-ci. Les **artères** sont reliées aussi à tout ce qui s'appelle la « vie ». Elles font circuler la **joie de vivre** et elles me permettent de **communiquer**, d'**exprimer mes émotions**, de garder le contact avec l'univers. Elles m'indiquent avec quelle intensité je m'investis dans ma vie. Si la tension nerveuse monte davantage, elle entraîne un déséquilibre émotionnel qui peut résulter d'un conflit intérieur entre mon « monde physique » et « mon monde spirituel ». Je me retrouve dans une situation où je ne peux pas être dans l'action : je peux vouloir par exemple quitter la maison mais quelque chose m'empêche d'accomplir le geste. La **congestion** me montre que je suis trop impliqué dans un aspect de ma vie ou dans une émotion qui peut être néfaste pour moi comme la colère, la jalousie, etc. Lorsque j'ai de la difficulté ou que je cesse d'exprimer mes émotions, je me **ferme** (bloque) et il peut en résulter différentes maladies liées au **cœur♥** telles l'artériosclérose, la thrombose, l'angine de poitrine, etc. La joie de vivre cesse de circuler en moi. Je peux me dévaloriser face aux actions que j'accomplis. Tout ce que je veux réaliser dans ma vie me demande trop d'efforts et d'énergie. Il m'est difficile de bien structurer mon travail ou de lui donner de bonnes fondations. Tout ceci peut être la source d'une **embolie artérielle d'un membre**. Mes **carotides**[189] sont atteintes

---

[189] **Carotides** : artères du cou et de la tête.

si j'ai l'impression de devoir constamment défendre mes idées ou si j'ai peur que les autres me volent mes bonnes idées. Ma frustration et ma colère envers la vie peuvent créer une **artérite**.

Afin que l'énergie circule plus régulièrement et empêche le développement de certaines **scléroses**, représentant des blocages énergétiques, j'accepte↓♥ de faire preuve d'une ouverture plus constante à la joie et à la circulation de cette joie en restant ouvert au niveau du **cœur♥**, en acceptant↓♥ de changer d'attitude et de m'ouvrir à l'**amour,** afin que cet amour soit acheminé dans tout mon corps.

SANG — CHOLESTÉROL[190]

VOIR AUSSI : SANG / [EN GÉNÉRAL] / CIRCULATION SANGUINE

Le **cholestérol** est relié au **sang,** symbole de la **joie de vivre**. Le **cholestérol** provient de certains aliments non végétaux. Notre organisme le transforme dans le foie. Il apparaît comme un constituant essentiel de nos parois cellulaires. Présent en surplus dans le corps, il se dépose et réduit progressivement le diamètre des vaisseaux sanguins.

Pourquoi ? Parce que je n'ai plus la joie de vivre ! En mon fort intérieur, je crois que je ne mérite pas d'être heureux, d'être joyeux et **cette joie circule mal !** "Je me fais du mauvais sang" ou du bon sang (comme le **cholestérol**). Je dois revoir le "sens" (sang) de ma vie. "*Ma vie va-t-elle dans le sens que je souhaite ?* "Je peux me demander si j'en fais trop ou si je m'inquiète trop, particulièrement face à ma mère et ma famille. Je peux avoir une montée de **cholestérol** après certains événements comme, par exemple, après avoir pris ma retraite, parce que je n'ai plus la joie de vivre que j'avais avec mes compagnons de travail ou les gens que je rencontrais au travail. Cette montée peut aussi se produire lors du départ de quelqu'un que j'aimais et qui m'apportait de la joie dans ma vie. Ici, au lieu de développer un diabète qui est de la tristesse profonde, mon corps interprète l'événement plutôt comme un manque de joie de vivre et fait monter le taux de **cholestérol**. Il peut aussi en être de même lors de la perte de mon animal de compagnie et enfin, lors de toute situation qui peut faire que consciemment ou inconsciemment, ma joie de vivre diminue dans ma vie. Souvent un sentiment d'insécurité est présent aussi. Je vis une situation de façon ***dramatique***. Ce peut être dans le cas où **je veux réaliser un projet**, construire ou ériger quelque chose qui me tient à **cœur♥** mais je ne peux avoir d'aide de personne. **Je ne peux donc compter que sur moi-même et cela m'affecte grandement**. Si je laisse cet état s'aggraver, je risque de vivre un jour une **attaque cardiaque**. En effet, si je ne règle pas la situation qui me fait vivre ce manque de joie, cela touche l'aspect de ma vie qui est l'**amour.** Quand ma joie diminue, c'est comme si je sentais moins l'**amour** en moi, c'est pourquoi le manque de joie a pour effet d'affecter mon **cœur♥**. Un taux de **cholestérol élevé** m'indique aussi qu'il m'est difficile de vraiment faire partie de la vie. C'est comme si j'étais un comédien qui joue une pièce de théâtre : je fais partie de la pièce mais je ne m'approprie pas complètement mes émotions. Je joue un rôle pour faire plaisir aux

---

[190] **Cholestérol** : il y a plusieurs fractions de cholestérol dont le **LDL** (provenant du terme anglais **L**ow **D**ensity **L**ipoproteins *(lipoprotéines de basse densité)*, volontiers appelé « mauvais » cholestérol et le **HDL** (du terme anglais **H**igh **D**ensity **L**ipoproteins *(lipoprotéines de haute densité)*, aussi appelé « bon » cholestérol.

autres quand je devrais me faire plaisir à moi. Je suis devenu hyperaltruiste pour éviter qu'on me juge d'égocentrique. J'ai l'impression que mes rêves sont irréalisables, inacceptables. Je cherche mon identité. Je ne m'identifie plus à ma famille que je vois comme démantelée, détruite. Cette famille peut être ma famille biologique mais aussi un groupe auquel j'appartiens ou mes collègues de travail. Je désire qu'elle se rapproche et vive en harmonie mais je me sens incapable d'intervenir. La plupart du **cholestérol** animal (provenant des viandes et des produits laitiers) apparaît à cause de l'alimentation trop riche des Occidentaux. Les aliments contenant beaucoup de **cholestérol** représentent une certaine satisfaction égoïste de mes appétits. Je me sens bien, sans penser un instant que ce surplus risque de changer et même de détruire ma santé ! C'est une illusion de croire que je fais plaisir à mon corps. Je vérifie si je m'aime d'une manière un peu trop « égoïste ou égocentrique ». En absorbant des aliments contenant trop de **cholestérol**, je renie les joies de la vie. Un jour, j'aurai à payer pour ça. Est-ce que je désire ce malaise ?

J'accepte↓♥ de changer immédiatement en laissant circuler la joie en moi, tout comme l'enfant émerveillé devant les beautés de la vie ! Je neutralise ma peur de vivre dans la joie et j'accepte↓♥ que celle-ci fasse partie de ma vie. J'accepte↓♥ d'être moi, de réaliser mes rêves. Je savoure chaque moment car j'ai le droit d'être heureux.

SANG — CIRCULATION SANGUINE

VOIR AUSSI : CŒUR♥, RAYNAUD [MALADIE DE...]

La **circulation sanguine** est reliée au **cœur♥** et au **sang**, symbole de vie. Le **sang** passe par tous les canaux du corps : artères, artérioles, veines, veinules, capillaires.

Ces canaux sont nécessaires à la distribution de l'**amour,** de la joie et de la vie à travers le corps entier. Mon **cœur♥** (centre d'amour) accepte↓♥ de donner le **sang** (énergie) à chaque partie de mon être, quelle que soit son importance, sans discrimination. Le **sang** représente ma vigueur, mon plaisir de vivre et ce que je suis actuellement dans cet univers. Toutes les difficultés circulatoires sont reliées au **sang** et à la totalité de mon être. Si je vis une situation difficile sur le plan émotionnel ou mental, l'énergie qui anime mon être s'affaiblit. Cette faiblesse du **sang** et de la **circulation sanguine** signifie que je me retire émotionnellement d'une situation qui m'affecte pour l'instant car je n'ai pas assez « d'énergie » pour aller de l'avant. Je me protège de mes émotions trop énergétiques car c'est douloureux de les sentir présentes à ce point. Je ne laisse pas circuler suffisamment l'**amour** dans ma vie. Je m'autocritique sévèrement, je suis en peine, je vis beaucoup de tristesse intérieure. Ma joie de vivre et ma bonne humeur baissent, mes idées deviennent confuses, j'ai une vie sociale peu excitante, morne et plate. Je me ferme à la vie. J'ai besoin de faire « circuler » beaucoup de projets, d'idées, de sensations. Sinon, tout va « figer », à cause de mes tracas, de mes peines, de ma fatigue, de ma colère ; une surexcitation ou une obsession qui déséquilibre la **circulation sanguine** aura le même effet. Le manque de joie m'amène donc à fuir mes responsabilités. J'ai des blocages qui me font éviter certaines situations. C'est une manière de dire **non** à la vie, de vouloir la mort inconsciemment. Ainsi, plusieurs « patterns » risquent de remonter à la surface (le contrôle, le laisser-aller, l'indifférence face à la vie, le besoin exagéré d'attention, le désir de vouloir mourir...). Les troubles de la **circulation sanguine** se manifestent d'abord aux mains et aux jambes, aux parties les plus externes et actives de mon corps, celles qui me dirigent dans l'univers. Une mauvaise **circulation** affectant mes **jambes** est liée à ma direction émotionnelle, aux émotions sur lesquelles je peux compter et auxquelles je tiens. Quand mes **mains** sont affectées, c'est l'expression de mes émotions et un désir de cesser ce que je suis en train de faire. Dans les deux cas, mes **extrémités froides** m'indiquent qu'il s'agit d'un retrait sur le plan intérieur, le retrait de la pleine participation émotionnelle à mon univers. Je ne veux plus faire partie du ***bal*** et je garde mes distances ! Un **caillot de sang** représente un secret qui est bien gardé, un événement où j'ai eu l'impression qu'on me trahissait ou trichait et au lieu de laisser couler de façon fluide les émotions qui y sont rattachées, elles se sont endurcies et se manifestent sous la forme d'un **caillot de sang**. Les différentes affections sanguines sont **l'athérosclérose**, **l'artériosclérose**, **l'élévation du taux de cholestérol**, la **thrombose**, **l'embolie**, etc.

J'accepte↓♥ de me regarder en face et surtout j'observe mon attitude face à la vie ! La vie n'est-elle pas assez extraordinaire au point d'en profiter pleinement ? J'ouvre mon **cœur♥** à l'amour, je me prends en charge et je me laisse guider par la vie. Il arrivera toujours ce qu'il y a de mieux pour moi.

SANG COAGULÉ (... dans les veines ou dans les artères), CAILLOT

VOIR AUSSI : SANG — THROMBOSE

Le **sang** représente la joie qui circule dans mon corps.

Lorsqu'il se **coagule**, il se forme un **caillot**, masse semi solide. Celui-ci est nécessaire pour arrêter une hémorragie lorsque des vaisseaux sanguins se sont rompus. Lorsque la **coagulation** est **déficiente**, la blessure émotionnelle qui se manifeste à travers l'hémorragie me semble impossible à surmonter, à guérir. Dans un sens, c'est comme si je me laissais mourir : mon impuissance, mon « manque de pouvoir sur ma vie » engendre le désespoir. Je suis toujours dans le passé. Mes énergies profondes sont en déséquilibre. Lorsqu'un **caillot** se forme spontanément (**thrombose**) par exemple suite à une mauvaise circulation, cela peut engendrer une **occlusion**[191] ou une **embolie**. C'est comme si je décidais de mettre un bouchon qui a pour effet de couper toute circulation. Ce **caillot** peut symboliser un secret bien gardé, un mensonge ou une tricherie qui n'ont jamais été exprimés.

J'accepte↓♥ de laisser circuler la joie en moi, je m'éveille à une nouvelle vie. Je reconnais mon pouvoir et la place qui me revient. Chaque situation, chaque difficulté de ma vie m'apportent plus de sagesse et d'**amour.** J'ai tout ce qu'il faut pour changer ma vie : je n'ai qu'à le décider !

SANG (dans les selles...)

VOIR AUSSI : SANG — SAIGNEMENTS

---

[191] **Occlusion** : obstruction totale ou partielle.

SANG — DIABÈTE (...sucré)

VOIR AUSSI : MALADIES HÉRÉDITAIRES, SANG — HYPOGLYCÉMIE

Le **diabète** se définit comme étant une maladie caractérisée par l'élimination excessive d'une substance dans les urines. Employé seul, le terme « **diabète** » désigne le **diabète sucré** (on utilise aussi les termes de **diabète juvénile**, **maigre** et **infantile**). Il est dû à une sécrétion insuffisante d'insuline par le pancréas qui ne peut maintenir le sucre à un taux satisfaisant dans le sang. Un excès de sucre sanguin survient alors et le sang est incapable d'utiliser de façon adéquate les sucres dans le flot sanguin. Ces sucres en excès sont dépistés par l'augmentation de la glycémie et l'apparition de sucre dans les urines.

Comme le sucre est relié à l'amour, à la tendresse et à l'affection, le diabète reflète divers sentiments de tristesse intérieure. C'est le mal d'**amour**, un manque d'amour certain car j'ai besoin, à cause de mes blessures antérieures, de contrôler l'environnement et les gens qui m'entourent. Je vis une ***abstinence*** affective. Eh oui ! **Si j'ai le diabète, je vis habituellement des tristesses à répétition, des émotions refoulées empreintes de tristesse inconsciente et absentes de douceur**, ce qui m'amène à ***m'endurcir***. La douceur a disparu au profit d'une douleur continue. Je commence alors à manger du sucre sous toutes les formes possible : pâtes alimentaires, pain, friandises, etc., pour compenser. Le plan affectif, social ou financier peuvent en « prendre un coup ». J'ai l'impression que je dois « tenir le coup » , je suis ***forcé*** de ***lutter,*** de ***braver*** la vie, les gens, les événements. Je cherche à compenser par tous les moyens possibles. Je me limite dans beaucoup de domaines. Je deviens « amer » (amertume) face à la vie, c'est la raison pour laquelle je trouve ma vie « amère » et je compense par un état plus « sucré ». Je vis de regrets, face à ce qui a été mais aussi face à ce qui aurait pu être. Je pense que je ne mérite pas de connaître le bonheur et le plaisir.

Comme j'ai de la difficulté à recevoir de l'**amour**, je me sens étouffé et surchargé, coincé dans une situation incontrôlable et excessive. Cette situation que je n'arrive pas à gérer m'amène à des conduites alimentaires « compensatoires » et à un surpoids qui vont favoriser l'apparition d'un **diabète**. J'ai donc un grand besoin d'**amour** et d'affection, spécialement de mon père, mais je ne sais pas agir et réagir quand je pourrais en recevoir. Je trouve injuste, je doute ou je n'ai plus confiance en l'autorité qu'on exerce sur moi ; ce peut être celle de mon père mais aussi celle de mon patron ou de l'être qui représente l'autorité dans ma religion. J'ai de la difficulté à recevoir l'**amour** des autres et la vie est sans plaisir pour moi. Puisque je n'accepte↓♥ pas les « petites douceurs de la vie », je développe le **diabète** qui a justement comme conséquences de m'interdire de manger « des petites douceurs sucrées » comme autrefois. C'est difficile de me laisser aller et d'exprimer l'**amour** véritable. Je peux même être obligé de ne pas exprimer mes émotions de joie, d'**amour**, de passion ouvertement vu un contexte particulier qui m'emprisonne. Mes attentes sont souvent démesurées car je veux que les gens réalisent mes désirs. Ces attentes m'attirent des frustrations, de la colère face à la vie et le repli sur moi. **Je vis beaucoup de résistance face à un événement que je veux éviter mais que je me sens obligé de subir** et je refuse de ***fléchir***. Je ne peux pas ***renoncer*** comme cela !

Par exemple, ce peuvent être une séparation, un déménagement, un examen, etc. Les émotions vécues face à cet événement sont souvent reliées à la perte d'un être cher ou à une solitude profonde qui peuvent même m'amener à vivre du désespoir. Ma famille ou ce qui représente ma famille est habituellement impliquée. **S'ajoute à cette résistance un sentiment de dégoût, de répugnance, de dédain face à cet événement**. Depuis cet événement, j'ai de la difficulté, en raison de contraintes de toutes sortes, à retrouver cette douceur dont j'ai tant besoin. Même si le temps passe, le manque et la douleur qui y sont rattachés résistent et persistent... J'ai perdu soit mon meilleur ami, soit mon complice, une des seules personnes à qui je pouvais me confier, qui connaissait tout de moi. Je résiste parce que j'ai peur de quelque chose ou de quelqu'un et sans m'en rendre compte, j'ai développé une paranoïa[192] face à cela. Consciemment ou non, j'y pense constamment. J'ai l'impression d'avoir à faire face à un ***adversaire*** de taille et je ne sais trop qui sera le « plus fort ». Est-ce que la bête (dia-**bête**) sera plus forte ? Et se trouve-t-elle à l'extérieur ou à l'intérieur de moi ? Cette situation est très ***éprouvante*** pour moi. Je suis à contrecœur♥ « prêt pour le combat » ! c'est la raison pour laquelle mon taux de sucre élevé dans le sang constitue les réserves dont j'ai besoin pour « être prêt en tout temps » lorsque le combat arrivera (c'est le sucre sanguin qui fournit l'énergie à mes muscles pour me battre). Si je suis en conflit avec l'autorité, se peut-il que j'éprouve même un certain plaisir à résister à quelqu'un, quelque chose, un principe ?

L'**hyperglycémie** va donc apparaître à ce moment. Je peux avoir aussi un sentiment d'impuissance très présent. Cela implique que je me sens incapable d'être dans l'action, de ***venir*** à bout des tâches à accomplir. Il me manque de l'énergie pour avancer, pour aller de l'avant. Je me sens poussé à faire des choses auxquelles je veux **résister**. Biologiquement, c'est le sucre contenu dans mon corps qui produit le plus d'énergie calorifique nécessaire à mon corps pour bouger.

Le taux de sucre augmente donc dans mon sang puisqu'il s'agit du sucre le plus rapidement transformable et utilisable. Je deviens donc « puissant » et fort, ce qui me permet de faire des choses rapidement et efficacement. J'ai besoin de me prendre en mains dès maintenant. J'ai besoin de changer les situations qui m'affectent en commençant à voir de l'**amour** et de la joie dans toutes choses. Le sucre est en relation avec la douceur et à l'**amour**. Si je suis **un enfant qui a le diabète**, j'ai peur qu'un ou que mes deux parents n'aient pas confiance en moi et soient déçus. J'ai peur de m'épanouir, de devenir moi. J'ai besoin de douceur et d'affection, mais je ne sais comment aller chercher ces besoins. Je manque de sécurité, mais je ne sais l'exprimer, alors, je m'endurcis. J'aurais envie de ne pas y faire face et je me sens crispé devant l'ampleur de la tâche. Je me tracasse sans cesse, je tourne en rond. C'est comme si je n'avais pas de prise sur ma vie, que tout m'est imposé. Je suis angoissé parce que je ne sais pas qui je suis, je ne sais pas comment me faire confiance. Je n'ai pas encore accepté↓♥ mon « je » en tant qu'être humain. Je me sens en insécurité, en instabilité devant la vie qui m'attend. Je résiste au fait de vieillir et de devenir « une grande personne ». Le **diabète** (ou **hyperglycémie**, trop de sucre dans le sang) et l'**hypoglycémie** (pas assez de sucre dans le sang) (toutes deux reliées au manque de joie) sont reliées directement à l'**amour**

192 **Paranoia** : trouble mental caractérisé par des illusions de grandeur et de persécutions.

que je suis capable d'exprimer pour moi-même et pour les autres. Dans le cas du **diabète gestationnel**, qui survient habituellement après la seconde moitié de la grossesse, je dois me poser les mêmes questions que celles que se pose la personne qui souffre du **diabète**. **Il se peut que de la tristesse profonde, de la répugnance ou de la résistance se révèle à ma conscience**. Cette grossesse peut activer et amplifier en moi le souvenir plus ou moins conscient de ces sentiments que j'ai pu vivre dans mon enfance et engendrer le **diabète**. Après l'accouchement, le retour de mon état normal m'indique que ces sentiments ont disparu ou que leur importance a grandement diminué, ce qui amène un rétablissement du taux de sucre sanguin (glucose). Comme maman, je dois me demander si je ne me sens pas moi-même toute petite et dépendante, comme l'est mon petit bébé en ce moment. Il m'arrive de ne pas être capable de prendre ma place, ce qui me peine énormément. Maintenant, est-ce que ce bébé va aussi être une personne de plus qui va envahir mon espace ? J'ai déjà de la difficulté à m'accepter↓♥ comme je suis. Le fait d'être enceinte modifie mon corps et j'ai de la difficulté à être en harmonie avec cette nouvelle image que je projette. Je me vois comme une personne paresseuse et passive et je me persécute au lieu de me donner de l'**amour** et de la compassion. Si je suis **diabétique** et que je dois recevoir des injections d'insuline, je dois me demander à quoi est reliée cette dépendance au niveau affectif : est-ce que je suis encore dépendant face à un ou mes parents ? Est-ce que je donne aux autres autant d'**amour** et d'affection que j'ai besoin d'en recevoir ou est-ce que je me sens trop « vide » et seul pour pouvoir donner cet amour ? À qui ou à quoi est-ce que je ***m'accroche*** ou je ***m'agrippe*** ? Il y a tellement d'**amour** disponible ; suis-je vraiment conscient de l'**amour** que les gens ont pour moi ? Les gens m'aiment et je dois le voir à partir de maintenant. Si je suis un enfant, c'est le temps de prendre des initiatives et d'aller de l'avant. Plusieurs opportunités pour améliorer mes conditions de vie se présentent mais je résiste à celles-ci car elles auront pour effet d'amener des changements importants dans ma vie. Je suis fatigué de toujours « tirer le diable par la queue ». Je peux ne pas me sentir soutenu par mon père ou la personne qui le représente ou ce dernier ne montre aucun intérêt envers moi ou mes activités. Je ressens son indifférence. Si je suis une femme ou je suis un homme avec un côté féminin très développé, je désire devenir plus actif et indépendant. Cependant, je sais que cela va déranger mon entourage et j'ai peur que cela m'éloigne des gens que j'aime. J'ai d'ailleurs de la difficulté à accepter↓♥ leurs conseils car je crois que cela brime ma liberté. Mon ego s'emporte parfois et cela se traduit par de violentes colères ou des prises de position rigides.

J'accepte↓♥ le passé d'une manière détachée, pour ce qu'il est. Je m'ouvre à la vie sachant que celle-ci ne me réserve que de beaux moments si je suis prêt à les accepter↓♥. Je me fais confiance et je n'ai plus besoin de personne sur qui m'appuyer : j'ai toute la force et la détermination nécessaires pour créer mon propre bonheur. C'est en ouvrant mon **cœur♥** que les miracles se produisent ! Le fait de laisser aller ma **résistance** me libère de mes frustrations et je peux ainsi vivre au rythme de la vie et des saisons. J'apprends à me sentir en sécurité en allant chercher affection, tendresse et à ressentir cet amour que me porte mes proches. Je prends **conscience** de ma propre valeur. Je deviens davantage spontané et je laisse librement mon enfant intérieur se remplir de gaieté et d'assurance. Je cesse par le fait même de m'autodétruire, me donnant ainsi une vie sécurisante, agréable, remplie de douceur.

SANG — GANGRÈNE

VOIR AUSSI : AMPUTATION, INFECTIONS

La **gangrène** ischémique est le résultat de l'arrêt du flot sanguin dans une ou des parties du corps, ce qui amène la mort des tissus.

Le flot sanguin est relié à l'expression ou au retrait de mon amour à l'Univers, et aussi à ma joie de vivre. Donc si, par exemple, la **gangrène** affecte mes jambes, c'est que le retrait, ou la coupure d'**amour** à l'intérieur de moi est si profond qu'il arrête complètement tout mouvement vers l'avant. Habituellement, dans ce cas, la peur de l'avenir et l'insécurité face à ce qui s'en vient pour moi sont très présentes. Je me détruis et m'intoxique par ma culpabilité enracinée, par la honte ou par le chagrin, et une partie de moi est en train de mourir. Je me sens profondément souillé. J'involue au lieu d'évoluer ; je recule au lieu d'avancer. J'ai perdu mon pouvoir créateur.

La vie s'en va, la joie n'y est plus. Comme je me détruis, je le souhaite aussi pour les autres, ayant l'impression d'avoir un certain pouvoir sur eux, et voulant les sentir impuissants tout comme moi. Dans le cas de la **gangrène sèche**, le **sang** n'irrigue plus les tissus. J'ai donc à reprendre contact avec moi et avec la joie qui doit m'habiter sur cet aspect de ma vie qui concerne la partie de mon corps affectée.

Dans le cas de la **gangrène humide**, qui résulte en plus d'une infection, je fais face à des pensées empoisonnantes, à des pensées de mort envers moi-même ou envers la vie. La **gangrène gazeuse** (plus rare) est due à l'infection bactérienne d'une blessure, généralement par des bactéries qui se développent dans un milieu dépourvu d'air ou d'oxygène. Conséquemment, des gaz nauséabonds provenant de la prolifération de germes infectieux se forment sous la peau. Non seulement les idées de mort d'une partie de moi-même sont-elles présentes, mais aussi un profond rejet de cette même partie m'amène à vivre cette situation.

J'accepte↓♥ de faire réintégrer le **sang**, l'**amour** dans l'expression de qui je suis, dans ma vie. J'apprends à m'accepter↓♥ tel que je suis et à redécouvrir les joies de la vie. Je deviens maître de ma vie.

SANG — HÉMATOME

VOIR AUSSI : ACCIDENT, SANG / [EN GÉNÉRAL] / CIRCULATION SANGUINE

Un **hématome** fait suite à une hémorragie provoquant une accumulation, une collection de sang dans un tissu ou un organe.

Comme un **hématome** survient presque toujours à la suite d'un traumatisme, je dois me demander quelle peur ou quelle culpabilité m'empêche de laisser circuler librement la joie dans ma vie. Il peut s'agir d'une punition que je m'inflige. Je me sens au milieu d'une hécatombe. Je cherche à rentrer en contact avec mon plein potentiel.

L'accumulation du **sang** m'indique que je dois mettre plus de joie dans ma vie et la partie affectée me renseigne sur quel aspect de ma vie j'ai avantage à manifester cette joie.

SANG — HÉMATURIE

VOIR AUSSI : ADÉNOME, VESSIE / [MAUX DE...] / CYSTITE, URINE [INFECTIONS URINAIRES]

L'**hématurie** est la présence de **sang** dans l'urine de façon microscopique[193] ou macroscopique[194].

Comme l'urine représente mes vieilles émotions que je laisse aller et comme une perte de **sang** m'indique une perte de joie, alors l'**hématurie** symbolise une tristesse plus ou moins vive face à mes émotions passées qui me déchirent intérieurement. Il y a bien longtemps que j'ai ri... Je voudrais partir loin, laisser derrière moi les responsabilités qui me pèsent. Je me sens immature dans certains aspects de ma vie mais au fond de moi, je sais que je peux devenir un leader. Je ne vois plus clair dans une situation qui implique souvent mon partenaire et dans laquelle je me sens coincé. C'est comme si l'**amour** a été déchiré, détruit. Je deviens alors rigide et sous la défensive. Je suis confus, je doute de mes décisions car je n'ai plus confiance en moi. Je peux vivre un conflit avec un membre de ma famille dont je voudrais me débarrasser. Je dois chercher quels sont ces événements qui m'ont déchiré émotionnellement afin de pouvoir m'apporter douceur et compréhension et que s'installe la guérison.

J'accepte↓♥ de prendre du temps afin de voir les changements à apporter à ma vie. J'accepte aussi dès maintenant de convertir mes idées et mes rêves en actions physiques. C'est ainsi que la joie circulera en moi de nouveau.

SANG — HÉMOPHILIE

VOIR AUSSI : MALADIES HÉRÉDITAIRES, SANG / [EN GÉNÉRAL] / [MAUX DE...] / CIRCULATION SANGUINE / DIABÈTE

L'**hémophilie** est une maladie héréditaire liée à un trouble de la coagulation du **sang**. Elle est transmise par la mère et seuls les garçons développent cette maladie. Les filles ne la présentent pas (sauf parfois des troubles mineurs).

Puisque mon **sang** a de la difficulté à coaguler, une coupure, une blessure peut entraîner des pertes de **sang** qu'il est difficile d'arrêter, ce qui peut mettre ma vie en danger. Même si cette maladie est dite héréditaire, il n'en demeure pas moins que je vis cette situation parce qu'il me faut effectuer une prise de **conscience** par rapport à la joie. Au moindre accident ou incident, ma vie risque d'être mise en danger si je n'interviens pas rapidement. J'ai besoin de prendre **conscience** dans ma vie de ce qui peut me porter à vivre du désespoir au point où je pourrais « mourir au bout de mon **sang** ». Je ne me sens pas en sécurité dans ma vie affective et sociale. Je n'ai jamais vraiment intégré le monde extérieur. Je vis une grande solitude et le sentiment d'être incapable de réussir ma vie. Tout ce que j'entreprends « tourne au vinaigre ». J'ai été beaucoup blessé dans le passé et je me crois obligé d'être toujours sur la défensive. Une « menace » plane sur moi. Je réagis de façon disproportionnée lorsque je suis

---

[193] **De façon microscopique** : qui n'est pas visible à l'œil nu dans l'urine : qui est détecté au microscope seulement.

[194] **De façon macroscopique** : qui peut être détecté à l'œil nu dans l'urine, soit par sa teinte rougeâtre ou les traces de sang qui peuvent y paraître.

contrarié. J'ai toujours un doute qui me suit et qui m'empêche d'être autonome et d'aller de l'avant. Il y a dualité : je veux être autonome mais je suis dépendant et je veux qu'on me dorlote. Je vis en fonction des autres au lieu de suivre les élans de mon **cœur♥**. Je peux regarder en quoi le **diabète**, sous certains aspects, peut ressembler à ce que je vis.

J'accepte↓♥ de me faire confiance. Je fonce au lieu d'être sur la défensive : je sais que si je suis mon **cœur♥**, je suis toujours guidé et protégé. J'accueille l'**amour** et la douceur dans ma vie. J'ai plus de joie dans mon **cœur♥.**

SANG — HÉMORRAGIE

Une **hémorragie** est caractérisée par une perte de **sang** hors d'un vaisseau sanguin.

Cette effusion incontrôlée de **sang** est souvent associée à un bouleversement ou à un traumatisme émotionnel. Ce sont mes émotions trop longtemps retenues, telles la hargne et l'angoisse, qui deviennent incontrôlables intérieurement, et qui jaillissent soudainement. Je peux vivre des événements qui ne se passent pas selon mes attentes ou mes désirs. À bout de résistance, épuisé moralement, je lâche prise et une grande part de joie de vivre quitte soudainement mon corps. Ma grande blessure émotionnelle est encore ouverte se manifeste par **l'hémorragie**. Je peux m'être senti ***humilié***, agressé dans mon moi le plus profond et je n'ai pas pu me défendre. Je me sens écrasé, ***massacré***, impuissant et je vis beaucoup d'agressivité. Je vis dangereusement car la vie ne vaut pas grand chose de toute façon. Je perds ma force et ma joie de vivre. C'est comme si je me reniais moi-même. Je recherche la stabilité dans ma vie. Ma famille est désunie et cela me peine beaucoup. Il est important de voir quelle partie du corps est atteinte pour avoir plus d'informations sur ce que je vis. Par exemple, une **hémorragie utérine** me renseigne sur le fait que je vis une perte de joie par rapport à ma famille, mon foyer. **L'hémorragie de l'estomac** m'indique qu'il y a débordement de sang associé à un choc émotionnel que je n'arrive pas à digérer. Je me ronge « en dedans », je perds ma joie de vivre. Il y a urgence à régler cette situation, un deuil, afin de retrouver ainsi une meilleure circulation sanguine. Quant aux **pertes de sang post natales,** elles sont normales. Cependant, lorsque le travail est prolongé, l'utérus est trop distendu et il peut survenir une **hémorragie** souvent associée à de l'angoisse, un bouleversement ou un traumatisme émotionnel, voire même une lassitude physique ou morale appelée **post-partum**. Je retiens pendant un certain temps, je me crispe et je relâche d'un seul coup, c'est la barrière de résistance qui tombe ainsi que mon énergie vitale. Je me retrouve seule et je suis confrontée à moi-même. Avant, toute mon attention se portait sur le bébé en moi. L'**amour** que je sentais à l'intérieur de moi est remplacé par le vide que les autres ne peuvent remplir. Je suis en quelque sorte séparé de moi-même.

J'accepte↓♥ de prendre conscience des peurs associées à l'accouchement, j'apprends à mieux respirer et je fixe mon attention « ici et maintenant » afin de rester maître de mes émotions, à contracter et à décontracter mon utérus, et je libère mon enfant en toute quiétude en me faisant confiance. Étant à l'écoute de mon corps, je peux reconnaître un message qui m'aidera à mieux vivre en harmonie. J'accepte↓♥ de lâcher prise et d'exprimer mes émotions plus librement. Me sentant plus libéré, je porte mon attention sur la joie qu'il y a en moi et autour de moi.

SANG — HYPOGLYCÉMIE

VOIR AUSSI : ALLERGIES [EN GÉNÉRAL], CERVEAU — ÉQUILIBRE [PERTE DE...], SANG — DIABÈTE

L'**hypoglycémie** se caractérise par une diminution anormale de glucose[195] dans le **sang,** le plus souvent par insuffisance d'apport calorique (énergie) ou par excès d'alimentation très sucrée, parfois par excès de traitement à l'insuline[196]. La partie du pancréas sécrétant l'insuline est suractivée. En conséquence, les cellules et les muscles sont privés du glucose énergétique. Cette situation est à l'opposé de ce que l'on rencontre chez les diabétiques. Elle est causée par un excès d'insuline ou d'exercice.

Le sucre représente une forme de **récompense**, **d'affection**, **de douceur et de tendresse**. Il est la manifestation de l'**amour,** selon la métaphysique. Présentement, suis-je à la recherche de cet amour ? Est-ce que je l'attends de l'extérieur ? Est-ce que je mange du sucre pour combler ce manque ? Plusieurs manifestations sont liées à l'**hypoglycémie** : elle peut se manifester parce que je donne tellement aux autres que je n'ai plus rien à me donner. Ma vie est en déséquilibre et j'ai le goût de tout laisser tomber et fuir. Cela me montre le besoin de commencer par m'aimer, par me respecter dans mes besoins. **L'hypoglycémie** provient de mes fortes émotions, d'une tristesse profonde me causant de l'angoisse et même de l'hostilité et une ***aversion*** face aux autres. Est-ce que j'ai des attentes auxquelles on ne répond pas, qui ne sont pas satisfaites ? Je refuse ce qui vient de l'extérieur, particulièrement de la personne qui fait autorité, et je vis de grandes contrariétés. Je peux aussi vivre une peur intense face à quelque chose ou à quelqu'un qui me ***dégoûte*** et que je préfère éviter. Je peux être dégoûté par mon corps physique que je vois dans le miroir constamment. Je dois **résister** de toutes mes forces pour essayer d'éviter cette chose ***horrible*** et ***odieuse*** qui me ***répugne,*** que je trouve « ***écœur♥ante*** ». Mes forces en sont ***amoindries***. Elle peut être autant un objet, un geste ou qu'une parole dite et qui m'a « levé le **cœur♥** ». Cette chose ou personne que je trouve ***repoussante*** est aussi ***abjecte*** ! Je peux réagir en cessant de résister, en cessant de lutter afin que « la chose » s'arrête au plus vite. Si on me violente physiquement, en arrêtant d'argumenter ou de répliquer, l'autre risque d'arrêter plus rapidement que si je m'acharne, même si ce que je suis en train d'endurer et de m'imposer est insupportable. J'en viens à trouver le moindre geste de ma vie ***fastidieux***. Je voudrais tout ***jeter*** par-dessus bord. L'hypoglycémie peut surgir également lorsque je vis une tension ou une pression intérieure excessives sur lesquelles je crois que je n'ai pas le contrôle. Ma vie est déséquilibrée et j'ai perdu toute orientation. Une allergie alimentaire peut aussi être la cause « physique » de cette baisse de sucre sanguin. Je dois donc faire les vérifications physiques qui s'imposent et trouver à qui ou à quoi je suis allergique. Quand je suis en situation d'**hypoglycémie**, je m'affaiblis et cela me rappelle que j'aime dans certaines situations me sentir

---

[195] **Glucose** : une forme de sucre dans le sang.

[196] **Excès de traitement insulinique** : puisque l'insuline aide à diminuer le glucose (sucre sanguin).

faible et victime pour ainsi avoir l'attention des gens. Cela est plus facile que de garder le dos droit et de me battre pour ce à quoi je crois. Je joue à la cachette et je dois accepter↓♥ de prendre les rênes de ma vie.

J'accepte↓♥ ce qui m'arrive et je sais qu'en me donnant plus, je pourrai ensuite donner davantage et aimer les autres. Je ne peux donner aux autres ce que je ne me donne pas à moi-même. Je décide de rendre ma vie plus joyeuse. Je réponds à mes attentes. Mon corps est un sage, un ami fidèle auquel je suis réceptif. J'accepte↓♥ mon rôle de leader au lieu de suivre les autres.

SANG — LEUCÉMIE

VOIR AUSSI : CANCER EN GÉNÉRAL, SANG / ANÉMIE / CIRCULATION SANGUINE

J'ai le **cancer du sang** ou la **leucémie** lorsque mes globules blancs prolifèrent de façon incontrôlée.

Le c**ancer du sang**, c'est la joie qui ne circule pas librement dans ma vie. J'ai de la haine enfouie profondément en moi, souvent dirigée vers un de mes parents. Je m'autodétruis, je refuse de me battre. Si je suis un enfant atteint de **leucémie**, c'est que j'éprouve un refus de renaître, je suis profondément déçu de ce que je vois sur terre. Grandir représente un danger pour moi. Je vois toute la pression que j'ai de réussir et cela en est trop. Je veux repartir, quitter ce corps. La **leucémie** apparaît souvent après la perte d'un être aimé (ce peut même être un animal que j'affectionnais particulièrement). Il peut s'agir d'une distance qui s'est installée entre moi et un de mes parents, souvent le père, et que je vis très difficilement. J'ai l'impression de devoir m'intégrer à une autre famille, un autre clan pour qu'on me défende. Que je sois enfant ou un peu plus vieux, je veux tellement faire plaisir à la famille et remplir leurs grandes attentes que je vais « me tuer » afin d'y arriver. Cette forme de **cancer** est reliée directement à l'expression d'**amour** à l'intérieur de soi. Elle peut aussi apparaître après un événement marquant pour moi, qui m'a amené à me dévaloriser. Cette dévalorisation touchera mon être en entier et je la vivrai d'une façon très intense et profonde. Prenons l'exemple d'un jeune garçon qui se fait refuser une place au sein de l'équipe de hockey du village ou de son quartier. C'est le drame ! C'est comme si la vie n'avait plus aucun sens et qu'elle ne valait pas « la peine » d'être vécue. Je n'ai droit qu'aux **miettes**, je me sens ***minable***. Je cherche ma place dans un groupe ou ma famille. Je n'ai plus de motivation donc je ne veux plus construire ma vie. Je peux avoir l'impression que je dois me surprotéger constamment pour obtenir ce que je veux. Je peux me sentir sans défense (c'est souvent les **enfants** et les **personnes âgées** qui en sont atteints d'ailleurs...). Je peux avoir vécu une frustration intense et avoir violemment étouffé mes émotions. Si mon amour ou mon désir de vivre a été d'une façon ou d'une autre blessé, mon attitude à aimer peut devenir méfiante, confuse et aliénée. Je veux donc m'isoler de tous sentiments. Au lieu de vivre avec mes émotions, je fais ***semblant***. La vie n'a plus de sens. Je peux me sentir esclave face à une autre personne. J'ai perdu mon identité profonde, je n'ai plus le goût de me défendre. L'**amour** est absent, spécialement celui du père. Je remplace l'**amour** par l'argent dans une certaine mesure. Mon moi est « usé ». Si je suis plus âgé, après la retraite par exemple, je peux me rendre compte qu'il est maintenant trop tard pour accomplir mes ambitions. Je vis des désappointements face à mes projets : soit que j'en aie trop et que cela me pèse trop car je ne pourrai pas tous les réaliser , soit que j'aie l'impression qu'il est trop tard maintenant pour les mettre à terme. J'ai une ***rage*** au **cœur♥**.

J'accepte↓♥ d'aller avec la vie plutôt que contre elle. Je prends les moyens appropriés pour changer en moi la survie par la vie. Je suis ainsi plus en paix avec moi-même et je ne sens plus le besoin de me défendre outre mesure. Je laisse aller le passé et je m'engage à être vrai à tout moment. Je reprends contact avec mes désirs profonds. J'ai le courage de montrer mes émotions les plus profondes. Que je sois enfant ou adulte, je dois vivre dans la vérité, l'authenticité afin de reprendre contact avec la vie qui m'habite.

SANG — LEUCOPÉNIE

La **leucopénie**, c'est la baisse des globules blancs, le déséquilibre du **sang**. Les globules blancs deviennent alors des petits soldats qui baissent les armes.

Je n'ai plus le goût de lutter : j'ai trop de peine. Ce peut être une forme de fuite puisque je m'oblige à évoluer dans le même ordre, m'empêchant ainsi d'expérimenter de nouvelles choses, afin de me sentir toujours en sécurité et maître de la situation. Je vis une pauvreté émotionnelle, ayant besoin de me retrouver en famille, dans le calme et l'harmonie.

J'accepte↓♥ de prendre soin de moi afin de refaire mes forces intérieures et, ainsi, de reprendre davantage goût à la vie avec tout ce que cela comporte d'excitant.

SANG — MONONUCLÉOSE INFECTIEUSE

VOIR AUSSI : ANGINE, FATIGUE, INFECTIONS EN GÉNÉRAL, RATE, TÊTE [MAUX DE...]

La **mononucléose infectieuse** est une infection caractérisée par l'augmentation des lymphocytes qui font partie des leucocytes ou globules blancs du **sang**. Cette maladie se retrouve surtout chez les adolescents ou chez les jeunes adultes. Elle est aussi appelée **la maladie du baiser** puisqu'elle peut se transmettre par la salive.

Si je suis un adulte et que j'ai cette maladie, je cherche à voir ce qui a pu m'affecter, comme si j'étais un adolescent, ou ce que cela me rappelle le temps de mon adolescence. Je veux vivre pleinement, je sens un changement à l'intérieur de moi et **j'ai l'impression d'avoir à me battre constamment pour obtenir ce que je veux**. Mon système de défense se développe pour compenser les attaques et les limitations que j'ai l'impression de recevoir de la vie. Je me sens ***seul*** face aux obstacles qui se présentent devant moi, loin de mon clan. Je veux tellement me sentir ***accepté***↓♥ par ma famille, mes amis, la société ! Tout comme le loup, je veux faire partie de la ***meute***. Je me sens toutefois si seul…comme un ***rebut*** ou un déchet de la société. Je me dénigre et j'en viens à vouloir repousser les autres mais en même temps, j'ai besoin de m'y accrocher. Cela provoque une dualité intérieure et une grande tension. Je développe une **mononucléose** quand je me sens coupable face à une situation ou quand je veux plus de permission, lorsque je critique les gens ou la vie en général. J'ai un mal d'**amour** profond. La **mononucléose** a un lien avec les problèmes de la **rate**, car il y a une augmentation du volume de celle-ci.

J'accepte↓♥ de faire le ménage dans ma vie et d'y mettre plus d'**amour** envers moi et envers les autres. Je reprends courage et confiance en moi et, alors, je retrouve l'énergie et la joie de vivre qui me permettent d'expérimenter plus d'**amour.**

SANG — PHLÉBITE

La **phlébite** est définie par le blocage du **sang** dans les veines, principalement au niveau des membres inférieurs. Elle est causée par un caillot favorisé par une immobilisation (plâtre), une pathologie variqueuse[197] ou une hypercoagulation sanguine.

Le **sang** représente la libre circulation de la vie dans les veines de mes membres inférieurs. Mon moyen de locomotion est donc limité, irrité et défectueux, car ce blocage du **sang** m'indique une perte de joie liée aux jambes, lesquelles me transportent vers différentes destinations de ma vie. La **phlébite** apparaît lorsque je vis un événement brutal dans ma vie qui m'amène un grand sentiment d'incompréhension et qui limite ma liberté. J'ai le goût de « mordre quelqu'un jusqu'au **sang** ». Le **sang** ne remontant plus dans mes jambes, je me sens obligé de remonter quelqu'un, souvent mon mari, qui a toujours le « moral bas » et qui voit tout en noir. Selon qu'il s'agit de la jambe gauche (mon intérieur), ou droite (mon extérieur), ou des deux jambes, la perte de joie pourra m'identifier à quel niveau ou dans quel sens j'ai une hésitation ou un refus d'avancer, d'accepter↓♥ une nouvelle destination. Je me fais du **mauvais sang** face à certaines situations que la vie me présente. Je vis donc un arrêt, un ralentissement en raison d'une émotion, d'un sentiment qui limite ma joie, mon bonheur de vivre. Je peux vivre une frustration au niveau de ma sexualité. J'ai tendance à blâmer les autres, à les ***mépriser*** ; je les rends responsables des manques que je peux vivre et m'enlèvent ma joie de vivre pour aller de l'avant. Je me sens « peu solide sur mes jambes », instable. Mes doutes pèsent lourd. Je me sens impuissant. Est- ce que je ***mérite*** d'être heureux ? J'ai l'impression de rester sur place, de « ***cailler***[198] », que rien ne bouge. Ou est-ce peut-être ce que je désire ?

J'accepte↓♥ de laisser aller la peine, le mécontentement, la frustration que je vis et de me responsabiliser par rapport à ce qui arrive dans ma vie. J'accepte↓♥ d'avoir le pouvoir de créer ma vie comme je le veux ; je dois cependant accepter↓♥ d'avoir le droit au bonheur et de mériter que la joie et la paix illuminent ma route. Je fais un retour vers moi-même, au **cœur♥** de la vie et de la vérité.

SANG — PLAQUETTES

VOIR AUSSI : SANG COAGULÉ / THROMBOSE

Les **plaquettes** sont des cellules sanguines qui jouent un rôle important dans la coagulation.

---

[197] **Variqueuse** : relatif aux varices.

[198] **Cailler :** être figé et avoir froid.

Lorsque le nombre de **plaquettes** est sous la normale (**thrombopénie**), je dois me demander d'où vient ma difficulté à m'intégrer à ma famille ou à un groupe auquel je m'identifie. Il y a des conflits qui font que les liens qui existent déjà au niveau de ce groupe sont précaires et risquent d'éclater si les personnes ne décident pas d'***agir***. Je voudrais intervenir pour pouvoir « recoller les pots cassés » mais quelque chose m'en empêche. Je me sens fragile face à la situation car je ne veux blesser personne. Je me sens seul dans mon camp, assis entre deux chaises et impuissant.

J'accepte↓♥ de n'avoir du pouvoir que sur ma propre vie. Je reste neutre face aux décisions des autres, surtout celles qui affectent des membres de ma famille. Je sais que nous sommes tout guidés dans nos choix et je laisse l'univers s'occuper des gens que j'aime. Je prends soin de moi sans me laisser influencer par les dires ou les conflits des autres.

SANG — SAIGNEMENTS

Les **saignements** peuvent être comparés à des larmes, à une perte de joie. Lorsque je souffre, les larmes coulent, ma peine est si intense que c'est comme si je pleurais du **sang**. Où s'en va ma joie de vivre ? Pourquoi cette peine, cette agressivité qui me fait voir rouge ? Cela peut venir de mon questionnement face à mes origines, mon appartenance à mon clan, à mes liens de **sang**. Le **saignement anorectal** (**sang dans les selles**) me montre combien je m'accroche au passé. Cela a comme conséquence de stagner, de rester sur place. Je me sens acculé au pied du mur (en général et aussi dans ma vie sexuelle) et je blâme les autres, le passé pour mes malheurs présents. Je me replie sur moi, vivant dans la solitude pour éviter d'être blessé à nouveau.

J'accepte↓♥ la chance que j'ai de vivre et je retrouve la joie. Je me libère de toute ma tristesse et j'accepte↓♥ de recevoir ce que la vie me donne.

SANG — SEPTICÉMIE

La **septicémie** est une infection grave (empoisonnement généralisé) du **sang**.

C'est ce qu'on appelle **se faire du mauvais sang** ou **s'empoisonner la vie**. Je joue le rôle de victime et j'ai avantage à me demander « par qui ou par quoi je me laisse empoisonner ou contaminer l'existence ». Je stagne dans une situation, je me sens « en train de pourrir ».

J'accepte↓♥ d'avoir l'entière responsabilité de mes choix et je prends conscience des joies de la vie.

SANG — THROMBOSE

VOIR AUSSI : SANG / CIRCULATION SANGUINE / COAGULÉ

Le **sang** circulant dans mes veines représente la joie de vivre. Une **thrombose**, qui se définit par une formation de caillots de **sang** dans une veine ou dans une artère, provoque un blocage empêchant le **sang** de circuler librement.

Cet état démontre qu'il existe également un blocage dans la libération et dans la circulation de l'**amour.** Me sentant seul, je suis peiné et j'ai l'impression que les difficultés auxquelles je me heurte sont trop lourdes à supporter et que je ne suis pas capable de les surmonter. Je perds ma joie de vivre. Ma vie me semble stagnante, je me sens négligé, abandonné et incompris. J'ai l'impression de ne plus avoir d'**amour** en moi, je deviens inflexible ; je suis de plus en plus ferme dans ma façon d'agir et de penser, ce qui provoque le durcissement de mes artères. Je lutte contre tout changement et je campe sur mes positions. Y a-t-il une situation ou une croyance face à laquelle je m'accroche et que je n'ose pas laisser aller ? Cette manifestation atteint mon corps tout entier. Il est intéressant de noter que la **thrombose** se manifeste souvent au niveau des **veines** Je peux vivre une situation où j'ai de la difficulté à recevoir, notamment de l'aide (soit psychologique soit matérielle et financière) des autres. Je pense être capable de tout faire seul. Je retiens l'**amour.** Quand la **thrombose** apparaît sur mes **jambes**, elle m'indique une crainte d'aller de l'avant, une tendance à demeurer « figé », en perte de mouvement. Je peux me sentir « cloué » au sol. Cela peut aussi signifier l'insécurité que j'éprouve à voir s'éloigner un amour ou à me voir m'éloigner de cet **amour.** En tentant ainsi de le retenir, j'augmente les chances de le voir mourir. Je peux me sentir « coincé » dans mes émotions.

J'accepte↓♥ de m'ouvrir de plus en plus à la vie et j'accepte↓♥ les changements comme des signes de mon évolution. Je laisse s'exprimer mes frustrations et je deviens ainsi plus actif et créatif.

SANG — VARICES

Les varices se situent habituellement aux jambes. Elles sont le résultat de **veines** dilatées : le sang ne peut plus remonter vers le **cœur♥** librement car les valvules des veines ne fonctionnent plus normalement.

Mes jambes me permettent d'avancer dans la vie, de me déplacer d'un endroit à l'autre. Des varices aux jambes démontrent une mauvaise circulation. Ainsi, je peux en conclure que l'endroit où je suis ne me convient plus ou que je n'aime pas ce que j'accomplis présentement. Je n'y trouve plus la joie. Il peut s'agir d'une relation affective ou encore d'un travail qui m'est devenu monotone. Ce peut être à la maison où je me dévalorise dans mon côté féminin face à la famille. Je cherche ma place, mon « petit nid ». Je ne veux plus avancer dans une direction précise mais je ne sais pas non plus comment me retirer de celle-ci. Ma vie est remplie d'insatisfactions ; elle est sans passion, terne. Je deviens alors "avaricieux" de mes sourires et de ma gaieté. J'en veux toujours plus ! Les structures dans lesquelles je progresse ne me conviennent plus. Le sang représente la joie de vivre et la circulation de l'amour dans mon univers, et mes veines en sont le moyen de locomotion. Le sang dans mes veines est sur le chemin du retour, vers mon **cœur♥**, rapportant avec lui tout l'amour qu'il a reçu de l'univers. La varicosité peut indiquer qu'un profond conflit émotionnel est directement relié à la capacité de m'aimer et de recevoir tout cet amour. Je ne suis plus vrai avec moi-même. La direction que je prends ou le sol sur lequel je me tiens ne me donnent pas ce à quoi je m'attends, émotionnellement parlant. Cela bloque et embrouille mon « mouvement émotionnel ». J'ai l'impression de traîner un poids énorme, comme le prisonnier qui doit traîner son boulet constamment. Il s'agira souvent d'un poids financier, l'argent me causant bien des maux de tête et l'avarice me guettant. en général, j'ai plus l'impression de subir des situations que de les créer. Je vis dans les « il faut », le sentiment de me sentir obligé, ce qui m'empêche d'être moi-même et de faire des choses pour moi. des varices aux jambes apparaissent souvent lors d'une grossesse, ce qui démontre que certaines craintes sont rattachées à cet état ; comme femme enceinte, j'ai peur de partager cet amour avec une autre personne, de perdre mon individualité dans mon nouveau rôle de mère et toute la responsabilité qui est rattachée au fait de s'occuper d'un enfant. Quelle place vais-je occuper auprès de cet enfant et de mon conjoint ? Est-ce que je vais avoir toute l'aide et le soutien dont j'aurai besoin ? Le fardeau des responsabilités sera encore plus pesant. Je me sens débordé et j'ai peur de ne pas tout accomplir, car j'ai tendance à amplifier les petits détails. C'est alors que le découragement peut survenir. Je ne me sens pas soutenu et supporté (il est intéressant de noter que le port de **bas** support est recommandé pour les femmes qui ont des varices aux jambes ou pour prévenir l'apparition de celles-ci). J'ai l'impression de donner beaucoup plus que ce que je reçois en retour. Pour rétablir cette situation, il est important que j'apprenne à aimer ce que je fais.

J'accepte↓♥ ma liberté de choisir et de circuler librement. je me fais respecter et j'exprime mes besoins. Je demande de l'aide si nécessaire. Je n'ai plus besoin de me justifier. Je vis à partir de mon cœur♥ et je prends soin de moi. Je jouis pleinement de la vie.

SARCOÏDOSE

La **sarcoïdose**, aussi appelée la **maladie de Besnier-Boeck-Schaumann,** maladie rare, attaque principalement la peau et les ganglions lymphatiques.

Je vis une période de changements, j'ai de la difficulté à m'adapter et je me décourage car je trouve que « le ménage » ne se fait pas assez vite. Je me demande jusqu'où je peux aller dans l'affirmation de moi et jusqu'où je dois lutter pour mes croyances. Cela m'amène à me déprécier et j'alterne entre des périodes de soumission et d'agressivité dans les actions que je porte. Je voudrais garder « le beurre et l'argent du beurre ».

J'accepte↓♥ de faire place à du nouveau et pour ce faire, je dois oser laisser aller ce qui n'est plus bénéfique. Ce peut être tant au niveau matériel qu'au niveau de ma façon de penser qui peut être parfois fermée et critique. J'apprends à faire les choix en fonction de là où je suis rendu, ici et maintenant. J'assume pleinement mes choix et je sais que je suis l'artisan de mon bonheur.

SARCOME D'EWING

VOIR : OS [CANCER DES...] — SARCOME D'EWING

SCARLATINE

VOIR : MALADIES DE L'ENFANCE

SCHIZOPHRÉNIE

VOIR : PSYCHOSE — SCHIZOPHRÉNIE

SCIATIQUE (le nerf...)

VOIR : NERF SCIATIQUE [LE...]

SCLÉRODERMIE

VOIR : PEAU — SCLÉRODERMIE

SCLÉROSE

VOIR AUSSI : INFLAMMATION, SYSTÈME IMMUNITAIRE

La **sclérose** est une hypertrophie qui vient durcir le tissu conjonctif, lequel est nécessaire et présent dans le corps tout entier.

Il est important de prendre **conscience** que si je suis touché par cette maladie, c'est moi-même que j'attaque, ce qui peut amener la **sclérose** à s'étendre à la grande majorité de mes organes. Cette hypertrophie provoque une sorte d'énergie brûlante qui fait ressurgir de la rage longtemps refoulée. Les tissus se durcissant, cela suggère le durcissement de mes pensées, de mes attitudes, créant ainsi un déséquilibre sur le plan énergétique. Je durcis aussi mes positions face à la vie et aux personnes de mon entourage. Je suis inflexible et m'adapter à de nouvelles situations est très difficile pour moi. Je préfère ***m'agripper*** à mes anciennes façons de pensée. Je n'ai plus autant de souplesse, surtout face à ce qui se passe au sein de ma famille. Je peux me sentir envahi par les autres. Mon corps entier ou n'importe laquelle de ses parties peut être affecté par la **sclérose**. Il est donc important de prendre **conscience** de ce que je vis intérieurement. En me fermant à l'**amour**, cela peut indiquer que je me sens indigne de cet **amour**, que je me sens coupable et que j'ai honte de vivre.

J'accepte↓♥ de m'ouvrir à l'**amour**, je reconnais ma valeur divine, je suis tout, je peux tout. Je me reconnecte à ma curiosité et à ce qui me passionne.

SCLÉROSE EN PLAQUES

La **sclérose en plaques** se définit comme une démyélinisation[199] qui semble inflammatoire par processus auto-immune des enveloppes qui entourent les voies nerveuses du cerveau et de la moelle épinière. Le corps tout entier en est affecté ? et les accès (poussées) peuvent survenir à différents moments de la vie.

C'est comme si mon corps était **piégé**, placé dans une cage et de plus en plus limité dans l'enchaînement de ses mouvements. Si je suis atteint de **sclérose en plaques**, je suis généralement affecté par de grandes souffrances me faisant voir la vie avec découragement. Quelque chose ou quelqu'un me paralyse, je me sens coincé. Je ne suis plus ***fringant*** face à la vie. La vie manque de douceur, de miel (dé- **myel**-inisation). Une profonde révolte anime tout mon être. Je me sens obligé de devoir tout faire moi-même ; étant très perfectionniste et intransigeant, je refuse de me tromper et j'accepte↓♥ difficilement de l'aide. J'accepte↓♥ difficilement les contraintes,

---

[199] **Démyélinisation** : diminution de la myéline, substance protectrice composée de lipides (forme de gras) et de protéines entourant certaines fibres nerveuses.

spécialement celles qui proviennent de ma famille. J'ai une volonté à toute épreuve. Je prends **conscience** que je dois, pour ce faire, être très dur avec mes pensées et rester éloigné de mes émotions. La pensée de l'échec me terrorise. J'ai de la difficulté à me pardonner et à pardonner aux autres. Je peux m'en vouloir d'avoir laissé filer une opportunité. Je crains d'être laissé pour compte, d'être **plaqué** là. **J'ai très peur qu'on me « laisse tomber »**. Je peux aussi avoir peur de tomber, autant au sens propre qu'au sens figuré, et craindre que cette chute entraîne la mort. Toutes ces peurs qui impliquent un déplacement vertical et qui peuvent m'amener à croire que ma vie est en danger peuvent déclencher la **sclérose en plaques**. Ce peuvent être la chute d'une ***échelle***, le risque de tomber dans un précipice, la perte abrupte d'altitude dans un avion, quelque chose qui me tombe sur la tête, etc. D'une façon symbolique, « tomber en amour » ou « tomber enceinte » devient dangereux pour moi. La chute peut donc être physique, morale ou symbolique. Je trouve toutes ces situations ***bouleversantes, renversantes*** et je suis ***sidéré***. J'ai peur de tomber de très ***haut*** ou que « la mort me tombe dessus ». Je peux aussi me sentir ***dégradé*** par quelqu'un d'autre ou j'ai peur de perdre mes grades, une position privilégiée par exemple dans mon travail. J'ai l'impression de ne plus avoir aucun avenir. Très souvent, je me juge ou je peux juger les autres très sévèrement, ce qui entraîne **un grand sentiment de dépréciation, de dévalorisation et de diminution de ma personne**. Lorsque je me sens diminué, ***rabaissé***, j'ai l'impression que la vie m'écrase et j'ai tendance à ***ramper*** au lieu de me tenir droit. Je peux même m'arrêter, ***m'immobiliser*** n'ayant plus la force d'avancer, de me ***mouvoir***. Ainsi, c'est d'abord par mes jambes que la maladie manifeste ses premiers signes et que je peux avoir l'impression d'être écrasé. Être de moins en moins capable de ***marcher,*** de me déplacer, de bouger, peut me donner l'impression que je suis plus en sécurité ainsi. Le fait de ne plus pouvoir avancer peut m'empêcher de faire face à une situation que je veux éviter à tout prix. Si par exemple je n'ai pas la capacité physique de remonter une compagnie en difficulté, cela m'évite d'avoir à faire face à nouveau à un échec dans laquelle je me dévaloriserais. Quel que soit mon âge, on ne m'autorise pas à avoir des projets, à grandir, à donner mon avis. Je prends sur mes épaules de réaliser les désirs de ma mère ou de mon père : je deviens « leurs bras et leurs jambes ». Je me rends vite compte que je suis impuissant à jouer ce rôle. J'en viens à ne pas me trouver assez bon pour eux. Ma défense à toutes ces peurs qui m'habitent sera de **vouloir tout contrôler**, de vouloir que tout se passe comme je le veux. La **critique**, qui est souvent dirigée vers moi-même, emprisonne ma vie. Je crois que la souffrance fait partie de mon lot de tous les jours et que je ne mérite pas le repos. Mes efforts pour me dépasser sont constants et, malgré tout, toujours insuffisants. Mon corps fatigué refuse ainsi de poursuivre cette lutte du plus fort et veut me faire comprendre que je peux aussi avoir besoin des autres et que j'ai à apprendre à faire confiance. Je résiste au bonheur, à ma valorisation. Je me renie. Le fait qu'on m'ait déjà dénigré et ***abaissé*** me fait croire que je ne vaux pas grand-chose. Je suis comme un arbre qui plie. Je me sens **anéanti**. Je me détruis tellement avec ma pensée que c'est maintenant la maladie qui me détruit. L'inflammation implique une rage **brûlante** et très émotionnelle, pouvant affecter toute mon existence. Je peux me questionner : « Est-ce que je souhaite vraiment être libre ? » Je peux inconsciemment, de cette façon, me venger de quelqu'un qui ***gravite*** dans mon univers et qui ne m'a pas manifesté suffisamment d'**amour** ! Cette forme de cage, dans laquelle mon corps se retrouve, me protège peut-être de devoir admettre mes vrais sentiments ! En me taisant ainsi, je me sens dans l'obligation d'emprunter certaines routes pour faire plaisir aux autres au lieu d'avancer dans la direction que je veux prendre. Au lieu d'être dans le mouvement et le changement, je suis dans la stagnation, l'inertie. Puisque je ne veux plus rien sentir, mes nerfs sensitifs sont atteints. La répression émotionnelle peut me conduire à une incapacité d'aller de l'avant dans mes émotions, entraînant ainsi une confusion musculaire et mentale. Lorsque je suis atteint de **sclérose en plaques**, je deviens dépendant des autres. Je deviens comme un enfant qui a besoin de quelqu'un pour s'occuper de ses besoins de base. Je dois ***m'accrocher*** aux autres, ***m'agripper*** pour ne pas tomber, autant physiquement qu'émotionnellement. Je dois me demander si mes responsabilités en tant qu'adulte sont trop lourdes à porter. Je préfère peut-être retourner dans un état de dépendance au lieu de toujours avoir à faire les efforts pour acquérir ou garder ce que je possède. J'étais tellement bien quand ma mère veillait sur moi… Je la trouvais ***admirable***. Mais je ne verrai plus jamais la douceur dans ses yeux… J'ai maintenant l'impression que ma vie est sans cesse agitée, en pleine ***effervescence***. Mon corps me dit de lâcher prise, de me libérer de mes chaînes. La clé se trouve à l'intérieur de moi. J'accepte↓♥ de faire confiance à mon guide intérieur et je reconnais en chacun la présence de ce guide, qui amène chaque personne à agir au mieux de sa connaissance. Je manifeste alors plus de flexibilité et de compréhension.

J'accepte↓♥ de donner un sens à ma vie. Je reprends la maîtrise de ma vie en assumant pleinement mes sentiments. L'approbation des autres n'est plus ***nécessaire***. J'accueille les sentiments qui m'habitent. Ils font partie de moi. Je laisse derrière moi les commentaires négatifs qu'on a pu avoir à mon sujet, autant de ma famille que de tout mon entourage. Je me donne plus de douceur. Je suis le flot de la vie et de ces douceurs, ce qui me permet ***d'évoluer*** harmonieusement. Je laisse aller mon costume de clown pour laisser transparaître ma **lumière** intérieure. La ***paix*** intérieure grandit chaque jour.

SCLÉROSE — LATÉRALE AMYOTROPHIQUE

VOIR : CHARCOT [MAUX DE…]

SCOLIOSE

VOIR : COLONNE VERTÉBRALE [DÉVIATION DE…] — SCOLIOSE

SCRUPULE

Le **scrupule** se retrouve chez une personne qui vit de l'inquiétude face à sa **conscience** ; j'ai **mal à l'âme**, je me **ronge** le sang. Je suis plein de doute. Je suis constamment en train de m'autoanalyser. Cela abaisse mon niveau d'énergie et cela peut avoir comme effet de faire apparaître ou accélérer le « crépuscule de ma vie » (vieillesse).

J'accepte↓♥ de choisir de vivre en harmonie et de digérer les nouvelles idées ; je retrouve mon entrain !

SÉCHERESSE VAGINALE

VOIR : VAGIN [EN GÉNÉRAL]

SEIN (en général)

Les **seins** représentent la **conscience** de qui je suis et ma générosité envers moi-même et les autres. Ils sont le symbole de la beauté maternelle. Selon leur condition, je peux voir l'équilibre qui existe dans ma vie entre donner et recevoir, entre mes côtés féminin et masculin. Un bon équilibre ou échange m'amène à être véritablement fertile et ce, dans tous les aspects de ma vie. Ma vie affective est ainsi bien en harmonie avec mon côté rationnel. Une personne ayant de gros **seins** (qu'elle soit homme ou femme) a souvent commencé dès son plus jeune âge à se sentir obligée de materner les autres pour se sentir aimée. Même si je possède cette habileté à prendre soin des autres, je réalise que, souvent, j'agis ainsi parce que j'ai peur du rejet et que, me sentant admiré pour ce côté de moi, je m'attire ainsi la reconnaissance de ceux qui m'entourent. C'est peut-être moi qui ai besoin d'être materné... À l'opposé, si j'ai de petits **seins**, il se peut que je doute de mes capacités de mère et que j'éprouve constamment le besoin de prouver que je peux l'être. Le **sein gauche** représente l'aspect plus émotionnel, plus affectif de mon côté maternel, tandis que le **sein droit** est associé au rôle et aux responsabilités de la femme dans la famille ou dans la société[200]. Si mes **seins** sont **mous** et **pendants**, j'ai intérêt à apprendre à devenir plus ferme dans ma façon de parler et d'agir. Les **seins** représentent aussi la féminité chez la femme ainsi que la séduction. Ils sont souvent exagérément admirés. L'apparition des **seins** équivaut à devenir femme. Ils provoquent bien des réactions pour la femme. Je peux avoir peur de devenir un *sex-symbol*, d'être ridiculisée. Je peux vivre de la honte, de l'embarras, me sentir rabaissée. Je peux ne pas vouloir d'enfant(s) parce qu'il me rappelle, consciemment ou non, un « choc » passé. Il est possible que je vive certaines craintes d'être à la fois femme et mère. Ou ai-je l'impression de ne pas avoir su être à la hauteur de mon rôle, soit de femme soit de mère ?

Je choisis d'accepter↓♥ de recevoir autant que je donne, j'accepte↓♥ ma féminité.

SEINS (maux aux...) (douleurs, kyste)

VOIR AUSSI : CANCER DU SEIN, SEIN — MASTITE

Lorsque j'éprouve des **maux aux seins**, je dois m'interroger à savoir si j'adopte une attitude sur protectrice ou dominatrice envers mes enfants, ce qui représente mes enfants[201] ou envers mon conjoint. Est-ce que j'ai peur

---

[200] Selon la ***Biologie totale des êtres vivants***, le fait d'être gauchère ou droitière a un impact sur le conflit relié aux malaises qui affectent les seins. Cette théorie n'est pas mentionnée ici. Cette interprétation est valable ainsi que celle qui dit que le côté droit est relié au rationnel et le gauche, à l'affectif et aux émotions. Il pourrait y avoir lieu de tenir compte des deux façons de regarder l'interprétation.

[201] **Ce qui représente mes enfants** : ce peut être au travail, un projet que j'ai entrepris et dont je m'occupe comme si c'était mon bébé ; un membre de la famille, neveu ou nièce ou un autre enfant que je considère **comme** mon propre enfant ; mes parents, maintenant que je dois m'en occuper et qui ont besoin d'attention comme des enfants.

ou est-ce qu'il m'est vraiment arrivé qu'on m'enlève une personne qui m'est très chère ? Je peux avoir été séparé physiquement de cette dernière, ou il peut s'agir d'un bris dans mes relations personnelles, où la communication ou les échanges sont inexistants. Mon besoin non comblé d'être relié aux choses et aux êtres laisse un vide dans ma vie. J'ai été renié par l'un des miens et j'en souffre beaucoup. Ou ce peut être moi qui ai nié les miens. Je suis angoissé, je pense trop. J'ai l'impression que ma liberté est brimée. Je me préoccupe peu de mes émotions et je me retrouve à vouloir dominer, à être possessif. Je juge d'une façon sanglante les autres et ne veux pas entendre ce qu'ils ont à dire. Je veux que rien ne m'échappe. Je doute de ma valeur et j'ai tendance à m'enflammer facilement en **amour**, je me perds dans mes relations pour compenser mon peu de confiance et d'estime de moi. La joie que je pourrais éprouver est diluée dans mes vieux chagrins, soucis qui me suivent depuis déjà plusieurs années. Mes angoisses et mon insécurité sont plus fort que mon désir de me prendre en mains. J'ai l'impression de vivre dans le péché. Je donne tout le pouvoir à mon rationnel pour m'éloigner de mes émotions. Pourtant, mes émotions sont toujours présentes et mes seins pourront devenir **hypersensibles**, laissant transparaître toute cette douleur et chagrin intérieur. Un **kyste** peut survenir si je me sens coupable face à une maternité ou si j'ai subi un choc émotionnel. À trop vouloir protéger les gens que j'aime, je les empêche de vivre, je prends les décisions à leur place, je deviens **mère poule**.

J'accepte↓♥ de laisser ceux que j'aime devenir autonomes afin qu'eux aussi deviennent des personnes responsables. Je laisse émerger ma vraie personnalité. Je mérite ce qu'il y a de mieux. En laissant aller mes angoisses, mes soucis, mes ressentiments du passé, mes **seins** redeviendront en parfaite santé.

SEINS — ALLAITEMENT (difficultés d'...)

VOIR AUSSI : SEINS — MASTITE

Des **difficultés d'allaitement** résultent entre autres de **fissures du bout des seins** ou d'une **insuffisance de lait**. J'ai de la difficulté à accepter↓♥ ce rôle de mère. J'ai l'impression que cet enfant vient brimer ma liberté. Je me perçois comme une « machine à produire du lait ». J'ai de la difficulté à construire ce lien maman-enfant qui semble si extraordinaire pour la majorité des femmes. Mais ce n'est pas le cas pour moi et je me demande quel est « mon problème » ! Je deviens angoissée car cet enfant dépend de moi pour vivre. Je dois me demander : comment puis-je donner de l'**amour** à mon bébé par l'acte de l'allaitement quand je me sens indigne de lui ? Alors, je mets les bouchées doubles. J'ai une pauvre estime de moi et je ne me donne pas l'**amour** et la tendresse dont j'ai tant besoin...comment puis-je donner à mon bébé ce que je ne peux pas me donner à moi-même ? Je veux en faire beaucoup pour nourrir cet enfant, je donne énormément et j'oublie totalement la femme en moi qui a laissé totalement la place à la mère ; ce qui a pour résultat que je me sens débordée car je veux trop bien faire puisque je ne me sens pas à la hauteur de la tâche et je craque. Comment puis-je être amante pour mon conjoint et maman pour mon bébé ? Je dois apprendre à m'ajuster à cette nouvelle situation, à doser un peu, à m'ajuster. Le **peu de nourriture** (lait) pour mon enfant peut indiquer que j'ai moi-même peu de nourriture affective (affection, tendresse, attention, etc.) de mon conjoint depuis la venue de ce bébé qui « prend toute la place » et qui reçoit toute l'attention. Cela peut me rappeler aussi ma relation avec ma propre mère où j'ai ressenti un froid, un vide, un manque. Le fait d'avoir maintenant ce rôle de mère réactive mes blessures émotives face à ma propre mère. Comment être une bonne mère et une bonne amante en même temps ? Comment encadrer l'intimité avec mon enfant pour me sentir bien ?

J'accepte↓♥ mon corps et ma personne tels qu'ils sont. Je prends ma place et l'espace dont j'ai besoin et qui me revient. Je me considère avec amour et douceur. J'accepte↓♥ de partager cet amour avec mon bébé, sachant qu'il est dans ma vie pour m'aider à devenir une meilleure personne. Il m'apporte joie et amour inconditionnel. Cela m'aide à devenir davantage maître de ma vie et à faire grandir ce sentiment de liberté qui m'habite.

SEIN (cancer du...)

VOIR : CANCER DU SEIN

SEIN — MASTITE

La **mastite**, qui est l'inflammation du **sein**, rend celui-ci très douloureux et peut survenir lors de l'allaitement, qu'il faut alors interrompre si du pus s'écoule par le mamelon.

Toujours en relation avec la maternité, je peux me sentir très fatiguée après l'accouchement (ou d'autres raisons) et je provoque un malaise qui m'oblige à cesser d'allaiter sans vivre de la culpabilité. Ce peut aussi être moi qui ai l'impression d'être trop maternée, soit par mon conjoint soit par quelqu'un de mon entourage. Ces douleurs aux **seins** peuvent aussi démontrer que je suis trop dure envers moi-même. J'ai l'impression que je dois me **sacrifier**, pour ma famille, mon travail, ou une cause qui me tient à **cœur♥**. Je n'en peux plus, je suis agressive et les frustrations s'accumulent de plus en plus.

J'accepte↓♥ de reconnaître que ma façon de fonctionner m'empêche de m'épanouir. Je regarde attentivement toutes les qualités que je possède. Je me demande pourquoi j'avais tant besoin de me sentir utile à quelqu'un. En acceptant↓♥ ma valeur, je n'ai rien à prouver à personne. En me donnant plus d'**amour** à moi-même, je peux aussi en donner aux autres mais d'une façon gratuite, sans attente et sans le désir de contrôler les autres. Ce sont des gestes tout à fait gratuits accomplis dans la simplicité, comme un enfant le fait. Je suis capable de dire oui ou non selon ce qui est bon pour moi. J'accepte↓♥ de laisser les autres libres de leurs choix, j'apprends à m'aimer. Je reconnais que chacun de nous grandit avec ses expériences.

SÉNESCENCE

VOIR : VIEILLISSEMENT [MAUX DE...]

SÉNILITÉ

Lorsque les facultés physiques et psychiques sont atteintes alors que je suis une personne âgée, on va parler de **sénilité**.

La **sénilité** est une maladie que l'on peut relier à la fuite. En retournant dans l'enfance, je retourne vers la sécurité qu'elle m'apporte. Je choisis ainsi de laisser les autres s'occuper de moi, je veux qu'ils me prennent en charge. Je me sens déjà impuissant à bien des niveaux, notamment dans ma communication qui est pénible avec les autres. Au lieu de vivre dans la passivité comme adulte, il est préférable pour moi d'être considéré comme **sénile** et ainsi, avoir une bonne raison pour qu'on s'occupe de moi, les gens me traitant maintenant comme un enfant. Je me questionne : "Ma vie valait-elle la peine d'être vécue ? Que me reste-t-il à réaliser ?"

Si je suis atteint de **sénilité**, j'accepte↓♥ de prendre **conscience** qu'il n'est pas nécessaire de fuir. Si je veux récolter cette attention tant désirée, je dois moi-même la semer. Je bénéficie de la protection divine, je vis en paix et en toute sécurité. À chaque moment de ma vie, je prends **conscience** de la force de l'Univers. Je peux créer ma vie comme je la veux : je n'ai qu'à me prendre en main et demander l'aide nécessaire pour réaliser mes rêves.

SEPTICÉMIE

VOIR : SANG — SEPTICÉMIE

SEXUELLES (déviations et perversions en général)

Lorsqu'en tant qu'individu, je suis aux prises avec une **déviation sexuelle**, c'est que je souhaite rejeter et refouler une grande partie de mon être, je vis constamment une lutte intérieure. J'ai souvent été blessé dans ma vie et je ne me rends pas compte que j'ai dévié la frustration. Je me sens prisonnier de ma douleur, de mon éducation stricte, des règles de la société, de mes propres limitations et je veux augmenter mon sentiment de liberté et de pouvoir. Par ce fait, mon corps me dit d'accepter↓♥ chaque aspect de moi que j'associe à un défaut.

Chaque être possède un côté masculin et un côté féminin. Quand je suis un homme, j'accepte↓♥ ma féminité, ou ma masculinité quand je suis une femme. Je deviens humble, je décide de m'affirmer sans blesser les autres. Je choisis d'unifier tout mon être car chaque facette de moi demande à s'exprimer.

SEXUELLES (frustrations, absence de désir…)

VOIR AUSSI : ÉJACULATION PRÉCOCE

Souvent lié à une éducation très stricte envers tout ce qui a trait à la sexualité, je crois sincèrement que les organes génitaux sont immoraux et sales, je vis de la culpabilité. Je peux aussi souffrir d'un complexe de performance et plus je veux m'améliorer, moins j'y arrive. Je peux en vouloir au sexe opposé et le fait de renier ma sexualité ou de refuser de la vivre est une façon de me venger : je ne leur donnerai pas de plaisir, ils (elles) ne le méritent pas ! Ainsi, c'est moi-même que je punis et coupe de mes besoins vitaux. Je peux aussi vivre une **diminution ou une absence de désir sexuel** (**anaphrodisie**). Mes déceptions et mon désintérêt face à la vie m'amènent à vivre la même chose au niveau de ma sexualité. Il peut s'agir d'un certain niveau de dépression qui trouve sa source dans ma négativité face à moi-même et aux autres.

Il est préférable que j'accepte↓♥ de vivre ma sexualité sainement puisqu'elle fait partie de ma qualité de vie. Je prends le temps de faire des choses qui me font plaisir, qui me donnent satisfaction. Mon goût pour la vie et les bonnes choses va ainsi se réveiller ainsi que celui pour des relations intimes et **sexuelles**.

SEXUEL (harcèlement...)

Si je vis du **harcèlement sexuel**, c'est que je vis des grandes peurs, parfois inconscientes, de me faire manipuler par de la tendresse et par une forme d'**amour**. Je peux inconsciemment avoir tellement besoin d'affection que ce message peut être perçu négativement de l'extérieur. Les autres peuvent sentir ma « disponibilité » ou mon intérêt quand il s'agit seulement de mon besoin d'attention et d'être aimé.

J'accepte↓♥ d'avoir à me faire respecter comme personne. Je dois d'abord identifier les sources qui sont en cause afin de pouvoir reprendre le pouvoir qui est le mien et continuer à vivre « plus normalement ».

SIDA (syndrome d'immunodéficience acquise)

Si je porte le virus du **sida** (V.I.H. : **v**irus d'**i**mmunodéficience **h**umaine) et que je suis en bonne santé, on dira simplement que je suis **séropositif** et il se peut que je ne développe jamais la maladie. Si mon système immunitaire faiblit à cause du virus V.I.H., alors je peux dire que j'ai le **sida**, la maladie.

Si je suis une personne atteinte du **sida**, je vois mon système immunitaire devenir déficient en cellules T (lymphocytes ou variétés de globules blancs du **sang** et de la lymphe) et ainsi, il devient incapable de me protéger contre certaines infections comme la pneumonie et le cancer. Le **virus du sida** est transmis par le sang (sang contaminé lors d'une transfusion sanguine, seringue infectée, blessure en contact avec du sang infecté, etc.) ou le liquide sexuel. La glande du thymus (située devant la trachée), site de formation des cellules T, est ainsi affectée et, par le fait même, l'énergie du **cœur♥** l'est également. La diffusion des cellules infectées dans les liquides extracellulaires, et principalement le sang correspond à l'énergie émotionnelle. Le sang relié au **cœur♥** symbolise l'**amour** et les peines, la créativité. Ainsi, mon système émotionnel est en déséquilibre et incapable de s'exprimer librement. **Je vis une grande culpabilité face à l'amour, j'ai l'impression de ne pas être à la hauteur**. Mon système devient faible et de plus en plus vulnérable à toutes formes d'invasion. C'est comme si mon système immunitaire ne pouvait plus faire la différence entre ce qui est bon pour moi et ce qui ne l'est pas. J'ai intérêt à prendre **conscience** que je refoule des émotions comme la peur et la colère, que je renie l'être que je suis au point de souhaiter sa destruction complète. Il s'ajoute habituellement à cette répression de mes sentiments une culpabilité très profonde qui me gruge de l'intérieur. Mon estime de moi est pratiquement inexistante et j'ai peur du jugement des autres. Bien sûr, puisque je redoute le regard des autres, il arrive souvent que je fasse partie d'un groupe de la société qui se fait facilement juger, vu l'incompréhension de la part de mon entourage ; par exemple : si je suis homosexuel, toxicomane, de race noire, prostitué, etc. (ce qui correspond aux groupes de la société qui sont les plus touchés par le **SIDA** et qui sont victimes de discrimination par le reste de la société). **De mon incapacité à m'aimer et à m'accepter↓♥ tel que je suis, il résulte que je n'arrive plus à me protéger**, je suis sans défense comme quand j'étais petit. Ma force intérieure qui, normalement, est appuyée par l'**amour**, l'acceptation↓♥ et un désir intense de vivre, s'affaiblit et se mine lentement. **Même inconsciemment, la mort peut m'apparaître comme la solution à mon désespoir**. J'ai honte de moi, je n'ai plus contact avec mes propres émotions et c'est le vide total. Il y a déjà bien longtemps que j'ai l'impression de n'avoir aucune autorité sur ma vie. Je suis incapable de demander de l'**aide**[202] au gens que j'aime, quel que soit le domaine. Ce peut être la seule façon d'avoir finalement de l'attention et de l'**amour** de mes parents. Je me considère une honte pour la famille et il est mieux que je disparaisse… Je ne serai plus une source de souffrance pour eux n'étant pas conforme à toutes leurs attentes. Mon intégrité est atteinte. Il est important de prendre **conscience** que le virus HIV est transmis soit par le sang soit, lors d'une expérience sexuelle, par le sperme ; tous deux sont synonymes habituellement de vie (une transfusion de sang peut sauver une vie et, par l'acte sexuel, je peux donner la vie, continuer la lignée de sang). Ce sont des actes d'**amour** inconditionnels. Alors comment se fait-il que par ces mêmes actes, la « mort » puisse être transmise ? ? ? Où est survenue la rupture intérieure avec l'**amour** qui m'habitait et qui a permis à ce virus de s'installer en roi et maître dans mon corps ? Pourquoi suis-je devenu mon propre parasite au lieu d'être mon meilleur ami ? Je découvre que vivre une expérience sexuelle peut s'avérer très révélateur émotionnellement. Même spirituellement, cela peut m'amener à vivre des événements bénéfiques dès que l'énergie sexuelle surgit depuis le chakra de base[203] qui est la source de mon élan spirituel. En revanche, si cette énergie est mal utilisée, uniquement comme autogratification et complaisance, elle peut se retourner contre moi. Sans une sincère manifestation de pureté, elle pourra se transformer en énergie maladive ou gênante. J'apprends donc à reconnaître les énergies qui sont en moi et je les utilise pour le meilleur de mon évolution.

J'accepte↓♥ de me prendre en mains, je me fais confiance et j'apprends à aimer chaque partie de ma personne. Je dois naître à la vie une deuxième fois mais cette fois, j'accepte↓♥ de vivre pour moi et d'être heureux (se). J'accepte↓♥ qui je suis, un être divin et magnifique. En se faisant, si j'ai des enfants, cela les aide en même temps à devenir eux aussi souverains dans leur vie et favoriser leur épanouissement et l'acceptation↓♥ de leur être tout entier.

SINUS PILONIDAL

VOIR AUSSI : DOS / [MAUX DE…] / BAS DU DOS, INFECTIONS [EN GÉNÉRAL]

Le **sinus pilonidal** est une infection de mon système pileux au niveau du muscle près du coccyx, à la base de la colonne vertébrale.

Je vis de la frustration, de l'irritation ou de la révolte par rapport à une situation dans laquelle je vois mes besoins de base en danger, ceux-ci ne pouvant plus être comblés comme je le désire. Cet état de « manque » peut

---

[202] En anglais, SIDA = AIDS (aide)

[203] **Chakra de base** : l'un des sept principaux centres énergétiques du corps situé au coccyx, à la base de la colonne vertébrale.

me rappeler une situation de ma jeune enfance, pouvant même remonter jusqu'au moment où j'étais fœtus, et où, là aussi, j'ai eu l'impression que je manquais de quelque chose ou de quelqu'un qui m'était, à ce moment-là, vital. Il peut s'agir d'un élément physique, comme par exemple un endroit chaud où demeurer, des vêtements confortables ; cela peut être aussi lié au plan affectif, comme par exemple, l'**amour** et la tendresse de mes parents.

Quelle que soit la situation, il est important que j'accepte↓♥ de demander à l'Univers de m'aider à ce que tous mes besoins de base soient comblés, et que je fasse entièrement confiance à celui-ci. Il faut que j'accepte↓♥ aussi d'avoir vécu une situation de manque lorsque j'étais plus jeune mais qu'elle était là pour m'apprendre à développer ma foi et pour m'aider à apprécier maintenant tout ce que je possédais et que je possède aujourd'hui et dont je dois prendre **conscience**.

SINUSITE

VOIR : NEZ — SINUSITE

SOIF

VOIR AUSSI : INSOLATION, REINS [PROBLÈMES RÉNAUX], SANG — DIABÈTE

La **soif** est un phénomène naturel qui contribue à l'équilibre de substances comme le sel ou le sucre, entre autres, dans mon système sanguin.

Lorsque ma sensation de **soif** est exagérée (polydipsie), mes pensées sont troubles, mon **cœur♥** bat « la chamade », je n'arrive plus à voir clair, ma gorge s'assèche et j'ai **soif**. Quelque chose manque à mon bonheur. Boire ! Pendant un court instant, ma **soif** diminue, mais elle revient très vite car elle relève de mon mental. Je dois donc en découvrir la cause : qu'est-ce qui m'ennuie dans ma vie ? Mon travail me semble-t-il ennuyeux ? Quelle pensée ou quelle peur assèchent-elles ma bouche ou mon esprit ? Est-ce que j'ai l'impression de « rester sur ma **soif** » dans ma vie ? De quoi suis-je insatisfait, de quoi est-ce que j'éprouve encore le besoin et dont je n'ai jamais assez ? Lorsque j'aurai trouvé, cette **soif**, en apparence intarissable, sera contrôlée. Les épices fortes sont reconnues pour accentuer le désir sexuel. Utilisé adéquatement, cet excitant peut permettre d'éliminer la **soif**. En revanche, une relation sexuelle insatisfaisante aura pour effet d'augmenter la **soif**, d'ajouter au sentiment de manque... Pour combler ce manque, ce désir de boire représente mon besoin de vie, puisque l'eau représente la vie. En revanche, lorsque je bois très peu, que j'ai rarement **soif**, que j'ai trop de salive, je suis trop centré sur moi pour voir ce qui se passe ailleurs que dans « mon petit monde », et je ne m'ouvre pas assez au monde extérieur.

J'accepte↓♥ de m'ouvrir davantage à la vie et à l'**amour** pour trouver enfin la situation qui « apaisera ma **soif** » .

SOLEIL (coup de...)

VOIR : INSOLATION

SOMMEIL (maladie du...)

VOIR : NARCOLEPSIE

SOMMEIL (trouble du...)

VOIR : INSOMNIE

SOMNAMBULISME (somnambule)

Quand je suis somnambule, je ***déambule*** ici et là en étant endormi, sans que j'en sois conscient.

Lorsque je suis **somnambule**, c'est que je vis une grande tension intérieure parfois inconsciente. Je peux chercher à fuir une situation qui me préoccupe trop. Je « m'exprime » de cette façon pour laisser échapper cette tension. J'expérimente souvent le fait d'être (même inconsciemment) « en dehors de mon corps ». Lorsque cet événement se produit, mon « corps astral » dirige mon corps physique à partir de cette position « hors du corps ». C'est pourquoi, comme **somnambule**, je peux marcher les yeux fermés et « voir » quand même les obstacles car je les vois avec la vision de mon corps astral. Je pense beaucoup trop et je vis plein de dualités. Je me sens écrasé par les « **il faut** ». C'est comme si je vivais dans une prison dont je veux m'évader la nuit venue. Je me sens une charge pour ma famille ou la société. Les soins dont j'ai besoin me pèsent lourds. Je ne veux pas qu'on me trouve... Je vis dans ma bulle, loin des autres. Je me fais peu confiance et il est difficile pour moi d'avancer dans la vie (j'avance dans le noir) car je doute de ma voix intérieure.

Pour diminuer ce **somnambulisme** dans ma vie, j'accepte↓♥ de communiquer davantage ce que je vis avec mon conjoint, mes parents, un ami, ou simplement je l'écris. Je peux ainsi retrouver plus de calme intérieur et normaliser mes heures de sommeil. Je vis d'une façon plus spontanée. Je manifeste ma créativité, je laisse s'exprimer ces énergies refoulées et je sais que je peux avancer dans la vie avec confiance.

SOMNOLENCE

La **somnolence** est reliée au foie qui peut travailler au ralenti. Il peut m'arriver de **somnoler** après avoir dégusté un bon repas.

C'est une façon agréable de prolonger ce moment. Je n'ai plus à penser, je me laisse vivre. Cependant, cela est aussi un signe de digestion lente ; je dois alors me demander qu'est-ce que je trouve difficile à digérer dans ma vie en ce moment. Il est aussi naturel de voir un vieillard qui s'endort durant la journée puisqu'il arrive à la fin de sa vie. Il reste là, fatigué, attendant la mort. Mais, si je suis une personne d'âge adulte et qu'il m'arrive régulièrement de **somnoler** dans la journée, inconsciemment, je refuse de vivre, je me cache, je fuis pour ne plus avoir à choisir, à décider, à agir. Je suis mou, inactif, engourdi. Je me replie dans ma coquille, je fais beaucoup d'introspection.

J'accepte↓♥ de reprendre contact avec la vie, de devenir acteur et créateur de ma vie. Autrement, la frustration risque de s'installer.

SOURD-MUET

VOIR AUSSI : OREILLES — SURDITÉ

Si je suis **sourd** pour une raison congénitale ou que j'ai perdu l'ouïe dans ma petite enfance et que je n'ai pu apprendre à parler, alors on dira de moi que je suis un **sourd-muet**[204]. Mon degré d'audition peut varier cependant de 0 % à 30 %.

Dans mon expérience de vie, il est certain qu'il y a des choses que je ne voulais pas entendre, ce qui m'amène à vivre cette situation. Afin de clarifier ce que je ne voulais pas entendre, je peux chercher du côté de mes parents et plus spécialement du côté de ma mère pour trouver ce qu'elle ne voulait pas entendre. Ce peut être une situation où elle se serait dit : « Je ne veux plus en entendre parler », alors qu'elle me portait. Je suis responsable de ce qui m'arrive et, si cela m'a affecté, c'est que, moi aussi, j'avais quelque chose à comprendre. Je peux, en tant que bébé, avoir de la difficulté avec le fait de devenir autonome, indépendant, de tout simplement développer mon individualité (surtout après avoir passé 9 mois de fusion avec maman). J'ai pu vouloir me protéger du monde extérieur.

J'accepte↓♥ de prendre **conscience** de cette situation et je développe de plus en plus l'écoute intérieure qui me permet de profiter des joies de la vie et de m'épanouir avec les gens qui m'entourent.

SPASMES

Un ou plusieurs **muscles** se contractent et se décontractent de façon involontaire et non rythmée : j'ai alors un **spasme**. Les **spasmes** forment comme un nœud.

Je me crispe, je veux retenir l'**amour,** j'ai peur de perdre cette personne que j'aime tant. Ces **spasmes** créent en moi un sentiment d'inquiétude, d'impuissance. Ce nœud de souffrance que je n'arrive pas à contrôler provient d'une multitude de désagréments ou d'irritants qui donnent un goût amer à ma vie. Le mental relâche pendant la nuit, c'est une des raisons des **spasmes nocturnes**. Il fait vivre en moi des émotions, de la culpabilité reliée à ma sexualité.

Je reconnais que les nœuds étouffent et que, pour conserver l'**amour** autour de moi, j'accepte↓♥ de me détacher.

SPASMOPHILIE

VOIR AUSSI : TÉTANIE

La **spasmophilie** est un syndrome relié à un état d'hyperexcitabilité neuromusculaire chronique.

Je suis facilement déprimé et je vois chaque événement de ma vie comme un drame. Je vis une grande insécurité et j'ai de la difficulté à gérer mes émotions et mes comportements en relation avec les influences extérieures. Je pense constamment à des problèmes de toutes sortes, que ce soient les miens ou ceux des autres. J'ai une grande difficulté à me

[204] **Sourd-muet** : en Amérique du Nord surtout, on va préférer le terme « **sourd** » à « **sourd-muet** » car, bien que la personne n'entende pas, elle est néanmoins capable d'émettre des sons ou même des mots grâce à l'orthophonie.

détendre, à relâcher, à apprécier pleinement la vie. Comment dois-je me positionner ? Quelle est ma place dans ce monde ? Je suis déconnecté de mes besoins, je suis rempli d'appréhensions. Je fais la sourde oreille et l'**amour** de soi est absent. Je rejette donc aussi l'**amour** des autres. C'est comme si mon corps voulait exprimer quelque chose que j'ai toujours réprimé. Je suis malheureux et impuissant face à mon incapacité à m'exprimer par des paroles ou des gestes. Je me décide à relâcher le mental et à cesser d'entretenir les drames pour participer au mouvement et pour faire place à de la nouveauté.

J'accepte↓♥ de respirer la vie à pleins poumons, d'extérioriser mes malaises, mes peines, tout ce qui doit sortir de moi pour faire place au calme, la paix et la douceur. J'accepte↓♥ de me donner des douceurs, de relâcher, de prendre du bon temps et de voir les situations comme une expérience. Ainsi, je participe pleinement à toutes les beautés de ce monde et je vois la vie comme une aventure palpitante, remplie de joies et de bonheurs.

S.P.M. (syndrome prémenstruel)

VOIR : MENSTRUATION — SYNDROME PRÉMENSTRUEL

SQUELETTE

VOIR : OS

S.R.A.S.

VOIR : SYNDROME RESPIRATOIRE AIGU SÉVÈRE

STÉRILITÉ

La **stérilité** est définie comme l'inaptitude à se reproduire.

Elle entraîne des sentiments d'impuissance, de désespoir, de culpabilité et l'impression que « cela » est injuste. Le stress extrême vécu ou la pression que je me mets pour avoir un enfant sont assez forts pour empêcher que le processus s'enclenche. La **stérilité** peut indiquer un rejet, une résistance inconsciente à l'idée d'avoir un enfant ou une peur que celui-ci soit handicapé, difforme ou qu'il meure. Il se peut aussi que je désire un enfant uniquement pour combler les attentes des personnes qui m'entourent mais, qu'au fond de moi, je ne le souhaite pas vraiment. Je peux aussi croire qu'ainsi j'arriverai à retenir mon conjoint. Ayant peur d'accoucher ou d'être incapable de tenir mon rôle comme parent (peur de la responsabilité, des problèmes financiers...) ou ne souhaitant pas faire vivre à mon enfant les souffrances que j'ai vécues, je provoque la **stérilité** car l'idée d'avoir un enfant devient inconsciemment ***inconcevable***. Je peux me trouver ***immature*** pour ce genre d'expérience, je suis encore peut-être trop égoïste. La ***frayeur*** s'empare de moi. Si je suis une **femme**, je peux aussi éprouver la crainte de revivre par ma grossesse les souvenirs des moments où ma mère me portait et qui ont pu m'affecter. Je peux, même inconsciemment, rejeter l'image de ma mère (celle qui m'a enfanté) ou la relation que nous avons entretenue. Si je vis un grand vide intérieur, peut-être ne puis-je pas le remplir, même avec un enfant...La **stérilité**

masculine survient souvent lorsque l'homme voit la responsabilité d'être et d'assurer le rôle de père comme trop grande. Je peux sans en être conscient, ne pas vouloir ***reproduire*** les mêmes erreurs que, selon moi, je pense que mes parents ont faites. Ce peut, inconsciemment, être un règlement de compte pas nécessairement face à ma conjointe mais face à ma famille qui a toujours voulu dicter ma vie. Je dois comprendre que le désir d'avoir un enfant peut être très grand mais la peur aussi, qu'elle soit consciente ou non ; c'est la différence qui peut peser dans la balance pour que le processus de grossesse s'enclenche ou non. Je peux aussi porter un bagage héréditaire, des peurs de ma mère ou de ma grand-mère. J'ai avantage à vérifier si j'ai pu vivre des expériences dans le passé, que je sois l'homme ou la femme, qui ont pu m'amener à vivre certains blocages sexuels.

Un travail en psychothérapie ou énergétique peut être très approprié dans ce cas. Est-ce que je veux un enfant seulement pour combler un vide, donner un sens à ma vie ou me sentir enfin utile et important(e) ? Ou ai-je au contraire l'impression que je n'ai pas assez à offrir pour « mériter » de mettre un enfant au monde ? Je regarde ma vie et je me demande dans quel domaine de ma vie je peux être très fertile, très « productive ». Si c'est le cas, je comble mon besoin d'avoir un enfant dans un autre domaine de ma vie. Je me questionne alors si j'ai toujours vraiment le goût d'avoir un enfant et si oui, j'accepte↓♥ que ma créativité se manifeste à travers une grossesse. Il peut aussi arriver que je n'aie pas à vivre cette expérience d'être parent. Il est donc très important que je me questionne sur la nature de mon désir d'avoir un enfant et que je fasse confiance à mon moi intérieur dans ma décision de donner la vie ou non.

Quoi qu'il arrive, j'accepte↓♥ de vivre pleinement ma vie en me donnant la permission de vivre des expériences riches qui me rapprochent davantage de mon être divin. Je dois reconnaître pleinement ma valeur. Je vis pour moi-même avec les valeurs et les priorités qui sont importantes pour moi et qui me font vibrer avec l'univers entier. Je repousse toute pensée de « ne pas être assez bon, d'être inférieur ou mauvais ». La vie me dit d'être davantage ouvert à moi-même, de prendre soin de moi. Je dois être heureux (se) au départ au lieu d'attendre la venue d'un enfant pour que ce dernier me rende heureux. J'évite ainsi de faire dépendre mon bonheur de quelqu'un d'autre car c'est une lourde responsabilité à porter. Je laisse aller et je demande à la vie, que lorsque le bon moment sera venu, tout se fasse de façon naturelle. Entre temps, je cultive ma créativité et ma fécondité dans autant de domaines de ma vie que je le désire. Je crée ma vie comme le ***tisserand*** crée une pièce.

STERNUM

Le **sternum** est un os plat situé à la partie antérieure et médiane du thorax s'articulant avec les sept premières paires de côtes et avec les clavicules.

Puisqu'il est bien en vu lorsque je me bombe le torse, il est relié à l'image que j'ai de moi et aussi à celle que je projette. Si je rejette qui je suis, si j'ai toujours l'impression que ce que je fais n'est jamais assez bien, mon **sternum** peut se **creuser**. Je me sens ***médiocre***. Je peux avoir tendance à me révolter facilement et je réagis en affrontant les gens avec agressivité car j'ai été blessé dans le passé. Je me ***cabre*** comme un cheval devant un obstacle. Je peux aussi m'être retrouvé dans une situation où je n'ai pas pu faire mes adieux à une personne, je n'ai pu la prendre dans mes bras. J'ai perdu cette naïveté et cette spontanéité de l'enfant et je suis devenu un gladiateur utilisant son glaive pour se battre dans ce monde que je trouve ingrat.

Lorsque mon ventre est prédominant et davantage sorti que mon sternum, j'ai de la difficulté à accepter↓♥ ce que je suis et je résiste à quelque chose. Je suis tout en rondeur car je cache mes émotions, je ne sais pas prendre ma place et je veux plaire à tout le monde, je suis trop doux dans mes propos, je ne sais mettre mes limites. Je retourne les frustrations et les situations contre moi. Je cesse de résister à ce que je suis et aux événements de la vie.

Je choisis de me connaître et de m'apprécier tel que je suis. J'accepte↓♥ de participer pleinement à la transformation de ma vie car j'en suis le créateur. J'accepte ↓♥ de me tenir droit et de m'exprimer en toute confiance.

STRABISME

VOIR : YEUX — STRABISME

STRESS

Le **stress** est une réponse d'adaptation face à un événement, une situation, un danger, réel ou imaginaire. La capacité de s'adapter dépend de différents facteurs : toute situation qui crée une demande plus grande à mon organisme m'amène à vivre du **stress**, qui se change en détresse si vécue de façon extrêmement forte. Le **stress** peut être psychologique (la pression de mon entourage), physique (une forte demande pour mon corps liée au travail, au sport, à la chaleur, au froid, etc.), chimique ou biochimique (prise de médicaments, chimiothérapie, changement hormonal).

Le **stress** lui-même est en somme moins important que ma réaction face à celui-ci. Il peut être tout aussi positif, stimulant et créatif que menaçant pour mon corps. Selon ma réaction face aux situations et aux émotions sous-jacentes, l'effet stressant sera bénéfique ou nocif pour moi. Il est important de constater que même un événement heureux peut m'amener à vivre un **stress** important. Ainsi, je peux gagner un million de dollars à la loterie, ce qui peut avoir comme conséquence de me faire vivre une dépression parce que j'ai l'impression d'avoir tellement de choses à changer dans ma vie que j'ai peur de ne pas pouvoir y arriver. Vais-je garder mon emploi avec les gens que j'estime ? Mes amis resteront-ils les mêmes avec moi ? Vais-je devoir déménager ? Serai-je capable de m'adapter à tous ces changements ?

J'accepte↓♥ de regarder à l'intérieur de moi et de questionner mes réactions, mes motifs et mes attitudes plutôt que de jeter le blâme sur les situations extérieures. J'apprends à relaxer et à considérer les bienfaits du **stress**.

SUBLINGUALE (glande...)

VOIR : GLANDES SALIVAIRES

SUBLUXATION

VOIR : LUXATION

SUCER SON POUCE

En **suçant mon pouce**, je souhaite ainsi recréer la sensation de bien-être que je ressentais lorsque j'étais dans le ventre de ma mère. Il arrive aussi que le **pouce** soit remplacé par le médius (majeur), lequel représente la sensibilité. La chaleur et l'humidité de ma bouche me procurent la sécurité, l'impression d'être à l'abri du monde extérieur.

En **suçant mon pouce** ou tout autre doigt, j'ai l'impression ainsi de me satisfaire provisoirement. Je prends **conscience** combien je peux me sentir impuissant et dépendant face aux autres. J'ai faim d'apprendre, de me réaliser et au lieu de combler ce vide avec de la nourriture, je le fais en **suçant mon pouce**. Je me console avec moi-même. Je reste dans mon monde. Si je suis un jeune enfant, j'exprime par ce geste ma peur de devenir grand, adulte. Si mon ou mes **doigts sont placés contre le palais**, j'ai besoin de mon père, de sa présence, qu'il me protège. S'ils sont **sous ma langue**, derrière les incisives du bas, j'ai plutôt besoin d'affection, de présence maternelle. J'ai à renforcer mon sentiment de sécurité intérieure, tout en prenant soin de moi et en me faisant plaisir.

J'accepte↓♥ d'exprimer ce que je ressens et je fais un effort afin d'aller vers les autres et demander de l'aide si j'en ai besoin. Au lieu de me fier à mon **pouce** pour me soutenir, je me fie à mes forces intérieures et j'acccepte↓♥ le fait d'être constamment protégé.

SUICIDE

VOIR AUSSI : ANGOISSE, ANXIÉTÉ, MÉLANCOLIE

Si je pense au **suicide**, je prends la décision de m'autodétruire. Je me sens vide d'énergie, cette idée hante ma pensée sans arrêt. Je deviens mélancolique, solitaire, plein d'amertume. Je n'arrive plus à créer le contact avec l'extérieur ; je vis dans ma bulle dans laquelle je ne laisse personne entrer car « personne ne me comprend ».Ma souffrance est telle que je ne vois plus la **lumière**. Elle est devenue intolérable. **Le suicide est relié à la fuite**. Alors, je peux me demander ce que je cherche à fuir : ma douleur intérieure, mes responsabilités, mon vide intérieur, mon manque d'**amour**, etc.

Si je consomme de la drogue, de l'alcool et que mon alimentation est pauvre en certains nutriments essentiels à l'équilibre de mon système nerveux, alors je peux être plus sujet à avoir des idées suicidaires. Je peux aussi avoir envie de me **suicider** lorsque je veux punir quelqu'un ; ainsi, il (elle) portera la culpabilité de ne pas m'avoir assez aimé.

J'accepte↓♥ de faire confiance, je ferme les yeux : la **lumière** est dans mon **cœur♥**. **J'en parle à quelqu'un ou j'écris sur un papier la détresse que je vis en demandant de l'aide.**

SURDIMUTITÉ

VOIR : SOURD-MUET

SURDITÉ

VOIR : OREILLES — SURDITÉ

SUROXYGÉNATION

VOIR : HYPERVENTILATION

SURRÉNALES

VOIR : GLANDES SURRÉNALES

SYNCOPE

VOIR : CERVEAU — SYNCOPE

SYNDROME[205] DE BURNETT

VOIR : BUVEURS DE LAIT [SYNDROME DES...]

SYNDROME DES BUVEURS DE LAIT

VOIR : BUVEURS DE LAIT [SYNDROME DES...]

SYNDROME DU CANAL CARPIEN

VOIR : CRAMPE DE L'ÉCRIVAIN

SYNDROME DE CUSHING

VOIR : CUSHING [SYNDROME DE...]

SYNDROME DE DOWN

VOIR : MONGOLISME

SYNDROME DE FATIGUE CHRONIQUE

VOIR : FATIGUE CHRONIQUE [SYNDROME DE...]

SYNDROME DE GÉLINEAU

VOIR : NARCOLEPSIE

---

205 **Syndrome** : un syndrome n'est pas une maladie proprement dite mais bien un ensemble de symptômes dont on ne connaît pas la cause précise. Dans ce cas, il s'agit de personnes qui boivent trop de lait!

SYNDROME GUILLAIN-BARRÉ OU POLYRADICULONÉVRITE AIGUË

VOIR AUSSI : SYSTÈME IMMUNITAIRE

Le **Syndrome Guillain-Barré** se caractérise par l'inflammation et la démyélinisation (manque de la myéline[206]) de nombreuses racines nerveuses. Elle est parfois consécutive à une maladie infectieuse ou virale ou à une vaccination, mais le plus souvent, elle semble résulter de désordres immunitaires. Elle est surtout localisée sur la partie inférieure du corps, mais peut frapper toutes les racines des nerfs rachidiens et crâniens.

Je suis dans une situation où j'ai l'impression qu'on m'espionne ; quelqu'un ou quelque chose se camoufle comme un caméléon et on veut m'attaquer. Je suis constamment « sur les nerfs », je reste aux aguets, je ne fais confiance à personne, je me sens impuissant car je ne connais pas réellement mon adversaire qui serait de toute façon supposé me protéger. Il a un « visage à deux faces », comme moi parfois et cela me dérange. Je deviens hypersensible à tout ce qui m'entoure pour éviter le danger et je me sens impuissant à réagir car je ne sais d'où viendra l'attaque. Je peux m'en vouloir d'avoir dit ou fait certaines choses, d'où un sentiment de culpabilité. J'ai l'impression d'avoir trahi ou que l'on m'a trahi ... Je peux découvrir des informations qui vont m'obliger à « barrer » (exclure) une personne de ma vie.

Un contact a été coupé quelque part entre moi et une situation ou quelqu'un. La perte d'un bon ami m'effraie et je peux réagir en ayant des relations superficielles avec les gens afin de protéger ma sensibilité. Cette coupure peut aussi être envers moi-même car il y a un conflit entre mon individualité et l'âme que je suis : je me mens à moi-même et fais du déni quelque part.

J'accepte↓♥ de prendre **conscience** et de comprendre pourquoi le doute et le mensonge sont présents dans ma vie et j'ai, dès maintenant, à vivre dans la Vérité à tout instant, que ce soit avec moi-même ou avec mon entourage. C'est de cette façon que je peux développer des relations franches, profondes et durables avec les autres. Je suis ainsi naturellement protégé et ma vie devient de plus en plus calme et lumineuse.

SYNDROME D'IMMUNODÉFICIENCE ACQUISE

VOIR : SIDA

SYNDROME DES ONGLES JAUNES

VOIR : ONGLES JAUNES [SYNDROME DES...]

SYNDROME PRÉMENSTRUEL

VOIR : MENSTRUATION — SYNDROME PRÉMENSTRUEL

[206] **Myéline** : c'est une substance blanchâtre engainant les fibres nerveuses qui entrent dans la composition des nerfs du système cérébro-spinal (elle est considérée comme la moelle des nerfs).

SYNDROME RESPIRATOIRE AIGU SÉVÈRE (S.R.A.S.) OU PNEUMOPATHIE ATYPIQUE

VOIR AUSSI : POUMONS —PNEUMONIE, RESPIRATION

Le **Syndrome respiratoire aigu sévère (S.R.A.S.)** aussi appelé **pneumopathie atypique** est une infection pulmonaire grave caractérisée par la brusque apparition d'une fièvre supérieure à 38°c. ainsi que par certains symptômes respiratoires : toux, essoufflement, difficulté à respirer.

J'ai peur, je respire mal, j'étouffe, je fais de la fièvre. La température monte en moi lorsque je me sens piégé quelque part, dans mon couple, à mon travail ou ailleurs. Je sais que mon espace vital est à reconsidérer car la situation dans laquelle je suis m'étouffe. J'ai peur de me fixer, de m'engager. Je me sens envahi de toute part par des gens qui empoisonnent mon existence. Il devient urgent que je fasse des prises de **conscience**, que je me libère de ces peurs afin d'assumer pleinement mon existence. Je me questionne sur mes peurs face à l'engagement.

J'accepte↓♥ de considérer les situations où je peux trouver « ma » place ou encore, qu'il est temps pour moi de me désengager, de dégager, de rompre ou de changer quelque chose dans mon comportement. J'apprends à me choisir en fonction de mes besoins et je redeviens en harmonie en respirant à pleins poumons.

SYNDROME DE SURUTILISATION

VOIR AUSSI : DOS [MAUX DE...], INFLAMMATION, TENDONS

Le **syndrome de surutilisation** est une maladie rencontrée principalement chez les musiciens. Elle se caractérise par une inflammation des tendons des doigts, du poignet, des coudes ou parfois des épaules ou du cou. Cela peut produire des douleurs au dos. Il est dit que les « positions contraignantes » peuvent amener jusqu'à 53 % des musiciens d'orchestres symphoniques à souffrir de maux de dos.

Comme musicien, je suis souvent confiné dans des espaces restreints, jouissant d'un confort peu adapté à l'emploi. Il se peut que les longues heures de pratique m'amènent à trouver le travail lourd à supporter lorsque ce sont mes épaules qui sont affectées. L'insécurité d'emploi et la compétition féroce dans ce milieu me font vivre de grandes peurs et je ne me sens pas suffisamment soutenu ; voilà d'où viennent mes maux d'épaules.

J'accepte↓♥ de rester flexible et d'harmoniser mon énergie mentale et spirituelle lorsque mes tendons sont affectés. Chaque partie du corps m'envoie un message approprié sur ce que je vis. Même si cela « peut sembler » être en rapport avec ma profession de musicien, il n'y a pas de hasard. J'identifie la partie concernée pour faire la prise de **conscience** qui m'aidera à me sentir mieux dans ce que je fais.

SYPHILIS

VOIR : VÉNÉRIENNES [MALADIES...]

SYSTÈME IMMUNITAIRE

VOIR AUSSI : SIDA

La défense de mon organisme est assurée par un **système d'autoprotection**, lequel est essentiel pour me protéger des agressions venant du monde extérieur comme les bactéries, les virus, les champignons microscopiques et tous les autres problèmes potentiels. Il reconnaît les cellules étrangères, agents infectieux pathogènes[207] mais aussi les cellules d'un autre organisme et rend compte ainsi des rejets des greffes. Sans le fonctionnement total et complet de ce système, c'est la mort.

Il est en relation directe avec mes états émotionnels, et une profonde douleur dans mon existence peut réduire de façon dramatique sa force. Les cellules immunes se développent au départ dans la moelle osseuse et celles qui deviendront des cellules T sont transportées, à leur maturité, jusqu'à la glande du thymus située près du **cœur♥**. Les cellules T jouent un rôle primordial quant à l'identification et l'élimination des cellules ou substances étrangères et non bénéfiques pour le corps. Bien sûr, elles doivent être capables aussi de reconnaître ce qui est bon pour le corps humain. Elles différencient, discernent, tolèrent ou rejettent, au besoin, dans le but de maintenir mon corps dans un état de santé le plus parfait possible. Le **système immunitaire** s'occupe de mon système de référence et donc de qui je suis, de mon individualité ou de ma personnalité. Il garde ma forteresse (physique et émotive) et déploiera sa résistance s'il venait à avoir à combattre l'ennemi. La localisation de la glande thymus par rapport au **cœur♥** me fait prendre davantage **conscience** de la relation « corps-esprit » qui existe. Le **système immunitaire** répond aux sentiments et à l'ensemble de mes pensées, qu'elles soient positives ou négatives. Ainsi, toutes pensées de colère, d'amertume, de haine, de ressentiment et d'autodestruction auront tendance à affaiblir mon **système immunitaire**. Par ailleurs, toutes pensées d'**amour**, d'harmonie, de beauté et de paix intérieure auront tendance à renforcer mon **système immunitaire**. Le thymus est la glande endocrine qui est associée au chakra (centre d'énergie) du **cœur♥**. Donc, quand mon **système immunitaire** est atteint, mon besoin d'**amour** aussi est très grand. Mon cerveau est lui aussi très lié à mon **système immunitaire** et certains états d'esprit ont un effet puissant pouvant affecter le fonctionnement de mon système. Je prends **conscience** que mon **système immunitaire** peut être beaucoup plus occupé à enrayer mes propres pensées négatives (donc l'ennemi intérieur) que les agressions qui proviennent de l'extérieur (ennemi extérieur).Ce système peut s'affaiblir si ma préoccupation première est de douter de la place et du respect que je m'accorde. Cela peut provenir de l'incertitude vécue dans mon enfance face à l'un de mes parents : je sentais que le ***nid*** était en danger, j'avais l'impression qu'un vent de folie planait dans la maison. Je suis dans une dynamique d'autodestruction émotive. Est-ce que je m'oublie, me fais passer après les autres, reniant ainsi qui je suis et taisant mes vrais besoins ? (immunitaire = je **m'unis** au fait de **taire** qui je suis) Je

[207] **Pathogène** : qui peut causer une maladie.

me demande : qu'est-ce que je vaux et qu'est-ce que je peux apporter aux autres de toute façon ? ? ? Ma vie est remplie de conditions pour accomplir des choses ou pour tout simplement être heureux. Je baisse facilement les bras devant les obstacles qui se dressent devant moi car je n'ai plus le désir de vivre. Je n'ai plus de raison de me défendre. Puisque je ne suis pas capable de voir ce qui est bon ou mauvais pour moi, de bien identifier qui je suis face aux autres sans jugement et autocritique, le **système immunitaire** ne peut plus autant me protéger. Il ne sait même plus s'il doit faire son travail puisque je ne démontre aucun désir intense de vivre.

J'acccepte↓♥ dès maintenant d'identifier les émotions que je vis, quelles qu'elles soient. Je prends dès maintenant l'habitude de me débarrasser des déchets qui peuvent empêcher ou diminuer l'efficacité de mon **système immunitaire** : je m'occupe de mes sentiments de tristesse, de solitude, d'abandon, de dévalorisation, etc. en voyant quel est le message ou la leçon de vie qu'une situation particulière dans laquelle je vis ces émotions veulent m'apprendre. Je rétablis ainsi l'équilibre entre ma vie intérieure et extérieure, et mon **système immunitaire** est pleinement opérationnel. Je me détache des attentes et des valeurs de la société et je me bâtis mes propres préférences. Ainsi, je me connecte à mon pouvoir de création et de guérison qui nourrit et renforce mon immunité naturelle. Je découvre ma richesse intérieure et je prends la décision de me choisir : en apprenant à être bien avec moi-même, je suis plus en mesure d'avoir une vie sociale plus enrichissante et basée sur les vraies valeurs.

SYSTÈME LOCOMOTEUR

VOIR AUSSI : OS

Le **système locomoteur** est relié à ma mobilité et à ma flexibilité, de même qu'à mon ouverture intérieure et à mon ouverture extérieure. Il rassemble les os, les muscles, les tendons et les ligaments. La charpente soutenant tout mon corps est constituée des os. **Ce sont eux qui représentent mes principes moraux, ma structure, mon honnêteté, ma droiture, ma stabilité**. Lorsque je deviens trop rigide dans mes pensées, mes os aussi le deviennent et risquent de casser plus facilement. **Les extrémités de mon corps et mes muscles, quant à eux, symbolisent l'action et le mouvement**. Grâce à mes mains, je peux « saisir » les choses, m'y retenir. **Mes jambes me permettent d'avancer dans la vie**. Une difficulté à me mouvoir m'indique que j'ai peur de progresser. Un manque d'humilité ou un refus de « plier » ou d'admettre mes erreurs a pour effet que j'ai du mal à plier les genoux. Mes pieds représentent la stabilité. Je garde ainsi contact avec la terre ferme, j'ai « les deux pieds sur terre ». Chaque partie de mon corps m'aide à prendre **conscience** de ma souplesse ou de ma rigidité.

J'accepte↓♥ d'être à l'écoute de mon corps, de me sentir libre de mes mouvements car il est le guide de mon état intérieur.

SYSTÈME LYMPHATIQUE

VOIR AUSSI : GANGLION [LYMPHATIQUE]

Le **système lymphatique** est composé des ganglions et des vaisseaux qui transportent la lymphe jusqu'au courant sanguin. Il joue un rôle important dans le fonctionnement du système immunitaire. Le **système**

lymphatique est, d'une certaine façon, en parallèle avec le système sanguin. Il est lié plus directement au côté émotionnel, affectif de moi-même, aux humeurs[208]. Si mon système nerveux est relié plus directement à mes pensées avec mon corps énergétique ou astral, mon **système lymphatique** est relié plus directement au côté affectif de mon corps énergétique ou astral. L'**amour** est certainement le meilleur moyen de garder le **système lymphatique** en santé et efficace.

SYSTÈME NERVEUX

VOIR AUSSI : NERFS [EN GÉNÉRAL]

Mon **système nerveux** est composé des nerfs et des centres nerveux qui servent à la coordination et à la commande de différentes parties de mon corps (émission), ainsi qu'à la réception d'informations sensorielles, psychiques et intellectuelles.

En fait, mon **système nerveux** est relié plus directement à mes pensées en rapport avec la partie de mon corps énergétique ou mental. C'est le système de connexion électrique sur le plan physique qui permet à mes pensées de prendre action dans ce monde. Le **système nerveux** est affecté (**neuropathie**) lorsque je favorise trop mon côté rationnel au détriment de mes émotions et de mon intuition. Tout est pensé, analysé, programmé, organisé dans ma vie et j'ai de la difficulté à laisser place à la spontanéité, aux plaisirs, à la joie de vivre, à mes émotions que j'ai tendance à réprimer. J'en viens à vivre beaucoup de tensions intérieures, ayant de la difficulté à transiger avec les situations que je vis tous les jours. Mes « neurones surchauffent ».

J'accepte↓♥ d'apprendre à humaniser mes échanges et relations interpersonnelles afin de prendre pleinement **conscience** des émotions qui m'habitent. Je peux vivre ainsi pleinement ma vie, et ce, d'une façon équilibrée.

---

[208] **Humeurs** : liquides organiques du corps humain.

T

TABAGISME

VOIR : CIGARETTE

TACHES DE ROUSSEUR

VOIR : PEAU [MAUX DE...]

TACHES DE VIN

VOIR : PEAU — TACHES DE VIN

TACHYCARDIE

VOIR : CŒUR♥ — ARYTHMIE CARDIAQUE

TÆNIA OU TÉNIA

VOIR : INTESTINS — TÆNIA

TALON

Le **talon** symbolise le passé sur lequel je m'appuie, mon assise. Souffrir d'un **mal au talon** m'indique que je vis de l'angoisse, que je me sens incompris et **non appuyé dans les choses à faire**. Le **talon** étant le point d'appui de mon corps, une douleur à cet endroit démontre que je vis de l'incertitude face à mon avenir. Je me sens hésitant et insatisfait de moi ou de ma vie et il me semble que je perds la maîtrise de mon corps. Comme c'est sur mes **talons** que repose tout mon corps, je peux sentir le besoin d'avoir un appui solide dans la vie pour pouvoir continuer à avancer en toute sécurité. Je laisse peut-être quelqu'un drainer mon énergie, « *il ou elle est toujours sur mes **talons*** ». Je me sens constamment ***talonné*** par mon supérieur. Je m'accroche au passé. Je me sens moins que rien. Mon existence est très insatisfaisante et j'ai souvent « *l'estomac dans les **talons** (avoir faim)* » car il y a plein de choses qui ne me conviennent pas, que j'ai de la difficulté à digérer. Je porte le poids des autres sur mes épaules, ne sachant pas exprimer mes limites et étant déconnecté de mon pouvoir intérieur. Je me sens obligé de mettre les freins constamment. Si le **calcanéum** (os volumineux qui forme le **talon**) est affecté, je vis une remise en question intense par rapport à ma raison d'être et qui je suis. Est-ce que je vis ma propre vie ou je veux imiter celle d'un autre ? Quelle est la situation face à laquelle je suis **récalcitrant**[209], et que je veux fuir, dont je veux m'extirper[210] ?

J'accepte↓♥ de me faire confiance et avancer en toute sécurité. Je prends la place qui me revient. Je laisse aller le passé et je me tourne vers le futur, en écoutant mon autorité intérieure, ma petite voix qui sait exactement ce dont j'ai besoin.

TARTRE

VOIR : DENTS [MAUX DE...]

TEIGNE

VOIR : CHEVEUX — TEIGNE

TENDINITE

VOIR : TENDON [EN GÉNÉRAL]

TENDON (en général)

Le **tendon** est le trait d'union entre le muscle et l'os sur lequel il s'insère. Il est constitué de tissu conjonctif.

Ce tissu de consistance molle, donc constitué d'énergie mentale qui s'unit à l'énergie spirituelle, a pour effet d'unifier l'expression et le mouvement complet. Cela crée un lien direct avec mon « corps-esprit ». Mes **tendons** représentent de quelle façon je peux m'adapter à différentes situations dans ma vie et de quelle façon j'avance en écoutant ou non ma voix intérieure.

Des **tendons** souples montrent ma souplesse face à moi-même et aux autres. Au contraire, la rigidité de mes **tendons** reflète des tendances rigides. Si mon énergie mentale est raide, rigide, je deviens inflexible. Ainsi, mon tissu mou ressentira cet état, provoquant alors sa rigidité. Lorsque je vis un conflit entre ce que je pense devoir faire et ma voix intérieure qui me dit vraiment ce que je veux faire, je ressens alors une douleur dans les **tendons**. J'ai tendance à me dévaloriser. Mon énergie mentale (**tendon**) décide d'une direction alors que mon énergie fondamentale, profonde et spirituelle (**os**), souhaite aller dans une direction opposée. Je peux regarder quel **tendon** est touché et j'ai une indication quant à l'aspect de ma vie que je dévalorise.

Par exemple, si je fais une **tendinite au poignet**, je dois me demander : « Dans quelle activité, nécessitant l'utilisation de mes poignets et de mes mains, ai-je l'impression que je ne suis pas assez bon ou que je pourrais faire mieux ? » Qu'est-ce que j'appréhende autant ? Dans quelle situation ai-je besoin de m'améliorer pour accomplir mes objectifs dans le futur alors que je me sens impuissant à le faire ? Je me sens enchaîné et incapable d'arriver à mes fins. J'ai besoin qu'on me tende une perche, qu'on me donne de l'aide. Je tends (nous **tendons**) à aller vers mes objectifs mais j'ai toutefois peur de ne pas y arriver. Je me demande quelle est ma capacité à

[209] **Récalcitrant** : qui résiste avec entêtement.
[210] **M'extirper** : m'extraire.

marier les dualités de ma vie. Si je suis par exemple capable de glisser de mes anciennes idées aux nouvelles, d'une façon ouverte, en sachant que je peux totalement me reposer sur mon autorité intérieure, mes **tendons** seront en bon état. Si je suis constamment contrarié, si je ne vis qu'en fonction des autres, mes **tendons** se fragiliseront et **tendront** à se déchirer. Ils faiblissent si moi aussi je me sens faible ou pas assez bon. Je peux penser que mes actions sont jugées sans valeur.

J'accepte↓♥ de reconnaître l'importance d'équilibrer mes énergies et d'avancer dans la vie. Je peux faire confiance à ma sagesse divine.

TENDON D'ACHILLE

Le **tendon d'Achille** relie le muscle du mollet à l'os du talon. C'est le **tendon** le plus puissant du corps : il peut supporter jusqu'à 400 kilos (880 livres).

Il permet à mes pensées et à mes désirs, tant physiques que spirituels, de se réaliser. Il sert aussi à exprimer tout blocage au mouvement de la cheville. Par exemple, je peux avoir un grand désir de stabilité mais cela est difficile à réaliser à cause d'une situation financière précaire.

Le **tendon d'Achille** peut en supporter beaucoup : est-ce que moi aussi j'ai l'impression d'en porter lourd ? Celui-ci peut être fort et en porter lourd si la base, l'intérieur, est solide mais si je sens le néant à l'intérieur de moi, sur quoi puis-je m'appuyer ? Peut-être est-ce que je donne trop d'importance sur le « contenant », à l'extérieur des choses, mais qu'en est-il du « contenu » ? Quelles sont mes priorités, mes valeurs ? Sur quoi repose ma vie ? Suis-je en contact avec mon essence divine ou suis-je seulement au niveau du « paraître » ? Est-ce qu'il y a rupture dans mes relations avec les autres particulièrement avec mes enfants ou parents ? Ai-je toujours besoin de bouger, de partir, comme si je ne pouvais pas rester à un seul endroit trop longtemps, un peu comme un gitan ? Je prends **conscience** que le **tendon d'Achille** travaille plus quand je suis dans la position debout (verticale) que quand je suis couché.

Il se fragilise si je vis une impossibilité de m'élever. Ce peuvent être le désirer d'une promotion, de changement de rang social, le désir de faire partie d'une équipe professionnelle sportive mais des obstacles empêchent que cela se matérialise.

J'accepte↓♥ de mettre des choses en action pour réaliser mes rêves et pour atteindre les buts que je me suis fixés. Je base ma vie sur des valeurs humaines sûres. J'augmente ma force intérieure en étant moi-même.

TÉNIA

VOIR : INTESTINS — TÆNIA

TENNIS ELBOW

VOIR : COUDES — ÉPICONDYLITE

TENSION ARTÉRIELLE — HYPERTENSION (trop élevée)

L'image représentant une personne souffrant d'**hypertension** est le **presto**[211]. Je suis cette personne qui accumule, durant de longues périodes, des pensées et des émotions qui ne sont pas exprimées ; je suis souvent hypersensible et je me contrôle mal. Mes colères et mes contrariétés pour lesquelles je n'ai pas encore trouvé de solution sont ravalées, faisant ainsi bouillir mon intérieur. Je suis confus. Je peux aussi avoir tendance à la procrastination, à remettre à plus tard les choses que j'ai à dire ou à faire, par peur ou manque de confiance en moi, et j'en viens à vivre une tension nerveuse intense, car je vois tout cela comme une montagne et je ne sais pas si je serai capable d'accomplir tous mes projets. Je peux aussi affabuler, amplifier mes problèmes, et ma culpabilité aura tôt fait d'augmenter la « pression ». Mon désir de tout contrôler et de résoudre les situations de ma vie augmente ma pression qui peut devenir insoutenable. Je me sens impuissant, souvent parce que je ne peux plus ou ne veux plus obéir aux ordres, notamment à mon travail. Vivant une peur profonde d'être rejeté, je me sens en danger et je reste sur mes gardes. Je me suis senti écrasé, sans défense. Je vis une **tension** intense face à une situation émotive ou passionnelle et j'ai intérêt à diminuer mon niveau de stress. J'ai de la difficulté à sentir et recevoir **l'amour** des autres. Je me suis fermé à cet amour pour ne plus souffrir ; alors je ne veux plus ni en donner, ni en recevoir. L'**hypertension** que je vis peut aussi trouver sa source dans ma peur de la mort, celle-ci étant consciente ou non, et dans mon désir de tirer partie au maximum de ma vie, car je veux réaliser les multiples buts que je me suis fixés. C'est le cerveau qui commande la tension nerveuse et le **cœur♥** qui donne le rythme et échauffe le sang : ensemble, ils régularisent la tension. Est- ce que je me mets de la pression moi-même ou est-ce que j'ai plutôt l'impression que cette pression provient des autres ? Est-ce que je nie des aspects de ma personnalité qui tentent désespérément de sortir au grand jour ? Est-ce que je me sens ***comprimé*** ? Je peux me sentir en danger d'exprimer mes réels sentiments et cela peut mener à un état dépressif. Je dois être le meilleur, performant, au maximum de mes capacités. Si je ne réussis pas aussi bien autant au niveau physique qu'intellectuel, la ***pression*** et la tension vont être énormes. Je recherche l'harmonie dans tout et je m'en sens responsable, même quand d'autres personnes sont concernées. Quel mandat je me suis donné ! Puisque j'ai tendance à être hyperactif (ce qui m'aide à oublier mes soucis), une bonne façon d'y arriver serait de mettre des priorités sur les choses à faire et m'accorder du temps afin de voir ce qui se passe à l'intérieur de moi et d'exprimer toutes ces émotions qui ne demandent qu'à s'extérioriser.

J'accepte↓♥ d'apprendre à laisser sortir la vapeur tout doucement et à prendre **conscience** de la pression que je mets sur moi. J'évite l'accumulation qui provoque l'explosion. J'apprends à me faire confiance. J'accepte↓♥ de ne plus avoir besoin de cette pression pour me sentir en vie. Je m'accepte↓♥ tel que je suis et je reconnais que je suis un être unique.

[211] **Presto** : chaudron fermant hermétiquement, avec un contrôle de vapeur, et servant à faire cuire les aliments sous pression. Il est aussi appelé : cocotte minute.

TENSION ARTÉRIELLE — HYPOTENSION (trop basse)

Contrairement à l'hypertension, l'**hypotension** se retrouve chez une personne dont la pression est trop basse (à noter qu'une personne peut avoir une pression sous la normale et se sentir en pleine forme. Sa pression est donc adéquate pour elle tant que sa qualité de vie n'en est pas affectée).

Si je suis une personne qui fait de la **basse pression**, cela peut indiquer que mon désir de vivre est manquant. J'ai l'impression que rien ne va, qu'il m'est inutile de faire des efforts car, de toute façon, j'ai le sentiment que ça ne marchera pas. Je me sens vidé de mon énergie et je n'arrive plus à porter le poids des événements. Je me laisse aller au découragement, au défaitisme. Le **cœur♥** n'y est plus. Je vis en victime et j'ai l'impression que ma vie ressemble à un cul-de-sac. Je me sens impuissant face à ce qu'on me demande de faire pour être dans les normes établies par la société, normes qui ne correspondent pas nécessairement à mes valeurs personnelles. J'ai peur de devoir renoncer à certains de mes rêves. L'**hypotension** peut mener à une perte de **conscience**. Elle est le signe que je veux fuir mes responsabilités, certaines situations ou certaines personnes, car le fait d'y faire face va m'amener à me positionner et à faire des actions que je n'ai peut-être pas le goût de faire. Je me sens responsable de tout le monde autour de moi et cela est très lourd à porter. Cela peut avoir commencé très tôt dans ma vie. Je me sens si faible, impuissant, épuisé... Je n'ai plus le goût de m'investir dans la vie. Le message que mon corps me donne est de me faire confiance et de foncer. Je choisis de me laisser guider par ma force intérieure.

J'accepte↓♥ de prendre du temps pour moi. En retrouvant un état de sérénité, en découvrant ce que j'aime, en reprenant contact avec ce qui me passionne et en vivant chaque jour avec la simplicité d'un enfant, je retrouve ma joie de vivre. Je remets aux autres leurs responsabilités et je ne m'occupe que des miennes. Ma **tension artérielle** peut demeurer basse mais elle n'est alors qu'un signe que j'ai atteint un niveau de stress presque nul et que je vis ma vie en étant syntonisé sur le courant de la vie elle-même.

TESTICULES (en général)

VOIR AUSSI : PÉNIS [MAUX AU...]

Les **glandes sexuelles mâles** représentent l'aspect masculin. Un problème aux **testicules**, communément appelés « **mes bijoux de famille** », est souvent relié aux peurs, à l'insécurité, à l'image du père, aux doutes concernant le fait d'être un homme et ma capacité à procréer. Il peut indiquer un manque d'acceptation↓♥ de ma sexualité, de ma préférence sexuelle. La peur d'être jugé selon ma performance peut conduire jusqu'à **l'impuissance**. Je me sens faible et vulnérable. Pourquoi est-ce que je dois faire mes preuves, tant dans le lit que dans ma famille ou au travail ? Qu'ai-je à prouver ? Lorsque je vis une situation tendue, il m'arrive d'avoir l'impression d'être **tenu par les couilles**, principalement si mon partenaire est une personne de pouvoir. Je deviens ***témoin*** et spectateur au lieu d'être l'acteur principal de ma vie. ***L'engagement*** devient pour moi une chose très dangereuse qui peut même être ***fatale***. Il se peut également que je me sente brimé dans l'action de ma créativité, ***dépossédé*** de mes talents. En toile de fond, il existe une peur de ***perdre*** qui est omniprésente. Ce peut être quelqu'un que j'aime de ma famille mais ce peut être aussi la peur de perdre mon identité, mon temps, mes espoirs, la mémoire. J'ai tendance alors à me culpabiliser, à me sentir dénigré, déchiré par une personne qui est souvent de l'autre sexe. Je me sens ou on me fait sentir comme un « ti-cul ». Je me retire dans mon coin, je me cache derrière un masque pour éviter d'être blessé à nouveau. Une **torsion du testicule** qui survient le plus souvent chez l'enfant, représente comment je me suis rendu compte durement, ou même de façon brutale de l'image fausse que j'ai de mon père. Dans un autre cas, j'ai besoin d'être ***attesté***, qu'on soit ***témoin*** de mes actions, d'où l'apparition du **kyste** ou de la **tumeur**. Je refoule tellement qui je suis que je deviens séparé complètement de mes forces profondes. S'il y a **inflammation de mes testicules (orchite)**, ma frustration et ma colère croissent de jour en jour car je ne supporte plus ma prison émotive ni le rejet de ma spontanéité et de ma créativité. Mon incapacité à mettre sur pieds certains projets « me brûle les couilles ». S'il y a **absence de descente des testicules dans les bourses (cryptorchidie)**, j'ai probablement eu une enfance où les paroles échangées avec mon père étaient inexistantes, souvent parce qu'il était très autoritaire et puissant. Je me sens étouffé et j'ai une grande méfiance face aux autres. Si les **bourses** sont atteintes, je veux me protéger car j'ai peur qu'il m'arrive quelque chose, surtout au niveau de mes **testicules**. Je suis dans un conflit dans lequel l'argent est impliqué ; alors, l'adage : « la bourse ou la vie ! » s'applique bien dans ce cas. La **varicocèle** m'indique une peur d'avoir des enfants car j'ai moi-même l'impression de ne pas avoir eu de parents ou que l'un des deux était absent et je me suis senti orphelin.

J'accepte↓♥ de m'interroger sur mes sentiments face à ma virilité et à revoir ma conception du principe masculin.

TESTICULES (cancer des...)

VOIR : CANCER DES TESTICULES

TÉTANIE

La **tétanie** se caractérise par des crises qui font se contracter mes muscles et mes nerfs, principalement aux extrémités. Je sens mes mains, mes pieds, tous mes muscles se crisper.

Cet état provient d'une hyperexcitabilité et se produit lors de contrariétés. Dans certains cas, lors de crises importantes, mes doigts se resserrent et mon pouce vient se cacher sous mes doigts en se repliant à l'intérieur de ma main, comme s'il voulait s'isoler du monde extérieur. Peut-être que moi aussi, je veux m'isoler, me « couper » du monde, ayant peut-être même le désir inconscient de mourir, car je n'ai plus le goût de vivre, je n'ai plus de joie de vivre. Je réagis à une situation où je me sens oppressé, gêné dans mes mouvements. Je m'en veux de ne pas pouvoir m'exprimer ou réagir dans certaines situations. Je n'en peux plus de refouler mes frustrations et mon agressivité. Je voudrais « tout foutre en l'air » mais ma peur des conséquences m'empêche de passer à l'action.

J'accepte↓♥ d'apprendre le contrôle de soi. J'élimine les pensées négatives et je minimise l'effet de contrariété. En apprenant à exprimer avec des mots mes émotions, je n'ai plus besoin de le faire avec mon corps.

TÉTANOS

VOIR : MUSCLES — TÉTANOS

TÊTE (en général)

La **tête** est mon centre de communication, **elle est reliée à mon individualité et mon autonomie**. Elle est souvent appelée le « centre de contrôle ». C'est par elle que passent toutes mes émotions et toutes mes communications, par l'entremise de mes cinq sens. C'est ma tête qui dirige.

Si je vis des difficultés ou des malaises à la **tête**, je dois me demander si je vis un conflit touchant mes pensées, ma vie spirituelle, ma croissance personnelle, ou quelle réalité je ne veux pas aborder. Cela s'explique par le fait que la **tête** est constituée d'os, qui sont faits d'un tissu dur et qui symbolisent mon énergie spirituelle, et que ces os entourent le tissu mou et les fluides, qui symbolisent mes énergies mentales et émotionnelles. Si les deux aspects sont en harmonie, il y aura fusion de mon corps et de mon esprit. Toutefois, si le sang qui est dans ma **tête** ne circule pas bien ou qu'il exerce une pression, cela m'indique que j'ai de la difficulté à exprimer ou à recevoir l'**amour** et tout sentiment qui m'habite (car le sang transporte mes sentiments dans tout mon corps). Mon incapacité ou mon trop grand désir de tout contrôler amène un malaise au niveau de ma **tête**. Je ne me sens pas à la hauteur, ceci m'empêchant de jouer complètement mon rôle de ***chef***.

Ma **tête** recevant et exprimant les différents aspects de ma communication, ainsi que les sensations et les impressions du corps qui les manifeste extérieurement, j'accepte↓♥ d'apprendre à rester ouvert face à mon entourage, accepter↓♥ les messages qui parviennent à mes sens et à travers tout mon corps, pour apprendre les leçons de la vie qui m'apportent un plus grand éveil spirituel.

TÊTE (maux de...)

Il y a plusieurs causes aux **maux de tête**. Par exemple : le stress et la tension, quand je m'efforce tant bien que mal « d'être » d'une certaine façon ou de « faire » telle chose. Le **mal de tête** apparaît souvent quand j'essaie trop fort mentalement d'accomplir quelque chose ou quand je suis obsédé par ce qui s'en vient et que je suis inquiet de ce qui m'attend dans l'avenir. Je vis alors beaucoup d'hésitation, d'anxiété et de préoccupation. Je peux aussi réagir à de fortes pressions exercées par des situations ou des événements qui m'entourent. Généralement, un **mal de tête du côté gauche** me montre une problématique face à ma relation avec le féminin, la mère, la fille. **Du côté droit**, il s'agit de difficultés face à mon côté masculin, le père, le fils. Je peux vivre un sentiment intense d'échec, de doute, de haine de soi qui donne vie à la critique et, surtout, à l'autocritique. Mon sentiment de loyauté est remis en question. Je suis pris, « emboîté » dans ma **tête**, n'aimant pas ce que je vois, et me jugeant sévèrement, me donnant moi-même « des coups de **tête** ». Le **mal de tête** peut aussi provenir de la négation de mes émotions et de mes pensées que je juge déplacées ou non conformes à mes valeurs. Soit que je n'ai pas le courage de les exprimer, soit tout simplement que je ne les écoute pas, car je rationalise, j'intellectualise tout ce que je vis. « C'est bien ou c'est mal ! » Je veux peut-être trop comprendre, aller trop vite, savoir ou avoir réponse à mes questions tout de suite. Je me « creuse les méninges » sans trouver de solutions, c'est un vrai casse-tête. J'en ai « ras le bol » mais le temps n'est peut-être pas venu et j'ai à développer ma patience, mon sens de l'humour et ma confiance que tout arrive au bon moment. Le **mal de tête** exprime aussi souvent des émotions négatives qui sont « prises au piège » dans ma **tête**, telles que l'insécurité, le tourment, les ambitions excessives, l'obsession à être parfait, etc. qui causent une dilatation sanguine. Finalement, si j'ai peur de faire face à une certaine réalité, je peux me trouver un autre endroit où mettre mon attention et fuir, cela étant le **mal de tête**. Je remets en question mon identité sociale. Mon besoin de contrôle et de perfection m'amène à vouloir définir à l'avance ce qui se passe à chaque moment de ma vie. J'aime bien n'en faire qu'à ma **tête**. Je refuse ma spontanéité qui est une manifestation des désirs de mon **cœur♥** et je la remplace par mon inflexibilité, me sentant obligé de tout planifier à l'avance : au lieu d'écouter mon **cœur♥**, j'écoute ma **tête** qui surchauffe. Je résiste au changement, à la nouveauté. Je m'en**tête**, m'obstine et tiens **tête** dans ce qui m'est connu au lieu d'oser la nouveauté à cause de mon insécurité. L'expression : « **être à la tête d'une entreprise** » me montre bien que je peux, dans ma propre vie, me sentir impuissant à diriger certaines situations dans le sens que je souhaite. Un **mal de tête** au niveau du **front** aura plus trait à une situation dans mon travail ou à mon rôle social tandis que s'il se situe sur le **côté de la tête** (près des tempes), c'est plutôt mon côté émotionnel (famille, couple) qui est impliqué.

Quelle qu'en soit la cause, le **mal de tête** est directement relié à mon individualité et j'ai à apprendre à être plus patient et plus flexible envers moi-même et envers les autres. J'accepte↓♥ de garder une distance face à ce que je vis et ainsi, mes idées sont de plus en plus claires. J'apprends à redonner la place qui revient autant à mon intellect qu'à mes émotions, afin d'atteindre l'équilibre. Je serai alors plus en harmonie avec moi-même, je me sentirai la **tête** plus dégagée et plus légère.

TÊTE — MIGRAINES

La **migraine** se caractérise par une douleur intense qui affecte habituellement un seul côté de la tête. Elle survient sous forme de crise et s'accompagne de nausées.

Ma force vitale en est réduite. J'ai tendance à me retirer dans mon coin au lieu de participer pleinement à la vie. Les **migraines** sont aussi souvent associées à des troubles de vision et de digestion : je ne veux plus voir et je ne veux plus digérer ce qui se passe dans ma vie. Ce sont des angoisses, de la frustration face à une situation où je suis incapable de prendre une décision. Je peux avoir le sentiment de quelque chose qui doit être fait ou réalisé ou qui m'est demandé. La **migraine** apparaît souvent après avoir vécu une contrariété. Un changement dans mon rythme de vie impliquant une difficulté d'adaptation de ma part peut aussi générer une **migraine** (comme par exemple la **migraine du week-end**).Elle expose ma résistance reliée à mon incapacité d'accomplir ce qui m'est demandé. Ma **tête** « surchauffe » et me fait mal juste à l'idée du but à atteindre qui me semble inaccessible. Ma **tête** ressemble à un « presto »[212], la pression étant

[212] **Presto** : Chaudron fermant hermétiquement, avec un contrôle de vapeur, et servant à faire cuire les aliments sous pression. Aussi appelé : cocotte-minute.

tellement forte que je ne sais pas toujours quelle solution ou quelle attitude adopter. La pression peut venir de mon désir d'être hyperresponsable et/ou performant, surtout au travail. Je peux être passionné par un sujet et avoir de la difficulté à m'arrêter. Il y a conflit entre mes pensées, mon intellect qui est surchargé, mes besoins et désirs personnels. Est-ce que je me sens à la hauteur ou ai-je l'impression d'être incompétent, surtout sur le plan intellectuel ? Pourquoi m'en vouloir ou vivre autant de haine (**migr-haine**) ? Je me sens sous surveillance constante : quand ce ne sont pas les autres, c'est moi qui surveille tout et qui veux tout contrôler dans ma vie. On se « paye ma **tête** » et j'en perds la **tête** ! En retournant constamment mes problèmes dans ma **tête**, j'en viens à oublier que j'existe, que j'ai des émotions qui demandent à s'exprimer. J'ai tendance à nier la réalité et cela augmente grandement mon niveau de stress. Je dois prendre **conscience** que je suis en train de fuir ce qui me dérange ou que je sens de l'incompréhension et un manque d'**amour** de la part de quelqu'un. Il est important que j'identifie quelle est l'émotion que je veux tant refouler ou la situation dont je veux tellement oublier l'existence et qui crée une tension aiguë et constante à l'intérieur de moi, provoquant la **migraine.** Les **migraines** peuvent aussi être reliées à des problèmes sexuels, tels le refoulement depuis l'enfance, qui refont surface. C'est comme un combat à l'intérieur de moi qui se déroule entre mes pensées et ma sexualité, cela me monte à la **tête**. Je peux avoir l'impression que c'est comme si ma **tête** allait éclater. Je peux aussi me poser des questions face à l'identité de mon père, que ce soit d'une façon consciente ou inconsciente. Mes structures de vie demandent à être adaptées à ma situation présente mais il est dur de laisser aller ce qui est familier pour s'en aller vers l'inconnu. Lorsque la **migraine** est localisée au niveau du **front**, je me demande face à quelle situation je me sens diminué, impuissant. J'ai besoin d'être plus performant, de trouver une solution je me sens limité dans mes capacités, particulièrement les capacités intellectuelles. Je dois comprendre que, lorsque j'ai une **migraine**, j'ai une prise de **conscience** à faire, j'ai des choses à changer et je dois être capable de les changer, c'est-à-dire de passer à l'action. La **migraine** me donnant un temps d'arrêt, cela peut aussi être une façon d'obtenir davantage d'**amour** et d'attention.

J'accepte↓♥ de regarder la réalité en face. Je laisse les événements circuler librement dans ma vie et je reçois en retour joie, paix, harmonie. En étant plus flexible et compréhensif envers moi-même, je me sens plus léger et je peux m'envoler comme une ***montgolfière***.

TÉTRAPLÉGIE

VOIR : PARALYSIE [EN GÉNÉRAL]

THALAMUS

Le **thalamus** est sous la forme de deux volumineux noyaux de substance grise situés de chaque côté du troisième ventricule du cerveau antérieur, qui servent de relais pour les voies sensitives.

Une dysfonction de celui-ci m'indique de grandes remises en question face à moi-même, ce que je suis et comment on me perçoit. Je vis dans mon couple une ***détresse*** que je n'ose pas avouer. Je peux être enclin à un désespoir profond. Je peux le vivre face à moi-même ou un être cher. J'ai peur du jugement des autres, peur qu'on me sous-estime, qu'on m'humilie. Toutefois, je suis souvent la première personne à me juger et à me condamner. J'ai tendance à me comparer aux autres. Mon côté affectif est en quelque sorte mort. Je suis dans une période de grands changements : c'est comme si j'étais en train de muer, je laisse aller tout ce qui m'empêche d'avancer mais cela me fait peur. Je suis à la recherche de ma vraie identité.

J'apprends à m'accepter↓♥ tel que je suis et je réalise qu'en étant vrai avec les gens qui m'entourent, je manifeste ainsi beaucoup plus d'**amour** et j'entretiens des relations saines et durables.

THROMBOANGÉITE OBLIÉRANTE

VOIR : BUERGER [MALADIE DE...]

THROMBOSE

VOIR : SANG — THROMBOSE

THROMBOSE CORONARIENNE

VOIR : CŒUR♥ — THROMBOSE CORONARIENNE

THYMUS

VOIR : GLANDE — THYMUS

THYROÏDE

VOIR : GLANDE THYROÏDE EN GÉNÉRAL

TIBIA

VOIR : JAMBES — PARTIE INFÉRIEURE

TICS

VOIR : CERVEAU — TICS

TIMIDITÉ

La **timidité** me fait passer à côté de choses merveilleuses. J'évite les gens que je ne connais pas. Craignant d'être jugé, je renonce aux choses nouvelles prétextant qu'elles ne sont pas pour moi. Je baisse les bras, je refuse de me battre. J'ai tendance à me sécuriser dans la routine. Je m'aime peu et ma faible estime de moi et mon peu de confiance en moi m'incitent à rester dans un cadre bien établi, où je ne me sens ni blessé, ni rejeté, ni incompris. Cette forme de fuite due à ma **timidité** m'amène à rester en retrait. Quelque part, il est bien possible que cela fasse mon affaire car je me protège ainsi de situations ou de personnes qui pourraient me blesser. Je garde mes communications au minimum, avec les personnes desquelles je ne sens aucune menace.

J'accepte↓♥ de prendre l'habitude d'agir avec calme et je me donne la chance de découvrir, chaque jour, de nouvelles choses et de nouvelles personnes.

TISSU CONJONCTIF (fragilité du...)

Un tissu est un groupe de cellules ayant une même forme ou accomplissant une même fonction. Le rôle du **tissu conjonctif** est un rôle de soutien aux autres tissus du corps, assurant la nutrition des tissus musculaires, nerveux et de l'épithélium[213], de même que le remplissage des interstices (des fentes) qui se trouvent entre ces tissus.

Je dois me demander : « De quoi ai-je besoin, moi, pour me nourrir, tant émotionnellement que physiquement ou spirituellement ? » Est-ce que je me sens assez soutenu ou ai-je l'impression d'avoir à tout faire moi-même, incluant le fait d'avoir à « remplir les trous » au travail ou à la maison, par exemple ? Puisque je me dévalorise facilement, je dois me rendre utile et important. Je me sens souvent brimé dans ma liberté et j'ai tendance à remettre aux autres la responsabilité de mes maux. Je suis porté à être rancunier et je pardonne difficilement.

J'accepte↓♥ de communiquer mes états d'être, mes besoins : cela m'aidera à me découvrir, à prendre ma vie en mains et à aller chercher l'aide dont j'ai besoin et à laquelle j'ai droit.

TORPEUR

VOIR : ENGOURDISSEMENT

TORSION DU TESTICULE

VOIR : TESTICULES [EN GÉNÉRAL]

TORTICOLIS

VOIR : COU — TORTICOLIS

TOUR DE REIN (lumbago)

VOIR : DOS [MAUX DE...] — BAS DU DOS

TOURISTA

VOIR : INTESTINS —DIARRHÉE

TOUX

VOIR AUSSI : GORGE / [EN GÉNÉRAL] / [MAUX DE...]

La **toux** est un état souvent minimisé, voire nié. Pourtant, elle démontre une irritation ; que ce soit au niveau de la gorge ou des poumons, je vis une tension nerveuse qui m'irrite et dont je veux me libérer. Je peux me sentir étouffé par une situation, par une personne que je ne supporte plus. Je vis

213 **Épithélium** : un tissu qui recouvre les surfaces de l'organisme de l'extérieur.

de la frustration, j'ai envie de crier, de « cracher » ma peine, mais mon éducation m'en empêche. En **toussant**, je parviens à me libérer de mes émotions, à rejeter quelque chose qui me gêne, que je ne désire plus. Ce peuvent être la solitude, l'amertume, la tristesse, l'incompréhension, la frustration, l'ennui, etc. J'ai parfois besoin de **tousser**, je me force même, car je sens quelque chose qui est pris dans ma gorge. Il s'agit habituellement de quelque chose que je m'empêche d'exprimer de peur de la réaction des autres. La **toux** apparaît quand je vois qu'on peut me déposséder de quelque chose. Alors que je veux tout garder pour moi, mon corps réagit en « repoussant l'ennemi » avec cette **toux**. La **toux** est **sèche** (dite **irritative**) lorsque je suis irrité et critique face à ce qui m'entoure et que je ne supporte pas. Lorsque je suis nerveux, sous tension, je peux développer un tic qui consiste à **tousser** et qui cache mon inconfort, ma tension ou ma nervosité. Si je me suis chicané avec quelqu'un et qu'une situation n'a pas été réglée, la **toux** persiste. Je veux de l'attention. Quelque chose est coincé dans ma gorge mais c'est plutôt moi qui me sens coincé dans une situation. Je me révolte d'une façon subtile. J'hésite et au lieu de dire d'une façon directe et ferme, je ne dis que par petites bribes ce que j'ai à dire. La **toux grasse**, qui est accompagnée de sécrétions, semble venir de plus profond. Une **quinte de toux**, caractéristique de la coqueluche, exprime mes rancunes et parfois mes caprices que je ne peux exprimer que de façon violente car je suis grandement irrité.

En acceptant↓♥ de reconnaître ce qui m'irrite, ma **toux** s'en va. Ce peut très bien être un aspect de moi-même que j'ai de la difficulté à accepter↓♥. Si elle persiste, c'est que je n'arrive pas à me libérer. Il est bon que je prenne un temps d'arrêt pour découvrir les causes de mon irritabilité pour enfin arriver à corriger les situations qui sont irritantes et pour me sentir bien avec celles que j'ai à accepter↓♥.

TOXICOMANIE

VOIR AUSSI : ALCOOLISME, CIGARETTE, COMPULSION NERVEUSE, DÉPENDANCE, DROGUE, POUMONS [EN GÉNÉRAL]

La **toxicomanie** se caractérise par la consommation abusive de différents produits toxiques, régis par la loi ou non, parmi lesquels se retrouvent le tabac, les médicaments, l'alcool et les drogues sous toutes leurs formes.

Je développe ainsi une dépendance psychique ou physique. Ce besoin irrésistible de consommer démontre une grande frayeur de me voir tel que je suis. Je préfère la fuite, l'inconscience. Ne sachant comment m'aimer, je ne peux concevoir que les gens qui m'entourent m'aiment et m'apprécient. J'ai peur de l'échec. J'ai tellement besoin d'être reconnu et aimé que je suis prêt à consommer des produits toxiques, même si la mort peut en résulter, afin de les obtenir. J'ai de la difficulté à entrer en contact avec les autres, à exprimer mes frustrations, mon désespoir. Je décide à l'avance qu'ils ne pourront pas m'aider car « personne ne me comprend » ! Dans un sens, cela me convient très bien de penser de cette façon… Je me cache dans un monde « fantastique » où je crois que rien ne pourra m'atteindre, jamais. Je n'ai pas le goût de faire d'effort, de devenir responsable de ma vie. Je m'endors tout doucement en refoulant mes blessures au plus profond de moi. J'ai mal et même moi, je ne le vois plus.

J'accepte↓♥ de voir comment cette manie est **toxique** pour moi. En me donnant la chance d'être moi-même, je peux découvrir l'être merveilleux que je suis et m'ouvrir à l'**amour.**

TRACHÉITE

VOIR : RESPIRATION — TRACHÉITE

TRACHÉOBRONCHITE

VOIR : BRONCHE —BRONCHITE, RESPIRATION — TRACHÉITE

TRAITS TOMBANTS, MOUS

Mes **traits** sont **tombants**, **mous** quand j'ai le sentiment que tout et que tous les gens me laissent « tomber » ou que moi-même je me laisse « tomber ». Ma peau devient flasque, sans vie. Mes **paupières** descendantes font voir la tristesse dans mes yeux. Je me laisse aller. J'en veux à la vie. Je cultive le ressentiment. Je manque de « fermeté » dans mes décisions.

J'accepte↓♥ d'avoir besoin de me « remonter le moral », de reprendre goût à la vie. Je me donne la permission de profiter de chaque instant de ma vie, je fais place à l'enfant qui est en moi.

TRANSPIRATION

VOIR : ODEUR CORPORELLE

TREMBLEMENTS

VOIR AUSSI : PARKINSON [MALADIE DE...]

Les **tremblements** touchent plus particulièrement les membres supérieurs du corps et principalement les mains.

Ce sont des mouvements irréguliers qui surviennent souvent après une colère excessive ou après une frayeur ou une faiblesse physique. C'est une réaction du système nerveux. Me sentant pris, impuissant, mes **muscles** se tendent et se mettent à trembler. Je suis comme un volcan en éruption, la hargne gronde en moi. Il se peut aussi que ce **tremblement** survienne à la suite d'une nouvelle ou d'une information dont je refuse de voir les conséquences consciemment ; c'est comme si je me mentais à moi-même. Il y a alors un conflit entre ma partie consciente et mon subconscient. Cette tension qui existe entre les deux provoque un **tremblement** involontaire de l'une ou l'autre des parties de mon corps (bras, visage, jambes, tronc). Ce peut être à la suite d'une question que je me posais depuis tant d'années et dont j'ai la réponse, mais dont je doute ou ***crains*** la véracité. Je suis ébranlé intérieurement et ceci se manifeste par des **tremblements**. Je vacille, je ne peux me décider dans certaines situations et mon corps en fait tout autant. L'énergie que j'avais accumulée dans mon inconscient à force de désirer ma réponse se libère sous forme de **tremblements**. Ceux-ci vont toucher **l'épiderme** seulement quand je vis une situation de séparation difficile.

J'accepte↓♥ d'apprendre à prendre ma place, à me détendre et je vis un jour à la fois. Je ***chante*** la vie et le bonheur !

TRISMUS

VOIR : MUSCLES — TRISMUS

TRISOMIE 21

VOIR : MONGOLISME

TRISTESSE

VOIR AUSSI : CHAGRIN, MÉLANCOLIE, SANG / CHOLESTÉROL / DIABÈTE / HYPOGLYCÉMIE

La **tristesse** se définit comme « un état naturel ou accidentel de chagrin, de mélancolie ».

Il est important de se rappeler que « tout ce qui ne s'exprime pas s'imprime ». Une **tristesse** non exprimée peut m'amener à un trouble du poumon. Une **tristesse** profonde peut m'amener à devenir **diabétique**. C'est mon corps tout entier qui refuse la joie de vivre. Je ne mets mon attention que sur la grisaille du quotidien. J'ai l'impression que rien ne me sourit, je sens la peine qui coule en moi, mon **cœur♥** qui se déchire ; ce vide immense semble vouloir s'agrandir au fond de moi pour faire de la place à cette boule de peine. Je suis déconnecté de mon pouvoir créateur. Je suis dans la soumission face à la vie au lieu d'être dans l'action.

J'accepte↓♥ que cette peine éclate, j'ai besoin de « piquant » dans ma vie, de chaleur qui mettra en ébullition toutes les larmes qui sont en moi et quitteront ainsi mon corps, comme la vapeur rejoint le ciel. Je peux ainsi combler ce vide de douceur et de tendresse. Et les idées noires se dissipent ; je retrouve mon dynamisme et ma joie de vivre.

TROMPE (infection d'une...)

VOIR : SALPINGITE

TUBERCULOSE

VOIR AUSSI : POUMONS [MAUX AUX...]

La **tuberculose** est une infection par le bacille de Koch[214] qui se loge souvent à l'intérieur des poumons mais qui peut aussi atteindre, par voie sanguine, les reins, le système urinaire, etc. Les principaux symptômes sont, entre autres, des bronchites répétitives, une fatigue anormale, de la fièvre prolongée, du crachement de sang.

---

[214] **Koch** (Robert) : médecin allemand (Clausthal, Hanovre, 1843 Baden-Baden 1910). Il a identifié en 1882 le bacille de la tuberculose. Il dénombre les modes de transmission de cette maladie et invente une méthode de diagnostic. En 1905, il reçoit le prix Nobel de médecine pour l'ensemble de ses découvertes.

Chacun d'eux me montre que je ressens de la colère et que ma vie est sans joie. J'ai l'impression d'être délaissé, abandonné, de perdre mes moyens souvent face à ma famille. Je n'ai plus assez d'espace pour bien respirer. Je souhaite garder pour moi seul les gens que j'aime. Mon égoïsme m'amène à être jaloux de ce que les autres possèdent et je me sens « victime », en en voulant au reste du monde et en cherchant à me venger de lui. Puisque ce sont les poumons qui sont touchés, **la tuberculose met aussi en évidence ma peur de la mort imminente qui est très présente et qui envahit mes pensées**. C'est la raison pour laquelle après les guerres, il y a une recrudescence de la **tuberculose** car, dans bien des cas, j'ai pu me retrouver dans des situations où des bombes sont tombées près d'où je me trouvais, où l'ennemi pouvait « me descendre » (me tuer). En fait, j'ai vécu plusieurs situations où j'aurais pu mourir. Je peux avoir été laissé pour mort ou que moi ou mes parents pensaient que j'allais mourir à un âge précis et jeune. La douceur est alors absente de ma vie. J'interdis à mon être intérieur de se manifester. La dureté de la vie et de ses expériences m'a rendu à mon tour dur avec un goût de vengeance. Je veux tout simplement me protéger du danger. Ma lutte pour ma survie m'amène à porter un masque de fer, à avoir un mur de pierres autour de moi. Je vis de l'oppression, quelque chose me coupe le souffle. J'ai le goût de reprendre contact avec cet enfant en moi que j'ai repoussé pendant trop longtemps. Je transporte avec moi des sentiments amers face aux événements de mon passé. Je m'isole, évitant ainsi de laisser entrer en moi de nouvelles idées, attitudes. Je ne communique plus avec mon corps, tant au niveau des baisers que des étreintes ou des rapports sexuels. Ainsi, je ne transmets pas ma peur de la mort et j'ai l'impression de protéger les autres. Je peux fuir mes émotions dans le travail . Il est très important que je prenne **conscience** de tous les sentiments qui m'habitent et que je découvre l'objet de cette peur face à la mort.

J'accepte↓♥ d'être protégé en tout temps. J'ose être plus téméraire, prendre plus de risques. J'ai à dépasser cette peur de la mort et à vivre le moment présent, en savourant chaque instant. Je laisse la douceur prendre place dans ma vie. Je reprends contact avec mon essence divine et personne ne peut me faire de mal.

TUMEUR(s)

VOIR AUSSI : KYSTE, CANCER [EN GÉNÉRAL…]

Une **tumeur** est comparable à un amas de tissus informe, pouvant se retrouver dans différents endroits du corps.

Elle survient généralement à la suite d'un choc émotionnel. En gardant en moi de vieilles blessures, des pensées négatives face à mon passé, celles-ci s'accumulent et forment une masse qui finit par devenir solide. Je m'attache facilement et mon manque de confiance en moi m'amène à vivre de la jalousie, de l'envie, de la déception face à moi-même et aux autres. J'ai un potentiel illimité qui dort en dedans de moi. Je sens une profonde tristesse face à une situation et je me suis résigné car je me dis que j'ai « perdu la partie » et je me laisse aller, voulant en finir avec la vie. Je le vis comme une chute morale et émotionnelle, ne sachant si je pourrai me relever. J'ai trop d'émotions emprisonnées et mon corps n'en peut plus. Je pense qu'en dominant les autres, en les critiquant et en utilisant un certain pouvoir, cela va changer quelque chose mais au fond, je sais que ce n'est pas la solution. Une **tumeur bénigne** devient plus grosse et **maligne** (**cancer**) lorsque je deviens de plus en plus angoissé et que je mets de plus en plus mon attention sur les événements passés qui me grugent encore en dedans. Mes émotions sont de plus en plus fortes et mes blessures à vif. Je deviens tellement négatif que je suis toujours sur mes gardes et je m'attends au pire. C'est donc une énergie négative qui m'entoure et qui vient à être plus forte que moi.

J'accepte↓♥ de prendre **conscience** que cette masse bloque le passage d'une partie de mon énergie qui demande à circuler librement. Il est important que je puisse exprimer cette détresse qui est en moi ; je dois prendre au sérieux ce message que mon corps me donne. Je fais place au présent, j'exprime mes sentiments. Si je m'y refuse, j'aurai l'impression qu'une petite voix à l'intérieur de moi me dit : **tu meurs**[215] à petit feu. Je pratique le détachement et j'apprends à me faire confiance totalement.

TUMEUR AU CERVEAU

VOIR : CERVEAU [TUMEUR AU...]

TUMEUR MALIGNE

VOIR : CANCER [EN GÉNÉRAL...]

TURISTA

VOIR : INTESTINS — DIARRHÉE

TYMPANISME

Le **tympanisme** est l'augmentation de la sonorité du thorax ou de l'abdomen. On peut le déceler en frappant une zone du corps avec les doigts : cela « résonne » comme sur un tambour.

Cet état peut être le signe que je suis une personne d'une très grande sensibilité et que je garde en moi mes émotions au lieu de les laisser aller librement. Je me sens comme un pantin dont on se sert contre son gré. Pour me protéger de ma sensibilité, je « raisonne » mes émotions pour avoir l'impression, avec mon intellect, de garder le contrôle sur elles.

J'accepte↓♥ de vivre pleinement mes émotions, car elles sont une richesse pour découvrir différentes facettes de moi-même.

TYPHOÏDE

VOIR : SALMONELLOSE

[215] **Tu meurs** : du verbe *mourir*.

U

ULCÈRE(s) (en général)

L'**ulcère** est une perte de substance de la peau ou d'une muqueuse, prenant la forme d'une lésion qui ne se cicatrise pas et tend à s'étendre et à produire du pus[216].

Un **ulcère** peut se retrouver sur la peau à l'extérieur du corps (bras, jambes, cornée de l'œil, etc.), ou sur la paroi d'un organe interne (estomac, intestin, bouche, etc.). Un **ulcère** m'amènera à prendre **conscience** que je vis de grandes frayeurs et de l'insécurité. Il m'indique qu'un stress intense m'habite et que **je me sens rongé, dérangé, dévoré** : Tout cela me brûle de l'intérieur. L'**ulcère** est le résultat du feu de la révolte, de la ran**cœur♥** et d'un violent ressentiment. J'ai l'impression d'être attaché à un boulet, ne pouvant plus avancer à ma guise. Je me pousse au bout et je sais que je suis rendu à une étape de ma vie où je dois effectuer des changements majeurs mais je ne sais trop comment faire. Ma tête est remplie de pensées et elle surchauffe. Mon agressivité refoulée m'amène à rencontrer des personnes qui vivent la même situation. Selon l'endroit du corps où se développe mon **ulcère**, il m'est possible de découvrir ce qui provoque cet état. Par exemple, s'il se retrouve dans ma **bouche**, je peux me demander ce que j'ai à dire mais que je ravale. Je me coupe de ma spontanéité de parole. Des **ulcères d'estomac** démontrent qu'il y a quelque chose que je digère mal. Je veux m'enfuir, me sortir d'une situation. Mon anxiété m'amène à porter un masque pour être accepté↓♥ des autres et ainsi retrouver une certaine sécurité. Au **gros intestin**, je me sens étouffé par ce passé que je refuse de laisser aller. Règle générale, un **ulcère** m'indique que je laisse les choses ou les gens m'irriter.

J'accepte↓♥ de laisser couler, de me calmer. Je me fie à mes propres forces intérieures. C'est en apprivoisant les émotions qui m'habitent que je peux éteindre le feu qui m'habite. En retrouvant la paix intérieure, l'**ulcère** n'a plus de raison d'être.

ULCÈRE BUCCAL (herpès) OU CHANCRE

VOIR : BOUCHE [MALAISE DE...]

ULCÈRE PEPTIQUE OU GASTRIQUE (duodénum[217] ou estomac)

Des **ulcères à l'estomac** peuvent se produire si j'ai une faible estime de moi. Je veux tellement faire plaisir aux autres que je suis prêt à avaler

---

[216] Cette surinfection est spécifique des **ulcères** cutanés négligés.

[217] **Duodénum** : partie initiale de l'intestin grêle.

n'importe quoi. En agissant ainsi, je refoule mes émotions et mes propres désirs ; je ne me respecte pas et je finis par reprocher aux autres de ne pas me respecter. Je me sens grugé en dedans de moi et j'en arrive à dramatiser chaque événement de ma vie. J'ai de plus en plus de difficulté à **digérer** toutes ces contrariétés, ces inquiétudes, ces incertitudes qui font grandir mon sentiment d'impuissance. C'est comme un trop-plein d'irritants qui se transforme en **ulcère**. Cet irritant peut être une personne ou une situation que je veux éviter de voir ou d'affronter mais cela est impossible et « cela » me reste sur l'**estomac** ! Je voudrais « expulser » cet irritant de mon espace vital, de mon « territoire ». Je me sens incompris, en partie parce que j'ai de la difficulté à ***communiquer*** mes besoins. Comme je veux à tout prix faire plaisir aux autres, je préfère me taire et « ronger mon frein ». Comme j'ai de la difficulté à m'affirmer, la frustration grandit en moi, jusqu'à devenir agressivité que je dois reconnaître et accepter pour pouvoir mieux la canaliser. Sinon, celle-ci pourra prendre des proportions démesurées, voire même devenir envie de vengeance J'ai tendance à me critiquer sévèrement et je peux même en venir à m'autodétruire. Je m'inquiète énormément d'un aspect particulier de ma vie : ce peut être autant le côté affectif que professionnel. Cette inquiétude « me mange par en dedans ». J'en ai des nœuds dans l'estomac. Tout ce tourment me rend plus fragile et vulnérable. Si j'ai un **ulcère au duodénum**, celui-ci fait référence particulièrement à ma peur de ne pas être à la hauteur face à toutes les personnes qui représentent l'autorité pour moi.

J'accepte↓♥ que mon corps m'indique qu'il est grand temps que je découvre les qualités qui sont en moi, que je m'apprécie à ma juste valeur et que j'accepte↓♥ mon besoin d'**amour**.

URÉMIE

VOIR AUSSI : REINS [PROBLÈMES RÉNAUX]

L'**urémie** est le taux d'urée dans le sang. L'**urée** est une composante de l'**urine**. Ce taux peut être anormalement élevé, cela étant dû à une insuffisance rénale ; l'insuffisance hépatique (du foie), elle, peut être la cause d'un taux anormalement bas.

Les protéines sont mal gérées et je dois me demander : « Quel aspect de ma vie n'est-il pas géré comme je le voudrais ? » Je me sens obligé de tout laisser derrière moi. J'ai l'impression de tout perdre. **L'urémie** apparaît souvent quand je me sens déraciné de ma terre natale, que je dois m'exiler de l'autre côté de l'océan. Je ne sais plus où j'en suis dans ma vie. Qu'est-ce qui est bon pour moi réellement ? Je me borne à faire certaines choses, parfois avec dureté et rigidité. C'est ma tête qui gère ma vie et non mon **cœur♥**. Je cherche à être le meilleur, ce qui complique mes relations avec l'autorité. L'**urine** est reliée à mes vieilles émotions qui demandent à être éliminées.

J'accepte↓♥ de faire « le ménage » dans ce qui perturbe ma vie et je reste ouvert à de nouvelles dispositions. J'écoute mes besoins et ma voix intérieure.

URÉTRITE

VOIR AUSSI : ANNEXE III

L'**urétrite** est une inflammation du canal conduisant l'urine du col de la vessie à l'orifice externe de l'urètre, le méat.

Cet état m'indique que j'accepte↓♥ difficilement de céder le passage à une situation nouvelle et que je fais place à de l'agressivité. Une situation non résolue avec ma mère peut souvent engendrer **l'urétrite**. J'ai de la difficulté à délimiter mes frontières. Je veux contrôler la vie des autres. Je vis beaucoup de colère. Je veux avoir l'impression que j'ai ma vie en mains mais je dois prendre **conscience** que c'est une illusion et que je dois laisser aller certaines choses ou personnes. Je ne peux avoir du pouvoir que sur moi-même !

J'accepte↓♥ de laisser circuler plus librement les nouvelles idées et de garder l'esprit ouvert face à mes opinions qui peuvent changer, sachant que je suis constamment en évolution et en changement.

URINE (infections urinaires) OU CYSTITE

VOIR AUSSI : INCONTINENCE [... URINAIRE], INFECTIONS [EN GÉNÉRAL], LEUCORRHÉE, VAGIN — VAGINITE, VESSIE [MAUX DE..]

L'**urine** représente mes vieilles émotions dont je n'ai plus besoin et que j'élimine de mon système. Une inflammation de la vessie (**cystite**) occasionne de la douleur lorsque **j'urine** (même en petite quantité), ainsi qu'un désir constant **d'uriner**. Cela est plus fréquent chez les jeunes femmes, les diabétiques, les femmes enceintes. Comme c'est une **infection**, cela implique que ce malaise est très souvent relié à de la colère que j'ai accumulée. Ce peuvent être aussi de l'amertume, de la rancune, de l'exaspération qui bouillent ou me brûlent et qui touchent de nouveaux aspects de moi-même ou de mes relations personnelles. Comme dans le cas d'une **vaginite** (ou **leucorrhée**), je peux vivre un sentiment de frustration par rapport à mes relations sexuelles. Puisque mon système urinaire et mon système reproducteur (vagin) sont en communication, l'un va affecter l'autre. Il se peut que mes relations sexuelles aillent admirablement bien et que je ne comprenne pas pourquoi je vivrais de la frustration. Justement parce que tout va très bien, je peux me demander : « Pourquoi a-t-il fallu que j'attende autant d'années pour réussir à avoir des relations sexuelles satisfaisantes ? » De là peuvent venir frustration et colère non exprimées. Aussi, par exemple, une **cystite** peut survenir à la suite d'une séparation. N'ayant pas été capable d'exprimer mes émotions négatives, des peurs font surface ainsi que des conflits intérieurs par rapport à ce qui s'en vient pour moi. Ayant de grandes attentes non comblées, je blâme les gens qui m'entourent pour ce vide et, la plupart du temps, mon conjoint en pâtit. Je vais de frustration en frustration puisque je laisse aux autres la responsabilité de mon bien-être. Ma rage intérieure est habituellement tournée vers les personnes du sexe opposé ou le partenaire sexuel. Est-ce que je me sens emprisonné dans une situation ? Est-ce que quelqu'un a une emprise sur moi ? En découle un sentiment d'impuissance et j'ai l'impression que ma vie est ruinée.

Il est donc temps que je me prenne en mains, que j'accepte↓♥ la responsabilité de ma vie. Je prends la décision d'aller de l'avant, je renais à moi-même, indépendamment des relations présentes et antérieures. Je m'accueille dans la douceur. Je laisse s'exprimer ma créativité. Je vis ainsi ma vie au niveau de mon **cœur♥** au lieu d'être constamment dans ma tête.

URTICAIRE

VOIR : PEAU — URTICAIRE

UTÉRUS (en général)

VOIR AUSSI : CANCER DU COL UTÉRIN, FÉMININS [MAUX...], PROLAPSUS

L'**utérus** symbolise mon état de femme, **c'est le foyer de ma créativité**. Il représente aussi le pouvoir d'enfanter, la sécurité, la chaleur. C'est un refuge. C'est dans ce sanctuaire chaleureux et sécurisant que se fait la nidation. Des problèmes **d'ovaires ou d'utérus** tel que le **basculement** de ce dernier, m'indiquent qu'il est temps que je développe ma créativité qui me redonnera le pouvoir de gérer ma vie. J'ai intérêt à me questionner, à savoir « comment est-ce que je me sens en tant que femme ? Est-ce que je me sens coupable, honteuse ou trahie dans le fait d'avoir eu ou non des enfants ? Suis-je déçue de ne pas avoir la famille souhaitée ou déçue de l'enfant que je n'aurai jamais ? Est-ce que je trouve difficile d'être femme, épouse, mère, femme d'affaires, amante ? » Peut-être ai-je l'impression de régresser ! Cette région touche mes sentiments les plus profonds, les plus secrets. La culpabilité, la honte, la solitude peuvent me gruger en dedans. Un deuil non fait peut en être la cause. Ces sentiments sont être plus présents au moment de l'hystérectomie : le désespoir de voir que je ne suis plus une « vraie femme », une « grande ***dame*** », que je suis inutile, non désirable peuvent m'amener jusqu'à la dépression. Je peux me sentir mal ***accordée***, mal assortie avec mon conjoint et cela me rend triste. Je le blâme pour mon mal-être et cela peut entraîner une **inflammation de l'utérus** : ce que je vois en lui me rappelle constamment ce qui me déplaît en moi-même, puisqu'il est mon miroir. Je rejette ma vie, mon propre corps. À cette région du pelvis, il m'est possible de redonner naissance, de faire renaître de nouveaux aspects de mon être ; je peux aller de l'avant dans ma recherche de moi. Si une maladie se développe dans mon **utérus**, comme une **tumeur** par exemple, je me demande comment je perçois la sexualité des autres, et particulièrement celle de mes enfants et de mes petits-enfants. Ai-je l'impression qu'elle n'est « pas correcte », « qu'elle sort de l'ordinaire », « que ça ne se fait pas » ? Est-ce que je les sens en danger moral ou physique ? Risquent-ils de se faire blesser ? Y a-t-il quelque chose que je trouve « moche » par rapport à mes enfants et à leur vie de couple ? Suis-je dérangée par rapport au rôle ou par la place que chaque membre de la famille prend ? Est-ce que je serais en train de perdre mes « tout-petits » car ils grandissent « trop » vite (je voudrais tellement qu'ils restent petits et qu'ils soient en sécurité...) ? Je me sens presque le devoir de reprendre un rôle de parents face à mes petits-enfants. Mon sentiment de liberté est ainsi brimé, encore une fois... C'est comme s'il y avait un malheur qui guette ma famille, ma maison. Toutes ces interrogations peuvent concerner soit mes enfants ou mes petits-enfants réels ou un neveu, soit un voisin ou un élève que je considère comme tel. Je vais retenir tellement de choses du passé que cela empêche ma créativité de s'exprimer. Je repousse l'enfant que je suis et que j'ai mis dans une boîte pensant que c'est ce que je dois faire quand je deviens adulte. Au fond de moi, je veux avancer, faire des choses mais je suis frustré car quelque chose m'en empêche. Lorsqu'il y a **rétention**, je prends **conscience** de l'état de peur dans lequel je suis. J'ai peur de lâcher prise. Je m'inquiète, je ne peux laisser aller « mon petit » dans ce nouveau monde et j'essaie de retenir une partie de lui. Je perds donc du sang, ce qui est relié à une perte de joie. *«Est-ce que je perds la joie d'avoir en moi cet enfant ? Car il doit bientôt affronter le monde et j'ai peur pour lui... »*

J'accepte↓♥ de renaître à moi-même. Au lieu de vouloir faire taire les us et coutumes qui ont dicté ma vie, j'accepte↓♥ de les intégrer à celle-ci d'une façon harmonieuse. Je prends **conscience** que je n'ai aucun pouvoir sur la vie des autres et que chacun vit sa vie à sa façon. J'ai donné la meilleure éducation à mes enfants de la meilleure façon possible et je peux en être fière ! J'accepte↓♥ de laisser vivre l'enfant qui est à l'intérieur de moi et qui est **amour**, joie, espoir.

UTÉRUS (cancer du col de l'...)

VOIR : CANCER DE L'UTÉRUS [COL ET CORS]

VAGIN (en général)

Le **vagin** est cette membrane musculaire qui est située entre la vulve et l'utérus chez la femme.

Les maladies qui sont reliées au **vagin** vont souvent avoir leur source dans ma frustration à ne pas pouvoir accomplir l'acte d'union charnelle, soit parce que je ne me le permets pas moralement, soit parce que je n'ai pas cet homme avec qui je pourrais vivre de nouvelles expériences. « Suis-je satisfaite avec mon conjoint actuel ? » Si j'ai peur des ***baisers***, de l'intimité, soit à cause de mes principes qui sont très limitatifs au niveau de la sexualité, soit à cause d'événements passés où je me suis sentie coupable et honteuse en raison de ce qui s'est passé, je développe des malaises au niveau de mon **vagin**, notamment **la sécheresse vaginale** car je veux inconsciemment retarder la pénétration. Je repousse la sexualité, mais par peur de perdre mon conjoint, j'acquiesce à ses avances et demandes. En vivant dans ma tête et dans mes soucis, je me coupe de mon corps, de mes pulsions, de la vie en moi. Le plaisir est interdit, rempli de culpabilité. Je me suis enfermé dans une « gaine, un carcan au niveau physique et psychologique ». J'ai l'impression de n'appartenir à personne. Est-ce que j'accepte↓♥ pleinement mes pulsions sexuelles, même si cela implique que je me sente subjuguée et parfois hors de contrôle ? Ai-je déjà été victime d'une ***délation*** ? Ai-je déjà vécu une situation où mon enfant partait et j'avais l'impression qu'il s'en allait en quelque sorte à la guerre et qu'il ne reviendrait pas ? Je souffre de ne pas avoir de partenaire, de n'« appartenir à personne ». Je le vis comme un drame qui a trop duré. Toutes ces situations peuvent amener une **descente du vagin** ou des troubles associés à celui-ci. Je me sens alors impuissante face à moi-même et à ce qui se passe. Cet état implique habituellement un conflit ou un rejet au niveau de ma sexualité et de la perception que j'ai de moi.

J'accepte↓♥ de m'ouvrir à l'**amour** sous toutes ses formes afin de m'épanouir pleinement.

VAGIN — DÉMANGEAISONS VAGINALES

VOIR : DÉMANGEAISONS VAGINALES

VAGINAL — HERPÈS

VOIR : HERPÈS VAGINAL

VAGINALES (pertes...)

VOIR : LEUCORRHÉE

VAGINAUX (spasmes...)

VOIR : SPASMES

VAGINITE

VOIR AUSSI : CANDIDA, LEUCORRHÉE, URINE [INFECTIONS URINAIRES]

La **vaginite** est une infection du **vagin** (telle la candidadose ou les champignons) avec, en plus, des odeurs nauséabondes.

Dans la majorité des cas, elle démontre que j'entretiens de la frustration envers mon partenaire sexuel ou encore que je vis de la culpabilité. Si j'utilise le sexe afin d'exercer un pouvoir ou un contrôle sur mon conjoint, il est possible que je connaisse régulièrement des **problèmes de vaginite**. Ce peut être l'excuse idéale pour ne pas faire l'**amour** et ainsi, punir mon conjoint en le privant de sexe. Mon côté trop puritain ou moralisateur m'amène à me punir avec une **vaginite**. L'intimité qu'engendre une relation sexuelle peut déclencher plusieurs sentiments reliés à la mémoire ou à la peur : peur de me sentir incomprise, blessée à nouveau ou de perdre l'autre qui pourrait se sentir pris ou possédé. De plus, l'émission d'odeurs désagréables permet de libérer des émotions négatives, des peines et des angoisses accumulées, lesquelles sont profondément enfouies dans le tissu vaginal lui-même. Le **vagin** est l'endroit d'où émergent tous mes sentiments concernant la sexualité : si ceux-ci sont positifs, je vivrai du plaisir sexuel. Au contraire, une infection apparaît si je vis de la culpabilité, des peurs, de la honte, des conflits, de la confusion, ainsi que mes souvenirs d'expériences abusives, ou si je veux m'autopunir.

J'accepte↓♥ de rester ouverte au fait de vivre une sexualité harmonieuse. Cela fait partie de la vie et du bonheur auquel j'ai droit.

VARICELLE

VOIR : MALADIES DE L'ENFANCE

VARICES

VOIR : SANG — VARICES

VARICOCÈLE

VOIR : TESTICULES [EN GÉNÉRAL...]

VÉGÉTATIF CHRONIQUE (état...)

VOIR : ÉTAT VÉGÉTATIF CHRONIQUE

VÉGÉTATIONS ADÉNOÏDES

VOIR AUSSI : AMYGDALES

La maladie des **végétations adénoïdes**, communément appelées **végétations**, est une infection touchant plus particulièrement les enfants. Cela se traduit par l'hypertrophie des amygdales pharyngées situées en arrière des fosses nasales, provoquant une obstruction au niveau du nez, ce qui oblige ainsi l'enfant à respirer par la bouche.

Étant d'une très grande sensibilité et doté d'une intuition très développée, je bloque mon nez afin d'éviter de sentir les choses qui me blessent. Ce peut être un détail tout à fait banal et anodin auquel je donnerai des proportions et une ampleur éléphantesques. Il m'arrive parfois de sentir que je n'ai pas ma place dans cette famille ; je vis de la colère et je me sens rejeté. Je préfère me taire au lieu d'avoir à argumenter. Des tensions ou des conflits familiaux sont propices à l'apparition des **végétations**.

J'accepte↓♥ de prendre la place qui me revient dans l'harmonie, je fais part de mes sentiments et je reconnais les bienfaits de l'intuition.

VEINES (maux aux...)

VOIR AUSSI : SANG — CIRCULATION SANGUINE

Une **veine** est un vaisseau sanguin qui ramène le sang des organes vers le **cœur♥** [218]. Lorsque les **veines** reviennent des poumons vers le **cœur♥**, elles rapportent le sang « rouge » purifié, chargé d'oxygène. Lorsque les **veines** reviennent des autres organes vers le **cœur♥**, elles rapportent le sang « bleu », faiblement oxygéné et chargé d'oxyde de carbone CO^2.

Dans la vie, je n'ai jamais eu de **veine** ! C'est comme dire que je n'ai jamais pu trouver la joie de vivre. Le sang circule dans mes **veines** ; le sang, c'est la vie, la joie de vivre. Je suis constamment en contradiction avec ma voix intérieure et ce que je réalise dans ma vie. Je me sens déçu, dépassé. Je vis dans un état d'inertie, je ne vois même plus les belles choses qui m'arrivent. Je manque d'énergie, je me sens vide. Je ne me sens pas soutenu par la vie ou par mon entourage et je vois tout en noir. Je suis incapable d'assumer ma vie et je ne peux pas retourner chez moi, dans mon foyer. Je veux me débarrasser de mes tourments mais quelque chose m'en empêche. Mes **veines coronaires** sont particulièrement touchées si j'ai peur de perdre quelqu'un ou quelqu'un chose que « je possède » et que je résiste à laisser aller. Je le vis comme un danger qui guette mon territoire, c'est-à-dire mon conjoint, ma maison, ma famille, mon travail, mes idées, etc. J'ai peur de n'être ou appartenir à personne car je vis de la dépendance : je souffre de l'indifférence, surtout de mon conjoint. Je me sens délaissé, abandonné. Je donne beaucoup mais j'ai l'impression de ne pas recevoir autant en retour. Je n'ai « plus de sang dans les **veines** », l'énergie et le courage me manquent.

J'accepte↓♥ de laisser circuler la joie en moi. Je reconnais les bons moments, j'apprends à me détendre et je retrouve la paix intérieure.

VEINES — VARICES

VOIR : SANG — VARICES

[218] Alors que pour une **artère**, il s'agit d'un vaisseau sanguin qui véhicule le sang du **cœur♥** vers les organes.

VÉNÉRIENNES (maladies...)

VOIR AUSSI : CHANCRE, HERPÈS EN GÉNÉRAL / GÉNITAL

Une **maladie vénérienne** peut suggérer qu'un sentiment de culpabilité subsiste face à ma sexualité. Souvent, l'éducation religieuse m'a montré la sexualité comme quelque chose de sale et d'impur. Me sentant ***honteux*** de mes pensées et gestes, souvent trahi par l'autre qui « m'a transmis la maladie », je crois devoir me punir en rejetant mes parties génitales. Je m'autopunis en m'autodétruisant. L'énergie sexuelle est extrêmement importante et puissante, elle fait partie intégrante de mon programme génétique pour la survie de l'espèce. Par conséquent, une **maladie vénérienne** implique une affection ou une infection liée à cette énergie. Si je la mésestime, en abuse, l'utilise d'une façon négative ou de façon non respectueuse de qui je suis ou des autres, mon corps m'avertit en développant **une malade vénérienne**. Est-ce que ma sexualité me convient et surtout, est-ce que je me sens bien et épanoui avec la personne avec qui je partage mon intimité ? Est-ce que je me respecte ou ai-je l'impression qu'on abuse de moi ? Ma non-acceptation de moi-même peut m'amener à vivre du rejet, de la frustration et me sentant plus en contrôle de mes pulsions, « j'attrape » une **maladie vénérienne** qui m'oblige à m'éloigner de tout contact sexuel pour un certain temps. Je peux aussi m'attirer cette maladie pour me venger de mon conjoint quand je sens déjà qu'il m'a abandonné affectivement. Je ne vénère plus rien en lui. Dans le cas de **chlamydia**, j'ai peur du pouvoir, spécialement sexuel, qui pourrait mener à de l'abus (être abusé ou abuser les autres). Je me culpabilise lorsque je ressens mes pulsions. J'ai peur, autant par ce qui m'habite que par ce qui m'entoure. Quelle est la frustration qui me dérange dans ma vie sexuelle ? Est-ce que mon corps exprime quelque chose que j'aurais envie de dire à mon partenaire ? Ai-je l'impression d'être impuissant dans cette situation ? Je me sens brimé ou dominé quelque part dans cet aspect féminin ou masculin qui est en moi. J'ai besoin de prendre une distance afin de faire le point dans ma relation à l'autre et c'est mon corps qui met les limites que je n'ose exprimer car je me sens en état de faiblesse. J'ai envie de changer certains aspects de cette relation et je me sens dans l'incapacité de prendre ma place. Je ne trouve pas les mots pour le dire mais cela me démange. La **gonorrhée**, aussi appelée **blennorragie** ou **chaude-pisse**, me montre mon irritation à constater mon incapacité à accomplir des choses. Je veux réaliser de grands exploits mais je me dénigre tellement qu'il ne me reste aucune énergie pour entreprendre quoi que ce soit. Je suis aussi déçu de mon partenaire. La **syphilis** me montre que je fuis dans la sexualité qui est vide de sens. Elle amène une certaine honte sur la famille. Je fuis mes vrais sentiments et j'entretiens des relations avec mon/ma partenaire où je recherche du pouvoir, où je veux être le premier. Si j'ai une **maladie vénérienne**, y a-t-il un lien avec un sentiment de perte ou une peur, face à l'abandon affectif ? Quel est le passage (ou la transition) que je dois faire pour retrouver mon équilibre et mon unicité ? Y a-t-il en moi un aspect de fusion à l'autre que je n'ai pas saisi à travers mes relations et qui ne me convient pas ?

Il est important que j'accepte↓♥ que la sexualité soit une façon d'exprimer mon amour et mon désir de m'unir à l'autre. J'apprends à voir ce qui est bon pour moi et ce qui ne me convient plus. J'accepte↓♥ de contacter mes sentiments intérieurs afin que mes relations soient vraies et saines. J'utilise mon pouvoir sexuel de façon positive afin de laisser couler en moi toutes mes énergies créatrices. Je choisis de réviser ma position dans mes relations affectives et sexuelles. Je laisse circuler librement les nouvelles idées et je garde l'esprit ouvert. J'ajuste ma façon de penser et j'accepte↓♥ que cette expérience soit pour moi un moyen de grandir et de retrouver mon équilibre affectif.

VENTRE OU ABDOMEN

VOIR AUSSI : GONFLEMENT [... DE L'ABDOMEN], INTESTINS [MAUX AUX...]

Le **ventre** ou **abdomen** est la partie inférieure et antérieure du tronc humain, renfermant principalement les intestins.

Tout comme dans ma vie de tous les jours, quand je me gave trop vite de nourriture, j'ai le « **ventre** plein », j'ai le goût de dormir et je vis un certain inconfort. Je dois apprendre à prendre mon temps, à ingérer chaque situation nouvelle une à une, afin de me laisser le temps de m'adapter aux changements qui ont lieu dans ma vie, m'évitant ainsi de vivre de l'impatience et de la frustration. Puisque c'est dans l'**abdomen** que l'enfant croît et qu'il se prépare à se déplacer de l'état solitaire à un état plus social, l'**abdomen** est donc la région des **relations**. Toutes les difficultés dans cette région sont reliées aux conflits ou aux blocages entre moi-même et l'univers dans lequel je suis, ceux-ci étant exprimés à travers les relations personnelles qui font ma réalité. Si je vis une situation ***abominable*** ou affreuse, mon **ventre** réagit fortement, spécialement lorsque je me sens obligé de me « mettre à plat **ventre** devant quelqu'un » et que j'en suis humilié. Cette région est **tendue** lorsque je me sens fragile, peu sûr de moi et que j'ai l'impression qu'on me « passe sur le **ventre** ». Elle est plutôt **relâchée** lorsque je suis désabusé de la vie, que « je me fous du monde entier ». Un malaise au **ventre** m'indique que j'ai une perception négative de la vie et je peux vivre de la ran**cœur♥**, ayant de la difficulté à intégrer de nouvelles idées qui pourraient rendre ma vie meilleure. Cette ran**cœur♥** peut résulter de mon sentiment d'impuissance face à la figure paternelle de ma vie que je considère comme dominante. J'ai l'impression de devoir me sacrifier ou qu'on me manipule.

J'accepte↓♥ de reconnaître mes pensées, mes sentiments à travers les autres et dans l'univers qui m'entoure. Puisque c'est dans l'**abdomen** que résident ma plus profonde intention et mon sentiment de ce qui est bon ou mal, des malaises à ce niveau me donnent une bonne indication de ce qui se passe dans ma vie intérieure et au niveau de mes émotions.

VENTRE (mal de...)

VOIR : MAL DE VENTRE

VERGETURES

VOIR : PEAU — VERGETURES

VERRUES (en général)

VOIR : PEAU — VERRUES [EN GÉNÉRAL]

VERRUES PLANTAIRES

VOIR : PIEDS — VERRUES PLANTAIRES

VER SOLITAIRE

VOIR : INTESTINS — TÆNIA

VERS, PARASITES

VOIR : CHEVEUX — TEIGNE, INTESTINS — COLON / TÆNIA, PIEDS — MYCOSE

VERTÈBRES (fracture des...)

VOIR : DOS — FRACTURE DES VERTÈBRES

VERTIGE ET ÉTOURDISSEMENTS

VOIR AUSSI : SANG — HYPOGLYCÉMIE

Le **vertige** est un trouble cérébral, une erreur de sensation, sous l'influence de laquelle je crois que ma propre personne ou les objets environnants sont animés d'un mouvement giratoire ou oscillatoire (**vertige rotatoire**).

Avoir des **vertiges ou** des **étourdissements** est **une façon de fuir** un événement ou une personne que je refuse de voir ou d'entendre : même si je ne suis pas satisfait, je reste dans ce « pattern ». Je refuse d'obéir, à l'autorité extérieure ou intérieure, à ma voix intérieure. Je peux avoir l'impression qu'une situation évolue trop vite pour moi et j'ai peur des changements qu'elle apportera dans ma vie. Est-ce que je peux être toujours à la hauteur ? Une nouvelle tâche ou position que je perçois comme beaucoup plus exigeante peut me causer un « **vertige** psychologique » qui se transforme en **vertige** physique. J'ai peur de ne pas pouvoir suivre. Tout est en mouvement, « ça va trop vite ! ». Je suis en train de perdre mon espace vital, je me sens compressé. C'est comme si je n'avais pas de repère pour me diriger et donc je peux avoir l'impression que « mon père », ou celui qui représente l'autorité, est absent ou qu'il devrait m'aider davantage par rapport aux directions à prendre. J'ai alors peur de l'avenir, je ne sais trop quelle direction prendre et je me retrouve face à moi-même, dans le néant. Cela me « donne le **vertige** ». J'ai de la difficulté à me positionner. Je préfère me fermer, je fuis. Je voudrais tout contrôler, autant ce qui se passe à l'intérieur qu'à l'extérieur de moi mais, cela étant impossible, je deviens instable et anxieux. Dans la plupart des cas, quand je souffre de **vertiges** et d'**étourdissements**, je peux souffrir d'hypoglycémie. Il y a des forces sur lesquelles je n'ai aucun contrôle et cela me dérange. Je recherche constamment la vérité. Je suis affecté par un mensonge qui concerne ma généalogie : j'ai l'impression que quelque chose « cloche » mais je ne sais pas quoi. Je ne suis pas en contact avec la terre, je ne « touche pas terre ». Je tourne en rond et ne vois pas d'issue. Il y a aussi des choses que je ne supporte pas d'entendre. Je vis dans mes pensées, dans la rêverie. Je vis un malaise ou un questionnement profond face à la position que j'occupe dans ma famille ou dans la société. Quel est mon positionnement et suis-je à l'aise avec celui-ci ? Mes **vertiges** mettent en

lumière le déséquilibre intérieur que je vis, souvent entre ma partie féminine et masculine. Il peut être apparu suite à un choc émotif. Par exemple, le départ de quelqu'un que j'aime : j'ai minimisé l'impact de cet événement, préférant faire la sourde oreille. J'ai l'impression ainsi de pouvoir contrôler ma vie mais je ne garde qu'un équilibre extérieur qui est illusion et très fragile.

J'accepte↓♥ de découvrir la joie de vivre, de m'offrir des petites douceurs et de faire confiance à l'avenir. Ceci me permet de retrouver un sentiment d'équilibre intérieur, essentiel à ma guérison.

VÉSICULE BILIAIRE

VOIR AUSSI : CALCULS BILIAIRES, FOIE [MAUX DE...]

La **vésicule biliaire** est un réservoir membraneux situé sous le foie et où s'accumule la ***bile*** que celui-ci sécrète. Cette bile élimine des substances toxiques dans l'intestin.

La bile symbolise l'élimination d'émotions et d'expériences négatives pour moi. Elle représente mon pouvoir d'assimiler et de digérer mes émotions afin de pouvoir m'épanouir pleinement. Les difficultés à ce niveau sont reliées à des « patterns » émotionnels et mentaux qui sont remplis d'amertume et d'irritation, face à ma vie ou face aux autres. Si ceux-ci se figent et durcissent, ils se transformeront en **calculs biliaires**. Si ma **vésicule biliaire** ne fonctionne pas bien, cela peut découler de mon insécurité ou de mes inquiétudes face à quelqu'un que j'aime et qui m'est cher. Le fait de vivre de l'attachement envers cette personne m'amène à vivre des émotions que j'ai de la difficulté à gérer et à assumer. Le départ (mort) d'une personne devient pour moi très difficile et source de ***rancœur♥*** : il en découle souvent des discussions enflammées face au partage des biens. Des situations où il y affrontement dérangent ma **vésicule biliaire** car j'ai peur de « perdre la partie » et de devoir me départir de choses ou personnes qui me sont chères ou qu'on risque de m'enlever. Je vis une confusion et une ambivalence face à mes émotions. J'ai de la difficulté à discerner ou à voir clair dans mes émotions et mes responsabilités, à poser des actions justes. J'ai l'impression d'avoir toujours à justifier mes actes et de souvent percevoir les situations de ma vie comme « injustes », ce qui m'amène à vivre beaucoup de colère. Je deviens ***amer*** face à certaines personnes, situations ou ***gestes*** posés, voire même ***furieux***. J'en viens même à les ***détester*** et chercher une ***revanche***. J'ai l'impression qu'on ***empiète*** sur mon espace vital. La colère qui reste le plus souvent silencieuse et mon chagrin m'amènent à me retirer du monde. Je vis beaucoup ***d'animosité***. Je voudrais m'extérioriser et montrer au monde entier de quoi je suis capable mais je reste enfermé dans ma carapace. Cela m'amène au désespoir.

J'accepte↓♥ de me libérer de ces sentiments amers, irritants. Je dois considérer chaque expérience que je vis comme une occasion de mieux me connaître et d'utiliser ma sensibilité de façon positive et créatrice, au lieu de contrôler ou de manipuler les autres. C'est seulement dans l'expression de mes sentiments intérieurs et dans le laisser aller des expériences passées qui m'ont marquées que je peux me libérer et vivre en paix.

VESSIE (maux de...)

VOIR AUSSI : CALCULS EN GÉNÉRAL, INFECTIONS EN GÉNÉRAL, URINE [INFECTIONS URINAIRES]

La **vessie** est le réservoir où l'urine est en « attente » d'être libérée.

Elle représente les « attentes » que je nourris face à la vie. Elle symbolise aussi le fait de regarder en face la vérité qui est contenue dans mes émotions, dans tout mon monde affectif. La **vessie** fonctionne bien si je laisse circuler librement mes émotions dans un processus d'acceptation↓♥ de celles-ci. Des **problèmes de vessie** m'indiquent que j'ai tendance à m'accrocher à mes vieilles idées, que je refuse de lâcher prise. Je résiste au changement à cause de mon insécurité. J'ai de la difficulté à m'adapter à une nouvelle situation. Ma **vessie** réagit si je désire fuir la vérité. Je désire manipuler, contrôler dans le domaine notamment de la sexualité. Les malaises démontrent que je vis de l'anxiété depuis très longtemps et qu'il est temps pour moi de laisser aller librement mes émotions négatives indésirables. Ainsi, ma **vessie** m'empêchera de me **noyer** dans ma propre négativité. Des **infections urinaires** sont l'indication que je vis beaucoup de frustrations, de la peine et de l'insécurité non exprimées. La ***haine*** peut même m'habiter. Je peux me questionner pour connaître ce que je retiens dans ma vie et que j'ai intérêt à libérer. Ces sentiments m'empêchent d'entreprendre des choses, d'être dans l'action. Je suis plutôt dans une période de passivité et d'introspection. Ces sentiments peuvent être vécus dans une situation où ce qui m'appartient et ce que je considère comme faisant partie de mon territoire sont mis en cause. C'est, par exemple, une situation où j'ai « la nausée » chaque fois que j'arrive à la maison et qu'elle est toute sale et en désordre. Je ne m'y retrouve plus (autant dans mon espace physique que dans ma vie personnelle). Je vis dans un ***immense*** chaos et j'ai besoin de voir plus clair dans ma vie. J'ai l'impression qu'on veut ***s'accaparer*** quelque chose ou quelqu'un qui « m'appartient », on ***empiète*** sur moi. Je ne sais pas comment faire respecter mes limites. Ma vie est désorganisée, je ne peux plus me positionner parce que j'ai perdu mes repères. À quel territoire (famille) est-ce que j'appartiens ? La **vessie** représente aussi le domaine des relations personnelles. Il arrive donc souvent que ces **infections** se déclarent dans la période entourant la lune de miel, lors d'une relation dérangeante ou conflictuelle, ou encore, à l'occasion d'une rupture. La lune de miel ou une première expérience sexuelle peut m'amener à vivre divers problèmes, voire même des déceptions déclenchent de la colère ou du ressentiment face à mon partenaire, comme s'il était responsable de mon insatisfaction. Ma peur de l'intimité peut être réveillée. Une relation en rupture est généralement l'aboutissement de « non-dits », d'émotions refoulées dans mon intérieur. C'est comme si j'enfouissais au plus profond de moi mes problèmes psychologiques, provoquant une pression constante. Cela risque de ***déborder***. Une créativité mal exprimée (incluant la sexualité) amène des difficultés au niveau de ma **vessie**. J'ai à comprendre qu'en me libérant de cette pression, quelle qu'elle soit, j'éprouverai inévitablement un soulagement. Des **calculs dans ma vessie** me montrent combien je suis dur avec moi-même et je suis déconnecté de mes émotions. Ceci m'amène à vivre confusion et doute. Si j'ai le **besoin d'uriner en permanence**, il y a donc une pression permanente de la **vessie**. Il y a constamment un trop-plein d'émotions. Je me sens dépassé par ce qui se passe dans ma vie. Mon envie d'uriner est souvent pressante, donc je vis plusieurs situations où je me sens pressé et même en état d'urgence. Je peux me dépêcher à libérer toutes mes émotions afin d'éviter d'avoir à les vivre et les assumer pleinement. Au lieu d'avoir des relations durables permanentes avec les gens, j'ai tendance à peu m'impliquer. J'expérimente toutes sortes de nouvelles choses, voulant avoir pleinement le contrôle sur mes actions, mais ayant de la difficulté à m'impliquer et m'adapter au niveau émotif. Lorsqu'un danger est passé, je sens le besoin d'uriner pour relâcher le stress accumulé. Au contraire, si la **quantité d'urine est moindre** qu'à l'habitude (**oligurie**), mes relations personnelles sont « sèches », comme si j'étais dans un désert. Cet état est souvent causé par une rage intérieure qui me gruge par dedans. Un **cancer** peut se développer si je décide de me « déconnecter » de ces émotions dites négatives, de les ***bannir*** de ma vie. En ne vivant que dans ma tête, c'est comme si je refusais de voir le feu qui est en train de brûler ma maison. Au lieu de trouver les réponses à l'intérieur, je sens le besoin de toujours regarder à l'extérieur.

J'accepte↓♥ de me libérer de mes vieilles croyances et je fais place à la nouveauté dans ma vie. J'accepte↓♥ d'investir de mon temps et de ma personne dans mes relations interpersonnelles et j'accepte↓♥ d'exprimer toutes ces émotions qui encombrent ma **vessie**. Je laisse aller mes émotions passées auxquelles je me retenais. Je vis dans la vérité et la simplicité.

VESSIE — CYSTITE

VOIR AUSSI : ANNEXE III

La **cystite** est une inflammation de la **vessie, en règle générale infectieuse**.

Certains événements ou certaines situations m'amènent à retenir mon **irritation**, mes **frustrations** et mon **insatisfaction**. Je suis tellement contrarié dans mes attentes que ma **vessie s'enflamme**. Je vis un état de grande pression. La **cystite** survient très souvent lorsque je vis une situation de rupture : que ce soit avec mon partenaire, un associé en affaires ou avec un membre de ma famille. La détresse vécue est grande et mes émotions ont de la difficulté à être exprimées. Il y a un combat affectif qui amène à vivre des émotions de froideur et de dureté. Le silence est porteur d'un sentiment profond d'impuissance car je me sens ligoté, enchaîné, envahi. J'empêche mes émotions de s'exprimer. Je dirige mes frustrations vers les autres. Je peux vouloir jouer un rôle de conciliateur entre deux personnes, souvent mon père et ma mère. Ai-je vraiment cela à faire ou est-ce plutôt de l'ingérence dans leurs vies ? Une situation me brûle et l'émotion qui y est rattachée veut s'évacuer. Le fait d'avoir une **cystite** peut être dans un sens bénéfique parce qu'habituellement, elle perturbe les relations sexuelles, celles-ci sont plus distantes. Je vis un conflit habituellement avec mon partenaire amoureux et la rage qui existe arrive d'une façon subite et excessive. J'ai de la difficulté à trouver ma place, mon espace dans le couple. Je brûle d'impatience face à quelqu'un ou une situation.

J'accepte↓♥ qu'il est essentiel de lâcher prise pour me libérer car, en me retenant, je bloque mon énergie, essentiellement parce que j'ai peur. Le mécontentement face aux événements, qui produit une tension nerveuse, va enflammer ma **vessie**. J'accepte↓♥ de vivre l'instant présent au maximum et je réalise qu'en étant ouvert, je me permets de goûter à de merveilleuses expériences. Je suis dans l'action et je vais de l'avant.

VIEILLISSEMENT (maux de...)

En **vieillissant**, il arrive que mon corps perde de sa flexibilité. J'avance plus difficilement, ma dextérité se détériore. Que veut me dire mon corps ? Il est probable que je regrette des éléments de mon passé, que je crois que je n'ai plus ma place dans ce monde, qu'il est temps pour moi de **m'arrêter**. Je crois aussi que la vie était meilleure avant. Je refuse de voir les belles choses d'aujourd'hui. Mes pensées sont tournées vers hier et je critique le présent. Cette rigidité dans ma façon de penser est transmise à tout mon être. Le **vieillissement** est une étape à laquelle je dois m'adapter. Mais puisque je commence à vieillir dès le tout premier moment de ma naissance et ce, jusqu'au moment de la mort, à quel instant de ma vie est-ce que je commence à vieillir « trop vite » ou « trop mal » ? Il n'y a pas vraiment de barème. Le processus de **vieillissement** risque d'être accéléré quand je vis trop dans ma tête et non dans mon **cœur♥**. Si je donne mon pouvoir de création à quelqu'un d'extérieur à moi, si je laisse la société me dicter ce qui est bon pour moi. Si je veux jouer un rôle pour me faire accepter↓♥ par mon entourage mais que je ne vis pas en fonction de mes valeurs personnelles (ainsi, je limite moi-même ma liberté). Si je refuse de voir mes émotions comme des alliées, si je suis fermé à l'**Amour**, si je tue ma créativité et mes pulsions profondes, alors dans ces conditions, je peux me sentir aigri et penser à l'âge que j'ai.

J'accepte↓♥ de me faire confiance. J'accepte aussi↓♥ de vivre au niveau de mon **cœur♥** le moment présent. Je laisse aller ce qui n'est pas bénéfique pour moi. Je garde ce qui me donne joie, rires, énergie, amour de moi et des autres. J'accepte↓♥ de m'ouvrir aux changements et j'accepte↓♥ davantage de recevoir et de donner avec mon **cœur♥**. Ainsi, mon état s'améliore de jour en jour. J'ai la conviction que la jeunesse du **cœur♥** et du corps est éternelle. Mon corps physique ne peut que manifester ces pensées positives de santé et de jeunesse.

VIEILLISSEMENT PATHOLOGIQUE

VOIR : SÉNILITÉ

V.I.H. (virus d'immunodéficience humaine)

VOIR : SIDA

VIOL

VOIR AUSSI : ACCIDENT, PEUR

Le **viol** est une agression qui entraîne souvent le dégoût de la sexualité ou la déception de soi. Il peut être relié à une grande culpabilité par rapport à sa sexualité, surtout en pensée, par « peur de ce qui pourrait arriver ! » Donc, le **viol** dont il est question ici est relié à la sexualité, c'est-à-dire à un rapport sexuel imposé sans le consentement de la personne. Même si je n'ai pas eu à vivre une telle expérience sur le plan sexuel, j'ai pu néanmoins la vivre sous d'autres aspects. En effet, si je me suis déjà fait voler chez moi, en rentrant, je peux vivre un sentiment intense comme si on m'avait **violé**. Le **viol psychique** est aussi dommageable que le **viol physique** : je dois donc apprendre à ne plus me laisser abuser. La façon dont je laisse les gens me traiter en ce qui a trait à mes goûts personnels, mes idées, mes valeurs peut être perçue comme un **viol**. Je peux vivre un **viol** à l'intérieur du mariage aussi. Si j'ai eu à vivre un **viol**, ou un abus sexuel, je regarde si mon ignorance de la sexualité, même inconsciente, était à ce point grande que j'ai « attiré» (énergétiquement parlant) cette situation comme pour me libérer de ma peur ou tout simplement pour cesser de me faire abuser. Je pouvais avoir des pulsions sexuelles très fortes mais je m'interdisais de les assumer. J'ai tendance dans ma vie à être très « mou », influençable : il est plus facile de « jouer du violon » et de me soumettre aux autres que de m'affirmer dans mes besoins. De cette façon, je vais avoir leur **amour.** Je suis angoissé et l'idée de prendre contact avec les émotions qui m'habitent me paralyse. Je doute de moi. J'ai l'impression que je ne peux vivre que si j'ai quelqu'un dans ma vie et je suis parfois prêt(e) à payer (dans tous les sens du terme) très cher pour avoir de l'affection et de la tendresse. **Consciemment, je n'ai pas voulu cette situation**, mais je dois comprendre le fonctionnement du subconscient pour me rendre compte qu'il peut programmer un événement pour me libérer de ma peur. Je dois être vigilant et ne pas penser que je suis coupable de ce qui m'est arrivé, mais plutôt chercher à voir pourquoi cela m'est arrivé, pour m'aider à guérir la blessure laissée en moi. Si je crois, pour moi-même ou parce qu'on me l'a dit, que je serai marqué pour le restant de mes jours par une telle situation, alors je ferais bien de commencer à considérer sérieusement que **C'EST FAUX. Il existe des moyens de guérir complètement d'une telle situation**. Il ne restera que le souvenir de l'événement, historiquement parlant, mais il n'y aura plus de peine, de tristesse, de colère, d'amertume, ni de haine d'aucune sorte, parce que tout aura été guéri, parce que **la prise de conscience au niveau du cœur♥ aura été faite avec la compréhension qui y est associée**. Je fais confiance dans les possibilités infinies que la vie m'apporte et j'apprends à prendre la place qui me revient, à prendre ma place ! Ainsi, je suis en mesure d'être pleinement maître des événements de ma vie. Pour guérir, je dois laisser aller mon état de victime, me responsabiliser **et accepter↓♥ de lever le voile sur mon passé**.

J'accepte↓♥ dès maintenant de cesser de me fuir et de me regarder dans les yeux. J'accepte↓♥ de trouver à l'intérieur de moi la sécurité et la force de m'assumer en tant qu'être humain pleinement guidé et protégé. Je laisse derrière moi cette expérience que j'ai vécue, prenant **conscience** que la personne qui était impliquée avec moi cherchait elle aussi à dépasser son propre sentiment d'impuissance. Je reprends la maîtrise de ma vie, je deviens totalement autonome. Je dois d'abord me respecter afin que les autres en fassent autant avec moi. Ce n'est qu'en expérimentant **l'amour** dans chaque geste que je pose que je peux expérimenter le bonheur à chaque instant. De cette façon, j'aide la **conscience** de la famille dans laquelle je suis né : les sentiments d'infériorité, d'impuissance, de victime que peuvent vivre certains membres de ma famille seront amenuisés. Le fait de sortir du secret et du silence amène une grande libération.

VISAGE

VOIR AUSSI : PEAU / ACNÉ / BOUTONS / POINTS NOIRS

Mon **visage** est la première partie de mon être qui aborde ou qui accueille l'univers. Elle est ma « carte d'identité ou de visite ». Habituellement, un seul coup d'œil me donne des impressions sur quelqu'un, selon que son **visage** est radieux, lumineux, souriant ou, au contraire, sombre, irrité, triste. Il projette mon monde intérieur. Le **visage** se rapporte donc à mon image, à mon identité, à mon ego. Si je veux cacher un aspect de ma personnalité ou si je me cache quelque chose à moi-même, mon **visage** porte ce masque aussi en devenant tendu et grimaçant. De même, si je me dévalorise, si je critique, si je me sens incompétent, si j'ai l'impression que personne ne m'aime, mon mal-être intérieur s'exprime par l'apparence de la peau de mon **visage** qui devient boutonneuse ou qui s'assèche. Une irritation mentale rend ma peau imparfaite. Mes blessures intérieures s'expriment par les « blessures » sur mon **visage** : cicatrices, rides, boutons, taches, etc. Je vis un stress si je vis constamment en fonction de l'image que je veux donner, si j'ai honte de mon apparence. « L'œil » des autres est-il plus important que le mien ? Est-ce que je reste à la surface des choses afin d'éviter d'entrer en contact avec mon moi profond ? Il peut en résulter que j'ai un « double **visage** ». Est-ce que j'ai une peur omniprésente de « perdre la face » ? Peut-être est-ce que je veux me protéger en ne laissant transparaître que mon côté négatif. Si je suis impliqué dans un **accident d'automobile** et que mon **visage** est atteint, cela indique mon besoin de faire une remise en question de mon image personnelle, de mes priorités et la façon dont je gère ma vie. Un **traumatisme à mon visage**, comme une **fracture du nez,** survient lorsque mon ressenti m'amène à me dévaloriser : une situation devient insupportable comme par exemple le fait de vivre une relation extraconjugale qui ne me satisfait plus. Je ne suis plus capable de ***faire face*** à une personne ou une situation. Je laisse les autres transgresser mes ***frontières***.

Pour que les traits et la peau de mon **visage** s'éclaircissent, s'adoucissent et se nettoient d'eux-mêmes, j'accepte↓♥ de nettoyer tout d'abord mon intérieur et de me débarrasser des sentiments et pensées négatifs que j'entretiens. Je fais place à plus d'**amour**, à plus de compréhension, plus d'acceptation↓♥ et à plus d'ouverture. Mon **visage** s'illumine encore davantage et je n'ai plus besoin de porter de masque.

VITILIGO

VOIR : PEAU — VITILIGO

VOIES BILIAIRES

VOIR : VÉSICULE BILIAIRE

VOIX (extinction de...)

VOIR : APHONIE

VOIX — ENROUEMENT

Lorsque mon timbre de **voix** devient sourd, rauque ou éraillé, alors j'ai la **voix enrouée** (appelé aussi **dysphonie**).

L'**enrouement** signifie que je souffre d'épuisement mental et physique. Quelque chose empêche mes « roues » de tourner sans anicroche. Je vis un blocage émotionnel, une émotion vive et je retiens mon agressivité. Comme la gorge se rapporte au centre d'énergie de la vérité, de la communication et de l'expression de soi (chakra de la gorge), je me sens pris par la vérité que j'ai de la difficulté à assimiler et par mes convictions personnelles. Je vis selon des structures bien précises et parfois rigides. Ma façon de voir par exemple le travail et la notion de « il faut travailler dur pour réussir sa vie » m'amène à un surmenage qui se manifeste entre autres par de **l'enrouement**. J'ai recours à certains palliatifs ou à des stimulants tels café, alcool, cigarettes, etc., et, quand l'effet disparaît, l'**enrouement** apparaît. La fatigue que je ressens amplifie les inquiétudes et les soucis que je ne voulais pas regarder. C'est comme si ma **voix** devenait hésitante à émettre des sons car j'ai peur de me heurter à un mur ; je ne sais plus quoi dire car on me trouve un peu fou, « fêlé ».

J'accepte↓♥ d'avoir besoin d'un temps d'arrêt et de me donner le repos et le temps nécessaire pour me régénérer. En étant reposé, les situations et les événements reprennent leur proportion réelle, je suis beaucoup plus objectif et lucide pour prendre les décisions qui s'imposent. Je chante et je libère ainsi la voie (**voix**) de l'expression de soi.

VOMISSEMENTS

VOIR : NAUSÉES

VULVE

VOIR AUSSI : LÈVRES

La **vulve** est l'ensemble des organes génitaux externes de la femme. De la même façon que les lèvres du visage sont considérées comme les portes de la bouche, les **lèvres vaginales** représentent celles de l'appareil génital.

Un sentiment de vide, d'épuisement, de lassitude peut provoquer une inflammation (**vulvite**) ou d'autres troubles à la **vulve**. Je me sens « vulnérable », impuissante, je rejette tout contact physique, je me sens sans joie à l'intérieur de moi. Je ferme la porte au plaisir. L'origine des **maladies de la vulve** est normalement d'ordre psychique. L'angoisse et les craintes viennent enflammer une **vulve** souvent après qu'on ait eu à prendre de nombreuses décisions. Je suis fatiguée d'avoir à décider, et c'est une façon de manifester mon impuissance, mon impression d'être diminuée devant les événements. J'ai de la difficulté à être au niveau de mon **cœur♥** lorsque vient le temps d'être intime avec mon partenaire et je n'ai plus le goût d'être proche de lui : les blessures du passé sont encore présentes et je préfère garder un certain contrôle sur mon corps et mes émotions.

J'accepte↓♥ de me sentir valorisée et j'accepte↓♥ la responsabilité de mes choix.

Yeux (en général)

Mes **yeux** sont le miroir de l'âme. Ils me permettent de voir à l'extérieur et, par eux, j'exprime toutes les émotions et tous les sentiments que je vis intérieurement. Selon leur profondeur, il est possible de découvrir mes rapports avec le monde extérieur. Le fonctionnement de **mes yeux** reflète la façon dont je vois la vie et ma relation avec celle-ci. Ils représentent aussi le fait de voir clair dans ma propre vie et à l'intérieur de moi. Ils reflètent le regard que j'ai sur les choses Ils indiquent de quelle façon les données extérieures à moi sont transmises à l'intérieur de moi. S'il y a interférence, rejet, résistance face aux informations qui sont en contact avec mes **yeux**, ces derniers réagissent vivement. Si j'ai de la difficulté à voir clair dans une situation, si la vérité me paraît cachée, mes **yeux** s'embrouillent. Si j'ai de la difficulté avec ce que je vois, ma compréhension est incomplète et mes **yeux** réagissent. Mes **yeux** sont affectés si j'ai une difficulté particulière à transiger avec la vérité, la réalité et l'avenir. Chaque **œil** représente un aspect particulier de mon être. L'**œil gauche** représente l'aspect intérieur, émotionnel et intuitif, mon côté féminin et la relation avec la mère. Il me sert de vigie, me permettant de rester aux aguets devant tout ce qui peut constituer un danger et de réagir promptement. Une difficulté à mon **œil gauche** montre combien je suis attaché à quelque chose ou à quelqu'un. Je vis de la méfiance face à qui je suis réellement et je veux peut-être cacher ou voiler ce que je vois. Je veux me sentir en sécurité et je préfère m'appuyer sur les autres. Je suis dépendant émotionnellement. J'ai l'impression de ne pas pouvoir contrôler mes émotions. Ces dernières ne demandent qu'à s'extérioriser ! L'**œil droit**, quant à lui, traite rationnellement l'univers et les situations extérieures. C'est l'**œil** de la reconnaissance qui me permet de façonner mon identité. Il fait référence à mon côté masculin, ma relation avec le père. Si mon **œil droit** est affligé d'un certain malaise, cela m'indique que j'ai à m'enraciner fermement et à prendre contact avec ma propre autorité. Je dois être mon propre pilier. Je n'ai plus à m'accrocher à quiconque, à me sentir impuissant. Je trouve une façon de m'assumer, de prendre les rênes de ma vie. Le mensonge embrouille mon **œil**. Des **problèmes aux yeux** sont l'indication qu'il existe des choses que je refuse de voir et qui remettent souvent en question mes principes fondamentaux et mes notions de justice. Il est très important de mentionner que la qualité des images qui sont envoyées au cerveau par la rétine dépend de la façon dont mon système nerveux réagit face à ces images qui sont envoyées par ces impulsions nerveuses : en plus de ce que je vois physiquement et qui est réel, il y a aussi toute la « coloration » avec laquelle j'imprègne chaque image en tenant compte de toutes mes expériences passées vécues et tout mon bagage émotif, autant personnel que familial ou social. En plus d'avoir la **vue** comme sens mis à contribution, il y a un autre sens qui y est intimement relié et qui est ma

perception intérieure. Je peux développer un **malaise aux yeux** sans avoir l'**impression** d'avoir vu ou vécu de gros traumatismes ou des situations stressantes : il s'agit plus de **voir** jusqu'à quel point j'ai accepté↓♥ une situation que j'ai vue, autant extérieurement qu'intérieurement : le stress vécu est donc plus relié à l'émotion que je vis face à ce que je vois qu'à l'événement lui-même.

J'accepte↓♥ de vivre dans le rire et dans la joie. Je renforce mes structures en faisant confiance à ma sagesse intérieure. Ouvrir son 3e **œil** (chakra) permet d'avoir une vision juste de soi, des choses, des gens, des situations et me conduit au discernement. En tournant au fond de moi mon regard avant de le fixer vers le monde, je trouve ainsi une nouvelle vue d'ensemble et un regard neuf sur la route de mon existence. Mon regard est vrai et sans jugement.

YEUX (maux d'...)

Des **maux d'yeux,** entre autres la cécité, sont une façon de me fermer à ce que je vois. Je choisis d'ignorer ce qui se passe autour de moi, je renonce aux impressions visuelles qui me remettent en question. Plutôt que d'accepter↓♥ une réalité qui pourrait être douloureuse, répugnante ou confuse, je préfère **fermer les yeux**. Je déforme ma perception des gens, cela m'aidant à faire face à ma réalité de tous les jours. Par exemple, je peux « voir grandir mes enfants à vue **d'œil** » et dans ma tête, je m'imagine qu'ils restent jeunes. Je préfère ***entrevoir*** les choses que de voir tout clairement, car cela pourrait être très dérangeant. Il peut y avoir un secret non dévoilé ou le silence de la mère face à une situation qui m'affecte, même d'une façon inconsciente. Je décide consciemment de « fermer les **yeux** ». J'ai de la difficulté à repérer un danger que j'appréhende. La **cécité** peut être causée par le diabète (voir cette maladie) ou encore, par l'accumulation de choses que je refuse d'accepter↓♥, m'apportant confusion et un sentiment de ne plus savoir où aller. Souvent blessée par un choc, par un traumatisme ou une grande peur intérieure, ma vue se retire et l'énergie des organes visuels aussi. Je garde ainsi dans la noirceur des mémoires, souvenirs, émotions que je préfère cacher. Il peut notamment s'agir de la crainte de perdre quelqu'un ou quelque chose qui m'est cher. Je suis ***effrayé*** et je préfère ne pas voir ce qui s'en vient pour moi. Pourtant, la noirceur extérieure semble généralement apporter une ouverture intérieure, un univers privé, secret et coloré. Je m'ouvre donc davantage à mon esprit intérieur. Je peux par ma propre attitude négative endommager mes **yeux**. Si je m'en sers pour abuser des autres, manipuler ou séduire dans un but égoïste et pour contrôler les autres, mes **yeux** laissent transparaître cette réalité et ils sont plus sombres, flous. Des **yeux rouges** expriment ma fatigue intérieure à force de lutter contre mes émotions que je refoule. Mes **yeux picotent** lorsque je suis agacé face à ce que je vois et ce que je vis. Je suis constamment à chercher des yeux des choses ou des personnes que je veux « acquérir ». Des **yeux secs** m'indiquent que je vis une situation où je perds ou ai perdu ma dignité et je veux rester impassible. C'est comme si mes **yeux** se figeaient, empêchant leur lubrification. Je m'empêche de pleurer devant les gens. Des **yeux pochés** m'indiquent que je me retrouve dans une situation où soit j'ai pris quelqu'un en *flagrant délit,* soit je me suis fait prendre, à moins que j'aie peur que quelque chose éclate au grand jour… Ce peuvent être des actes mais aussi des pensées secrètes que je ne veux pas voir divulguées. Une **déformation de l'œil** (astigmatisme, myopie, presbytie) indique que je cherche de façon démesurée à trouver des réponses à l'extérieur, plutôt qu'à l'intérieur de moi. Plus je cherche à l'extérieur de moi-même, plus je m'éloigne de mon noyau intérieur. Une **vision voilée** (cataracte, glaucome) dénote que ma version de la réalité est contraire à celle que je vois. Cela m'indique que je mets difficilement mon attention sur l'essentiel, que je refuse ce que je vois. J'ai le regard ***furtif*** afin de ne pas être remarqué ou tout simplement pour ne pas voir clairement tout ce qui se passe autour de moi. Je prends **conscience** que si j'ai besoin de **lunettes** pour corriger ma vue, celles-ci me donnent une façon de me protéger des agressions extérieures. En même temps que j'empêche les intrus d'entrer dans mon univers, je peux me cacher aussi derrière mes **lunettes**, évitant ainsi de montrer mes « vraies couleurs ». Si je développe **une sensibilité excessive face à la lumière**, je vois ma vie tout en noir et je ne vois que la partie sombre de mon être. Un « **œil au beurre noir** » est l'extériorisation de ma violence intérieure. Mon attitude négative a attiré quelqu'un ou quelque chose à me frapper comme j'aurais moi-même le goût de le faire. Si mes **globes oculaires sortent de leur orbite** (**exophtalmie**), je suis constamment aux aguets. Il y a distorsion entre ce que je vois et la réalité ce qui me cause un stress énorme. Me sentant en danger avec une tendance à la paranoïa, mes globes sont avancés pour pouvoir mieux voir ce qui m'entoure.

J'accepte↓♥ la beauté qui m'entoure et je me donne du temps pour regarder. Je porte mes **yeux** que sur ce qu'il y a de beau autour et à l'intérieur de moi.

YEUX (maux chez les enfants)

Un **problème aux yeux** chez un **jeune enfant** laisse présager un stress par rapport à sa famille, un refus de voir ce qui s'y passe. Je vois ou ressens toute la tristesse et la douleur de mes parents et je préfère me cacher les yeux pour ne pas voir. Lorsqu'il se développe à l'école, cela démontre que je vis de l'anxiété face à l'inconnu, je ne sais trop quel chemin prendre. Je veux fuir le monde qui m'entoure. Un **problème aux yeux** qui survient à l'adolescence peut dénoter une peur de la sexualité. Il est important que moi, comme parent, j'amène mon enfant à communiquer ses peurs afin de le rassurer et de l'aider à dépasser celles-ci.

YEUX — ASTIGMATISME

L'**astigmatisme** est un défaut de sphéricité[219] de la cornée ou du cristallin. La courbure verticale de la cornée est plus importante que la courbure horizontale ou inversement. C'est comme si je regardais à travers un miroir déformant.

Cette malformation dénote généralement une peur de me regarder en face, tel que je suis. Une **mauvaise coordination des yeux** peut signifier que ma façon d'agir et mes pensées sont en désaccord avec mon entourage, causant ainsi des conflits intérieurs. Je veux me créer une réalité différente et tenter de me dégager de l'influence de mes parents ou de toutes autres personnes que je considère abusives. Souvent confrontés à de la rage, à de la colère ou à des peurs durant ma jeunesse, **mes yeux** ont gardé cette

[219] **Sphéricité** : qui a rapport à la courbure.

expression de frayeur et les muscles entourant l'**œil** sont demeurés en constant état de choc. Mes **yeux** deviennent irrités si ce que je vois extérieurement ou intérieurement m'irrite. Ma définition d'un monde idéal est très loin de la réalité et je préfère ne pas voir et connaître tous les détails. Si par exemple, j'ai idéalisé mon père et je me rends compte que la réalité est tout autre, je refuse de lui ressembler. J'ai alors une attitude de « je vais m'organiser tout seul ». Je vis du ***mépris*** face à moi-même et aux autres. J'accole facilement des ***étiquettes*** aux gens. Cela rend mes relations avec les autres difficiles, particulièrement avec mon partenaire car je garde une distance avec lui. Je me sens ***bafoué*** mais je veux tout garder pour moi, ne laissant pas paraître mes souffrances intérieures. Je préfère endurer mais ceci est très difficile et je dois déformer la réalité pour qu'elle soit supportable. Je veux passer sous silence les cicatrices émotives que je porte. L'**astigmatisme** est aussi le résultat d'une grande curiosité. Mon besoin insatiable de tout voir a « usé » **mes yeux**. De cette façon, mon corps me dit de prendre le temps qu'il faut pour apprécier les choses. Cela peut aussi vouloir dire que j'ai intérêt à reconnaître ma propre beauté, l'être magnifique que je suis.

J'accepte↓♥ le fait d'être capable d'assumer pleinement qui je suis, d'être en contact avec mes sentiments profonds. J'accepte↓♥ l'**amour** en étant ouvert face à moi-même et je manifeste cet amour face aux autres. Je demande à voir la vérité, en étant capable de recevoir d'une façon ordonnée les messages donnés par ma voix intérieure. Je peux ainsi faire le point sur ma vie d'une façon éclaircie.

YEUX — AVEUGLE

Je suis considéré comme **aveugle** si j'ai 10 % de vision ou moins.

Si je vis cette situation, je me demande ce que je ne veux pas voir ou ce que j'ai peur de voir dans ma vie, une personne ou une situation. Je veux me protéger en me recroquevillant dans mon monde que je peux créer à ma guise : je me sens ainsi plus en sécurité et ma nouvelle réalité est beaucoup plus plaisante que ce que je pourrais voir dans la vraie vie. Ceci m'aide à transiger avec ce danger que je sens constamment derrière moi et dont je ne peux me débarrasser. Si cela m'est arrivé à la suite d'un accident ou d'une maladie, je cherche la cause qui pourrait être liée à cette perte de vision. Je travaille alors à intégrer cette cause pour la prise de **conscience** que j'ai à faire et accepter↓♥ à nouveau de « voir » en permettant à ma vision intérieure de se développer de plus en plus dans l'**amour** et dans la compréhension. Si je suis **aveugle depuis la naissance**, je me demande jusqu'à quel point, même à un très bas âge, j'ai eu peur du monde extérieur, comme si j'étais en danger et que la seule façon de me sentir bien était de me couper du monde. Voulais-je vraiment **voir** le jour ? Est-ce qu'on a voulu me cacher, même quand j'étais dans le ventre de ma mère ? Le fait de ne pas voir autour de moi m'évite de me comparer aux autres. Si je me sens laid, limité, je n'ai pas à y faire face constamment. Il est parfois plus facile de ne pas voir la misère humaine que d'y faire face. Elle est le reflet de ma pauvreté intérieure et en acceptant↓♥ de mettre mon attention que sur les trésors qui m'habitent, ma vision s'améliore et je suis capable par la suite de voir la beauté en toute chose. Quel que soit l'âge où je suis devenu **aveugle**, totalement ou partiellement, il y a un refus de naître tout d'abord à moi-même mais aussi au monde qui m'entoure. Je veux fermer les **yeux** à des souvenirs qui me font mal, surtout si je suis orphelin et que mes parents ne m'ont jamais vu, regardé. Je suis dépendant d'une personne à cause de ma situation particulière. Je brime moi-même ma liberté. Je me conforme au monde extérieur quand je peux vivre conformément à mes besoins personnels, ma vérité profonde. Il est possible que ma **vue** revienne complètement : j'ai à accepter↓♥ qui je suis mais aussi le monde qui m'entoure, avec toutes ces beautés mais aussi avec tout le négativisme et les inégalités qui existent.

J'accepte↓♥ ici et maintenant de faire face à toutes mes peurs mais aussi à tout mon potentiel. J'accepte↓♥ de sortir de mon rôle de victime et j'accepte↓♥ de devenir créateur de ma vie. Je me regarde dans les **yeux**, tel que je suis. J'accepte↓♥ de naître à moi-même et non pas pour les autres. En devenant maître de ma vie et en acceptant↓♥ que le monde est ce qu'il est et que le seul pouvoir que j'ai est sur moi-même, les réalités extérieure et intérieure seront limpides et je peux recouvrer la **vue**. Et la personne à féliciter, c'est moi !

YEUX — AVEUGLEMENT

En refusant d'**ouvrir les yeux,** de voir le monde extérieur, je n'ai d'autres choix que de regarder en moi et de prendre **conscience** de mon Univers intérieur. « Y a-t-il une personne dans ma vie par qui je me laisse **aveugler** au point de ne plus me faire confiance ? » Qu'est-ce qui trouble mon discernement ?

J'accepte↓♥ de voir la richesse qui m'habite, la **lumière** qui est en moi.

YEUX — CATARACTE

La **cataracte** est une maladie où le cristallin (lentille biconvexe de l'**œil**) devient graduellement opaque au point que la vision se voile et se déforme, ce qui entraîne la cécité[220] à plus ou moins longue échéance.

Cette forme d'incapacité physique arrive dans ma vie au moment où je ne désire plus voir intérieurement ce qui se passe sous mes yeux, ce qui s'en vient ou ce qui risque d'influencer ma vie et les décisions que j'aurais à prendre. Ce que j'ai vu ou que je vois pour le futur m'amène à me dire : « Je n'en crois pas mes **yeux** ! ». « Je voudrais tellement que les choses restent telles qu'elles sont présentement ! » Ma vision baisse car l'énergie ne va plus à cet endroit. Elle se ternit et s'assombrit, je vois l'avenir d'un **œil** obscur et voilé, sans joie ni gaieté de **cœur♥**. Il est possible que j'aie une attitude égocentrique et que je veuille voir la vie seulement à ma façon sans tenir compte de la réalité d'autrui. C'est une attitude égoïste qui peut même me faire croire que je suis supérieur aux autres. Je refuse de voir certains événements ou individus d'une façon transparente. Cette **cataracte** m'éloigne du présent, me retire de l'univers qui m'entoure. Ça me déplaît à certains niveaux et je dois prendre **conscience** des aspects extérieur et intérieur des choses. Je vois le monde qui m'entoure comme une menace. Un danger constant est présent. Je me sens isolé, seul dans mon coin. J'ai besoin des autres, je voudrais être capable de vivre mes émotions en présence des autres mais j'ai peur de leur réaction. En « voilant » leur visage, je mets une distance et ainsi, je me sens plus protégé. Il est

---

[220] **Cécité** : synonyme d'aveugle ou de perte de la vue.

intéressant de noter que la **cataracte** est une membrane opaque qui empêche les rayons lumineux de venir jusqu'à ma rétine. Puisque le soleil symbolise le père, je peux me demander si j'ai peur de ce dernier et sens le besoin de me protéger. Où ai-je peur du regard du Père céleste, Dieu, qui est celui qui prononcera le jugement dernier ? La **cataracte** apparaît normalement vers la fin de la vie, au moment où la peur de vieillir et de devenir impotent ou impuissant s'installe. J'ai l'impression que des portes se ferment devant moi. J'utilise la **cataracte** comme protection car « je ne veux pas voir la future image de moi-même si elle n'est pas encore là, de peur qu'elle me déplaise trop ». Je refuse de voir ce qui arrive ou va arriver et parce qu'il me paraît inéluctable, je veux ralentir ou empêcher l'événement, l'«agression » de m'approcher. Si j'ai des enfants, je les trouve « ingrats » face à situation. En étant rigide, cela m'empêche de voir « l'autre côté de la médaille ». En n'étant plus capable de voir ce qui se passe aujourd'hui, je me force à me remémorer le passé que je considère être « le bon vieux temps » et dont je ne veux me défaire. Je perds ma souplesse d'esprit et d'action, je deviens moins tolérant et j'oublie souvent les événements qui viennent de m'arriver. Je n'ai donc pas intérêt à voir le futur qui peut me paraître très sombre (les **cataractes** sont fréquentes dans les pays en voie de développement). Je ne peux plus utiliser mon imagination pour visionner mon futur. C'est comme si mes **yeux** étaient constamment pleins d'émotions et celles-ci voilent ma vision. Cependant, je peux lever ce voile qui m'empêche de voir ma vraie réalité en plaçant mon attention sur ma **lumière** intérieure. Ceci est particulièrement vrai si je suis plus jeune et que j'ai des **cataractes** : j'ai à décider que la vie va s'occuper de m'apporter tout ce que j'ai besoin, autant au niveau physique, qu'émotif ou spirituel.

J'accepte↓♥ de faire l'effort de regarder à l'intérieur de moi et j'y vois toute la **lumière** et la beauté qui m'entourent. Je plonge dans la vie !

YEUX — CERNÉS

Généralement, des **yeux fortement marqués par des cernes** sont le signe de fatigue, et souvent causés par une allergie, laquelle est le résultat d'une dépendance envers un produit. Il peut s'agir également d'une anémie, ce qui indique un manque de fer (faire...). Je me sens limité dans ma vie, celle-ci est terne. Je me sens épié, entouré, menacé même et je ne sais comment m'en sortir.

J'accepte↓♥ d'être plus indépendant et que mon bonheur doit dépendre de moi seul. L'approbation des autres devient alors un plus et non une condition à mon bien-être.

YEUX — COMMOTION DE LA RÉTINE

(VOIR AUSSI : CERVEAU — COMMOTION)

Sur le plan physique, la **commotion** survient à la suite d'un choc violent (direct ou indirect) sur une partie de mon organisme, et entraîne des lésions cachées, nécessitant un examen plus approfondi.

Dans le cas d'une **commotion de la rétine**, je refuse de voir ce qui me saute aux **yeux** parce que j'ai de la difficulté à changer ma vision des choses, à laisser aller. Je résiste et je persiste.

J'accepte↓♥ de lâcher prise, de laisser tomber mes anciennes pensées ou mes anciennes façons de voir et je fais place aux nouvelles pensées qui sont déjà ici. À compter de maintenant, je suis à l'écoute et je me laisse guider par mon intuition et par mes sentiments. Je me sens beaucoup plus libre et serein.

YEUX — CONJONCTIVITE

La **conjonctivite** est l'inflammation de la membrane transparente recouvrant l'intérieur de la paupière et le globe oculaire. Il existe un rapport direct entre la **conjonctivite** et ce que je vois. Inconsciemment, **je refuse de voir une situation ou un événement** avec lequel je suis en désaccord ou qui me blesse. Ma façon de voir est douloureuse car je refuse d'avoir une nouvelle compréhension d'une situation ou le point de vue des autres. Je ne suis pas capable de me mettre à la place de l'autre d'où une impossibilité à pardonner. Cela m'amène à vivre de la frustration, de l'irritation et de la révolte. « Je ne peux pas supporter ce que je vois ! Ça me brûle de voir une telle chose ! » C'est comme si mes **yeux** voulaient laver sans cesse la **saleté** que je vois dans la situation qui me met en **colère**. Il peut s'agir de quelque chose de moche et il faut absolument « laver la famille » de tout jugement ou scandale. Le résultat entraîne un gonflement et un engourdissement mental aussi bien qu'un débordement émotionnel similaire à l'action de pleurer. La vie, la joie et l'enthousiasme en moi sont absents. Mes souvenirs me font mal et je fuis dans un monde irréel, de rêve romantique. Je résiste à la vie, la réalité m'est insupportable. Ma tristesse et mon désespoir m'amènent à penser régulièrement à la mort car je veux en finir avec ma douleur. Je préfère être temporairement aveugle car ce que je vois me fait souffrir. Je veux me débarrasser du lien qui existe dans le regard de l'autre face à moi. Je vis une situation avec une personne où je voudrais utiliser mon regard pour me lier à elle. Une situation avec mon conjoint susceptible d'entraîner une séparation peut faire apparaître une **conjonctivite**.

Je prends le temps de m'arrêter et **j'accepte↓♥ de voir cette situation qui me dérange et je me demande pourquoi il en est ainsi**. Je me donne la permission de pleurer et ainsi extérioriser ma peine, mon désespoir. Je demeure ouvert et réceptif : ainsi je m'évite de revivre une **conjonctivite**. Je reprends contact avec ma réalité. Je laisse aller le passé. Je prends ma vie en mains. J'accepte↓♥ mon chagrin afin qu'il se transforme en paix intérieure. Je suis ainsi conscient de toutes les possibilités qui s'offrent à moi et je crée maintenant ma vie comme je le désire.

YEUX — DALTONISME (non-perception des couleurs)

Être **daltonien**, c'est voir le monde sans ses couleurs, grisâtre et indifférencié. Il peut arriver que ce soient des couleurs précises que je ne puisse pas voir ou qu'il y ait confusion de couleurs (le plus souvent le rouge et le vert).

Je dois donc me demander dans quelle situation de ma vie j'ai connu un stress immense et qui faisait référence à cette ou ces couleurs que je ne peux pas distinguer. Par exemple, si je ne peux voir le rouge, peut-être ai-je frôlé la mort quand j'étais jeune parce qu'un train rouge se dirigeait sur moi. Le rouge étant maintenant associé à un haut niveau de stress et symbolisant la mort qui me guette, je ne voudrai plus, inconsciemment, voir cette couleur. S'il s'agit de toutes les couleurs que je ne peux pas distinguer, le même principe peut s'appliquer. Il y a souvent beaucoup de violence dans ma vie, j'ai été traité d'une façon très dure étant plus jeune et je veux me couper du monde, ne faisant plus confiance aux autres. Mes structures de vie ne sont pas en harmonie avec mes valeurs. Je peux aussi avoir décidé un jour de ne plus « rêver en couleurs » afin d'éviter d'être déçu et de ne voir la vie qu'en ***gris***. Puisque nos rêves d'aujourd'hui créent la réalité de demain, je vais cesser de voir les couleurs dans ma vie quotidienne. Je décide dès maintenant des couleurs, et de faire place à mon imagination. J'imagine le rose, le vert ou le bleu. Comme un artiste, je décide du mélange des couleurs. Je m'imprègne de cette unité que m'offre le monde. Je laisse libre cours à ma fantaisie, j'exprime ma joie de vivre de mille et une façons.

J'accepte↓♥ de n'avoir du pouvoir que sur moi-même et j'ouvre mes horizons afin d'avoir une nouvelle vision des choses. Cela me permet de voir ma vie sous un nouveau jour, ainsi que les leçons que j'avais à apprendre.

YEUX — DÉCOLLEMENT DE LA RÉTINE

Le **décollement de la rétine** est une affection de l'**œil** causée par la séparation de la rétine et du feuillet sous-jacent sous l'effet du passage du liquide vitréen sous la rétine.

Le **décollement de la rétine** découle d'une situation où j'ai vu quelque chose se passer devant moi qui a provoqué un stress immense, voire même un choc et que je retiens, même inconsciemment. J'ai l'impression que cette image d'un événement <u>que je trouve horrible</u> et ***effroyable*** va **rester imprégnée dans ma mémoire toute ma vie** ! Je n'ai pas pu « détacher mes **yeux** » de la personne ou situation. Le premier grand stress des **yeux** se passe souvent lorsque je suis un jeune enfant car je n'ai pas encore le réflexe, comme l'adulte, de me protéger les **yeux** lorsque je vois quelque chose de traumatisant. Mais **yeux** sont plutôt rivés ou « **collés** » à ce qui se passe devant moi. Plus tard, tout grand stress des **yeux** pourra se transformer en **décollement de la rétine**. Ce qui s'est imprimé en moi ne peut pas « se **décoller** ». Je peux me demander aussi si je désire d'une certaine façon me séparer du monde dans lequel je vis. J'ai perdu confiance dans la vie en général et je n'ai plus le goût de m'impliquer parce que je me méfie de tout. Je repousse ceux qui m'entourent car je ne veux plus souffrir. Je ne veux plus « toucher les autres du regard »... Je me méfie des autres. Le mal qu'on m'a fait m'amène à me recroqueviller sur moi-même. Mes tristes souvenirs me suivent partout. Je me sens coupé de la **lumière**. Je dois faire face à cette image au lieu de vouloir la cacher au fond d'un coffre ou de la nier. Je peux demander l'aide d'un thérapeute qui m'aidera à trouver pourquoi j'ai dû voir cet événement troublant et à identifier la leçon de vie que je dois en tirer. Ce processus étant fait, je vais m'éviter d'autres situations où je pourrais développer un autre **décollement de la rétine**.

J'accepte↓♥ d'avoir pu créer ma vie avec mes pensées négatives envers moi et les autres. J'accepte↓♥ de reprendre contact avec mes rêves, mes aspirations. J'accepte↓♥ de me rapprocher des gens, de partager au niveau du **cœur♥** mes expériences, mon vécu. En étant plus proche de mes émotions, je me rapproche de mon essence divine et mes **yeux** peuvent ainsi commencer un processus de guérison.

YEUX — DÉGÉNÉRESCENCE DE LA RÉTINE (maculaire)

La **dégénérescence maculaire** est la forme la plus fréquente et la plus grave des **dégénérescences de la rétine**. Elle consiste en une destruction progressive de la macula (zone centrale de la rétine où l'acuité visuelle est maximale). Elle est plus fréquente chez les personnes de plus de 70 ans.

Je suis confronté à des situations où il y a un point de non-retour. C'est souvent le cas lorsque je vois une personne qui m'est chère transcender son corps physique. Je me sens impuissant face à ma douleur car je n'ai aucun pouvoir sur la mort, la mienne et celle des autres. Cette vision qui m'est difficile à supporter m'amène à me déconnecter du monde, je ne veux plus le voir. Je me demande même ce que je fais encore ici…

J'accepte↓♥ d'avoir encore un rôle à jouer sur cette terre. Par ma présence, je manifeste **lumière** et amour qui irradient sur mon entourage, spécialement sur les gens que j'aime. Je décide de réaliser mes rêves, laissant ainsi couler la vie en moi. Mon corps, particulièrement mes yeux, se régénère et j'ai toute l'énergie nécessaire pour vivre ma vie au maximum !

YEUX — GLAUCOME

Le **glaucome** implique un blocage du canal d'écoulement de l'**œil**, empêchant ainsi les liquides de se libérer et causant une augmentation de la pression interne.

Ces liquides représentent toutes les larmes qui auraient dû couler tout au long de ma vie et qui, s'étant accumulées, occasionnent une pression sur la rétine, causant ainsi la détérioration de la vue. Il atteint plus fréquemment les gens de plus de soixante ans, qui ont souvent le sentiment **d'en avoir assez vu**. Il peut être le signe de vieilles rancunes et d'un refus de pardonner. Je peux avoir l'impression d'être dépassé, **submergé** par la vie et j'ai peur de l'avenir. Me sentant facilement fatigué, la vie devient différente et plus difficile à accepter↓♥ émotionnellement. Je refuse de me voir vieillir ; je ne peux voir les images du futur et cela me convient parfaitement. Puisqu'un **œil** atteint de **glaucome** réagit comme une loupe, il y a quelque chose ou quelqu'un dans ma vie dont je voudrais me rapprocher le plus rapidement possible, **vers** qui je veux aller. Ce peut être en terme de temps ou d'espace. C'est comme si j'étais en retard. Le but est si près mais je sens un danger qui me poursuit. Le **glaucome** m'oblige à ne regarder que vers l'avant et non latéralement, comme si j'avais des œillères de cheval. J'ai l'impression d'avoir raté ou d'être passé à côté de certaines choses dans ma vie et j'éprouve du ressentiment envers elles. C'est comme si des occasions me filaient entre les doigts juste quand je suis sur le point d'obtenir ou d'accomplir quelque chose. Je me sens comme étant dans un tunnel, la vie passe à toute allure : il y a tellement de choses qui se passent à l'intérieur et à l'extérieur de moi que je me sens en quelque sorte dans le vide ; mes points de référence auparavant familiers changent et je suis très triste de voir que je perds ce à quoi je tenais tant. Ma vie est ***glauque***, remplie de mélancolie et de misère. « Que me réserve l'avenir ? Est-ce que je veux vraiment le savoir de toute façon ? ? ? » Je ne vois pas de possibilités, d'issues pour pouvoir réussir ma vie. Des possibilités se présentent à moi mais je les « **loupe** » constamment, je brime ma liberté. Je voudrais tellement pouvoir retenir mon passé et que les choses restent telles qu'elles sont... Je vis une tension extrême et j'ai l'impression que je vais craquer !

J'accepte↓♥ d'ôter le voile, de voir avec amour et tendresse. Je cesse de m'accrocher aux autres et je vis intensément le moment présent. Je pardonne et j'accepte↓♥ de voir la vie avec plus de tolérance.

YEUX — HYPERMÉTROPIE ET PRESBYTIE

Dans le cas **d'hypermétropie** et de **presbytie**, la vision de près est gênée. **L'hypermétropie** est plus fréquente chez les jeunes enfants et est due à une anomalie de la réfraction oculaire. Quant à la **presbytie**, il y a diminution progressive d'accommodation de l'œil qui atteint en général des personnes de plus de 40 ans.

Toutes deux dénotent une peur du présent. Qu'y a-t-il dans ma vie, près de moi, que je refuse de voir ? Il peut s'agir de mon incapacité à « mettre au point » et à voir clairement ce qui m'est accessible et près de moi. Je me laisse davantage intéresser par les autres, par mes relations personnelles et par les événements extérieurs, plutôt que de regarder en moi et de développer de plus en plus mon moi intérieur. Cet état peut avoir été causé par un choc ou par un traumatisme m'ayant fait croire que ce présent n'était pas pour moi. En devenant extraverti et en regardant au loin, je choisis d'ignorer ce qui se passe près de moi, mes rêves sont tournés vers l'avenir. Mes **yeux** deviennent comme une vigie qui guette continuellement au loin ce qui se passe. Je veux prendre du recul face à certains aspects de ma vie présente, donc je regarde au loin pour voir quel avenir s'offre à moi. J'ai de la difficulté à être proche et intime avec les gens qui m'entourent. Je fuis qui je suis réellement. Je n'ose même pas me regarder en face. Je n'aime pas ce que je vois et j'évite d'être concerné de trop par des situations dérangeantes. Il y a quelque chose qui m'échappe. Je veux tout prévoir d'avance. Même le toit sous lequel je vis me paraît dangereux. En ce qui a trait plus particulièrement à la **presbytie**, je vis de l'inquiétude car ce que je vois présentement me rend inquiet : je vieillis, les enfants quittent la maison, je deviens plus triste. Je suis plus sensible aux commérages et aux critiques. Ainsi, ma vision se transforme en fonction de ce que je veux et de ce que je ne veux pas voir. Je prends un certain recul donc je m'éloigne de ma vie présente. Je suis plus conscient de la mort et je me sens vulnérable face à ce qui s'en vient pour moi et ma famille. Cette mort peut être symbolique du moment où je prends ma retraite. Je dois me préparer, avoir des projets et je me demande si j'aurai assez de ressources financières pour tout accomplir. La **presbytie** peut apparaître plus tôt dans la vie si, à un jeune âge, j'ai dû faire face à la mort. Je me sens déjà « vieux » malgré mon jeune âge. J'ai l'impression d'avoir subi tellement d'épreuves dans ma vie que c'est comme si j'en avais vécu deux à la fois. Je sens mon corps usé, meurtri. Dans le cas où seulement un des deux **yeux** est concerné, il est important que je considère les situations reliées au côté du corps affecté (gauche : intuitif, droit : rationnel). J'accepte↓♥ de voir la vie aujourd'hui, avec toutes ses beautés et je sais que je suis en sécurité, ICI ET MAINTENANT.

J'accepte↓♥ de regarder en face mon monde émotif et les situations dans lesquelles je me trouve et où je suis inconfortable. Je regarde mes angoisses, mes insécurités. Ce n'est qu'en acceptant↓♥ de regarder le présent que je peux créer le futur car je dois prendre **conscience** de ce que je veux changer et mettre toute mon énergie à créer un nouveau monde adapté à mes besoins. J'accepte↓♥ d'écouter ma sagesse intérieure qui parle au travers de mon intuition.

YEUX — KÉRATITE

VOIR AUSSI : INFLAMMATION, ULCÈRE

La **kératite** est une inflammation de la cornée, accompagnée de douleurs importantes, pouvant se présenter sous forme d'ulcères.

Elle survient lorsque je vis de la peine et de l'impuissance par rapport à quelque chose ou à quelqu'un que je vois et qui me met en colère. Cela me met dans des états tels que j'irais jusqu'à frapper une personne physiquement ou, au sens figuré, je pourrais vouloir que le « malheur frappe les personnes ou les situations concernées » afin de me donner une certaine satisfaction. Cela peut naître de ma jalousie. Ce peut être aussi moi qui veux vite me cacher de quelque chose ou de quelqu'un afin de ne pas être vu ou cacher quelque chose qui est extérieur à moi. Je peux me retrouver dans une situation où je perds le contact visuel avec une personne et on m'impose un contact avec quelque chose ou quelqu'un d'autre. La **cornée** étant la «vitre » de l'œil, je devrai opacifier celle-ci pour qu'elle soit remplacée par un « mur » qui me protège.

J'accepte↓♥ que mon corps me dise simplement que **j'ai à apprendre à regarder la vie avec d'autres yeux, avec une nouvelle attitude d'ouverture et de compréhension**. Je peux voir des choses qui ne font pas mon affaire, qui ne me conviennent pas et j'ai à me détacher de ce que je vois. J'ai à apprendre à laisser aller le contrôle que je veux exercer sur les choses, sur les personnes ou sur les situations qui m'entourent et sur lesquelles je n'ai aucun pouvoir.

YEUX — MYOPIE

La **myopie** rend difficile ma vision au loin.

Mon insécurité face à l'avenir me fait voir les événements plus gros et plus inquiétants qu'ils ne le sont en réalité. Il semble que je ne sois pas prêt à les affronter. Je vois ce qui est près de moi alors que ma vision éloignée est embrouillée, en raison des muscles oculaires contractés et tendus. Il y a un ***brouillard*** qui m'empêche de voir le danger au loin. Je suis capable de traiter avec ma vie « au jour le jour » avec une grande facilité. Par contre, il m'est difficile de créer ma propre vision de l'avenir et de voir les possibilités devant moi, de faire face et d'aller au-delà de mes craintes et insécurités. Je peux aussi être profondément dérangé par un ***mystère*** qui ne pourra peut-être jamais être résolu, dont je ne pourrai jamais trouver la solution. Ma perception intérieure de la vérité est ***embrouillée***. Il y a distorsion entre ce que je ressens et ce que je vois. Le fait de voir très bien de près sous-tend une difficulté à trouver ma marge de manœuvre dans certaines situations. Je me retrouve dans des situations où il s'en est fallu de peu pour que je sois par exemple impliqué dans un accident de voiture. Si je suis **myope**, j'ai tendance à être gêné et introverti, ce qui peut résulter d'expériences de mon enfance vécues comme effrayantes ou abusives (comme le regard hostile ou enragé d'un parent). Par exemple, si un professeur ou un oncle me battait, je suis devenu **myope** parce que j'avais peur de lui et ne voulais pas le voir car, seulement à sa vue, je devenais nerveux, inquiet, sachant ce qui m'attendait. J'avais l'impression qu'on me ***talonnait*** et j'aurais voulu que cela cesse. J'ai ressenti la ***nécessité*** de protéger mon monde, un peu comme l'autisme, par la **myopie**. Habituellement, à moins d'avoir vécu un autre conflit, ma vision de près va être meilleure que la moyenne, car je sais, même inconsciemment, qu'il est important que je voie bien ce qui se passe près de moi pour pouvoir me défendre ou pour poser les bons gestes quand cette menace sera près de moi et pour qu'elle ne me blesse pas. La **myopie** indique généralement une subjectivité excessive. L'expression « ne pas voir plus loin que le bout de son nez » décrit bien cet état d'être. Ne pas vouloir voir au loin par lassitude ou paresse ou, encore, à force de déceptions de la vie. « Je n'en crois pas mes **yeux** » illustre bien comment je me sens. M'apitoyer sur moi-même est parfois plus facile que d'agir. Est-ce que mon conjoint passe beaucoup de temps au loin ? Je peux m'interroger si l'adage « loin des **yeux**, loin du **cœur♥** » s'applique dans mon cas...Ou ce peut être que je manque de la présence de mon père... Je considère la réalité extérieure et mon futur d'une façon très méfiante car je ne vois pas ma propre force et sagesse intérieures. Me sentant blessé par les autres, je n'ai plus le goût d'interagir avec eux. Je me sens impuissant, sans soutien et cela m'empêche d'avancer.

En acceptant↓♥ de voir le monde extérieur, cela me permet d'apprendre sur moi. Ma vision s'élargit en développant mon espace intérieur. Je choisis de nouvelles routes, je me fais confiance. J'accepte↓♥ que chaque personne est responsable de sa propre vie et qu'en voyant le futur d'une façon belle et positive, c'est exactement ce qui va se manifester dans ma vie.

YEUX — NYSTAGMUS

Le **nystagmus** est une suite de mouvements saccadés et rapides des globes oculaires, indépendants de la volonté, souvent symptomatiques d'une affection du centre nerveux. Si mes **yeux** souffrent de **nystagmus**, c'est que ceux-ci sont constamment en mouvement de balayage.

Je dois me demander quand est apparu le **nystagmus** dans ma vie. Cela va habituellement concorder avec une période où je vivais une situation dans laquelle un danger existait et que j'ai cherché, sans arrêt, « balayant » toutes les possibilités qui s'offraient à moi pour pouvoir m'en sortir. J'ai l'impression que je ne peux m'en sortir qu'en surveillant constamment mon environnement à la recherche d'éléments qui vont me faire apprécier la vie. Je ne sais trop où donner des **yeux**. Il est important que je retrace cet événement pour prendre **conscience** de la source de cette maladie et ainsi la guérir. J'ai l'impression aussi qu'il y a des images qui défilent constamment, même dans ma tête, et cela m'étourdit. J'ai le goût de baisser les **yeux** et que tout cela s'arrête.

J'accepte↓♥ de prendre **conscience** que le danger pouvait être réel pour moi dans le passé mais que, maintenant, celui-ci n'existe plus et que je suis constamment guidé et protégé.

YEUX — PTÉRYGION

Un **ptérygion** est un épaississement de la conjonctive, de forme triangulaire, qui s'étend de la cornée depuis l'angle interne de l'œil.

Si j'ai un **ptérygion**, je me sens exposé aux intempéries de la vie, vulnérable à tout ce qui m'entoure ; personne ne me protège de ce que je vois. Je cohabite mal avec le monde extérieur car mon **cœur♥** d'enfant ne sais pas comment réagir et se protéger de toutes ces agressions. Je me sens en incapacité de faire face à ce que je vois et il y a des choses qui m'échappent dans mon entourage.

J'accepte ↓♥ de prendre contact avec mon pouvoir intérieur. Je regarde sans juger ce qui se passe autour de moi. Je prends **conscience** que ce qui me dérange ou m'attriste me ramène à mes propres blessures intérieures. Je ne peux avoir la maîtrise que de ma propre vie et je sais que chacun possède ce même pouvoir, il s'agit de l'accepter ↓♥

YEUX — PUPILLE

La **pupille** est l'orifice central de l'iris, par où passent les rayons lumineux. Elle dose la quantité de **lumière** qui pénètre dans l'œil. La **mydriase** est la dilatation anormale de la **pupille** avec immobilité de l'iris.

Lorsque cette problématique survient, je m'interroge sur ce qui est fondamental pour moi, je ne peux capter le centre de ma vie. Quel est le sens de ma vie, mes buts à atteindre ? Ce que je ne suis pas en mesure de voir parce que je cherche à l'extérieur les réponses que je dois trouver à l'intérieur, en mon centre, au **cœur♥** de mon **cœur♥**. Une pupille trop dilatée (**uvéite**) m'indique une situation qu'il est urgent de régler cette situation (voir aussi inflammation). S'il y a une différence de grandeur entre les 2 pupilles (**anisocorie**), il y a une situation ou un aspect, une facette de ma vie que je ne peux plus supporter de voir. Les choses ne sont pas claires, tout est obscur. Je ne peux plus endurer les images qui se reflètent dans mes yeux. Je me sens seul comme un orphelin qui ne peut se tourner vers son papa ou sa maman pour se faire aider et protéger. Il y a une dualité au plus profond de moi. J'essaie de rester équilibré malgré la douleur qui est grande et omniprésente.

J'accepte↓♥ de faire la **lumière** sur les situations qui sont floues, je prends le temps de réfléchir sur ce que j'ai besoin d'éclaircir. J'écoute ma voix intérieure et je rajuste les situations selon mes propres besoins. C'est ainsi que je peux voir la **lumière** au bout du tunnel et avancer dans la vie avec confiance et détermination.

YEUX — RÉTINITE PIGMENTAIRE OU RÉTINOPATHIE PIGMENTAIRE

La **rétinite pigmentaire**, appelée aussi **rétinopathie pigmentaire**, est considérée comme une maladie héréditaire qui fait que les cellules visuelles réceptrices de la **lumière** dégénèrent. Elle touche habituellement les enfants. L'**œil** ne peut s'adapter à l'obscurité et le champ visuel diminue avec le temps. Je ne vois donc plus la **lumière**.

Cette maladie se développe si j'ai **honte** de ma personne, de qui je suis, autant sur le plan physique qu'intellectuel. Je me trouve ***ridicule.*** C'est comme si je n'avais jamais vu le jour, une partie de moi est en veilleuse. Cette honte peut faire suite aussi à une situation dont j'ai été le témoin et que je trouve moche. Ma vision d'enfant a été souillée. Il ne faut pas que cela se sache ou se voie ! Cela doit rester dans le noir…Je veux résister à cette vision atroce de malheur. Je voudrais que les autres dirigent leur regard ailleurs que sur moi. Il se peut que je sois un perfectionniste et que le fait « d'en voir grand » devant moi me cause un grand stress. Je peux avoir peur de ne pas venir à bout de tout ce qui m'attend dans la vie, ou je refuse de me voir vieillir car la mort m'effraie. Une situation où je vis de l'abandon a comme résultat de m'éloigner de quelqu'un que j'aime et que je ne peux plus voir comme avant.

Mon corps répond à ce stress en diminuant mon champ de vision, espérant ainsi diminuer mon stress. J'ai à apprendre à m'accepter↓♥ tel que je suis et à porter un regard positif par rapport à qui je suis, car je suis une personne unique et exceptionnelle.

YEUX SECS

VOIR : YEUX [MAUX DE...]

YEUX — STRABISME (en général)

Si je suis atteint de **strabisme**, on dit communément que je **louche**. Les axes visuels de mes **yeux** sont non parallèles.

Le **strabisme** dénote des contradictions, des dualités et des incertitudes face à mes relations avec mon entourage, un perpétuel combat entre un besoin de solitude et celui d'être admiré, un désir d'indépendance confronté à la peur d'être seul. La douceur du silence est constamment en contradiction avec ce besoin de questionner. J'ai de la difficulté à me ***concentrer*** sur un sujet à la fois. J'appréhende les personnes et les situations, je les trouve « louches ».

J'accepte↓♥ d'apprendre à cerner mes vrais besoins et à me sentir bien dans quelque situation que ce soit.

YEUX — STRABISME CONVERGENT

Le **strabisme convergent** (**ou loucherie**) est une déviation des **yeux** vers le nez.

Il implique généralement que je refuse de voir les choses telles qu'elles sont réellement, souvent à cause de l'insécurité qu'elles représentent pour moi. Il se peut que, de cette façon, je souhaite échapper à des personnes que je considère menaçantes pour moi, que je vois comme ***prédateurs***. Je préfère porter des œillères. Mes **yeux** surveillent donc constamment le voisinage en cas de danger possible. Je redoute ce qui peut ou va m'arriver. Selon l'**œil** qui louche, je peux découvrir certains aspects de ma personnalité. S'il s'agit de **mon œil gauche qui louche vers l'intérieur**, je suis une personne craintive souffrant d'un fort complexe d'infériorité. Si, au contraire, **c'est mon œil droit**, je suis probablement très susceptible et rancunier. C'est une façon de centrer toute mon attention et mon intelligence sur moi-même ou sur une chose ou sur une personne que je me dois de surveiller constamment. L'**œil gauche louchant à l'extrême vers le haut** dénote que je suis rêveur, irrationnel et dépourvu de la notion du temps. Si c'est **mon œil droit**, je suis une personne indisciplinée et dotée d'une intelligence irrationnelle. Le **strabisme** a également pour effet de me faire voir les choses seulement en deux dimensions. Si je **louche**, j'ai de la difficulté avec les directions à prendre. Mon insécurité et mes angoisses m'amènent à rechercher une présence rassurante. Je ne peux « avoir d'**yeux** que pour cette personne ». Quand je suis jeune, il s'agit habituellement d'un ou des deux parents mais ce peut être aussi un regroupement quelconque ou un enseignement. S'il s'agit d'une personne physique, c'est comme si un ou mes deux **yeux** recherchaient constamment la présence oculaire de cette personne qui représente la sécurité et aussi une certaine autorité. Mes **yeux** cherchent dans diverses directions. Des **yeux** qui **louchent** peuvent me dire qu'il y a une situation dans laquelle je suis confus, seul. Je suis déchiré entre deux personnes et je ne sais pas comment me positionner. Afin d'unifier ma perception, j'ai intérêt à observer les choses sous tous les angles et à en accepter↓♥ la réalité. Je deviens attentif à tous les messages que mon corps me transmet et je découvre les plaisirs d'une vision de la vie dans sa globalité.

Au lieu de trouver ma sécurité autour de moi, j'accepte↓♥ d'entrer à l'intérieur de moi. Je laisse tout ce qui a pu influencer ma vie et je me construis une vie à partir de mes besoins, mes aspirations, mes forces intérieures. Je trouve ainsi la stabilité à l'intérieur de moi. Plus je suis en harmonie, plus mes **yeux** vont reprendre leur position normale. Mes points de vue peuvent être différents des autres. L'important, c'est d'être fidèle à moi-même.

YEUX — STRABISME DIVERGENT

Comme pour le **strabisme** convergent, le **strabisme divergent** est aussi une **déviation des yeux** mais, cette fois-ci, **vers l'extérieur**.

Il dénote également une peur de regarder le présent en face. Lorsque c'est **l'œil droit** qui est atteint, cela démontre qu'un effort intellectuel est mis en branle afin de faciliter la relation entre l'intelligence et la situation. J'ai l'impression que mon intelligence tourne en rond, ce qui peut faire de moi un candidat potentiel à la dépression. S'il s'agit de **mon œil gauche**, je suis une personne d'une grande sensibilité. Les actions que je pose le sont en fonction de cette sensibilité. Je me vois comme une ***proie*** facile car je me sens très fragile. Le **strabisme divergent** m'indique que je suis dans une position de victime et d'impuissance. J'ai besoin d'une vue panoramique pour voir le plus de choses possible et ainsi me protéger. Ce peut être dans ma vie affective ou je vois venir des conjoints (tes) potentiels et je veux ainsi éviter d'être à nouveau blessé.

J'accepte↓♥ de vivre le moment présent et de regarder chaque situation en face. Ma sensibilité me permet désormais de prendre des décisions éclairées, en sachant que je suis constamment guidé et protégé.

ZONA

VOIR : PEAU — ZONA

Annexe I

Corps (en général) (voir aussi : les parties correspondantes...)

Voici les parties du corps et la signification métaphysique générale rattachée à chacune d'elles.

Les cheveux	Ma force.
Le cuir chevelu	Ma foi en mon côté divin.
La tête	Mon individualité.
Les yeux	Ma capacité de voir.
Les oreilles	Ma capacité d'entendre.
Le nez	Ma capacité de sentir ou de ressentir les personnes ou les situations.
Les lèvres	Ma lèvre supérieure est reliée au côté féminin[221] et la lèvre inférieure, au côté masculin[222].
Les dents	Mes décisions, reliées au côté féminin en haut, reliées au côté masculin, en bas.
Le cou	Ma flexibilité, ma capacité de voir plusieurs côtés des situations de la vie.
La gorge	L'expression de mon langage verbal et non verbal, ma créativité.
Les épaules	Ma capacité de porter une charge, des responsabilités.
Les bras	Ma capacité de prendre les personnes ou les situations de la vie. Ils sont le prolongement du cœur. Ils servent à exécuter les ordres. Ils sont reliés à ce que je fais dans ma vie, par exemple mon travail.
Les coudes	Ma flexibilité dans les changements de directions dans ma vie.
Les doigts	Les petits détails du quotidien.
Le pouce	Relié aux soucis ou à mon intellect ou à mon audition.
L'index	Relié à des peurs ou à ma personnalité (ego) ou à mon odorat.
Le majeur	Relié à de la colère ou à ma sexualité ou à ma vision.
L'annulaire	Relié à du chagrin ou à mon union ou à mon toucher.

[221] **Côté féminin : voir :** FÉMININ (principe...).

[222] **Côté masculin : voir :** MASCULIN (principe...).

L'AURICULAIRE	Relié à de la prétention ou à ma famille ou au goût.
LE CŒUR	Mon amour.
LE SANG	La joie qui circule dans ma vie.
LES SEINS	Mon côté maternel.
LES POUMONS	Mon besoin d'espace, d'autonomie. Reliés à mon sentiment de vivre.
L'ESTOMAC	Ma capacité de digérer de nouvelles idées.
LE DOS	Mon support, mon soutien.
LES ARTICULATIONS	Ma flexibilité, ma capacité de me plier aux différentes situations de ma vie.
LA PEAU	Ma liaison entre mon intérieur et mon extérieur (équilibre).
LES OS	La structure des lois et des principes du monde dans lequel je vis.
L'UTÉRUS	Mon foyer.
LES INTESTINS	(Surtout le gros, le côlon) : ma capacité de relâcher, de laisser aller ce qui m'est inutile ou de laisser circuler les événements dans ma vie.
LES REINS	Le siège de la peur.
LE PANCRÉAS	La joie qui est en moi.
LE FOIE	Le siège de la critique.
LES JAMBES	Ma capacité d'avancer dans la vie, d'aller vers le changement, vers les nouvelles expériences.
LES GENOUX	Ma flexibilité, ma fierté, mon orgueil, mon entêtement.
LES CHEVILLES	Ma flexibilité dans les nouvelles directions de l'avenir.
LES PIEDS	Ma direction (piétiner sur place). Ma compréhension de moi-même et de la vie (passé, présent, futur).
LES ORTEILS	Les détails de mon avenir.

ANNEXE II

Liste des principaux malaises et des principales maladies et de leur signification probable abrégée.

Abcès	Souvent relié à une difficulté à exprimer quelque chose qui m'irrite ou qui me contrarie. Cette difficulté se manifestera alors sous forme d'abcès.
Accident	Souvent relié à de la peur ou à de la culpabilité.
Acné	Souvent reliée à un manque d'estime de soi, au désir de tenir les gens loin de soi, de peur d'être blessé.
Acouphène	Souvent relié au besoin d'être à l'écoute de ses besoins intérieurs, de ses valeurs.
Alcoolisme	Souvent relié au désir de fuir ses responsabilités physiques ou affectives de peur d'être blessé "à nouveau".
Allergies	Souvent reliées à de la colère ou à de la frustration face à une personne ou à un événement associé au produit allergène. À qui ou à quoi suis-je allergique lorsque cette situation s'est présentée ?
Alzheimer	Maladie souvent reliée au désir de fuir les réalités de ce monde et de ne plus vouloir prendre de responsabilités.
Amputation	Souvent reliée à une grande culpabilité.
Angoisse	Souvent reliée au sentiment de me croire limité, restreint avec une impression très marquée d'étouffer dans une situation.
Anorexie	Souvent reliée à une très basse estime de soi et au désir inconscient de vouloir "disparaître".
Appendicite	Souvent reliée à la colère parce que je me sens dans un "cul-de-sac".
Arthrite	Souvent reliée à de la critique envers soi ou envers les autres.
Articulations	Souvent reliées à un manque de flexibilité face aux situations de la vie.
Autisme	Souvent relié à de la fuite car j'ai de la difficulté à transiger avec le monde qui m'entoure.
Basse pression	Souvent reliée à une forme de découragement.
Boulimie	Souvent reliée au besoin de vouloir combler un vide intérieur affectif.
Brûlure, fièvre	Souvent reliés à de la colère qui bout à l'intérieur de moi ou envers une personne ou un événement.
Burnout	Souvent relié à la fuite d'une émotion intense vécue au travail ou dans des occupations diverses.
Cancer	Souvent relié à une grande peur ou à une grande culpabilité, au point de ne plus vouloir vivre, même inconsciemment.
Cellulite	Souvent reliée à la peur de m'engager et à ma tendance à retenir des émotions du passé.
Cholestérol	Souvent relié à ma joie de vivre qui circule difficilement.

Cigarette	Souvent reliée à un vide intérieur que je veux combler.
Cœur	Souvent, toutes les maladies reliées au cœur ont rapport à un manque d'amour de moi, de mes proches ou de mon environnement.
Constipation	Souvent reliée au fait de vouloir retenir les personnes ou les événements de ma vie.
Crampe	Souvent reliée à de la tension dans l'action prise ou à prendre.
Démangeaisons, irritations	Souvent reliées à de l'impatience, de l'insécurité, ou à de la contrariété contre moi-même.
Dépression	Souvent reliée au fait de vouloir m'enlever de la pression dans ma vie. Alors, je fais une "dé-pression".
Diabète	Souvent relié à de la tristesse profonde qui survient à la suite d'un événement où j'en ai voulu à la vie.
Diarrhée	Souvent reliée au fait de vouloir rejeter les solutions ou les situations qui s'offrent à moi pour avancer dans la vie.
Douleur	Souvent une forme d'autopunition face à un sentiment de culpabilité. Elle peut être parfois reliée à un besoin d'attention, à de la peur ou à de la colère.
Eczéma	Souvent relié au fait de ne plus avoir de contact avec un être aimé.
Empoisonnement	Je dois me demander : qui ou quoi m'empoisonne l'existence ?
Enflure, (œdème)	Souvent reliée au fait de me sentir limité ou d'avoir peur d'être limité ou arrêté dans ce que je désire faire.
Engourdissement	Souvent relié à un désir de se rendre moins sensible à une personne ou à une situation.
Entorse	Souvent reliée à une situation où je résiste, me sentant inquiet et ayant besoin d'augmenter mon ouverture et ma flexibilité.
Étouffement, essoufflement	Souvent reliés au fait de me sentir anormalement critiqué, pris à la gorge, en manque d'espace vital et d'avoir de la difficulté à vivre ce que je veux vivre.
Étourdissement, perte de connaissance, coma	Souvent reliés à un désir de fuir une situation ou une personne, lorsque j'ai l'impression que cela évolue trop vite.
Fatigue	Souvent reliée au fait que j'éparpille mes énergies et que je me laisse facilement contrôler par mes peurs, par mes insécurités, par mes inquiétudes.
Gangrène	Souvent reliée à de la rancune ou à de la haine face à une situation en rapport avec l'aspect de ma vie qui est représenté par la partie affectée.
Gaz	Souvent relié à quelque chose ou à quelqu'un auquel je m'agrippe et qui n'est plus bénéfique pour moi.
Grippe	Souvent reliée à de la colère car j'ai "en grippe" quelqu'un ou quelque chose.
Haute pression	Souvent reliée à des soucis et à des tracas de longue date.
Hypoglycémie	Souvent reliée à de la tristesse issue de la résistance face aux événements de la vie.
Incontinence	Souvent reliée au désir de vouloir tout contrôler dans ma vie.
Infarctus	Souvent relié à l'amour que je dois davantage accepter

	↓♥ de recevoir.
Infections	Souvent reliées à de la frustration face à différents aspects de ma vie.
Insomnie	Souvent reliée au fait de rester "accroché" à une forme de culpabilité.
Leucémie	Souvent reliée au fait de ne plus vouloir me battre pour obtenir ce qui représente l'amour dans ma vie.
Malaise	Souvent relié au fait de vouloir extérioriser une tension intérieure.
Mononucléose	Souvent reliée à une grande peur d'avoir à affronter une situation qui m'amènerait à m'engager sur le plan affectif.
Nausée	Souvent reliée à un aspect de ma vie que je veux rejeter parce qu'il me dégoûte.
Nerf sciatique	Souvent relié à une grande insécurité en rapport avec mes besoins de base : logement, nourriture, argent.
Paralysie	Souvent reliée à de la fuite car une peur me paralyse.
Peau	Souvent, les maladies de la peau ont rapport avec le sentiment de ne pas avoir le "contact" physique ou autre pour me procurer l'amour dont j'ai besoin.
Poids (excès de...)	Souvent relié au fait d'accumuler des choses, des idées, des émotions, de vouloir se protéger, de se sentir limité, de vivre un vide intérieur.
Poumons	Souvent les maladies reliées aux poumons ont rapport au fait de pouvoir prendre l'espace vital, "l'air" dont j'ai besoin pour me sentir libre et pour pouvoir vivre.
Raideur (articulation)	Souvent reliée à un manque de flexibilité, à de l'entêtement, à de la résistance ou à de la rigidité, surtout face à une figure d'autorité.
Rhumatisme	Souvent relié à de la critique, soit envers moi-même ou envers les autres.
Ronflement	Souvent relié à de vieilles idées, à des attitudes ou à des biens matériels auxquels je m'accroche et que j'ai avantage à laisser aller.
Saignements	Souvent reliés à une perte de joie (sang = joie).
Sclérose en plaques	Souvent reliée au fait d'avoir des pensées rigides envers moi, envers les autres et envers les situations de la vie.
Scoliose	Souvent reliée au fait que j'ai l'impression de porter tellement de responsabilités sur mes épaules que je veux les fuir.
Sida	Souvent relié à une grande déception et à une grande culpabilité face à l'amour et à la sexualité.
Tics	Souvent reliés à une tension intérieure très grande. Les tics apparaissent habituellement au moment où je vis de la pression face à l'autorité.
Torticolis	Souvent relié à un ou à des côtés (aspects) d'une situation que j'évite de voir ou que je veux fuir.
Tumeur, kyste	Souvent reliés à un choc émotionnel qui se solidifie.
Zona	Souvent relié à une grande insécurité face à la perte de l'amour de quelqu'un ou d'une situation (ex. : le milieu de travail) qui me procure cet amour.

ANNEXE III

ITE (maladies en...)

Toutes les maladies en **"ite"** sont habituellement reliées à de la colère ou à de la frustration puisqu'elles sont reliées à des inflammations. En voici quelques exemples :

amygdal**ite**
appendici**te**
arthr**ite**
bronchi**te**
burs**ite**
col**ite**
conjonctivi**te**
cyst**ite**
diverticul**ite**
épicondyl**ite**
épidermi**te**
gastro-entéri**te**
gingivi**te**
hépati**te**
iléi**te**
kérati**te**
laryngi**te**
mast**ite**
néphri**te**
ostéomyél**ite**
ot**ite**
ovar**ite**
pharyngi**te**
phlébi**te**
poliomyéli**te**
prostati**te**
salpingi**te**
tendin**ite**
urétri**te**
vagin**ite**

ANNEXE IV

OSE (maladies en...)

Les **maladies en OSE,** telles que l'arthr**ose,** couper**ose,** cirrh**ose,** thromb**ose etc.** sont des maladies non inflammatoires.

Si j'ai une de ces maladies, je vis une situation face à laquelle, soit on me met des freins ou c'est moi-même qui met les freins car je **pose** trop mon attention sur mes limites, soit extérieures ou intérieures. Je n'**ose** pas agir car j'ai une peur qui y est sous-jacente. Je suis sensible à la critique des autres et cette inertion m'amène à être négatif et parfois même déprimé.

J'accepte↓♥ de faire face à mes peurs. **J'OSE** parler, faire une action qui va m'amener une plus grande liberté. Je peux ainsi créer ma vie et réaliser mes rêves!

Acrokérat**ose**
Artérosclér**ose**
Arthr**ose**
Cirrh**ose**
Couper**ose**
Discarthr**ose**
Fibromat**ose**
Fibr**ose**
Kérat**ose**
Lord**ose**
Médiacol**ose**
Mononucl**éose**
Mucoviscid**ose**
Myc**ose**
Névr**ose**
Ostéopor**ose**
Pédicul**ose**
Psych**ose**
Salmonell**ose**
sarcoïd**ose**
Sclér**ose**
Scoli**ose**
Thromb**ose**
Tubercul**ose**

INDEX DES MALAISES ET DES MALADIES ANALYSÉS DANS LE DICTIONNAIRE

* **Abasie**
* **Abcès ou Empyème**
  Voir aussi : inflammation
* **Abcès anal**
  Voir : anus — abcès anal
* **Abcès du cerveau**
  Voir : cerveau [abcès du...]
* **Abcès du foie**
  Voir : foie [abcès du...]
* **Abdomen**
  Voir : ventre
* **Ablation**
  Voir : amputation
* **Accident**
  Voir aussi : brûlures, coupure
* **Accident vasculaire cérébral - A.V.C.**
  Voir : cerveau — accident vasculaire cérébral [a.v.c.]
* **Accouchement (en générale)**
  Voir aussi : grossesse/ [maux de...] / [... prolongée], naissance [la façon dont s'est passée ma...]
* **Accouchement — Avortement, fausse-couche — Enfant mort-né**
* **Accouchement prématuré**
* **Achille (tendon d'...)**
  Voir : tendon d'achille
* **Acidité gastrique**
  Voir : estomac — brûlures
* **Acidose**
  Voir aussi : goutte, rhumatisme
* **Acné**
  Voir : peau — acné
* **Acouphène**
  Voir : oreilles — acouphène
* **Acrodermatite**
  Voir : peau — acrodermatite
* **Acrokératose**
  Voir : peau — acrokératose
* **Acromégalie**
  Voir : os — acromégalie
* **A.C.V**
  Voir : cerveau — accident vasculaire cérébral [a.v.c.]
* **Addison (maladie d'...)**
  Voir aussi : glandes surrénales
* **Adénite**
  Voir aussi : ganglion [... lymphatique], inflammation
* **Adénoïdes**
  Voir : tumeur s, végétations adénoïdes
* **Adénome**
  Voir aussi : seins [maux aux...], tumeur [s]
* **Adénopathie**
  ***Voir aussi** : ganglion [... lymphatique], infections, inflammation, tumeur [s]*
* **Adhérence**
* **Agitation**
  Voir aussi : hyperactivité
* **Agnosie**
  Voir aussi : alexie congénitale
* **Agoraphobie**
  ***Voir aussi** : angoisse, mort, peur*
* **Agressivité**
  ***Voir aussi** : angoisse, anxiété, nerfs [crise de...], nervosité, sang — hypoglycémie*
* **Agueusie**
  Voir : goût [troubles du ...]
* **Aigreurs**
  Voir : estomac — brûlures d'estomac
* **Aine**
  Voir aussi : ganglions [... lymphatiques] , hernie
* **Air (mal de l'...)**
  Voir : mal de mer
* **Aisselle**
  Voir aussi : odeur corporelle
* **Alcoolisme**
  Voir aussi : allergies [en général], cancer de la langue, cigarette, dépendance, drogue, sang — hypoglycémie

* **Alexie congénitale (aveuglement des mots)**
* **Allergies**
  Voir aussi : alcoolisme, asthme
* **Allergie aux antibiotiques**
* **Allergie aux animaux (en général)**
* **Allergie aux chats**
* **Allergie aux chevaux**
* **Allergie aux chiens**
* **Allergie aux arachides (beurre ou huile)**
* **Allergie — Fièvre des foins (rhume)**
* **Allergie aux fraises**
* **Allergie au lait ou aux produits laitiers**
* **Allergie aux piqûres de guêpes ou d'abeilles**
* **Allergie aux plumes**
* **Allergie aux poissons ou aux fruits de mer**
* **Allergie au pollen**
  Voir : allergie — fièvre des foins
* **Allergie à la poussière**
* **Allergie au soleil**
* **Alopécie**
  Voir : cheveux — calvitie
* **Alzheimer (maladie d'...)**
  Voir aussi : amnésie, sénilité
* **Aménorrhée (absence des règles)**
  Voir : menstruations — aménorrhée
* **Amnésie**
  Voir aussi : mémoire [... défaillante]
* **Amphétamine (consommation d'...)**
  Voir : drogue
* **Ampoules**
  Voir : peau — ampoules
* **Amputation**
  Voir aussi : automutilation
* **Amygdales — Amygdalite**
  Voir aussi : gorge, infection
* **Amyotrophie**
  Voir : atrophie
* **Andropause**
  Voir aussi : prostate/ [en général] / [maux de...]
* **Anémie**
  Voir : sang — anémie
* **Anévrisme (artériel)**
  Voir aussi : sang — hémorragie
* **Angine (en général)**
  Voir aussi : gorge [maux de...]
* **Angine de poitrine ou Angor**
  ***Voir aussi** : cœur↓♥ / [en général] / infarctus [du myocarde]*
* **Angiome (en général)**
  Voir aussi : peau —angiome plan, sang —circulation sanguine, système lymphatique
* **Angiome plan**
  Voir : peau — taches de vin
* **Angoisse**
  Voir aussi : anxiété, claustrophobie
* **Angor**
  Voir : angine de poitrine
* **Anites**
  Voir : anus — douleurs anales
* **Ankylose (état d'...)**
  Voir aussi : articulations [en général], paralysie [en général]
* **Annulaire**
  Voir : doigt — annulaire
* **Anorexie mentale**
  Voir aussi : appétit [perte d'...], boulimie, poids [excès de...]
* **Anthrax**
  Voir : peau — anthrax
* **Anurie**
  Voir : reins — anurie
* **Anus**
* **Anus — Abcès anal**
  Voir aussi : abcès [en général]
* **Anus — Démangeaison anale**
  Voir aussi : peau — démangeaisons
* **Anus — Douleurs anales**
  *Voir aussi **: douleur***
* **Anus — Fissures anales**
* **Anus — Fistules anales**
  Voir aussi : fistules
* **Anxiété**
  Voir aussi : angoisse, nerfs [crise de ...], nervosité, sang — hypoglycémie]
* **Apathie**
  Voir aussi : sang — anémie/hypoglycémie/mononuclé ose

* **Aphasie**
  Voir aussi : alexie congénitale, paroles
* **Aphonie ou extinction de voix**
* **Aphte**
  Voir : bouche — aphte
* **Apnée du sommeil**
  Voir : respiration [maux de...]
* **Apoplexie**
  Voir : cerveau — apoplexie
* **Appendicite**
  Voir aussi : annexe iii, péritoine —péritonite
* **Appétit (excès d'...)**
  Voir aussi : boulimie, sang — hypoglycémie
* **Appétit (perte d'...)**
  Voir aussi : anorexie
* **Appréhension**
* **Artères**
  Voir : sang — artères
* **Artériosclérose ou Athérosclérose**
  Voir aussi : sang/artères/circulation sanguine
* **Arthrite (en général)**
  Voir aussi : articulations [en général], inflammation
* **Arthrite — Arthrose**
  Voir aussi : articulations, os
* **Arthrite des doigts**
  Voir : doigts — arthritiques
* **Arthrite goutteuse**
  Voir : goutte
* **Arthrite — Polyarthrite rhumatoïde**
* **Arthrite rhumatismale**
  Voir : arthrite — polyarthrite rhumatoïde
* **Arthrose**
  Voir : arthrite — arthrose
* **Articulations (en général)**
  Voir aussi : arthrite — arthrose
* **Articulations — entorse**
* **Articulations temporo-mandibulaire**
  Voir : bouche [malaise de...], mâchoires [maux de......]
* **Arythmie cardiaque**
  Voir : cœur♥ — arythmie cardiaque
* **Asphyxie**
  Voir : respiration — asphyxie
* **Asthénie nerveuse**
  Voir aussi : burnout
* **Asthme (appelé aussi « cri silencieux »)**
  Voir aussi : allergies, poumons [maux aux...], respiration [maux de...]
* **Asthme du bébé**
* **Astigmatisme**
  Voir : yeux — astigmatisme
* **Ataxie de friedreich**
* **Athérosclérose**
  Voir : artériosclérose
* **Atrophie**
  Voir aussi : muscles —myopathie
* **Attaque cardiaque**
  Voir : cœur♥ — infarctus [... du myocarde]
* **Audition (maux d'...)**
  Voir : oreilles — surdité
* **Auriculaire**
  Voir : doigts — auriculaire
* **Autisme**
* **Autolyse**
  Voir : suicide
* **Automutilation**
  Voir aussi : amputation
* **Autoritarisme**
* **Avaler de travers**
  Voir : œsophage
* **Avant-bras**
  Voir : bras [malaises aux...]
* **A.V.C.**
  Voir : cerveau — accident vasculaire cérébral [a.v.c.]
* **Aveugle**
  Voir : yeux — aveugle
* **Avoir des vers**
  Voir : intestins — côlon/taénia
* **Avortement**
  Voir : accouchement — avortement
* **Bactérie mangeuse de chair (infection à...)**
* **Bâillement**
* **Ballonnements**
  Voir aussi : estomac / [en général] / [maux d'...], gaz
* **Bas du dos**
  Voir : dos — bas du dos
* **Basedow (maladie de ...)**
  Voir : glande thyroïde — maladie de basedow

* **Basse pression**
  Voir : tension artérielle — hypotension [trop basse]
* **Bassin**
  Voir aussi : hanches [maux de...], pelvis
* **Bébé bleu**
  Voir : enfant bleu
* **Bec de lièvre**
  Voir : fente palatine
* **Bégaiement**
  Voir aussi : bouche, gorge [en général]
* **Besoins (en général)**
  Voir : dépendance
* **Biliaires (calculs...)**
  Voir : calculs biliaires
* **Blessure**
  Voir : accident, coupure
* **Bleus**
  Voir : peau — bleus
* **Boiter**
  Voir : claudication
* **Bosse (en général)**
  Voir aussi : kyste
* **Bosse de bison**
  Voir : cushing [syndrome de...]
* **Bossu**
  Voir : épaules voûtées
* **Bouche (en général)**
  Voir aussi : gencives
* **Bouche (malaise de...)**
  Voir aussi : cancer de la bouche, chancre [en général], herpès [...buccal], muguet
* **Bouche — Apthe**
* **Bouche — Haleine (mauvaise...) ou Halitose**
  Voir aussi : gencive — gingivite, gorge [maux de...], nez [maux au...]
* **Bouche — Muguet**
  Voir : muguet
* **Bouche — Palais**
* **Bouche sèche**
  Voir : bouche [malaise de...]
* **Bouffées de chaleur**
  Voir : ménopause
* **Bouillaud (maladie de...)**
  Voir : rhumatisme
* **Boulimie**
  Voir aussi : anorexie, appétit [excès d'...], poids [excès de...]
* **Bourdonnement d'oreilles**
  Voir : oreilles — bourdonnement d'oreilles
* **Bourses**
  Voir : testicules
* **Boursouflure**
  Voir : ŒDÈME
* **Boutons (sur tout le corps)**
  Voir : peau — boutons
* **Boutons de fièvre**
  Voir : fièvre [boutons de...], herpès [en général]...
* **Bradycardie**
  Voir : cœur♥ — arythmie cardiaque
* **Bras (en général)**
* **Bras (malaises aux...)**
* **Bright (mal de...)**
  Voir aussi : reins [problèmes rénaux]
* **Bronches (en général)**
  Voir aussi : poumons
* **Bronche — Bronchite**
  Voir aussi : poumons [maux aux...]
* **Bronche — Bronchite aiguë**
  Voir : respiration — trachéite
* **Bronchopneumonie**
  Voir aussi : poumons [maux aux...]
* **Brûlements d'estomac**
  Voir : estomac — brûlures d'estomac
* **Brûlures**
  Voir aussi : accident, peau [en général]
* **Brûlures d'estomac**
  Voir : estomac —brûlures d'estomac
* **Bruxisme**
  Voir : dents [grincement de...]
* **Buccal (herpès...)**
  Voir : herpès [...buccal]
* **Buerger (maladie de...)**
  Voir aussi : bras, cigarette, engourdissement, inflammation, jambes, sang — circulation sanguine
* **Burnett (syndrome de...)**
  Voir : buveurs de lait [syndrome de...]
* **Burnout ou épuisement**
  Voir aussi : asthénie nerveuse, dépression

* **Bursite ou Épanchement de synovie**
  Voir aussi : arthrite, bras [malaises aux...], coudes, épaules, inflammation, genoux maux de…, tendon d'achille
* **Buveurs de lait (syndrome des...)**
  Voir aussi : acidose, apathie
* **Cæcum**
  Voir : appendicite
* **Caillot**
  Voir : sang/coagulé/thrombose
* **Calcanéum**
  Voir : talon
* **Calculs (en général)**
  Voir aussi : calculs/biliaires/rénaux
* **Calculs biliaires ou Lithiase biliaire**
  Voir aussi : foie [maux de...], rate
* **Calculs rénaux ou Lithiase urinaire**
  Voir aussi : reins
* **Callosités**
  Voir : peau — callosités, pieds—durillons et cors
* **Calvitie**
  Voir : cheveux — calvitie
* **Canal carpien (syndrome du...)**
  Voir : crampe de l'écrivain
* **Cancer (en général)**
  ***Voir aussi** : tumeur [s]*
* **Cancer de la bouche**
* **Cancer des bronches**
  Voir : bronches — bronchite
* **Cancer du côlon**
  Voir aussi : intestin [maux aux...]/ constipation
* **Cancer de l'estomac**
  Voir aussi : estomac [maux d'...]
* **Cancer du foie**
  Voir : foie [maux de...]
* **Cancer des ganglions (du système lymphatique)**
  Voir aussi : adénite, adénopathie, ganglion [... lymphatique]
* **Cancer de la gorge**
  Voir : gorge — pharynx
* **Cancer du grain de beauté**
  Voir : peau — mélanome malin
* **Cancer de l'intestin (en général)**
  Voir aussi : cancer du côlon, intestins [maux aux...] / colon/grêle
* **Cancer de l'intestin grêle**
  Voir : intestin grêle [maux à l'...]
* **Cancer de la langue**
  Voir aussi : alcoolisme, cigarette
* **Cancer du larynx**
  Voir aussi : cigarette, gorge [maux de...]
* **Cancer de la mâchoire**
  Voir : mâchoire [maux de...]
* **Cancer de l'œsophage**
  Voir : œsophage [l'...]
* **Cancer des os**
  Voir : os [cancer des...]
* **Cancer des ovaires**
  Voir : ovaires [maux aux...]
* **Cancer du pancréas**
  Voir : pancréas [maux de...]
* **Cancer de la peau**
  Voir : peau — mélanome malin
* **Cancer du pharynx**
  Voir : gorge — pharynx
* **Cancer de la poitrine**
  Voir : cancer du sein
* **Cancer des poumons**
  Voir aussi : bronche — bronchite, cigarette, poumons [maux aux...]
* **Cancer de la prostate**
  Voir : prostate [maux de...]
* **Cancer du rectum**
  Voir : intestins — rectum
* **Cancer du sang**
  Voir : sang — leucémie
* **Cancer du sein**
  Voir aussi : seins [maux aux...]
* **Cancer des testicules**
  Voir aussi : ovaires maux aux…
* **Cancer de l'utérus (col et corps)**
  Voir aussi : utérus
* **Candida**
  Voir aussi : infections, muguet
* **Candidose**
  Voir : candida, muguet, vaginite
* **Cardiaque (crise...)**
  Voir : cœur♥ — infarctus [... du myocarde]
* **Carie dentaire**
  Voir : dents — carie dentaire

* **Carotide**
  Voir : sang — artères
* **Cataracte**
  Voir : yeux — cataracte
* **Cécité**
  Voir : yeux [maux d'...]
* **Cellulite**
* **Céphalée**
  Voir : tête [maux de...]
* **Cernés (yeux...)**
  Voir : yeux — cernés
* **Cerveau (en général)**
* **Cerveau (maux au...)**
* **Cerveau (abcès du...)**
* **Cerveau (tumeur au...)**
* **Cerveau — Accident vasculaire cérébral (a.v.c.)**
  Voir aussi : infarctus [en général], sang/[en général]/artères/circulation sanguine, tension artérielle — hypertension
* **Cerveau — Apoplexie**
  Voir aussi : cerveau — accident vasculaire cérébral a.v.c. / syncope, sang — hémorragie
* **Cerveau (commotion) ou Commotion cérébrale**
* **Cerveau — (congestion au...)**
  Voir : congestion
* **Cerveau — Creutzfeld-Jakob (maladie de...) ou Vache folle (maladie de la...)**
* **Cerveau — Encéphalite**
* **Cerveau — Épilepsie**
* **Cerveau — Équilibre (perte d'...) ou Étourdissements**
* **Cerveau — État végétatif chronique**
  Voir aussi : chronique [maladie...]
* **Cerveau — Hémiplégie**
  Voir aussi : cerveau/[abcès du ...] accident vasculaire cérébral [a.v.c.]
* **Cerveau — Huntington (maladie de...) ou (Chorée de...)**
  Voir aussi : cerveau — tics
* **Cerveau — Hydrocéphalie**
* **Cerveau — Méningite**
  Voir aussi : inflammation, système immunitaire, tête
* **Cerveau — Paralysie cérébrale**
* **Cerveau — Parkinson (maladie de...)**
  Voir aussi : nerfs, tremblements
* **Cerveau — Syncope**
* **Cerveau — Syndrome d'Adams-Stokes**
  Voir aussi : cerveau — épilepsie/syncope, vertige
* **Cerveau — Tics**
* **Chagrin**
  Voir aussi : mélancolie
* **Chalazion**
  Voir aussi : paupières
* **Chaleurs (avoir des...)**
  Voir : ménopause
* **Chaleur (coup de...)**
  Voir aussi : fièvre
* **Champignons**
  Voir : pieds — mycose
* **Champignons magiques (consommation de...)**
  Voir : drogue
* **Chancre (en général)**
  Voir aussi : ulcère [en général]
* **chancre — ulcère buccal (herpès)**
  Voir : bouche [malaise de...]
* **charcot (maladie de...) ou sclérose latérale amyotrophique**
* **Chat dans la gorge**
  Voir : gorge — chat dans la gorge
* **Cheveux (en général)**
* **Cheveux (maladie des...)**
* **Cheveux — Calvitie**
* **Cheveux gris**
* **Cheveux — Pelade**
* **Cheveux (perte de...)**
  Voir : cheveux — calvitie
* **Cheveux — Teigne**
  Voir aussi : cheveux [perte de...]/calvitie/pelade
* **Chevilles**
  Voir aussi : articulations
* **Chlamydia (infection à ...)**
  Voir : vénériennes [maladies...]
* **Choléra**
  Voir : intestins — diarrhée
* **Cholestérol**
  Voir : sang — cholestérol
* **Chronique (maladie...)**

* **Chute de pression**
  Voir : tension artérielle — hypotension [trop basse]
* **Cicatrice**
  Voir peau — cicatrice
* **Cigarette**
  Voir aussi : buerger [maladie de...], cancer de la langue, dépendance, poumons
* **Cinépathie**
  Voir : mal des transports
* **Cinétose**
  Voir : mal des transports
* **Circulation sanguine**
  Voir : sang — circulation sanguine
* **Cirrhose (...du foie)**
  Voir : foie — cirrhose [... du foie]
* **Claudication (marche irrégulière)**
  Voir aussi : système locomoteur
* **Claustrophobie**
  Voir aussi : angoisse
* **Clavicule (douleur à la..., fracture de la...)**
  Voir aussi : épaules, os — fracture
* **cloque**
  Voir : peau — ampoules
* **clous**
  Voir : peau — furoncles
* **coagulation déficiente**
  Voir : sang coagulé
* **cocaïne (consommation de...)**
  Voir : drogue
* **coccyx**
  Voir : dos [maux de...] — bas du dos
* **cœur♥ (en général)**
  Voir aussi : sang
* **Cœur♥ (mal au...)**
  Voir : nausées
* **Cœur♥ — Angine de poitrine ou angor**
  Voir : angine de poitrine
* **Cœur♥ — Arythmie cardiaque**
* **Cœur♥ — Infarctus (... du myocarde)**
  Voir aussi *: infarctus [en général]*
* **Cœur♥ — Myocardite**
* **Cœur♥ — Péricardite**
* **Cœur♥ — Problèmes cardiaques**
* **Cœur♥ — Tachycardie**
  Voir : cœur♥ — arythmie cardiaque
* **Cœur♥ — Thrombose coronarienne**
* **Colère**
  Voir aussi : annexe iii, douleur, foie, infections
* **Colique**
  Voir : intestins — coliques
* **Colique néphrétique**
* **Colite (mucosité du côlon)**
  Voir : intestins — colite
* **Colite hémorragique**
  Voir : intestins — colite
* **Côlon (cancer du...)**
  Voir : cancer du côlon
* **Colonne vertébrale (en général)**
  Voir aussi : dos
* **Colonne vertébrale (déviation de la...) (en général)**
* **Colonne vertébrale (déviation de la...) : bossu**
  Voir : épaules voûtées
* **Colonne vertébrale (déviation de la ...) — Cyphose**
* **Colonne vertébrale (déviation de la...) : Lordose**
* **Colonne vertébrale (déviation de la...) : Scoliose**
* **Colonne vertébrale — disque déplacé**
  Voir : hernie discale
* **Col utérin (cancer du...)**
  Voir : cancer de l'utérus [col et corps]
* **Coma**
  Voir aussi : accident, cerveau — syncope, évanouissement
* **Comédons**
  Voir : peau — points noirs
* **Commotion (... de la rétine)**
  Voir : yeux — commotion de la rétine
* **Commotion cérébrale**
  Voir : cerveau [commotion]
* **Compulsion nerveuse**
* **Conduits lacrymaux**
  Voir : pleurer
* **Congénital**
  Voir : infirmités congénitales, maladies héréditaires

* **Congestion (... au cerveau / ... au foie /... au nez / ... aux poumons)**
  Voir aussi : cerveau— accident vasculaire cérébral a.v.c.
* **Conjonctivite**
  Voir : yeux — conjonctivite
* **Constipation**
  Voir : intestins — constipation
* **Contusions**
  Voir : peau — bleus
* **Coqueluche**
  Voir : maladies de l'enfance
* **Cordes vocales**
  Voir : gorge — laryngite, cancer du larynx, voix — enrouement
* **Coronaire**
  Voir : cœur♥ — thrombose coronarienne
* **Corps (en général)**
  Voir : annexe i
* **Cors aux pieds**
  Voir : pieds — durillons et cors
* **Coryza**
  Voir : rhume [de cerveau...]
* **Côté droit**
  Voir : masculin [principe...]
* **Côté gauche**
  Voir : féminin [principe...] côtes
* **Cou (en général)**
* **Cou — Torticolis**
  Voir aussi : colonne vertébrale — haut du dos, nuque [... raide]
* **Coudes (en général)**
  Voir aussi : articulations
* **Coudes — Épicondylite**
* **Coup de chaleur**
  Voir : chaleur [coup de...], insolation
* **Coup de froid**
  Voir : froid [coup de...]
* **Coup de soleil**
  Voir : insolation
* **Couperose**
  Voir : peau —acné rosacée
* **Coupure**
  Voir aussi : accident
* **Courbature**
* **Cracher du sang**
  Voir : sang [maux de...]
* **Crampes**
* **Crampes abdominales**
  Voir aussi : ventre
* **Crampe de l'écrivain**
  Voir aussi : doigts [en général], mains [en général], poignet
* **Crampes musculaires (en général)**
* **Crâne**
  Voir : cerveau — commotion cérébrale, os — fracture [osseuse...]
* **Crevasse**
  Voir : peau — GERÇURES
* **Crise cardiaque**
  Voir : cœur♥ — infarctus [... du myocarde]
* **Crise de foie**
  Voir : indigestion
* **Crohn (maladie de...)**
  Voir : intestins — crohn [maladie de...]
* **Croup**
  Voir : gorge — laryngite
* **Croûte de lait**
  Voir : peau — eczéma
* **Cuir chevelu**
  Voir : cheveux — teigne, peau — démangeaisons, pellicules
* **Cuisses (en général)**
  Voir aussi : jambes/[en général]/[maux aux ...]
* **Cuisses (maux de...)**
  Voir : jambes — partie supérieure
* **Culotte de cheval**
  Voir : cellulite
* **Culpabilité**
  Voir : accident
* **Cushing (syndrome de...)**
  Voir aussi : glandes surrénales
* **Cuticules**
  Voir : doigts — cuticules
* **Cyphose**
  Voir : colonne vertébrale [déviation de la...], dos [maux de...]
* **Cystite**
  Voir : vessie — cystite
* **Cystocèle**
  Voir : prolapsus
* **Daltonien**
  Voir : yeux — daltonisme [non-perception des couleurs]
* **Décalcification**
  Voir aussi : os — ostéoporose
* **Déchaussement des dents**
  Voir : dents [maux de...]

* **Démangeaisons**
  Voir : peau — démangeaisons
* **Démangeaisons à l'anus**
  Voir : anus — démangeaison anale
* **Démangeaisons vaginales**
  Voir aussi : vagin [en général]
* **Démence**
  Voir : alzeimer maladie d'..., sénilité
* **Déminéralisation générale**
  Voir aussi : os — décalcification
* **Dents (en général)**
* **Dents (maux de...)**
* **Dent (abcès de la racine de la...)**
* **Dents (carie dentaire)**
* **Dents — Dentiers ou Fausses dents**
* **Dents (grincement de...) — Bruxisme**
  Voir aussi : autoritarisme, mâchoires [maux de...]
* **Dent de sagesse incluse**
  Voir aussi : dents —symbolisme des...
* **Dent (symbolisme des...)**
* **Dépendance**
  Voir aussi : alcoolisme, cigarette, drogue
* **Dépigmentation**
  Voir : peau —leucodermie
* **Dépôts de calcium**
* **Dépression**
  Voir aussi : neurasthénie
* **Déprime**
  Voir : dépression
* **Dermatite**
  Voir : peau — dermatite
* **Dermite séborrhéique**
  Voir : peau — eczéma
* **Déshydratation du corps**
* **Désir (absence de...)**
  Voir : sexuelles [frustrations...]
* **Diabète**
  Voir : sang — diabète
* **Diaphragme**
* **Diarrhée**
  Voir : intestins — diarrhée]
* **Digestion (maux de...)**
  Voir : indigestion
* **Diphtérie**
  Voir aussi : gorge, larynx
* **Discarthrose**
  Voir : disque intervertébral
* **Dislocation**
  Voir : os — dislocation
* **Disque déplacé**
  Voir : hernie discale
* **Disque intervertébral**
  Voir aussi : dos [maux de...]/ bas du dos lombago, hernie discale
* **Diverticulite**
  Voir : intestins — diverticulite
* **Doigts (en général)**
* **Doigts — Pouce**
* **Doigts — Index**
* **Doigts — Majeur**
* **Doigts — Annulaire**
* **Doigts — Auriculaire (petit doigt)**
* **Doigts arthritiques**
  Voir aussi : arthrite [en général]
* **Doigts — Cuticules**
* **Doigts de pied**
  Voir : orteils
* **Dos (en général)**
* **Dos (maux de...) — Haut du dos (7 vertèbres cervicales)**
* **Dos (maux de...) — Milieu du dos (12 vertèbres dorsales)**
* **Dos (maux de...) — Bas du dos**
* **Dos — Fracture des vertèbres**
  Voir aussi : os — fracture
* **Douleur**
* **Douleur cardiaque**
  Voir : cœur♥ — problèmes cardiaques
* **Doute**
* **Drogue**
  Voir aussi : dépendance
* **Duodénum**
  Voir aussi : intestins [maux d'...]
* **Duodénum (ulcère au...)**
  Voir : estomac [maux d'...]
* **Dupuytren**
  Voir : mains—maladie de dupuytren
* **Durillons**
  Voir : pieds — durillons
* **Dysenterie**
  Voir : intestins/diarrhée/dysenterie
* **Dyslexie**
* **Dysménorrhée**
  Voir : menstruations [maux de...]

* **Dystrophie musculaire**
  Voir : muscles — dystrophie musculaire
* **Ecchymose**
  Voir : peau — bleus
* **Éclampsie**
  Voir : grossesse — éclampsie
* **Ectropion**
  Voir : paupières [en général...]
* **Eczéma**
  Voir : peau — eczéma
* **Égocentrisme**
* **Éjaculation précoce**
* **Embolie**
  Voir : sang — circulation sanguine/coagulé
* **Embolie artérielle**
  Voir : sang —artères
* **Embolie cérébrale**
  Voir : cerveau [maux au...]
* **Embolie pulmonaire**
  Voir : poumons [maux aux...]
* **Embonpoint**
  Voir : poids [excès de...]
* **Émotivité**
* **Emphysème pulmonaire**
  Voir : poumons —emphysème pulmonaire
* **Empoisonnement (..., ... par la nourriture)**
* **Empyème**
  Voir : abcès
* **Encéphalite**
  Voir : cerveau — encéphalite
* **Encéphalomyélite fibromyalgique**
  Voir : fatigue chronique [syndrome de...]
* **Endométriose**
* **enfant bleu**
* **Enfant hyperactif**
  Voir : hyperactivité
* **Enfant mort-né**
  Voir : accouchement — avortement
* **Enflure**
  Voir : ŒDÈME
* **Engelures**
  Voir : peau — engelures
* **Engourdissement — torpeur**
* **Ennui**
  Voir aussi : dépression, mélancolie
* **Enrouement**
  Voir aussi : aphonie
* **Entérite**
  Voir : intestins—gastro-entérite
* **Entorse**
  Voir : articulations — entorse
* **Énurésie**
  Voir : incontinence, « pipi au lit »
* **Envie**
  Voir : peau — taches de vin
* **Épanchement de synovie**
  Voir : bursite
* **Épaule(s) (en général)**
  Voir aussi : articulations
* **Épaules voûtées**
* **Épicondylite**
  Voir : coudes — épicondylite
* **Épidémie**
* **Épiglotte**
  Voir aussi : gorge — larynx/avaler de travers
* **Épilepsie**
  Voir : cerveau — épilepsie
* **Épiphyse**
  Voir : glande pinéale
* **Épistaxis**
  Voir : nez [saignements de...]
* **Épuisement**
  Voir : burnout
* **Équilibre (perte d'...) ou Étourdissements**
  Voir : cerveau — équilibre [perte d'...]
* **Érection — Dysfonctionnement érectile**
  Voir : impuissance
* **Éructation ou roter**
  Voir aussi : estomac [en général...]
* **Éruption (... de boutons)**
  Voir : peau — éruption [... de boutons]
* **Érythème solaire**
  Voir : insolation
* **Estomac (en général)**
* **Estomac (maux d'...)**
  Voir aussi : estomac — brûlures d'estomac
* **Estomac — Aérophagie**
* **Estomac (cancer de l'...)**
  Voir : cancer de l'estomac
* **Estomac — brûlures d'estomac**
* **Estomac — Gastrite**
  Voir aussi : inflammation

* **État végétatif chronique**
  Voir : cerveau — état végétatif chronique
* **Éternuements**
* **Étouffements**
  Voir : respiration — étouffements
* **Étourdissements**
  Voir : cerveau — équilibre [perte d'...]
* **Euthanasie**
  Voir aussi : mort [la...]
* **Évanouissement ou perte de connaissance**
  Voir aussi : cerveau — syncope, coma
* **Ewing (sarcome d'...)**
  Voir : os [cancer des...] — sarcome d'ewing
* **Excès d'appétit**
  Voir : appétit [excès d'...]
* **Excès de poids**
  Voir : poids [excès de...]
* **Excroissances**
  Voir : polypes
* **Exhibitionnisme**
* **Exophtalmie**
  Voir : yeux [maux aux...]
* **Extinction de voix**
  Voir : aphonie
* **Face**
  Voir : visage
* **Faiblesse (état de...)**
  Voir aussi : asthénie nerveuse
* **Fallope (trompe de...)**
  Voir : salpingite
* **Fasciite nécrosante**
  Voir : bactérie mangeuse de chair
* **Fatigue (en général)**
* **Fatigue chronique (syndrome de...) ou Encéphalomyélite myalgique**
  Voir aussi : chronique [maladie...], fibromyalgie
* **Fausse-couche**
  Voir : accouchement — avortement
* **Faux-croup**
  Voir : gorge — laryngite
* **Féminin (principe...)**
  Voir aussi : masculin [principe...]
* **Féminins (maux...)**
* **Fémur**
  Voir : jambe — partie supérieure
* **Fente palatine – Bec de lièvre congénital**
* **Fente vulvaire**
  Voir : vulve
* **Fermentation**
  Voir : estomac [maux d'...]
* **Fesses**
* **Feu sauvage**
  Voir : herpès [en général...]
* **Fibrillation ventriculaire**
  Voir : cœur♥ — arythmie cardiaque
* **Fibromatose**
  Voir : muscles — fribromatose
* **Fibromes utérins et kystes féminins**
  Voir aussi : kyste
* **Fibromyalgie**
  Voir aussi : fatigue chronique [syndrome de...]
* **Fibrose**
  Voir : sclérose
* **Fibrose kystique**
  Voir : mucoviscidose
* **Fièvre (en général)**
  Voir aussi : chaleur [coup de...]
* **Fièvre (boutons de...)**
  Voir aussi : herpès/ [... en général] / [... buccal] / [...labial]
* **Fièvre des foins**
  Voir : allergie — fièvre des foins
* **Fièvre des marais**
  Voir : malaria
* **Fissures anales**
  Voir : anus — fissures anales
* **Fistule**
* **Fistules anales**
  Voir : anus — fistules anales
* **Flatulence**
  Voir : gaz
* **Foie (maux de...)**
  Voir aussi : calculs biliaires, jaunisse
* **Foie (abcès du...)**
* **Foie (crise de...)**
  Voir aussi : indigestion
* **Foie — Cirrhose (... du foie)**
* **Foie (congestion au...)**
  Voir : congestion
* **Foie — Hépatite**
  Voir aussi : alcoolisme, infection, inflammation, jaunisse
* **Foie (pierres au...)**
  Voir : calculs biliaires

* **Folie**
  Voir aussi : psychose
* **Folliculite**
  Voir : cheveux [maladie des...]
* **Foulure**
  Voir : articulations — entorse
* **Fourmillement**
* **Fracture**
  Voir : os — fracture [... osseuse]
* **Frigidité**
  Voir aussi : féminin s [maux...]
* **Frilosité**
* **Froid (coup de...)**
* **Front**
* **Furoncles**
  Voir : peau — furoncles
* **Furoncles vaginaux**
  Voir : peau — furoncles vaginaux
* **Gai**
  Voir : homosexualité
* **Gale ou Grattelle**
  Voir : peau — gale ou grattelle
* **Ganglion (... lymphatique)**
  Voir aussi : adénite, adénopathie, cancer des ganglions [... du système lymphatique], lymphe
* **Gangrène**
  Voir : sang — gangrène
* **Gastrite**
  Voir : estomac — gastrite
* **Gastro-entérite**
  Voir : intestins — gastro-entérite gaucher
* **Gaz (douleurs causées par des...) ou Flatulence ou Météorisme**
  Voir aussi : ballonnement, gonflement/[en général]/[... de l'abdomen]
* **Gélineau (syndrome de...)**
  Voir : narcolepsie
* **Gencives (maux de...)**
  Voir aussi : abcès, bouche [en général...], dents [en général...]
* **Gencives — Gingivite aiguë**
* **Gencives (saignements des...)**
  Voir aussi : sang — saignements
* **Génitaux (organes...) (en général)**
* **Génitaux (maux des organes...)**
  Voir aussi : frigidité, impuissance, vénériennes [maladies...]
* **Genoux (en général)**
  Voir aussi : jambes
* **Genoux (maux de...)**
* **Genou — ménisque**
* **Gerçure**
  Voir : peau — gerçure
* **Gilles de la tourette (syndrome de...)**
  Voir aussi : cerveau-tics, compulsion nerveuse, obsession
* **Gingivite**
  Voir : gencives — gingivite aiguë — glande s en général
* **Glandes (maux de...)**
  Voir aussi : adénome
* **Glandes lacrimales**
  Voir : pleurer
* **Glande pancréatique**
  Voir : pancréas
* **Glande pinéale ou Corps pinéal ou Épiphyse**
* **Glande pituitaire ou Hypophyse**
* **Glandes salivaires**
  Voir aussi : oreillons, salive
* **Glandes sublinguales**
  Voir : glandes salivaires
* **Glandes surrénales**
  Voir aussi : addison maladie d'..., cushing [syndrome de...], peur, stress
* **Glande — Thymus**
  Voir aussi : sida, système immunitaire
* **Glande Thyroïde (en général)**
* **Glande thyroïde — Basedow (maladie de ...) ou Goitre exolphtalmique**
* **Glande thyroïde — Goitre**
* **Glande thyroïde — Goitre exolphtalmique**
  Voir : glande thyroïde basedow maladie de...
* **Glande thyroïde — Hyperthyroïdie**
* **Glande thyroïde — Hypothyroïdie**
* **Glande thyroïde — Thyroïdite**
* **Glaucome**
  Voir : yeux — glaucome
* **Globe oculaire**
  Voir : yeux [en général]
* **Globules sanguins**
  Voir : sang

* **Goitre**
  Voir : glande thyroïde — goitre
* **Gonades**
  Voir aussi : ovaires, testicules
* **Gonflement (en général)**
* **Gonflement (... de l'abdomen)**
* **Gorge (en général)**
  Voir aussi : glande thyroïde [en général]
* **Gorge (maux de...)**
  Voir aussi : amygdales, muguet
* **Gorge (chat dans la...)**
* **Gorge — Laryngite**
  Voir aussi : annexe iii, enrouement, inflammation
* **Gorge — Larynx**
  Voir aussi : aphonie, cancer du larynx, enrouement
* **Gorge nouée**
* **Gorge — Pharyngite**
  Voir aussi : angine, annexe iii, rhume
* **Gorge — Pharynx**
  Voir aussi : polypes
* **Goût (troubles du...)**
  Voir aussi : gorge, langue, nez
* **Goutte**
  Voir aussi : acidose, calculs rénaux
* **Grain de beauté**
  Voir : peau — mélanome
* **Graisse, embonpoint, obésité**
  Voir aussi : poids [excès de...]
* **Grand mal**
  Voir : cerveau — épilepsie
* **Grattelle**
  Voir : peau — gale
* **Grincement de dents**
  Voir : dents [grincement de...], mâchoires [maux de...)
* **Grippe**
  Voir aussi : cerveau — encéphalite, courbature, éternuements, fièvre, muscle, respiration [maux de...], tête [maux de...]
* **Grippe aviaire**
  Voir aussi : grippe
* **Grippe espagnole**
  Voir : cerveau — encéphalite
* **Grossesse (maux de...)**
  Voir aussi : accouchement, nausées, sang — diabète
* **Grossesse (... prolongée)**
* **Grossesse — Éclampsie**
  Voir aussi : cerveau — épilepsie, tension ***artérielle — hypertension [trop élevée]***
* **Grossesse ectopique ou Extra-utérine (g.e.u.)**
* **Grossesse gemellaire**
  Voir : accouchement — avortement
* **Grossesse nerveuse**
* **Grosseur**
  Voir : bosse
* **Guillain-barré (syndrome de...)**
  Voir : syndrome guillain-barré
* **Habitudes**
  Voir : dépendance
* **Haine**
* **Haleine (mauvaise...)**
  Voir : bouche — haleine [mauvaise...]
* **Halitose**
  Voir : bouche — haleine [mauvaise...]
* **Hallucinations**
  Voir aussi : alcoolisme, dépendance, drogue, toxicomanie
* **Hanches**
  Voir aussi : bassin
* **Hanches (maux de...)**
* **Haschisch (consommation de...)**
  Voir : drogue
* **Haute pression**
  Voir : tension artérielle — hypertension
* **Hématome**
  Voir : sang — hématome
* **Hématurie**
  Voir : *sang — hématurie*
* **Hémiplégie**
  Voir : cerveau — hémiplégie
* **Hémisphère droit et gauche**
  Voir : cerveau [en général]
* **Hémorragie**
  Voir : sang — hémorragie
* **Hémorragie cérébrale**
  Voir : cerveau — a.v.c.
* **Hémorroïdes**
  Voir aussi : ampoules, anus, grossesse, inflammation, intestins — constipation, sang/saignements/ varices, tension artérielle — hypertension

* **Hépatite**
  Voir : foie — hépatite
* **Hernie**
* **Hernie discale**
  Voir aussi : dos [maux de...], luxation
* **Héroïne (consommation d'...)**
  Voir : drogue
* **Herpès (... en général, ... buccal, ...labial) — feu sauvage**
  Voir aussi : bouche
* **Herpès génital ou Herpès vaginal**
  Voir aussi : peau — démangeaisons, vagin — vaginite
* **H.I.V.**
  Voir : sida
* **Hodgkin (maladie de...)**
  *Voir aussi : cancer des ganglions [... du système **lymphatique],** **sang — leucopénie***
* **Homicide**
* **Homosexualité**
* **Hoquet**
* **H.T.A (hypertension artérielle)**
  Voir : tension artérielle — hypertension
* **Huntington**
  Voir : cerveau — huntington [maladie de...]
* **Hydrophobie**
  Voir : rage
* **Hygroma**
  Voir : bursite, genoux [maux de...]
* **Hyperactivité**
  Voir aussi : agitation
* **Hyperémotivité**
  Voir : émotivité
* **Hypercholestérolémie**
  Voir : sang — cholestérol
* **Hyperglycémie**
  Voir : sang — diabète
* **hypermétropie**
  Voir : yeux — hypermétropie
* **Hyperorexie**
  Voir : boulimie
* **Hypersalivation**
  Voir : salive—hyper et hyposalivation
* **Hypersomnie**
  Voir : narcolepsie
* **Hypertension**
  Voir : tension artérielle — hypertension
* **Hyperthermie**
  Voir : fièvre
* **Hyperthyroïdie**
  Voir : glande thyroïde — hyperthyroïdie
* **Hypertrophie**
* **Hyperventilation (suroxygénation)**
  Voir aussi : acidose, anxiété, fièvre
* **Hypoacousie**
  Voir : oreilles — surdité
* **Hypocondrie**
  Voir aussi : agoraphobie, anxiété, dépression, hallucinations
* **Hypoglycémie**
  Voir : sang — hypoglycémie
* **Hypogueusie**
  Voir : langue
* **Hypophyse**
  Voir : glande pituitaire
* **Hyposalivation**
  Voir : salive — hyper et hyposalivation
* **Hypotension**
  Voir : tension artérielle — hypotension
* **Hypothyroïdie**
  Voir : glande thyroïde — hypothyroïdie
* **Hystérie**
  Voir aussi : évanouissement, nerfs [crise de...], névrose
* **Hystéroptose**
  Voir : prolapsus
* **Ictère**
  Voir : jaunisse
* **Iléite ou Maladie de crohn**
  Voir : intestins — crohn [maladie de...]
* **Impatience**
  Voir aussi : frigidité, nervosité, sang — hypoglycémie
* **Impuissance**
  Voir aussi : angoisse, anxiété, peur
* **Incident**
  Voir : accident
* **Incontinence (... fécale, ... urinaire)**
  Voir aussi : vessie [maux de...]

* **Incontinence pour l'enfant**
  Voir : « pipi au lit »
* **Index**
  Voir : doigts — index
* **Indigestion**
  Voir aussi : empoisonnement [..., ... par la nourriture], mal de ventre, nausées, salmonellose
* **Infarctus (en général)**
* **Infarctus (cérébral)**
  Voir : cerveau — accident vasculaire cérébral [a.v.c.]
* **Infarctus (... du myocarde)**
  Voir : cœur♥ — infarctus [... du myocarde]
* **Infections (en général)**
  Voir aussi : annexe III, douleur, fièvre, inflammation, système immunitaire
* **Infections urinaires**
  Voir : urine [infections urinaires]
* **Infections vaginales**
  Voir : vagin — vaginite
* **Infections virales**
  Voir : infections [en général]
* **Infirmités congénitales**
* **Inflammation**
  Voir aussi : annexe III
* **Inquiétude**
* **Insolation**
  Voir aussi : accident, chaleur [coup de...], peau
* **Insomnie**
* **Insuffisance cardiaque**
  *Voir : **cœur♥** [problèmes cardiaques]*
* **Interruption volontaire de grossesse**
  Voir : accouchement — avortement
* **Intestins (maux aux...)**
  Voir aussi : cancer du côlon / de l'intestin, intestins / colite / constipation / diarrhée, indigestion
* **Intestin (cancer de l'...)**
  Voir : cancer de l'intestin
* **Intestins — Colique**
  Voir aussi : gaz
* **Intestins — Colite (mucosité du côlon)**
  Voir aussi : inflammation, intestins — côlon
* **Intestins — Côlon (maux au...)**
  Voir aussi : cancer du côlon
* **Intestins — Constipation**
  Voir aussi : cancer du côlon
* **Intestins — Crohn (maladie de...) ou iléite**
  Voir aussi : appendicite, intestins — diarrhée
* **Intestins — Diarrhée**
* **Intestins — Diverticulite**
* **Intestins — Dysenterie**
  ***Voir aussi** : intestins — coliques/diarrhée*
* **Intestins — Gastro-entérite**
  Voir aussi : estomac/[maux d'...] /gastrite, intestins — diarrhée, nausées
* **Intestin grêle (maux à l'...)**
  Voir aussi : intestins — colite
* **Intestin grêle — Recto-colite hémorragique**
  ***Voir aussi** : intestins — colite*
* **Intestins — Rectum**
  Voir aussi : anus
* **Intestins — Tænia ou Ténia**
* **Intolérance au gluten**
* **Intoxication**
  Voir : empoisonnement [..., ... par la nourriture]
* **Ite (maladies en...)**
  Voir : annexe III
* **I.V.G. (interruption volontaire de grossesse)**
  Voir : accouchement — avortement
* **Ivresse**
  Voir : alcoolisme
* **Jalousie**
* **Jambes (en général)**
  Voir aussi : système locomoteur
* **Jambes (maux aux...)**
* **Jambes — Partie inférieure (mollet)**
* **Jambes — partie supérieure (cuisse)**
  Voir aussi : cuisse [en général]
* **Jambes — Varices**
  Voir : sang — varices
* **Jaunisse ou Ictère**
  Voir aussi : foie [maux de...], sang / [maux de...] / circulation sanguine
* **Jointure**
  Voir : articulations

✱ **Joue (se ronger l'intérieur de la...)**
Voir : bouche.[malaise de...]
✱ **Jumeau**
Voir : naissance [la façon dont s'est passée ma...]
✱ **Kaposi (sarcome de...)**
Voir aussi : sida
✱ **Kératite**
Voir : yeux — kératite
✱ **Kérion**
Voir : cheveux — teigne
✱ **Killian (polype de...)**
Voir : nez — killian [polype de...]
✱ **Kleptomanie**
Voir aussi : dépendance, névrose
✱ **Kyste**
Voir aussi : ovaires [maux aux...], tumeur [s]
✱ **Labyrinthite**
Voir : cerveau — équilibre [perte...]
✱ **Langue**
Voir aussi : goût .[troubles du...]
✱ **Langue (cancer de la...)**
Voir : cancer de la langue
✱ **Larmes**
Voir : pleurer
✱ **Laryngite**
Voir : gorge — laryngite
✱ **Larynx**
Voir : gorge — larynx
✱ **Larynx (cancer du...)**
Voir : cancer du larynx
✱ **Lassitude**
Voir aussi : fatigue [en général], sang — hypoglycémie, tension artérielle — hypotension [trop basse]
✱ **Lèpre**
Voir aussi : chronique [maladie...], nerfs, peau/[en général]/[maux de...]
✱ **Lesbienne**
Voir : homosexualité
✱ **Leucémie**
Voir : sang — leucémie
✱ **Leucopénie**
Voir : sang — leucopénie
✱ **Leucorrhée**
Voir aussi : candida, infections, peau — démangeaisons, salpingite
✱ **Lèvres**
✱ **Lèvres sèches, gercées, fendillées**
✱ **Lèvres vaginales**
Voir : vulve
✱ **Ligaments**
***Voir :** articulations — entorses*
✱ **Lithiase biliaire**
Voir : calculs biliaires
✱ **Lithiase urinaire**
Voir : calculs rénaux
✱ **Locomotion**
Voir : système locomoteur
✱ **Lombago**
Voir : dos [maux de...] — bas du dos
✱ **Lombalgie**
Voir : dos [maux de...] — bas du dos
✱ **Lordose**
Voir : colonne vertébrale [déviation de la...] — lordose
✱ **Loucher**
Voir : yeux — strabisme convergent
✱ **Loupe**
Voir : kyste, peau / [en général] / [maux de...]
✱ **LSD (consommation de...)**
Voir : drogue
✱ **Lumbago**
Voir : dos [maux de...] — bas du dos
✱ **Lupus**
Voir : peau — lupus
✱ **Lupus érythémateux chronique**
Voir : peau—lupus
✱ **Luxation**
Voir aussi : accident, colère, douleur, os
✱ **Lymphatisme**
✱ **Lymphe (maux lymphatiques)**
Voir aussi : cancer des ganglions [... du système lymphatique],
✱ **Ganglion [... lymphatique] (infections, inflammation, œdème, système immunitaire)**
✱ **Lymphome**
Voir : hodgkin [maladie de...]
✱ **Mâchoires (maux de...)**
Voir aussi : muscles — trismus
✱ **Maigreur**
Voir aussi : anorexie, poids [excès de...]
✱ **Mains (en général)**

* **Mains (arthrose des...)**
  Voir : arthrite — arthrose
* **Mains — Maladie de dupuytren**
  Voir aussi : doigts — / annulaire / auriculaire
* **Majeur**
  Voir : doigts — majeur
* **Mal de l'air**
  Voir : mal de mer
* **Mal d'altitude**
  Voir : mal des montagnes
* **Mal au cœur♥**
  Voir : nausées
* **Mal au dos**
  Voir : dos [en général...]
* **Mal de gorge**
  Voir : gorge — pharyngite
* **Mal des montagnes**
  Voir aussi : appétit [perte d'...] ballonnements, oreilles — bourdonnements d'oreilles, nausées, tête [maux de...], vertiges
* **Mal de mer**
  Voir aussi : mal des transports
* **Mal de tête**
  Voir : tête [maux de...]
* **Mal des transports**
  Voir aussi : anxiété, mal de mer, nausées, vertiges
* **Mal de ventre**
  Voir aussi : intestins, ventre
* **Mal de voiture**
  Voir : mal de mer
* **Mal du voyage**
  Voir : mal des transports
* **Malabsorption intestinale**
  Voir : intestins [maux aux...]
* **Maladie(s)**
* **Maladie d'addison**
  Voir : addison [maladie d'...]
* **Maladie d'alzheimer**
  Voir : alzheimer [maladie d'...]
* **Maladies auto-immunes**
  Voir aussi : système immunitaire
* **Maladie du baiser**
  Voir : sang — mononucléose infectieuse]
* **Maladie de Bechterews (ancylosing, stondylitis)**
* **Maladie de Bouillaud**
  (Voir : rhumatisme)
* **Maladie de Bright**
  Voir : bright [mal de...]
* **Maladie chronique**
  Voir : chronique [maladie ...]
* **Maladie de Crohn**
  Voir : intestins — crohn [maladie de...]
* **Maladie de Dupuytren**
  Voir : mains —maladie de dupuytren
* **Maladie chez l'enfant**
  Voir aussi : maladies de l'enfance
* **Maladies de l'enfance (en général)**
  Voir aussi : maladie chez l'enfant, oreillons
* **Maladies de l'enfance — Coqueluche**
* **Maladies de l'enfance — Rougeole**
* **Maladies de l'enfance — Rubéole**
* **Maladies de l'enfance — Scarlatine**
* **Maladies de l'enfance — Varicelle**
  Voir aussi : peau-zona
* **Maladie de Friedreich**
  Voir : ataxie de friedreich
* **Maladie du hamburger, de la viande hachée, syndrome du bbq**
* **Maladie de Hansen**
  Voir : lèpre
* **Maladies héréditaires**
  Voir aussi : infirmités congénitales
* **Maladie de Hodgkin**
  Voir : hodgkin [maladie de...]
* **Maladie imaginaire**
  Voir aussi : hypocondrie
* **Maladie immunitaire**
  Voir : système immunitaire
* **Maladies incurables**
* **Maladies infantiles**
  Voir : maladies de l'enfance
* **Maladies karmiques**
* **Maladie de Ménière**
  Voir : ménière [maladie de...]
* **Maladie mentale**
  Voir : folie, névrose, psychose
* **Maladie de Parkinson**
  Voir : cerveau — parkinson [maladie de...]
* **Maladie psychosomatique**

* **Maladie de Raynaud**
  Voir : raynaud [maladie de...]
* **Maladie du sommeil**
  Voir : narcolepsie
* **Maladies transmises sexuellement (m.t.s.)**
  Voir : vénériennes [maladies...]
* **Maladie de la vache folle**
  Voir : cerveau —creutzfeld-jakob [maladie de...]
* **Maladies vénériennes**
  Voir : vénériennes [maladies...]
* **malaise**
* **Malaria ou Paludisme**
  Voir aussi : coma, fièvre, sang [maux de...]
* **Malentendant**
  Voir : oreilles — surdité
* **Malformation (en général) ... (au cœur♥ ...)**
* **Mamelles**
  Voir : sein
* **Maniaco-dépression**
  Voir : psychose
* **Manie**
  Voir aussi : angoisse, anxiété
* **Marche irrégulière**
  Voir : claudication
* **Marfan (syndrome de...)**
* **Marijuana (consommation de...)**
  Voir : drogue
* **Masculin (principe...)**
  Voir aussi : féminin [principe...]
* **Masochisme**
  Voir : sadomasochisme
* **Mastication**
  Voir : bouche [en général...]
* **Mastite**
  Voir : sein — mastite
* **Mastoïdite**
  Voir aussi : fièvre, inflammation, oreilles — otite
* **Mastose**
  Voir : seins [maux aux ..]
* **Mauvaise haleine**
  Voir : bouche — haleine [mauvaise...]
* **Maux divers**
* **Maux de tête**
  Voir : tête [maux de...]
* **Méchanceté**
  Voir aussi : raison [j'ai...]
* **Mécontentement**
* **Médecine**
* **Médiacalcose**
  Voir : artériosclérose
* **Mélancolie**
  Voir aussi : angoisse, chagrin, dépression, psychose, suicide
* **Mélanome**
  Voir : mélanome malin
* **Mémoire (... défaillante)**
  Voir aussi : alzheimer [maladie d'...], amnésie
* **Ménière (maladie de...) – Labyrinthite**
  ***Voir aussi** : acouphène, vertiges et étourdissements*
* **Méningite**
  Voir : cerveau — méningite
* **Ménopause (maux de...)**
* **Ménorragies**
  Voir : menstruation — ménorragies
* **Ménisques**
  Voir : genoux [maux de...]
* **Menstruation (maux de...)**
* **Menstruation — Aménorrhée**
* **Menstruation — Ménorragies**
  Voir aussi : fibromes
* **Menstruation — Syndrome prémenstruel (spm)**
  ***Voir aussi** : douleur*
* **Mescaline (consommation de...)**
  Voir : drogue
* **Métabolisme Lent**
  Voir : poids [excès de...]
* **Météorisme**
  Voir : gaz
* **Migraines**
  Voir : tête — migraines
* **Milieu du dos**
  Voir : dos — milieu du dos
* **M.N.I. (mononucléose infectieuse)**
  Voir : sang — mononucléose
* **Moelle épinière**
  Voir aussi : sclérose en plaques
* **Moelle osseuse**
  Voir aussi : sang[en général], [maux de...]
* **Mollet**
  Voir : jambe — partie inférieure
* **Mongolisme ou trisomie 21 ou Syndrome de down**

* **Mononucléose**
  Voir : sang — mononucléose infectueuse
* **Morpions**
  Voir aussi : vénériennes [maladies...]
* **Mort (La...)**
  Voir aussi : agoraphobie, anxiété, euthanasie
* **Mort subite du nourrisson**
* **M.T.S. (maladies transmissibles sexuellement)**
  Voir : vénériennes [maladies...]
* **Mucosités au côlon**
  Voir : intestins — colite
* **Mucoviscidose ou fibrose kystique (F.K.)**
  Voir aussi : pancréas, poumons
* **Muguet**
  Voir aussi : bouche / [en général] / [malaise de...], candida, gorge / [en général] / [maux de...], infections [en général]
* **Muscle(s) (en général...)**
* **Muscles — Convulsion**
  Voir aussi : cerveau — épilepsie
* **Muscles — Dystrophie musculaire**
* **Muscles — Fibromatose**
* **Muscles — Myasthénie**
* **Muscles — Myopathie**
* **Muscles — Myosite**
* **Muscles — Tétanos**
  Voir aussi : muscles — trismus
* **Muscles — Trismus**
  Voir aussi : muscles — tétanos
* **Myasthénie**
  Voir : muscles — myasthénie
* **Mycose (... entre les orteils) ou Pied d'athlète**
  Voir : pieds — mycose
* **Mycose (... du cuir chevelu, poils et ongles)**
  Voir : cheveux — teigne
* **Myocardite**
  Voir : cœur♥ — myocardite
* **Myome utérin**
  Voir : fibromes et kystes féminins
* **Myopathie**
  Voir : muscles — myopathie
* **Myopie**
  Voir : yeux — myopie
* **Myosite**
  Voir : muscles — myosite
* **Naissance (la façon dont s'est passée ma...)**
  Voir aussi : accouchement
* **Naissance prématurée**
  Voir : accouchement prématuré
* **Nanisme — Gigantisme**
  Voir aussi : os — acromégalie
* **Narcolepsie ou maladie du sommeil**
  Voir aussi : coma, évanouissement, insomnie, somnolence
* **Naupathie**
  Voir : mal de mer
* **Nausées et vomissements**
  Voir aussi : grossesse [maux de...]
* **Néphrite**
  Voir : reins — néphrite
* **Néphrite chronique**
  Voir : bright [maladie de...]
* **Néphropatie**
  Voir : rein — néphrite
* **Nerfs (en général)**
* **Nerfs (crise de...)**
  Voir aussi : hystérie, névrose
* **Nerfs — Névralgie**
  Voir aussi : douleur
* **Nerf — Névrite**
* **Nerf optique**
  Voir : nerfs — névrite
* **Nerf sciatique (le...)**
  Voir aussi : douleur, dos / [maux de...] bas du dos, jambes / [en général] / [maux aux...]
* **Nervosité**
* **Neurasthénie**
  Voir aussi : burnout, dépression, fatigue [en général]
* **Neuropathie**
  ***Voir :** système nerveux*
* **Névralgie**
  Voir : nerfs — névralgie
* **Névrite**
  Voir : nerf — névrite
* **Névrose**
  Voir aussi : angoisse, hystérie, obsession
* **Nez (en général)**
  Voir aussi : odeur corporelle
* **Nez (maux au...)**
* **Nez (congestion)**
  Voir : congestion

* **Nez (éternuements)**
  Voir : éternuements
* **Nez (ronflements)**
  Voir : ronflements
* **Nez (saignements de...)**
* **Nez — Killian (polype de...)**
  Voir aussi : tumeur[s]
* **Nez qui coule dans la gorge**
* **Nez — Sinusite**
* **Nodules**
* **Nombril**
  Voir : ombilic
* **Nostalgie**
  Voir aussi : mélancolie
* **Nuque (... raide)**
  Voir aussi : colonne vertébrale, cou
* **Nystagmus**
  Voir : yeux — nystagmus
* **Obésité**
  Voir : poids [excès de...]
* **Obsession**
* **Odeur corporelle et transpiration**
  Voir aussi : nez
* **Odorat**
  Voir : nez
* **Œdème**
* **Œil**
  Voir : yeux [en général]
* **Œsophage (l'...)**
* **Oignon**
  Voir : orteils — oignon
* **Olfaction**
  Voir : nez
* **Ombilic**
* **Ombilicale (hernie...)**
  Voir aussi : hernie
* **Omoplate**
* **Ongles (en général)**
* **Ongles (se ronger les...)**
* **Ongle incarné**
* **Ongles jaunes (syndrome des...)**
* **Ongles mous et cassants**
* **Opium (consommation d'...)**
  Voir : drogue
* **Oppression**
* **Oppression pulmonaire**
* **Orchite**
  Voir : testicules [en général]
* **Oreilles (en général)**
  Voir aussi : oreilles — surdité
* **Oreilles (maux d'...)**
  Voir aussi : oreilles / acouphène / bourdonnements d'oreilles / otite
* **Oreilles — Acouphène**
  Voir aussi : oreilles — bourdonnement d'oreilles
* **Oreilles — Bourdonnement d'oreilles**
  Voir aussi : oreilles — acouphène
* **Oreilles — Otite**
* **Oreilles — Surdité**
* **Oreillons**
  Voir aussi : glandes salivaires, infections [en général], maladies de l'enfance
* **Organes génitaux**
  Voir : génitaux [organes...]
* **Orgelets**
  Voir aussi : furoncles
* **Orteils**
* **Os (en général)**
* **Os (maux aux...)**
* **Os (cancer des...)**
  Voir aussi : cancer [en général]
* **Os (cancer des...) — Sarcome d'ewing**
  Voir aussi : cancer [en général]
* **Os — Acromégalie**
* **Os — Difformité**
* **Os — Dislocation**
* **Os — Fracture (... osseuse)**
  Voir aussi : dos — fracture des vertèbres
* **Os — Ostéomyélite**
* **Os — Ostéoporose**
* **Ose (maladie en ose)**
  Voir : annexe iv
* **Otite**
  Voir : oreilles — otite
* **Oubli (perte des choses)**
  Voir aussi : accident
* **Ovaires (en général)**
  Voir aussi : féminins [maux...]
* **Ovaires (maux aux...)**
* **Palais**
  Voir : bouche — palais
* **Palpitations**
  *Voir : **cœur♥** — arythmie cardiaque*
* **Paludisme**
  Voir : malaria

* **Panaris**
* **Pancréas**
  Voir aussi : sang / diabète / hypoglycémie
* **Pancréas — Pancréatite**
  Voir aussi : annexe iii
* **Panique (attaque de...)**
  Voir : peur
* **Paralysie (en général)**
* **Paralysie cérébrale**
  Voir : cerveau — paralysie cérébrale
* **Paralysie infantile**
  Voir : poliomyélite
* **Paranoïa**
  Voir : psychose — paranoïa
* **Paresse**
* **Parkinson (maladie de...)**
  ***Voir :** cerveau — parkinson [maladie de...]*
* **Paroi**
* **Paroles**
  Voir aussi : aphonie
* **Parotide**
  Voir : glandes salivaires
* **Paupières (en général)**
  Voir aussi : traits tombants
* **Paupières (clignement des...)**
* **Peau (en général)**
* **Peau (maux de...)**
* **Peau — Acné**
  Voir aussi : peau / boutons / points noirs, visage
* **Peau — Acné rosacée ou couperose**
  ***Voir aussi** : peau / boutons / points noirs, visage*
* **Peau — Acrodermatite**
* **Peau — Acrokératose**
  Voir aussi : peau — acrodermatite
* **Peau — Albinisme ou Albinos**
  Voir aussi : peau- vitiligo
* **Peau — Ampoules**
* **Peau — Anthrax**
  Voir aussi : peau — furoncles
* **Peau — Bleus**
* **Peau — Boutons**
  Voir aussi : herpès / [... en général, ... buccal], peau — acné
* **Peau — Callosités**
  Voir aussi : pieds — durillons et cors
* **Peau — Cicatrice**
* **Peau — Démangeaisons**
  Voir aussi : peau — éruption [... de boutons]
* **Peau — Démangeaisons à l'anus**
  Voir : anus — démangeaison anale
* **Peau — Dermatite**
* **Peau — Dermite séborrhéique**
* **Peau — Eczéma**
* **Peau — Engelures**
  Voir aussi : froid [coup de...]
* **Peau — Épidermite**
  Voir aussi : annexe iii, herpès, peau — zona
* **Peau — Éruption (... de boutons)**
  Voir aussi : peau — démangeaisons
* **Peau — Furoncles**
  Voir aussi : inflammation
* **Peau — Furoncles vaginaux**
* **Peau — Gale ou Grattelle**
* **Peau — Gerçure**
* **Peau — Impétigo**
* **Peau — Kératose**
  Voir aussi : peau — acrokératose, pieds / durillons / verrues
* **Peau — Leucodermie**
  Voir aussi : cicatrice, peau — albinisme / vitiligo
* **Peau — Lipome**
* **Peau — Lupus (érythémateux chronique)**
* **Peau — Mélanome malin**
* **Peau — Points noirs**
  Voir aussi : visage
* **Peau — Psoriasis**
* **Peau — Sclérodermie**
  Voir aussi : système immunitaire
* **Peau — Taches de vin**
* **Peau — Urticaire**
* **Peau-Vergetures**
* **Peau — Verrues (en général)**
  Voir aussi : tumeur[s]
* **Peau — Verrues plantaires**
  Voir : pieds — verrues plantaires
* **Peau — Vitiligo**
* **Peau — Zona**
  Voir aussi : maladie de l'enfance—varicelle
* **Pédiculose**
  Voir : morpions

* **Pelade**
  Voir : cheveux — pelade
* **Pellicules**
  Voir aussi : cheveux [maladie des...]
* **Pelvis**
  Voir aussi : bassin, hanches
* **Pénis (maux au...)**
* **Péricardite**
  Voir : cœur♥ — péricardite
* **Péritonite**
  Voir aussi : appendicite
* **Péroné**
  Voir : *jambe —partie inférieure*
* **Perte d'appétit**
  Voir : appétit [perte de...]
* **Perte de connaissance**
  Voir : évanouissement
* **Pertes blanches**
  Voir : leucorrhée
* **Pertes vaginales**
  Voir : leucorrhée
* **Peur**
  Voir aussi : reins [problèmes rénaux]
* **Pharyngite**
  Voir : gorge — pharyngite
* **Phlébite**
  Voir : sang — phlébite
* **Phobie**
  Voir aussi : angoisse, claustrophobie, rage
* **Picote**
  Voir : maladies de l'enfance [varicelle]
* **Pieds (en général)**
* **Pieds (maux de...)**
* **Pied d'athlète**
  Voir : pieds — mycose
* **Pieds — Durillons et cors**
  Voir aussi : peau — callosités
* **Pied — Épine de lenoir ou calcanéenne**
  Voir aussi : talon
* **Pieds — Mycose (... entre les orteils) ou Pied d'athlète**
  Voir aussi : peau / [en général] / [maux de...], système immunitaire
* **Pieds — Verrues plantaires**
  Voir aussi : pieds — durillons
* **Pierres au foie**
  Voir : calculs biliaires
* **Pierres aux reins**
  Voir : calculs rénaux
* **Pinéale**
  Voir : glande pinéale
* **« Pipi au lit »**
  Voir aussi : incontinence [... fécale, ... urinaire]
* **Pituitaire**
  Voir : *glande pituitaire*
* **Plaie**
  Voir : accident
* **Pleurer**
* **Pleurésie**
  Voir : poumons — pneumonie et pleurésie
* **pleurite**
  Voir : poumons — pneumonie et pleurésie
* **Plombage**
  Voir : dents — carie dentaire
* **Pneumonie**
  Voir : poumons — pneumonie et pleurésie
* **Pneumopathie**
  Voir : congestion
* **Poids (excès de...)**
  Voir aussi : graisse
* **Poignet**
  Voir aussi : articulations
* **Poignet — Syndrome du canal carpien**
* **Poils**
  Voir aussi : cheveux [perte de...]
* **Point de côté ou Douleur irradiée ou projetée**
* **Points noirs**
  Voir : peau — points noirs
* **Poitrine**
* **Poitrine (angine de...)**
  Voir : angine de poitrine
* **Poliomyélite**
* **Polyarthrite chronique évolutive**
  Voir : arthrite — polyarthrite rhumatoïde
* **Polyarthrite rhumatoïde**
  Voir : arthrite — polyarthrite rhumatoïde
* **Polyorexie**
  Voir : boulimie
* **Polypes**
* **Pouce**
  Voir : doigts — pouce

* **Pouls (anomalies du...)**
  Voir : ***cœur♥*** *arythmie cardiaque*
* **Poumons (en général)**
  Voir aussi : bronches
* **Poumons (maux aux...)**
  Voir aussi : asthme, bronches — bronchite, sclérose
* **Poumons (cancer des...)**
  Voir : cancer des poumons
* **Poumons — congestion**
  Voir : congestion
* **Poumons — emphysème pulmonaire**
* **Poumons — Légionnaires (maladie des ...)**
* **Poumons — Pneumonie et pleurésie**
* **Poux**
  Voir : morpions
* **Presbytie**
  Voir : yeux — hypermétropie et presbytie
* **Pression artérielle ou sanguine**
  Voir : tension artérielle
* **Problèmes cardiaques**
  Voir : cœur♥ — problèmes cardiaques
* **Problèmes de palpitations**
  Voir : cœur♥ — arythmie cardiaque
* **Prolapsus (descente de matrice, d'organe)**
  Voir aussi : prostate [descente de...]
* **Prostate (en général)**
* **Prostate (maux de...)**
* **Prostate (descente de...)**
  Voir aussi : prolapsus
* **Prostate — Prostatite**
  Voir aussi : annexe iii, infection, inflammation
* **Prurit**
  Voir : peau — démangeaisons
* **Psoriasis**
  Voir : peau — psoriasis
* **Psychose (en général)**
* **Psychose — Paranoïa**
* **Psychose — Schizophrénie**
* **Psychosomatique (maladie...)**
  Voir : maladie psychosomatique
* **Pubienne (toison...)**
* **Pubis (os du...)**
  Voir aussi : accident, os — fractures [... osseuses], tendons
* **Pus**
  Voir : abcès — empyème
* **Pyorrhée (gingivite expulsive)**
  Voir : gencives [maux de...]
* **Pyrexie**
  Voir : fièvre
* **Quadriplégie**
  Voir : paralysie [en général...]
* **Rachitisme**
* **Rage**
* **Rage de dents**
  Voir : dents [maux de...]
* **Raideur (... articulaire, ... musculaire)**
* **Raison (j'ai...)**
* **Rancune**
* **Rate**
* **Raynaud (maladie de...)**
  Voir aussi : sang — circulation sanguine
* **Rectum**
  Voir : intestins — rectum
* **Règles (maux de...)**
  Voir : menstruation [maux de...]
* **Regrets**
* **Reins (problèmes rénaux)**
  Voir aussi : calculs [en général] / rénaux, peur
* **Reins — Anurie**
  Voir aussi : reins [problèmes rénaux]
* **Reins — Néphrite**
  Voir aussi : colère, inflammation, peur
* **Reins — Pierres aux reins**
  Voir : calculs rénaux
* **Reins (tour de...) (lumbago)**
  Voir : dos [maux de...] / bas du dos
* **Renvois**
  Voir : éructation
* **Repli sur soi**
* **Respiration (en général)**
* **Respiration (maux de...)**
  Voir aussi : asthme, gorge [maux de...], mort subite du nourrisson, poumons [maux de...]
* **Respiration — Asphyxie**
  Voir aussi : asthme, respiration [maux de...]
* **Respiration — Étouffements**

* **Respiration — Trachéite**
* **Rétention d'eau**
  Voir aussi : enflure, œdème
* **Rétinite pigmentaire**
  Voir : yeux — rétinite pigmentaire
* **Rétinopathie pigmentaire**
  Voir : yeux — rétinite pigmentaire
* **Rhinite**
  Voir : rhume [...de cerveau]
* **Rhinopharyngite**
  Voir : gorge — pharyngite
* **Rhumatisme**
  Voir aussi : arthrite — polyarthrite rhumatoïde, articulations, inflammation
* **Rhume (...de cerveau)**
  Voir aussi : allergie —fièvre des foins
* **Rhume des foins**
  Voir : allergie — fièvre des foins
* **Rides**
* **Ronflement**
* **Ronger les ongles**
  Voir : ongles [se ronger les...]
* **Roter, Éructer**
  Voir : éructation
* **Rotule**
* **Rougeole**
  Voir : maladies de l'enfance
* **Rougeur**
  Voir : peau [maux de...]
* **Rubéole**
  Voir : maladies de l'enfance
* **Rythme cardiaque (trouble du...)**
  Voir : cœur♥ — arythmie cardiaque
* **Sacrum**
  Voir : dos— bas du dos
* **Sadisme**
  Voir : sadomasochisme
* **Sadomasochisme**
* **Saignements**
  Voir : sang — saignements
* **Saignements de nez**
  Voir : nez [saignements de...]
* **Saignements des gencives**
  Voir : gencives [saignements des...]
* **Salive (en général)**
  Voir aussi : glandes salivaires, oreillons
* **Salive — Hyper et hyposalivation**
  Voir aussi : bouche
* **Salmonellose ou Typhoïde**
  Voir aussi : empoisonnement [..., ... par la nourriture], indigestion, infections [en général], intestins — diarrhée, nausées
* **Salpingite**
  Voir aussi : chronique [maladie...], féminins [maux...], infections [en général]
* **Sang (en général)**
* **Sang (maux de...)**
  Voir aussi : sang / anémie / leucémie
* **Sang — Anémie**
  Voir aussi : sang / circulation sanguine / leucémie
* **Sang — Artères**
* **Sang — Cholestérol**
  Voir aussi : sang / [en général] / circulation sanguine
* **Sang — Circulation sanguine**
  Voir aussi : cœur♥, raynaud [maladie de...]
* **Sang coagulé (... dans les veines ou dans les artères), caillot**
  Voir aussi : sang — thrombose
* **Sang — Diabète (...sucré)**
  Voir aussi : maladies héréditaires, sang — ***hypoglycémie***
* **Sang — Gangrène**
  Voir aussi : amputation, infections
* **Sang — Hématome**
  Voir aussi : accident, sang / [en général] / circulation sanguine
* **Sang — Hématurie**
  Voir aussi : adénome, vessie / [maux de...] / cystite, urine [infections urinaires]
* **Sang — Hémophilie**
  Voir aussi : maladies héréditaires, sang / [en général] / [maux de...] / circulation sanguine / diabète
* **Sang — Hémorragie**
* **Sang — Hypoglycémie**
  Voir aussi : allergies [en général], cerveau — équilibre [perte de...], sang — diabète
* **Sang — Leucémie**
  Voir aussi : cancer en général, sang / anémie / circulation sanguine

* **Sang — Leucopénie**
* **Sang — Mononucléose infectieuse**
  Voir aussi : angine, fatigue, infections en général, rate, tête [maux de...]
* **Sang — Phlébite**
* **Sang — Plaquettes**
  Voir aussi : sang coagulé / thrombose
* **Sang — Saignements**
* **Sang — Septicémie**
* **Sang — Thrombose**
  Voir aussi : sang / circulation sanguine / coagulé
* **Sang — Varices**
* **Sarcoïdose**
* **Sarcome d'Ewing**
  Voir : os [cancer des...] — sarcome d'ewing
* **Scarlatine**
  Voir : maladies de l'enfance
* **Schizophrénie**
  Voir : psychose — schizophrénie
* **Sciatique (le nerf...)**
  Voir : nerf sciatique [le...]
* **Sclérodermie**
  Voir : peau — sclérodermie
* **Sclérose**
  Voir aussi : inflammation, système immunitaire
* **Sclérose en plaques**
* **Sclérose — Latérale amyotrophique**
  Voir : charcot [maux de...]
* **Scoliose**
  Voir : colonne vertébrale [déviation de...] — scoliose
* **Scrupule**
* **Sécheresse vaginale**
  Voir : vagin [en général]
* **Sein (en général)**
* **Seins (maux aux...) (douleurs, kyste)**
  Voir aussi : cancer du sein, sein — mastite
* **Seins — Allaitement (difficultés d'...)**
  Voir aussi : seins — mastite
* **Sein (cancer du...)**
  Voir : cancer du sein
* **Sein — Mastite**
* **Sénescence**
  Voir : vieillissement [maux de...]
* **Sénilité**
* **Septicémie**
  Voir : sang — septicémie
* **Sexuelles (déviations et perversions en général)**
* **Sexuelles (frustrations, absence de désir...)**
  Voir aussi : éjaculation précoce
* **Sexuel (harcèlement...)**
* **Sida (syndrome d'immunodéficience acquise)**
* **Sinus pilonidal**
  Voir aussi : dos / [maux de...] / bas du dos, infections [en général]
* **Sinusite**
  Voir : nez — sinusite
* **Soif**
  Voir aussi : insolation, reins [problèmes rénaux], sang — diabète
* **Soleil (coup de...)**
  Voir : insolation
* **Sommeil (maladie du...)**
  Voir : narcolepsie
* **Sommeil (trouble du...)**
  Voir : insomnie
* **Somnambulisme (somnambule)**
* **Somnolence**
* **Sourd-muet**
  Voir aussi : oreilles — surdité
* **Spasmes**
* **Spasmophilie**
  Voir aussi : tétanie
* **S.P.M. (syndrome prémenstruel)**
  Voir : menstruation — syndrome prémenstruel
* **Squelette**
  Voir : os
* **S.R.A.S.**
  Voir : syndrome respiratoire aigu sévère
* **Stérilité**
* **Sternum**
* **Strabisme**
  Voir : yeux — strabisme
* **Stress**
* **Sublinguale (glande...)**
  Voir : glandes salivaires

* **Subluxation**
Voir : luxation
* **Sucer son pouce**
* **Suicide**
Voir aussi : angoisse, anxiété, mélancolie
* **Surdimutité**
Voir : sourd-muet
* **Surdité**
Voir : oreilles — surdité
* **Suroxygénation**
Voir : hyperventilation
* **Surrénales**
Voir : glandes surrénales
* **Syncope**
Voir : cerveau — syncope
* **Syndrome de Burnett**
Voir : buveurs de lait [syndrome des...]
* **Syndrome des buveurs de lait**
Voir : buveurs de lait [syndrome des...]
* **Syndrome du canal carpien**
Voir : crampe de l'écrivain
* **Syndrome de cushing**
Voir : cushing [syndrome de...]
* **Syndrome de down**
Voir : mongolisme
* **Syndrome de fatigue chronique**
Voir : fatigue chronique [syndrome de...]
* **Syndrome de gélineau**
Voir : narcolepsie
* **Syndrome guillain-barré ou Polyradiculonévrite aiguë**
Voir aussi : système immunitaire
* **Syndrome d'immunodéficience acquise**
Voir : sida
* **Syndrome des ongles jaunes**
Voir : *ongles jaunes [syndrome des...]*
* **Syndrome prémenstruel**
Voir : menstruation — syndrome prémenstruel
* **Syndrome respiratoire aigu sévère (S.R.A.S.) ou pneumopathie atypique**
Voir aussi *: poumons — pneumonie, respiration*
* **Syndrome de surutilisation**
Voir aussi : dos [maux de...], inflammation, tendons
* **Syphilis**
Voir : vénériennes [maladies...]
* **Système immunitaire**
Voir aussi : sida
* **système locomoteur**
Voir aussi : os
* **Système lymphatique**
Voir aussi : ganglion [lymphatique]
* **Système nerveux**
Voir aussi : nerfs [en général]
* **Tabagisme**
Voir : cigarette
* **Taches de rousseur**
Voir : peau [maux de...]
* **Taches de vin**
Voir : peau — taches de vin
* **Tachycardie**
Voir : cœur♥ — arythmie cardiaque
* **Tænia ou Ténia**
Voir : intestins — tænia
* **Talon**
* **Tartre**
Voir : dents [maux de...]
* **Teigne**
Voir : cheveux — teigne
* **Tendinite**
Voir : tendon [en général]
* **Tendon (en général)**
* **Tendon d'achille**
* **Ténia**
Voir : intestins — tænia
* **Tennis elbow**
Voir : coudes — épicondylite
* **Tension artérielle — Hypertension (trop élevée)**
* **Tension artérielle — Hypotension (trop basse)**
* **Testicules (en général)**
Voir aussi : pénis [maux au...]
* **Testicules (cancer des...)**
Voir : cancer des testicules
* **Tétanie**
* **Tétanos**
Voir : muscles — tétanos
* **Tête (en général)**
* **Tête (maux de...)**
* **Tête — migraines**
* **Tétraplégie**
Voir : paralysie [en général]
* **Thalamus**

* **Thromboangéite obliérante**
  Voir : buerger [maladie de...]
* **Thrombose**
  Voir : sang — thrombose
* **Thrombose coronarienne**
  Voir : cœur♥ — thrombose coronarienne
* **Thymus**
  Voir : glande — thymus
* **Thyroïde**
  Voir : glande thyroïde en général
* **Tibia**
  Voir : jambes — partie inférieure
* **Tics**
  Voir : cerveau — tics
* **Timidité**
* **Tissu conjonctif (fragilité du...)**
* **Torpeur**
  Voir : engourdissement
* **Torsion du testicule**
  Voir : testicules [en général]
* **Torticolis**
  Voir : cou — torticolis
* **Tour de rein (lumbago)**
  Voir : dos [maux de...] — bas du dos
* **Tourista**
  Voir : intestins —diarrhée
* **Toux**
  Voir aussi : gorge / [en général] / [maux de...]
* **Toxicomanie**
  Voir aussi : alcoolisme, cigarette, compulsion nerveuse, dépendance, drogue, poumons [en général]
* **Trachéite**
  Voir : respiration — trachéite
* **Trachéobronchite**
  Voir : bronche —bronchite, respiration — trachéite
* **Traits tombants, mous**
* **Transpiration**
  Voir : odeur corporelle
* **Tremblements**
  Voir aussi : parkinson [maladie de...]
* **Trismus**
  Voir : muscles — trismus
* **Trisomie 21**
  Voir : mongolisme
* **Tristesse**
  Voir aussi : chagrin, mélancolie, sang / cholestérol / diabète / hypoglycémie
* **Trompe (infection d'une...)**
  Voir : salpingite
* **Tuberculose**
  Voir aussi : poumons [maux aux...]
* **Tumeur(s)**
  Voir aussi : kyste, cancer [en général...]
* **Tumeur au cerveau**
  Voir : cerveau [tumeur au...]
* **Tumeur maligne**
  Voir : cancer [en général...]
* **Turista**
  Voir : intestins —diarrhée
* **Tympanisme**
* **Typhoïde**
  Voir : salmonellose
* **Ulcère(s) (en général)**
* **Ulcère buccal (herpès) ou Chancre**
  Voir : bouche [malaise de...]
* **Ulcère peptique ou gastrique (duodénum ou estomac)**
* **Urémie**
  Voir aussi : reins [problèmes rénaux]
* **Urétrite**
  Voir aussi : annexe iii
* **Urine (infections urinaires) ou cystite**
  Voir aussi : incontinence [... urinaire], infections [en général], leucorrhée, vagin — vaginite, vessie [maux de..]
* **Urticaire**
  Voir : peau — urticaire
* **Utérus (en général)**
  Voir aussi : cancer du col utérin, féminins [maux...], prolapsus
* **Utérus (cancer du col de l'...)**
  Voir : cancer de l'utérus [col et cors]
* **Vagin (en général)**
* **Vagin — démangeaisons vaginales**
  Voir : démangeaisons vaginales
* **Vaginal — herpès**
  Voir : herpès vaginal
* **Vaginales (pertes...)**
  Voir : leucorrhée
* **Vaginaux (spasmes...)**
  Voir : spasmes

- **Vaginite**
  Voir aussi : candida, leucorrhée, urine [infections urinaires]
- **Varicelle**
  Voir : maladies de l'enfance
- **Varices**
  Voir : sang — varices
- **Varicocèle**
  Voir : testicules [en général...]
- **Végétatif chronique (état...)**
  Voir : état végétatif chronique
- **Végétations adénoïdes**
  Voir aussi : amygdales
- **Veines (maux aux...)**
  Voir aussi : sang — circulation sanguine
- **Veines — varices**
  Voir : sang — varices
- **Vénériennes (maladies...)**
  Voir aussi : chancre, herpès en général / génital
- **Ventre ou abdomen**
  Voir aussi : gonflement [... de l'abdomen], intestins [maux aux...]
- **Ventre (mal de...)**
  Voir : mal de ventre
- **Vergetures**
  Voir : peau — vergetures
- **Verrues (en général)**
  Voir : peau — verrues [en général]
- **Verrues plantaires**
  Voir : pieds — verrues plantaires
- **Ver solitaire**
  Voir : intestins — tænia
- **Vers, Parasites**
  Voir : cheveux — teigne, intestins — colon / tænia, pieds — mycose
- **Vertèbres (fracture des...)**
  Voir : dos — fracture des vertèbres
- **Vertige et Étourdissements**
  Voir aussi : sang — hypoglycémie
- **Vésicule biliaire**
  Voir aussi : calculs biliaires, foie [maux de...]
- **Vessie (maux de...)**
  Voir aussi : calculs en général, infections en général, urine [infections urinaires]
- **Vessie — Cystite**
  Voir aussi : annexe iii
- **Vieillissement (maux de...)**
- **Vieillissement pathologique**
  Voir : sénilité
- **V.I.H. (virus d'immunodéficience humaine)**
  Voir : sida
- **Viol**
  Voir aussi : accident, peur
- **Visage**
  Voir aussi : peau / acné / boutons / points noirs
- **Vitiligo**
  Voir : peau — vitiligo
- **Voies biliaires**
  Voir : vésicule biliaire
- **Voix (extinction de...)**
  Voir : aphonie
- **Voix — Enrouement**
- **Vomissements**
  Voir : nausées
- **Vulve**
  Voir aussi : lèvres
- **Yeux (en général)**
- **Yeux (maux d'...)**
- **Yeux (maux chez les enfants)**
- **Yeux — Astigmatisme**
- **Yeux — Aveugle**
- **Yeux — Aveuglement**
- **Yeux — Cataracte**
- **Yeux — Cernés**
- **Yeux — Commotion de la rétine**
  (Voir aussi : cerveau — commotion)
- **Yeux — Conjonctivite**
- **Yeux — Daltonisme (non-perception des couleurs)**
- **Yeux — Décollement de la rétine**
- **Yeux — Dégénérescence de la rétine (maculaire)**
- **Yeux — Glaucome**
- **Yeux — Hypermétropie et presbytie**
- **Yeux — Kératite**
  Voir aussi : inflammation, ulcère
- **Yeux — Myopie**
- **Yeux — Nystagmus**
- **Yeux — Ptérygion**
- **Yeux — Pupille**
- **Yeux — Rétinite pigmentaire ou Rétinopathie pigmentaire**

* **Yeux secs**
Voir : yeux [maux de...]
* **Yeux — Strabisme (en général)**
* **Yeux — Strabisme convergent**
* **Yeux — Strabisme divergent**
* **Zona**
Voir : peau — zona

BIBLIOGRAPHIE

— Louise Hay, *Transformer Votre vie*, éditions Soleil, 1990

— Louise Hay, *L'amour sans condition*, éditions Vivez Soleil, 1992

— Claudia Rainville, *Métamédecine, la guérison à votre portée*, éditions FRJ, 1995

— Debbie Shapiro, *The Body mind workbook*, Element Books limited, 1990

— Lise Bourbeau, *Qui es-tu?*, éditions Écoute ton Corps, 1988

— Shalila Sharamon & Bodo J. Baginski, *REIKI Guérir, Rééquilibrer grâce à la Force de Vie Universelle*, Guy Trédaniel, 1991

— Brigitte Müller et Hordt H. Günther, REIKI, *Guéris toi-même*, Le courrier du Livre, 1994

— Marguerite De Surany, *Pour une Médecine de l'Ame*, éditions Guy Trédaniel, 1987

— Marguerite De Surany et Jean-Claude Jourdan, *Les deux inséparables*

— *Crâne-Colonne, union de l'âme et de l'esprit*, éditions Guy Trédaniel, 1992

— Lavon J. Dunne, *Nutrition Almanac* (Third Edition), Mc GRAWHILL, 1990

— James F. Balch, M.D., Phyllis A. Balch, C.N.C., *Prescription for Nutritional Healing*, Avery publishing group inc., 1990

— *Encyclopédie de décodage biologique en corrélation psychocérébro-organique*, Holoconcept

— Claude Sabbah, *La Biologie des êtres vivants décrite sous forme d'histoire naturelle*, notes de cours, séminaires 1, 2, 3, Holoconcept, 1997

— Bertrand Duhaime, *L'humanité Métaphysique, A.U.M.* Les ateliers universels de motivation

— Michel Odoul, Rémy *Portrait, Cheveux, parle moi de moi*. Le cheveu, fil de l'âme, Édition Dervy, 1997

— *Dictionnaire encyclopédique alpha*, 1982 Éditions Grammont S.A., Suisse, Lausanne

— *Le grand dictionnaire collégial de décodage biologique*, 2 ième édition, Rassemblé par Eduard Van den bogaert, Réalisé par l'asbl Téligaté, avril 2004, Bruxelles

— Docteur Estelle Vereeck, *Dictionnaire de langage de vos dents*, Éditions Luigi Castelli 2004

— Lousie Hay, *D'accord avec mon corps*, Éditions Vivez Soleil 1988

— Dr Gérard Charpentier, *Les maladies et leurs émotions*, Editions de Mortagne 2000

— Michel Odoul, *Dis-moi où tu as mal*, Éditions Dervy, 1999

— Roger Fiammetti, *Le langage émotionnel du corps*, Éditions Dervy 2004

— Debbie Shapiro, *L'intelligence du corps*, Éditions Dangles 1998

— Christian Flèche, *Décodage biologique des maladies*, Le souffle d'or, 2001

— Roland Arnold, *La symbolique des maladies*, Éditions Dangles, 2000

— Dr Philippe Dransart, *La maladie cherche à me guérir*, Éditions Le mercure dauphinois 1999, 2000

— Christiane Beerlandt, *La clef vers l'autolibération*, Édition Altima

— Michèle Caffin, *Quand les dents se mettent à parler*, Éditeur Guy Trédaniel, Éditions de la Maisnie, 1994

— *Larousse médical*, Larousse 2005

— *Le nouveau petit Robert*, Paul Robert

— Larousse-Bordas, *Dictionnaire historique des médecins dans et hors de la médecine 1999*

— *Dictionnaire des noms illustres en médecine*, Docteur Antoine Colin, Prodim Édition-Librairie, Bruxelles, Belgique 1994

AU SUJET DE L'AUTEUR

Né à Montréal en septembre 1950, Jacques Martel a terminé en 1977 sa formation d'ingénieur électricien à l'université Laval de Québec (Canada) et est devenu membre de l'ordre des ingénieurs du Québec. Ensuite, ill a été professeur en électricité et électronique auprès du centre de main-d'œuvre du Canada (CMC) et en entreprise privée.

Parallèlement, de 1978 à 1988, il se spécialise en vitaminothérapie, aussi appelée : approche orthomoléculaire suivant une approche holistique ou global de l'être. Pendant cette période, à titre bénévole, il est un membre actif au sein d'un mouvement dédié à la connaissance de soi, et occupe les fonctions de responsable des relations publiques, organisateur de séminaires et agit à titre de conférencier pour ce mouvement.

Il a suivi, en 1987, une formation au Collège des Annonceurs en radio et Télévision du Québec (CART).

Ensuite pendant deux années, il participe comme animateur à plus d'une centaine d'émissions télévisées sur la santé et le bien-être qui sont diffusées à travers la province de Québec à la télévision communautaire.

C'est en 1988 qu'il amorce une formation en croissance personnelle avec madame Claudia Rainville. En janvier 1990 il travaille à temps plein comme psychothérapeute et animateur d'ateliers de croissance personnelle.

En 1990, en tant que président fondateur, il crée le Centre de Croissance ATMA qui est devenu ATMA inc. en 1996 et dont il assume la présidence depuis.

En 1993, il devient Maître REIKI et de 1994 à 1998, il est président de l'Association Canadienne et Québécoise des Maîtres REIKI (ACQMR).

Depuis 1990, Jacques Martel poursuit sa formation de croissance personnelle et professionnelle. En 1996, il termine sa formation comme rebirthteur professionnel à l'Institut Héléna Marcoux. Il a été membre de la corporation des praticiens en médecine douce du Québec (CPDMQ) de 1996 à 2002 et membre du bureau d'éthique commerciale du Québec de 1996 à 1998. Son expérience l'amène à agir à titre de consultant auprès de thérapeutes et autres professionnels de la santé.

C'est en janvier 1991 que naît le projet d'un ouvrage qui s'intitulera **"LE GRAND DICTIONNAIRE DES MALAISES ET DES MALADIES"**. De par sa formation d'ingénieur électricien, il allie un côté pratique qui s'ajoute à son intuition. Ainsi, les nombreux ateliers et conférences que Jacques Martel a donnés confirment le lien étroit qui existe entre, d'une part, les malaises et les maladies et d'autre part les pensées, les sentiments et les émotions comme source de conflits dans le déclenchement des maladies. Sa formation en 1997 avec le Dr Claude Sabbah (www.biologie-totale.org) confirme sa théorie et va dans le sens du dictionnaire déjà commencé qui sera achevé et publié en avril 1998 en langue française. Jacques Martel a entamé une carrière internationale par ses conférences et ateliers qu'il anime au Québec et en Europe.

Il forme, sur demande, d'autres thérapeutes avec les techniques de guérison émotionnelle (TIC : Technique d'Intégration par le Cœur) qu'il a développées au cours des années.

Outre cette deuxième édition du livre « Le grand dictionnaire des malaises et des maladies », il a écrit, « Entre l'Esprit et le Cœur », « ATMA, le pouvoir de l'Amour » et « ATMA et le cercle de guérison » et produit plusieurs CD-conférences, CD de méditations guidées, etc.

AU SUJET DE LA COLLABORATRICE

Lucie Bernier est originaire de Rivière-Ouelle, une partie du Québec aussi connue sous le nom de « bas du fleuve ». Après avoir terminé ses études en droit en 1988, à l'Université Laval de Québec, elle a été agente de bord puis directrice de vol auprès d'une compagnie aérienne canadienne.

Parallèlement, en 1989 elle entame un processus de travail sur « Soi » qui s'échelonnera sur 17 ans. C'est en 1993 qu'elle devient Maître REIKI, cette technique de guérison naturelle par imposition des mains utilisant l'énergie neutre, universelle, sans intention. Elle cumulera plus de 2000 heures d'ateliers de croissance personnelle, dont 1400 heures auprès de Jacques Martel. Elle agira aussi comme animatrice et/ou assistante lors des ateliers dispensés par Jacques Martel, spécialement en Europe.

De 1995 à 1998 elle a collaboré à la production du livre « *Le grand dictionnaire des malaises et des maladies* » tout comme elle a collaboré à la réalisation de la deuxième édition. Son discernement, son expérience personnelle et son ressenti en regard de la maladie en font une référence exceptionnelle. Son apport à ces deux ouvrages est une source d'enrichissement pour tous les lecteurs.

COURS OFFERTS PAR JACQUES MARTEL

Retrouver l'enfant en soi **Durée : 40h.**

L'atelier « **Retrouver l'enfant en soi** » est le fruit de plusieurs années d'expérience basées sur le travail avec l'enfant intérieur. Ce travail a mis en évidence les résultats éloquents qu'on a vus se produire pendant les consultations privées ou les cours en groupe. Les animateurs d'**ATMA** inc. utilisent des exercices déjà éprouvés et y intègrent leurs propres techniques d'intégration du cœur afin d'obtenir des résultats encore plus efficaces.

Comment peut-on obtenir des résultats si probants ? Quel est le mécanisme mis en branle et utilisé pour réussir à guérir des blessures qui datent d'aussi loin que la conception ?

Il s'agit d'un mélange ou plutôt d'une chimie presque magique qui transforme les blessures passées qui sont source entre autres de colère, de tristesse, de fuite, d'agressivité etc., et qui sont conscientisées et transmutées par l'**Amour** afin d'emmener des guérisons immédiates et permanentes. Le climat de confiance qui s'installe dans le groupe, l'ouverture qui se fait graduellement face à l'animateur et face aux autres participants permettent à l'**Amour** d'atteindre les couches les plus profondes de notre être.

Lorsque j'étais enfant, j'ai vécu des situations où j'ai eu de la peine, de la colère, etc. et je n'ai pas pu exprimer mes émotions. Ou alors, je peux avoir exprimé ces émotions, ces états d'être mais la réponse ou le « feed-back » que j'ai reçu de mon entourage et plus spécifiquement des gens qui m'entouraient et que j'aimais, soit mes parents, mes frères et soeurs, mon professeur etc. a été jugé « négatif ».

Je me suis alors replié sur moi-même, et j'ai « ravalé » mes émotions. La blessure formée à ce moment s'est imprégnée au niveau de l'**Amour.** Cette blessure s'imprègne dans ma mémoire émotive et à chaque fois que je revis une situation semblable, cette blessure est stimulée et réouverte inconsciemment, ce qui a pour effet de me faire réagir parfois d'une façon impulsive, avec des comportements incompréhensibles. Des comportements où la logique n'a pas sa place: c'est ma mémoire émotive qui se défend afin d'éviter de revivre le traumatisme que j'ai vécu étant enfant.

Le mental (mon côté rationnel) et même mon corps physique se sont inventés des façons de se protéger afin d'éviter de revivre ces émotions pénibles de l'enfance. Plus j'avance en âge et plus mon coeur risque de se durcir. J'enfouis de plus en plus profondément mes vieilles blessures et la couche devient de plus en plus épaisse.

Puisque je suis venu sur cette Terre pour expérimenter l'**Amour** sous toutes ces formes, et qu'étant jeune j'ai jugé des situations ou des personnes où j'ai perçu une absence d'**Amour**, je vais m'attirer des situations semblables dans ma vie afin de me donner des opportunités de changer ma perception et mon interprétation des événements qui se sont passés et ainsi remettre de l'**Amour** dans toutes ces situations. En faisant ainsi, je brise les maillons qui me retiennent à mon passé. Je défais ou plutôt je neutralise les « schémas » qui sont propres à mon chemin de vie. La tristesse est remplacée par la joie, le vide fait place à un sentiment de plénitude, la solitude que je vivais devient soudainement une amie qui m'est indispensable afin de me retrouver et de découvrir qui je suis.

Pour parvenir à ce processus de transformation des événements passés, je dois accepter↓♥ de prendre contact avec mon enfant intérieur. De prendre contact tout d'abord avec les émotions qui sont à la surface et d'ensuite plonger plus profondément dans les dédales de mon intérieur.

Je vais tout au long de cet atelier apprivoiser petit à petit l'enfant qui est en moi : je vais lui parler, l'amener à me communiquer ce qu'il vit, ces états d'âme afin de l'aider à extérioriser les émotions qu'il a refoulées pendant toutes ces années. Il est important de le laisser aller à son propre rythme. Tout se passe en harmonie et dans le respect de qui il est. Je vais prendre conscience de faits qui se sont passés et que ma mémoire a complètement occultés, simplement afin de se protéger et d'éviter de revivre cette souffrance encrée à l'intérieur de moi.

Même si je m'en vais à l'autre bout du monde, mon enfant intérieur blessé, lui, me suit partout. Même si je veux nier qu'il existe, il continue de frapper à la porte de mon coeur pour que je l'écoute et que je l'aide et le supporte. C'est à moi de lui tendre la main. C'est à moi à l'accueillir dans ce qu'il vit. C'est à moi à l'aider à s'ouvrir car c'est comme cela que je vais découvrir qui je suis vraiment et je pourrai ainsi développer mon plein potentiel. J'aurai repris tout le pouvoir qui m'appartient et qui m'est essentiel afin d'avoir la maîtrise de ma Vie.

L'important, c'est de me donner du temps, d'être compréhensif et aimant. Je ne peux pas changer toute ma vie en quelques jours mais je peux guérir des blessures vieilles de cent ans, qui vont me permettre d'être mieux avec moi-même, d'être plus en paix, plus en harmonie avec mon entourage ; je vais être plus conscient de ce qui se passe dans ma vie et je vais avoir des outils pour changer des choses dans ma vie. Je ne dois pour se faire qu'être prêt à accueillir l'**Amour** dans ma vie.

Il se peut que je trouve parfois difficile de découvrir des étapes de mon passé, des situations que j'avais toujours niées ; **mais ce qui est merveilleux maintenant, c'est que j'ai le pouvoir de changer tout ce que j'ai perçu de négatif comme des opportunités de grandir**. Et que c'est la somme de toutes mes expériences qui font l'être merveilleux que je suis aujourd'hui.

Je me dois d'être vrai avec moi-même. Je me dois de risquer au maximum. Je me dois de foncer. Car aussi grand est l'effort, aussi grande est la récompense.

Je prends le temps ici de souligner un point très important: moi, étant enfant, j'ai pu avoir interprété que l'un ou l'autre de mes parents, ou même les deux, ne m'aimaient pas. Je ne mets nullement en doute leur **Amour** et les efforts constants qu'ils ont faits afin de me donner le maximum. Mais que mes parents portent eux aussi un enfant blessé et que leur propre état les rend incapables de combler les manques de leur progéniture.

Le résultat final est que je vais devenir mon propre parent et qu'enfin je n'aurai pas à chercher à l'extérieur de moi pour trouver l'**Amour**.

Car qui mieux que moi peut connaître les besoins de mon enfant intérieur ? ?

Cet atelier peut aider grandement à résoudre les conflits programmants et déclenchants qui sont souvent la cause de l'apparition des malaises et des maladies.

Commentaires de participants

Mon regard du monde est différent, je comprends mieux l'entourage, l'environnement. Maintenant, j'envisage que l'**amour** peut tout et il peut changer tout, adieu mes soucis pour changer ce monde.

Je veux devenir canal d'***amour*** et c'est tout. Toute une vie d'isolement, de torture, d'incompréhension, que je n'en voyais pas la fin, me montre la réponse au niveau que je puisse commencer à comprendre.

Ma tête a voulu toujours ignorer ces manques d'**amour** avec des mots, des raisonnements pour m'écarter de la vraie réponse qu'il y a bien dans mon cœur.

Toujours j'ai cherché cette réponse qui commence à prendre forme maintenant, il a fallu beaucoup de désespoir, de colère, changer de psy.

De très petit je sentais ce but, mais il était noyé par mes blessures. Je remercie tous les gens du cours, Jacques, les assistants, mon Moi Supérieur, mes Guides et la Source pour me permettre d'éclaircir mon chemin.

Je me sens plus prêt pour RECEVOIR.

Pendant cet atelier, il y a eu des moments durs pour moi intérieurement, mais ce climat de CONFIANCE et d'**AMOUR** a permis de me soulager.

Ma vie est à la disposition de la Source et je me souhaite le COURAGE pour qu'il en soit ainsi. MERCI.

J.C.

La prise de conscience essentielle est que je vivais avec un certain nombre de blessures qui étaient la cause de mes comportements sociaux, amoureux, et de père. De même que ces blessures sont la cause de certains comportements de mon fils.

Cet atelier m'a aidé à identifier certaines blessures et à faire le lien avec ce que je suis, ce que je fais, ce qui m'arrive dans la vie.

Il m'ouvre la voie vers la guérison de ces blessures, ce qui contribuera à l'amélioration de mon bien-être et surtout m'amènera à l'Amour de moi-même et des autres.

Je sais que je peux surpasser mes peurs pour ouvrir mon cœur et par là même, ouvrir de nouvelles portes vers le bien-être et la sérénité. Je sais que cette ouverture pourra aussi apporter des souffrances, à moi de savoir quel est le niveau de compromis que je suis prêt à accepter.

J'ai vécu un grand moment d'**Amour**, d'échange et de partage de sensations très fortes et intenses.

Je dis merci à l'ensemble du groupe, aux assistants pour l'**Amour** et la **Lumière** qu'ils m'ont apportés.

Je dis merci à Jacques pour sa chaleur et son **Amour**. MERCI.

D.F.

C'est beau de recevoir de l'**Amour** ! Une comme moi qui avait appris à en donner !

Donner et recevoir de l'**Amour** !

Vivre le plus consciemment possible qui nous sommes : **Lumière** et **Amour** !

Continuer à aller vers l'avant sans plus jamais oublier cette essence merveilleuse que nous sommes !! **Amour**, **Amour** et encore **Amour**.

C'est tout ce dont on a besoin, c'est tout ce dont on est fait… À MOI DE LE VIVRE à chaque instant en renouvelant le miracle perpétuel de la vie !!!

Oui je peux être aimée, OUI JE SUIS AIMÉE, OUI JE M'OUVRE À L'**AMOUR** DE L'HOMME, OUI JE PEUX ÊTRE MÈRE À MON TOUR, OUI JE SUIS une femme qui s'ouvre à l'**AMOUR** et à la vie. Merci Jacques du profond du cœur.

BRAVO !!! Heureuse de t'avoir rencontré !

A.M.

J'ai pris conscience que j'avais besoin d'amour, peur de mourir, peur de recevoir de l'amour, que je ressentais de l'abandon, de l'insécurité, que j'étais en colère envers la vie parce que je me sentais poussée à avancer, à agir. J'ai compris que j'ai choisi cette existence et qu'il y a en moi et autour de moi l'énergie et les capacités d'assumer de vivre, la capacité d'aimer et de recevoir de l'**amour**. Cette prise de conscience s'est produite grâce à la confiance que j'ai ressentie en l'animateur, les assistantes et les présences spirituelles.

J'ai apprécié le fait de revivre et intégrer en douceur chaque étape de mon enfance. Tous les enseignements reçus pendant cet atelier sont justes envers moi : langage positif, attitude positive, respect, **amour**. J'ai l'énergie, la joie de vivre, pour continuer mon chemin.

MERCI JACQUES.

Merci à tous les compagnons et compagnes.

M.M.

J'ai compris l'origine du sentiment d'abandon et de solitude profonde que je ressens au fond de moi et j'ai surtout pardonné à ma mère que j'ai très envie de serrer dans mes bras à l'instant présent.

L'atelier m'a permis de commencer à accepter↓♥ l'Amour que l'on peut me donner, à accepter que j'ai de l'amour à donner, à avoir plus confiance en moi et en l'avenir.

Les exercices m'ont obligée à m'exposer devant d'autres, à faire tomber des défenses solidement érigées. Cela a été rendu possible par le climat de confiance et de respect qui a régné dans le groupe, par l'écoute et l'attention de Jacques et par le soutien sans faille des participants.

Merci à vous de m'avoir permis ce travail que je me dois maintenant de poursuivre.

L.D.

ATELIERS DE REIKI

Animés par Jacques Martel, Maître REIKI
Maître Enseignant Initié (7ième génération)

Le **REIKI** est une science qui permet la canalisation, une technique de guérison et un outil de transformation.

Le **REIKI** renforce et accélère le processus naturel de guérison. Il vitalise corps et esprit. Le **REIKI** est un cadeau à se faire, un cadeau pour la vie.

Si vous désirez pratiquer le **REIKI** sur vous-mêmes ou sur les autres, vous devez être initiés au **REIKI**.

L'enseignant de **REIKI** transmet au cours de journées d'initiation, des symboles sacrés et secrets qui rendront les participants aptes à améliorer leur santé et celle de leurs proches...!

COÛT DES ATELIERS

Niveau	Canada	Europe	Heure
1	160 $ plus taxes	150 €	9h à 19h+
2	180 $ plus taxes	160 €	9h à 19h+
3	700 $ plus taxes	430 €	13h à 19h+
Maîtrise	1 000 $ plus taxes	740 €	13h à 19h+

Ceux et celles ayant été initiés par un autre Maître doivent apporter leurs diplômes et notes de cours pour se présenter à un niveau autre que le premier.

REIKI: FORCE DE VIE UNIVERSELLE

Jacques Martel est Maître **REIKI** depuis février 1993 et a initié plusieurs Maîtres **REIKI** au Québec, en France, en Belgique et en Suisse.

Il a été président de l'Association Canadienne et Québécoise des Maîtres **REIKI** (ACQMR) entre 1994 et 1998.

LIGNÉE DES MAÎTRES REÏKI

(1ière génération)

Docteur Mikao USUI : Grand Maître REIKI, Fondateur de la méthodologie naturelle du REIKI (né le 15 août 1865 et décédé le 9 mars 1926)

(2ième génération)

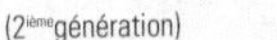

Docteur Chujiro HAYASHI : Grand Maître REIKI, né en 1880, successeur de Mikao Usui jusqu'au 10 mai 1941 (au moment de sa transition, sa mort)

(3ième génération)

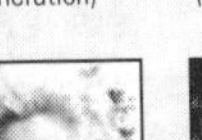

Hawayo TAKATA : Grand Maître REIKI, née en 1900, du 10 mai 1941 au 12 décembre 1980 (au moment de sa transition, sa mort), successeur de Hayashi.

(4ième génération)

Iris ISHIKURO : Maître REIKI, nièce de Hawayo Takata, initiée Maître REIKI par Hawayo Takata.

(5ième génération)

Docteur Arthur L. ROBERTSON : Maître REIKI, Président-fondateur de L'A.R.M.A : (Américan REIKI Master Association) initié Maître REIKI par Iris Ishikuro

(6ième génération) depuis 1992

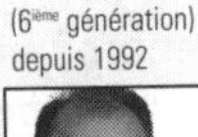

Jean-Marc PELLETIER : Maître REIKI, Maître Enseignant Initié

(7ième génération) depuis février 1993

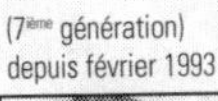

Jacques MARTEL : Maître REIKI, Maître Enseignant Initié

REIKI Niveaux 1 & 2

Le **REIKI** m'a agréablement surprise ! Je suis heureuse d'avoir été initiée, je me sens privilégiée d'avoir assisté à un atelier d'une aussi grande qualité. Tant sur le plan de l'enseignement que sur celui de l'intervenant qui, de par sa disponibilité, son ouverture à l'Energie d'**Amour**, permet que l'on puisse vivre de merveilleuses guérisons (entre autres). Merci sur tous les plans !

C.P.

Le cours m'a permis d'apprendre que je peux recevoir de l'Amour et le redistribuer. J'y ai droit et je sais le redonner. Cela m'apporte plus de confiance en moi et me permet de mieux être à ma place sur Terre. Merci à tous les gens présents à ce stage. Merci à moi-même pour m'être écoutée et laissée guider jusqu'ici.

B.I.

Prise de conscience de la responsabilité d'avoir reçu en cadeau un outil si immense et tellement puissant qu'il irradie de lui-même en moi et autour de moi. Force et concentration dans la présence ici et maintenant et en même temps expérience spirituelle très profonde, à dépasser les notions de temps et d'espace. La densité du contenu reçu va se développer et prendre toutes ses dimensions dans les prochains jours, semaines et mois : perception d'un grand travail d'approfondissement intérieur, jointe à l'évidence d'une simplicité surprenante. **J'emporte à la fois comme bagage : don immense, clarté, facilité, simplicité, humilité, transparence.** Un merci de tout mon être à Jacques et aux assistantes, dont le cœur m'a accompagné et guidé dans cette découverte unique.

M.-M.B.

Je suis venue ici sans rien en attendre. J'ai reçu beaucoup. J'ai pris une fois de plus conscience du manque d'**Amour** dans lequel j'étais. Mais j'ai pris également conscience que l'**Amour** a dû m'entourer à chaque moment, dans chaque situation de ma vie, de mes vies, mais que j'étais dans l'incapacité de le voir, de le recevoir, de l'accepter et de le rendre, d'aimer à mon tour. **L'Amour est partout, toujours présent et à partir du moment où l'on accepte de lâcher prise, de s'ouvrir, de l'accueillir, il nous remplit, nous submerge, nous baigne d'un bien-être très communicatif.** J'ai reçu un grand cadeau d'**Amour**, je veux le partager, le rayonner toujours. Je l'ai toujours eu en moi, mais peut être l'ai-je trop contenu, jusqu'au point de le rendre invisible à mes yeux et aux yeux des autres, de mes proches. Nous avons tous reçu une part de divin, cette beauté, cet **Amour**. Nous devons en être conscients. Merci beaucoup à vous tous, transmetteurs d'**Amour**. Je vous aime. Merci Jacques d'avoir croisé mon chemin. À un de ces jours.

I.R.

"Le cours m'a permis de prendre conscience que ma place ICI et MAINTENANT est sur terre! Cela m'a permis de retrouver mes racines et la terre que j'aime tant. **L'Amour du REIKI m'a profondément touché et rappelé que j'y ai aussi droit.** C'était très émouvant et rafraîchissant, une bonne bouffée d'air frais. Merci de m'avoir aidé à participer à ce cours et merci à la vie de m'avoir amené ICI aujourd'hui. Je prends conscience que j'ai beaucoup de chance de vivre sur cette merveilleuse planète. MERCI."

C.H.

"**Je dirai que j'ai reçu beaucoup d'Amour et c'est la plus belle rencontre avec soi-même… en toute sécurité. Une de mes attentes était de m'ouvrir davantage et j'ai été comblée.** Je me connais davantage et m'aime de plus en plus. Je suis reconnaissante d'avoir pu participer à ce cours. Je me sens apaisée et ai plus confiance en mes possibilités d'évoluer dans la vie, face aux autres, à certaines situations et face à moi-même. J'ai reçu ces journées comme un cadeau que je voulais me faire depuis longtemps. Merci pour votre **Amour**, votre douceur Jacques… cela m'a touchée. Merci au groupe de personnes présentes."

A.F.

REIKI Niveau 3

En suivant cet atelier, j'ai pris conscience davantage de mon ouverture. L'importance de sentir couler cette énergie d'**Amour** Universelle pour pouvoir aider et soulager mon entourage. Merci Jacques de m'avoir initiée et de m'avoir permis de recevoir tout cet **Amour**.

M. M.

Je sais que ce Niveau 3 me permet d'avancer et de continuer à me libérer de mes résistances. Il m'aide également à oser ouvrir le chakra du cœur.

J.R.

Suivre cet atelier de **REIKI** Niveau 3, a été merveilleux pour moi. J'ai senti que je m'ouvrais davantage à l'Energie d'**Amour** Universelle. Ce niveau 3 me permet de me sentir plus à l'aise avec moi-même, de sentir davantage d'énergie en moi. **C'est comme si cela avait ouvert encore plus mon cœur pour aller vers les autres et renforcé mon estime personnelle. Le REIKI est un cadeau merveilleux !** Et le fait d'avoir pu initier avec toi, Jacques, des personnes au niveau 1 et 2 si vite, ça a été une expérience magnifique pour moi ! Que d'**Amour** !! C'est comme si c'était pour moi une porte que j'ai ouverte, en initiant, une porte ouverte pour la Maîtrise ! Je me sens de plus en plus impliquée dans l'énergie du **REIKI**, et « appelée » par la Maîtrise… Merci Jacques ! De tout mon cœur ! Merci pour ce cadeau merveilleux !

M.L.

REIKI Niveau Maîtrise

Cette journée d'initiation à la Maîtrise de **REIKI** a été très belle. J'ai reçu beaucoup d'Amour et de Tendresse, de Douceur. Le partage était très agréable, le groupe d'une grande qualité, l'animateur très ouvert et inspiré. Merci.

M.LN

Beaucoup de Lumière, d'Amour Universel. Très belle initiation au niveau MAÎTRE **REIKI**. Très belle célébration. Merci. Beaucoup de chaleur, intense et torride. Tout en douceur, en tendresse mais aussi en puissance et en efficacité. Merci à tous visibles et Invisibles. **Merci des confirmations et purifications, lâcher prise qui se sont effectués en moi**. Merci à toi, Jacques, de ton Amour Fraternel envers nous. Merci à toi, Jacques, de tes efforts d'encadrement et de suivi de nos progressions et de nos formations.

H.B.

Journée exceptionnelle. Bonheur. Plénitude. Impression d'avoir gravi des marches. Merci.

D.S.

Je tiens avant tout, Jacques, à te remercier pour cette journée qui a été pour moi riche en enseignement et en prises de conscience. Merci pour l'amour que tu donnes et qui permet d'être dans l'amour et l'ouverture. Cette initiation a été très révélatrice, je me sens dans l'énergie d'Amour, et encore plus dans « apprendre, recevoir, donner ». J'accepte↓♥ et je suis remplie de gratitude. Merci aux Maîtres **REIKI**. Merci Jacques.

M.-L. F.

Pour moi cette journée a été très riche dans tous domaines, par ta présence et tout ce que tu as donné, avec tant d'Amour et de patience. **Je sais que mes soins seront différents et qu'une nouvelle vie commence**. C'est le miracle d'une nouvelle Vie que je veux vivre dans l'Amour et l'humilité. Je remercie les assistants qui ont été présents avec tant d'Amour, et encore Merci mille et mille fois.

J.P.

PAR LES INITIATIONS DU REIKI
J'ai reçu le plus géant des héritages
J'ai reçu l'harmonie dans ma famille
J'ai reçu un but dans ma vie
J'ai reçu une capacité de marche en avant
J'ai reçu... et plus encore
MERCI ♥ MERCI ♥ MERCI
En lettre d'OR sur le rayon vert d'AMOUR
Envoyé dans l'Univers
Envoyé à Dieu notre Père
Envoyé à la Source du REIKI
Nanette Godard
1999

« Sur Le Chemin De l'Éveil »

Atelier Résidentiel de 7 jours

Jacques Martel
Psychothérapeute

Auteur des livres :
« **Le grand dictionnaire des malaises et des maladies** », « **Entre l'Esprit et le Cœur** » « **ATMA, le pouvoir de l'Amour** » et « **ATMA et le cercle de guérison** »

Cet atelier se compose de détentes guidées ainsi que d'exercices pratiques visant à devenir davantage conscient. Chaque exercice sera suivi de partages. Ceci permet aux participants de s'ouvrir davantage à leur dimension intérieure et à l'**Amour**, laissant ainsi cette énergie apporter les guérisons ou les prises de conscience les plus appropriées dans l'instant Présent.

Chaque participant pourra ainsi expérimenter l'assertion suivante :

« Plus Je m'ouvre, plus Je me découvre »

Cet atelier se déroulera dans un cadre enchanteur où calme et sérénité aideront à explorer davantage ma réalité intérieure qui est sagesse infinie, **AMOUR**, liberté totale à conscientiser dans cette vie-ci.

Cet atelier est une occasion de renforcer ses fondements au niveau émotif, intellectuel et spirituel. Tout le déroulement de l'atelier a pour but d'amener graduellement des changements en profondeur, en douceur et en harmonie avec l'évolution de chacun. Nous avons l'occasion d'expérimenter le LPS (Lâcher Prise Spirituel) pour atteindre une plus grande ouverture du cœur en toute sécurité, en toute sincérité.

Il est vivement conseillé d'écouter l'une ou l'autre des méditations guidées, soit :

« ATMA, Guide de relaxation et d'harmonisation »
« ATMA, le corps de Cristal, le corps de Lumière »
ou le CD **« HU, le chant de l'Univers »** au moins une fois par jour dans les semaines qui précéderont l'atelier. Il n'est pas nécessaire de rester éveillé lors de l'audition de ces CD.

Cet Atelier s'adresse…

Cet atelier est accessible à ceux et celles qui ont un esprit ouvert. Il est bénéfique de venir avec le partenaire de vie ou d'autres membres de la famille proche, c'est-à-dire frères, sœurs, parents et enfants. Cet atelier se veut un tremplin pour créer des opportunités d'ouverture maximum selon notre propre évolution. Cet atelier s'adresse donc aux personnes souhaitant travailler et développer leur dimension intérieure. Ce qui résulte du travail avec sa dimension intérieure est une plus grande efficacité au niveau intellectuel, une plus grande paix intérieure au niveau émotionnel et une amélioration de la santé physique.

Coût

De l'Atelier :	690 € (Europe) pour les 7 jours + pension 875 $ + taxes (Canada) pour les 7 jours + pension

ATTENTION !

Nombre de places :	limitées à 30 participants.

Commentaires de fin d'atelier

Deux images me restent : le paratonnerre et le broyeur. Deux outils qui, au niveau spirituel, peuvent m'apporter **lumière, Amour**. L'utilisation de ces deux outils est comparable aux deux niveaux. Prise de conscience : **rester bloqué dans la vie est inexcusable. La transformation est possible. Je peux progresser et transformer mon être. C'est à moi de le faire et c'est possible. OK. Ce cours m'apporte donc réellement un mieux, un plus, la solution aux blocages, l'élimination du négatif en moi.** Tout en travaillant avec ce négatif, comme le broyeur broie les déchets de jardin (négatif) et se mélange à une bonne terre (positif), il produit ainsi du terreau (**Amour**) dans lequel je peux semer de belles fleurs (**lumière**, **Amour**...). Je ressens déjà quelques effets de ce travail : changement d'attitude, de voir, de ressentir, moins de tensions à l'intérieur, plus de calme, plus de clairvoyance. Détente physique. Bon déroulement du cours, j'apprécie la répétition des exercices, cela permet vraiment d'arriver à un résultat et de s'approprier les exercices. Sur l'animateur : très apprécié, positif tout au long de la semaine. Ténacité dans l'atteinte de ses objectifs. Persévérance à vouloir que les participants obtiennent un résultat, un progrès important. Bravo.

J.D.

Je suis un canal de lumière, je suis reliée en permanence à la Terre et au Ciel. J'ai juste à entrer dans la lumière pour trouver le chemin et reconnaître que je suis guidée et protégée en toute sécurité et en toute sincérité. Pour cela, j'ai juste à utiliser les différentes techniques que tu nous as apprises, Jacques, afin de s'ouvrir davantage à l'**Amour** et de rester à l'écoute de sa voix intérieure avant toute chose, pour la paix de l'**Âme**. Pour ce qui est de toi, Jacques, l'**Amour** et la **lumière** que tu dégages sont un havre de paix. Tes discours et ton enseignement sont une source précieuse et réconfortante. Pour ce qui est de moi, tu m'impressionnes encore beaucoup, alors je t'écris ce que je ne me sens pas encore prête à te dire : j'ai beaucoup d'**Amour** pour toi et je te demande pardon de ne pas pouvoir te l'exprimer encore librement. Je te remercie pour ta présence parmi nous. À bientôt.

A.P.

La confiance dans l'avenir : je sais que je vivrai des deuils comme tout le monde, j'aurai le droit d'avoir du chagrin, mais je sais que l'Être Aimé sera toujours Ici pour moi. Que je pourrai aller le retrouver d'Âme à Âme. Je saurai vivre dans la confiance de l'**Amour** de Dieu. **Je repars dans la joie, décidée à prendre ma place, celle que Dieu veut pour moi.** Je suis heureuse, plus forte, plus en harmonie. Je repars avec beaucoup de notes de cours, je sais que je vais m'en servir dans ma vie de tous les jours, tant sur le plan personnel que professionnel. Il y avait beaucoup d'efforts à vivre entre ce qui se vivait dans le personnel et le professionnel. Ce dernier était toujours dans l'**Amour**, la **lumière**, le plus souvent dans le remerciement envers Jacques Martel. Merci. J'ai apprécié de te retrouver une fois encore, tout est profitable dans tes stages, je reste ouverte en permanence et je récolte des tas d'infos de Toi et aussi de mes « Amis- stagiaires ». J'ai engrammé de belles guérisons, j'avais besoin de ton enseignement, mes Guides m'ont montré la route vers Toi. **Cette fois encore, ce fut simple, j'ai récolté les « fleurs » qu'Ils m'avaient promises. Merci.**

S.D.

Suggestions : Quelles sont les dates du prochain stage ? Merci.

Prise de conscience : d'être connectée, où que je sois, à un Océan d'**Amour**. Plus mes peurs disparaissent, plus l'**AMOUR** y fait place. FAIRE CONFIANCE À L'ÊTRE DIVIN qui est en moi. La force de l'**AMOUR** est plus forte que la force du MENTAL. Je prends conscience de la puissance d'**AMOUR** que j'ai en moi. **Je me sens capable d'aimer davantage : en premier lieu, moi-même, ensuite, tous ceux et celles qui vont graviter autour de moi.** Je suis venue à l'atelier pour lâcher prise à mes PEURS, je sais que c'est possible grâce à la TRANSMUTATION. J'ai l'impression de n'avoir rien « fait », juste ressentir, m'ouvrir, accepter↓♥ . Je sais que tout était déjà en moi, il fallait simplement faire un peu de nettoyage. Comme à chaque atelier, Jacques, un seul mot amplifié XXX fois. MERCI.

H.N.

La vraie force se trouve à l'intérieur et je suis heureuse d'avoir retrouvé cette information. Merci aussi **car je me suis reconnectée à ma dimension spirituelle** et j'en éprouve beaucoup de paix intérieure. J'ai renforcé l'**Amour** de moi et, par conséquent, je me sens plus à même d'aimer les autres, dans le détachement. Et les exercices, en particulier la circulation de la **lumière**, vont m'aider à perpétuer ce bénéfice acquis pendant le stage. **Je suis sur la voie de la paix intérieure et de l'Amour.** Un très grand merci à la vie pour toutes les belles choses qu'elle m'offre.

C.L.

Ma prise de conscience la plus importante est le détachement par rapport aux gens et événements parce qu'ils peuvent m'aider à traverser plus aisément la vie au quotidien et parce que cela m'aide à rester dans l'ouverture et donc aussi à évoluer. Je suis contente des nombreuses libérations que j'ai vécues. Depuis longtemps, je disais qu'il fallait que quelque chose sorte de moi et voilà que ceci s'est passé et **je m'en sens plus libre, plus légère et plus confiante**. Grâce aux exercices des cercles de guérison, rebirth et boule de **lumière**, j'ai retrouvé confiance en moi et beaucoup de force pour aller de face vers les événements moins agréables. Le déroulement était adapté avec des moments forts et plus relax, de quoi se remettre en forme et d'intégrer ce qui s'est passé. **J'ai retrouvé la lumière et le bonheur de donner et recevoir l'amour.** Ceci n'est qu'un début, mais qui me motive d'autant plus de continuer mon cheminement personnel. Encore MERCI.

S.C.

Je sens une plus grande force intérieure. J'ai des outils pour harmoniser les situations de ma vie, mes inconforts au moment même où ils arrivent. Je me sens plus objective et détachée des autres et de moi-même. **Mes perceptions sont plus marquées, plus claires**. Je sens ma responsabilité plus grande mais j'ai aussi le discernement, l'**Amour** de moi qui a aussi grandi. J'ai intégré en une semaine ce qu'il m'aurait fallu 10 ans de thérapie pour intégrer les mêmes choses. Le mental a été mis de côté et nous avons travaillé uniquement avec le cœur, l'**Amour** et la **lumière**, ce qui est beaucoup plus rapide et efficace. Les changements sont profonds, permanents. Merci pour ton enseignement, ton **Amour**, le Don de Toi. Je t'aime.

L.B.

Je reçois cet atelier comme un cadeau du Ciel ! Merci ! L'ambiance générale était très bonne, il y a eu une belle harmonie dans le groupe. **J'ai pris conscience que j'ai davantage avantage à écouter ma voix intérieure, car elle me donne toujours la meilleure solution pour ce dont j'ai besoin**. Je sais qu'il va falloir que je me positionne dans mon couple. Je vais avoir à exprimer mes désirs, mes envies, en fonction de ce que me dit ma voix intérieure. Je vais appliquer la technique de « faire circuler la boule de **lumière** » en moi et y mettre aussi ce qui me dérange. À partir d'aujourd'hui, je démarre une vie remplie de **lumière** et d'**Amour** et j'attire à moi des personnes ouvertes.

M.L.

Commentaires après un mois

Cher Jacques,

Ce séjour à Carcassonne fut un des plus bénéfiques que j'ai vécu. Ce temps – finalement bref – de retraite spirituelle m'a réellement envahi, pénétré et, bien sûr, transformé.

Cet état de conscience créé lors du Séminaire s'est prolongé bien au-delà. Très présent durant trois à quatre semaines et légèrement réduit les semaines suivantes. Actuellement, à nouveau, le mental et la vie quotidienne tenaces et incontournables se manifestent et reprennent leur place mais il y a tout de même des acquis - tel que la voix intérieure … - qui se manifestent à leur tour. Car en moi, je me sens continuellement poussé ou aspiré vers une progression, changeant d'état de conscience ou évolution spirituelle. Si je ne finis pas par y répondre – je ressens alors un manque ou un certain déséquilibre - … une chute … l'impression peut-être, de ne pas suivre mon destin.

Il s'agit d'un lâcher-prise à mon passé, éducation et à mon environnement actuel qui n'est pas nécessairement favorable. Tout cela n'est pas évident !
Mais je n'ai pas dit mon dernier mot !

Malgré mon âge, j'ai l'impression d'avoir beaucoup à apprendre, comprendre, évoluer et à faire sur cette planète. Et connaître exactement quelle mission à réaliser dans le futur.

Je souhaiterais encore une bonne évolution avant un prochain séminaire afin d'y vivre une nouvelle étape.

Merci, mille fois, pour ton intérêt pour chacun, ta persistance, ta volonté discrète à faire progresser chacun toujours plus.

Avec toute ma reconnaissance et mes meilleures amitiés empruntées d'**Amour**.

J.D.

À la suite de ce stage, j'ai tout de suite vu une différence au niveau de ma sensibilité et de mes perceptions : plus grandeS, plus subtileS ce qui m'amène à m'adapter à un nouveau niveau de fonctionnement. Pour équilibrer ce nouvel état d'être, je sens que mon niveau de détachement est plus grand aussi, ce qui m'amène l'équilibre nécessaire à cette « nouvelle réalité ». Je vois dans chaque petit détail de la vie de tous les jours le « macrocosme dans le microcosme »; comme ce qui se passe à l'échelle mondiale n'est que le reflet de ce qui se passe à l'intérieur de moi.

Ma responsabilité est plus grande, ma compassion aussi. Je vois des situations qui me dérangeaient auparavant comme « normale » maintenant, faisant partie du chemin d'évolution que chaque personne choisit.

J'ai parfois l'impression d'être moins patiente ou tolérante mais je me rends compte que je sais plus et je suis plus capable d'identifier clairement ce qui est bon pour moi, mes besoins et je peux aussi plus les exprimer. Auparavant, je jouais plus au caméléon pour « être une bonne fille »…

L'exercice de la boule de lumière m'aide beaucoup dans ma vie quotidienne. Je la fais particulièrement le soir, avant d'aller me coucher. J'y place les événements de la journée qui m'ont dérangée. **Cela me calme et me fait voir les situations avec une vision différente, plus ouverte.** Si je place l'image d'une personne dans la boule, elle se transforme toujours et ma propre image apparaît, signe que tout ce qui me dérange part de moi! C'est très responsabilisant mais en même temps, cela m'aide à dormir car mon mental décroche par l'acceptation↓♥ de qui je suis, même si c'est dérangeant. Cet exercice me donne aussi des réponses face à des situations où j'ai des questionnements. Il m'est arrivé d'égarer mon ordinateur portable et en faisant l'exercice et en imaginant l'ordinateur dans la boule de **Lumière**, l'information dont j'avais besoin m'est apparue et je l'ai retrouvé quelques jours plus tard, au bon moment.

Depuis le stage, j'ai beaucoup plus le goût de m'éloigner des foules, j'ai besoin de plus de calme. Mon travail, comme chef de cabine pour une compagnie aérienne, est un défi : je dois beaucoup plus me reposer après quelques jours de travail. Face aux participants du stage, je sens intensément le lien d'**Amour** et de confiance qui s'est installé entre nous. Ce sont mes frères et sœurs de **Lumière** sur le Chemin du retour à la source. Je sens ce lien en permanence qui nous unit, ce qui est différent du passé où je sentais un vide et le manque après un stage.

Ma relation avec mon compagnon est plus solide, en harmonie, mature. Tous les deux recevons des messages de plus en plus clairs de notre voix intérieure et cela amène une plus grande force et stabilité dans le couple.

Les effets du stage continuent à chaque jour : j'ai mis en banque de grandes énergies de transformations et elles se produisent au moment opportun.
Merci à toi Jacques, Merci à la Vie de me donner de si merveilleux outils de transformation!

L.B.

Bonjour Jacques,

Je me rapproche de toi, pour t'envoyer ma contribution suite au stage de Carcassone.

J'ai pensé à toi ce week end, par rapport au REIKI. Je ressentais beaucoup de Lumière et de calme intérieur. Je me sentais très proche de toi et tu étais présent lorsque j'étais en train de marcher sur la plage avec mon mari. En fait, je ne te visualisais pas, je ressentais ta présence.

Par rapport aux nombreux bienfaits du stage, je peux dire que le principal est que je sens que je suis en train de m'affirmer chaque jour davantage. Tout ceci se passe dans le calme et la douceur, mais avec une grande détermination. Cela m'apporte beaucoup de force intérieure. D'autre part, je ne laisse plus "traîner" les choses qui ne me conviennent pas, je le dis tout de suite, avec le plus de discernement possible, mais je le dis.

Et comme dit ma fille, si cela convient aux autres, tant mieux, et si ceci ne convient pas, c'est bien aussi. Et en fait, en général, ceci convient car je suis dans l'ouverture, les gens le sentent et se sentent à l'aise comme je le suis moi-même.

Je reste le plus possible à l'écoute de ma voix intérieure, je prends surtout le temps de m'écouter, et je le fais aussi souvent que possible, car en fait c'est le meilleur pour moi d'agir ainsi, je suis beaucoup plus calme.

J'écoute tous les jours le CD « **ATMA, le corps de Cristal, le corps de Lumière** » ou celui « **ATMA, Guide de relaxation et d'harmonisation** » mais de préférence j'écoute le premier; par contre, je dois prendre le temps pour faire circuler la boule de **Lumière** lorsque j'arrive chez moi. D'un autre côté, selon où je me trouve (train, salle d'attente, ou autre) je le fais, et finalement je m'aperçois en t'écrivant, que je le fais souvent, donc c'est bien.

Donc je me remercie d'avoir fait ce stage merveilleux, je te remercie de m'avoir permis de le faire et je remercie l'univers.

Je t'envoie beaucoup d'**Amour**.

C.L.

BON DE COMMANDE (Pour le Canada)

COORDONNÉES (svp en caractère d'imprimerie)

Nom : ______________ Prénom : ______________

Adresse : ______________ Ville : ______________

Province : ______________ Pays : ______________ Code Postal : ______________

Tél. : ______________ Bur. : ______________

Courriel : ______________

NOM DE L'ARTICLE	PRIX*	QTÉ	TOTAL
LIVRE			
Le grand dictionnaire des malaises et des maladies	45 $		
Entre l'Esprit et le Coeur	38 $		
Les étoiles écoutent toujours quand on leur parle	23 $		
Mal de Père	27 $		
Fleurs de Bach - Je Suis alchimie – Les fleurs s'expriment à travers les harmonisant du Dr Bach	38 $		
Entretiens avec le Divin (Volume 1)	27 $		
ATMA, le pouvoir de l'Amour	23 $		
M'éveiller à l'amour de mon enfant intérieur pour mieux vivre (Tome 1)	27 $		
M'éveiller à l'amour de mon enfant intérieur pour mieux vivre (Tome 2)	38 $		
M'éveiller à l'amour de mon enfant intérieur pour mieux vivre (Tome 3)	38 $		
Un printemps à Saint-Surprenant	27 $		
Comment un chien dans un jeu de quilles!	27 $		
ATMA et le cercle de guérison	12 $		
Mon auto, miroir de ma vie	23 $		
CD			
Album double : livre audio « Entre l'Esprit et le Cœur »	27 $		
ATMA, Guide de relaxation et d'harmonisation	25 $		
ATMA, le corps de Cristal, le corps de Lumière	25 $		
ATMA, la musique des Sphères	25 $		
HU, le chant de l'Univers / HU : Chant of the Universe	23 $		
Vaincre la peur et l'inconfort en avion / Conquering your Fear and Discomfort when Flying	23 $		
NAMASTÉ – Vers la plénitude de la Source / NAMASTÉ – Reaching the Source and it's fullness	23 $		
Terre de vie	25 $		
Parle aux Anges	25 $		
CD CONFÉRENCE			
La maladie, un message d'Amour à comprendre	10 $		
Bien vivre sa sexualité	10 $		
Maladie et guérison : Est-il plus important de comprendre ou de guérir?	10 $		
Comment être à l'écoute de sa conscience?	10 $		
L'Être humain, lien entre le ciel et la terre	10 $		
La maladie, un appel de l'Âme à comprendre	10 $		
L'Amour déguisé vs l'Amour vrai	10 $		
Comment développer plus de Joie de Vivre?	10 $		
Comment la guérison passe par la conscience?	10 $		
	TOTAL		

** le prix comprend les taxes et la manutention*

Allouer 2 à 4 semaines pour la livraison au Canada

MODE DE PAIEMENT

Canada : Chèque ou mandat postal à l'ordre de ATMA Inc.

Extérieur du Canada : Mandat international en devise canadienne

C.P.8818, Succursale Sainte-Foy, Québec (Québec) Canada, G1V 4N7

Téléphone : (418) 990-0808 • Télécopieur : (418) 990-1115

www.atma.ca

info@atma.ca